Hamacher / Wahl

Selbstmedikation

Arzneimittelinformation
und Beratung in der Apotheke

Gesamtwerk mit 3. Aktualisierungslieferung zur 2. Auflage, 2017　**Band 2**

Herausgegeben von
Harald Hamacher, Tübingen
Martin A. Wahl, Tübingen

Mit Beiträgen von
Werner Aye, Münster
Helga Blasius, Remagen
Harald Hamacher, Tübingen
Marion Hamacher, Weil im Schönbuch
Gunhild Herberich, Lüneburg
Katrin Lorenz, Dresden
Rüdiger von Schmidt, Vögelsen
Barbara Wahl, Tübingen
Martin A. Wahl, Tübingen
Christiane Weber, Reutlingen

Mit 137 Abbildungen, 285 Tabellen und 222 Formelzeichnungen

Deutscher
Apotheker Verlag

Zuschriften an
lektorat@dav-medien.de

Anschriften der Herausgeber:

Prof. Dr. Harald Hamacher
Dischingerweg 15
72070 Tübingen
E-Mail: hamacher.h@t-online.de

Pharmaziestudium in Aachen und Braunschweig, Promotion zum Dr. rer. nat. in Tübingen. 1971–1978 Lehre und Forschung an der Universität Tübingen, Habilitation 1976. Leiter der Abteilung Pharmazeutische Chemie, Biologie und Technologie im Institut für Arzneimittel des Bundesgesundheitsamtes 1978–1982. Außerplanmäßiger Professor der Freien Universität Berlin 1981. Verschiedene Tätigkeiten in der Pharmazeutischen Industrie. Gründer und Inhaber des LAZ (Laboratorium für Arzneimittelprüfung und Zulassungsberatung) in Tübingen 1984–2008.

Prof. Dr. Martin A. Wahl
Eberhard-Karls-Universität Tübingen
Auf der Morgenstelle 8
72076 Tübingen
E-Mail: Martin.Wahl@uni-tuebingen.de

Studium der Pharmazie in Tübingen. 1984 Promotion bei H.P.T Ammon über ein experimentell-diabetologisches Thema. 1993/94 Auslandsaufenthalt am Karolinska Institute in Stockholm bei P. O. Berggren und S. Effendic. 1995 Habilitation für Pharmakologie und Toxikologie. 1997 Anerkennung als Fachapotheker für Arzneimittelinformation. Seit 1998 Leiter der Arbeitsgruppe Biopharmazie in der Pharmazeutischen Technologie an der Universität Tübingen. 2001 Ernennung zum außerplanmäßigen Professor.

Alle Angaben in diesem Werk wurden sorgfältig geprüft. Dennoch können die Autoren und der Verlag keine Gewähr für deren Richtigkeit übernehmen.
Ein Markenzeichen kann warenzeichenrechtlich geschützt sein, auch wenn ein Hinweis auf etwa bestehende Schutzrechte fehlt.

Bibliografische Information der Deutschen Nationalbibliothek
Die Deutsche Nationalbibliothek verzeichnet diese Publikation in der Deutschen Nationalbibliografie; detaillierte bibliografische Daten sind im Internet unter http://dnb.d-nb.de abrufbar.
Jede Verwertung des Werkes außerhalb der Grenzen des Urheberrechtsgesetzes ist unzulässig und strafbar. Das gilt insbesondere für Übersetzungen, Nachdrucke, Mikroverfilmungen oder vergleichbare Verfahren sowie für die Speicherung in Datenverarbeitungsanlagen.

3. Aktualisierungslieferung zur 2. Auflage 2017
ISBN 978-3-7692-6824-9

Gesamtwerk mit 3. Aktualisierungslieferung zur 2. Auflage, 2017
ISBN 978-3-7692-6825-6

© 2017 Deutscher Apotheker Verlag
Birkenwaldstraße 44, 70191 Stuttgart
www.deutscher-apotheker-verlag.de
Printed in Germany
Satz und Druck: Druckerei C. H. Beck, Nördlingen

Inhaltsverzeichnis

Vorworte I
Autorenverzeichnis I
Abkürzungsverzeichnis I

0 Einführung

H. Hamacher

0.1	Definition der Selbstmedikation	1
0.2	Stellenwert und Grenzen der Selbstmedikation	3
0.3	Bewertungsgrundsätze für Arzneimittel	7
0.3.1	Phytopharmaka	10
0.3.2	Kombinationstherapie	11
0.3.3	Plazebo-Effekt	13
0.4	Allgemeine Aspekte der Patientenberatung	17
0.4.1	Patient mit Eigendiagnose oder Arzneimittelwunsch	17
0.4.1.1	Gesprächspartner	17
0.4.1.2	Hinterfragen des Arzneimittelwunsches bzw. der Eigendiagnose	19
0.4.2	Grenzen der Selbstmedikation ...	24
0.4.3	Kriterien bei der Arzneimittelauswahl	24
0.4.4	Wichtige Informationen bei der Abgabe	25
0.4.5	Unterstützende Maßnahmen und Informationen	26
0.4.6	Allgemeine Gesundheitsrisiken	26a
0.4.7	Berücksichtigung besonderer Lebenssituationen in der Pharmakotherapie	28
0.4.7.1	Schwangerschaft	28
0.4.7.2	Stillzeit	29
0.4.7.3	Alter	31

1 Nervensystem

H. Hamacher

1.1	Schmerz, Entzündung, Fieber	1
1.1.1	Schmerz	2
1.1.1.1	Ablauf der Schmerzreaktion und Schmerzstoffe	2
1.1.1.2	Schmerztypen	4
1.1.1.3	Häufige Schmerzzustände	6
1.1.2	Entzündung	9
1.1.3	Fieber	9
1.1.4	Medikamentöse Maßnahmen	11
1.1.4.1	Salicylsäure und Salicylsäurederivate	13
1.1.4.2	Arylalkansäuren	20a
1.1.4.3	Anilinderivate	29
1.1.4.4	Pyrazolinderivate	32 b
1.1.4.5	Fixkombinationen	35

Inhaltsverzeichnis

1.1.4.6	Nierenschäden durch Prostaglandinsynthese-Hemmer	36 a
1.1.4.7	Kardiovaskuläres Risiko der Cyclooxygenasehemmer	37
1.1.4.8	Schwangerschaftsrisiko der Cyclooxygenasehemmer	38
1.1.5	Patientengespräch	38
1.1.5.1	Schmerzursache	38
1.1.5.2	Auswahl des Schmerzmittels	38 a
1.1.5.3	Migränebehandlung	38 b
1.1.5.4	Behandlung des Spannungskopfschmerzes	45
1.1.5.5	Behandlung des Dysmenorrhö	46
1.1.5.6	Behandlung des Kopfschmerzes bei Medikamentenübergebrauch	47
1.1.5.7	Topische Schmerzbehandlung	47
1.2	**Schlaflosigkeit, Angst**	**51**
1.2.1	Anatomische und pathophysiologische Grundlagen	51
1.2.1.1	Schlaf	51
1.2.1.2	Angst	54 a
1.2.2	Medikamentöse Maßnahmen	54 b
1.2.2.1	Chemisch definierte Wirkstoffe	55
1.2.2.2	Pflanzliche Beruhigungs- und Schlafmittel	59
1.2.2.3	Kombinationspräparate	66
1.2.3	Patientengespräch	67
1.2.3.1	Ursachen von Schlafstörungen	67
1.2.3.2	Nicht medikamentöse Schlafhilfen	68
1.2.3.3	Prioritäten bei der Behandlung von Schlafstörungen	68 a
1.2.3.4	Schlafmittelsucht	68 a
1.2.3.5	Angststörungen	68 b
1.3	**Müdigkeit, Antriebsschwäche**	**69**
1.3.1	Medikamentöse Maßnahmen	69
1.4	**Depressionen**	**77**
1.4.1	Krankheitsbild	77
1.4.2	Medikamentöse Maßnahmen	77
1.5	**Übelkeit, Erbrechen**	**83**
1.5.1	Physiologische und pathophysiologische Grundlagen	83
1.5.1.1	Kinetose	83
1.5.1.2	Vomitus	84
1.5.1.3	Brechvorgang	85
1.5.2	Medikamentöse Maßnahmen	86
1.5.2.1	Monopräparate	86
1.5.2.2	Kombinationspräparate	87
1.5.3	Patientengespräch	87

2 Verdauungstrakt

H. Hamacher, M. Wahl

2.1	**Erkrankungen der Lippen und der Mundhöhle**	**1**
2.1.1	Anatomie und Physiologie des Mund- und Rachenbereichs	1
2.1.1.1	Mundhöhle	1
2.1.1.2	Speicheldrüsen	2
2.1.1.3	Rachen	2
2.1.2	Krankheitsbilder	2
2.1.2.1	Herpes labialis	2
2.1.2.2	Schrunden oder Rhagaden	3
2.1.2.3	Entzündliche Veränderungen der Schleimhäute im Bereich der Mundhöhle	3
2.1.2.4	Aphthen	4
2.1.2.5	Mundsoor	4
2.1.2.6	Mundgeruch	4
2.1.2.7	Entzündungen in Hals oder Rachen	5
2.1.3	Medikamentöse Maßnahmen	6
2.1.3.1	Antiphlogistika	6
2.1.3.2	Adstringentien	8
2.1.3.3	Antiseptika	9
2.1.3.4	Lokalantibiotika	12
2.1.3.5	Antimykotika	14
2.1.3.6	Virustatika	15
2.1.3.7	Lokalanästhetika	16 b
2.1.3.8	Weitere Substanzen	20
2.1.4	Patientengespräch	21
2.1.4.1	Auswahl des Arzneimittels	24
2.2	**Erkrankungen der Speiseröhre und des Magens**	**27**
2.2.1	Anatomie und Physiologie	27
2.2.1.1	Speiseröhre	27
2.2.1.2	Magen	27
2.2.2	Krankheitsbilder	29

2.2.2.1	Refluxerkrankungen der Speiseröhre	29
2.2.2.2	Motilitätsstörungen	30 b
2.2.2.3	Reizmagen	30 b
2.2.2.4	Magenschleimhautentzündung	30 b
2.2.2.5	Ulkuskrankheit	30 b
2.2.3	Medikamentöse Behandlung	31
2.2.3.1	Protonenpumpeninhibitoren	31
2.2.3.2	H$_2$-Blocker	35
2.2.3.3	Antazida	36
2.2.3.4	Alginsäurehaltige Präparate	45
2.2.3.5	Spasmolytika	46
2.3.3.6	Antiphlogistika	47
2.2.3.7	Adstringentien	47
2.2.3.8	Carminativa	47
2.2.4	Patientengespräch	47
2.2.5	Auswahl des Arzneimittels	51
2.3	**Erkrankungen des Darms und der Bauchspeicheldrüse**	**53**
2.3.1	Anatomie und Physiologie	53
2.3.1.1	Dünndarm	53
2.3.1.2	Dickdarm	54
2.3.1.3	Bauchspeicheldrüse	54
2.3.1.4	Abbau und Resorption der Nahrungsbestandteile	56
2.3.2	Durchfallerkrankungen	56
2.3.2.1	Krankheitsbilder und pathophysiologische Grundlagen	56
2.3.2.2	Diätetische Maßnahmen	64
2.3.2.3	Medikamentöse Maßnahmen	64 a
2.3.2.4	Patientengespräch	75
2.3.2.5	Reiseapotheke	78
2.3.3	Obstipation	78 b
2.3.3.1	Krankheitsbild	78 b
2.3.3.2	Medikamentöse Maßnahmen	80
2.3.3.3	Patientengespräch	95
2.3.3.4	Verstopfung bei Kindern	99
2.3.4	Blähungen	102
2.3.4.1	Krankheitsbild	102
2.3.4.2	Medikamentöse Maßnahmen	102
2.4	**Reizdarmsyndrom**	**104 a**
2.4.1	Krankheitsbild und pathophysiologische Grundlagen	104 a
2.4.2	Medikamentöse Maßnahmen	104 b
2.4.3	Patientengespräch	104 b
2.5	**Appetitlosigkeit, dyspeptische Beschwerden**	**105**
2.5.1	Krankheitsbild und pathophysiologische Grundlagen	105
2.5.2	Medikamentöse Maßnahmen	106
2.5.2.1	Bitterstoff-Drogen (Amara)	107
2.5.2.2	Enzymsubstitution	115
2.6	**Wurmerkrankungen**	**119**
2.6.1	Infektionen mit Cestoden	119
2.6.1.1	Cestodenmittel	127
2.6.2	Infektionen mit Nematoden	131
2.6.2.1	Nematodenmittel	133
2.6.3	Infektionen mit Trematoden	135
2.6.3.1	Trematodenmittel	138
2.6.4	Patientengespräch	138
2.7	**Lebererkrankungen**	**141**
2.7.1	Anatomie der Leber und Gallenblase	141
2.7.2	Lebererkrankungen	142
2.7.2.1	Hepatotoxische Substanzen	142
2.7.2.2	Leberschäden durch chronischen Alkoholabusus	142
2.7.2.3	Lebererkrankungen durch Arzneimittel	143
2.7.3	Lebertherapeutika	144
2.7.3.1	Lactulose	144
2.7.3.2	Phospholipide	144
2.7.3.3	Vitamine	145
2.7.3.4	Mariendistelfrüchte	145
2.8	**Gallenerkrankungen**	**149**
2.8.1	Krankheitsbilder	149
2.8.2	Medikamentöse Maßnahmen	150
2.8.2.1	Auflösung von Gallensteinen	150
2.8.2.2	Spasmolytika	151
2.8.2.3	Choleretika	153

3 Alimentäre Substitution und Übergewicht

M. Wahl

3.1	Vitamine	1
3.1.1	Vitaminbedarf	1
3.1.2	Vitaminsubstitution und -therapie	2
3.1.2.1	Vitamine der B-Gruppe	2
3.1.2.2	Vitamin C	27
3.1.2.3	Vitamin A und Beta-Carotin	30
3.1.2.4	Vitamin D	34
3.1.2.5	Vitamin E, Tocopherole und Tocopherolester	40
3.1.2.6	„Pseudovitamine", vitaminähnliche Substanzen	44
3.1.2.7	Multivitaminpräparate	46a
3.1.3	Patientengespräch	46c
3.2	**Mineralstoffe**	47
3.2.1	Mengenelemente	48
3.2.1.1	Natrium	48
3.2.1.2	Kalium	49
3.2.1.3	Magnesium	52
3.2.1.4	Calcium	56
3.2.1.5	Phosphat	60
3.2.2	Spurenelemente	61
3.2.2.1	Molybdän	62
3.2.2.2	Mangan	62
3.2.2.3	Eisen	63
3.2.2.4	Cobalt	66
3.2.2.5	Kupfer	68
3.2.2.6	Zink	68
3.2.2.7	Selen	71
3.2.2.8	Fluorid	73
3.2.2.9	Iod	75
3.2.3	Heilwässer	79
3.2.4	Patientengespräch	80a
3.3	**Übergewicht**	81
3.3.1	Übergewicht als Risikofaktor	82
3.3.2	Nicht medikamentöse Maßnahmen bei Übergewicht	82
3.3.2.1	Reduktionsdiät	83
3.3.3	Medikamentöse Maßnahmen bei Übergewicht	84
3.3.3.1	Phenylpropanolamin	84
3.3.3.2	Orlistat	84
3.3.3.3	Tang-haltige Präparate zur Gewichtsreduktion	86
3.3.3.4	Ballaststoffe	86
3.3.3.5	Mate	87
3.3.4	Patientengespräch	87

4 Herz und Kreislauf

H. Blasius

4.1	Herzinsuffizienz, Durchblutungsstörungen des Herzmuskels	1
4.1.1	Anatomie und Physiologie der Herzens	1
4.1.1.1	Anatomie des Herzens	1
4.1.1.2	Phasen der Herzaktion	3
4.1.1.3	Anpassung der Herzaktion	4
4.1.1.4	Erregungsbildungs- und Erregungsleitungssystem des Herzens	5
4.1.1.5	Koronardurchblutung	6
4.1.2	Krankheitsbild und pathophysiologische Grundlagen	7
4.1.2.1	Einteilung nach Ausprägung	7
4.1.2.2	Ursachen der Herzinsuffizienz	8
4.1.2.3	Kompensationsmechanismen bei Herzinsuffizienz	9
4.1.2.4	Klinisches Bild der Herzinsuffizienz	10
4.1.2.5	Klassifikation der Herzinsuffizienz	11
4.1.3	Medikamentöse Maßnahmen	12
4.1.3.1	Magnesium	12
4.1.3.2	Weißdorn	14
4.1.3.3	Herzglykosid-haltige Drogen	18
4.1.3.4	Kombinationspräparate	21
4.1.4	Patientengespräch	21
4.1.4.1	Nicht medikamentöse Therapie	21
4.1.4.2	Medikamentöse Maßnahmen	23

4.2	**Arterielle Hypotonie**	25
4.2.1	Anatomie und Physiologie des Kreislaufs	25
4.2.1.1	Lungen- und Körperkreislauf	25
4.2.1.2	Aufbau und Funktionsweise des Gefäßsystems	26
4.2.1.3	Blutfluss und Strömungsgeschwindigkeit	28
4.2.1.4	Druckverhältnisse im Kreislaufsystem	28
4.2.1.5	Regulation des Blutdrucks und des Kreislaufs	29
4.2.1.6	Arterieller Blutdruck als Kreislaufparameter	30
4.2.2	Blutdruckmessung	30
4.2.2.1	Auskultatorisches Verfahren	30
4.2.2.2	Oszillometrisches Verfahren	30
4.2.2.3	Auswahl eines geeigneten Gerätes	31
4.2.2.4	Oberarm oder Handgelenk?	31
4.2.2.5	Was ist beim Messen zu beachten?	31
4.2.3	Krankheitsbild und pathophysiologische Grundlagen	33
4.2.3.1	Definition der arteriellen Hypotonie	33
4.2.3.2	Klinische Ausprägung verschiedener Hypotonieformen	33
4.2.4	Medikamentöse Behandlung der konstitutionellen Hypotonie	34
4.2.4.1	Venentonisierung und Verbesserung des venösen Rückstroms	34
4.2.4.2	Erhöhung des peripheren Widerstandes mit Sympathomimetika	35
4.2.4.3	Erhöhung des zirkulierenden Plasmavolumens	36
4.2.4.4	Phytotherapeutika	36
4.2.5	Patientengespräch	36
4.2.5.1	Nicht medikamentöse Maßnahmen	36
4.2.5.2	Medikamentöse Maßnahmen	37
4.3	**Hypertonie**	39
4.3.1	Krankheitsbild und pathophysiologische Grundlagen	39
4.3.1.1	Definition und Klassifizierung der Hypertonie	40
4.3.1.2	Blutdruck-Grenzwerte im Kontext des kardiovaskulären Gesamtrisikos	42
4.3.2	Blutdruckmessung, Besonderheiten beim Hypertoniker	42
4.3.3	Bluthochdruck bei Kindern	45
4.3.4	Medikamentöse Maßnamen	46
4.3.5	Patientengespräch	46b
4.4	**Arteriosklerose und koronare Herzkrankheit**	47
4.4.1	Funktion und Zusammensetzung der Nahrungsfette	47
4.4.1.1	Klassifizierung der Lipide	47
4.4.1.2	Klassifizierung der Fettsäuren	47
4.4.1.3	Cis- und trans-Fettsäuren	48
4.4.1.4	Essentielle Fettsäuren, Omega-3- und Omega-6-Fettsäuren	48
4.4.2	Struktur und Funktion der Lipoproteine und der Apolipoproteine	50
4.4.3	Stoffwechsel der Lipide und Lipoproteine	52
4.4.4	Störungen des Lipoproteinstoffwechsels	54
4.4.5	Pathophysiologie der Arteriosklerose	55
4.4.5.1	Oxidationstheorie	55
4.4.5.2	Infektions-Theorie	56
4.4.5.3	Mainzer Konzept	56
4.4.6	Koronare Herzkrankheit	57
4.4.6.1	Erscheinungsformen einer KHK	57
4.4.6.2	Weitere Risikofaktoren für die Entstehung einer KHK	58
4.4.6.3	Prognose und Risikostratifizierung bei KHK	60
4.4.6.4	Allgemeines Risikofaktoren-Management und Prävention der KHK	62
4.4.7	Erhebung des Lipidstatus	63
4.4.8	Zielgrößen für die Einstellung der Blutlipidspiegel	63
4.4.9	Nicht medikamentöse Maßnahmen bei Fettstoffwechselstörungen, Diät	65
4.4.10	Medikamentöse Therapie von Fettstoffwechselstörungen	65

4.4.10.1	Chemisch definierte Substanzen	66	4.5.8.1	Moxaverin	94 b
4.4.10.2	Fischöle – mehrfach ungesättigte Fettsäuren	67	4.5.8.2	Ginkgo biloba	94 b
4.4.10.3	Wirkstoffe pflanzlichen Ursprungs	70	4.5.9	Patientengespräch	94 f
4.4.11	Patientengespräch	75	4.5.9.1	Periphere arterielle Verschlusskrankheit	94 f
			4.5.9.2	Zerebrale Durchblutungsstörungen	94 h
4.5	**Periphere arterielle Durchblutungsstörungen**	**79**	**4.6**	**Venenleiden**	**95**
4.5.1	Großer und kleiner Körperkreislauf	79	4.6.1	Funktion des venösen Gefäßsystems	95
4.5.2	Lymphsystem	81	4.6.2	Lymphe und Lymphgefäßsystem	97
4.5.3	Einteilung der Durchblutungsstörungen nach Lokalisation und Pathogenese	81	4.6.2.1	Lymphatische Organe	98
			4.6.2.2	Erkrankungen des Lymphgefäßsystems (Ödem, Lymphödem)	98
4.5.4	Periphere arterielle Durchblutungsstörungen	82			
4.5.4.1	Pathogenese der pAVK	83	4.6.3	Krankheitsbild und pathophysiologische Grundlagen von Venenleiden	99
4.5.4.2	Klinisches Bild der pAVK	83			
4.5.4.3	Stadieneinteilung nach Fontaine	84	4.6.3.1	Entstehung und Lokalisation primärer Varikosen	99
4.5.4.4	Akuter Gefäßverschluss	84			
4.5.4.5	Asymptomatische pAVK	85	4.6.3.2	Chronisch venöse Insuffizienz – CVI	100
4.5.4.6	Epidemiologie der pAVK	85			
4.5.4.7	Diagnose der pAVK	86	4.6.3.3	Komplikationen des Krampfaderleidens: Varizenruptur, Thrombophlebitis, Thrombose	101
4.5.4.8	Behandlung der pAVK	86			
4.5.5	Zerebrale Durchblutungsstörungen	88			
4.5.5.1	Definition und Pathogenese des Schlaganfalls	88	4.6.4	Ursachen und Risikofaktoren für chronische Venenleiden	101
4.5.5.2	Epidemiologie des Schlaganfalls	90	4.6.5	Nicht medikamentöse Therapie der CVI	103
4.5.5.3	Behandlung des Schlaganfalls	90	4.6.5.1	Sklerosierungstherapie, endoluminale Verfahren und transkutane Lasertherapie, operative Verfahren	103
4.5.6	Risikofaktoren und Primärprävention arterieller Durchblutungsstörungen	92			
4.5.6.1	Arterielle Hypertonie	92	4.6.5.2	Kompressionsbehandlung	104
4.5.6.2	Rauchen	92	4.6.5.3	Manuelle Lymphdrainage	107
4.5.6.3	Hypercholesterinämie	93	4.6.5.4	Weitere Allgemeinmaßnahmen bei chronischer Veneninsuffizienz	107
4.5.6.4	Diabetes mellitus	93			
4.5.6.5	Übergewicht	93			
4.5.6.6	Bewegungsmangel	93	4.6.6	Medikamentöse Therapie mit oralen Venenmitteln	107
4.5.6.7	Andere Risikofaktoren	93			
4.5.7	Rezidivabschätzung beim Schlaganfall und Sekudärprävention	94	4.6.6.1	Rosskastaniensamen/Aescin	108
			4.6.6.2	Mäusedornwurzelstock	112
			4.6.6.3	Steinkleekraut	112
4.5.8	Medikamentöse Therapie arterieller Durchblutungsstörungen	94 b	4.6.6.4	Flavonoide und Flavonoid-Glykoside	113
			4.6.6.5	Kombinationspräparate	116

4.6.7	Topische Antivarikosa	117	4.7.2.4	Ursachen von Hämorrhoiden	126	
4.6.8	Patientengespräch	119	4.7.3	Medikamentöse Maßnahmen	127	
			4.7.3.1	Systemische Therapie	127	
4.7	**Hämorrhoiden**	123	4.7.3.2	Lokaltherapie bei Hämorrhoiden	127	
4.7.1	Anatomischer Aufbau des Enddarms	123	4.7.3.3	Kombinationspräparate und Präparateauswahl	131	
4.7.2	Krankheitsbild und pathophysiologische Grundlagen	124	4.7.4	Patientengespräch	132	
4.7.2.1	Lage und Ausprägung der Hämorrhoiden	124	4.7.4.1	Nicht medikamentöse Maßnahmen	133	
4.7.2.2	Symptomatik des Hämorrhoidalleidens	125	4.7.5	Technische Behandlungsmöglichkeiten und Operation	134	
4.7.2.3	Methoden zur diagnostischen Abklärung	126				

5 Harnwege

B. und M. Wahl

5.1	**Anatomie und Physiologie der Niere**	1	5.2.10	Störungen von Tonus und Peristaltik der Harnleiter	11
5.1.1	Nephron	1	5.2.10.1	Kompletter oder partieller Harnleiterverschluss	11
5.1.2	Nierenfunktion	2	5.2.10.2	Vesikourethraler Reflux	11
5.1.2.1	Glomeruläre Filtration	2	5.2.11	Urolithiasis	11
5.1.2.2	Tubuläre Transportechanismen	3	5.2.12	Reizblase und Harninkontinenz	12
5.1.2.3	Harnkonzentrierung	5			
5.1.2.4	Regulation der Nierenfunktion	5	**5.3**	**Maßnahmen bei Erkrankungen von Niere und ableitenden Harnwegen**	13
5.1.3	Blase und ableitende Harnwege	6			
5.1.3.1	Harnleiter	6	5.3.1	Medikamentöse Maßnahmen bei Harnwegsinfektionen	13
5.1.3.2	Harnblase	7	5.3.1.1	Antiseptika	14
5.1.3.3	Harnröhre	8	5.3.1.2	Pflanzliche Harnantiinfektiva	15
5.2	**Krankheitsbilder der Niere und ableitenden Harnwege**	9	5.3.1.3	Diuretika	20
5.2.1	Störungen der glomerulären Filtration	9	5.3.2	Medikamentöse Maßnahmen bei Reizblase und Harninkontinenz	30
5.2.2	Glomerulonephritiden	9	5.3.2.1	Chemische Spasmolytika	31
5.2.2.1	Nephrotisches Syndrom	9	5.3.2.2	Phytopharmaka	32
5.2.3	Pyelonephritis	9	5.3.2.3	Sonstige Behandlungsmethoden	35
5.2.4	Interstitielle Nephritiden	9			
5.2.5	Akutes Nierenversagen	10	5.3.3	Medikamentöse Maßnahmen gegen Nierensteine	35
5.2.6	Chronische Niereninsuffizienz und Urämie	10	5.3.4	Patientengespräch Niere und ableitende Harnwege	37
5.2.7	Nierensteine	10			
5.2.8	Infektionen der Blase	10			
5.2.9	Störungen der Blasenentleerung	11			

6 Genitaltrakt

M. Wahl

6.1	Männlicher Genitaltrakt	1
6.1.1	Anatomie und Physiologie der Prostata	1
6.1.2	Prostataerkrankungen	1
6.1.2.1	Prostatakongestion	1
6.1.2.2	Prostatitis	1
6.1.2.3	Prostatahyperplasie	1
6.1.2.4	Prostatakarzinom	2
6.1.3	Medikamentöse Maßnahmen gegen Prostataerkrankungen	2
6.1.4	Patientengespräch Prostatahyperplasie	8
6.2	Weiblicher Genitaltrakt	13
6.2.1	Anatomie und Physiologie	13
6.2.2	Zyklusstörungen, Zyklusbeschwerden und Klimakterium	14
6.2.2.1	Zyklusstörungen	14
6.2.2.2	Zyklusbeschwerden	15
6.2.2.3	Klimakterium	17
6.2.3	Vaginalerkrankungen	21
6.2.3.1	Krankheitsbilder bei Vaginalerkrankungen	21
6.2.3.2	Medikamentöse Maßnahmen bei Vaginalerkrankungen	25
6.2.3.3	Patientengespräch	27
6.3	Sexualstörungen	31
6.3.1	Krankheitsbild Sexualstörungen	31
6.3.2	Medikamentöse Maßnahmen bei Sexualstörungen	32
6.3.3	Therapie der Erektilen Dysfunktion außerhalb der Selbstmedikation	33
6.4	Kontrazeption	37
6.4.1	Allgemeines	37
6.4.1.1	Pearl-Index	37
6.4.1.2	Angriffspunkte der verschiedenen Kontrazeptiva	37
6.4.2	„Natürliche" Methoden der Geburtenregelung	38
6.4.2.1	Unfruchtbare Tage im Zyklus der Frau	39
6.4.2.2	Temperatur-Methode	39
6.4.2.3	Symptothermale Methode	40
6.4.2.4	Billings-Methode	41
6.4.2.5	Kalender-Methoden	41
6.4.3	Mechanische kontrazeptive Methoden	42
6.4.3.1	Kondom	42
6.4.3.2	Scheiden-Diaphragma	44
6.4.3.3	Lea® Contraceptivum	44
6.4.3.4	Portiokappe	45
6.4.3.5	Intrauterinpessare	45
6.4.4	Chemische kontrazeptive Methoden	46
6.4.5	Hormonelle Kontrazeptiva	46
6.4.5.1	Orale Ovulationshemmer	46
6.4.5.2	Hormonbeladene Intrauterinpessare	48
6.4.5.3	Hormonimplantate	48
6.4.5.4	Hormonring zur Empfängnisverhütung	49
6.4.5.5	Hormonpflaster	49
6.4.5.6	Postkoitale Kontrazeption – „Pille danach"	49
6.4.6	Kontrazeptive Möglichkeiten des Mannes	51
6.4.7	Sterilisation bei Mann und Frau	51

7 Atemwege

C. Weber

7.1	Erkrankungen der Nase und der Nasennebenhöhlen	1
7.1.1	Anatomie und Physiologie	1
7.1.2	Krankheitsbilder	3
7.1.2.1	Akute Rhinitis	3
7.1.2.2	Rhinitis aus pädiatrischer Sicht	6
7.1.2.3	Akute und chronische Sinusitis	7
7.1.2.4	Nicht virusbedingte Rhinitiden	7

7.1.2.5	Nasenbluten	11
7.1.3	Medikamentöse Maßnahmen	11
7.1.3.1	Vasokonstriktoren	13
7.1.3.2	Ätherische Öle und deren Inhaltsstoffe	19
7.1.3.3	Antiallergika	20
7.1.3.4	Dexpanthenol	26
7.1.3.5	Sekretolytika	26
7.1.3.6	Vitamine	28
7.1.3.7	Hämostyptika	28
7.1.4	Physikalische Maßnahmen	29
7.1.5	Patientengespräch	30a
7.2	**Erkrankungen von Bronchien und Lunge**	31
7.2.1	Anatomie und Physiologie	31
7.2.1.1	Struktur des Sekretfilms	32
7.2.1.2	Atemrhythmus und Regelmechanismus	33
7.2.2	Krankheitsbilder	33
7.2.2.1	Husten	33
7.2.2.2	Akute Bronchitis	36
7.2.2.3	Chronische Bronchitis	36
7.2.2.4	Bronchiolitis	38
7.2.2.5	Krupp (Croup) und Pseudokrupp	38
7.2.2.6	Pertussis	38
7.2.2.7	Asthma bronchiale	39
7.2.3	Medikamentöse Maßnahmen	39
7.2.3.1	Antitussiva	41
7.2.3.2	Expektorantien	48
7.2.3.3	Antiasthmatika/Bronchospasmolytika	67
7.2.4	Patientengespräch	70
7.3	**Grippaler Infekt**	73
7.3.1	Krankheitsbild	73
7.3.2	Medikamentöse Maßnahmen	74
7.3.2.1	Monopräparate	75
7.3.2.2	Kombinationspräparate	75
7.3.2.3	Bewertung von fixen Kombinationen zur Behandlung des grippalen Infektes	76
7.3.2.4	Immunstimulantien bei grippalem Infekt	77
7.3.3	Patientengespräch	81
7.3.4	Mindmap zu Empfehlungen bei grippeartigen Symptomen	82

8 Bewegungsapparat

C. Weber

8.1	**Anatomie und Physiologie**	1
8.2	**Krankheitsbilder**	3
8.2.1	Skeletterkrankungen	3
8.2.2	Erkrankungen der Muskeln und anderer Weichteile	4
8.3	**Medikamentöse Maßnahmen**	7
8.3.1	Interne Antineuralgika und Antineuritika	7
8.3.1.1	Analgetika-Antiphlogistika	8
8.3.1.2	Muskelrelaxantien	9
8.3.1.3	Vitamine	10
8.3.1.4	Nucleoside/Nucleotide	14
8.3.1.5	Proteolytische Enzyme	16
8.3.1.6	Organpräparate	17
8.3.1.7	Pflanzliche Antirheumatika	18
8.3.1.8	Chondroprotektiva	21
8.3.2	Lokaltherapeutika	23
8.3.2.1	Lokalanästhetika	24
8.3.2.2	Hyperämisierende Mittel	25
8.3.2.3	Topische Antiphlogistika-Analgetika	30
8.4	**Balneotherapie**	43
8.4.1	Balneotherapie am Kurort	43
8.4.2	Balneotherapie zu Hause	44
8.5	**Physikalische Maßnahmen**	47
8.6	**Patientengespräch**	49
8.7	**Mindmap zur Beratung bei Beschwerden des Bewegungsapparats**	51

9 Haut

B. Wahl

9.1	Anatomie und Physiologie der Haut und der Hautanhangsgebilde	1
9.1.1	Aufbau	1
9.1.1.1	Epidermis	2
9.1.1.2	Korium	3
9.1.1.3	Subkutis	3
9.1.2	Anhangsgebilde der Haut	3
9.1.2.1	Haare	3
9.1.2.2	Nägel	6
9.1.2.3	Talgdrüsen	7
9.1.2.4	Schweißdrüsen	8
9.1.3	Hautflora	9
9.1.4	Säuremantel	9
9.1.5	Feuchtigkeitsgehalt	10
9.1.6	Funktionen der Haut	11
9.2	Hauterkrankungen und ihre Behandlung	13
9.2.1	Allgemeines zur Therapie von Hauterkrankungen	13
9.2.2	Antiseptika und Desinfektionsmittel	15
9.2.2.1	Alkohole	16
9.2.2.2	Phenolderivate	18
9.2.2.3	Thymol	18
9.2.2.4	Säuren	18
9.2.2.5	Schwermetallverbindungen	18
9.2.2.6	Oxidationsmittel	19
9.2.2.7	Halogenhaltige Substanzen	20
9.2.2.8	Chlorhexidin	21
9.2.2.9	Oberflächenaktive Stoffe	22
9.2.2.10	Farbstoffe	22
9.2.2.11	Hexetidin	24
9.2.2.12	Antibiotika	25
9.2.2.13	Flächen- und Instrumentendesinfektionsmittel	25
9.2.3	Bakterielle Infektionen	26
9.2.3.1	Krankheitsbilder	26
9.2.4	Virusinfektionen	27
9.2.4.1	Herpes-Viren	27
9.2.4.2	Papovaviren	30
9.2.5	Pilzinfektionen – Mykosen	32
9.2.5.1	Krankheitsbilder	33
9.2.5.2	Medikamentöse Maßnahmen	35
9.2.5.3	Intern anzuwendende Antimykotika	35
9.2.5.4	Extern anzuwendende Antimykotika	36
9.2.5.5	Patientengespräch	43
9.2.5.6	Patienteninformationen speziell zu Fußpilz	44
9.2.5.7	Mindmap Fußpilz	45
9.2.5.8	Besonderheiten bei Nagelmykosen	45
9.2.5.9	Patientengespräch: Nagelmykose	46
9.2.6	Parasitäre Erkrankungen	46
9.2.6.1	Parasitosen	46
9.2.6.2	Läuse	47
9.2.6.3	Mittel gegen Läuse	47
9.2.6.4	Patientengespräch	50
9.2.6.5	Milben	51
9.2.6.6	Krätzemilben	51
9.2.6.7	Mittel gegen Skabies (Krätze)	52
9.2.6.8	Patienteninformation	53
9.2.6.9	Grasmilben	53
9.2.6.10	Behandlung von Grasmilben	53
9.2.6.11	Hausstaubmilben	53
9.2.6.12	Zecken	54a
9.2.6.13	Flöhe	54c
9.2.7	Insektenstiche	54c
9.2.7.1	Bienen- oder Wespenstiche	54c
9.2.7.2	Stiche von Bremsen oder Stechmücken	55
9.2.7.3	Repellentien	55
9.2.7.4	Maßnahmen bei Insektenstichen	57
9.2.8	Pruritus, Juckreiz	58
9.2.8.1	Krankheitsbild	58
9.2.8.2	Medikamentöse Maßnahmen	58a
9.2.8.3	Therapie mit UV-Licht	62
9.2.8.4	Patientengespräch und allgemeine Maßnahmen	62
9.2.8.5	Mindmap	63
9.2.9	Urtikaria – Nesselsucht	64
9.2.9.1	Krankheitsbild	64
9.2.9.2	Medikamentöse Maßnahmen	65
9.2.9.3	Mindmap	66
9.2.10	Ekzeme	66

9.2.10.1	Krankheitsbilder	66	9.2.15.1	Hautbräunung durch hyperpigmentierende Stoffe	106
9.2.10.2	Therapeutische Maßnahmen	68	9.2.15.2	Carotinoide	107
9.2.10.3	Maßnahmen bei Neurodermitis	70	9.2.15.3	Anwendung künstlicher Strahlenquellen	109
9.2.10.4	Mindmap	71	9.2.15.4	Patientengespräch	109
9.2.10.5	Windeldermatitis	72	9.2.16	Pigmentstörungen	109
9.2.11	Psoriasis – Schuppenflechte	72	9.2.16.1	Depigmentierungen	109
9.2.11.1	Krankheitsbild	72	9.2.16.2	Hyperpigmentierungen	110
9.2.11.2	Behandlung der Psoriasis	73	9.2.17	Enthaarungsmittel	111
9.2.11.3	Allgemeine Maßnahmen	73	9.2.17.1	Depilation	112
9.2.11.4	Systemische Therapie	74	9.2.17.2	Epilation	112 a
9.2.11.5	Topische Therapie	75	9.2.18	Haarausfall	113
9.2.11.6	Phototherapie, Photochemotherapie	77	9.2.18.1	Krankheitsbilder	113
9.2.11.7	Mindmap	79	9.2.19	Übermäßiges Schwitzen	114
9.2.12	Seborrhoe	79	9.2.19.1	Krankheitsbild	114
9.2.12.1	Krankheitsbild	79	9.2.19.2	Medikamentöse Maßnahmen	115
9.2.12.2	Medikamentöse Maßnahmen	79	9.2.19.3	Patientengespräch	118
9.2.13	Akne	81	9.2.19.4	Mindmap	118
9.2.13.1	Pathophysiologische Grundlagen	81	9.2.20	Hühneraugen	118 a
9.2.13.2	Krankheitsbilder	82	9.2.20.1	Krankheitsbild	118 a
9.2.13.3	Medikamentöse Maßnahmen	84	9.2.20.2	Entstehung von Hühneraugen	118 a
9.2.13.4	Patientengespräch	91	9.2.20.3	Behandlung	118 a
9.2.14	Sonnenschutz und Sonnenbrand	92	9.2.21	Hautpflege	118 b
9.2.14.1	Wirkung von Licht auf die Haut	92	9.2.21.1	Hautalterung	119
9.2.14.2	Krankheitsbilder	95	9.2.21.2	Hauttypen	119
9.2.14.3	Lichtschutzmittel	97	9.2.21.3	Hautreinigung	120
9.2.14.4	Patientengespräch	104	9.2.21.4	Auswahl der Pflegepräparate	122
9.2.14.5	Mindmap	105	9.2.21.5	Verträglichkeit von Kosmetika	124
9.2.14.6	Maßnahmen bei einem Sonnenbrand	106	9.2.21.6	Richtige Anwendung von Kosmetika	125
9.2.15	Künstliche Hautbräunung	106			

10 Wunden

B. Wahl

10.1	Krankheitsbilder und Wundheilung	1	10.2	Wundbehandlung	5
10.1.1	Primäre Wundheilung	1	10.2.1	Wundreinigung	5
10.1.2	Sekundäre Wundheilung	1	10.2.1.1	Ausspülen	5
10.1.3	Phasen der Wundheilung	2	10.2.1.2	Autolytisches Debridement	6
10.1.3.1	Entzündungsphase – Exsudative Phase	2	10.2.1.3	Enzymatisches Debridement	6
10.1.3.2	Proliferative Phase – Fibroplasie	2	10.2.1.4	Biochirurgisches Debridement – Madentherapie	6
10.1.3.3	Reifungsphase – Reparative Phase	3	10.2.2	Wunddesinfektion	7
10.1.4	Faktoren, die die Wundheilung beeinflussen	3	10.2.3	Wundabdeckungen	7
			10.2.3.1	Wundschnellverbände	8
			10.2.3.2	Wundnahtstreifen	8
			10.2.3.3	Sprühpflaster	8

Inhaltsverzeichnis

10.2.3.4	Wundauflagen	8
10.2.4	Medikamentöse Maßnahmen	10a
10.2.4.1	Wundheilgele	10a
10.2.4.2	Dexpanthenol	10a
10.2.4.3	Zinkoxid	11
10.2.4.4	Pflanzliche Wundbehandlungsmittel	12
10.2.5	Mindmap	12
10.3	**Verbrennungen**	**13**
10.3.1	Verbrennungen 1. Grades	13
10.3.2	Verbrennungen 2. Grades	13
10.3.3	Verbrennungen 3. Grades	14
10.3.4	Verbrennungen 4. Grades	14
10.3.5	Beurteilung der Ausdehnung der Verbrennung	14
10.3.6	Versorgung von Brandwunden	15
10.4	**Blutstillung**	**19**
10.4.1	Medikamentöse Maßnahmen	19
10.4.1.1	Adstringentien	19
10.4.1.2	Clauden	19
10.4.1.3	Gerüstbildende Substanzen	20
10.4.1.4	Pflanzliche Hämostyptika	20
10.5	**Dekubitus**	**21**
10.5.1	Dekubitusprophylaxe	21
10.5.2	Therapeutische Maßnahmen	22
10.5.3	Mindmap	23
10.6	**Narben**	**25**
10.6.1	Narbenbehandlung	26
10.6.1.1	Salben zur Narbenbehandlung	26
10.6.1.2	Narbenpflaster/Narbenverbände	27

11 Auge

R. v. Schmidt/H. Hamacher

11.1	**Anatomie und Physiologie des Auges**	**1**
11.1.1	Der Tränenapparat	3
11.1.2	Begriffserklärungen	4
11.2	**Erkrankungen des Auges**	**7**
11.3	**Galenik ophthalmologischer Präparate**	**11**
11.3.1	Tonizität	11
11.3.2	Euhydrie	11
11.3.3	Erhöhung der Viskosität	12
11.3.4	Konservierung	13
11.3.5	Anwendung von Augentropfen	14
11.3.6	Augensalben	15
11.4	**Penetration von Wirkstoffen am Auge**	**17**
11.5	**Medikamentöse Maßnahmen**	**19**
11.5.1	Notfallmaßnahmen	20
11.5.2	Bindehautentzündungen	21
11.5.3	Das trockene Auge	22
11.5.4	Allergische Augenerkrankungen	25
11.5.5	Entzündungen der Lider	27
11.5.6	Vitamine	28
11.6	**Patientengespräch**	**31**
11.7	**Präparateliste**	**33**
11.8	**Augenarzneistoffe**	**39**
11.9	**Erstmaßnahmen bei Augenerkrankungen**	**55**

12 Kontaktlinsen-Pflegesysteme

G. Herberich

12.1	Die Linsen	1
12.2	Verträglichkeit von Kontaktlinsen	3
12.3	Typen von Kontaktlinsen-Pflegepräparaten	5
12.4	Antimikrobiell wirkende Inhaltsstoffe	9
12.5	Beratung bei der Auswahl der Lösungen	11
12.5.1	Mögliche Inkompatibilitäten bei der Anwendung von Kontaktlinsen und Pflegemitteln	11
12.6	Mindmap	17

13 Ohr

M. Hamacher

13.1	Anatomie und Physiologie	1
13.1.1	Äußeres Ohr	1
13.1.2	Mittelohr	2
13.1.3	Innenohr	2
13.2	Erkrankungen des Ohres	5
13.2.1	Erkrankungen des äußeren Ohres	5
13.2.1.1	Otitis externa	5
13.2.1.2	Hörstörungen durch Fremdkörper im Gehörgang	6
13.2.1.3	Erfrierungen der Ohrmuschel	6
13.2.1.4	Herpes Zoster oticus	6
13.2.1.5	Perichondritis und Erysipel der Ohrmuschel	6
13.2.2	Erkrankungen des Mittelohres	7
13.2.2.1	Otitis media acuta	7
13.2.2.2	Chronische Mittelohrentzündung	8
13.2.2.3	Tubenmittelohrkatarrh	8
13.2.3	Erkrankungen des Innenohres	8
13.2.3.1	Hörsturz	8
13.2.3.2	Innenohrschädigung durch akustisches Trauma	9
13.2.3.3	Toxische Schädigung des Innenohres	9
13.2.3.4	Meniere-Krankheit	9
13.2.3.5	Otosklerose	9
13.2.3.6	Tinnitus oder Ohrgeräusche	9
13.3	Therapie der Ohrenerkrankungen	11
13.3.1	Analgetika, Antiphlogistika, Lokalanästhetika	11
13.3.2	Antiseptika, Antibiotika	12
13.3.3	Osmotisch entquellend wirkende Substanzen	12
13.3.4	Ohrenschmalzlösende Stoffe	12
13.3.5	Nasale Vasokonstriktion	14
13.4	Anwendung von Ohrentropfen	15
13.5	Gehörschutz	17
13.6	Patientengespräch	19

14 Raucherentwöhnung

M. Wahl

14.1	Gesundheitsschäden durch Rauchen	1
14.2	Medikamentöse Raucherentwöhnung	3
14.2.1	Probleme bei der Raucherentwöhnung	4
14.2.2	Raucherentwöhnung mit Nicotin-Ersatztherapeutika	5
14.2.2.1	Nicotinkaugummi	6
14.2.2.2	Nicotinsublingual- und -lutschtablette	8
14.2.2.3	Nicotinpflaster	8
14.2.2.4	Nicotininhalator, -spray	9
14.2.2.5	Elektrische Zigarette	10
14.3	Patientengespräch	10

15 Zahn- und Mundhygiene

K. Lorenz

15.1	Anatomie und Physiologie	1
15.2	Allgemeine Aussagen	3
15.2.1	Pathogenese von Karies und Parodontopathien	3
15.2.2	Ziele und Strategien der Mund- und Zahnpflege	4
15.2.3	Die Rolle des Speichels	4
15.3	Mechanische Zahnpflege	5
15.3.1	Zahnbürsten	5
15.3.2	Elektrische Zahnbürsten	6
15.3.3	Munddushen	8
15.3.4	Interdentalreinigung	8
15.3.4.1	Zahnzwischenraumbürsten	8
15.3.4.2	Weitere Hilfsmittel	9
15.3.5	Plaquefärbemittel	10
15.4	Kariesprophylaxe	11
15.4.1	Kariesätiologie	11
15.4.2	Fluoride in der Kariesprophylaxe	11
15.4.3	Nano-Produkte	21
15.5	Problemkreis Dentin	23
15.5.1	Allgemeine Angaben	23
15.5.2	Abrasivität von Zahnpasten	23
15.5.3	Weißmacher-Zahnpasten	24
15.5.4	Sensible Zahnhälse	24
15.6	Parodontitisprophylaxe	27
15.6.1	Ätiologie der Gingivitis/Parodontitis	27
15.6.2	Behandlungsstrategien und Grenzen der Selbstmedikation	28
15.6.3	Chemoprophylaktika	28
15.6.3.1	Wortwahl, Werbung, Wirklichkeit	28
15.6.3.2	Wirkprinzipien und Einordnung der Chemoprophylaktika	29
15.6.4	Präparateauswahl	33
15.6.4.1	Antibakterielle Mundspüllösungen	33
15.6.4.2	Zahnpasten mit spezifischen Wirkkomponenten	34
15.6.4.3	Kombinationen und Interferenzen	36
15.6.4.4	Chlorhexidin als antikariogener Wirkstoff	37
15.7	Zuckerersatzstoffe und Kaugummis	39
15.7.1	Zuckerersatzstoffe	39
15.7.2	Kaugummis	41
15.7.3	Sonstige Produkte und Probleme	41
15.8	Altersbezogene Probleme	43
15.8.1	Verschiedene Altersgruppen	43
15.8.2	Speichelproblematik	43

15.8.3	Speichelersatzmittel	47	15.9.3	Kleinkinder vor dem Schuleintritt (2 bis 6 Jahre)	50
15.8.4	Reinigungsmittel für herausnehmbaren Zahnersatz und kieferorthopädische Geräte	47	15.9.4	Schulkinder (6 bis 14 Jahre)	50
			15.9.5	Generelle Aussagen zur mechanischen und chemoprophylaktischen Mundhygiene	50
15.9	**Generelle Aspekte/Patientengespräch**	49	15.9.6	Erwachsene	51
15.9.1	Fluorideinsatz bei Kindern	49	15.9.7	Ältere Menschen	51
15.9.2	Säuglinge und Kleinkinder (0 bis 2 Jahre)	49	**15.10**	**Mindmap**	53

16 Stoffliche Medizinprodukte

W. Aye

16.1	**Rechtliche Grundlagen**	1	16.2.6.1	Aluminium-Kaliumsulfat	11
			16.2.6.2	Sonstige Mineralsalze	12
16.2	**Stoffliche Medizinprodukte, nach Hauptinhaltsstoffen und Indikationsgebieten**	5	16.2.6.3	Isländisch Moos	12
			16.2.6.4	Macrogol (s. a. Kap. 16.2.2)	12
16.2.1	Carminativa, Antazida	5	16.2.7	Antineuralgica/Chondroprotektiva	12
16.2.1.1	Dimeticon	5			
16.2.1.2	Simeticon	5	16.2.7.1	Hyaluronsäure/Natriumhyaluronat	12
16.2.1.3	Heilerde zur innerlichen Anwendung	6	16.2.8	Balneotherapeutika	13
			16.2.8.1	Heil-, Salz- und Meerwasser	13
16.2.2	Laxantien	6	16.2.8.2	Peloide	14
16.2.2.1	Macrogol	6	16.2.8.3	Heilerde äußerlich	14
16.2.3	Mittel gegen Übergewicht (siehe auch Kapitel 3.3)	7	16.2.9	Kälte-/Vereisungsmittel	14
			16.2.9.1	Dimethylether und Propangas	14
16.2.3.1	Chitosan	7			
16.2.3.2	Natriumalginat	7	16.2.9.2	n-Pentan	15
16.2.3.3	Glucomannan und Konjak-Extrakt	8	16.2.10	Mittel gegen Kopfläuse	15
			16.2.10.1	Dimeticon (s. a. Kap. 16.2.1)	15
16.2.3.4	Guarmehl	9	16.2.10.2	Ylang-Ylang-Öl, Kokosöl, Anisöl	15
16.2.3.5	Indische Flohsamenschalen	9			
16.2.4	Gynaekologika	10	16.2.11	Wundbehandlung	15
16.2.4.1	Gleitmittel	10	16.2.11.1	Zinkhyaluronat	15
16.2.5	Rhinologika	10	16.2.11.2	Carbomer	16
16.2.5.1	Isotonische Natriumchloridlösungen	10	16.2.11.3	Verschiedene Wundheilgele	16
			16.2.12	Ophthalmika und Kontaktlinsenflüssigkeiten	16
16.2.5.2	Hypertonische Natriumchloridlösungen	10			
			16.2.13	Otologika	16
16.2.5.3	Natriumhyaluronat	11	16.2.13.1	Glycerol	16
16.2.5.4	Sesamöl	11	16.2.13.2	Ölsäure-Polypeptid-Kondensat	16
16.2.6	Mund- und Rachentherapeutika/Antitussiva	11			
			16.2.13.3	Docusat-Natrium	17

17 Nahrungsergänzungsmittel und bilanzierte Diäten

W. Aye

17.1	Rechtliche Grundlagen	1
17.1.1	Übersicht	1
17.1.2	Nahrungsergänzungsmittel (NEM)	1
17.1.3	Bilanzierte Diäten	2
17.1.4	Ergänzende Bilanzierte Diäten	2
17.1.5	Abgrenzungen	4
17.1.6	Behörden und Verbände	5
17.2	Hauptinhaltsbestandteile von Nahrungsergänzungsmitteln und ergänzenden bilanzierten Diäten	9
17.2.1	Vitamine	9
17.2.1.1	Rechtliche Einstufung	9
17.2.2	Vitaminähnliche Substanzen – Pseudovitamine, Vitaminoide	10
17.2.2.1	Ubichinon-50	10
17.2.2.2	Inositol	11
17.2.2.3	Alpha-Liponsäure	11
17.2.2.4	Sonstige vitaminähnliche Substanzen	12
17.2.3	Mineralstoffe	12
17.2.3.1	Spurenelemente	12
17.2.4	Aminosäuren, Aminosäurederivate und Proteine	13
17.2.4.1	Arginin	13
17.2.4.2	L-Carnitin	13
17.2.4.3	Creatin	14
17.2.4.4	Gelatine	14
17.2.5	Glykosaminoglykane	15
17.2.5.1	D-Glucosamin	15
17.2.5.2	Chondroitinsulfat	15
17.2.5.3	Grünlippmuscheln	16
17.2.6	Carotinoide	16
17.2.6.1	Beta-Carotin	16
17.2.6.2	Lycopin	17
17.2.6.3	Lutein	17
17.2.6.4	Zeaxanthin	18
17.2.7	Polyphenole	18
17.2.7.1	Isoflavone – Phytohormone	18
17.2.7.2	Oligomere Proanthocyanidine – OPC	19
17.2.8	Mehrfach ungesättigte Fettsäuren – MUFS	20
17.2.8.1	Omega-3-Fettsäuren	20
17.2.8.2	Omega-6-Fettsäuren	20
17.2.8.3	Lachsöl	21
17.2.8.4	Perillaöl	21
17.2.8.5	Nachtkerzenöl	21
17.2.8.6	Schwarzkümmelöl	22
17.2.8.7	Konjugierte Linolsäure – CLA	22
17.2.9	Phospholipide	23
17.2.9.1	Phosphatidylcholin – Lecithin	23
17.2.9.2	Phosphatidylserin	23
17.2.10	Ballaststoffe	24
17.2.10.1	Wasserunlösliche Ballaststoffe – Cellulose und Hemicellulose	24
17.2.10.2	Wasserlösliche Ballaststoffe	25
17.2.10.3	Indische Flohsamen	25
17.2.11	Weitere Pflanzen und -extrakte	25
17.2.11.1	Meeresalgen	25
17.2.11.2	Apfelessig	26
17.2.11.3	Ananas-Fruchtpulver	26
17.2.11.4	Papaya-Fruchtpulver	26
17.2.11.5	Artischocken	27
17.2.11.6	Guarana	27
17.2.11.7	Maca	27
17.2.11.8	Zimt	28
17.2.12	Sonstige	28
17.2.12.1	Pyruvat	28
17.2.12.2	Hydroxycitronensäure	28
17.3	Bevölkerungsgruppen mit speziellen Ernährungsanforderungen	31
17.3.1	Senioren	31
17.3.2	Schwangere und Stillende	31
17.3.3	Leistungssportler	31
17.3.4	Personen mit alternativen Ernährungsformen	32
	Literaturverzeichnis	35

7 Atemwege

7 Atemwege

Von C. Weber

Die Erkrankungen der Atemwege umfassen ein breites Spektrum von einzelnen Krankheitsbildern und Symptomen. Als Grenzfläche zur Umwelt ist der Respirationstrakt ständig zahlreichen **Noxen** ausgesetzt, mit denen er sich auseinandersetzen muss: dazu gehören vor allem **chemische Reiz- und Schadstoffe, Allergene, Bakterien, Pilze** und **Viren.**

Dass das körpereigene Abwehrsystem individuell oft überfordert ist, zeigen folgende Fakten:

- Die chronischen Erkrankungen der Atemwege nehmen ständig zu; inzwischen geht man davon aus, dass weltweit nahezu jedes 10. Kind und mindestens jeder 20. Erwachsene an einer behandlungsbedürftigen Atemwegserkrankung leiden.
- Erkältungskrankheiten führen gemäß einer repräsentativen Bevölkerungsumfrage der Gesellschaft für Konsumforschung (GfK, Nürnberg) die Liste der häufigsten gesundheitlichen Beschwerden an (Abb. 7.1-1).
- Infektionen des Respirationstraktes stehen an erster Stelle bei den Gründen für einen Arztbesuch mit Kindern, und sie sind der meistgenannte Grund für versäumte Schultage.

Man unterscheidet grundsätzlich **obstruktive** und **nicht obstruktive, chronische** und **akute Atemwegserkrankungen.** Im Rahmen der Selbstmedikation spielen die **grippalen Infekte** (banale Erkältungen, common cold) und die mit dem **Leitsymptom Husten** einhergehenden Erkrankungen die wesentliche Rolle.

Die chronisch-obstruktiven Atemwegserkrankungen, zu denen **chronisch-obstruktive Bronchitis** (COPD), **Asthma bronchiale** und das **Lungenemphysem** zählen, sollen nur am Rande in die Betrachtung miteinbezogen werden – sofern sie einer Behandlung mit nicht verschreibungspflichtigen Medikamenten zugänglich sind.

Die Erkältung (nach WHO: akute respiratorische Erkrankung), die dabei auftretenden Symptome (Schnupfen, Husten, Heiserkeit etc.) und die dafür zur Verfügung stehenden Medikamente werden in erster Linie im Folgenden systematisch behandelt, denn gerade der grippale Infekt ist die häufigste Erkrankung des Menschen überhaupt. Außerdem sind die meisten Arzneimittel zur Behandlung der banalen Erkältung nicht mehr verordnungsfähig, so dass zu diesem Thema mehr denn je die Beratung des Apothekers gefragt ist.

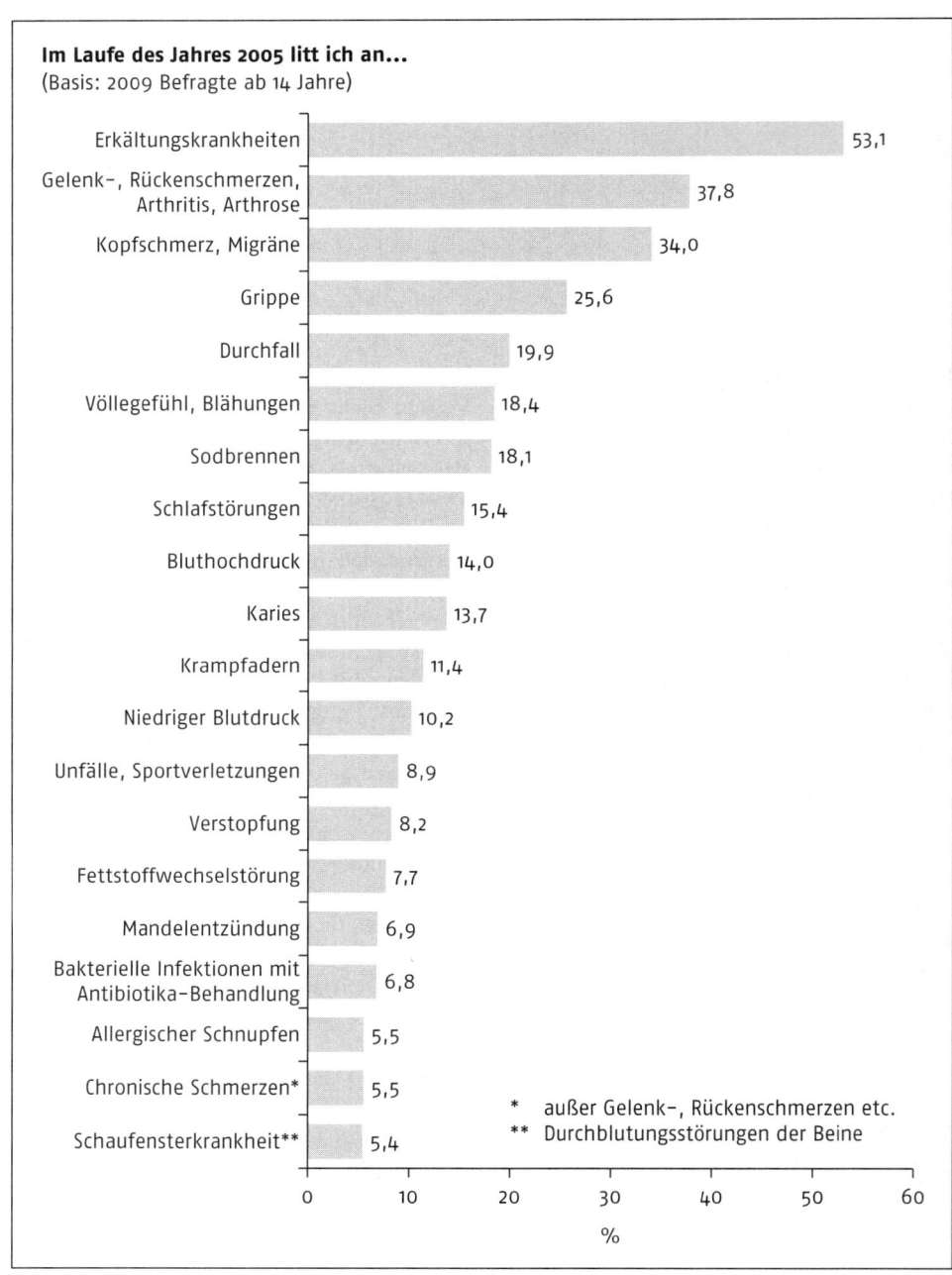

Abb. 7.1-1: Die häufigsten Beschwerden. Nach Deutschen. Apotheken Umschau, Ausgabe A Jan. 2006

7.1 Erkrankungen der Nase und der Nasennebenhöhlen

7.1.1 Anatomie und Physiologie

Nasenhöhlen, Nasennebenhöhlen, Rachen, Kehlkopf und das Tracheobronchialsystem bilden eine funktionelle Einheit. Dieses luftleitende System des Respirationstraktes zeigt im Aufbau ein einheitliches Grundprinzip. Im Fachjargon wurde daher in den letzten Jahren hierfür auch der Begriff „united airways" geprägt. In den einzelnen Abschnitten sind dabei Variationen zu beobachten, die man als Anpassung an spezielle funktionelle Bedürfnisse deutet.

An der Nase, deren wesentliche anatomische – und für die zu besprechenden Krankheitsbilder relevante – Strukturen im Folgenden beschrieben werden sollen, unterscheidet man primär knöcherne, knorpelige und häutige Anteile. Der **Nasenvorhof** ist zu zwei Dritteln mit Epidermis ausgekleidet, im hinteren Drittel befindet sich nicht verhornendes Plattenepithel. In der **Epidermis** befinden sich zahlreiche **Talg- und Schweißdrüsen,** deren Sekret durch die Nasenöffnung entleert wird. Bei Sekretstauung können sich aus den Drüsen Komedonen und schließlich Furunkel bilden. Am Naseneingang dienen lange starre Haare als Filter, welcher das Eindringen zumindest gröberer Fremdkörper verhindert.

Die **Nasenhöhle** wird durch eine senkrecht gestellte knöcherne Platte, die **Nasenschei-**

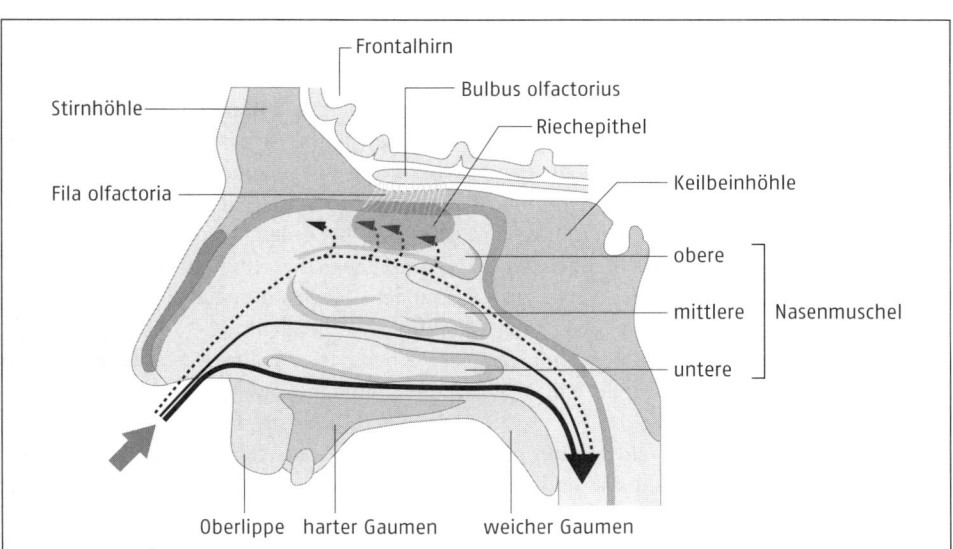

Abb. 7.1-2: Äußere Nase und Nasenhöhle im Sagittalschnitt mit eingezeichneter Luftströmung. Aus Thews, Mutschler, Vaupel 2007

Erkrankungen der Nase und der Nasennebenhöhlen

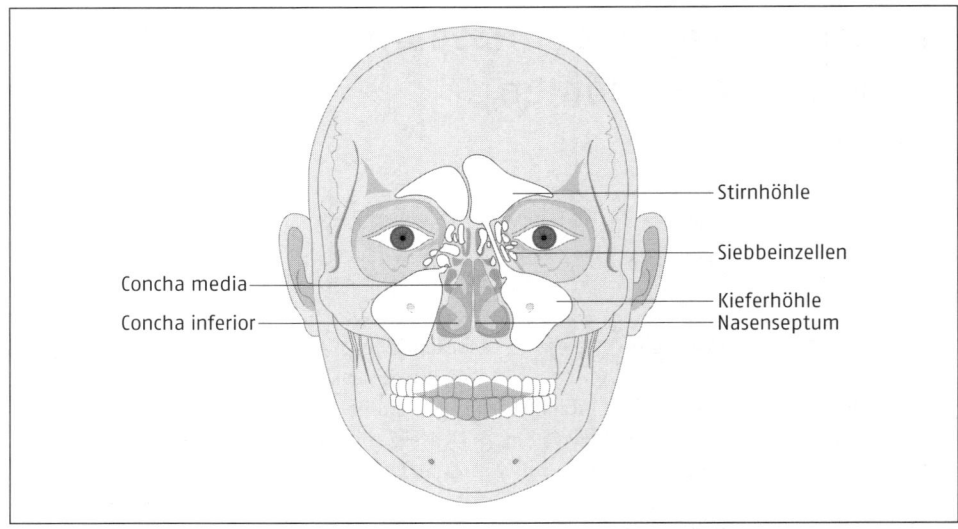

Abb. 7.1-3: Schematische Darstellung der knöchernen Nasenhöhle mit den Nasennebenhöhlen. Aus Thews, Mutschler, Vaupel 2007

dewand (Septum nasi), in zwei Hohlräume unterteilt. Diese werden durch drei **Nasenmuscheln,** hakenförmig verlaufende Knochenspangen, die in das Innere der Nasenhöhle ragen, in den oberen, den mittleren und den unteren **Nasengang** weiter unterteilt. Da die Nasenmuscheln (Conchae nasales) strömungstechnisch günstig angeordnet sind, kommt es kaum zu einer Wirbelbildung in der Atemluft.

An die Nasengänge grenzen mit unterschiedlich großen Öffnungen die **Nasennebenhöhlen,** siehe Abbildung 7.1-2 u. 7.1-3. In den oberen Nasengang münden **Keilbeinhöhle** und **hintere Siebbeinzellen,** in den mittleren Nasengang **Stirnhöhle, obere Siebbeinzellen** und **Kieferhöhle** und in den unteren Nasengang mündet der **Tränen-Nasengang** *(Ductus nasolacrimalis).* Die Nebenhöhlen sind paarig angelegt und ebenfalls mit Nasenschleimhaut ausgekleidet.

An der **Schleimhaut** unterscheidet man zwei Abschnitte, die Regio respiratoria und die Regio olfactoria **(Riechepithel).** Das mehrreihige Flimmerepithel der Schleimhaut der Regio respiratoria hat überaus wichtige Funktionen zu erfüllen: es dient der Erwärmung, Befeuchtung und Reinigung der Atemluft – und damit gleichzeitig der störungsfreien Funktion des gesamten Respirationstraktes. An das Epithel schließt sich eine gefäßreiche lockere Bindegewebszone an, in der in unregelmäßiger Verteilung seromuköse Drüsen mit unterschiedlich langen Ausführungsgängen angeordnet sind.

Drei Zellelemente bilden das Epithel der Oberfläche: Flimmerzellen, Becherzellen und Basalzellen. Die **Flimmerzellen** weisen als charakteristische Strukturelemente auf ihrer Oberfläche so genannte **Zilien (Flimmerhärchen)** auf, die durchschnittlich 5 µm lang sind, bei einem Durchmesser von 0,2–0,3 µm. Diese Zilien führen einen exakt aufeinander abgestimmten peitschenartigen Schlag aus (wellenartige Zilienbewegung), der einen gleichmäßigen Sekretstrom über die Schleimhaut gewährleistet.

Die **Sekretbildung** findet in der Nasenschleimhaut statt; verschiedene Zellstrukturen sind an der Schleimproduktion beteiligt. Die Schleimschicht der Nase besteht aus einer viskosen (mukösen) äußeren und einer flüssigen (serösen) inneren periziliaren Schicht. Bei der rhythmischen Zilienbewegung in der serösen Schicht tauchen in der Transportphase die Zilienspitzen in den mukösen Schleimteppich ein und transportieren diesen wie ein Förderband zum Rachen, wo der Schleim expektoriert oder verschluckt wird.

Danach knicken die Zilien ab und bewegen sich langsam in entgegengesetzter Richtung. Durch diesen Mechanismus werden die mit der Atemluft eingeatmeten Schmutz- und Staubteilchen, Viren und Bakterien entfernt. Unter physiologischen Bedingungen ist dadurch eine optimale Clearance garantiert. Allerdings ist die Effektivität der Zilienbewegung von zahlreichen Faktoren abhängig und stellt damit ein relativ störanfälliges System dar; als besonders wichtige Parameter sind zu nennen:

- **Adäquate Feuchtigkeit.** Eine längerfristige Austrocknung der Schleimhaut ist unbedingt zu vermeiden, weil diese einen irreversiblen Ziliarstillstand zur Folge hat.
- **Ungehinderter Stoffwechsel.**
- **Temperaturbereich zwischen 18 und 33 °C.** Temperaturen, die leicht davon abweichen, führen zu einer Hemmung, deutliche Abweichungen zu einem Stillstand der Zilienbewegung.
- **pH-Bereich zwischen pH 7 und pH 8.** pH-Schwankungen werden allerdings zu einem gewissen Grad vom Sekretfilm ausgeglichen, der offensichtlich puffernde Eigenschaften besitzt.
- **Konstante Eigenschaften des Sekrets.** Die Schutzfunktion des Sekrets kann bei einem zu dünnflüssigen, wässrigen Schleim, aber genauso bei einem hoch-viskösen, zähen Sekret beeinträchtigt oder aufgehoben sein.

Bei der Betrachtung der Sekretbildung und des Sekrettransports spielt aber nicht nur die mechanische Clearance-Funktion eine Rolle, sondern ebenso die Infektabwehr, denn das Nasensekret besitzt bakterizide und bakteriostatische Eigenschaften. Die Schleimschicht enthält **Lysozym** und ist aufgrund dieses Enzyms befähigt, in gewissem Umfang Bakterienzellen zu lysieren. Neben diesem erwünschten Effekt ist Lysozym auch für unerwünschte Reaktionen verantwortlich: Es lysiert nämlich auch die Zellwand von Pollenkörnern; dadurch werden Substanzen freigesetzt, die bei entsprechend disponierten Individuen antigen wirken und allergische Erscheinungen hervorrufen. Im Nasensekret konnte man außerdem die **Immunglobuline A, E, G** und **M** in unterschiedlichen Mengen nachweisen, die für die lokal ablaufenden Immunreaktionen in der respiratorischen Schleimhaut und damit für die Induktion und den Verlauf des entzündlichen Geschehens mitverantwortlich sind.

Wie bereits erwähnt, sind die Nasennebenhöhlen ebenfalls mit respiratorischer Schleimhaut ausgekleidet; doch steht bis heute noch nicht eindeutig fest, welche Funktion diesen Nebenhöhlen zukommt. Möglicherweise bilden sie einen Wärmeschutz für das Gehirn und andere angrenzende Regionen, indem sie äußere Temperaturschwankungen ausgleichen.

7.1.2 Krankheitsbilder

7.1.2.1 Akute Rhinitis

Der **banale Schnupfen** (angloamerikanisch common cold) hat im Volksmund eine Deutung erfahren, die eher den Bagatellcharakter unterstreicht:

… dauert der Schnupfen ohne Arzt eine Woche und mit Arzt sieben Tage …

… mancher zelebriert seinen Schnupfen mit dem Aufwand, mit welchem eine Frau ein Kind bekommt …

Tatsächlich kann der Schnupfen eine harmlose Erscheinung, aber auch Anzeichen einer ernst zu nehmenden Erkrankung sein. Volkswirtschaftlich gesehen kommt dem Schnupfen aufgrund der durch ihn bedingten Arbeitsausfälle eine erhebliche Bedeutung zu, nicht zuletzt deshalb, weil die therapeutischen Möglichkeiten eher begrenzt sind.

Info
Die meisten grippalen Infekte werden primär durch Viren verursacht.

Häufigkeit. Erwachsene erkranken im Durchschnitt 2- bis 3-mal pro Jahr, ältere Kinder 6- bis 12-mal und Kleinkinder schließlich bis zu 30-mal im Jahr an einer akuten Rhinitis. Interessant ist in diesem Zusammenhang die Tatsache, dass etwa 10 % der Bevölkerung so gut wie nie vom Schnupfen befallen werden. Ätiologisch spielen eindeutig **Viren** die entscheidende Rolle. Anhand großer epidemiologischer Untersuchungen ließ sich beispielsweise zeigen, dass etwa 80 % der akuten Rhinitiden im Kindesalter durch Viren verursacht werden. Da neben den Viren die verschiedensten konstitutionellen, vegetativen, immunologischen, soziologischen, zivilisatorischen und geographischen Faktoren das Geschehen beeinflussen, kommt es dazu, dass dasselbe Virus beim einen Individuum eine recht harmlose, wenig störende Erkrankung, gerade eben eine Befindlichkeitsstörung hervorruft; bei einem anderen aber eine **schwere Allgemeinsymptomatik** mit diversen möglichen Komplikationen, z.B. einer Sinubronchitis.

Die Aussage, dass die akute Rhinitis in erster Linie durch Viren hervorgerufen wird, impliziert zugleich, dass auch andere Ursachen berücksichtigt werden müssen: zahlenmäßig bedeutend ist noch die **allergische Rhinitis**, seltener liegt eine **vasomotorische**, eine **medikamenteninduzierte** oder eine **bakterielle Rhinitis** vor. Hier soll noch auf den weit verbreiteten Irrtum hingewiesen werden, dass jede eitrige Sekretion aus der Nase bakteriell bedingt sei: Auch beim Virusschnupfen kann es durch massive Leukozytenansammlung zur Eiterbildung kommen.

Die akute Rhinitis darf schon deshalb nicht als medizinische Banalität abgetan werden, weil sie sich rasch als **sekundäre Rhinitis** entpuppen kann, die am Beginn und im Verlauf zahlreicher viraler und bakterieller Infektionen (z.B. Masern, Scharlach, Poliomyelitis, Ruhr, Typhus) auftritt.

Schnupfen ist ein Symptomenkomplex, der als Antwort auf einen die Nasenschleimhaut treffenden Reiz zustande kommt. Auf diesen Reiz kann die Nasenschleimhaut nur mit **Hypersekretion, Schwellung** und **Hyperämie** reagieren – eine andere Interaktion wird nicht beobachtet. Daraus ergeben sich die jedem bekannten und aus eigener Erfahrung vertrauten klinischen Leitsymptome:

- vermehrte Sekretion,
- starker Juckreiz,
- Niesen,
- verstopfte Nase,
- evtl. Konjunktivitis.

Viren als Ursache. Ursache können verschiedene Viren sein (z.B. Myxoviren, RS-Viren, Adenoviren), vor allem aber die Rhinoviren, von denen man über 100 Typen kennt. Gerade diese **Rhinoviren** sind für mehr als 40 % aller Erkältungskrankheiten verantwortlich, deren Verlauf jedoch meist harmlos ist. Bemerkenswert ist die Tatsache, dass man bei Kindern und Erwachsenen beträchtliche Unterschiede im Erregerspektrum nachweisen konnte.

Vom Virus zur Rhinitis. Damit sich nicht jedes Virus auf den Schleimhäuten des Respirationstraktes ausbreiten kann, ist der Organismus mit verschieden Infektabwehrmechanismen ausgestattet. Als entscheidende Faktoren dürfen die Systeme der Sekretbildung und des Sekrettransportes angesehen werden (s. auch Kap. 7.2.1). Das Nasensekret besitzt außerdem – wie bereits erwähnt – bakteriostatische und bakterizide Eigenschaften. Als erster Abwehrstoff wird lokal **Interferon** gebildet. Daneben treten Makrophagen, Leukozyten, interferonstimulierte Natural-killer-cells und lokale Antikörper vom Typ IgA in Aktion und wehren das Virus ab. Humorale Antikörper blockieren den weiteren Weg des Virus in den Organismus. Offensichtlich gelingt es den Viren unter bestimmten Voraussetzungen trotzdem, in die

Schleimhaut und tiefer in den Organismus vorzudringen. Dabei erzeugen die Viren mehr oder weniger starke Zellschäden. Sie aktivieren zum Teil Makrophagen und stimulieren eine virusspezifische Entzündungsreaktion.

Die Viren dringen nach Anheftung an Membranrezeptoren in die Zellen des Respirationstraktes ein, vermehren sich dort und zerstören bei der Freisetzung die Wirtszelle. Während **Rhinoviren** nur leichte Schädigungen des Epithels hervorrufen (im Nasensekret findet man nur einzelne abgestoßene Zellen), bewirken **Influenzaviren** ausgedehnte, schwere Zellnekrosen: Oftmals werden große Partien des Epithels zerstört, das den Bronchialbaum auskleidet – in geringerem Maße wird dies auch nach Infektionen mit **Parainfluenzaviren** beobachtet. Wenn also – aus der Sicht der Viren – die Tröpfcheninfektion erfolgreich verlief, stellen sich nach ein bis drei Tagen die ersten Symptome ein: An ein **trockenes Vorstadium** (Niesreiz, Fremdkörpergefühl in der Nase und Reizung sowie Wundgefühl im Nasopharynx) schließt sich bald das **katarrhalische Stadium** an, in dem auch die Allgemeinerscheinungen wie Kopfschmerzen, Abgeschlagenheit, Frösteln bzw. Hitzegefühl das Maximum erreichen; es entwickelt sich eine wässrig-seröse Sekretion (die Nase „tropft") mit zunehmender Nasenobstruktion.

Nach einigen Tagen lässt die wässrige Sekretion nach, die Allgemeinsymptome ebenfalls, das Sekret wird viskoser. Nach 7 bis 10 Tagen ist der banale Schnupfen überstanden. Die Organismus-Virus-Interaktion führte zur Elimination des Erregers.

Unterkühlung. Die klinische Beobachtung, dass es vor allem nach Unterkühlung der Extremitäten zur akuten Entzündung der Nasenschleimhaut, also zur Rhinitis kommt, lässt sich durch experimentelle Befunde belegen: Eine Unterkühlung der Extremitäten bewirkt auf reflektorischem Wege eine Drosselung der Durchblutung der Nasenschleimhaut, wodurch die Flimmertätigkeit der Zilien und die sekretorische Aktivität der Schleimhaut beeinträchtigt werden. So gelingt es den Viren leichter, das Schleimhautepithel zu erreichen und die Entzündungsreaktion in Gang zu setzen. Dass Kälteexposition bzw. Frieren das Erkältungsrisiko erhöht, zeigte auch eine Studie (C. Johnson et al., 2005), in der ein Teil der 90 Probanden ihre Füße 20 Minuten lang in 10 °C kaltem Wasser badeten. Sie entwickelten in der Folge mehr als doppelt so oft eine Erkältung als die Kontrollgruppe. „In der Erkältungssaison die Füße warm halten" – an diesem Volksmund scheint also durchaus etwas Wahres zu sein.

Eine Rhinitis kommt selten allein!

Wie bereits erwähnt, spielen noch andere Faktoren eine Rolle, die die Resistenz des Organismus herabsetzten und die Virulenz der Erreger steigern – erst dann entwickelt sich die Rhinitis. Es ist fast schon eine Gesetzmäßigkeit, dass die Infektion so gut wie nie auf die Nase beschränkt bleibt. Benachbarte Abschnitte des Respirationstraktes reagieren mit, sei es, dass eine Nasopharyngitis, eine Laryngitis, Tracheitis oder eine Begleitbronchitis als mehr oder weniger gravierende Komplikation hinzukommt. (Zur Abgrenzung eines grippalen Infekts gegenüber einer Influenza s. Kap. 7.3.1)

Eine **bakterielle Superinfektion** entsteht erst nach einem viralen Primärschaden am Flimmerepithel und an den lokalen Abwehrmechanismen. In **frühen Stadien** von Erkrankungen des Respirationstraktes lassen sich folglich auch **nur Viren, keine Bakterien** nachweisen.

Eine Doppelinfektion mit Bakterien und Viren löst eine deutliche Verstärkung der Entzündung und damit der Symptome aus. Sehr ausgedehnte Prozesse auf den Schleimhäuten oder Pneumonien können auftreten.

7.1.2.2 Rhinitis aus pädiatrischer Sicht

Weshalb sind kleine Kinder so anfällig für den Schnupfen?

Akute Erkrankungen der Luftwege sind der häufigste Grund, weshalb Kleinkinder dem Arzt vorgestellt werden. Überwiegend sind die oberen Luftwege betroffen und fast immer besteht eine Rhinitis. Der Schnupfen im Kindesalter unterscheidet sich von der Rhinitis des Erwachsenen durch entwicklungsbedingte anatomische und physiologische Besonderheiten, die diesen Lebensabschnitt charakterisieren.

Anatomisch sind in der Nase zwei Engstellen von Bedeutung, der **Isthmus nasi** und die **Canales choanales,** die beim Säugling nur 1–2 mm lang und zudem mit einer leicht schwellbaren Schleimhaut ausgekleidet sind. Schwellen diese infolge Entzündung zu oder werden sie mit Sekret verlegt, dann zeigt sich schnell das Bild eines **Stockschnupfens.** Diese Kanälchen erweitern sich im Verlauf des ersten Lebensjahres zu den Choanen. Hypersekretion und Schwellungen der Nasenschleimhaut wirken sich bei Säuglingen besonders ungünstig aus: Da Babys fast ausschließlich durch die Nase atmen, kann eine nasale Obstruktion dazu führen, dass die Kleinen sich bei den Mahlzeiten häufig verschlucken oder das Trinken ganz verweigern. So kann eine banale Rhinitis im Säuglingsalter rasch zu einer Beeinträchtigung des Allgemeinbefindens führen.

Neben den genannten Faktoren und verschiedenen Störungen der mukoziliären Clearancefunktion kann das spezifische und unspezifische **Abwehrsystem** der Schleimhaut gestört sein.

Zwar verfügt das Neugeborene prinzipiell über sämtliche Möglichkeiten der humoralen und zellulären Abwehr, aber ihm fehlt die antigene Erfahrung, woraus eine eingeschränkte Leistungsfähigkeit dieses Systems resultiert. Das kindliche Immunsystem muss erst noch „trainiert" werden. Im Kindesalter handelt es sich außerdem um **Erstkontakte**

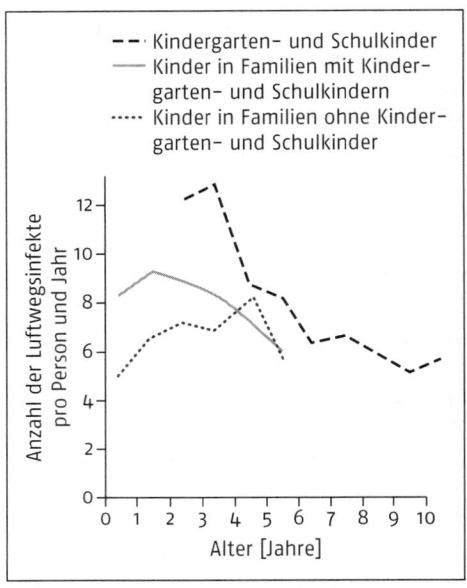

Abb. 7.1-4: Zahl jährlicher Atemwegsinfekte in Abhängigkeit von der Exposition

mit den jeweiligen Erregern, folglich fehlen entsprechende Antikörper.

Die Zahl jährlicher Atemwegsinfekte bei Kindern bis zu 10 Jahren in Abhängigkeit von der Exposition ist in Abb. 7.1-4 dargestellt.

So lässt sich die Erkrankungshäufigkeit unter medizinischen Gesichtspunkten zwanglos erklären. Dennoch finden sich viele Eltern nicht ohne weiteres mit ihrem „dauernd" erkälteten Kind ab und haben eine besondere therapeutische Erwartungshaltung.

Außerdem muss berücksichtigt werden, dass Viren, die bei Erwachsenen nur einen harmlosen Infekt der oberen Luftwege auslösen, im Kleinkind- und Säuglingsalter zu schweren, möglicherweise **lebensbedrohlichen Allgemeinerkrankungen** führen können: Ist der untere Respirationstrakt mitbetroffen, äußert sich dies unter Umständen als Bronchitis, Bronchiolitis oder Pneumonie, wobei auch der Magen-Darm-Trakt (Erbrechen, Durchfall) mitbeteiligt sein kann.

Bei akuten Entzündungen der Nasenschleimhaut sind die winzigen Nasenneben-

höhlen praktisch immer in Mitleidenschaft gezogen, heilen aber meist folgenlos ab – ohne im Rahmen der Erkältungskrankheit isolierte klinische Bedeutung zu erlangen.
Die **Nasennebenhöhlen** (Stirnhöhle, Siebbeinzellen, Kieferhöhle und Keilbeinhöhle s. Abb. 7.1-2) entwickeln sich unterschiedlich schnell. Dabei ändert sich dann auch die anfänglich günstige Relation von der Weite des Ausführungsganges zur Größe der Nasennebenhöhlen (was insbesondere für die Kieferhöhle gilt).
Die praktisch immer bakteriell bedingten Entzündungen der Nebenhöhlen gewinnen damit an Bedeutung: Mit **Entzündungen der Kieferhöhle** ist ab dem 4. Lebensjahr, der **Stirnhöhle** und **hinteren Siebbeinzellen** ab dem 6. Lebensjahr und mit **Entzündungen der Keilbeinhöhle** ist nicht vor dem 10. Lebensjahr zu rechnen – von seltenen Einzelfällen abgesehen.

7.1.2.3 Akute und chronische Sinusitis

Während bei Kleinkindern Nebenhöhlenaffektionen ziemlich in den Hintergrund treten, sehen die Zahlen bei Erwachsenen weniger günstig aus: Ca. 15–20% erkranken einmal jährlich im Rahmen eines Infektes der oberen Luftwege an einer Sinusitis, wobei am häufigsten die Kieferhöhle betroffen ist. Chronische Nebenhöhlenentzündungen diagnostiziert man bei 5–10% der Bevölkerung.

Entstehung des Sinusitis

Man geht von der Annahme aus, dass primär ein Virusschaden entsteht, dem eine bakterielle Infektion folgt. Das therapeutische Vorgehen ist von zahlreichen Faktoren abhängig, auf die an anderer Stelle noch eingegangen wird. Vielfach wird eine antibiotische Behandlung erforderlich sein, weshalb sich Patienten, bei denen Verdacht auf eine Sinusitis besteht, grundsätzlich einem Arzt vorstellen sollten.
Man spricht zwar von einer **hohen Selbstheilungsrate** (ca. 70%) – aber es muss auch an mögliche **orbitale Komplikationen** gedacht werden, die u.U. eine rasche chirurgische Intervention erfordern. Hinweise auf akute Entzündungen der Nasennebenhöhlen sind Druck- und Bückschmerz über dem betroffenen Nasenhöhlenareal, eitriger Nasenfluss und teilweise Zahnschmerzen.
Wenn der Arzt nur ein **leichtes Krankheitsbild** mit geringen subjektiven Beschwerden diagnostiziert, ist die alleinige **Therapie** mit Wärme, Inhalationen und abschwellenden Nasentropfen gerechtfertigt.
Die **Therapie** der **chronischen Rhinosinusitis** unterscheidet sich prinzipiell von derjenigen der akuten Nebenhöhlenaffektion; auch erfordert diese einen erweiterten diagnostischen Aufwand.
Damit entzieht sich dieses Krankheitsbild primär der Selbstmedikation – von gewissen unterstützenden, gelegentlich phytotherapeutischen Maßnahmen abgesehen.

Beratungstipp

Verspürt ein Patient im Bereich der Nasennebenhöhlen anhaltend Druckschmerzen, die sich beim Bücken, Abtasten oder Kopfbeugen verstärken, sollte zur genauen Abklärung (evt. Antibiotikum nötig) ein Arzt konsultiert werden.

7.1.2.4 Nicht virusbedingte Rhinitiden

Rhinitis sicca

Als Symptome dominieren trockene Schleimhäute mit Druck- oder Spannungsgefühl in der Nase und teilweise im Nasopharynx. Ein besonders unangenehmes Fremdkörpergefühl kann dadurch entstehen, dass der zu Borken eingetrocknete Schleim in Nase und Nasenrachen festklebt. Das Krankheitsbild der Rhinitis sicca tritt immer häufiger auf, bedingt durch die vermehrte **Umweltverschmutzung** einerseits und durch das weit verbreitete Arbeiten in **klimatisierten Räumen** andererseits. Lange bekannte Ursachen der „trockenen Nase", z.B. vorangegangene **Septumoperationen, Missbrauch von**

Nasentropfen oder **starkes Rauchen** kommen hinzu. Die Rhinitis sicca kann dadurch kompliziert werden, dass gehäufte Infekte im nasopharyngealen Bereich auftreten.

Rhinitis medicamentosa

Die medikamenteninduzierte Rhinitis wird durch den **Missbrauch abschwellender Nasentropfen** induziert: Nach langfristiger und/oder zu hoch dosierter Anwendung derartiger Lokaltherapeutika beobachtet man gelegentlich reaktive Hyperämien, verbunden mit einem übermäßigen Anschwellen der Nasenschleimhaut, auch als **Reboundeffekt** bekannt. Sämtliche Nasentropfensprays, die Vasokonstriktoren enthalten, sind bei der medikamentinduzierten Rhinitis kontraindiziert. Einzelheiten sind bei den einzelnen Wirkstoffen aufgeführt.

Rhinitis vasomotorica

Die vasomotorische Rhinitis ist als eine nicht durch Allergene, sondern durch äußere oder innere Reize auf neuralem Wege hervorgerufene **Überempfindlichkeit** der Nasenschleimhaut definiert. Neben mechanischen, chemischen und thermischen Noxen scheinen hormonelle, aber auch psychische Faktoren eine Rolle zu spielen. Zu den möglichen Triggerfaktoren zählen u.a. Gerüche (z.B. Zigarettenrauch, Parfüm) oder Geschmacksreize wie heiße oder scharfe Speisen.
Die vasomotorische Rhinitis ist durch Niesen, Rhinorrhoe und nasale Obstruktion gekennzeichnet. Diese Form der Rhinitis nimmt einen **meist chronischen Verlauf** – als Begleiterkrankungen werden gelegentlich spastische Bronchitis oder Asthma bronchiale genannt.
Obwohl es sich um eine nicht allergische Rhinitis handelt, erfolgt die medikamentöse Therapie der Rhinitis vasomotorica entsprechend zur allergischen Rhinitis. Der Nutzen von chirurgischen und alternativen Behandlungsmethoden (z.B. Atemgymnastik, Akupunktur) wird diskutiert.

Rhinitis allergica

Allergien sind definiert als Formen einer krankhaft gesteigerten Reaktion des Organismus gegenüber atoxischen Substanzen infolge einer Hypersensibilität des Immunsystems.

Häufigkeit. Allergische Erkrankungen zeigen eine hohe Prävalenz und besitzen daher eine enorme sozioökonomische Bedeutung. Weltweit leiden 10 bis 25 % der Menschen unter Heuschnupfen (saisonale allergische Rhinitis, Pollinosis). In Deutschland sind derzeit ca. 10 % der Kinder und ca. 15 % der Erwachsenen betroffen (Angaben des Robert Koch Instituts 2016). Damit liegt Deutschland im internationalen Vergleich etwa im unteren Drittel.

Etagenwechsel. Dass ein enger Zusammenhang zwischen allergischer Rhinitis und Asthma bronchiale besteht, haben Forschungsergebnisse der letzten Jahre eindrücklich gezeigt. Internationale Allergiespezialisten versuchen in Zusammenarbeit mit der WHO nun, diese Erkenntnisse verstärkt zu kommunizieren. Insbesondere im Rahmen der so genannten ARIA-(Allergic Rhinitis and its Impact on Asthma) Initiative soll das Wissen über allergische Atemwegserkrankungen weltweit auf den neuesten Stand gebracht werden, um Diagnose und Therapie zu verbessern. Experten der ARIA betonen, dass allergischer Schnupfen häufig nicht auf die oberen Atemwege begrenzt bleibt: Bei etwa 40 % der Heuschnupfen-Patienten greift die Erkrankung ohne adäquate Therapie im Laufe von 8 Jahren auf die Bronchien über („Etagenwechsel"). Es kommt dann zum Asthma bronchiale. Bei beiden allergischen Erkrankungen laufen in den betroffenen Schleimhäuten ähnliche Gewebsentzündungen und vergleichbare histologische Veränderungen ab.

Zur allergischen Rhinitis zählt neben der **Pollinosis,** also der akuten und sicherlich bekanntesten und am besten untersuchten Form, die **perenniale Rhinitis,** die nicht durch bestimmte Pollenarten, sondern durch Tierepithelien, Hausstaubmilben und Schimmelpilze ausgelöst wird. Bei der allergischen Rhinitis, einer **Allergie vom Soforttyp** (Typ I, IgE-Typ), kommt es infolge einer Antigen-Antikörper-Reaktion an der Mastzelloberfläche zum Einstrom von Calciumionen und damit zur Freisetzung hochaktiver Mediatorstoffe, unter anderem von **Histamin und Bradykinin**.

Symptome. Niesattacken, Schwellungsneigung der Nase, begleitet von wässriger Hypersekretion, gelegentlich Konjunktivitis, sind als Leitsymptome anzusehen. Kopfschmerzen, allgemeine Abgeschlagenheit und Müdigkeit runden das Symptombild ab. Folgende Pollenarten werden als besonders wichtig eingestuft:

- Gräser- und Getreidepollen,
- Baumpollen von Birke, Erle, Haselnuss, Weide, Pappel, Linde, Kiefer.

Die Heuschnupfenpatienten leiden oft monatelang während des Frühlings und Sommers unter Heuschnupfensymptomen und sind stark im Wohlbefinden und in ihrer Leistungsfähigkeit beeinträchtigt.

Morphologische und pathophysiologische Veränderungen. Die allergische Reaktion der menschlichen Nasenschleimhaut ist gekennzeichnet durch **Membranschädigung** sowie einen unregelmäßigen Zilienverlust. Im Akutstadium stagniert die Zilientätigkeit vollständig. Weitere Epithelveränderungen ergänzen das morphologische Bild. Die Folge ist eine Permeabilitätssteigerung der Gefäßwand mit starker Nasensekretion. Als weitere Sekretquellen sind die Drüsen- und Becherzellen anzusehen, die unter dem Einfluss der Mediatoren eine exzessive Aktivität entwickeln. Für den Verschluss (Obstruktion) der Nase ist die Blutstauung in den Schwellkörpern der Nasenmuscheln verantwortlich, die sich dem vasodilatierenden Effekt von Histamin, Acetylcholin und Bradykinin unterwerfen. Alle beobachteten Veränderungen sind nach Abklingen der Erkrankung reversibel.

Therapeutische Maßnahmen

Die Detektion des allergieauslösenden Agens mittels moderner Diagnostik bzw. eingehender Anamnese ist die Voraussetzung für eine erfolgreiche Allergietherapie. Als kausale Maßnahme stehen Karenzmöglichkeiten an erster Stelle. Diese sind jedoch im Alltag in vielen Fällen erfahrungsgemäß nur bedingt realisierbar. Neben der Allergenkarenz bewertet die WHO die **Hyposensibilisierung (spezifische Immuntherapie (SIT), Allergieimpfung)** derzeit als einzige kausale Therapieform von Typ-1-Allergien.

Gemäß aktuellen wissenschaftlichen Untersuchungen (M. Akdis et al. 2004, S. Flicker et al. 2003, s. J. Till et al. 2004) scheinen der SIT folgende Wirkmechanismen zugrunde zu liegen: Hohe Allergendosen induzieren die Bildung T-regulatorischer Zellen, welche das Interleukin 10 (IL-10) und den transforming growth factor (TGF-β) produzieren. IL-10 fördert die Bildung von allergenspezifischem IgG4, das die Bindung zwischen IgE und Allergen blockiert. IgG5 unterdrückt auf diesem Weg nicht nur die IgE-abhängige Histaminfreisetzung aus Immunzellen, sondern auch die IgE-vermittelte Antigenpräsentation. Das Zytokin TGF-β induziert in B-Zellen den Wechsel der IgE- zur IgA-Produktion. Il-10 und TGF-β hemmen darüber hinaus auch die Aktivität von Mastzellen, Basophilen und Eosinophilen, allesamt Effektorzellen der allergischen Entzündung. In der Summe werden durch diese Reaktionswege die IgE-vermittelten allergischen Reaktionen gedrosselt. Das mit SIT bei Heuschnupfen verfolgte Ziel besteht nicht nur in einer Reduktion der jährlich wiederkehrenden Symptome, sondern insbesondere darin, die schleichende Entwicklung eines Asthma bronchiales zu verhindern. Die Therapie erfolgt präsaisonal. Eine individuell angemessene, von einem erfahrenen Allergologen durchgeführte Hyposensibilisierung erzielt bei Heuschnupfen – je nach Allergen, Beschwerdebild, Symptomintensität – in bis zu 80 % der Fälle einen Therapieerfolg. Bei Kindern liegt die Erfolgsquote sogar noch etwas höher.

Die konventionelle Hyposensibilisierung erstreckt sich über 3 bis 5 Jahre und erfordert damit hohe Disziplin des Patienten. Ein Compliance-Problem stellt vor allem die hohe Zahl von Injektionen dar. Daher wurden innovative Präparate entwickelt, die es dank einer Kombination aus Allergoiden und Adjuvanzien erlauben, die jährliche Behandlungsdauer abzukürzen (z.B. Pollinex® Quattro). Auf diese Weise soll die Akzeptanz der spezifischen Immuntherapie verbessert werden. Eine andere Weiterentwicklung der Hyposensibilisierung stellt die **sublinguale Immuntherapie (SLIT)** dar. Dabei werden entsprechende tropfenförmige Zubereitungen sublingual verabreicht. Doch auch hier sind die korrekte Dosierung und die Einhaltung des Therapieplans über drei Jahre notwendig. Die orale Hyposensibilisierung bietet sich insbesondere für Kinder, Personen mit Spritzenphobie und empfindliche Patienten an, da sie in der Regel als weniger unangenehm empfunden wird als die Injektionsbehandlung.

Die prophylaktische und symptomatische Behandlung der allergischen Rhinitis hat große Bedeutung erlangt – und die Zeiten sind vorbei, wo man die saisonale und perenniale Rhinitis als Crux medicorum bezeichnen musste. Inzwischen ist ein so breites Spektrum therapeutischer Möglichkeiten verfügbar, dass für fast jeden Heuschnupfenpatienten ein maßgeschneidertes Konzept gefunden werden kann.

Obwohl viele wirksame Medikamente für diese Indikation ohne ärztliche Verschreibung abgegeben werden können, z.B. Antihistaminika, diverse abschwellende Nasentropfensprays oder Dinatrium cromoglicicum (DNCG) – ist eine Selbstmedikation nicht in jedem Fall zu empfehlen. Trotzdem werden nicht verschreibungspflichtige Arzneimittel, die bei allergischer Rhinitis zur Anwendung kommen, unter 7.1.3 im Sinne einer Basisinformation besprochen.

Beratungstipp

Wenn sich Heuschnupfensymptome trotz konsequenter Selbstmedikation nicht bessern, die Beschwerden intensiv sind, keine plausible Ursache dafür vorhanden ist, asthmoide Anzeichen bestehen oder ein Kleinkind erstmals betroffen ist, sollte man zum Arztbesuch raten.

Chronische Rhinitis

Monatelang bestehende oder in kurzen Zeitabständen sich wiederholende Entzündungen der Nasenschleimhaut bezeichnet man als chronische Rhinitis.

Gemäß der klinischen Erscheinungsformen lassen sich **Rhinitis chronica simplex** (einfacher chronischer Schnupfen), **Rhinitis chronica hypertrophicans** (Rhinitis mit Schleimhautwucherung, Absonderung eines zähen Schleims und erschwerter Luftpassage), **Rhinitis chronica atrophicans** (Rhinitis mit Schwund der Nasenschleimhaut, evtl. auch des Nasenskelettes) und als sehr seltene Sonderform die **Stinknase** (Ozaena), mit üblem Nasengeruch, unterscheiden. Bei der chronischen Rhinitis sind keine spezifischen Erreger nachweisbar. Viele Beobachtungen deuten jedoch darauf hin, dass beim Menschen für die Entstehung und für den Verlauf der chronischen Rhinitis immunologische Mechanismen von entscheidender Bedeutung sind. Die Reaktion immunkompetenter Zellen mit dem jeweiligen Antigen dürfte dabei im Mittelpunkt stehen. Die **morphologischen Veränderungen** bei der chronischen Rhinitis sind sehr variabel, weshalb diese nicht in allen Einzelheiten besprochen werden sollen. Ebenso komplex stellen sich die therapeutischen Ansätze dar. Sie reichen von allgemeiner Schleimhautpflege über Salzwasserspülungen, Behandlung mit Vitamin-A-haltigen Ölen bis zur chirurgischen Intervention.

7.1.2.5 Nasenbluten

Nasenbluten (Epistaxis) kommt sowohl bei Kindern als auch bei Erwachsenen recht häufig vor (s.a. Kap. 7.1.3.7). So haben rund zwei Drittel aller Erwachsenen mindestens einmal im Leben Nasenbluten. Zwar empfinden die Betroffenen ihr Nasenbluten oft als sehr dramatisch, es beruht jedoch in den meisten Fällen auf harmlosen Ursachen und führt nur selten zu einem bedrohlichen Blutverlust. Bei wiederholtem starkem Nasenbluten sollte jedoch ein Arzt zur Abklärung konsultiert werden. Schließlich kann Nasenbluten in Einzelfällen auch ein Symptom für ernsthafte Erkrankungen sein.

Die häufigste Blutungsquelle bei Epistaxis (etwa 80%) stellt ein dichtes, gut durchblutetes, oberflächlich angeordnetes Geflecht kleiner Blutgefäße (Locus Kiesselbach) dar. Dieses ist im vorderen Teil der Nasenscheidewand lokalisiert. Hier ist die Schleimhaut besonders zart, und die Gefäßwände sind äußerst dünn. Nur selten stammt das Blut aus tieferen Nasenabschnitten.

Meist hat Nasenbluten **lokale Ursachen**. Hierzu zählen ausgetrocknete Schleimhäute (Rhinitis sicca), mechanische Schädigungen durch Nasebohren oder starkes Schnäuzen, Prellungen, Nasenschleimhautentzündungen, grippale Infekte (verstärkte Durchblutung der Nasenschleimhaut), allergische Rhinitis, Nasenpolypen, schleimhautreizende Chemikalien oder Suchtmittelmissbrauch (Kokain, Schnüffelstoffe).

Bei manchen Menschen, vor allem im Kindesalter, tritt Nasenbluten aber auch ohne erkennbaren Grund auf (habituelles Nasenbluten). Zu den selteneren **systemischen Ursachen** des Nasenblutens zählen Bluthochdruck, Gefäßerkrankungen wie Arteriosklerose, Gerinnungsstörungen (Hämophilie), Alkoholabusus, Gefäßmissbildungen in der Nase oder Tumorerkrankungen. Aber auch mit der Einnahme mancher Medikamente wie z.B. oralen Antikoagulantien (Cumarine), Thrombozytenaggregationshemmern (ASS),

Retinoiden, PDE-5-Hemmern, manchen Neuroleptika oder Zytostatika kann eine verstärkte Neigung zu Nasenbluten verbunden sein. In der Kundenberatung ist es wichtig, auf Maßnahmen zur **Prophylaxe** von Nasenbluten hinzuweisen: Die Nasenschleimhaut sollte intakt gehalten, befeuchtet und regelmäßig gepflegt werden. Hierzu können Nasensprays auf der Basis von Salzlösungen (z.B. Emser®, Rhinomer®), retinolpalmitathaltiges Nasenöl (z.B. Coldastop®) oder Dexpanthenol-Nasensalben (z.B. Bepanthen® Augen- und Nasensalbe) empfohlen werden.

Auch regelmäßiges Nasenduschen mit entsprechenden Salzlösungen (z.B. Emser® Nasendusche) erfüllen diesen Zweck.

Im **akuten Fall** von Nasenbluten gilt es zunächst, den Betroffenen zu beruhigen und darüber aufzuklären, dass der entstehende Blutverlust normalerweise unerheblich ist.

Als richtige Verhaltensweise gilt weiter: den Oberkörper aufrecht halten und den Kopf leicht nach vorne beugen. In dieser Position verringert sich der Blutdruck im Kopf und es fließt kein Blut in den Rachen, was zu Brechreiz führen kann. Zusätzlich sollte eine „Eiskrawatte", am besten in Form einer Kaltkompresse (z.B. Coldi Kühlgel-Kissen), in den Nacken gelegt werden.

Auf diese Weise verringert sich reflektorisch die Durchblutung der Nase. Auch Spülungen des Mundraums mit kaltem Wasser sind hilfreich. Darüber hinaus muss eine Kompression des blutenden Nasenlochs erfolgen. Hierzu drückt der Patient beide Nasenflügel für mindestens 5 Minuten von außen mit den Fingern nach hinten oder gegen die Nasenscheidewand und atmet so lange durch den Mund. Nach erfolgreicher Blutstillung sollte die Nase dann für mehrere Stunden nicht geschnäuzt werden. Erste-Hilfe-Maßnahmen bei Nasenbluten siehe Tab. 7.1-5, Kap. 7.1.3.7.

7.1.3 Medikamentöse Maßnahmen

Medikamente zur Behandlung von Erkrankungen der Nase und der Nasennebenhöhlen werden heute als **oral** oder **lokal** anzuwendende Medikamente angeboten. Für die orale Applikation stehen Tropfen und Säfte sowie Dragees, Tabletten und Kapseln zur Verfügung. Bei der lokalen Applikation kann man zwischen Nasentropfen (auch in Einzeldosenbehältnissen, z.B. Otriven® Einzeldosen Pipetten), Sprays, Dosiersprays, Dosiertropfern, Salben und Gelen wählen. Während die verschiedenen **oralen** Applikationsformen (abgesehen von Retardpräparaten) als annähernd **gleichwertig** angesehen werden dürfen, gibt es bei den **lokal** anzuwendenden Rhinologika in biopharmazeutischer Hinsicht beträchtliche Unterschiede.

Folgende Forderungen sind an lokal applizierbare Rhinologika zu stellen:

- Das Medikament sollte die physikalischen Eigenschaften des normalen Nasensekretes nicht längerfristig verändern.
- Die Funktionsfähigkeit des Flimmerepithels sollte erhalten bleiben.
- Der pH-Wert der Lösung sollte leicht sauer sein (jedoch nicht unter pH 6), um die Abwehrreaktion der Nasenschleimhaut zu verbessern. Denn es hat sich herausgestellt, dass der physiologischerweise schwach saure pH-Wert des Nasensekretes durch eine akute Rhinitis in den alkalischen Bereich verschoben wird. Dies begünstigt das Wachstum pathogener Keime, die in alkalischem Milieu von Lysozym nicht mehr ausreichend inaktiviert werden können (das pH-Optimum von Lysozym liegt bei pH 4–7). Daher empfiehlt sich eine schwach saure Pufferung nasaler Arzneiformen.

Die **Verweildauer** des Medikamentes wird durch die Viskosität des Trägerstoffes bestimmt und ist bei wässrigen Lösungen am kürzesten. Doch auch hier gibt es Unterschiede, denn mithilfe eines Dosiersprays versprühte wässrige Lösungen verweilen länger in der Nase und verteilen sich großflächiger als mit einer Pipette eingebrachte **Tropfen**. Außerdem lassen sich mit Dosiersprays die Ostien der Nasennebenhöhlen und die tieferen Nasenabschnitte leichter erreichen. **Nasentropfen auf öliger Basis** und **Zubereitungen mit Paraffin** sollten bei banalem Schnupfen nicht mehr verwendet werden, da die Zilienfunktion eingeschränkt wird und die Gefahr einer Lipidpneumonie besteht. Um die Funktion des empfindlichen Flimmerepithels möglichst wenig zu beeinträchtigen, sollte man daher wässrigen Trägermedien den Vorzug geben. Wenn eine längere Verweildauer angestrebt wird, kommen **Hydrogele auf Methylcellulosebasis** in Frage.

Diese lassen sich allerdings weniger exakt dosieren als wässrige Lösungen. **Fetthaltige Nasensalben** sind gut zur Anwendung am Nasenvorhof geeignet, vor allem zur Pflege der vom Schnupfen angegriffenen, empfindlichen Haut am Naseneingang.

Zur **Therapie von Schnupfen bei Säuglingen und Kleinkindern** können abschwellende Nasentropfen in stark verdünnter wässriger Lösung empfohlen werden. Sprays eignen sich nicht für diese Altersgruppe, es sei denn Dosiersprays wie z.B. Olynth® (Xylometazolin) Dosierspray, die speziell für Kleinkinder konzipiert wurden. Für Säuglinge gibt es spezielle Dosiertropfer (z.B. Nasivin® OK 0,01 % Dosiertropfer für Babys). α-Sympathomimetika müssen auf jeden Fall in der für diese Altersgruppe angegebenen Stärke verwendet werden, denn durch Resorption oder Aspiration der Wirkstoffe kann es infolge **Überdosierung** unter anderem zu Atemdepression und komatösen Zuständen kommen.

Beratungstipp

Nasendosiersprays haben gegenüber Nasentropfen den Vorteil der exakteren Dosierung und der feineren Wirkstoffverteilung.
Kunden, die Nasentropfen mit Pipette bevorzugen, sollten sich nach dem Einträufeln für ein bis zwei Minuten nach vorne beugen und dabei nach links und rechts schütteln. So verteilen sich die Tropfen besser auf der Nasenschleimhaut. Sind Nasentropfenanteile in den Rachen gelangt, sollte die Lösung nicht verschluckt, sondern ausgespuckt werden.

Tab. 7.1-1: Lokal anzuwendende Rhinologika (Kombinationspräparate, eine Auswahl)

Handelsname	Wirkstoffe, Sympathomimetika	Antihistaminika	Ätherische Öle	Sonstige
Coldastop® Nasenöl				Retinolpalmitat, Tocopherolacetat
Rhinospray® plus	Tramazolin		Cineol Campher Menthol	
Schnupfen Endrine®	Xylometazolin		Eucalyptusöl Levomenthol	
Nasic®	Xylometazolin			Dexpanthenol

Säuglinge und Kleinkinder können auch auf **mentholhaltige Präparate** (Nasen- oder Hustentropfen sowie Salben) mit schweren **Nebenwirkungen**, z.B. Erregung, Atemdepression, Kehlkopfkrämpfe, Bronchospasmen und Kreislaufschwäche reagieren. Daher sollte auf solche Zubereitungen verzichtet werden.

Worauf sollte man bei der Beratung eines Kunden mit Rhinitis achten?

Auch denjenigen Kunden, der ein ganz bestimmtes Präparat verlangt, kann man unter Umständen beraten, sei es über die Vor- und Nachteile der Darreichungsform (z.B. Tropfen, Spray, Dosierspray) oder über Art, Häufigkeit und Dauer der Anwendung. Vor dem **Dauergebrauch** α-sympathomimetisch wirkender Lokaltherapeutika ist zu warnen, weil mit nachlassender Wirkung **reaktive Hyperämien** mit übermäßigem Anschwellen der Nasenschleimhaut auftreten können (Rhinitis medicamentosa). Dieser **Rebound-Effekt** (siehe auch unter Kap. 7.1.3.1) kann zur Langzeitanwendung und damit zu einem Circulus vitiosus führen. Ein Schnupfenspray-Abusus kommt in der Praxis recht häufig vor und führt auf Dauer zu atrophischen, irreversiblen Schädigungen der Nasenschleimhaut. Beim Kunden, der lediglich ein Schnupfenmittel verlangt, sollte man Fragen stellen, die vor allem eine Differenzierung der Genese (infektiös/grippaler Infekt/Influenza (s. Tab. 7.3-1), allergischer andere Ursachen) erlauben. Man sollte auch die Möglichkeiten und Grenzen der oralen und lokalen Schnupfentherapie erläutern und gegebenenfalls zu Kombinationspräparaten Stellung beziehen. Wichtig ist die Frage, wie lange die Schnupfensymptome bereits bestehen. Während akute, unkomplizierte Beschwerden in der Selbstmedikation behandelt werden können, müssen chronisch anhaltende sowie untypische Symptome einer ärztlichen Diagnose zugeführt werden. Bei den äußerlich applizierbaren Antirhinitika dominieren als Wirkstoffe die α-Sympathomimetika vom Imidazolintyp. Aber auch Ephedrin und Phenylephrin können lokal appliziert werden (derzeit keine als Nasalia im Handel). Oral anzuwendende Schnupfenmittel enthalten meist eine Kombination aus einem Antihistaminikum und einem α-Sympathomimetikum.

7.1.3.1 Vasokonstriktoren

Die auf α-Rezeptoren wirkenden Sympathomimetika müssen als wichtigster Bestandteil der Rhinologika angesehen werden, unabhängig davon, ob die Präparate für die orale oder lokale Applikation konzipiert wurden. Bei den oralen Medikamenten (auch in den später noch zu besprechenden Grippemitteln) überwiegen Präparate vom **Ephedrin/Adrenalin-Typ**, während bei den Lokaltherapeutika hauptsächlich **Imidazolinderivate** vorkommen (Tab. 7.1-2, Tab. 7.1-3).

Imidazolinderivate

Wirkungsweise. Bei der akuten Rhinitis werden am häufigsten α-Sympathomimetika vom Imidazolintyp lokal angewandt (Tab. 7.1-2). Sie stimulieren direkt die α-Rezeptoren des sympathischen Nervensystems, haben jedoch kaum Wirkung an den beta-adrenergen Rezeptoren. Die Vasokonstriktion der Schleimhautgefäße führt zu verminderter Sekretion, zu einem Abschwellen der Schleimhäute und schließlich zu verbesserter Luftdurchgängigkeit, wobei die Belüftung der Nebenhöhlen von besonderer Bedeutung ist.

Auch bei gestörter Tubenventilation (Belüftung der Ohrtrompete) bei Mittelohr- und/oder Tubenerkrankungen sind derartige nasal angewandte Präparate indiziert. Ebenso eignen sie sich zur kurzfristigen Behandlung von Schleimhautschwellungen bei allergischer Rhinitis.

Beratungstipp

Abschwellende Nasalia werden normalerweise nur bedarfsweise eingesetzt. Ausnahme: Bei Ohrenbeteiligung kann die regelmäßige Anwendung über einen begrenzten Zeitraum sinnvoll sein.

Tab. 7.1-2: Vasokonstriktoren von Imidazolintyp in lokalen Rhinologika (Auswahl)

Wirkstoff	Strukturformel	Handelspräparat (Nasentropfen oder -spray)	Wirkungsdauer (h)*
Naphazolin		Privin®, Rhinex® Nasenspray mit Naphazolin	5–6
Oxymetazolin		Nasivin® Wick® Sinex	6–12
Tetryzolin		derzeit kein nasal anzuwendendes Präparat im Handel	4–8
Tramazolin		Infectoschnupf®, Rhinospray®	8–10
Xylometazolin		Balkis®, Otriven®, Olynth®, Nasenspray ratiopharm®, Nasic®, Snup®, schnupfen endrine®	5–12

* laut Abda-Datenbank 2012

Tab. 7.1-3: Lokal anzuwendende Rhinologika-Monopräparate (Auswahl)

Handelsname	Sympathomimetika	Andere Wirkstoffe
Balkis®	Xylometazolin	
Nasic®	Xylometazolin	Dexpanthenol
Nasivin®	Oxymetazolin	
Olynth®	Xylometazolin	
Otriven®	Xylometazolin	
Privin®	Naphazolin	
Rhinospray®	Tramazolin	
Schnupfen-endrine®	Xylometazolin	
Snup®	Xylometazolin	
Cromo Nasenspray 1A Pharma®		Cromoglicinsäure, Dinatriumsalz
Cromo-CT Nasenspray®		Cromoglicinsäure, Dinatriumsalz
Cromoglicin Hysan®		Cromoglicinsäure, Dinatriumsalz
Cromohexal® Sanft Nasenspray		Cromoglicinsäure, Dinatriumsalz
Crom Ophtal Nasenspray		Cromoglicinsäure, Dinatriumsalz

Die durch Vasokonstringentien hervorgerufenen Effekte werden von den Patienten subjektiv als sehr angenehm empfunden, nicht zuletzt auch, weil sie innerhalb weniger Minuten spürbar werden. Darüber hinaus – und das ist ganz wesentlich – **verringert sich durch abschwellende Lokaltherapeutika die Gefahr von Komplikationen**, z.B. infolge eines Sekretstaus. Voraussetzung für diese positiven Effekte ist, dass einige Faktoren berücksichtigt werden:

- Das Präparat sollte nur 5 bis maximal 7 Tage lang angewandt werden (außer auf ärztliche Anweisung).
- Es sollte nicht häufiger als bis zu 3-mal täglich appliziert werden.
- Dosiersprays ermöglichen eine genauere Therapie, weil eine exakte Wirkstoffmenge freigegeben wird. Außerdem ist eine bessere Verteilung in der Nase gewährleistet.

Beratungstipp

Bei leichter nasaler Obstruktion ist oft die nächst schwächere Wirkstoffkonzentration noch ausreichend wirksam, also z.B. ein Kinderspray für Erwachsene.

Pharmakokinetik. Die lokal angewandten Imidazolinderivate werden bei sinnvoller Dosierung infolge der rasch eintretenden Vasokonstriktion nur in geringem Umfang resorbiert. Die Wirkstoffe unterscheiden sich weder im abschwellenden Effekt noch im Wirkungseintritt signifikant voneinander. Lediglich die **Wirkungsdauer der einzelnen Stoffe** differiert etwas (siehe Tab. 7.1-2).

Nebenwirkungen. Tetryzolin und **Naphazolin** waren die ersten Imidazolinderivate für die Lokalbehandlung der Rhinitis. Sie besitzen eine höhere Nebenwirkungsrate als die modernen Wirkstoffe, weshalb sie nur noch selten verwendet werden; für die Kinderheilkunde gelten sie als ungeeignet. Zwei Nebeneffekte sind gefürchtet: das so genannte Rebound-Phänomen (siehe auch unter Kap. 7.1.3) und die Resorption bei Säuglingen und Kleinkindern.

Unter dem **Rebound-Effekt** versteht man die nach langfristiger hochdosierter Anwendung beobachtete Wirkungseinbuße mit nachfolgender reaktiver Hyperämie. Für Naphazolin und Oxymetazolin wurde dieses Phänomen in erster Linie beschrieben; es gilt aber wohl für alle Imidazolinderivate – wenn auch in unterschiedlichem Ausmaß. Die genannte unerwünschte Wirkung führt zu wiederholter Applikation und möglicherweise zum Dauergebrauch (Medikamentenrhinitis). Bei langwirkenden Präparaten (Wirkungsdauer nach Tab. 7.1-2) ist die Gefahr verringert, besonders wenn man den genannten Anwendungszeitraum nicht überschreitet. **Xylometazolin** (z.B. Olynth® oder Otriven®) wäre somit z.B. ein empfehlenswerter Wirkstoff, der gegebenenfalls in entsprechender Verdünnung bereits bei Säuglingen zur Anwendung kommen darf.

Beratungstipp

Langwirkenden Präparaten mit langsam abklingender Wirkung ist der Vorzug zu geben, weil hier weniger mit reaktiven Hyperämien gerechnet werden muss.

Die Gefahr der Resorption über die Nasenschleimhaut oder den Gastrointestinaltrakt mit nachfolgender Intoxikation besteht bei Säuglingen/Kleinkindern nur dann, wenn man Nasentropfen oder Spray in einer für dieses Lebensalter ungeeigneten Konzentration und Dosis verwendet. In solchen Fällen beobachtet man Herz- und Kreislaufstörungen sowie zentralnervöse Komplikationen, die sich als Sedierung oder zentraler Erregung, Atemdepression oder in Form von komatösen Zuständen äußern können. Weiterhin ist Vorsicht geboten bei Patienten mit

- schweren Herz-Kreislauf-Erkrankungen (z.B. koronare Herzkrankheit, starke Hypertonie),
- Engwinkelglaukom,
- Hyperthyreose,
- Phäochromozytom (hormonproduzierender Tumor der Nebenniere),
- außerdem bemerken manche Patienten nach der Applikation Imidazolin-haltiger Lokaltherapeutika ein brennendes Gefühl auf der Nasenschleimhaut.

Als Kontraindikationen sind die Rhinitis sicca sowie formaljuristisch Schwangerschaft und Stillzeit zu nennen. In den Fach- und Gebrauchsinformationen der Fertigpräparate finden sich daher auch die üblichen einschränkenden Formulierungen (z.B. „... soll in der Schwangerschaft nicht angewendet werden, da nur unzureichende Untersuchungen über Auswirkungen auf das ungeborene Kind vorliegen."). Aus medizinisch-pharmazeutischer Sicht gelten Oxymetazolin- und Xylometazolin-haltige Nasalia bei bestimmungsgemäßem Gebrauch – also bei auf wenige Tage (max. 1 Woche) begrenzter Anwendung in der empfohlenen Dosierung – jedoch während der gesamten Schwangerschaft und Stillzeit als anwendbar. Die Resorptionsquote wird bei bestimmungsgemäßem Gebrauch als vernachlässigbar gering erachtet. Teratogene und fetotoxische Effekte sowie Wirkungen auf den gestillten Säugling sind mit diesen Antiobstruktiva bisher nicht beobachtet worden. Sicherheitshalber kann einer Schwangeren ein Nasenspray in Kinder- oder Babydosierung abgegeben werden.

Verbindungen von Adrenalin-/Ephedrin-Typ

Wirkungsweise und Nebenwirkungen. Die indirekten Sympathomimetika (z.B. Ephedrin, Norephedrin = Phenylpropanolamin, Pseudoephedrin) potenzieren oder verlängern den vasokonstriktorischen Effekt von Noradrenalin. Nachteilig ist die sich rasch entwickelnde **Tachyphylaxie,** also die Ab-

nahme der Wirksamkeit bei wiederholter Anwendung.
Bei **lokaler** und richtig dosierter Applikation sind die Nebenwirkungen bei diesen Verbindungen ebenfalls gering, so dass sie bei banalem Schnupfen für eine kurzzeitige Therapie empfohlen werden können. Lokal applizierbare Präparate mit Sympathomimetika dieser Wirkstoffklasse spielen in der Praxis kaum noch eine Rolle.

Korrekte Anwendungstechnik nasaler α-Sympathomimetika

Neben dem Hinweis auf die begrenzte Anwendungsdauer und mögliche Nebenwirkungen sollte der Kunde ein paar praktische Tipps zur korrekten Anwendung seines nasalen Sympathomimetikums erhalten:

- Es empfiehlt sich, vor der Anwendung von Nasensprays bzw. -tropfen die Nase gründlich zu schnäuzen.
- Dosiersprays müssen vor dem ersten Sprühen außerhalb der Nase angepumpt werden, bis ein gleichmäßiger, dosierter Sprühnebel austritt.
- Sprühdüse ca. 1 cm tief in den Nasenhof einführen und einmal pumpen. Während des Sprühvorgangs leicht durch die Nase einatmen.
- Dosiertropfer erlauben nur eine Über-Kopf-Anwendung und müssen daher mit zurückgelegtem Kopf angewendet werden.
- Tropfen und Gel werden bei leicht zurückgelegtem Kopf in das Nasenloch eingebracht. Damit kein Nasensekret angesaugt wird, den Gummistopfen der Pipette erst loslassen, nachdem diese wieder aus der Nase gezogen wurde.
- Spraykopf und Pipette nach jeder Anwendung mit heißem Wasser abspülen oder zumindest abwischen, um Kontamination zu verhindern.
- Die letzte Anwendung abschwellender Nasalia erfolgt günstigerweise vor dem Zubettgehen.
- Aus hygienischen Gründen und um eine Ansteckung zu vermeiden, sollte jede Dosiereinheit nur von einem Patienten verwendet werden.
- Auf die begrenzte Anwendung intranasal anzuwendender Zubereitungen nach Anbruch aufmerksam machen (die Herstellerangaben schwanken zwischen 4 und 12 Wochen).

Entwöhnungsstrategie

Im Apothekenalltag wird man immer wieder mit **chronischen Schnupfenspray-Anwendern**, die regelmäßig ihr abschwellendes Nasenspray verlangen, konfrontiert. Erfahrungsgemäß erreicht man in diesen Fällen mit gebetsmühlenartigen Hinweisen auf die begrenzte Anwendungsdauer ebenso wenig wie mit der drastischen Schilderung möglicher Nasenschleimhautschäden.

Da abruptes Absetzen die Beschwerden nur verschlimmert, gilt es hier, den Betroffenen konkrete Entwöhnungsstrategien anzubieten. In der Praxis hat sich dabei die „**Einlochmethode**" mit folgendem Vorgehen bewährt:

Um einen Teil der Nasenatmung weiterhin zu gewährleisten, wird zunächst nur ein Nasenloch entwöhnt. Im ersten Schritt steigt man auf die nächst schwächere Konzentration des bisher verwendeten Nasensprays um. Nach mehreren Tagen wird im nächsten Schritt eine Anwendung pro Tag durch ein Meerwasser- oder Salzspray ersetzt, dann zwei usw. Auf diese Weise sollte es mit viel Geduld und Konsequenz gelingen, irgendwann auf den abschwellenden Wirkstoff in diesem Nasenloch ganz verzichten zu können. Dabei lieber langsam und in kleinen Schritten vorgehen. Hat sich die Situation in dem so entwöhnten Nasenloch stabilisiert, verfährt man mit dem anderen analog.

Beratungstipp

Gehen Sie im HV auf chronische Nasenspray-Abuser aktiv zu und bieten Sie ihnen konkrete Hilfestellung, z.B. in Form der genannten Entwöhnungsstrategie, an!

Konservierungsmittelfreie Präparate

Nasensprays bzw. -tropfen werden in der Regel in Mehrdosenbehältnissen angeboten. Um die Keimarmut der Wirkstofflösung auch nach mehrfachem Gebrauch noch zu gewährleisten, werden die wässrigen Zubereitungen konserviert. Hierzu wird bei Nasalia überwiegend **Benzalkoniumchlorid** eingesetzt. Verschiedene klinische Studien der vergangenen Jahre haben gezeigt, dass Benzalkoniumchlorid zu schädlichen Effekten an der Nasenschleimhaut führen kann (z.B. Graf et al., 1995, 1996).

Außerdem hat diese Verbindung in Untersuchungen bei längerer Anwendung zur Schwellung der nasalen Mukosa bzw. einer verstärkten Rhinitis medicamentosa geführt (Hallen et al., 1995). Auch wenn die Literaturdaten bezüglich der Effekte dieses Konservierungsmittels auf die Nasenschleimhaut nicht ganz einheitlich sind, existieren nach Ansicht des BfArM (Bundesinstitut für Arzneimittel und Medizinprodukte) ausreichend Hinweise dafür, dass Benzalkoniumchlorid konzentrations- und zeitabhängig **zilientoxische Effekte** und histopathologische Veränderungen in der Nasenschleimhaut induzieren kann. Dies ist besonders bedeutsam unter dem Aspekt, dass die mukosaprotektiven Mechanismen der Patienten, die zu diesen Nasalia greifen, oft bereits gestört sind. Daher ist insbesondere bei längerfristiger Anwendung mit negativen Effekten zu rechnen. (Bescheid des BfArM für Benzalkoniumchlorid-haltige Arzneimittel zur Anwendung in der Nase vom 1.5.2004). Inzwischen sind für die Selbstmedikation zahlreiche **konservierungsmittelfreie** Präparate zur intranasalen Anwendung auf dem Markt. Diese modernen Sprühsysteme gewährleisten weitgehende Keimfreiheit durch ihre spezielle Ventiltechnik, die verhindert, dass die angesaugte Luft in Kontakt mit der Wirkstofflösung kommt (z.B. das 3K- oder Comod-System).

Beratungstipp

Bei der Abgabe von Nasalia sollte man konservierungsmittelfreien Präparaten den Vorzug geben. Je länger und häufiger die Anwendung erfolgt, desto wichtiger ist die Abwesenheit von Benzalkoniumchlorid.

Orale Schnupfenmittel mit α-Sympathomimetika

Als wichtige Bestandteile oraler Antirhinitika haben sich Phenylpropanolamin (DL-Norephedrin), Phenylephrin und teilweise Ephedrin sowie Pseudoephedrin erwiesen (Tab. 7.1-4).

Tab. 7.1-4: Orale Rhinologika (Auswahl)

Handelsname	Wirkstoffe Sympathomimetika	Antihistaminika	Sonstige
Aspirin® Complex Granulat	Pseudoephedrin		Acetylsalicylsäure
Balkis® Schnupfenkapseln Neu		Chlorphenamin	
BoxaGrippal®	Pseudoephedrin		Ibuprofen
Doregrippin® Tabl.	Phenylephrin		Paracetamol
GeloProsed® Pulver zum Einnehmen	Phenylephrin		Paracetamol
Grippostad® C Kps.		Chlorphenamin	Paracetamol, Coffein, Ascorbinsäure
Rhinopront® Kombi Tabl.	Pseudoephedrin	Triprolidin	
Wick DayMed	Phenylpropanolamin		Dextromethorphan, Paracetamol
Wick MediNait Erkältungssirup für die Nacht	Ephedrin	Doxylamin	Dextromethorphan, Paracetamol

Die beiden erstgenannten Substanzen dürfen als prinzipiell wirksam eingestuft werden – auch wenn einige Besonderheiten zu beachten sind: Bei oraler Gabe der genannten α-Sympathomimetika gelangen diese über den Blutkreislauf zum Gefäßbett der Nasenschleimhaut – aber genauso zu anderen Gefäßsystemen. Die Vorteile der **längeren Wirksamkeit** und **geringeren Vasokonstriktion** entsprechender Präparate erkauft man mit einigen möglichen Nachteilen. Obwohl in der üblichen Dosierung keine Beeinflussung des Blutdrucks gesunder Probanden registriert wurde, kann es bei entsprechend disponierten Patienten doch zur **Blutdrucksteigerung** kommen. Auch über eine **gesteigerte Herztätigkeit** sowie gelegentliche **Herzrhythmusstörungen** wurde berichtet, ebenso über eine **leichte Erhöhung des Blutzuckerspiegels**. Daher sollten Patienten mit Hypertonie, Hyperthyreose, Diabetes mellitus und ischämischen Herzkrankheiten die genannten Präparate nur unter ärztlicher Kontrolle einnehmen.

Interaktionen. Patienten, die **Monoaminooxidase-Hemmer** einnehmen, sollten auf eine Selbstmedikation mit oralen α-Sympathomimetika verzichten.

Dosierung. Insbesondere bei Kombinationspräparaten ist darauf zu achten, dass die therapeutischen Dosen der Wirkstoffe nicht unterschritten werden. Die Angaben für **Ephedrin** liegen bei 12,5 bis 25 mg alle 4 Stunden, für **Phenylephrin** bei 10 mg (4-stündlich) und für **Phenylpropanolamin** (DL-Norephedrin) schließlich sind 3-mal täglich 25 bis 50 mg als wirksame Dosis ermittelt worden. Retardierte Langzeitpräparate enthalten 50 mg Phenylpropanolamin pro Einzeldosis und werden zweimal täglich eingenommen. Die genannten Angaben gelten für Erwachsene.

Für Pseudoephedrin liegt in den verschreibungsfreien Kombinationspräparaten mit Ibuprofen die Einzeldosis für Pseudoephedrin bei 30 mg und die maximale Tagesdosis bei 180 mg.

Info

Die orale Einnahme von Sympathomimetika wie Pseudoephedrin kann mit der gleichzeitigen topischen Anwendung vaskonstriktonischer Nasensprays zu Blutdruckanstieg führen und sollte daher unterbleiben.

7.1.3.2 Ätherische Öle und deren Inhaltsstoffe

Die ätherischen Öle in Externa zur Schnupfenbehandlung werden von vielen Autoren zurückhaltend bis ablehnend beurteilt. Es handelt sich dabei vor allem um Eucalyptus-, Pfefferminz-, Latschenkiefer- und Kamillenöl beziehungsweise Cineol, Menthol, Azulen und Campher. Die **antiseptische** und/oder **sekretolytische Wirkung** dieser Stoffe ließ sich nachweisen, ob sie bei Schnupfen einen Effekt haben, ist nicht abschließend geklärt. Als angenehm wird von vielen Patienten das erfrischende Gefühl gewertet, das durch Aktivierung der Kälterezeptoren entsteht, z.B. Wick® Inhalierstift N. Menthol- und Campherhaltige Präparate sind bei Säuglingen und Kleinkindern kontraindiziert (Kap. 7.1.3). **Überempfindlichkeitsreaktionen** sieht man besonders bei Säuglingen und Kleinkindern; daher darf man diesen keine stark riechenden Substanzen in die Nase applizieren. Sekretolytisch wirkende ätherische Öle dürfen in der Spätphase des Schnupfens, nicht aber in der akuten, positive Effekte erwarten lassen. Da es sich bei den ätherischen Ölen um komplexe Wirkstoffgemische handelt, lässt sich über die pharmakologische Wirkung nicht ohne weiteres eine Aussage machen. Außerdem sind diese meist mit vasokonstriktorischen Sympathomimetika kombiniert, z.B. Schnupfen endrine® 0,1 %, Rhinospray® plus, Wick® sinex. Trotzdem kann man davon ausgehen, dass sich beispielsweise die leicht lokalanästhetischen, antiphlogistischen und sekretolytischen Effekte von Pfefferminzöl günstig auswirken.

7.1.3.3 Antiallergika

Grundsätzliche Fragen zum Wirkungsmechanismus, den Nebenwirkungen und Interaktionen der Antihistaminika wurden bereits in Kapitel 1.2.2.1 dargelegt. Dieser Abschnitt beschränkt sich daher auf die als Antirhinitika verwendeten Wirkstoffe.

Aufgrund welcher Wirkungsqualitäten kann man Antihistaminika gegen Rhinitis einsetzen?

Der Haupteffekt aller Antihistaminika ist die kompetitive Verdrängung des Histamins von seinen Rezeptoren, wodurch die Histaminwirkungen aufgehoben werden – sofern das Antihistaminikum in ausreichend hoher Dosis gegeben wird. Doch welche Rolle kommt dem Gewebshormon Histamin bei Erkältungen allgemein sowie bei den verschiedenen Formen der Rhinitis zu? Die Symptome beim grippalen Infekt lassen sich nur zum Teil auf eine Histaminausschüttung zurückführen, während Histamin bei der allergischen Reaktion, also auch bei der allergischen Rhinitis, ganz maßgeblich an der Symptomatik beteiligt ist. Bei **vasomotorischer Rhinitis** können mit Antihistaminika ebenfalls gute Erfolge erzielt werden. Antihistaminika antagonisieren aber nicht nur den Effekt des Histamins, sondern sie besitzen noch weitere Eigenschaften, mit denen man den breiten Einsatz bei Erkältungskrankheiten rechtfertigt: Die anticholinerge Komponente soll dazu beitragen, dass die Schleimproduktion und damit die Rhinorrhoe nachlässt. Jedoch ist dieser Effekt relativ schwach ausgeprägt, so dass er sich bei den üblichen Dosierungen (insbesondere in Kombinationspräparaten) kaum auswirken dürfte. Die anticholinerge Wirkung führt jedoch auch zur Austrocknung der Schleimhaut im gesamten Respirationstrakt, was zur Absonderung eines zähen Sekretes und damit zu erschwerter Expektoration führen kann.

Info

Antihistaminika können bei banalem Schnupfen bedingt und bei allergischer sowie vasomotorischer Rhinitis mit günstigem Effekt oral eingesetzt werden.

Darüber hinaus sollen insbesondere die modernen Antihistaminika wie Cetirizin und Loratadin sekundäre Entzündungsmediatoren (z.B. Leukotriene) blockieren und die Expression von Adhäsionsmolekülen (z.B. ICAM-1) hemmen. Die in Antirhinitika und Grippemitteln verwendeten Antihistaminika zeigt Abbildung 7.1-5.
Strukturwirkungsbeziehungen. Fast alle Antihistaminika haben folgende Grundstruktur:

$$R - X - CH_2 - CH_2 - [N<]$$

In der Gruppe der **Ethylendiaminderivate** ist X ein Stickstoffatom, bei den **Colaminderivaten** ein Sauerstoffatom und bei den Derivaten vom **Propylamintyp** kann es ein Kohlenstoffatom sein. Der Rest R muss zwei aromatische oder heteroaromatische Ringsysteme enthalten. Daneben gibt es noch eine Reihe von Antihistaminika, die sich in dieses Schema nicht einordnen lassen.
Diese nach strukturellen Gesichtspunkten vorgenommene und weit verbreitete Einteilung erlaubt jedoch **keine Aussagen über die Wirkungsqualitäten** einzelner Substanzen.

Orale Antihistaminika

Zur symptomatischen Behandlung der **saisonalen allergischen Rhinitis** wurden über viele Jahre hinweg vor allem **Terfenadin** (z.B. Teldane®) und **Astemizol** (Hismanal®) eingesetzt.
Seit einigen Jahren gab es allerdings einzelne Hinweise auf lebensbedrohliche **kardiale Nebenwirkungen** der beiden H_1-Antihistaminika: Durch Herzrhythmusstörungen gefährdet sind demnach vor allem Patienten mit schweren **Leberfunktionsstörungen** und Patienten mit QT-Verlängerung unterschiedlicher Genese. Aber auch die gleichzeitige Behandlung mit **Makrolidantibiotika** (z.B.

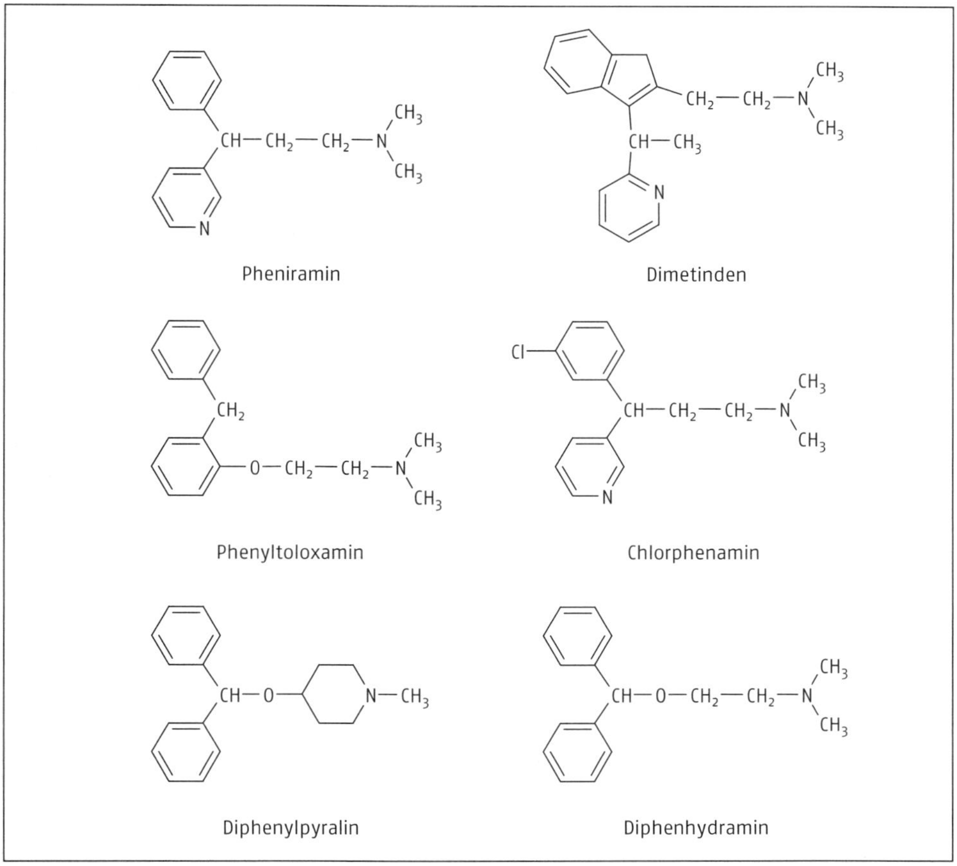

[Strukturformeln: Pheniramin, Dimetinden, Phenyltoloxamin, Chlorphenamin, Diphenylpyralin, Diphenhydramin]

Abb. 7.1-5: Antihistaminika in Rhinologika und Grippemitteln (teilweise nur noch in ausländischen Präparaten)

Erythromycin oder Clarithromycin) oder **Antimykotika vom Azol-Typ** (z.B. Ketoconazol oder Itraconazol) kann das Risiko für kardiale Nebenwirkungen erhöhen. Während Terfenadin normalerweise schnell und vollständig in den aktiven Metaboliten **Fexofenadin** und einen inaktiven Metaboliten verstoffwechselt wird, kommt es bei Störungen dieses Metabolismus oder bei Überdosierungen zu einem Anstieg der Terfenadin-Plasmakonzentration. Terfenadin kann dann die myokardialen Kaliumkanäle blockieren und ventrikuläre Tachykardien mit Ohnmachtsanfällen und Herzstillstand auslösen. Für Astemizol wird ein ähnlicher Mechanismus diskutiert. Obwohl diese Nebenwirkungen vermutlich nur bei Nichtbeachtung der Gegenanzeigen und/oder Wechselwirkungen auftreten, wurden beide oralen Antihistaminika aufgrund der Schwere der unerwünschten Wirkungen 1998 zunächst wieder der Verschreibungspflicht unterstellt. Seit 1999 sind Astemizol-haltige Präparate in Deutschland nun nicht mehr im Handel. Ende 1997 wurde der aktive Metabolit von Terfenadin, **Fexofenadin,** als Telfast® in den deutschen Markt eingeführt. Telfast® 120 mg ist wie Terfenadin zur Behandlung der symptomatischen saisonalen allergischen Rhinitis zugelassen, unterliegt aber zurzeit noch der **Verschreibungspflicht.**

Erkrankungen der Nase und der Nasennebenhöhlen

Für die systemische Therapie der Pollinose im Rahmen der Selbstmedikation stehen damit als Vertreter der neuen H_1-Rezeptorenblocker nur **Cetirizin** und **Loratadin** zur Verfügung.

Antihistaminika der 1. Generation wie Clemastin (z.B. Tavegil®) oder Dimetinden (z.B. Fenistil®) spielen, obwohl sie rezeptfrei erhältlich sind, für die systemische Selbstmedikation der allergischen Rhinitis praktisch keine Rolle.

Beratungstipp

Alle Antiallergika sollten spätestens 48 Stunden vor einem allergologischen Hauttest abgesetzt werden, um das Testergebnis nicht zu verfälschen.

Cetirizin

Cetirizin (z.B. Zyrtec®, Reactine®) ist ein Antihistaminikum vom Ethylendiamin-Typ (Abb. 7.1-6), das die H_1-Rezeptoren in der Peripherie selektiv und lang anhaltend blockiert und die Wirkungen von Mediatoren allergischer Reaktionen (Histamin und Prostaglandin D_2) antagonisiert. Cetirizin ist bei chronischem, allergischem Schnupfen sowie bei Heuschnupfen indiziert. Nachdem in pharmakodynamischen Studien gezeigt worden war, dass Levocetirizin, das (R)-Enantiomer von Cetirizin, in nur halber Dosierung eine vergleichbare Wirkung zeigt, wurde Levocetirizin als eigenständiger Wirkstoff (Xusal®) auf den Markt gebracht. Dieses unterliegt allerdings noch der Verschreibungspflicht.

Zyrtec® ist auch zur Behandlung von Kindern zugelassen. Die **Dosierung** richtet sich nach dem Körpergewicht (Normdosierung: 1-mal täglich eine Tablette mit 10 mg, Kinder unter 30 kg KG erhalten nur eine halbe Tablette). Aufgrund der langen Halbwertszeit von mehr als sieben Stunden wird Cetirizin nur einmal täglich, am besten am Abend, eingenommen. Bei therapeutischer Dosierung sind unerwünschte Wirkungen wie Kopfschmerzen, Schwindel, Mundtrockenheit und gastrointestinale Nebenwirkungen selten. Schläfrigkeit tritt nur gelegentlich auf. Bei Dosierungen von 2-mal täglich 10 mg wird manchmal über Müdigkeit und gastrointestinale Beschwerden berichtet.

Das Arzneimittel sollte nicht zusammen mit Alkohol eingenommen werden! Cetirizin kann unabhängig von den Mahlzeiten eingenommen werden. Die Resorption wird durch gleichzeitige Nahrungsaufnahme zwar verzögert, die Bioverfügbarkeit insgesamt aber nicht verringert.

Gegenanzeigen. Auch wenn in Teratogenitätsstudien keine Probleme ersichtlich wurden, sollte Cetirizin laut Fach- und Gebrauchsinformation in der Schwangerschaft und in der Stillzeit nicht eingenommen werden.

Loratadin

Loratadin (z.B. Lorano®) unterscheidet sich in seiner chemischen Struktur (Abb. 7.1-6) deutlich von Cetirizin.

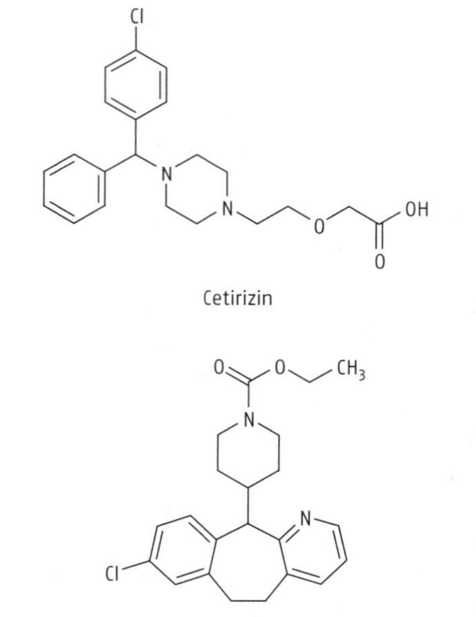

Abb. 7.1-6: Die beiden wichtigsten oralen Antihistaminika für die Selbstmedikation

Auch Loratadin blockiert selektiv und lang anhaltend die H_1-Rezeptoren in der Peripherie und wirkt daher praktisch nicht sedierend; darüber hinaus hemmt Loratadin die Degranulation der Mastzellen und blockiert die Freisetzung von Entzündungsmediatoren. Loratadin ist zur symptomatischen Behandlung der allergischen Rhinitis zugelassen. Weitere zugelassene Indikationen sind chronische Urtikaria und Neurodermitis.

Desloratadin, der aktive Hauptmetabolit von Loratadin, wurde vor wenigen Jahren als Präparat (Aerius®) eingeführt, unterliegt jedoch noch der Verschreibungspflicht.

Wie Cetirizin kann auch Loratadin bei Kindern ab 2 Jahren eingesetzt werden. Allerdings ist in der Gebrauchsinformation mancher Präparate (z.B. Lora ADGC) die Anwendung erst ab 6 Jahren bzw. ab 30 kg KG vorgesehen.

Die Dosierung richtet sich nach dem Körpergewicht mit einer Grenze von 12 Jahren bzw. 30 kg Körpergewicht (darunter nur ½ Tablette). Die Eliminationshalbwertszeit von Loratadin beträgt 15 Stunden, ein aktiver Metabolit hat sogar eine Halbwertszeit von 19 Stunden. Loratadin braucht daher auch nur einmal täglich eingenommen zu werden. Bei therapeutischer Dosierung ist das Antihistaminikum gut verträglich; nach den Ergebnissen psychomotorischer Untersuchungen wird die Wirkung von Alkohol durch gleichzeitige Einnahme von Loratadin nicht verstärkt.

Gegenanzeigen. Mehrere Literaturquellen bezeichnen das Antihistaminikum **Loratadin** als Mittel der Wahl zur systemischen Heuschnupfenbehandlung von Schwangeren und Stillenden, da mit diesem Antihistaminikum die meisten Erfahrungen vorliegen. Dennoch wird laut Fach- und Gebrauchsinformation von einer Einnahme in Schwangerschaft und Stillzeit abgeraten.

Beratungstipp

Cetirizin und Loratadin müssen nur einmal täglich eingenommen werden – wegen eventueller Sedierung möglichst abends. Ansonsten kann der Einnahmezeitpunkt auch der Symptomschwere im Tagesverlauf angepasst werden.

Intranasal anzuwendende Antihistaminika

Azelastin

Mit Wirkung vom 1. Januar 1997 wurde das Antihistaminikum **Azelastin** von der automatischen Verschreibungspflicht in die Verschreibungspflicht nach § 48 AMG übernommen. Ausgenommen und damit für die **Selbstmedikation** seit diesem Datum verfügbar sind Zubereitungen zur intranasalen Applikation, die zur Behandlung der **saisonalen allergischen Rhinitis** bestimmt sind.

Zubereitungen zur Therapie der **perennialen allergischen Rhinitis** sind dagegen weiterhin verschreibungspflichtig!

Azelastin (z.B. Allergodil® akut Nasenspray®, Vividrin® akut Azelastin Nasenspray gegen Heuschnupfen) führt bei intranasaler Applikation (zweimal täglich ein Sprühstoß in jedes Nasenloch) nicht zu klinisch relevanten Plasmaspiegeln und kann daher auch keine unerwünschten systemischen Wirkungen verursachen. In seltenen Fällen kann es zu einer Reizung der bereits entzündlich veränderten Nasenschleimhaut mit Brennen, Kribbeln und Niesen kommen. Die Anwendung sollte bei aufrechter Kopfhaltung erfolgen, da z.B. bei zurückgeneigtem Kopf ein bitterer Geschmack mit Übelkeit auftreten kann.

Gegenanzeigen. Für Azelastin liegen keine Hinweise auf teratogene oder fetotoxische Effekte vor. Diese sind aufgrund der geringen Resorptionsquote bei topischer Anwendung auch nicht zu erwarten. Sicherheitshalber warnen die pharmazeutischen Unternehmen in der Gebrauchsanweisung jedoch Schwangere vor der Anwendung oder verweisen an den Arzt.

Levocabastin

Seit Anfang 1998 kann auch **Levocabastin** in Form von Nasenspray oder Augentropfen (z.B. Livocab®-Kombi) im Rahmen der **Selbstmedikation** empfohlen werden. Die Substanz blockiert selektiv H_1-Rezeptoren. Durch Anwendung am Auge können die Symptome der

Erkrankungen der Nase und der Nasennebenhöhlen

Azelastin

Levocabastin

allergischen **Konjunktivitis** schnell und lang anhaltend kontrolliert werden. Die intranasale Applikation bessert die Symptome der **allergischen Rhinitis**. Levocabastin wird zweimal täglich (bei Bedarf auch drei- bis viermal täglich) angewendet (1 Tropfen in jedes Auge bzw. 2 Sprühstöße in jedes Nasenloch).

Da es sich bei Livocab® um eine Suspension handelt, sollte der Patient darauf hingewiesen werden, dass das Arzneimittel vor der Anwendung geschüttelt werden muss.

Nebenwirkungen. Unter Levocabastin können vorübergehend leichte Reizerscheinungen am Auge bzw. an der Nasenschleimhaut auftreten. Bei Anwendung von Livocab®-Nasenspray können aufgrund der langen Halbwertszeit von Levocabastin (33 bis 40 Stunden) pharmakologisch wirksame Plasmaspiegel erreicht werden. Normalerweise verursacht Livocab®-Nasenspray weder eine klinisch relevante Sedierung noch beeinflusst es die psychomotorische Leistungsfähigkeit. Die Fähigkeit zur aktiven Teilnahme am Straßenverkehr sowie zum Bedienen von Maschinen ist daher meist auch nicht beeinträchtigt. Falls der Patient aber im Krankheitsverlauf unter Benommenheit leidet, ist Vorsicht geboten.

Gegenanzeigen. Aufgrund fehlender Erfahrungen sollte Levocabastin im ersten Trimenon der Schwangerschaft nicht eingesetzt werden. Hinweise auf teratogene oder fetotoxische Effekte liegen jedoch keine vor. In der Stillzeit kann das Arzneimittel aber verwendet werden.

Beratungstipp

Bei leichten oder nur gelegentlichen Heuschnupfen-Beschwerden sind intranasal verwendbare Antihistaminika oft alleine schon ausreichend wirksam.

Die topischen Antihistaminika **Levocabastin** und **Azelastin** gelten aufgrund ihres langen und sicheren Einsatzes in der Selbstmedikation auch in Schwangerschaft und Stillzeit als akzeptabel. Es liegen keine Hinweise auf teratogene oder fetotoxische Effekte vor. Diese sind aufgrund der geringen Resorptionsquote bei topischer Anwendung auch nicht zu erwarten. Sicherheitshalber warnen die pharmazeutischen Unternehmer aber Schwangere vor der Anwendung oder verweisen an den Arzt.

Intranasal anzuwendende Glucocorticoide

Bereits im Jahr 1997 wurde Beclometason zur lokalen symptomatischen Kurzzeitbehandlung der saisonalen allergischen Rhinitis unter bestimmten Bedingungen aus der Verschreibungspflicht entlassen. Im Oktober 2016 wurde diese Ausnahme von der Verschreibungspflicht auch auf die Wirkstoffe Mometason und Fluticason erweitert und einheitlich an bestimmte Bedingungen gebunden. So gilt dies nur bei Erwachsenen mit ärztlicher Diagnose einer saisonalen allergischen Rhinitis, um andere chronische Erkrankungen auszuschließen. Die maximale Tagesdosis beträgt in der Selbstmedikation für Beclometason 400 µg, für Mometason und Fluticason 200 µg. Durch die geringe systemische Bioverfügbarkeit dieser lokal applizierbaren Glucocorticoide gilt das Risiko für systemische Nebenwirkungen selbst bei längerer Anwendung als gering. Bei der Ab-

Cromoglicinsäure-Dinatriumsalz

gabe cortisonhaltiger Nasensprays sollten die Kunden folgende Hinweise erhalten:
- Um eine möglichst effektive, langanhaltende Symptomfreiheit zu erreichen, müssen Cortison-Nasensprays regelmäßig angewendet werden – also auch an den Tagen, an denen keine Symptome spürbar sind.
- Ihre Wirkung tritt verzögert erst nach Stunden bis zu einem Tag ein. Die maximale Wirksamkeit wird nach rund einer Woche erreicht.
- Für Cortison-Angst besteht wegen der lokal begrenzten Wirkung kein Grund.
- An Nebenwirkungen kann es unter der Anwendung zu blutigem Nasensekret und zur Krustenbildung kommen.
- Die Präparate machen nicht müde.
- Die Sprays bekämpfen nicht nur die Symptome, sondern begegnen auch dem allergisch-entzündlichen Geschehen auf breiter Front, so dass die entzündete Schleimhaut besser abheilen kann.
- Topische Glucocorticoide wirken besonders effektiv der nasalen Obstruktion entgegen.

Beratungstipp

Glucocorticoid-Nasensprays zeigen bei allergischer Rhinitis insbesondere auf die nasale Obstruktion gute Wirkung. Sie haben jedoch eine Wirklatenz von einigen Tagen und müssen regelmäßig appliziert werden.

Grundlage für das Switching der genannten lokal anzuwendenden Glucocorticoiden in den OTC-Bereich war die Erkenntnis, dass das Glucocorticoid bei intranasaler Kurzzeitanwendung nur selten lokale Nebenwirkungen und kaum klinisch relevante systemische Begleiteffekte verursacht. Das Präparat erzielt jedoch keinen Soforteffekt, sondern muss über eine begrenzte Dauer 2-mal täglich regelmäßig angewendet werden.

Beclometason

Fluticason: R = H

Fluticason-17-propionat: R = $-\overset{O}{\underset{\|}{C}}-CH_2-CH_3$

Mometasonfuroat

Mastzellenstabilisator: Cromoglicinsäure

Cromoglicinsäure

Die **Cromoglicinsäure** ist ein Bis-Chromon-Derivat und wird in Form ihres Dinatriumsalzes (**DNCG**) eingesetzt (Cromoglicin Hysan®, Cromohexal® Sanft Nasenspray). DNCG stabilisiert die Membran der Mastzellen und verhindert so deren Degranulation nach Antigenkontakt. Auf diese Weise wird die Freisetzung von Histamin und anderen Entzündungsmediatoren gedrosselt, die in den Zellen präformiert vorliegen wie z.B. Kinine. DNCG besitzt keine vasokonstriktorischen, antihistaminischen oder glucocorticoiden Wirkungen. DNCG bietet sich für die Prophylaxe der allergischen Rhinitis an und sollte gleich bei den ersten Symptomen angewendet werden. Die Behandlung muss auch bei Besserung oder Beschwerdefreiheit so lange konsequent durchgeführt werden, wie der Patient den Allergenen ausgesetzt ist (Präparate-Beispiele s. Tab. 7.1-3).

Interaktionen oder **Nebenwirkungen** – abgesehen von einem gelegentlichen leichten Brennen der Nasenschleimhaut – wurden bislang nicht beobachtet. Bei der anschließenden Besprechung der Asthma-Therapeutika wird nochmals im Detail auf die Cromoglicinsäure eingegangen.

Beratungstipp

Mastzellstabilisatoren sollten regelmäßig und auch bei vorübergehender Beschwerdefreiheit durchgehend bis zum Ende der Allergenexposition angewendet werden.

7.1.3.4 Dexpanthenol

Dexpanthenol wird nach lokaler Applikation zu Pantothensäure metabolisiert; diese ist für die Stoffwechselfunktion der Epithelien von Schleimhaut und Haut unentbehrlich (s. 3.1.2.1).

Bepanthen® Augen- und Nasensalbe, ein Monopräparat mit Dexpanthenol, hat sich bei Schleimhautläsionen, insbesondere bei **Rhinitis sicca** bewährt; auch nach Operationen, bei **postoperativer Krustenbildung**, sieht man gute Erfolge mit diesem Präparat. Wegen ihrer heilenden und befeuchtenden Wirkung sind Dexpanthenol-Nasensprays auch bei akutem Schnupfen oder zur Nachbehandlung der strapazierten Nase empfehlenswert (z.B. Mar® plus 5% Nasenpflegespray, Nasenspray ratiopharm® Panthenol).

7.1.3.5 Sekretolytika

Während die chronische Sinusitis einen Fall für den Arzt darstellt, können leichte Formen von akuter Sinusitis, wie sie oft mit einem grippalen Infekt einhergehen, versuchsweise zunächst in der Selbstmedikation behandelt werden. Obwohl immer wieder kontrovers diskutiert, haben dabei Phytopharmaka wie Sinupret® und Sinupret® extract einen großen Stellenwert. Das Präparat enthält fünf pflanzliche Extrakte (Eisenkraut, Enzianwurzel, Gartensauerampferkraut, Holunderblüten, Schlüsselblumenblüten). Die Inhaltsstoffe sollen die Sekretolyse fördern und die Selbstreinigung der Nasenschleimhäute unterstützen, damit sich die Ostien der Nebenhöhlen rascher wieder öffnen und angestautes Sekret

$$HO-CH_2-\underset{\underset{H_3C}{|}}{\overset{\overset{H_3C}{|}}{C}}-\underset{\underset{OH}{|}}{CH}-\overset{\overset{O}{||}}{C}-NH-CH_2-CH_2-CH_2-OH$$

Dexpanthenol

abfließen kann. Abgesehen von allergischen Reaktionen ist an Nebenwirkungen allenfalls mit leichten Magenbeschwerden zu rechnen. Die Eigenbehandlung der Sinusitis sollte sich über maximal 7 bis 14 Tage erstrecken. Obwohl ihr primäres Einsatzgebiet bronchopulmonale Erkrankungen mit starker Schleimbildung darstellen (s. Kap. 7.2.3.2), sollen gemäß Erfahrungsberichten auch chemische Sekretolytika wie Acetylcystein oder Ambroxol bei verschleimten Nasennebenhöhlen helfen. Auch hier gilt der Hinweis, bei ausbleibender Symptombesserung rechtzeitig einen Arzt zu konsultieren.

Beratungstipp

Die Selbstmedikation einer akuten Sinusitis sollte von vornherein auf 7 bis maximal 14 Tage beschränkt werden.

Salzlösungen

Als Adjuvans bei verstopfter Nase sowie zum **Anfeuchten und Reinigen** gereizter Nasenschleimhäute eignen sich Nasensprays/-tropfen auf Basis einer **isotonischen Natriumchlorid-Lösung (= Kochsalzlösung 0,9%)**. Derartige Präparate können auch schon bei Säuglingen eingesetzt werden (z.B. Olynth® salin). Die isotonische Kochsalzlösung wird relativ häufig von Kinderärzten eingesetzt, da diese das atembehindernde, zähe Sekret verflüssigt und den Sekrettransport begünstigt. Ohne das Risiko unerwünschter Nebenwirkungen fördern die isotonen (oder leicht hypertonen) kochsalzhaltigen Nasentropfen das Abschwellen der Schleimhaut. Durch den Zusatz von Methylhydroxypropylcellulose lässt sich die Viskosität erhöhen und eine längere Verweildauer erreichen (z.B. Aspecton® Nasenspray). Derartige Rezepturen können auch Kunden empfohlen werden, die an Rhinitis vasomotorica oder Rhinitis medicamentosa leiden. Hierbei empfiehlt es sich, schrittweise vorzugehen. Das genaue Procedere siehe unter 7.1.3.1. In manchen Produkten ist statt Kochsalzlösung **isotonisiertes Meerwasser** enthalten. Aufgrund der Mineralsalze soll damit die **Heilung** der irritierten Schleimhaut unterstützt und auch ein gewisser abschwellender Effekt erzielht werden (Bsp.: Rhinomer® Nasenspray).

Das **Emser Salz** soll auf der Nasenschleimhaut jene günstigen Effekte auslösen, die man von Inhalationen oder Lutschpastillen kennt: Besonders hervorzuheben ist der **osmotische Effekt**, ausgelöst durch die Feuchtigkeit der Nasenschleimhäute. Dadurch wirkt das Emser Salz entquellend und entzündungswidrig. Als Präparate stehen z.B. Emser® Nasenspray und Emser® Nasensalbe sensitiv zur Verfügung.

Beratungstipp

Dexpanthenol- und salzhaltige Nasensprays sind zur Pflege der gereizten nasalen Mukosa eine sinnvolle Zusatzempfehlung für Rhinitis-Patienten.

Salzhaltige Nasenspüllösungen, die in der Regel mit Hilfe von **Nasenduschen** zur Anwendung kommen, sind in den letzten Jahren in der Beratung immer wichtiger geworden (z.B. Emsor® Nasendusche Nasanita®). Schließlich stellen sie eine sinnvolle Empfehlung für Rhinitis-Patienten dar. Indem die Lösung zu einem Nasenloch hinein und unter Umspülung der Nasenschleimhäute zum anderen Nasenloch wieder hinausfließt, wird die nasale Mukosa von anhaftenden Schmutzpartikeln, Infektionserregern und Allergenen befreit sowie gleichzeitig befeuchtet. Da Spüllösungen die Nase in der obstruktiven Phase einer Erkältung oft nur wenig durchdringen, haben sie ihr Haupteinsatzgebiet vor allem in der Nachbehandlungsphase sowie zur Prophylaxe. Voraussetzung für den erfolgreichen Einsatz ist allerdings, dass der Kunde in der Apotheke zur korrekten Anwendung angeleitet wird: Kopf über dem Waschbecken leicht geneigt halten, Spüldruck durch Freigabe der Öffnung steuern, Lösung stets frisch ansetzen.

Beratungstipp

Nasenduschen können im HV zur Prophylaxe, Nachbehandlung und Pflege irritierter Nasenschleimhäute auch chronischen Rhinitis-Patienten empfohlen werden.

7.1.3.6 Vitamine

Vitamin A (Retinol) ist ein für den Aufbau der Epithelien unentbehrlicher Wirkstoff, es schützt außerdem die Schleimhäute und erhöht deren Infektabwehr.

Vitamin A (Retinol)

Vitamin E (Tocopherol) soll diese Vitamin-A-Wirkungen in synergistischer Weise unterstützen und dessen Resorption fördern. Die Kombination hat sich speziell bei **atrophischen** und **degenerativen Veränderungen** der Nasenschleimhaut bewährt. Damit keine **pulmonalen Komplikationen** auftreten, wurden z.B. im Coldastop®-Nasenöl oder in GeloSitin® Nasenpflege (enthält tocopherolhaltiges Antioxidanziengemisch) pflanzliche Öle als Träger verwendet. Die AMK hat im Jahr 2016 das Risiko von Lipidpneumonien nach Anwendung öliger Nasensprays und -tropfen untersucht. Sie kommt zu dem Ergebnis, dass bei lipophilen flüssigen Nasalia grundsätzlich die Gefahr der Aspiration mit möglichen gesundheitlichen Risiken bis hin zu Lipidpneumonien besteht. (Lipidpneumonien sind Entzündungen, die durch Aspiration von oral oder nasal zugeführten Lipiden entstehen und zu Husten, subfebrilen Temperaturen und Kurzatmigkeit führen können.) Als problematisch gelten diesbezüglich nicht nur flüssige Paraffine, sondern auch fette Öle pflanzlichen Ursprungs. Ölige Nasalia sollten daher nur in begründeten Ausnahmefällen eingesetzt werden, insbesondere aber nicht bei Säuglingen und Kleinkindern, Bettlägerigen oder Personen mit Neigung zu Aspiration.

Unabhängig von der chemischen Natur des Lipids gelten ölige Nasalia bei Verkrustungen infolge eines chirurgischen Eingriffs als nützlich. Bei Erkrankungen des Nasenvorhofs, der kein Schleimhautepithel ausbildet, und sofern das applizierte Öl dort lokal verbleibt, dürfte nach Einschätzung der AMK kein Lipidpneumonie-Risiko bestehen. Nicht zum Einsatz kommen sollten ölige Nasalia dagegen bei Rhinosinusitis und verstopfter Nase.

7.1.3.7 Hämostyptika

Für die **medikamentöse Unterstützung** der Blutstillung stehen derzeit nur wenige hämostyptisch wirksame Präparate zur Verfügung (s. auch Kap. 7.1.2.5). Früher wurde Nasenbluten häufig durch Verätzen mit Silbernitratstift behandelt. Dabei kann jedoch auch der empfindliche Knorpel mit beschädigt werden. Geeigneter sind die im Handel befindlichen blutstillenden Verbandstoffe wie Gelaspon® Strip (mit sterilem, resorbierbarem Gelatinschwamm) oder Kwizda

α-Tocopherol (Vitamin E)

Erste-Hilfe-Maßnahmen bei Nasenbluten

- Bei aufgerichtetem Oberkörper den Kopf leicht nach vorne beugen
- durch den leicht geöffneten Mund atmen
- die Nasenflügel für mindestens 5 Minuten mit den Fingern zusammen oder gegen die Nasenscheidewand drücken
- Nacken und Stirn mit kalten Kompressen oder nassem Waschlappen kühlen
- lokal wirksame Hämostyptika oder vasokonstriktorische Nasalia einsetzen
- nach erfolgreicher Blutstillung Nase für einige Stunden nicht schnäuzen.

Erste Hilfe bei Nasenbluten Nasenstöpsel (imprägniert mit blutstillender, mikrodispergierter oxidierter Cellulose). Auch eine Behandlung mit dem Stryphnasal® Stift kann versucht werden. Der Stift enthält basisches Bismutgallat sowie Tannin und wird zur Blutstillung in das blutende Nasenloch eingeführt. Zur schnellen Hilfe kann auch ein mit sympathomimetischen Nasentropfen (Nasivin®, Olynth®, Otriven®) oder Hamamelisextrakt (z.B. Hametum® Extrakt) getränkter Wattetupfer in das blutende Nasenloch eingelegt und dann angedrückt werden. Dauert das Nasenbluten trotz der genannten Maßnahmen ununterbrochen länger als 20 Minuten bzw. erscheint es unbeherrschbar, ist Nasenbluten bei dem Patienten schon häufiger und ohne erkennbaren Grund aufgetreten, bluten beide Nasenlöcher gleichzeitig oder ist es im Zusammenhang mit einem Unfall zu Nasenbluten gekommen, muss unbedingt ein Arzt konsultiert werden.

7.1.4 Physikalische Maßnahmen

Atemwegserkrankungen, insbesondere rezidivierende und chronische Fälle, sollten nicht nur medikamentös behandelt werden; die **Prophylaxe** mit Hilfe physikalischer Methoden spielt hier eine ganz wichtige Rolle. Aber auch der **akute Infekt** sowie die **Infektanfälligkeit** – gerade bei Kindern – lassen sich auf diese Weise positiv beeinflussen.

Abhängig vom Beschwerdebild kann die physikalische Therapie als alleinige oder als ergänzende und unterstützende Behandlung angezeigt sein. Die Tabelle 7.1-5 gibt einen Überblick über die Behandlungsmöglichkeiten, die heute unter dem Begriff „Physikalische Therapie" zusammengefasst werden.

Die **Inhalationstherapie**, eine seit langem bekannte und bewährte Heilmethode, hat in den vergangenen Jahren und Jahrzehnten einen Aufschwung erlebt. Neue Apparaturen für die Arztpraxis sowie auch solche für die Heimbehandlung kamen auf den Markt und ermöglichten bedeutende Fortschritte, die durch wissenschaftliche Erkenntnisse untermauert wurden.

Hier wird kurz auf die Möglichkeit der Inhalationsbehandlung und auf Inhalationsgeräte für die Heimbehandlung eingegangen. Durch die Inhalation werden die Atemwege auf natürliche Weise befeuchtet, es kommt zu einer **Durchblutungssteigerung** und **Desinfektion** in den Atemwegen, außerdem werden ein schleim- und krampflösender Effekt sowie eine Entzündungshemmung beobachtet. Mit allen beschriebenen Geräten lassen sich handelsübliche Sole-Lösungen (Bad Ems, Bad Reichenhaller Alpensole etc.) vernebeln. Inhalate mit ätherischen Ölen sind oft für Vernebler mit feinen Düsen nicht geeignet. Da sich die ätherischen Öle nicht komplett im Wasser lösen, besteht bei Kaltverneblern (z.B. Pari Boy®) die Gefahr, dass die Düsen verkleben. Drogen mit ätherischem Öl werden in Kapitel 7.2.3.2 ausführlicher besprochen.

Bei folgenden **Indikationen** kommt eine Inhalationsbehandlung in Frage:

- Entzündungen der Luftröhre und der Bronchien (**Tracheitis, Tracheobronchitis, Bronchitits**),

Tab. 7.1-5: Möglichkeiten der physikalischen Therapie

Inhalationstherapie	Aerosolbehandlungen, Respiratortherapie, Sauerstofflangzeitbehandlung
Physiotherapie	Atemgymnastik im Rahmen der allgemeinen Krankengymnastik, Massageanwendungen
Elektrotherapie	Anwendung elektrischer Ströme, Kurzwellentherapie, Lichtbehandlung
Hydrotherapie	Balneologische Behandlungsmaßnahmen im engeren Sinne, Kneippanwendungen, Peloidanwendungen sowie Saunabehandlung

- Kehlkopfentzündung (**Laryngitis**),
- Nasenschleimhautentzündung (**Katarrh, Rhinitis**).

Bei den Geräten gibt es die Auswahl zwischen einfachen, kostengünstigen Apparaten (Kleininhalatoren), z.B. von Bronchoforton® oder Soledum® Balsam + Inhalator und Geräten mit Netzanschluss oder Akku.
Durch **Ultraschallvernebelung** (z.B. Siemens Micro-Inhalator) oder kompressorbetriebene Düsenvernebler mit Druckluft (z.B. Pari-Geräte) entsteht ein mikrofeiner Nebel, der sich auf den Schleimhäuten verteilt. Damit eignen sich diese elektrisch betriebenen Geräte – im Gegensatz zum Kleininhalator – auch für die Inhalation verschreibungspflichtiger Zubereitungen.
Es gibt jedoch auch die Möglichkeit, ohne die Zuhilfenahme der Technik zu inhalieren: Dazu wird eine Inhalationsflüssigkeit beispielsweise auf die Kleidung oder das Kopfkissen von Babys und Kleinkindern getropft (Babix® Inhalat etc.). Für Erwachsene und Schulkinder eignen sich Minzölpräparate wie Japanisches Minzöl oder JHP Rödler® für diese Art der Inhalation.
Als „Schnuller gegen den Schnupfen" werden Sauger angeboten, die anstelle des üblichen Greifringes eine kleine Siebkugel haben, in die ein mit babyverträglicher Inhalationsflüssigkeit getränkter Wattebausch gegeben wird (Inhalations-Sauger).
Abschließend soll noch kurz auf die Bedeutung des Raumklimas mit ausreichender **Luftfeuchtigkeit** hingewiesen werden: Die mukoziliären Mechanismen können ihre Reinigungsfunktion nur in einem feuchten Milieu erfüllen. Das gebildete Sekret trocknet nicht auf den Schleimhäuten ein und bereits festhaftendes Sekret wird wieder abgelöst. Empfohlen wird eine relative Luftfeuchtigkeit von 60 %.
Eine behinderte Nasenatmung, wie sie durch Schnupfen, Heuschnupfen oder andere Gründe verursacht sein kann, lässt sich bis zu einem gewissen Grad auf mechanischem Weg durch sogenannte **Nasenstrips** (z.B. BesserAtmen Nasenstrips) verbessern. Das Prinzip dabei ist, dass die Nasenflügel durch ein spezielles Nasenpflaster sanft angehoben und damit die Nasengänge geweitet werden, so dass mehr Luft durch die Nase einströmen kann.
BesserAtmen Nasenstrips bestehen aus zwei elastischen, in ein spezielles Pflaster eingebetteten Kunststoffstreifen. Der Strip wird auf den möglichst gereinigten, trockenen Nasenrücken aufgeklebt und kurz angedrückt. Die Nasenstrips stehen in mehreren Größen (ab 5 Jahren) zur Verfügung und können bis zu zwölf Stunden verwendet werden. Vor allem zur Erleichterung der nächtlichen Nasenatmung können diese Nasenstrips eine sinnvolle Ergänzungsempfehlung in der Kundenberatung darstellen.

Beratungstipp

Inhalation bei Säuglingen und Kleinkindern

Säuglinge und Kleinkinder dürfen nur mit kampfer- und mentholfreien Produkten inhalieren, da es sonst zum Auslösen des Kratschmer-Reflexes kommen kann. Dabei kann es durch starke Gerüche ausgelöst zu einem trigeminusvermittelten Atemstillstand kommen, gefolgt von einem Herzstillstand. Bei der Auswahl der Präparate ist darauf zu achten. Auch Präparate mit dem Zusatz „Kinder" oder „mild" sind meist erst für Kinder über 2 Jahren geeignet!

7.1.5 Patientengespräch

Erkältung ist definiert als Symptomenkomplex, der alle akuten, meist durch Viren hervorgerufenen, nicht weiter differenzierten **Infektionen des oberen Respirationstraktes** umfasst. Typisch ist das nur geringe oder fehlende Fieber und die relativ leichte – und doch oft lästige oder belastende – Symptomatik. Man grenzt so die Erkältung gegen andere virale oder bakterielle Infektionen der Atemwege ab.

80 % der Infektionen zeigen das **Schnupfensyndrom**, nur 10 % ausschließlich eine Pharyngitis; gemeinsam ist stets die entzündliche Reaktion, die zur katarrhalischen Erkrankung mehr oder weniger großer (und tiefer) Abschnitte des Respirationstraktes führt. Die Symptome des banalen Virusinfekts der Atemwege in Abhängigkeit vom Erreger zeigt die Tabelle 7.3-2. Statistisch gesehen bekommt jeder Mensch in unseren Breiten sechsmal pro Jahr eine Erkältung.

Der **Beratung des Kunden** in der Apotheke muss ein kurzes Patientengespräch vorangehen – mehr oder weniger ausführlich, je nachdem, ob einem der Patient bereits bekannt ist (bestehende Medikationen, chronische Erkrankungen, Allergien etc.) oder ob man über keine diesbezüglichen Informationen verfügt.

Folgende Fragen dürften sinnvoll sein:
Wer ist der Patient? Soll das Medikament vom Kunden eingenommen werden, ist es für ein Kind (Alter?) oder für einen alten Menschen bestimmt? Grundvoraussetzung für eine gute Beratung ist die Kenntnis der erkrankten Person. Je mehr Informationen Sie über diese erhalten können, desto besser können Sie anschließend beraten.

Welche Symptome liegen vor? Läuft die Nase oder ist sie verstopft, bestehen Halsschmerzen, Ohrenschmerzen, Fieber oder hustet der Patient? Erkältungsbeschwerden lassen sich oft nur rein symptomatisch behandeln. Umso wichtiger ist es, die Selbstmedikation möglichst gezielt auf die individuellen Symptome abzustimmen. Kaum jemand hat zu jedem Zeitpunkt der Erkältung sämtliche Beschwerden gleichzeitig. Die Gießkannenmethode ist daher meist wenig sinnvoll.

Seit wann bestehen die Symptome? Mit dieser Frage überprüfen Sie, ob eine Selbstmedikation überhaupt sinnvoll bzw. zu verantworten ist, oder ob der Patient nicht gleich zum Arzt verwiesen werden muss.

Sind Allergien bekannt? Eventuell schließen sich manche Wirksubstanzen aus allergischen Gründen für den betreffenden Patienten von vornherein aus. Dann müssen Sie ihr Selbstmedikationskonzept ändern und auf Alternativen zurückgreifen. Wurde beim Patienten bereits früher eine **chronische Atemwegserkrankung** diagnostiziert (Asthma, Bronchitis)? Bei diesen Patienten ist mit einem gravierenderen Krankheitsverlauf und eher mit Komplikationen zu rechnen. Die Schwelle zur Arztkonsultation sollten Sie daher hier geringer ansetzen.

Hat der Patient **Grunderkrankungen** wie erhöhten Blutdruck, Probleme mit der Schilddrüse, ein Glaukom oder leidet er an Diabetes oder einer Herzerkrankung? Je nach Grunderkrankung sind bei manchen Präparaten Anwendungsbeschränkungen bzw. Kontraindikationen (s. in den jeweiligen Kapiteln) zu beachten.

Welche Medikamente werden zurzeit eingenommen? Je nach Art der Dauermedikation muss bei der Abgabe von OTC-Präparaten auf Wechselwirkungen, Einnahmeabstände oder spezielle Dosierungen (s. in den einzelnen Kapiteln) hingewiesen werden.

Wurde bereits versucht, diese Erkältung **medikamentös zu behandeln** und war der Versuch erfolgreich? Erfolg oder Misserfolg der bisherigen Eigenbehandlung des Kunden liefern Ihnen wichtige Entscheidungshilfen für die Auswahl wirksamer, im individuellen Fall Erfolg versprechender Präparate zur weiteren Selbstmedikation.

Erkrankungen der Nase und der Nasennebenhöhlen

Es könnte beispielsweise das Ergebnis dieses Gespräches sein, dass sich der Patient durch eine *starke Rhinorrhoe* (Laufen der Nase), begleitet von Husten, beeinträchtigt fühlt und entsprechende Medikamente empfohlen haben möchte.

7.2 Erkrankungen von Bronchien und Lunge

Obere und untere Atemwege bilden eine funktionelle Einheit und weisen ein analoges Bauprinzip auf. Der untere Respirationstrakt beginnt mit dem Kehlkopf und der Luftröhre, danach folgt die Aufzweigung des Bronchialbaums.

7.2.1 Anatomie und Physiologie

Die Trachea gabelt sich in die beiden schräg nach unten laufenden Stamm- oder Hauptbronchien, die beiderseits am Hilus in die **Lungenflügel** eintreten. Durch tiefe Einschnitte sind die Lungenflügel in **Lungenlappen** unterteilt: der rechte Lungenflügel besteht aus drei, der linke aus zwei Lungenlappen. Von den beiden **Hauptbronchien** zweigen kleinere Äste ab, die sich unter Abnahme des Lumens weiter verzweigen, ähnlich einem Laubbaum (Abb. 7.2-1). Das Bronchialsystem teilt sich dabei meist dichotomisch, bis zu 16-mal. Der Durchmesser nimmt dabei kontinuierlich von 1,5–2,5 cm auf 0,5 mm in den **Bronchioli terminales** ab. Die größeren Bronchien sind durch Knorpelspangen, die kleineren durch Knorpelplättchen stabilisiert, damit das Lumen auch bei Druckänderung offengehalten wird. Glatte Muskelfasern zwischen und unter den knorpeligen Versteifungen können den Durchmesser der Bronchien ändern. Die Innenwände der Bronchien sind mit Respirationsepithel ausgekleidet, dessen Flimmerhaare eingeatmete Partikel mundwärts transportieren können. Die Höhe des Flimmerepithels nimmt mit zunehmender Verästelung in der Peripherie ab. Hier differenziert man zwischen Flimmerzellen,

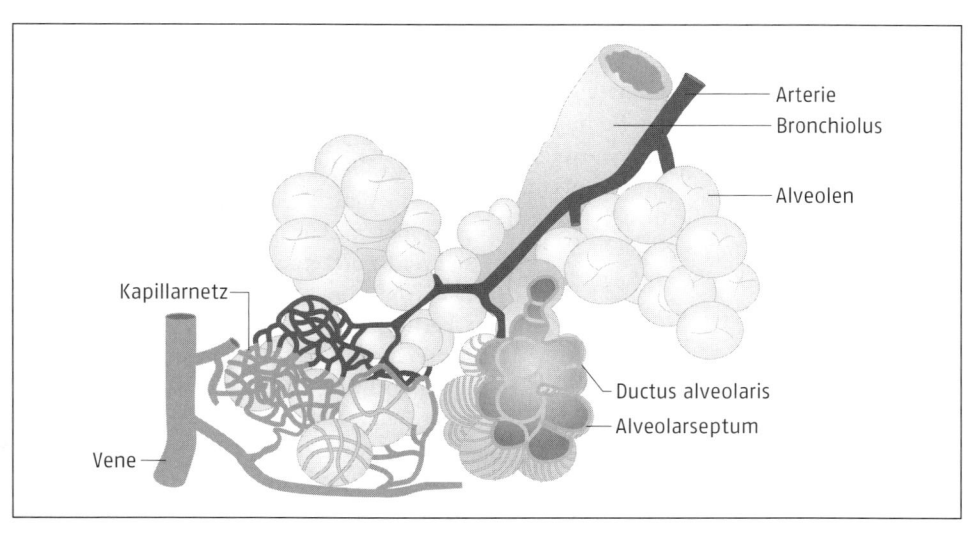

Abb. 7.2-1: Endverzweigungen der kleinen Atemwege mit (teilweise eröffneten) Alveolen und Gefäßen. Modifiziert nach Benninghoff. Nach Thews, Mutschler, Vaupel 2007

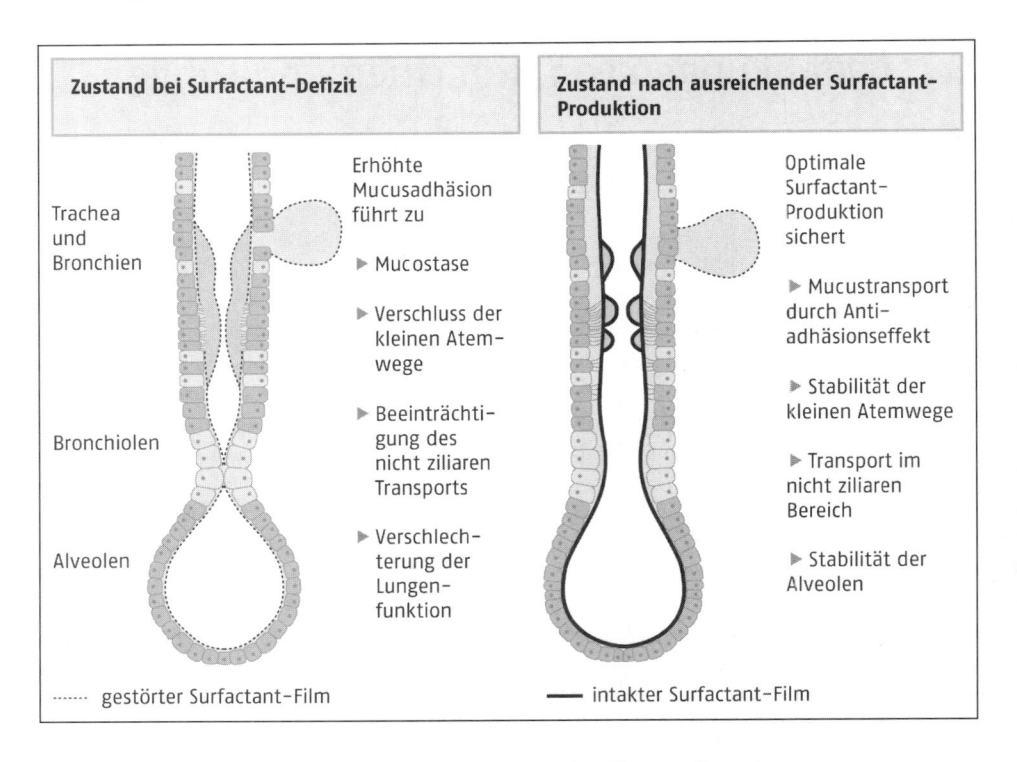

Abb. 7.2-2: Funktion des Surfactant-Systems der Lunge. Aus Morgenroth 1986

schleimbildenden Becherzellen und undifferenzierten Basalzellen.

Die Endbronchien verzweigen sich in die **Bronchioli respiratorii** und schließlich in die **Alveolargänge** (Ductus alveolares). Diese stehen mit einer Reihe benachbarter **Lungenbläschen** (Alveolen) in Verbindung (Abb. 7.2-1). Die halbkugeligen Alveolen (Durchmesser 0,1–0,2 mm) sind einmal von elastischen Fasern und außerdem von einem dichten Kapillarnetz umgeben, das von venösem Blut durchflossen wird. Infolge des engen Kontaktes zwischen dem Kapillarblut und der Alveolarluft bestehen optimale Voraussetzungen für den Austausch der Atemgase. Unter Aufnahme von Sauerstoff gibt das Blut Kohlendioxid ab; das so arterialisierte Blut fließt dann zurück zum Herzen.

7.2.1.1 Struktur des Sekretfilms

Das Sekret des gesamten Bronchialsystems, die Absonderungen aus Mundhöhle, Nasen-Rachenraum und Nasennebenhöhlen bezeichnet man als **Sputum**. Unter physiologischen Gegebenheiten werden etwa 100–150 ml Sputum pro Tag produziert.

In den zahlreichen Alveolen bildet sich ebenfalls ein Flüssigkeitsfilm, der im Wesentlichen oberflächenaktive, lecithinartige Substanzen (**Surfactant**) enthält. Dieser Surfactant-Film sorgt für eine Verringerung der Oberflächenspannung an der Grenzschicht von Wasser und Luft, denn jede der Alveolen hat aufgrund ihrer Oberflächenspannung das Bestreben, sich zusammenzuziehen. Beobachtungen deuten darauf hin, dass zwischen Mucus und Surfactant eine Interaktion besteht. Da Surfactant-Material im Sputum nachgewiesen werden konnte, geht man davon aus, dass dieses über das Bronchialsystem ausgeschieden wird. Der Surfactant dürfte speziell bei der Stabilisierung peripherer Bronchialabschnitte eine wichtige Rolle spielen. Durch optimale Sekretadhäsion gewährleistet der Surfactant einen optimalen Sekrettransport und wirkt so der Mucostase und deren Folgen entgegen (Abb. 7.2-2).

7.2.1.2 Atemrhythmus und Regelmechanismus

Die immer feinere Verästelung der Bronchien – von der großlumigen Trachea bis zu den etwa 300 Millionen Alveolen – führt zu einer Kontakt- bzw. Gasaustauschfläche von ca. 100 m². Gemäß dem Gefälle der Partialdrucke wird Sauerstoff in die die Lungenbläschen umgebenden Kapillaren aufgenommen und Kohlendioxid an die Alveolen abgegeben und ausgeatmet. Der Sauerstoff wird über den großen Kreislauf im gesamten Organismus verteilt und steht dann dem Gewebe für die innere Atmung zur Verfügung. Der problemlose Ablauf des **Gasaustausches** ist nur gewährleistet, wenn die Diffusionsstrecke möglichst kurz ist. Jede – krankheitsbedingte – Verlängerung der Diffusionsstrecke beeinträchtigt den Gasaustausch, insbesondere aber die Sauerstoffversorgung, denn CO_2 diffundiert 20-mal schneller, so dass eine verlängerte Diffusionsstrecke sich weniger dramatisch auswirkt.

Damit der Körper unter verschiedenen Bedingungen ökonomisch arbeiten kann, wird **in Ruhe** nur etwa ein Drittel der Lungenbläschen belüftet. Die Anpassung des Organismus an den vermehrten Sauerstoffbedarf **unter Belastung** wird durch Belüftung aller Alveolen, Durchblutung aller Kapillaren und weitere Mechanismen im Lungen-Herz-Kreislauf-System sichergestellt.

Die ungestörte Funktion der Spontanatmung wird durch eine Reihe meist unbewusst ablaufender Regelmechanismen gesteuert, wobei die **zentrale Atemregulation im Atemzentrum** des Hirnstammes große Bedeutung hat: die rhythmische Folge der Atmungsphasen wird durch die abwechselnde salvenartige Entladung der inspiratorischen und exspiratorischen Neurone bewirkt. Dieser zentrale Atemrhythmus kann zusätzlich durch periphere Einflüsse stabilisiert werden. Die Anpassung der Atmung an die Stoffwechselleistungen des Organismus wird durch die chemische Atemregulation sichergestellt.

Nähere Einzelheiten dieses äußerst komplexen Zusammenspiels werden, soweit es zum Verständnis der Wirkung der besprochenen Pharmaka erforderlich ist, im Rahmen der Pathophysiologie und Therapie der Atemwegserkrankungen besprochen.

7.2.2 Krankheitsbilder

Wenn der Atemwegsinfekt sich bis in die tieferen Abschnitte (Lunge, Bronchien) des Respirationstraktes ausgedehnt hat, oder andere, nicht infektbedingte Atemwegserkrankungen auftreten, sollte jeglicher Medikation eine ärztliche Untersuchung und Diagnose vorangehen. Dies gilt in ganz besonderem Maße für Kinder.

Es soll und kann nicht Aufgabe einer verantwortungsbewussten Selbstmedikation sein, an derartigen Erkrankungen, zu denen in erster Linie – bezogen auf die Häufigkeit des Auftretens – **Bronchitis** (akut und chronisch) sowie die verschiedenen Formen des **Asthmas** gehören, „herumzukurieren". Das Symptom **Husten** jedoch, wenn es beispielsweise im Rahmen einer banalen Erkältung auftritt, lässt sich mit nicht verschreibungspflichtigen Medikamenten therapeutisch gut beeinflussen – nachdem im Patientengespräch herausgearbeitet wurde, um was für einen Husten es sich handelt (trocken, festsitzend, verschleimt etc.).

7.2.2.1 Husten

Husten ist ein Schutzmechanismus, der ganz wesentlich an der Reinigung der Atmungsorgane von Bronchialsekret und Fremdkörpern

Erkrankungen von Bronchien und Lunge

beteiligt ist. Da es sich um einen Reflex handelt, lässt sich der Husten kaum unterdrücken. So gesehen ist der Husten nützlich – und es treten rasch Probleme auf, wenn die Expektorationsmechanismen versagen, wenn der Hustenstoß nur eine unzureichende Effizienz aufweist. Damit steht schon fest, dass es keinesfalls angebracht ist, einem Kunden, der über Husten klagt, ohne weiteres einen Hustenblocker zu empfehlen. Denn Husten ist nicht gleich Husten.

Info

Beim Thema Husten ist in der Beratung angesichts der vielen möglichen Ursachen Vorsicht geboten. Jeder Husten, der länger als 3 Wochen anhält, bedarf einer ärztlichen Abklärung.
Ebenso sollte bei Fieber, starken Kopfschmerzen, grün-gelbem Auswurf sofort ein Arzt aufgesucht werden. Auch sollten kleine Kinder und Schwangere direkt von einem Arzt untersucht werden.

Zu unterscheiden hat man einmal den akuten Husten von einer chronischen Form. Der **akute Husten** ist häufig eines der Symptome bei Erkältungskrankheiten, während der **chronische Husten** auf ernste Erkrankungen des Respirationstraktes hinweisen kann. Weiterhin muss man erfragen, ob ein trockener Reizhusten oder ein produktiver Husten vorliegt. Der **trockene Husten** kann **allergisch**, **entzündlich** oder **nervös** bedingt sein, der **produktive Husten** hingegen wird durch Infektionen der Atemwege mit **Viren** und/oder **Bakterien** ausgelöst; ebenso ist der produktive Husten eines der drei charakteristischen Symptome der Bronchitis. In Tabelle 7.2-1 sind Erkrankungen aufgeführt, die mit Husten einhergehen können.

Reizstoffe, vor allem aber **pathologisch veränderter Schleim,** lösen den Hustenreflex aus, indem Rezeptoren (sensible Nervenendigungen) auf diese Noxen mit einer Erregung reagieren. Diese Rezeptoren – man unterscheidet Mechano- und Chemorezeptoren – sind über die gesamten Atemwege verteilt: Mechanorezeptoren findet man hauptsächlich im oberen Teil des Respirationstraktes, während Chemorezeptoren mehr in den peripheren Abschnitten lokalisiert sind (Abb. 7.2-3). Die Erregung der Rezeptoren wird über afferente Nerven zum **Hustenzentrum** weitergeleitet; wenn die Summe der Reize eine gewisse Schwelle überschreitet, wird über efferente Nerven der Hustenvorgang ausgelöst. Der dabei entstehende stark beschleunigte Atemstoß erreicht Werte von 50–120 l/sec. und entspricht damit etwa der Stärke eines Orkans. Übermäßiger Husten tritt besonders dann auf, wenn die Expektoration gehemmt oder beeinträchtigt ist. Daher sei auch an mögliche (glücklicherweise seltene) **Komplikationen heftiger Hustenattacken** erinnert:

- Leisten-, Nabel- oder Zwerchfellbrüche,
- Gefäßrupturen (insbesondere bei älteren Patienten),
- Gebärmutterprolaps,
- Schwankungen des Blutdrucks,

Tab. 7.2-1: Mögliche Ursachen des Symptoms Husten (Auswahl). Nach Gesenhues, Ziesché 2006

Erkrankungen der Atemwege:	Sonstige Ursachen:
• akute Atemwegsinfektionen • chronische Bronchitis • Asthma bronchiale • Bronchopneumonie • Pertussis • Sarkoidose • Lungentuberkulose • Tracheal- und Bronchialtumore	• Einnahme von ACE-Hemmern • psychogener Husten • Linksherzinsuffizienz • Aortenaneurysma • Reizgasinhalation • Fremdkörperaspiration • Refluxkrankheit

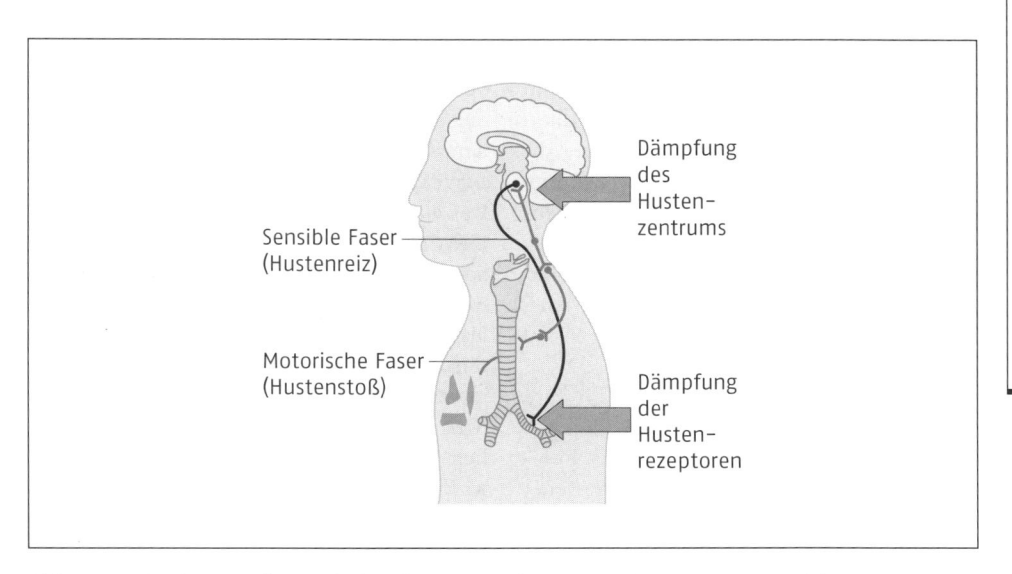

Abb. 7.2-3: Der Hustenreflex und die Möglichkeit seiner Unterdrückung. Aus Mutschler 2001

- Kopfschmerzen,
- Erbrechen,
- geplatzte Äderchen in Augen oder Gesicht,

um nur einige zu nennen.
Nicht zu vernachlässigen ist auch der durch nächtliche Hustenanfälle gestörte Schlaf, wodurch sich der Betroffene langsamer erholt.
Die bereits erwähnte **abnorme Schleimproduktion** umfasst die veränderte Sekretzusammensetzung, die übermäßige Schleimproduktion sowie auch die erhöhte Sekretviskosität.

Trockener Reizhusten

Wenn über trockenen Husten geklagt wird, bei dem kaum Schleim abgehustet werden kann, sollte man zuerst versuchen, **im Patientengespräch** die **Ursache** der Irritation der Schleimhaut festzustellen, die zur Entzündung mit Folge einer trockenen Schleimhaut führt. Ist dies im Rahmen der Beratung in der Apotheke nicht möglich – oder auch nicht nötig, weil man sofort den Kausalzusammenhang erkennt (z. B. beginnender banaler Atemwegsinfekt, starkes inhalatives Rauchen) – sind **Antitussiva** indiziert: bei unbekannter Ursache, bis der Patient den Arzt konsultieren kann.
In solchen Fällen ist der Husten als Schutzreflex hinfällig – er stellt nur noch eine sinnlose und schmerzhafte Belästigung des Patienten (und oft auch seiner Familie) dar, besonders bei nächtlichem Reizhusten.
Antitussiva sind Stoffe, die den Reflexbogen des Hustens unterbrechen bzw. die Reizschwelle des Hustenzentrums so erhöhen, dass nicht jeder Reiz einen Hustenstoß auslöst. Die heute im Handel befindlichen Antitussiva (die einzelnen Wirkstoffe sind in Kapitel 7.2.3.1 besprochen) gelten alle als **wirksame Hustenblocker mit zentralem Angriff,** von denen nur geringfügige Nebenwirkungen bekannt sind.

Produktiver Husten

Auch dieser kann Begleitsymptom einer banalen Erkältung sein, insbesondere bei Kindern. Während in der Anfangsphase der Erkältung der schmerzhafte, trockene Reizhusten mit wenig oder ganz ohne Auswurf dominiert, wird der Husten im Verlauf der Erkältung meist produktiv. Das in den Atemwegen reichlich vorhandene, meist pathologisch veränderte Sekret muss entfernt werden. Daher wäre es in diesem Stadium wenig sinnvoll, den Hustenreflex auszuschalten – etwa durch Gabe von Antitussiva. Man sollte im Gegenteil das Abhusten des Sekretes erleichtern und versuchen, Sekretzusammensetzung und -produktion zu normalisieren. Dafür stehen wirksame Expektorantien (Kapitel 7.2.3.2) zur Verfügung.

7.2.2.2 Akute Bronchitis

Die akute Bronchitis tritt relativ häufig auf und wird hauptsächlich im Anschluss an einen **katarrhalischen Infekt** – oft begleitet von einer **Tracheitis** – beobachtet (Tracheobronchitis). Dabei breitet sich die entzündliche Reaktion des Respirationstraktes, beginnend im Nasen-Rachen-Raum, deszendierend in die tieferen Atemwege aus. Die Entzündung kann aber auch primär zur Tracheitis, Bronchitis oder Bronchiolitis führen – ohne Anzeichen einer typischen Erkältung. Gehäuft treten solche akut ablaufenden Erkrankungen im Kleinkind- und Greisenalter auf – oft mit schwerwiegenden Folgen (z.B. Pneumonie). Die besondere Anfälligkeit im **Kleinkindalter** wird auf die noch nicht erfolgte Immunisierung zurückgeführt, im **hohen Lebensalter** werden eine Abnahme der Resistenz sowie gelegentlich bereits bestehende Erkrankungen der Lunge verantwortlich gemacht.

Die akut ablaufende Entzündung der Tracheobronchialschleimhaut wird durch thermische Einwirkung, durch chemische Noxen und durch Infekte ausgelöst. Begünstigt wird die akute Bronchitis (und das Rezidiv) durch alle Einwirkungen, die den Schutzmechanismus der Bronchialschleimhaut (Flimmertätigkeit des Epithels, normale Schleimsekretion) in irgendeiner Weise beeinträchtigen.

Viren sind zu 80–90 % als Erreger akuter Entzündungen der Luftwege ermittelt worden. Sie erweisen sich oft zusätzlich als Wegbereiter bakterieller Infekte, die sich auf der durch Viren vorgeschädigten Schleimhaut rasch ausbreiten können. Während die Prognose des reinen Virusinfektes gut ist, müssen die gelegentlich beobachteten Komplikationen auf **sekundäre bakterielle Infektionen** zurückgeführt werden.

Die akuten viralen Atemwegsinfekte sollten nicht antibiotisch behandelt werden, da sie bei nicht vorgeschädigter Bronchialschleimhaut in der Regel problemlos ausheilen. Das Hauptsymptom bei einer Bronchitis (Husten mit Auswurf) kann mit geeigneten Medikamenten therapiert werden, wenn sich der Patient durch den Husten beeinträchtigt fühlt. Denn man sollte nicht übersehen, dass die **häufigsten Symptome** (Fieber, Schleimhautschwellung, Husten, Sekretion) **wesentliche Abwehrfunktionen** haben. Ziel der Behandlung ist es also, das Wohlbefinden des Patienten wiederherzustellen – möglichst ohne die körpereigene Abwehr zu beeinträchtigen.

7.2.2.3 Chronische Bronchitis

Die chronische Bronchitis zählt neben der koronaren Herzkrankheit und dem Diabetes mellitus zu den häufigsten Zivilisationskrankheiten der hochindustrialisierten Länder. Als ätiologisch wichtige **exogene Noxen** haben sich herauskristallisiert:

- Tabakrauch (inhalativ),
- andere inhalative Schadstoffe,
- rezidivierende Infekte,
- bronchiale Allergien,
- Klimaeinflüsse,
- Bonchiektasen und deformierende Bronchopathien und
- Alkoholismus.

Man nimmt an, dass eine Kombination der genannten Noxen bei Vorliegen einer **genetischen Disposition** zur Entwicklung des Krankheitsbildes führt.

Bei den genannten Noxen spielt vor allem das Inhalieren von **Tabakrauch** eine bedeutende Rolle. Man konnte nachweisen, dass das Rauchen sowohl die mukoziliäre Clearance beeinträchtigt als auch die Makrophagen schädigt. Trotzdem bleibt eine beachtliche Zahl von Rauchern mit erheblichem Nicotinabusus von der chronischen Bronchitis verschont – man geht davon aus, dass sie nicht genetisch prädisponiert sind.

Info
Langjähriger Zigarettenkonsum gilt als Hauptauslöser der chronischen Bronchitis.

Laut Definition der WHO ist die chronische Bronchitis eine Erkrankung, die gekennzeichnet ist durch übermäßige Schleimproduktion im Bronchialbaum und die sich manifestiert mit andauerndem oder immer wieder auftretendem Husten, mit oder ohne Auswurf an den meisten Tagen von mindestens drei aufeinander folgenden Monaten über mindestens zwei Jahre.

Primär ist die chronische Bonchitis keine infektiöse Erkrankung, doch treten sekundär virale und bakterielle Infektionen auf. Gerade den **rezidivierenden Infekten viraler Genese** wird eine besondere Bedeutung beigemessen: Virusinfekte können die Geschwindigkeit des mukoziliären Förderbandes verringern mit der Folge, dass Bakterien länger in den Atemwegen verweilen und sich dort ausbreiten. Daneben beeinträchtigen Viren die Makrophagenfunktion im Alveolarbereich und damit einen wichtigen Teil des differenzierten Abwehrsystems.

Bei Patienten mit chronischer Bronchitis zieht ein Virusinfekt in mehr als 60 % der Fälle eine bakterielle Besiedlung der Atemwege nach sich. Außerdem ist der Virusinfekt bei vielen Patienten für eine akute Exazerbation der chronischen Bronchitis verantwortlich.

Wie bei der akuten Verlaufsform führt die Irritation der Schleimhaut zur Rötung, Schwellung und zum Ödem, gleichzeitig sistiert der Flimmerepithelstrom. Dadurch haben Bakterien die Chance, sich auf der Bronchialschleimhaut anzusiedeln und zu vermehren. Die physiologische Schleimbildung geht in eine pathologische über: man beobachtet vermehrte Schleimbildung *(Hyperkrinie)*, eine veränderte Schleimzusammensetzung *(Dyskrinie)* oder auch beides.

Abschließend soll noch auf die **Bronchialobstruktion** hingewiesen werden, die nicht immer bei der chronischen Bronchitis auftreten muss (gerade die Raucherbronchitis ist häufig nicht obstruktiv). Zur Obstruktion tragen drei Faktoren bei: der erhöhte Tonus der spiralförmig angeordneten Bronchialmuskulatur, die entzündliche Schwellung der Bronchialschleimhaut und die Sekretablagerungen.

Die **chronisch-obstruktive Bronchitis (COPD)** gilt mittlerweile als eigenständiges Krankheitsbild. Sie ist durch eine über die Jahre meist progressive Atemflusslimitierung charakterisiert, die auf einem Entzündungsprozess basiert, der durch inhalative Noxen verursacht wurde (laut GOLD Executive Committee 2006). Die COPD wird klinisch in vier Stadien eingeteilt. Die Atemwegsobstruktion bei COPD ist im Gegensatz zum Asthma bronchiale wenig variabel und auch durch inhalative β_2-Agonisten wenig reversibel. Neben der medikamentösen ärztlichen Therapie hat die Sauerstofflangzeitgabe bei COPD einen hohen Stellenwert.

Beratungstipp
Für COPD-Patienten werden von der STIKO die Grippeschutzimpfung und Pneumokokkenimpfung empfohlen.

Diese Ausführungen machen deutlich, dass bei der chronischen Bronchitis bislang eine **Heilung nicht möglich** ist – trotzdem lässt sich der Verlauf durch eine rechtzeitig eingeleitete Dauerbehandlung aufhalten und die Prognose verbessern. Eine ausreichende Sekretolyse sollte Grundpfeiler jeder Therapie sein.

7.2.2.4 Bronchiolitis

Unter einer Bronchiolitis versteht man eine Entzündung des Bronchialepithels der kleinen knorpelfreien Atemwege.
Das **Respiratory-syncytial-(RS-)Virus** gehört zu den wichtigsten Viren, die während der ersten Lebensjahre die gefürchtete Bronchiolitis auslösen.
Nach einer 4–5 Tage dauernden Inkubationszeit tritt eine Rhinorrhoe auf, wenige Tage später hustet das Kind und es wird fiebrig. Der Husten verstärkt sich, wird keuchend und die Atemnot tritt immer mehr in den Vordergrund. Die **Bronchioli**, also die Endabschnitte des luftleitenden Systems, werden zunehmend durch abgestoßene Mukosazellen, entzündliches Ödem der Mukosa und zähen Schleim verschlossen. Eine **Pneumonie** verstärkt schließlich die Dyspnoe mit allen Folgeerscheinungen. Einige Autoren sehen zwischen dem „plötzlichen Kindstod" und derartigen Virusinfektionen einen kausalen Zusammenhang. Neben Kleinkindern sind in besonderem Maße alte Menschen von der Bronchiolitis betroffen, wobei weniger Viren als vielmehr bakterielle Infektionen den Krankheitsprozess auslösen. Die pathologischen Veränderungen bei einer Bronchiolitis können rasch zu **lebensbedrohlicher Atemnot** führen, weshalb eine sofortige ärztliche Behandlung – oft auch Intensivbehandlung – erforderlich ist.

7.2.2.5 Krupp (Croup) und Pseudokrupp

Ebenso wie Patienten mit Bronchiolitis gehören Patienten, bei denen Verdacht auf Krupp oder Pseudokrupp besteht, in die Obhut des Arztes. Beide Krankheitsbilder werden hier nur der Vollständigkeit wegen kurz erwähnt.
Unter Krupp versteht man eine **entzündliche Kehlkopfenge mit Atemnot** und **Pfeifgeräusch** (vorwiegend inspiratorischer Stridor), verbunden mit bellendem Husten und inspiratorischem Stridor. Ursprünglich wurde die Laryngotracheitis bei Diphtherie als **echter Krupp** bezeichnet und alle anderen Formen **Pseudokrupp** genannt. Heute werden unter **Krupp** alle Krankheitsbilder mit der beschriebenen Symptomatik subsummiert.
Da beide Erkrankungen durch zunehmende Atemnot charakterisiert sind, sollte der Patient sofort ärztlich behandelt werden. Parenteral applizierte Corticosteroide haben sich als Mittel der Wahl erwiesen. Bis zum Eintreffen des Arztes kann dem Patienten durch ein **Raumklima** mit möglichst **hoher Luftfeuchtigkeit** etwas Erleichterung verschafft werden.

7.2.2.6 Pertussis

Der **Keuchhusten** (Pertussis), auch als blauer Husten oder Stickhusten bekannt, wird durch *Bordetella pertussis*, ein gramnegatives Stäbchenbakterium, hervorgerufen. Nach überstandenem Keuchhusten verfügt man über eine vollständige und bleibende Immunität. Diese kann allerdings im hohen Lebensalter schwinden, so dass nicht selten Großeltern und Enkel zusammen einen Keuchhusten durchmachen müssen. Keuchhusten wird von Mensch zu Mensch durch **Tröpfcheninfektion** übertragen und ist vor allem zu Beginn sehr ansteckend. Der Krankheitsverlauf ist durch die drei im Folgenden beschriebenen Phasen geprägt.
Stadium katarrhale. Nach einer Inkubationszeit von meist weniger als 10 Tagen beginnt der Keuchhusten wie ein gewöhnlicher Atemwegsinfekt mit uncharakteristischem Husten, teilweise auch Schnupfen. Die Krankheitssymptome werden zunehmend schwerer, treten vermehrt nachts auf und es entwickeln sich Hustenattacken (insgesamt ca. 1–2 Wochen).
Stadium convulsivum. Dieses zeigt alle Charakteristika des Keuchhustens und dauert durchschnittlich 3–6 Wochen. Die typischen Hustenanfälle äußern sich nach einer tiefen Inspiration mit einem Stakkatohusten (15–20 Hustenstöße), das Gesicht des Kindes wird erst rot, dann zyanotisch und blau, es droht

zu ersticken, bis schließlich eine laut ziehende Inspiration erfolgt. Der Anfall wird nicht selten durch Herauswürgen oder Erbrechen eines zähen, glasigen Schleims beendet. Die Schwere der einzelnen Hustenanfälle und deren Häufigkeit (5–50 pro Tag) variieren stark. Besonders gefährdet sind Neugeborene und junge Säuglinge, weil bei ihnen anstelle der alarmierenden Hustenanfälle nur **Apnoe-Anfälle** auftreten, die zum plötzlichen Tod führen können.

Da die Schwere des Krankheitsbildes zur Konsultation des Arztes führt, sollte man annehmen, dass Apotheker mit Keuchhusten wenig zu tun haben. Doch viele Eltern fragen um Rat, weil sie sich nicht vorstellen können, dass man dem Kind medikamentös nicht helfen kann. Doch weder Expektorantien noch Hustenblocker sind in der Lage, den Keuchhusten zu beeinflussen. Gelegentlich wird der Arzt Sedativa, unter Umständen auch Antibiotika verordnen, doch Letztere verkürzen lediglich die Phase, in welcher Ansteckungsgefahr besteht. Der Verlauf der Infektion hingegen wird kaum beeinflusst, weil das aus Pertussiskeimen freigesetzte Endotoxin durch toxische Reizung des Hustenzentrums für die Symptomatik verantwortlich ist.
Stadium decrementi. Im dritten Keuchhustenstadium schließlich, dem Stadium decrementi (2–6 Wochen), lassen die Hustenanfälle nach und es kommt zur allmählichen Rekonvaleszenz.

Info

Keuchhusten ist keine reine Kinderkrankheit – die meisten Pertussis-Patienten sind Erwachsene! Deshalb empfiehlt die STIKO eine Auffrischimpfung im Alter von 9 bis 17 Jahren sowie für Personen mit Kontakt zu Säuglingen.

7.2.2.7 Asthma bronchiale

Das Asthma bronchiale ist eine vorwiegend anfallsartig auftretende Atemwegsobstruktion, die mit chronischer Entzündung und Überempfindlichkeit des Bronchialsystems gegenüber physikalischen, chemischen, pharmakologischen oder immunologischen Stimuli einhergeht. Die **Obstruktion** ist zwischen den Anfällen ganz oder teilweise **reversibel**.

Somit unterscheidet sich das Asthma bronchiale von der chronisch-obstruktiven Bronchitis (COPD) hauptsächlich durch die Reversibilität.

Schon aus der Definition geht hervor, dass es sich um eine ernste, subjektiv durch die Atemnot als bedrohlich empfundene Krankheit handelt; der Betroffene wird also von sich aus den Arzt aufsuchen. Wegen der hohen Prävalenz soll das Asthma bronchiale dennoch hier kurz gestreift werden.

Vom Asthma bronchiale kennt man zwei Formen: das **allergische Asthma** bronchiale (Allergietyp I oder III) und das **nicht allergische Asthma** bronchiale, welches chemisch-toxisch, infektiv oder durch Anstrengung ausgelöst sein kann. Anstrengungsinduziertes Asthma bronchiale tritt bevorzugt bei Jugendlichen auf, allergisches Asthma bronchiale vor allem bei Kindern und jungen Erwachsenen und nicht allergisches Asthma bronchiale beobachtet man gehäuft erst nach dem 40. Lebensjahr.

Die schwere **exspiratorische Dyspnoe** geht mit einer Überblähung der Lunge einher, die nach Rückbildung des Anfalles reversibel ist. Das morphologische Bild wird durch folgende Komponenten bestimmt: Bronchokonstriktion, Hyper- und Dyskrinie, Vermehrung der Becherzellen im Bronchialepithel sowie muköse Transformation der peribronchialen Drüsen.

Die moderne medikamentöse Asthmatherapie folgt einem 5-stufigen Schema, wobei Bedarfs- und Dauermedikamente kombiniert werden (s. Tab. 7.2-9).

7.2.3 Medikamentöse Maßnahmen

Da Husten die verschiedensten Ursachen haben kann (s. Kap. 7.2.2), ist das **Patientenge-**

Erkrankungen von Bronchien und Lunge

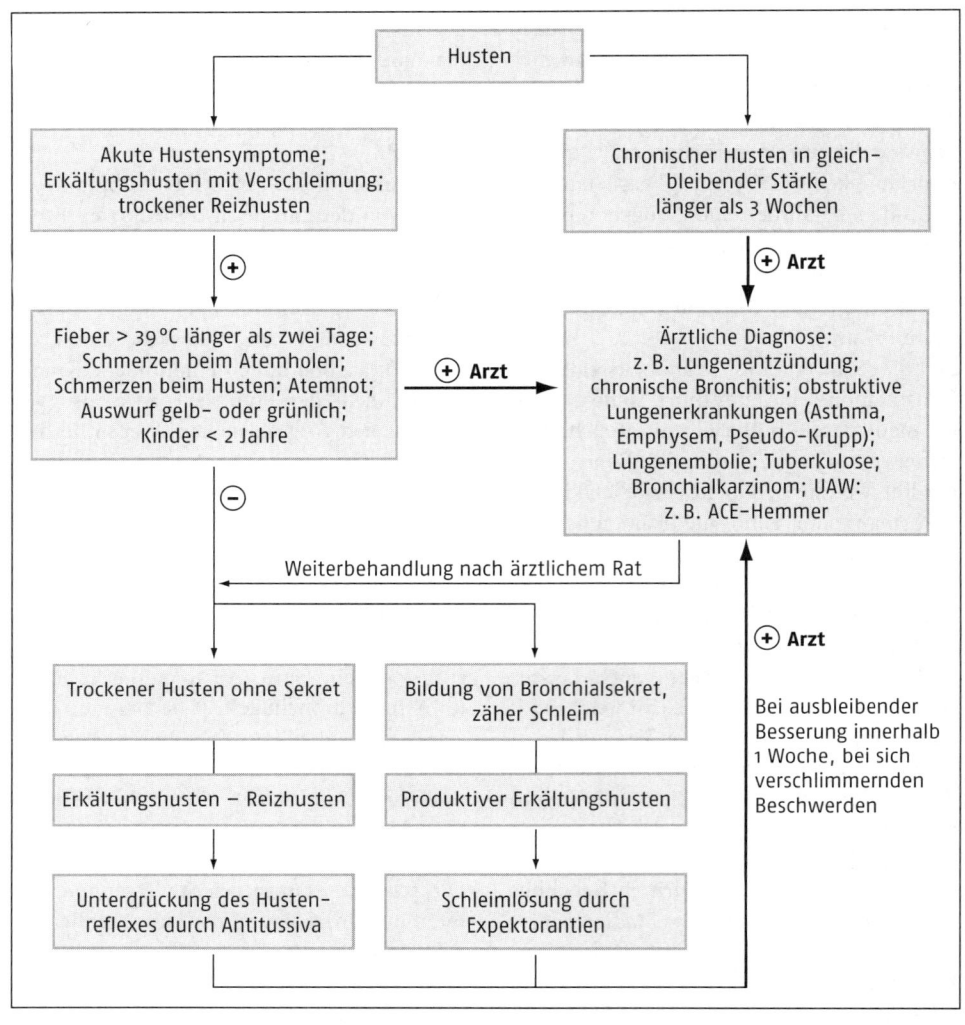

```
                              ┌─────────┐
                              │ Husten  │
                              └─────────┘
           ┌─────────────────────┴─────────────────────┐
           ▼                                           ▼
┌──────────────────────────┐              ┌──────────────────────────┐
│ Akute Hustensymptome;    │              │ Chronischer Husten in    │
│ Erkältungshusten mit     │              │ gleichbleibender Stärke  │
│ Verschleimung;           │              │ länger als 3 Wochen      │
│ trockener Reizhusten     │              │                          │
└──────────────────────────┘              └──────────────────────────┘
           │ (+)                                       │ (+) Arzt
           ▼                                           ▼
┌──────────────────────────┐              ┌──────────────────────────┐
│ Fieber > 39 °C länger    │              │ Ärztliche Diagnose:      │
│ als zwei Tage;           │              │ z. B. Lungenentzündung;  │
│ Schmerzen beim Atemholen;│ (+) Arzt     │ chronische Bronchitis;   │
│ Schmerzen beim Husten;   │─────────────▶│ obstruktive              │
│ Atemnot; Auswurf gelb-   │              │ Lungenerkrankungen       │
│ oder grünlich;           │              │ (Asthma, Emphysem,       │
│ Kinder < 2 Jahre         │              │ Pseudo-Krupp);           │
└──────────────────────────┘              │ Lungenembolie;           │
           │ (−)                          │ Tuberkulose;             │
           ▼                              │ Bronchialkarzinom; UAW:  │
   Weiterbehandlung nach ärztlichem Rat   │ z. B. ACE-Hemmer         │
           ◀──────────────────────────────└──────────────────────────┘
           │                                           ▲
           ▼                                           │ (+) Arzt
┌─────────────────────┐  ┌─────────────────────┐  Bei ausbleibender
│ Trockener Husten    │  │ Bildung von         │  Besserung innerhalb
│ ohne Sekret         │  │ Bronchialsekret,    │  1 Woche, bei sich
│                     │  │ zäher Schleim       │  verschlimmernden
└─────────────────────┘  └─────────────────────┘  Beschwerden
           │                        │
           ▼                        ▼
┌─────────────────────┐  ┌─────────────────────┐
│ Erkältungshusten –  │  │ Produktiver         │
│ Reizhusten          │  │ Erkältungshusten    │
└─────────────────────┘  └─────────────────────┘
           │                        │
           ▼                        ▼
┌─────────────────────┐  ┌─────────────────────┐
│ Unterdrückung des   │  │ Schleimlösung durch │
│ Hustenreflexes      │  │ Expektorantien      │
│ durch Antitussiva   │  │                     │
└─────────────────────┘  └─────────────────────┘
```

Abb. 7.2-4: Patientengespräch „Husten". Aus Lennecke 2007

spräch von außerordentlicher Bedeutung. Dabei sollte zunächst die Art des Hustens erfragt werden (Abb. 7.2-4), um die Beratung des Patienten auf eine rationale Basis zu stellen. (Mund- und Rachentherapeutika zur Behandlung von Halsschmerzen, Laryngitis und Pharyngitis werden in Kap. 2-16b bis 2-26 besprochen).

Bei chronischem Husten, oder wenn eine obstruktive Komponente vorhanden ist, muss von der Selbstmedikation abgeraten werden. Bei akutem Husten im Rahmen einer banalen Erkältung ist die Selbstmedikation möglich.

Die Einteilung der Hustenmittel umfasst folgende Gruppen:

- Antitussiva,
- Expektorantien,
- Kombinationen aus Antitussiva und Expektorantien,
- Arzneiformen zum Lutschen,
- Teezubereitungen,
- Inhalationsmittel,
- Externa.

Inzwischen ist ein deutlicher Trend zu Monopräparaten erkennbar, bei den Antitussiva ebenso wie bei den Expektorantien. Daneben gibt es jedoch immer noch eine Vielzahl von Kombinationspräparaten, wobei eine Neuorientierung zugunsten von bewährten Wirkstoffen mit erwiesener Wirksamkeit stattfindet.

7.2.3.1 Antitussiva

Antitussiva sind Stoffe, die Intensität und Häufigkeit der Hustenstöße durch Unterdrückung des Hustenreflexes herabsetzen. Sie sind indiziert, wenn es sich um einen **quälenden Reizhusten** handelt, der durch entzündliche Veränderungen der Schleimhaut ohne Sekretion (unproduktiver Husten) hervorgerufen wird. Ein derartiger Husten hat **keine Schutzfunktion** zu erfüllen und belastet den Patienten in der Entzündungsphase durch Schmerzen. Einen typischen unproduktiven Husten beobachtet man als Folge einer Laryngitis oder im Anfangsstadium einer banalen Erkältung.

Für die Selbstmedikation stehen nach der Roten Liste 2017 mehrere Antitussiva als Monopräparate zur Verfügung, die verschiedene chemisch definierte Wirkstoffe enthalten (Tab. 7.2-2). Solche Monopräparate sind solange indiziert, bis im fortgeschrittenen Stadium des Hustens Sekret in größeren Mengen produziert wird und abgehustet werden muss.

Dextromethorphan

Dieser Wirkstoff wird in einigen Mono- und Kombinationspräparaten verwendet. Die Monopräparate sind in Tabelle 7.2-2 zusammengestellt; als Beispiele für Dextromethorphanhaltige Kombinationspräparate sollen Wick® Day Med Erkältungskapseln, CeteGrippal® plus Hustenstiller Heißgetränk, Basoplex® Erkältungskapseln erwähnt werden. Dextromethorphan zeigt eine deutliche strukturelle Verwandtschaft zu den von Morphin abgeleiteten Antitussiva, ist jedoch nicht mit deren Risiken belastet. Im Gegensatz zu seinem linksdrehenden Spiegelbildisomeren wirkt es weder analgetisch noch suchterzeugend. Der antitussive Effekt ist mit demjenigen von Codein vergleichbar. Dextromethorphan erhöht durch Angriff am

Tab. 7.2-2: Chemisch definierte Antitussiva für die Selbstmedikation (Monopräparate, Auswahl). Nach Rote Liste 2009

Handelsname	Wirkstoff	Präparatespezifische Anmerkungen
Hustenstiller-ratiopharm® Dextromethorphan Kps.	Dextromethorphan	
Larylin® Husten-Stiller Pastillen	Dropropizin	
Sedotussin® Hustenstiller, Saft, Tropfen	Pentoxyverin	Ethanol-frei
Silomat® DMP Lutschpastillen	Dextromethorphan	
Silomat® gegen Reizhusten Pentoxyverin Saft, Tropfen	Pentoxyverin	Ethanol-frei
Tussafug® Drg.	Benproperin	
Wick Husten-Pastillen gegen Reizhusten mit Honig	Dextromethorphan	
Wick Husten-Sirup gegen Reizhusten mit Honig	Dextromethorphan	Enthält 5 % Ethanol

Erkrankungen von Bronchien und Lunge

Zentralnervensystem (Hustenzentrum) die Schwelle für den Hustenreiz.

Nebenwirkungen. Benommenheit, Schläfrigkeit, Schwindel, Übelkeit, Erregungszustände und gastrointestinale Störungen können gelegentlich auftreten; Verwirrtheitszustände und Schwindelgefühl sind dagegen selten zu beobachten. Sehr hohe Dosen von Dextromethorphan können zur Atemdepression führen.

Gegenanzeigen. Bei Asthma bronchiale und anderen chronisch obstruktiven Atemwegserkrankungen, Pneumonien und Ateminsuffizienz sollten keine Präparate eingesetzt werden, die Dextromethorphan enthalten. Patienten mit eingeschränkter Leberfunktion und Schwangere sollten derartige Medikamente nur unter ärztlicher Kontrolle einnehmen.

Wechselwirkungen. Bei gleichzeitiger Einnahme von zentraldämpfenden Arzneimitteln kann eine Verstärkung der sedierenden Wirkung eintreten. Eine gleichzeitige Behandlung mit MAO-Hemmern kann Erregungszustände und hohes Fieber hervorrufen.

Hinweis. Das **Reaktionsvermögen** kann durch Dextromethorphan-haltige Medikamente soweit verändert werden, dass die Fähigkeit zur aktiven Teilnahme am Straßenverkehr oder zum Bedienen von Maschinen beeinträchtigt wird. Dies ist besonders im Zusammenwirken mit **Alkohol** zu beachten.

Dextromethorphan

Dosierung:
Erwachsene: 15 bis 30 mg
Kinder (6–12 Jahre): 6,75 mg
Kinder (1–5 Jahre): 3,5 mg
Diese Einzeldosen von Dextromethorphanhydrobromid können bis zu viermal täglich oral gegeben werden.

Missbrauchspotenzial. Dextromethorphan hat an sich ein sehr geringes Abhängigkeitspotential. Bei bestimmungsgemäßer Anwendung wird es als sicher und unbedenklich angesehen. In extremer Überdosierung kann Dextromethorphan jedoch euphorische Zustände und Wahrnehmungsveränderungen verursachen. Deshalb wird Dextromethorphan (in der Szene DXM, DMX oder DEX genannt) gelegentlich missbräuchlich verwendet. Gefährlich wird dies insbesondere in Kombination mit Rauschgiften, da dann unkontrollierbare Wechselwirkungen auftreten können. In den USA ist bereits über einige Todesfälle bei Jugendlichen berichtet worden.

Info

Insbesondere bei der wiederholten Abgabe Dextromethorphan-haltiger Medikamente gilt es deren Anwendung im Hinblick auf möglichen Missbrauch kritisch zu hinterfragen.

Pentoxyverin

Pentoxyverin unterdrückt den Hustenreflex, ohne klinisch relevante hypnotische und atemdepressive Nebenwirkungen zu zeigen. Als Monopräparate sind z.B. Sedotussin® Hustenstiller und Silomat® gegen Reizhusten Pentoxyverin in flüssigen Darreichungsformen zu nennen. Neben dem antitussiven Effekt zeigt Pentoxyverin eine positive Beeinflussung der Lungenfunktion im Sinne einer **leichten Bronchodilatation**. In therapeutischen Dosen wird die Expektoration nicht behindert und selbst bei Langzeitanwendung wurden bisher weder Sucht noch Gewöhnung beobachtet. Die hustenstillende Wirkung tritt bei oraler Gabe bereits nach 10 bis 25 Minuten ein.

Nebenwirkungen. Unter Pentoxyverin können gelegentlich gastrointestinale Beschwerden (Erbrechen, Übelkeit, Diarrhoe) auftreten. Selten werden Müdigkeit und Sedierung beobachtet.
Durch individuell auftretende unterschiedliche Reaktionen kann die Fähigkeit zur aktiven Teilnahme am Straßenverkehr oder zum Bedienen von Maschinen beeinträchtigt werden. Dies gilt in verstärktem Maße bei Behandlungsbeginn sowie bei Zusammenwirken mit Alkohol und Sedativa.

$$COO-CH_2-CH_2-O-CH_2-CH_2-N(C_2H_5)_2$$

Pentoxyverin

Gegenanzeigen. Absolut: Bekannte Überempfindlichkeit auf Pentoxyverin; Schwangerschaft, Stillzeit; bei Säuglingen darf Pentoxyverin in den ersten 3 Lebensmonaten nicht angewendet werden.
Relativ: Bei Husten mit ausgeprägter Hypersekretion ist eine Unterdrückung des Hustenreflexes durch Pentoxyverin unerwünscht. Pentoxyverin soll vor Ablauf des ersten Lebensjahres nur unter strenger Indikationsstellung gegeben werden.

Besondere Vorsichtshinweise. Eine atemdepressive Wirkung ist insbesondere bei Kindern beschrieben.
Säuglinge und Kleinkinder (besonders mit anamnestisch bekannter Krampfbereitschaft) sollten während der Therapie mit Pentoxyverin beobachtet werden.

Wechselwirkungen. Die gleichzeitige Anwendung von Pentoxyverin und anderen zentraldämpfenden Pharmaka kann zu einer Verstärkung der sedierenden und atemdepressiven Wirkung führen. Pentoxyverin vermindert zusammen mit Alkohol die psychomotorische Leistungsfähigkeit stärker als die Einzelkomponenten.

Dosierung und Art der Anwendung.
Orale Applikation:
Bei Erwachsenen und Jugendlichen über 14 Jahren beträgt die Einzeldosis 20 bis 30 mg Pentoxyverin-Base. Diese Dosis kann alle 6 bis 8 Stunden wiederholt werden, Tagesmaximaldosis beträgt 120 mg Pentoxyverin-Base.
Das klinische Bild der Überdosierung zeigt im Wesentlichen zentralnervöse und gastrointestinale Symptome wie Atemdepression, Sedierung, Erbrechen. Eine atemdepressive Wirkung ist insbesondere bei Kindern beschrieben.

Dropropizin

Dropropizin ist der Wirkstoff des Monopräparates Larylin® Husten-Stiller. Dropropizin wirkt dämpfend auf das Hustenzentrum und reduziert den Hustenreiz auf ein erträgliches Maß, verhindert aber nicht das notwendige Abhusten des Bronchialschleims.

Nebenwirkungen. Bei Überdosierung kann Dropropizin bei besonders empfindlichen Personen eine kurzfristige Blutdrucksenkung bewirken; wenn sich der Patient entspannt (im Sitzen oder Liegen) kommt es zu einer raschen Normalisierung.

Dropropizin

Dosierung.
Erwachsene: bis zu 3-mal täglich 60 mg (in Einzelfällen 90 mg); Tagesmaximaldosis: 180 mg.
Dropropizin wird eine antitussive Wirkung bescheinigt, die etwa eine Stunde nach oraler Aufnahme nachweisbar ist und vier bis sechs Stunden anhält. Da keine entsprechenden Studien vorliegen, kann ein mutagenes bzw. kanzerogenes Potential nicht beurteilt wer-

den. Wissenschaftliches Erkenntnismaterial zur Dosierung bei Kindern liegt nicht vor, daher wird die Anwendung bei Kindern unter 12 Jahren als Kontraindikation erwähnt.

Gegenanzeigen. Absolut: bekannte Überempfindlichkeit gegen Dropropizin, Schwangerschaft, Stillzeit, eingeschränkte Leber- oder Nierenfunktion, Kinder unter 12 Jahren. Bei produktivem Husten mit erheblicher Schleimproduktion ist die antitussive Behandlung unter strenger Nutzen/Risiko-Abwägung mit besonderer Vorsicht durchzuführen.

Nebenwirkungen. Selten sind Übelkeit, Gastritis, Kopfschmerzen, Schläfrigkeit, Urtikaria, Schwindel, Hypersalivation beschrieben. In Einzelfällen sind bei hoher therapeutischer Dosierung passagerer Blutdruckabfall und Tachykardie beobachtet worden. Erbrechen, Sodbrennen, Verdauungsstörungen, Durchfall, Mattigkeit, Benommenheit, Sopor, Schwäche und Herzklopfen werden gelegentlich als weitere unerwünschte Arzneimittelwirkungen registriert.

Wechselwirkungen. Eine mögliche Verstärkung der blutdrucksenkenden Wirkung bei der gleichzeitigen Gabe von Antihypertensiva ist nicht ausgeschlossen. Das Verhalten im Straßenverkehr sowie die Bedienung von Maschinen kann beeinträchtigt sein. Diese Beeinträchtigungen können durch Sedativa/Hypnotika und durch Alkohol verstärkt werden.

Clobutinol

Clobutinol war in verschiedenen Monopräparaten und diversen Darreichungsformen im Handel. Dieser zentral wirkende Hustenblocker wurde bei Reizhusten jeglicher Genese eingesetzt, also auch bei Husten, der im Verlauf schwerer Lungenerkrankungen auftritt. Die hustenstillende Wirkung von Clobutinol soll derjenigen des Codeins entsprechen. Im Zusammenhang mit der Gabe von Clobutinol wurden bisher keine Anzeichen von Gewöhnung oder Sucht gesehen. Clobutinol verursacht auch in höherer Dosierung keine Atemdepression und die Funktionen von Nieren, Stoffwechsel oder die Darmmotilität werden nicht beeinflusst. Der antitussive Effekt hält 4 bis 6 Stunden an.

Clobutinol entfaltet seine antitussive Wirkung über einen zentralnervösen Angriffspunkt. Der Hustenreflex wird im Hustenzentrum der Medulla oblongata unterbrochen. Im pharmakologischen Vergleich zu **Codein** besitzt Clobutinol keine atemdepressive Wirkung, keine Hemmwirkung auf die intestinale Peristaltik und keinen analgetischen Effekt.

Ruhen der Zulassung

Am 31. August 2007 hat das BfArM das Ruhen der Zulassung für alle Clobutinol-haltigen Arzneimittel angeordnet. Apotheken dürfen entsprechende Präparate seither nicht mehr abgeben. Auslöser waren die Daten einer von der Firma Boehringer Ingelheim durchgeführten klinischen Studie mit gesunden Patienten. Darin zeigte sich bereits mit therapeutischen Clobutinol-Dosierungen eine deutliche Verlängerung des QTc-Intervalls (die maximale Tagesdosis von 240 mg verlängerte das QTc-Intervall in 8 Tagen um 32 ms). Angesichts der Indikation und der verfügbaren Behandlungsalternativen stuft das BfArM das Nutzen-Risiko-Verhältnis von Clobutinol daher nun als negativ ein. Ob der Wirkstoff dauerhaft außer Handel bleibt, wird von weiteren Studienergebnissen abhängen.

Clobutinol ist seit dem Jahr 1961 auf dem Markt und mit 200 Millionen Anwendungen in 59 Ländern ein breit eingesetzter Arzneistoff. Alleine im Jahr 2006 wurden 4,7 Millionen Packungen Clubutinol-haltiger Präparate verkauft.

Clobutinol

Info

Das QTc-Intervall ist ein EKG-Parameter, der für die Phase der myokardialen Erregungsausbreitung steht. Seine klinische Bedeutung wurde lange Zeit unterschätzt. Die aus QTc-Verlängerungen resultierenden Herzrhythmusstörungen (Torsade de pointes) verschwinden meist spontan, können aber auch Kammerflimmern verursachen und tödlich enden. Gemäß internationaler Richtlinien gilt ein Arzneimittel als arrhythmogen, wenn es eine QTc-Verlängerung von mindestens 20 ms bewirkt.

Benproperin

Benproperin ist derzeit ausschließlich im Monopräparat Tussafug® überzogene Tabletten enthalten. Es vermindert wie die anderen zentral wirkenden Antitussiva die Intensität und Häufigkeit der Hustenstöße. Da die Wirkung jedoch im afferenten Teil des Reflexbogens zustande kommt, wird – anders als bei Codein – das Atemzentrum nicht beeinflusst. Benproperin wirkt atemanregend und antagonisiert die durch Morphin verursachte Atemhemmung. Daher kann dieses Antitussivum auch bei eingeschränkter Atmung verwendet werden.

Nebenwirkungen. Vereinzelt traten nach Einnahme von Benproperin Übelkeit, Mundtrockenheit und Schläfrigkeit auf. Daher sollte auf eine mögliche Beeinträchtigung der Reaktionsfähigkeit im Straßenverkehr und beim Bedienen von Maschinen hingewiesen werden. Dies gilt in verstärktem Maße im Zusammenhang mit Alkohol.

Gegenanzeigen. Eine strenge Indikationsstellung ist in den ersten drei Monaten der Schwangerschaft angezeigt.

Benproperin

Wechselwirkungen mit anderen Mitteln sind nicht bekannt.

Dosierung:

Kinder (1–3 Jahre):	2 bis 4 × täglich 7,5 mg Benproperin
Kinder (3–7 Jahre):	2 bis 4 × täglich 15 mg
Kinder (7–15 Jahre):	2 bis 4 × täglich 15 bis 30 mg
Erwachsene:	3 bis 4 × täglich 30 bis 45 mg

Info

Als Grenzen der Selbstmedikation bei Husten sollten folgende Symptome gelten:

- blutiger oder eitriger Auswurf,
- Atemnot,
- hohes Fieber,
- Patient ist älter als 75 Jahre,
- Hinweise auf allergischen Hintergrund,
- vorangegangener Aufenthalt in exotischen Ländern oder Regionen mit hoher Tbc-Prävalenz,
- immunsupprimierte Personen,
- Einnahme von Medikamenten, die Reizhusten auslösen können (z.B. ACE-Hemmer).

Pflanzliche Antitussiva

Obwohl man beim Begriff „Antitussiva" hauptsächlich an die typischen synthetischen Hustenblocker denkt, gibt es auch Drogen, die den Hustenreiz lindern können. Neben **Sonnentaukraut** (Droserae herba) werden vor allem **Schleimdrogen** zur Dämpfung des Hustenreizes eingesetzt: **Isländisches Moos** (Lichen islandicus), **Eibischwurzel** (Althaeae radix), **Huflattichblätter** (Farfarae folium) sowie **Spitzwegerichkraut** und **-blätter** (Plantaginis lanceolatae herba/folium). Diese Drogen werden in verschiedenen Phytopharmaka verwendet. Teilweise handelt es sich um Monopräparate, teilweise um Kombinationen von pflanzlichen oder von pflanzlichen und chemisch definierten Wirkstoffen. Präparate sind in Tabelle 7.2-3 zusammengestellt. Sehr häufig werden jedoch die erwähnten hustenreizlindernden Drogen zusammen mit pflanzlichen Expektorantien in Hustensäften und -tropfen sowie in Teezubereitungen verwendet.

Diese lokal reizlindernden Mittel setzen die Hypersensibilität der Hustenrezeptoren herab. Die indifferenten Pflanzenschleime (Mucilaginosa) überziehen die Schleimhaut mit einer Schutzschicht, wodurch der lokale Reiz gemildert wird. Da die Mucilaginosa kaum resorbiert werden, treten weder systemische Wirkungen noch erhebliche Nebenwirkungen auf. Auch bei Pharyngitis und Laryngitis liegen entzündliche Reizzustände im oberen Respirationstrakt vor, die sich durch Schleimdrogen günstig beeinflussen lassen.

(Mund- und Rachentherapeutika zur Behandlung von Halsschmerzen, Laryngitis und Pharyngitis werden in Kap. 2-16b bis 2-26 besprochen).

Isländisches Moos

Isländisches Moos (Stammpflanze: *Cetraria islandica* (L.) Ach. sensu latiore) weist einen hohen Schleimgehalt auf. Die Droge enthält etwa 50 % wasserlösliche Polysaccharide mit den Hauptkomponenten Lichenin und Isolichenin. Daneben findet man noch etwa 2 bis 3 % bitter schmeckende Flechtensäuren. Die Flechtensäuren Fumarprotocetrarsäure (bei der Lagerung und Aufarbeitung entsteht daraus Protocetrarsäure), Protolichesterinsäure und Usninsäure wirken schwach antimikrobiell. Isländisches Moos ist beispielsweise in folgenden Präparaten enthalten: Isla-Mint® Pastillen, Isla-Moos® Pastillen.

Aufbereitungskommission des Bundesgesundheitsamtes:
Anwendung: Bei Schleimhautreizungen im Mund- und Rachenraum und damit verbundenem Reizhusten.

Tab. 7.2-3: Hustenreizlindernde Phytopharmaka (Auswahl)

Handelsname (Arzneiform)	Hustenreizlindernde Drogenzubereitung	Anmerkungen
Aspecton® Halstabletten	Trockenextrakt aus Cetraria islandica	Enthält noch Vitamin C
Broncho-Sern® Sirup	Spitzwegerichblätter-Fluidextrakt	Enthält noch Salbeiöl
Eucabal® Hustensaft	Spitzwegerich-Fluidextrakt	Enthält noch Thymianfluidextrakt
Imupret® Drg., Tropfen	Alkoholisch-wässriger Auszug aus Eibischwurzel	Enthält noch sechs weitere Pflanzenauszüge
Isla-Mint® Pastillen	Lichen-islandicus-Extrakt	Enthält noch Pfefferminzöl
Isla-Moos® Pastillen	Lichen-islandicus-Extrakt	
Phytohustil® Hustenreizstiller Sirup	Wässriges Mazerat aus Eibischwurzel	

Wirkung: Reizlindernd und schwach antimikrobiell.
Gegenanzeigen, Nebenwirkungen, Wechselwirkungen mit anderen Mitteln sind nicht bekannt.

Eibischwurzel

Die Hauptinhaltsstoffe der Eibischwurzel (Stammpflanze: *Althaea officinalis* L.) sind Stärke und 5 bis 10 % Schleim, dessen Zusammensetzung nicht genau bekannt ist. Außerdem liegen Gerbstoffe in geringer Konzentration vor.
Präparatebeispiel: Heumann Bronchialtee Solubifix® T, Phytohustil® Hustenreizstiller Sirup, Imupret®.

Aufbereitungskommission des Bundesgesundheitsamtes:
Anwendung: Bei Schleimhautreizungen im Mund- und Rachenraum und damit verbundenem Reizhusten.

Wirkung: Reizlindernd; Hemmung der mukoziliaren Aktivität; Steigerung der Phagozytose.

Hinweis: Eventuell Resorptionsverzögerung anderer Arzneimittel.
Gegenanzeigen, Nebenwirkungen, Wechselwirkungen mit anderen Mitteln sind nicht bekannt.

Huflattichblätter

Die Blätter von *Tussilago farfara* L. enthalten 6 bis 10 % Schleimstoffe und Inulin, etwa 5 % Gerbstoffe sowie wenig Flavonoide. Je nach Herkunft können Spuren von Pyrrolizidinalkaloiden vorkommen. Da einzelne Pyrrolizidinalkaloide hepatotoxisch sind, hat das Bundesgesundheitsamt im Stufenplanverfahren eine Begrenzung des Gehaltes an Pyrrolizidinalkaloiden mit einem 1,2-ungesättigten Necin-Gerüst festgelegt. Die Schleimstoffe bilden auf der Schleimhaut des oberen Respirationstraktes einen schützenden Film, der den Hustenreiz dämpft.

Aufbereitungskommission des Bundesgesundheitsamtes:
Anwendung: Akute Katarrhe der Luftwege mit Husten und Heiserkeit; akute, leichte Entzündungen im Mund- und Rachenraum.

Gegenanzeigen: Schwangerschaft und Stillzeit.

Hinweis: Anwendungsbeschränkung auf vier bis sechs Wochen pro Jahr.
Nebenwirkungen, Wechselwirkungen mit anderen Mitteln sind nicht bekannt.

Spitzwegerichkraut und -blätter

Plantago lanceolata L. liefert zwei Drogen (Folia und Herba), deren Wirkung auf die darin enthaltenen Iridoidglykoside (insbesondere Aucubin und Catalpol) zurückgeführt wird. **Aucubigenin,** das instabile Aglykon des Aucubin, verfügt über antibakterielle Eigenschaften. Ob allerdings in Spitzwegerichzubereitungen noch therapeutische Dosen von Aucubigenin vorliegen, ist fraglich. Die Blätter enthalten zusätzlich noch Gerbstoffe, Flavonoide sowie ein hämolytisch und antimikrobiell wirksames Saponin. Phytopharmaka mit Spitzwegerich werden in erster Linie als Mucilaginosa verwendet. In folgenden Präparaten sind z. B. Spitzwegerichextrakte enthalten: Broncho-Sern® Sirup, Eucabal® Hustensaft Sirup.

Aufbereitungskommission des Bundesgesundheitsamtes:
Anwendung: Katarrhe der Luftwege, entzündliche Veränderungen im Mund und Rachen.

Wirkung: Reizmildernd, adstringierend, antibakteriell.
Gegenanzeigen, Nebenwirkungen, Wechselwirkungen mit anderen Mitteln: nicht bekannt.

Sonnentaukraut

Das Sonnentaukraut (Droserae herba, Stammpflanze: *Drosera ramentacea* Burch. ex Harv. et Sond) wirkt antitussiv über einen sekretolytischen, broncholytischen und spasmolytischen Effekt. Bei den Wirkstoffen handelt es sich um 1,4-Naphthochinonderivate, denen auch eine bakteriostatische Wirkung zugeschrieben wird. Als Hauptinhaltsstoffe wurden die Naphthochinon-Abkömmlinge Plumbagin, Ramentaceon und Ramenton identifiziert. **Plumbagin** hemmt das Wachstum von Streptokokken, Staphylokokken und Pneumokokken.

Aufbereitungskommission des Bundesgesundheitsamtes:
Anwendung: Bei Krampf- und Reizhusten
Wirkung: bronchospasmolytisch und antitussiv.
Gegenanzeigen, Nebenwirkungen, Wechselwirkungen mit anderen Mitteln sind nicht bekannt.

Info

Die unter 7.2.3.1 vorgestellten synthetischen antitussiven Wirkstoffe gelten als **wirksame Arzneistoffe mit zentraler Hustendämpfung.** In therapeutischer Dosierung sind die genannten Präparate in der Regel gut verträglich, Nebenwirkungen wurden nur vereinzelt festgestellt.
Die verschiedenen **pflanzlichen Antitussiva** eignen sich besonders zur Initialbehandlung des **kindlichen Reizhustens.** Bei einem banalen Erkältungshusten reichen Phytopharmaka oft sogar aus. Bei Erwachsenen stellen sie eine **Alternative** zu den chemisch definierten Hustenblockern dar – auch wenn die **verschiedenen Schleimdrogen** nur unterstützend wirken können. Unter dem Aspekt der oft erforderlichen Langzeittherapie kommt jedoch gerade den pflanzlichen Wirkstoffen eine nicht zu unterschätzende Bedeutung zu.

7.2.3.2 Expektorantien

Bei den Expektorantien handelt es sich um eine heterogene Gruppe von Arzneistoffen, welche die Bildung, die Beschaffenheit und den Transport des Bronchialsekretes beeinflussen und auf diese Weise eine auswurffördernde Wirkung entfalten und damit das Abhusten erleichtern.

Eine **Einteilung der Expektorantien** in Sekretolytika, Sekretomotorika und Mukolytika ist immer noch gebräuchlich, auch wenn inzwischen neuere Substanzen entwickelt wurden, die diesen Rahmen sprengen und über komplexere Wirkungsmechanismen verfügen. Zudem lassen sich auch sekretolytischer und sekretomotorischer Effekt nicht exakt voneinander trennen.
Sekretolytika steigern die Drüsensekretion, insbesondere im Respirationstrakt, und führen so zu einer **Verflüssigung des Schleims.** Dies kann einerseits durch **direkte Beeinflussung** der sekretorischen Zellen, andererseits **reflektorisch** durch Reizung der Magenschleimhaut erfolgen. Die Irritation der Schleimhaut führt durch Erregung afferenter parasympathischer Nerven zu einer leichten Stimulation des Brechzentrums in der Medulla oblongata, wodurch dann über den Nervus vagus eine Sekretionssteigerung aller Drüsen, auch der Bronchialdrüsen, ausgelöst wird.
Sekretomotorika sollen den Schleimabtransport durch das ziliäre System fördern. Offensichtlich wird die Motilität der Zilien über adrenerge β-Rezeptoren gesteuert: β-Stimulantien regen die Zilientätigkeit an, während β-Blocker diese hemmen. (Die verschreibungspflichtigen $β_2$-Sympathomimetika werden bei obstruktiven Atemwegserkrankungen eingesetzt; sie erregen $β_2$-Rezeptoren und bewirken damit eine Erschlaffung der Bronchialmuskulatur sowie ein Anregung der Zilienbewegung). Bei den **pflanzlichen Expektorantien,** wie ätherischen Ölen, findet man meist sowohl sekretolytische als auch sekretomotorische Eigenschaften, wobei der Schwerpunkt der Wirkung durchaus unterschiedlich sein kann. Eine Übersicht über die häufig als Expektorantien eingesetzten Drogen gibt Tabelle 7.2-4. Die entsprechenden Phytopharmaka lassen sich meist gut bei banalem Erkältungshusten – auch für Kinder – empfehlen.
Mukolytika sind Wirkstoffe, welche die physikochemischen Eigenschaften des Bronchialsekrets verändern, d.h. vor allem dessen Viskosität herabsetzen. Dies erreichen Mu-

kolytika, indem sie in den Aufbau der Mucopolysaccharide, welche den Schleim bilden, auf unterschiedliche Weise eingreifen.

Da eine scharfe Trennung zwischen sekretolytischer, sekretomotorischer und mukolytischer Wirkweise eines Arzneistoffs nicht immer möglich ist, wird in der Literatur zunehmend auf diese Untereinteilung der Expektorantien verzichtet.

Beratungstipp

Die Einnahme von Expektorantien sollte möglichst in der ersten Tageshälfte erfolgen, damit der losgelöste Schleim während der Wachphase gleich abgehustet werden kann.

Pflanzliche Wirkstoffe
Anwendung ätherischer Öle

Die als Expektorantien verwendeten ätherischen Öle bzw. Drogen oder Drogenextrakte mit ätherischem Öl werden nach oraler Applikation im Gastrointestinaltrakt resorbiert, systemisch verteilt und gelangen nur zum Teil in den Respirationstrakt, wo sie einen **direkten sekretolytischen Effekt** auf die sezernierenden Zellen ausüben sollen. Einigen Drogen schreibt man außerdem noch **desinfizierende, antibakterielle** oder **spasmolytische Wirkungen** zu.

Damit ätherische Öle in der beschriebenen Art und Weise wirken können, müssen sie entsprechend **hoch dosiert** sein – so werden beispielsweise für Anisöl jeweils 250 mg als sinnvolle Einzeldosis angegeben. Einige wichtige, in pflanzlichen Expektorantien (intern und/oder extern) enthaltene ätherische Öle sind **Thymianöl, Anisöl, Fenchelöl, Eukalyptusöl, Pfefferminzöl** und **Terpentinöl** (siehe auch Tab. 7.2-4, Tab. 7.2-5).

Die **Anwendung** sollte bevorzugt **im späteren Stadium** einer Erkältung erfolgen, wenn sich eine durch Sekretstau bedingte Obstruktion bemerkbar macht, sowie bei chronischen Bronchitiden. Im **Akutstadium** der Bronchitis können die ätherischen Öle eine **unerwünschte Reizwirkung** ausüben.

Tab. 7.2-4: Drogen, die häufig als Sekretolytika und Sekretomotorika verwendet werden

Droge	Hauptinhaltsstoffe	Wirkungsweise	Nebenwirkungen/ Besonderheiten
Anis	Ätherisches Öl mit Hauptkomponente trans-Anethol	Sekretolytisch, sekretomotorisch, spasmolytisch	Gelegentlich allergische Reaktionen
Efeublätter	Triterpensaponine	Sekretolytisch, sekretomotorisch	
Eukalyptusblätter	Ätherisches Öl mit Hauptbestandteil Cineol	Sekretolytisch und antiseptisch	Häufiger als die Blattdroge wird das ätherische Öl verwendet
Fenchel	Ätherisches Öl mit trans-Anethol und Fenchon	Sekretolytisch, sekretomotorisch, spasmolytisch	
Primelwurzel	Triterpensaponine	Sekretolytisch, sekretomotorisch	Nebenwirkungen nur bei Überdosierung
Süßholzwurzel	Triterpensaponine, vor allem Glycyrrhizin	Sekretolytisch und sekretomotorisch	Wegen der mineralocorticoiden Wirkung des Glycyrrhizins: Blutdrucksteigerung etc. möglich
Thymian	Ätherisches Öl mit Thymol, Carvacrol und anderen Monoterpenen	Sekretionssteigernd und sekretomotorisch durch Steigerung der Zilienbewegung	

Erkrankungen von Bronchien und Lunge

Tab. 7.2-5: Verschiedene pflanzliche Expektorantien (Auswahl)

Handelsname (Arzneiform)	Verwendete Drogen	Ätherische Öle und deren Bestandteile	Anmerkungen
Aspecton® Eukaps		Eukalyptusöl 100 bzw. 200 mg pro Kps.	Magensaftresistente Kapseln
Aspecton® Hustentropfen	100 ml enth.: Dickextr. aus Thymiankraut (1,7–2,5 : 1) 42,3 g – AZM: Ammoniaklösg. 10 % (m/m), Glycerol 85 %, Ethanol 90 % (V/V), Wasser (1 : 20 : 70 : 109)		Zucker- und alkoholfrei
Bronchicum® Elixier	100 g enth.: Thymianfluidextr. (1 : 2–2,5) 5 g, Primelwurzelfluidextr. (1 : 2–2,5) 2,5 g		Enthält 4,9 % Ethanol
Bronchicum® Tropfen	100 g enth.: Primelwurzeltinkt. (1 : 5) 20 g, Thymianfluidextr. (1 : 2–2,5) 40 g		Enthält 27,7 % Ethanol
Bronchipret® TP Filmtabl.	1 Fta enth.: Trockenextr. aus Primelwurzeln (6,0–7,0 : 1) 60 mg – AZM: Ethanol 47,4 % (V/V); Trockenextr. aus Thymian (6,0–10,0 : 1) 160 mg – AZM: Ethanol 70 % (V/V)		
Bronchipret® Saft TE	100 ml Saft enth.: Fluidextr. aus Thymian (1 : 2–2,5) 16,8 g – AZM: Amoniaklösg. 10 % (m/m); Glycerol 85 % (m/m); Ethanol 90 % (V/V); Wasser (1 : 20 : 70 : 109); 1,68 g Fluidextr. aus Efeublättern (1 : 1); AZM Ethanol 70 % (V/V)		Enthält je 7 % Ethanol
Bronchipret® Tropfen	100 g enth.: 50 ml Fluidextr. aus Thymian (1 : 2–2,5), AZM Ammoniaklösg. 10 % (m/m); Glycerol 85 % (m/m); Ethanol 90 % (V/V); Wasser (1 : 20 : 70 : 109); 3 ml Fluidextr. aus Efeublättern DAC (1 : 1); AZM: Ethanol 70 % (V/V)		Enthält 24 % Ethanol

Atemwege

Tab. 7.2-5: Verschiedene pflanzliche Expektorantien (Auswahl) (Fortsetzung)

Handelsname (Arzneiform)	Verwendete Drogen	Ätherische Öle und deren Bestandteile	Anmerkungen
Bronchoforton® Kps.		1 Weichkps. enth.: Eucalyptusöl 75 mg, Anisöl 75 mg, Pfefferminzöl 75 mg	
Ephepect®-Pastillen N	1 Past. enth.: Dickextr. aus Thymian (5–7:1) 3,8 mg – AZM: Methanol 25 % (V/V) (stand. auf 0,02 mg Thymolgehalt)	Sternanisöl 2,3 mg, Eucalyptusöl 0,92 mg, Fenchelöl 2 mg, Pfefferminzöl 2,6 mg	Enthält Ammoniumchlorid 5 mg
Gelomyrtol®forte Kps.		1 Weichkps. enth.: 300 mg Destillat aus einer Mischung von rektifiziertem Eucalyptusöl, rektifiziertem Süßorangenöl, rektifiziertem Myrtenöl und rektifiziertem Zitronenöl (66:32:1:1) (Myrtol® standardisiert)	Magensaftresistente Kapseln
Hustagil® Thymian-Hustensaft	150 ml Saft enth.: Fluidextr. aus Thymian (1:2 – 2,5) 14,64 g (enth. mind. 0,03 % Thymol) – AZM: Ammoniaklösg. 10 % (m/m) NH$_3$: Glycerol 85 % (m/m): Ethanol 90 % (V/V): Wasser (1:20:70:109) (m/m)		Saft enthält 3,5 % Ethanol
Makatussin® Tropfen	1 ml enth.: Fluidextr. aus Thymiankraut (1:2–2,5) 570 mg	Sternanisöl 38 mg	Enthält 38,8 % Ethanol
Phytobronchin® Saft	100 g enth.: Fluidextr. aus Thymiankraut (1:2-2,5) 12 g – AZM: Ammoniaklösg. 10 % (m/m), Glycerol 85 %, Ethanol 90 % (V/V), Wasser (1:20:70:109), Dickextr. aus Primelwurzel (1–2:1) 1,8 g – AZM Ethanol 55 % (V/V)		Saft enthält 5–8 % Ethanol
Sinuforton® Kps. mit Anis bei Erkältung	1 Kps. enth.: Anisöl 30 mg, Primelwurzeltrockenextr. (5–8:1) 36 mg – AZM: Ethanol 40 % (V/V), Thymiankrauttrockenextr. (8–12:1) 70 mg – AZM: Wasser	Anisöl 30 mg	

Erkrankungen von Bronchien und Lunge

Tab. 7.2-5: Verschiedene pflanzliche Expektorantien (Auswahl) (Fortsetzung)

Handelsname (Arzneiform)	Verwendete Drogen	Ätherische Öle und deren Bestandteile	Anmerkungen
Sinupret® Tropfen, Drg.	100 g Tropfen enth.: 29 g Auszug (1:11) aus: Enzianwurzel, Eisenkraut, Gartensauerampferkraut, Holunderblüten, Schlüsselblumenblüten mit Kelch (1:3:3:3:3) – AZM: Ethanol 59 % (V/V) 1 Drg. enth.: Eisenkraut, gepulvert 18 mg, Enzianwurzel, gepulvert 6 mg, Gartensauerampferkraut, gepulvert 18 mg, Holunderblüten, gepulvert 18 mg, Schlüsselblumenblüten mit Kelch, gepulvert 18 mg		Tropfen enthalten 19 % Ethanol, Saft enthält 8 % Ethanol
Sinupret® extract Drg.	1 Drg. enth.: 160,00 mg Trockenextrakt (3–6:1) aus Enzianwurzel, Schlüsselblumenblüten, Ampferkraut, Holunderblüten, Eisenkraut (1:3:3:3:3). AZM: Ethanol 51 % (m/m).		

Thymian

Thymus vulgaris L. und *Thymus zygis* L. liefern die Droge Thymi herba mit ätherischem Thymianöl als Hauptwirkstoff.

Inhaltsstoffe und Wirkung. Die Droge enthält je nach Provenienz 1,0 bis 2,5 % ätherisches Öl (Ph. Eur. fordert einen Mindestgehalt von 1,2 %) mit den isomeren Monoterpenen Thymol (= Hauptkomponente) und Carvacrol (s. Abb. 7.2-5). Daneben findet man noch weitere Monoterpene wie *p*-Cymen, Camphen oder Limonen.

Das ätherische Öl wirkt sekretionssteigernd und fördert gleichzeitig die Transportleistung der Zilien im Bronchialbaum. Da das Thymianöl teilweise über die Lunge ausgeschieden wird, können sich der antiseptische und antibakterielle Effekt von Thymol lokal auswirken.

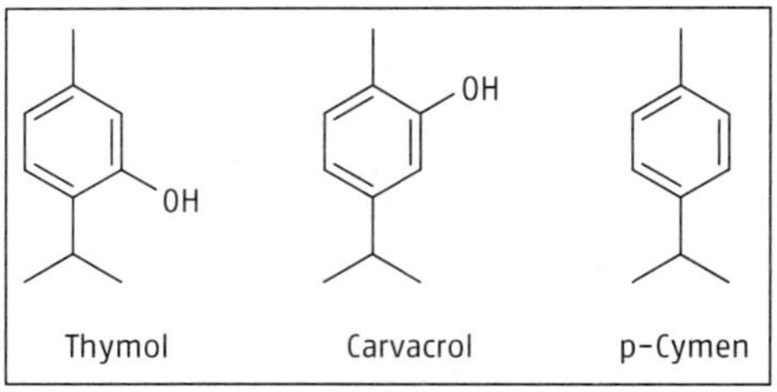

Abb. 7.2-5: Monoterpene des Thymianölss

Anwendung. Zubereitungen, die Thymianöl enthalten, können bei Katarrhen der oberen Luftwege eingesetzt werden – aber auch bei Keuchhusten sowie bei akuter und chronischer Bronchitis. Monopräparate mit Thymianzubereitungen: z.B. Aspecton® Hustensaft und -tropfen, Bronchipret® Thymian-Pastillen, Hustagil® Thymian-Hustensaft, Melrosum® Hustensirup, Soledum® Hustensaft und -tropfen, Thymiverlan® Lsg., Tussamag® Hustensaft und Hustenlösung (Weitere Präparate siehe Tab. 7.2-5)

Aufbereitungskommission des Bundesgesundheitsamtes:
Anwendung: Symptome der Bronchitis und des Keuchhustens; Katarrhe der oberen Luftwege.
Wirkung: Bronchospasmolytisch, expektorierend, antibakteriell.
Nebenwirkungen, Kontraindikationen, Wechselwirkungen mit anderen Mitteln: nicht bekannt.
Hinweis: Kombinationen mit anderen expektorierend wirkenden Drogen können sinnvoll sein.

Anis
Pimpinella anisum L. liefert den Anis (Anisi fructus), eine typische Apiaceen-Frucht mit ätherischem Öl als Hauptbestandteil.

Inhaltsstoffe und Wirkung. Anis enthält 1,5 bis 5% ätherisches Öl (Mindestgehalt nach Ph. Eur.: 2,0%) mit **trans-Anethol** als Hauptkomponente. Daneben sind Methylchavicol (1 bis 2%) und Anisaldehyd (unter 1%) als Komponenten zu erwähnen.
Das ätherische Öl Anisi aetheroleum wirkt sekretolytisch, sekretomotorisch und spasmolytisch.

Anwendung. Als Expektorans bei Husten und Bronchitis, unterstützend bei Krampfhusten und spastischer Bronchitis. Anisöl ist z.B. in folgenden Kombinationspräparaten enthalten: Sinuforton® Kapseln mit Anis bei Erkältung.

Aufbereitungskommission des Bundesgesundheitsamtes:
Anwendung: Katarrhe der Luftwege.
Wirkung: Expektorierend, schwach spasmolytisch, antibakteriell.
Nebenwirkungen: Gelegentlich allergische Reaktionen der Haut, der Atemwege und des Gastrointestinaltraktes.

Gegenanzeigen: Allergie gegen Anis und Anethol.
Wechselwirkungen mit anderen Mitteln sind nicht bekannt.

Fenchel
Aus den Früchten von *Foeniculum vulgare* Mill. (Foeniculi fructus) wird Foeniculi aetheroleum gewonnen.

Inhaltsstoffe und Wirkung. Fenchel enthält 2 bis 6% ätherisches Öl (Mindestgehalt nach Ph. Eur.: 2% mit mindestens 80% Anethol) mit der Hauptkomponente – wie bei Anis – **trans-Anethol** und bis zu 20% **Fenchon**; außerdem findet man Methylchavicol, Anisaldehyd und einige Terpenkohlenwasserstoffe wie Limonen und α-Pinen (s. Abb. 7.2-6).
Wie Anisi aetheroleum zeigt auch Foeniculi aetheroleum sekretolytische, sekretomotorische und spasmolytische Wirkungen.
Nach der Resorption wird das ätherische Öl teilweise über die Lunge ausgeschieden und stimuliert die Bronchialsekretion; das Bronchialsekret wird verflüssigt.

Anwendung. Als spasmolytisches Expektorans – besonders in der Kinderheilkunde. Anis-Fenchel-Bonbons oder Fenchelhonig sind bei Kindern sehr beliebt. Das reine Fenchelöl sollte bei Säuglingen und Kleinkindern wegen der Gefahr eines Laryngospasmus, einer Dyspnoe und von Erregungszuständen nicht angewendet werden. Fenchel ist z.B. in folgenden Kombinationspräparaten enthalten: Ephepect® Pastillen N, Salviathymol® N (s.a. Tab. 7.2-5).

Eukalyptusblätter
Eucalyptus globulus Labill. liefert als Droge Eucalypti folium mit Eucalypti aetheroleum und Gerbstoffen als Hauptinhaltsstoffen.

Inhaltsstoffe und Wirkung. Eukalyptusblätter enthalten neben 1,5 bis 3,5% ätherischem Öl (Mindestgehalt nach Ph. Eur. für ganze Blätter 2%, für Schnittdroge 1,5%) – bestehend aus 70 bis 95% Cineol (Eukalyptol) noch größere Mengen an **Gerbstoffen** und

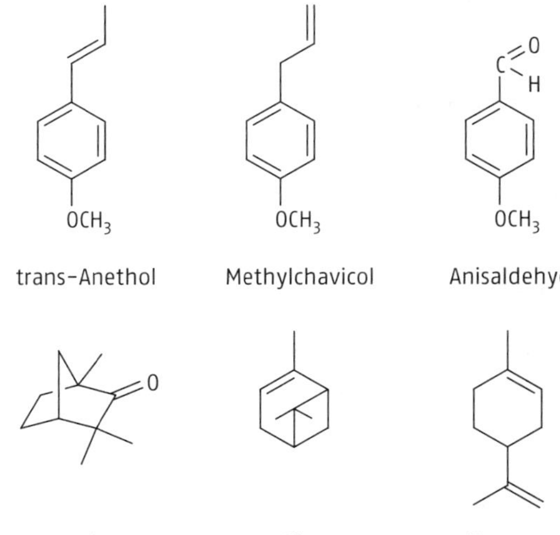

Erkrankungen von Bronchien und Lunge

Abb. 7.2-6: Inhaltsstoffe aus ätherischem Fenchelöl

(trans-Anethol, Methylchavicol, Anisaldehyd, Fenchon, α-Pinen, Limonen)

2 bis 4% **Triterpene**. Das ätherische Öl wird zum Teil über die Lunge ausgeschieden und kann auf diese Weise lokal antiseptisch wirken. Hinzu kommen sekretolytische und schwach sekretomotorische Effekte.

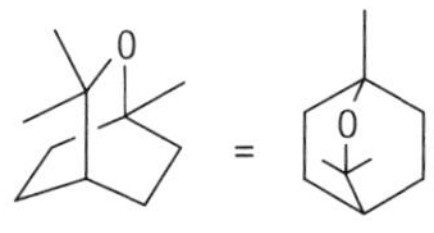

Cineol = Eucalyptol

Anwendung. Als Tee (Blattdroge) bei Bronchitis und Rachenentzündung (adstringierender Effekt der Gerbstoffe) und in Expektorantien – auch solchen zur perkutanen Resorption (s. Abschnitt „Externa"). Eucalyptusöl ist z.B. in folgenden Präparaten enthalten: Aspecton® Eukaps, Bronchoforton® Kapseln, Ephepect® Pastillen N, Gelomyrtol®/forte (s. auch unter Myrtenöl S. 7-55), Olbas Tropfen (s.a. Tab. 7.2-5).

Aufbereitungskommission des Bundesgesundheitsamtes:
Anwendung: Erkältungskrankheiten der Luftwege.

Wirkung: Sekretomotorisch, expektorierend, schwach spasmolytisch.

Nebenwirkungen: Selten Übelkeit, Erbrechen, Durchfall.

Gegenanzeigen: Entzündliche Erkrankungen im Magen-Darm-Bereich und im Bereich der Gallenwege; schwere Lebererkrankungen.
Bei Säuglingen und Kleinkindern sollten Eukalyptus-Zubereitungen nicht im Bereich des Gesichts, speziell der Nase, aufgetragen werden.
Wechselwirkungen mit anderen Mitteln: nicht bekannt.

Hinweis: Eukalyptus-Öl bewirkt eine Induktion des fremdstoffabbauenden Enzymsystems in der Leber. Die Wirkung anderer Arzneimittel kann deshalb abgeschwächt und/oder verkürzt werden.

Pfefferminzöl

Von der Pfefferminze *Mentha piperita* L. stammt neben der Blattdroge, die in unserer Betrachtung hier keine Rolle spielt, das ätherische Öl mit der Hauptkomponente **Menthol**.

Inhaltsstoffe und Wirkung. Das ätherische Öl enthält vor allem Menthol, Menthofuran, Mentholester, Menthon und andere Monoterpene (s. Abb. 7.2-7).

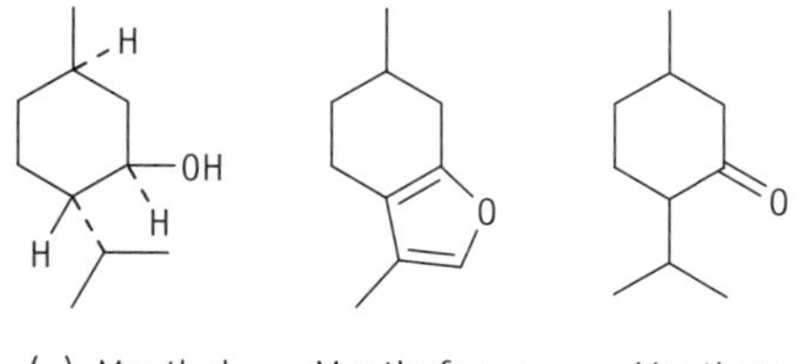

Abb. 7.2-7: Wichtige Inhaltsstoffe des Pfefferminzöls

Menthol zeigt antiseptische, in hohen Konzentrationen sogar bakterizide Eigenschaften.

Anwendung. Menthol wird zahlreichen Expektorantien zugesetzt und ist außerdem häufig Bestandteil von Externa (s. Abschnitt „Externa"). Auf der Haut wird der kühlende Effekt geschätzt. In folgenden Kombinationspräparaten ist z.B. Pfefferminzöl enthalten: Bronchoforton® Kapseln, Ephepect®-Pastillen N, Olbas Tropfen.

Info

Menthol und Oleum Menthae sollten **nicht bei Säuglingen/Kleinkindern** angewendet werden (weder oral noch lokal), weil es zu schweren Nebenwirkungen (zentrale Erregung, Glottiskrampf und Laryngospasmen) kommen kann.

Aufbereitungskommission des Bundesgesundheitsamtes:
Anwendung: Katarrhe der oberen Luftwege, Mundschleimhautentzündung.
Wirkung: Spasmolytisch, antibakteriell, sekretolytisch, kühlend.
Nebenwirkungen und Wechselwirkungen mit anderen Mitteln: keine bekannt.
Gegenanzeigen: Verschluss der Gallenwege, Gallenblasenentzündungen, schwere Leberschäden.

Terpentinöl

Terpentinöl, dessen innerliche Anwendung heute wegen schwerer Nebenwirkungen als obsolet gilt, wird gelegentlich in Lokaltherapeutika verwendet (z.B. in Wick VapoRub® Erkältungssalbe N).

Inhaltsstoffe und Wirkungen. Die therapeutisch wirksamen und besser verträglichen **Oxidationsprodukte** des Oleum Terebinthinae ‚Landes' umfassen Terpenalkohole, -aldehyde und -ketone wie Verbenol, Verbenon, Myrtenol, Myrtenal und Pinocarveol.
Die pharmakologischen Wirkungen äußern sich in einer Funktionssteigerung der serösen Bronchialdrüsenzellen, während die mukösen Drüsenzellen in einer Ruhephase verharren. Daraus resultiert eine Viskositätsminderung des Bronchialsekretes sowie eine Senkung der Atemwegswiderstände. Letztere ist eine Folge der sekretolytischen und schleimhautabschwellenden Wirkung. Entsprechende Präparate eignen sich zur Schleimlösung bei Atemwegserkrankungen sowie bei Infektionen der oberen und unteren Atemwege (z.B. akute und chronische Bronchitis). Durch die ausgeprägte Sekretolyse wird pathogenen Keimen die Ansiedlung erschwert und das Risiko infektiöser Komplikationen gemindert.

Nebenwirkungen. Überempfindlichkeitsreaktionen, beispielsweise der Haut, sollten zum Absetzen des Medikamentes veranlassen.

Myrtenöl

Die im Mittelmeerraum beheimatete Myrte (Myrtus communis, Myrtaceae) enthält in ihren Blättern (Myrti folium) ca. 0,3 % ätherisches Öl. Darin kommen verschiedene Mono- und Sesquiterpene, Bitter- und Gerbstoffe sowie Harz vor.

Inhaltsstoffe und Wirkung. Von medizinischer Bedeutung ist Myrtenöl derzeit praktisch nur in Form eines Bestandteils in Myrtol® im Präparat GeloMyrtol®forte. Bei Myrtol® handelt es sich um eine eingetragene Marke für ein standardisiertes Mischdestillat aus Eukalyptusöl, Süßorangenöl, Myrtenöl und Citronenöl (jeweils rektifiziert) im Verhältnis 66:32:1:1. Diese Mischung wurde früher mit „Myrtol® 300 mg standardisiert auf ..." angegeben. Inzwischen taucht die Bezeichnung „Myrtol®" nur noch in Leitlinien, Servicematerialien etc., nicht mehr aber in Fach- oder Gebrauchsinformationen auf, was gelegentlich zu Verwirrung führt. Die pharmazeutische Zusammensetzung, Wirkung und Anwendung etc. sind de facto jedoch gleich geblieben.

Die drei Leitsubstanzen von Myrtol® – 1,8 Cineol, Limonen und α-Pinen – sind im Blut nachweisbar und werden renal, aber auch über die Atemluft ausgeschieden. GeloMyrtol®forte wirkt sowohl sekretolytisch als auch sekretomotorisch. Zäher Schleim wird gelöst, das Sekret verstärkt in Bewegung gesetzt und so die Expektoration gefördert. Tierexperimente bzw. in-vitro-Untersuchungen haben auch eine Aktivierung der Sekretproduktion und in hohen Dosen zusätzlich antimikrobielle Effekte gezeigt.

Anwendung. Zur sekretolytischen Therapie und Erleichterung des Abhustens bei akuter und chronischer Bronchitis. Zur sekretolytischen Therapie bei Sinusitis.

Nebenwirkungen. Häufig: Magen- oder Oberbauchbeschwerden; gelegentlich Überempfindlichkeitsreaktionen (z.B. Hautausschlag, Kreislaufstörungen); sehr selten: vorhandene Nieren- und Gallensteine können in Bewegung gesetzt werden.

Gegenanzeigen. Entzündliche Erkrankungen im Bereich von Magen, Darm und Gallenwegen, schwere Lebererkrankungen; Überempfindlichkeit gegen Eukalyptusöl, Süßorangenöl, Myrtenöl, Citronenöl, Cineol.

Beratungstipp

Das Präparat eine halbe Stunde vor dem Essen mit einem Glas kalter oder lauwarmer Flüssigkeit einnehmen. Unter der Behandlung kann es gelegentlich zu harmlosen Geschmacksempfindungen nach dem ätherischen Öl kommen.

Anwendung von Saponinen

Die in verschiedenen Drogen (Tab. 7.2-5), wie Hederae folium, Primulae radix oder Verbasci flos enthaltenen Saponine sollen über eine Reizung der Magenschleimhaut zur **Reflexexpektoration** führen (gastropulmonaler Reflex). Infolge der **Oberflächenaktivität** der Saponine kommt es zur Ablösung von eingedicktem Sekret auf der Schleimhautoberfläche. Der genaue Mechanismus der Saponinwirkung ist allerdings noch nicht endgültig geklärt. Die prinzipiellen Wirkungsqualitäten von Saponindrogen sind vergleichbar; nachfolgend werden deshalb nur davon abweichende oder zusätzliche Eigenschaften erwähnt. Einen kurzen Überblick bietet die Tabelle 7.2-4.

Efeublätter

Die Blätter von *Hedera helix* L. (Hederae folium) sind als standardisierter Trockenextrakt z.B. in den Monopräparaten Efeusaft hysan®, Esberi-Efeu® Hustensaft, Hedelix® (Saft, Tropfen, Brausetabl.), Prospan® (Beutel, Brausetabl., Filmtabl., Pastillen, Sirup, Tropfen), Sinuc® (Dragees, Tropfen, Brausetabl.), enthalten. Die Teeanwendung ist bei Efeu ungebräuchlich.

Wichtigste Bestandteile des Efeublätter-Extrakts sind Triterpensaponine. Hauptkomponenten sind hierbei das Hederacosid C (bis zu 80%) sowie das daraus durch Hydrolyse entstehende α-Hederin, daneben noch Hederacosid B und β-Hederin (s. Abb. 7.2-8). Das Europäische Arzneibuch fordert in der Efeu-Monographie einen Mindestgehalt von 3% Hederacosid C.

Während man früher die Wirkungen des Efeublätter-Extrakts wie bei anderen Saponin-Drogen mit dem gastropulmonalen Reflex erklärt hat, hat man inzwischen weitere molekulare Wirkmechanismen entdeckt. Dabei scheint α-Hederin die Hauptrolle zu spielen – und zwar direkt vor Ort an den Bronchialmuskulatur- und Lungenepithelzellen: Normalerweise werden die dort lokalisierten $β_2$-adrenergen Rezeptoren, welche eine

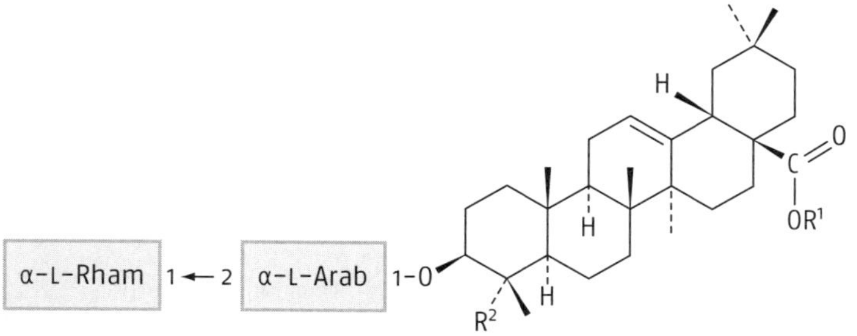

Atemwege

α-Hederin: $R^1 = -H$
$R^2 = -CH_2OH$

Hederacosid C: $R^1 = -1$ β-D-Gluc $6 \leftarrow 1$ β-D-Gluc $4 \leftarrow 1$ α-L-Rham
$R^2 = -CH_2OH$

Hederacosid B: $R^1 = -1$ β-D-Gluc $6 \leftarrow 1$ β-D-Gluc $4 \leftarrow 1$ α-L-Rham
$R^2 = -CH_3$

Abb. 7.2-8: Saponine aus Hedera helix

Bronchienrelaxation vermitteln, nach einer Weile internalisiert und damit abgeschaltet. In-vitro-Untersuchungen mit Efeublätter-Extrakt haben ergeben, dass α-Hederin diese $β_2$-Rezeptoren-Inaktivierung hemmt und so die Rezeptoren länger aktiv bleiben. Damit verbessert sich deren Ansprechbarkeit auf körpereigene Aktivatoren wie z.B. Adrenalin, was einen bronchodilatierenden Effekt zur Folge hat. Gleichzeitig wird auf diesem Weg in den Lungenepithelien die Produktion von Surfactant angeregt.

Aufbereitungskommission des Bundesgesundheitsamtes:
Anwendung: Katarrhe der Luftwege, symptomatische Behandlung chronisch-entzündlicher Bronchialerkrankungen.

Wirkung: Expektorierend, spasmolytisch, haut- und schleimhautreizend.

Gegenanzeigen, Nebenwirkungen, Wechselwirkungen mit anderen Mitteln sind nicht bekannt.

Süßholzwurzel

Die wichtigsten Inhaltsstoffe der Süßholzwurzel (Liquiritiae radix; Stammpflanze: *Glycyrrhiza glabra* L.) sind **Triterpensaponine** – vor allem **Glycyrrhizin** und **24-Hydroxy-Glycyrrhizin**. Die Hydrolyse von Glycyrrhizin liefert Glycyrrhetinsäure als Aglykon und Diglucuronsäure. Daneben findet man noch weitere Triterpensaponine, Triterpene, Sterole, Flavonoide (z.B. Liquiritin) und Isoflavonoide (s. Abb. 7.2-9).

Glycyrrhizin verfügt neben den typischen Saponinwirkungen über **bakteriostatische und antivirale Eigenschaften**. Eine zusätzliche **spasmolytische Wirkungskomponente** der Süßholzwurzel wird auf den Gehalt an Flavonoiden zurückgeführt (s. Abb. 7.2-9).

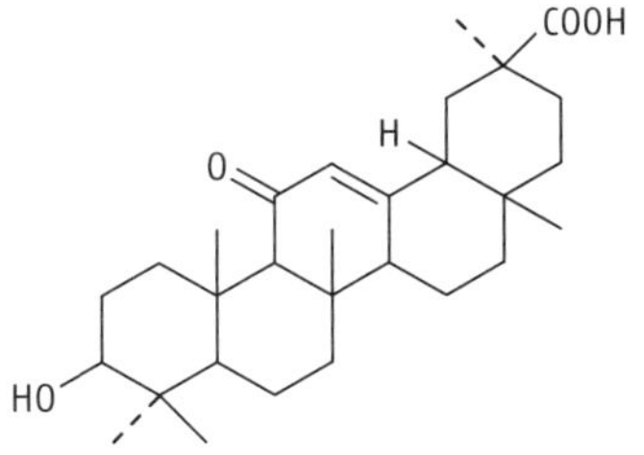

18β-Glycyrrhetinsäure

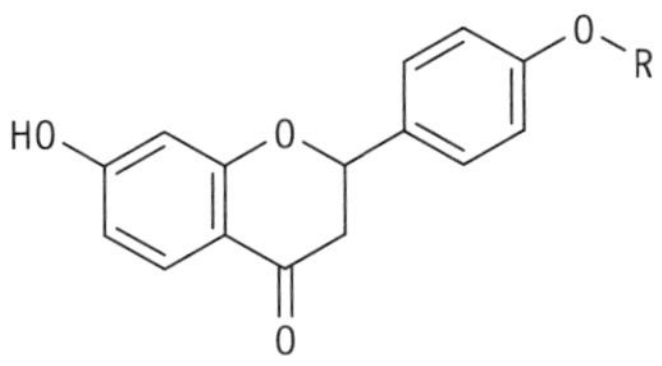

Liquiritin R = Glucose
Liquiritigenin R = H

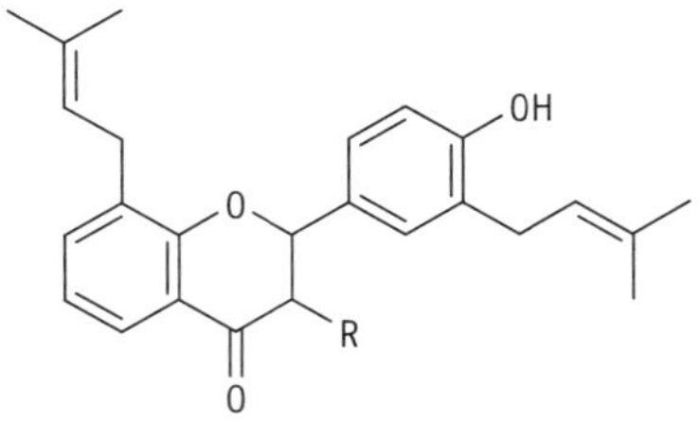

Glabrol R = H
3-Hydroxyglabrol R = OH

Abb. 7.2-9: Wichtige Inhaltsstoffe aus Glycyrrhiza glabra

Süßholzwurzelzubereitung ist z.B. enthalten in Exhustil® Sirup oder Heumann Bronchialtee Solubifix® T.

Aufbereitungskommission des Bundesgesundheitsamtes:
Anwendung: Katarrhe der oberen Luftwege.

Wirkung: Im Tierversuch konnte eine sekretolytische und expektorierende Wirkung nachgewiesen werden; der spasmolytische Effekt zeigte sich am isolierten Ileumsegment des Kaninchens.
Nebenwirkungen, Wechselwirkungen mit anderen Mitteln sind nicht bekannt.

Gegenanzeigen: Cholestatische Lebererkrankungen, Hypokaliämie, Hypertonie.

Hinweis: Nicht länger als vier bis sechs Wochen anwenden. Bei längerer Anwendung und höherer Dosierung können mineralocorticoide Effekte in Form von Natriumretention, Kaliumverlust mit Bluthochdruck, Ödeme, Hypokaliämie und in seltenen Fällen Myoglobinurie auftreten. Bei gleichzeitiger Gabe von Thiazid- und Schleifendiuretika kann es zu einer Verstärkung deren Wirkung kommen.

Primelwurzel

Die Primelwurzel (Primulae radix; Stammpflanze: *Primula veris* L. und *Primula elatior* (L.) Hill.) enthält **Triterpensaponine,** die sich von mehreren strukturell verwandten Aglykonen ableiten lassen. Die Verwendung als Expektorans beruht auf dem hohen Saponingehalt, der zwischen 5 und 10 % liegt. Kombinationspräparate sind z.B. Bronchicum® Elixir, Bronchicum® Tropfen, Bronchipret TP Filmtbl., Ipalat® Pastillen, Phytobronchin® Saft; Sinuforton® Kps., Saft (s.a. Tab. 7.2-5).

Aufbereitungskommission des Bundesgesundheitsamtes:
Anwendung: Katarrhe der Luftwege.

Wirkung: Sekretolytisch und expektorierend.

Nebenwirkungen: Vereinzelt Magenbeschwerden, Übelkeit.

Gegenanzeigen, Wechselwirkungen mit anderen Mitteln sind nicht bekannt.

Primula veris L. liefert neben der Wurzeldroge noch Primulae flos. Als Inhaltsstoffe sind neben kleinen Mengen an Saponinen die **Flavonoide** mit der Hauptkomponente **Gossypetin** für die therapeutische Wirkung von Interesse. Die Angaben der Aufbereitungskommission des Bundesgesundheitsamtes entsprechen denjenigen für die Primelwurzel; allerdings ist eine bekannte Allergie gegen Primelblüten zu beachten.

Wollblumen

Die Stammpflanzen *Verbascum densiflorum* und *Verbascum phlomoides* liefern die Droge Verbasci flos. Als Inhaltsstoffe wurden Flavonoide, Saponine, z.B. Verbascosaponin, Iridoide (u.a. Aucubin und Catalpol), Digiprolacton und Pflanzenschleime gefunden.
Die Wirkung als **mildes Expektorans** kommt aufgrund des Gehaltes an reizlindernden Schleimstoffen und an expektorierend wirkenden Saponinen zustande (z.B. in Antall® bei Reizhusten und Heiserkeit Liquidsticks).

Aufbereitungskommission des Bundesgesundheitsamtes.
Anwendung: Katarrhe der Luftwege.

Wirkung: Reizlindernd und expektorierend.
Gegenanzeigen, Nebenwirkungen, Wechselwirkungen mit anderen Mitteln sind nicht bekannt.

Pelargonien-Wurzel

Der Wurzelextrakt einer in Südafrika beheimateten Pelargonienart, *Pelargonium sidoides*, hat in letzter Zeit verstärkt das Interesse von Wissenschaft und Verbrauchern geweckt. Zum Einsatz kommt das Fertigpräparat (Umckaloabo® Filmtabl., Sirup, Tropfen).

Inhaltsstoffe. Als wichtige Inhaltsstoffe werden die im Extrakt gefunden Cumarine (u.a. Umckalin), Catechin-Gerbstoffe und Flavan-3-ole angesehen. Als Wirkstoff gilt jedoch wie bei vielen Phytopharmaka die komplexe Mischung des Gesamtextrakts. Zugelassenes Anwendungsgebiet ist die akute Bronchitis.

Wirkungen. Beworben wird das Präparat als Phytobiotikum mit der Dreifachwirkung: schleimlösend, immunstimulierend, antiinfektiv. In vitro sind für den Pelargonium-Extrakt folgende Effekte belegt: Stimulation unspezifischer Abwehrmechanismen (NK-Zell-Aktivität, Chemotaxis, Phagozytose, Expression von Adhäsionsmolekülen), direkte antibakterielle und antivirale Eigenschaften, antioxidative Wirkungen, Aktivierung der Schlagfrequenz des Flimmerepithels.
Für das Fertigarzneimittel liegen inzwischen multizentrische Anwendungsbeobachtungen und einige randomisierte, kontrollierte klinische Studien vor, die gewisse Effekte bei akuten und chronischen Infektionen der Atemwege und des HNO-Bereichs zeigen.

Nebenwirkungen. Gelegentlich Magen-Darm-Beschwerden wie Magenschmerzen, Sodbrennen, Übelkeit, Durchfall; selten leichtes Zahnfleisch- oder Nasenbluten, Überempfindlichkeitsreaktionen; über Fälle von Leberschäden und Hepatitis wurde berichtet, die Häufigkeit ist nicht bekannt. Kunden sollten darauf hingewiesen werden, die Einnahme sofort zu beenden, wenn Zeichen einer Leberschädigung auftreten (Gelbfärbung von Haut oder Augen, dunkler Urin, Oberbauchschmerzen etc.).

Wechselwirkungen. Wegen möglicher Beeinflussung von Gerinnungsparametern durch Pelargonium-Extrakt ist eine verstärkte Wirkung gerinnungshemmender Medikamente wie Phenprocoumon nicht auszuschließen.

Gegenanzeigen. Bei erhöhter Blutungsneigung, schweren Leber- und Nierenerkrankungen soll das Präparat nicht eingenommen werden. Das gleiche gilt wegen mangelnder Erfahrung in Schwangerschaft und Stillzeit sowie für Säuglinge unter einem Jahr. Die Behandlungsdauer sollte 3 Wochen nicht überschreiten.

Erkrankungen von Bronchien und Lunge

Info

Als Fazit des im März 2014 abgeschlossenen Stufenplanverfahrens zu möglichen Leberschäden unter der Einnahme von Pelargonium-sidoides-haltigen Arzneimitteln kann für die Beratung festgehalten werden: Pelargonium-haltige Arzneimittel werden als sicher eingestuft und können unter Beachtung der Kontraindikationen und Nebenwirkungen empfohlen werden.

Hustentees

Die in der Tabelle 7.2-4 beschriebenen pflanzlichen Expektorantien werden nicht nur in Hustentropfen, -säften, -pastillen und Hustendragees verwendet, sie sind auch Bestandteile der gängigen Bronchial- und Hustentees.

Die dominierenden Drogen enthalten vor allem ätherisches Öl, Saponine und reizlindernde Schleimstoffe. Im Einzelnen handelt es sich dabei um Süßholz, Fenchel, Thymian, Anis, Eibischwurzel, Lungenkraut, Spitzwegerich, Primelwurzel, Efeu und Huflattich.

Heute werden Tees aus geschnittenen Arzneidrogen zunehmend durch tassenfertige Tees (Sprühextrakt, Granulat-Tee) verdrängt, weil diese mit standardisiertem Wirkstoffgehalt am ehesten den Idealvorstellungen vom Arzneitee entsprechen. **Sprühextrakte** schneiden meist deutlich besser ab als **Granulate**: Granulate enthalten neben 97 bis 98 % Füll- und Trägerstoffen nur 2 bis 3 % Trockenextrakt, während im sprühgetrockneten Produkt durchschnittlich 20 % Extrakt enthalten sind. Wenn Drogen sowohl lipophile als auch hydrophile Wirkstoffe enthalten, ist Wasser (entsprechend der herkömmlichen Teebereitung) nicht das ideale Extraktionsmittel; gerade in diesen Fällen erweisen sich Sprühextrakte als überlegen.

Ob sich die sekretolytischen, sekretomotorischen oder antiseptischen Eigenschaften der Droge mit **ätherischem Öl** im Hustentee aus geschnittenen Drogen noch auswirken, darf bezweifelt werden, da während der Lagerung und Zubereitung die Konzentration der Wirkstoffe abnimmt. Da auch bei der Herstellung von Sprühextrakten mit der Verflüchtigung von ätherischen Ölen gerechnet werden muss, werden diese wichtigen Bestandteile oft in mikroverkapselter Form zugesetzt. Die **Saponine** jedoch mit ihrer großen Oberflächenaktivität und die reizlindernden **Schleimstoffe** könnten im Sinne einer unterstützenden Maßnahme von therapeutischem Nutzen sein.

Allerdings spielt auch die Art der Anwendung eine nicht zu unterschätzende Rolle: Unabhängig von der verwendeten Droge muss **reichlich Flüssigkeit** zugeführt werden, um den Bronchialschleim zu verflüssigen; ein aromatischer, heißer Hustentee bietet sich hierfür an.

Externa

Vor allem bei chronisch verlaufenden Atemwegserkrankungen, aber auch in der Pädiatrie spielen Inhalationsbehandlungen (s. a. Kap. 7.1.4) und Externa wie Salben, Balsame, Emulsionen und Badeöle eine Rolle. Die perkutane Applikation kann wegen der guten Resorption empfohlen werden. Erwähnenswert ist auch der **kutiviszerale Reflex**, ein an der Haut auslösbarer Reflex mit Auswirkung auf segmental zugeordnete innere Organe und auch deren Sekretion. Beim Durchtritt durch die Bronchialschleimhaut fördern die ätherischen Öle die Bildung eines dünnflüssigen Sekretes, das zähes Sputum von der Schleimhaut entfernt.

Als **Hauptbestandteile** haben sich Eukalyptus-, Latschenkiefern-, Pfefferminzöl, Menthol und Campher neben anderen ätherischen Ölen bewährt.

In neueren tierexperimentellen und klinischen Studien ließ sich die Wirksamkeit derartiger Mischungen nachweisen. Da der sekretolytische Effekt dominiert, bieten sich perkutan anzuwendende Externa in der produktiven Phase des Hustens an. Allerdings sollte man Zubereitungen mit **Menthol nicht bei Säuglingen und Kleinkindern** anwenden. Für diese Altersgruppe stehen mentholfreie Präparate zur Verfügung. Beispiele enthält die Tabelle 7.2-6.

Tab. 7.2-6: Externa bei Erkältungskrankheiten

Mentholhaltige Externa (Beispiele)	Mentholfreie Präparate speziell für Säuglinge bzw. Kleinkinder (Beispiele)
Bronchoforton® Salbe Pinimenthol® Erkältungssalbe Transpulmin® Balsam Creme Tumarol® Creme/N Balsam Wick VapoRub® Erkältungssalbe	Babix® Inhalat N Soledum® Balsam Transpulmin® Erkältungsbalsam für Kinder Transpulmin® Baby Balsam mild Tumarol® Kinderbalsam N

Tab. 7.2-7: Für die Wahl der geeigneten Arzneiform von Expektorantien wichtige Beratungsaspekte.

Arzneiform Applikation	Vorteile	Nachteile
Tabletten, Dragees	Zuverlässige Dosiergenauigkeit durch den Patienten	Schlechte Akzeptanz bei Kindern
Hustentropfen	Plazeboeffekt durch Geruch und Geschmack, gute individuelle Dosisanpassung möglich	Eventuell Alkoholgehalt, meist schlecht schmeckend
Hustensaft	Wohlschmeckend, hoher Plazeboeffekt, meist gute Akzeptanz bei Kindern	Ungenaue Dosierung durch den Patienten, Gefahr der Überdosierung, hoher Zuckergehalt (Diabetes, Karies), eventuell Alkoholgehalt
Hustentee	Hoher Plazeboeffekt, besonders angenehme Art der Flüssigkeitszufuhr, nach Vorschrift zubereitet meist gut verträglich, wohlschmeckend, besonders preiswerte Arzneiform	Unterdosierung der Wirkstoffe
Lutschtabletten, Pastillen	Wohlschmeckend, jederzeit anwendbar, hoher Plazeboeffekt, preiswert	Hoher Zuckergehalt (Diabetes, Karies), eventuell Magenreizung
Suppositorien	Möglichkeit, bei Säuglingen schlecht schmeckende Mittel zuzuführen	Schlechtere Resorption als per os, ungeeigneter Applikationsort für die „reflektorisch" wirkenden Expektorantien, Reizung der Rektumschleimhaut und Einschränkung der Resorption durch Auslösung des Defäkationsreflexes
Inhalation	Hohe Konzentration in den Atemwegen, schnelles Einsetzen der Wirkung, Plazeboeffekt durch „Prozedur", in einfacher Form geringer apparativer Aufwand	Gefahr lokaler Reizung der Bronchialschleimhaut (Hustenreiz, Bronchospasmus), teure Apparaturen bei der Aerosolinhalation
Erkältungsbalsam	Plazeboeffekt durch den intensiven Geruch, therapeutischer Effekt durch Resorption und Inhalation	Hautreizungen möglich
Erkältungsbad	Relativ gute Resorption und Inhalation aus dem Badewasser	V.a. bei Fieber Gefahr der Überlastung des Herzkreislaufsystems durch zu warme/lange Bäder

Erkrankungen von Bronchien und Lunge

Info

Bis zum vollendeten 2. Lebensjahr sind Mentholhaltige Zubereitungen wegen der Laryngospasmusgefahr kontraindiziert!

Gerade bei den Expektorantien kann die **Arzneiform** einen wesentlichen Beitrag zum Therapieerfolg leisten. Die wichtigsten Gesichtspunkte sind in Tabelle 7.2-7 zusammengestellt. Der mit bestimmten Arzneiformen verbundene Plazeboeffekt wird als vorteilhaft gewertet, da die Zeremonie der Teebereitung, des Inhalierens oder des Einreibens mit einem intensiv duftenden Balsam für den einzelnen Erkältungspatienten bedeutsam sein kann.

Beratungstipp

Erkältungsbalsame werden mehrmals täglich auf Brust und Rücken aufgebracht. Auch die für Säuglinge und Kleinkinder geeigneten Präparate nicht im Gesicht, insbesondere nicht im Bereich der Nase auftragen!

Info

Bei Asthma bronchiale und Keuchhusten sollen Präparate mit ätherischen Ölen zur äußeren Anwendung oder Inhalation nicht eingesetzt werden, da sie beim Einatmen die Bronchialspasmen verstärken können.

Chemisch definierte Wirkstoffe

Guajakolderivate

Guajakol war früher ein gängiges Expektorans, das inzwischen wegen seiner **schlechten Magenverträglichkeit** durch Guajakolderivate abgelöst wurde. Der **Guajakolglycerolether Guaifenesin** ist eines der Folgeprodukte; doch auch bei diesem Wirkstoff können gastrointestinale **Nebenwirkungen** auftreten. Außerdem sollen sowohl Guajakol als auch Guaifenesin gelegentlich **bronchokonstriktorisch** wirken. Daher lehnen einige Autoren diese Wirkstoffe ab – wohl nicht zuletzt auch deshalb, weil heute weitere chemisch definierte, gut verträgliche Expektorantien zur Verfügung stehen. Monopräparate mit Guaifenesin sind z.B. Wick Husten-Löser Sirup, Fagusan® Lösung.

Die Aufbereitungskommission des Bundesgesundheitsamtes hat für Guaifenesin eine Monographie publiziert und Guaifenesin eine sekretolytische Wirkung bei Patienten mit chronischer Bronchitis bescheinigt; die Expektoration wurde erleichtert und die Zahl der Hustenstöße nahm bei diesen Patienten signifikant ab. Auszug aus der Monographie:

Anwendungsgebiete. Zur Kurzzeitanwendung. Begleitende Maßnahme bei chronischen Bronchitiden, die mit einer Störung von Schleimbildung und -transport einhergehen.

Dosierung. Kurzfristige orale Anwendung bei Erwachsenen über maximal 14 Tage in einer Dosierung von 3- bis 4-mal 100 bis 200 mg Guaifenesin pro Tag.

Guajakol — Guaifenesin

Mineralsalze

Kaliumiodid und **Ammoniumchlorid** werden heute kaum noch als Expektorantien eingesetzt. Beide Salze steigern sowohl reflektorisch (indirekt) als auch direkt die Sekretion der Bronchialdrüsen und wirken so schleimverflüssigend. Der therapeutische Wert ist umstritten, da man mit nicht unerheblichen Nebenwirkungen rechnen muss. Deshalb lehnen viele Autoren diese Therapie ab. Dieser Auffassung schloss sich auch die Aufbereitungskommission des Bundesgesundheitsamtes an: „Gegen die Anwendung von Iodverbindungen als Expektorans, Mukolytikum und Antiasthmatikum sprechen ebenfalls Nutzen-Risiko-Erwägungen. Wegen der Gefahr der Hyperthyreoseinduktion durch die für diese Anwendungsgebiete erforderlichen hohen Ioddosen in Verbindung mit umstrittenem therapeutischem Wert ist Iod bei diesen Anwendungsgebieten abzulehnen."

Bromhexin

Bromhexin gehört zu den klassischen Mukolytika, seine Wirkungsweise und sein Wirkungsmechanismus sind weitgehend bekannt.

Bromhexin ist indiziert zur sekretolytischen Therapie bei akuten und chronischen bronchopulmonalen Erkrankungen, die mit einer Störung von Schleimbildung und -transport einhergehen.

Wirkung und Wirkmechanismus. Bei Erkrankungen des Respirationstraktes, die mit pathologisch veränderter Sekretbildung einhergehen, fördert Bromhexin die Schleimbildung in serösen Drüsenzellen. Dadurch wird die Viskosität des Bronchialsekretes verringert. Gleichzeitig aktiviert die Substanz Hydrolasen und die Lysosomenbildung, wodurch der Abbau von Mucopolysacchariden im Bronchialschleim beschleunigt wird. Dies hat eine leichtere Expektoration und eine Abnahme der Hustenfrequenz zur Folge.

Durch die Verminderung der Viskosität und die Aktivierung des Flimmerepithels soll der Abtransport des Schleims erleichtert werden.

Die Wirkungsdauer von Bromhexin liegt zwischen 6 und 10 Stunden. Bei peroraler Gabe beträgt die absolute Bioverfügbarkeit 20%, der First-Pass-Effekt liegt bei rund 80%. Bei der Verstoffwechselung von Bromhexin entstehen mehrere aktive Metabolite. So werden etwa 25% des zugeführten Bromhexins in Ambroxol umgewandelt.

Dosierung. Die Tagesdosis für Erwachsene wird mit 24 bis 48 mg Bromhexinhydrochlorid verteilt auf zwei bis drei Einzeldosen angegeben; für Patienten unter 50 kg KG sowie Kinder und Jugendliche von 6 bis 14 Jahre gilt eine Tagesdosis von 24 mg, für Kinder unter 6 Jahren von 12 mg. Die Einnahme erfolgt am besten nach dem Essen mit reichlich Flüssigkeit. In der Selbstmedikation sollte die Einnahme auf 4 bis 5 Tage beschränkt werden.

Beratungstipp

Die schleimlösende Wirkung von Bromhexin kann durch reichliche Flüssigkeitszufuhr (z.B. Bronchialtee als Zusatzempfehlung) unterstützt werden.

Nebenwirkungen. Die häufigste Begleiterscheinung sind gastrointestinale Beschwerden wie Magen-Darm-Reizungen, Übelkeit, Bauchschmerzen, Erbrechen, Diarrhoe.

Gegenanzeigen. Da Bromhexin die Mucosabarriere im Gastrointestinaltrakt beeinträchtigen kann, sollten Patienten mit Magen- oder Duodenalulkus Bromhexin nicht einnehmen.

Obwohl keine Hinweise auf teratogene Wirkungen vorliegen, darf Bromhexin in der Schwangerschaft nur nach strenger Nutzen-Risiko-Abwägung durch den Arzt eingenommen werden. Da der Wirkstoff in die Muttermilch übergeht, sollte Bromhexin von Stillenden nicht eingenommen werden – obwohl laut Erfahrungsberichten Bromhexin auch in der Stillzeit gut vertragen wurde.

Info

Bromhexin verbessert den Übertritt mancher parallel verabreichter Antibiotika (z.B. Ampicillin, Amoxicillin, Cefalexin, Erythromycin) ins Lungengewebe. Die klinische Relevanz ist allerdings noch unklar.

Ambroxol

Ambroxol ist der verstärkt expektorierend wirkende Hauptmetabolit (*N*-Desmethyl-*C*-Hydroxyl-Metabolit) des Bromhexins (s. Abb. 7.2-10). Die Verbindung wurde als Monosub-

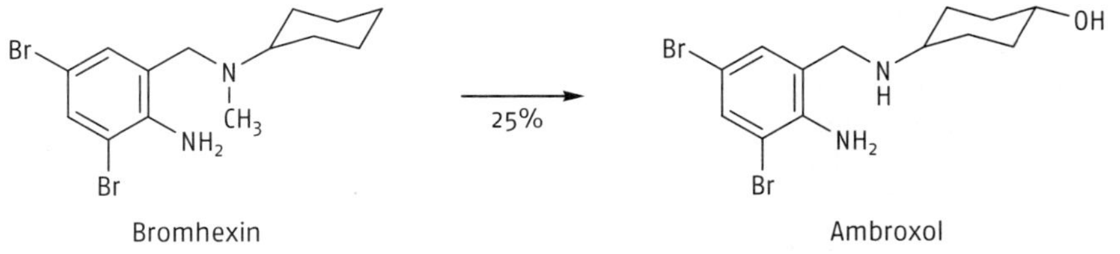

Erkrankungen von Bronchien und Lunge

Abb. 7.2-10: Bei der Metabolisierung von Bromhexin entsteht zu 25 % Ambroxol

Tab. 7.2-8: Verschiedene chemisch definierte Expektorantien (Auswahl)

I. Monopräparate mit Bromhexin (Handelsname®)
Bisolvon® (Hustensaft, -tabletten, -tropfen) Bromhexin 12 BC Tropfen Bromhexin Krewel Meuselbach® 8 mg/12 mg (Saft, Tabletten, Tropfen)
II. Monopräparate mit Ambroxol (Handelsname®)
Ambroxol AL (Saft, Tabletten, Tropfen) Ambrohexal (Saft, Tabletten, Tropfen) Ambroxol Heumann (Tabletten, Retardkapseln) Lindoxyl®K (Zäpfchen) Mucoangin® gegen Halsschmerzen (Lutschtabletten) Mucosolvan® (Saft, Tropfen, Tabletten, Retardkapseln, Brausetabletten, Lutschpastillen) Paediamuc® (Saft) Wick Schleimlöser (Retardkps., Saft, Tabletten)
III. Monopräparate mit Acetylcystein (Handelsname®)
ACC®akut (Tabs, Brausetabletten, Pulver, Kindersaft) Fluimucil® (Brausetabletten, Saft) NAC-ratiopharm®akut (Brausetabletten, Trinktabletten)

stanz mit eigenem pharmakologischem Profil in den Handel gebracht. Aufgrund der strukturellen Verwandtschaft beider Verbindungen gibt es in der Wirkungsweise von Bromhexin und Ambroxol deutliche Überschneidungen. Auch das Indikationsgebiet deckt sich.

Wirkung und Wirkmechanismus. Ambroxol verfügt wie Bromhexin über ausgeprägte sekretomotorische und sekretolytische Eigenschaften. Es reguliert intrazellulär die gestörte Sekretbildung und ermöglicht die Ablösung des zähen Bronchialschleimes von der Bronchialschleimhaut. Durch Stimulation des muköziliären Transportsystems wird das pathologische Sekret eliminiert, wobei die Schleimtransportgeschwindigkeit erhöht ist. Die rasch eintretende Normalisierung der Sekretbildung reduziert das Sputum, und der Husten lässt nach.

Erwähnenswert ist außerdem die positive Beeinflussung des alveolären Surfactant-Systems durch Ambroxol, wodurch die Adhäsivität des eitrigen Sputums herabgesetzt wird. Untersuchungen am Alveolarepithel weisen darauf hin, dass Ambroxol das Surfactant-System durch direkten Angriff an den Pneumozyten Typ 2 der Alveolen aktiviert und auf diese Weise die Bildung und Ausschleusung von oberflächenaktivem Material im Alveolar- und

Bronchialbereich stimuliert. Darüber hinaus werden auch die Clarazellen zur Bildung oberflächenaktiver Substanzen angeregt, die als bronchialer Surfactant wirksam sind.
Durchschnittlich tritt die Wirkung von Ambroxol bei oraler Verabreichung nach 30 Minuten ein und hält je nach Höhe der Einzeldosis 6 bis 12 Stunden an.

Hinweis: Neben der expektorierenden wird Ambroxol auch eine lokalanästhetische Wirkkomponente zugeschrieben. Sie wird mit der reversiblen, konzentrationsabhängigen Blockade von hyperpolarisierten Natriumkanälen erklärt. In-vitro-Untersuchungen stimmen mit klinischen Wirksamkeitsstudien zur Behandlung von Erkrankungen des oberen Respirationstrakts überein. Dabei erfolgte nach Ambroxol-Inhalation ein rasche Schmerzlinderung im HNO-Bereich. Klinische Studien bestätigten diese Ambroxol-Wirkung bei Patienten mit Halsschmerzen, die durch akute virale Pharyngitis verursacht wurden. Die lokalanästhetische Wirkqualität von Ambroxol wird inzwischen auch medikamentös (z.B. Mucoangin® gegen Halsschmerzen) für die Indikation Halsschmerzen genutzt (s.a. Kap. 2.1.3.7).

Dosierung. Die orale Dosierung für Ambroxolhydrochlorid als Expektoranz wird für Erwachsene mit 2- bis 3-mal täglich 30 bis 60 mg während der ersten zwei bis drei Tage angegeben, dann 2-mal täglich 30 mg. In Retardform wird einmal täglich 75 mg empfohlen. Für Jugendliche (12 bis 18 Jahre) gelten 2- bis 3-mal täglich 30 mg; für Kinder zwischen 6 und 12 Jahren 2- bis 3-mal täglich 15 mg Ambroxolhydrochlorid.
Orale Arzneiformen werden nach den Mahlzeiten mit reichlich Flüssigkeit eingenommen.
Die sekretolytische Wirkung von Ambroxol kann wie bei Bromhexin durch Flüssigkeitszufuhr während der Therapie unterstützt werden.

Beratungstipp

Die Selbstmedikation mit Ambroxol sollte – wie mit anderen Expektorantien – von vornherein auf wenige Tage begrenzt werden.

Nebenwirkungen. Am häufigsten treten Magen-Darm-Störungen (Bauchschmerzen, Übelkeit etc.) sowie Überempfindlichkeitsreaktionen (Rötung von Haut- und Schleimhäuten etc.) auf.

Gegenanzeigen. Obwohl bisher keine teratogenen Wirkungen festgestellt wurden, sollte Ambroxol in der Schwangerschaft – insbesondere im ersten Trimenon, nur nach sorgfältiger Nutzen-Risiko-Abwägung eingenommen werden. Auch während der Stillzeit sollte Ambroxol nur bei absoluter Notwendigkeit eingesetzt werden, wenngleich beim Säugling bisher noch keine unerwünschten Wirkungen aufgetreten sind.

Info

Ambroxol kann wie Bromhexin die Bioverfügbarkeit einiger Antibiotika im Bronchialsekret verbessern. Der genaue Mechanismus ist unbekannt.

Acetylcystein

Acetylcystein ist von der Verschreibungspflicht mit gewissen Einschränkungen freigestellt: Bei akuten Erkältungskrankheiten, die mit starker Schleimsekretion und erschwertem Abhusten einhergehen, darf Acetylcystein zur oralen Anwendung ohne Rezept abgegeben werden. Die Freistellung wurde vom Gesetzgeber damit begründet, dass die orale Anwendung Acetylcystein-haltiger Arzneimittel mit niedrigen Risiken verbunden sei und die Erfahrung gezeigt habe, dass dem Patienten eine indikationsgerechte Anwendung von Mukolytika möglich sei. Hat sich die Symptomatik jedoch nach wenigen Tagen nicht gebessert oder sogar verschlechtert, sollte der Patient den Arzt aufsuchen.

Wirkung und Wirkmechanismus. Acetylcystein wirkt sekretolytisch und sekretomotorisch im Bereich des Bronchialtraktes. Es wird diskutiert, dass es die verbindenden Disulfidbrücken zwischen den Mukopolysaccharidfasern sprengt. Durch diese Mechanismen soll die Viskosität des Schleims herabgesetzt werden. Außerdem hat die Substanz, wie auch sein Hauptmetabolit Cystein, antioxidative Eigenschaften. Damit kann es den durch Entzündungsvorgänge ausgelösten oxidativen Stress im bronchopulmonalen System reduzieren.

Acetylcystein ist indiziert zur sekretolytischen Therapie bei bronchopulmonalen Erkrankungen, die mit starker Sekretion eines hyperviskosen Schleims einhergehen. Die Substanz reichert sich außer in Leber und Niere besonders im wässrigen Milieu des Extrazellulärraums und im Bronchialsekret an.

$$H_3C-\underset{O}{\overset{\|}{C}}-NH-\underset{CH_2SH}{\overset{COOH}{\underset{|}{C}}}-H$$

Acetylcystein

Acetylcystein wird nach oraler Gabe rasch und nahezu vollständig resorbiert und in der Leber zu der endogenen Aminosäure Cystein, dem pharmakologisch aktiven Metaboliten, sowie zu Diacetylcystin, Cystin und weiteren gemischten Disulfiden metabolisiert. Maximale Plasmakonzentrationen werden nach 1 bis 3 Stunden erreicht. Eine Einschränkung der Leberfunktion führt zu verlängerten Plasmahalbwertszeiten bis zu 8 Stunden.

Dosierung. Für die orale Acetylcystein-Einnahme zur Sekretolyse im Kindesalter gilt als Tagesdosis von 2 bis 5 Jahren 200–400 mg verteilt auf 2 bis 3 Einzelgaben, ab 6 Jahren 300–600 mg verteilt auf 3 Einzelgaben, ab 14 Jahren 400–600 mg verteilt auf 1 bis 3 Einzelgaben. Orale Acetylcystein-Arzneiformen sollten nach den Mahlzeiten mit ausreichend Flüssigkeit eingenommen werden.

Nebenwirkungen. Magen-Darm-Beschwerden (Übelkeit, Sodbrennen, Erbrechen, Durchfall), Stomatitis, Kopfschmerzen, allergische Reaktionen. Eine Verminderung der Thrombozytenaggregation kann auftreten, wobei dessen klinische Relevanz noch nicht beurteilt werden konnte.

Wechselwirkungen. Berichte über die Inaktivierung von Antibiotika durch Acetylcystein stammen zwar nur aus In-vitro-Versuchen. Dennoch soll vorsichtshalber ein 2-stündiger zeitlicher Einnahmeabstand eingehalten werden. Dies gilt in erster Linie für Tetracycline (außer Doxycyclin) und sicherheitshalber auch für halbsynthetische Penicilline, Cephalosporine sowie Aminoglykoside.

Über eine Verstärkung des vasodilatatorischen Effekts von Gyceroltrinitrat ist berichtet worden, wobei die klinische Relevanz noch ungeklärt ist.

Beratungstipp

Zwischen der Einnahme von Acetylcystein und Antibiotika sollte sicherheitshalber ein mindestens 2-stündiger Abstand eingehalten werden.

Gegenanzeigen. Leberversagen, Nierenversagen; da keine ausreichenden Erfahrungen vorliegen, sollte Acetylcystein in Schwangerschaft und Stillzeit nur nach strenger Indikationsstellung verwendet werden. Vorsicht ist geboten bei Patienten mit Asthma bronchiale oder Ulkusanamnese.

Kombination von Antitussiva und Expektorantien: Prinzipiell ist zu beachten und in der Beratung darauf hinzuweisen, dass es bei der gleichzeitigen Anwendung von Schleimlöser plus Hustenblocker aufgrund des eingeschränkten Hustenreflex zum Sekretstau kommen kann.

Bei der Empfehlung für die Selbstmedikation kann man auf zuverlässig wirkende pflanzliche und chemisch definierte Monopräparate zurückgreifen. Aber auch die verschiedenen

Kombinationspräparate aus pflanzlichen Expektorantien haben sich bewährt und gehören oft schon seit Jahrzehnten zu den etablierten Arzneimitteln. Eine Übersicht mit Präparateauswahl geben die Tabellen 7.2-5 und 7.2-8.

Bei näherer Betrachtung ist das scheinbar heikle Thema der Kombination von Antitussiva und Expektorantien in der Praxis nicht so problematisch. So schließt die Anwendung eines Hustenblockers nicht prinzipiell diejenige von Expektorantien aus.

Fixe Kombinationspräparate sind allerdings problematisch; sinnvoller erscheint es, beide Wirkstoffe individuell zu dosieren, auch wenn dies unter den Aspekten der Compliance und der Kostendämpfung weniger günstig anmutet. So könnte man eventuell für morgens und mittags ein Sekretolytikum empfehlen und für die Nacht ein Antitussivum. Auf diese Weise kann reichlich vorhandenes Sekret tagsüber abgehustet werden. Durch die Unterbrechung der Sekretolyse und durch gleichzeitige Gabe des Hustenblockers für die Nacht erholt sich der Patient, und die entzündete Bronchialschleimhaut kann sich regenerieren.

Beratungstipp

Ist sowohl eine Hustenreizlinderung als auch eine beschleunigte Schleimlösung erforderlich, sollte das Expektoranz tagsüber und das Antitussivum zur Nacht eingenommen werden.

In Leitlinien wie von der Deutschen Gesellschaft für Allgemeinmedizin und Familienmedizin „DEGAM-Leitlinie Nr. 11: Husten" oder von der Deutschen Gesellschaft für Pneumologie „S 3-Leitlinie Pneumologie: Diagnostik und Therapie von erwachsenen Patienten mit akutem und chronischem Husten" wird der Einsatz von Expektorantien bei akuter Bronchitis im Rahmen eines grippalen Infekts recht kritisch bewertet. Es läge in der Literatur widersprüchliche bzw. keine ausreichende Evidenz zu Therapieeffekten von Expektorantien bei akutem Husten und Erkältungskrankheiten vor. Eine Empfehlung zur Behandlung von akutem Husten mit Expektorantien könne zusammenfassend daher nicht ausgesprochen werden. Allerdings wird auch darauf hingewiesen, dass viele Patienten durchaus eine subjektive Wirksamkeit von Expektorantien bei ihrer akuten Bronchitis verspüren. Zur Wirksamkeit von pflanzlichen Expektorantien werden in den Leitlinien einige positive Studienergebnisse genannt. So zeigte Myrtol bei akuter Bronchitis in einer Multicenter-Studie einen günstigen Effekt. Auch für Thymian-Efeu-Präparate wurde in einer randomisierten kontrollierten Studie eine Linderung von Hustensymptomen gezeigt. Die Verkürzung bzw. Linderung von Hustensymptomen bei akuter Bronchitis wurde auch für ein Thymian-Primelwurzel-Präparat nachgewiesen.

7.2.3.3 Antiasthmatika/Bronchospasmolytika

Die meist schwere Symptomatik des Asthma bronchiale (Kapitel 7.2.2.7) erfordert unbedingt eine ärztliche Betreuung. Eine reine Selbstmedikation ist nicht möglich und wäre auch nicht zu verantworten.

Moderne Therapiekonzepte bei Asthma bronchiale

Ziel der Asthmabehandlung ist immer die Verbesserung der Lebensqualität des Patienten, das heißt Kontrolle der aktuellen Symptome, Vermeidung akuter Verschlechterung, Verhütung weiterer Anfälle, Erzielung einer möglichst normalen Lungenfunktion, Verhindern einer irreversiblen Atemwegsobstruktion und Erhaltung einer normalen körperlichen Aktivität und Belastbarkeit. Als Basis moderner Behandlungskonzepte gilt:

- Schulung der Patienten zu einer Partnerschaft in der Therapie,
- Verlaufskontrolle durch Lungenfunktionsmessung,

Erkrankungen von Bronchien und Lunge

Tab. 7.2-9: Stufenschema für die medikamentöse Langzeittherapie bei Erwachsenen (gemäß Nationaler Versorgungsleitlinie Asthma, 2. Auflage, Juli 2011, Version 1.3, vereinfacht)

Asthmagrad	Bedarfstherapie	Dauertherapie
Stufe 5	inhalatives, rasch wirksames β_2-Sympathomimetikum	zusätzlich zu Stufe 4: orale Glucocorticoide oder monoklonaler IgE-Antikörper Omalizumab
Stufe 4	inhalatives, rasch wirksames β_2-Sympathomimetikum	mittel bis hoch dosierte inhalative Glucocorticoide plus lang wirksame β_2-Sympathomimetika alternativ: plus Montelukast und/oder Theophyeein
Stufe 3	inhalatives, rasch wirksames β_2-Sympathomimetikum	mittel dosierte inhalative Glucocorticoide oder niedrig dosierte inhalative Glucocorticoide plus langwirksame $\beta 2$-Sympathomimetika alternativ: niedrig dosierte inhalative Glucocorticoide plus Montelukast oder plus Theophyeein
Stufe 2	inhalatives, rasch wirksames β_2-Sympathomimetikum	niedrig dosierte inhalative Glucocorticoide alternativ: Montelukast
Stufe 1	inhalatives, rasch wirksames β_2-Sympathomimetikum	

- Vermeiden und Kontrolle aller Asthmaauslöser, Allergie- und Umweltkontrolle,
- Erstellung eines Plans für die Dauermedikation,
- Erstellung eines Plans für die Akutmedikation,
- regelmäßige Kontrolluntersuchungen.

Bisher wurde das Asthma anhand von Symptomen, des Ausmaßes der Atemwegsobstruktion sowie der Variabilität der Lungenfunktion in vier Schweregrade eingeteilt. Diese Einteilung hat sich insbesondere für die Verlaufskontrolle nicht bewährt, da neben dem Schweregrad der zugrunde liegenden Erkrankung auch das Ansprechen auf die Therapie in die Schwere eines Asthmas eingeht. Die Schweregradeinteilung ist deshalb an sich nur bei der Beurteilung eines Patienten, der keine Asthmamedikamente einnimmt, sinnvoll. Im Vergleich zur bisherigen Einteilung des Asthmas nach Schweregraden ist die Beurteilung der Asthmakontrolle für die langfristige Verlaufskontrolle und als Grundlage der Therapie geeigneter. Sie beruht auf klinisch leichter zu erfassenden Parametern wie Einschränkungen von Alltagsaktivitäten, Lungenfunktionsmessungen (PEF, FEV1). Es werden drei Grade der Asthmakontrolle definiert: kontrolliertes Asthma: teilweise kontrolliertes Asthma; unkontrolliertes Asthma.

Die medikamentöse Langzeittherapie des Asthmas gliedert sich inzwischen in ein 5-stufiges Schema (früher 4 Stufen). Tab. 7.2–9 zeigt das Schema für die medikamentöse Langzeittherapie bei Erwachsenen.

Im Consensus-Report 1992 wurde der „Grün-Gelb-Rot-Plan" („Ampel-Schema") zur Kontrolle des Asthma bronchiale publiziert, das ist ein strukturierter Therapieplan „für alle Fälle" (Abb. 7.2-11). In das vorgegebene Schema trägt der behandelnde Arzt sowohl diejenigen Medikamente ein, die zur Dauertherapie dienen, als auch die Akutmedikation, wenn es zu einem mehr oder weniger schweren Asthmaanfall kommt. Dieser Plan bildet die Grundlage der ärztlich geführten Selbstbehandlung.

Hausstaubmilbenallergie

Als Verursacher des Asthma bronchiale sind auch die Hausstaubmilben, genauer gesagt deren Exkremente, gefürchtet. Die im Hausstaub vorkommenden Milben gehören zu den Spinnentieren, die bei einer Größe von nur 0,1 bis 0,5 mm mit bloßem Auge nicht erkennbar sind und zu den natürlichen Mitbewohnern der häuslichen Umgebung zählen. Dass das Vorkommen von Hausstaubmilben nichts mit mangelnder Sauberkeit und Haushaltshygiene zu tun hat, zeigt sich schon daran, dass auch bei regelmäßigem Staubsaugen noch 1 000 bis 10 000 Milben pro Quadratmeter Teppichboden gezählt werden können. Man findet Hausstaubmilben in fast allen textilen Einrichtungsgegenständen; als Lieblingsplätze sind Teppichböden, Polstermöbel, Matratzen, Kissen und Kuscheltiere zu erwähnen.

Den Hauptanteil der Nahrung liefert der Mensch mit den täglich abgestoßenen Hautschuppen (pro Tag ca. 1,5 g). Davon können sich Millionen von Milben ernähren. Die eigentlichen Allergieauslöser sind jedoch die von den Milben ausgeschiedenen Kotbällchen, die mit der Zeit in kleinste Teilchen zerfallen und sich mit dem Hausstaub verbinden. Dieser allergenhaltige Staub wird dann immer wieder aufgewirbelt, gelangt in die Atemluft und verursacht die Beschwerden. Das allergische Asthma ist erfahrungsgemäß im Herbst am deutlichsten ausgeprägt, wenn die Heizperiode beginnt. Zwar sterben in dieser Jahreszeit die meisten Hausstaubmilben ab, weil die Umweltbedingungen nicht mehr optimal sind, ihre Exkremente sind jedoch noch in großer Menge vorhanden.

Mit speziellen Milbentests (z.B. Acarex®-Test) lässt sich die Milbenbelastung ermitteln. Anschließend können die befallenen Heimtextilien behandelt werden.

Es stehen inzwischen mehrere Produkte für die Beseitigung von Hausstaubmilben bzw. ihrer Exkremente zur Verfügung.

Acaril® ist ein flüssiger Waschzusatz für die Wäsche milbenbelasteter Textilien bis 60 °C. Das Präparat enthält das akarizide Benzylbenzoat sowie Tenside, womit Milben abgetötet und allergene Kotpartikel beseitigt werden sollen.

Das Wirkprinzip von Niembaumsamenöl (z.B. in Acarosan® duo, Milbopax®) besteht darin, dass es auf die Hausstaubmilben fraßhemmende Wirkung hat und damit deren Wachstum und Fortpflanzung bremst. Nach der Erstanwendung sollte die Behandlung nach 4 bis 6 Wochen wiederholt werden, dann in Abständen von 6 Monaten.

(Fortsetzung nächstes Blatt)

Erkrankungen von Bronchien und Lunge

Grüne Zone: Alles in Ordnung

So gut sollte es Ihnen jeden Tag gehen. Sie haben keine Asthmabschwerden. Sie sind körperlich gut belastbar. Sie können ohne Luftnot schlafen. Der Peak-Flow liegt nicht unter ____ cl/min (100 l/m). Die Dauertherapie soll diesen Zustand erhalten.

Als
Dauermedikamente
nehmen Sie
täglich
Vor Belastung,
bei **Atemnot**
nehmen Sie

Gelbe Zone: Achtung!

Sie müssen das Asthma wieder unter Kontrolle bringen. Sie haben Husten, pfeifende Atmung, Kurzatmigkeit, Engegefühl. Sie sind nicht mehr normal belastbar. Sie haben nachts Atemnotsanfälle. Der Peak-Flow liegt zwischen _____ (l/min) (50–80%). Folgen Sie dem Plan (s.u.) und nehmen Sie bald Kontakt mit Ihrem Arzt auf (Tel. _____).

Als
Akutmedikamente
nehmen Sie jetzt
zusätzlich

· Wenn Sie sich in spätestens einer Stunde besser fühlen und der Peak-Flow wieder über _____ (l/min) liegt:

Als **neue**
Dauermedikamente
nehmen Sie
ab jetzt

· Wenn die Besserung ausbleibt und der Peak-Flow nicht ansteigt, folgen Sie dem Plan „Rote Zone"!

Rote Zone: Notfallprogramm

Sie brauchen jetzt sofort Hilfe! Sie haben Husten, starke Kurzatmigkeit und Atemnot beim Sprechen. Sie sind kaum körperlich belastbar. Es kann sein, dass Sie kein pfeifendes Atemgeräusch hören. Der Peak-Flow liegt unter _____ (l/min). Folgen Sie sofort dem Plan (s.u.) und informieren Sie dann Ihren Hausarzt.

Als
Notfallmedikamente
nehmen Sie
sofort

Rufen Sie bitte jetzt den Hausarzt an (Tel. _____).

Wenn nach 30 Minuten
· blaue Lippen oder Fingernägel bestehen bleiben,
· Sie weiterhin um jeden Atemzug kämpfen,
· die Notfallmedizin nicht wirkt,
· der Peak-Flow unter _____ (l/min) bleibt,

muss Sie ein Arzt untersuchen. Rufen Sie evtl. einen Notarzt (Tel. _____).

Wenn nach sechs Stunden
· immer noch zusätzlich β_2-Sympathomimetikum (_____) benötigt wird und nicht länger als 1 Stunde wirkt,
· der Peak-Flow unter _____ (l/min) liegt,

suchen Sie die Notaufnahme der Klinik auf.

Abb. 7.2-11: Grün-Gelb-Rot-Plan zur Kontrolle eines Asthma bonchiale

Info

Bei der Bekämpfung von Hausstaubmilben ist Ausdauer gefragt. Daher sollten Kunden auf die notwendigen Wiederholungsanwendungen hingewiesen werden.

7.2.4 Patientengespräch

Bronchialerkrankungen, die mit Husten einhergehen, stehen in der Apotheke auf der Tagesordnung. Auch wenn es sich in der Mehrzahl der Fälle um einen banalen, selbstmedikationsfähigen Erkältungshusten handeln wird, sollte man im Kundengespräch dennoch stets die vielen anderen möglichen Ursachen (s. Tab. 7.2-1) im Hinterkopf behalten. Zudem gilt es, zwischen akuten und chronischen Verlaufsformen zu differenzieren und gegebenenfalls umgehend zum Arztbesuch zu raten. Was die geeigneten Selbstmedikationsmöglichkeiten angeht, besteht die Wahl in erster Linie zwischen antitussiven und expektorierenden Wirkprinzipien und dabei jeweils zwischen pflanzlichen und chemisch definierten Arzneistoffen.

Um die Präparateauswahl in der Selbstmedikation auf eine rationale Basis zu stellen, muss der Arzneimittelabgabe stets ein Patientengespräch vorangehen. Das Ziel besteht dabei vor allem darin, abzuklären, ob eine Selbstmedikation im individuellen Fall in Frage kommt, und dann die zur Präparateauswahl notwendigen Informationen zu sammeln.

Folgende Fragen können dabei nützlich sein:

Wer ist der Patient? Wird ein Medikament für den Kunden selbst, einen anderen Erwachsenen oder ein Kind (Alter?) benötigt? Verschaffen Sie sich ein möglichst detailliertes Bild des betroffenen Husten-Patienten, umso leichter fällt die Beratung bzw. die Präparateauswahl.

Wie lange bestehen die Beschwerden bereits? Mit dieser Frage lassen sich chronische Verlaufsformen, bei denen sich eine Selbstmedikation verbietet, herausfiltern und einer ärztlichen Abklärung zuführen. Faustregel für die Praxis: Ein Husten, der schon drei Wochen lang anhält, sollte zuerst diagnostisch abgeklärt werden.

Welche Art von Bronchialbeschwerden bestehen? Hiermit zielen Sie darauf ab, trockenen Reizhusten von festsitzendem Schleimhusten zu unterscheiden. Allerdings ist erfahrungsgemäß nicht jeder Patient in der Lage, diese Differenzierung zu treffen. Hinzu kommt, dass es auch Mischformen gibt und die Übergänge fließend sind. Oft erhält man leichter eine Antwort auf die Frage, ob es sich vorzugsweise um morgendliches Freihusten oder tagsüber festsitzenden Schleim (→ Expektorans) oder eher um nächtliche Hustenattacken oder Hustenanfälle beim Sprechen handelt (→ Antitussivum).

Wie häufig und wie intensiv muss der Betroffene husten? Bei stark verfärbtem oder gar blutigem Sputum muss der Patient zum Arzt verwiesen werden. Dasselbe gilt bei unklaren Begleiterscheinungen wie Schwindel, Atemnot, Erbrechen, Herzproblemen etc. Auch permanente Hustenattacken verbieten einen Selbstmedikationsversuch. Stattdessen sollte der Patient im Hinblick auf rasche Beschwerdelinderung durch rezeptpflichtige Medikamente (Codein etc.) umgehend zum Arzt geschickt werden.

Welche Präparate hat der Kunde schon selbst zuvor eingesetzt? Überlegen Sie, ob das jeweilige Präparat für die Art von Husten geeignet ist und ob auch die korrekte Dosierung zur richtigen Tageszeit gewählt wurde. Weisen Sie bei der beabsichtigten Kombination von antitussiven mit expektorierenden Wirkstoffen auf die einzuhaltenden Einnahmemodalitäten hin. Wenn die begonnene Selbstbehandlung Ihrer Ansicht nach fortgesetzt werden kann, sollten Sie noch den zeitlichen Rahmen dafür festlegen. Außerdem lassen sich durch Hustentees, Bronchialbalsame etc. oft noch sinnvolle Zusatzempfehlungen geben. Und denken Sie beim Verkauf

von Hustensäften – insbesondere an junge Kunden – auch an den zunehmenden Missbrauch dieser Medikamente!
Welche Grunderkrankungen bestehen bzw. wird eine Dauermedikation durchgeführt? So sollte man beispielsweise bei Asthmatikern, COPD-Patienten, Diabetikern oder Senioren mit der Selbstmedikation bei Husten besonders zurückhaltend sein. Bei diesem Patientenkreis ist per se mit einem gravierenderen Verlauf zu rechnen. Außerdem können hier schon banale Infekte rasch zur Exazerbation der Bronchialbeschwerden führen. Auch sollte man vor der Präparateauswahl nach besonderen Empfindlichkeiten, z.B. was den Gastrointestinaltrakt angeht, fragen. So sind z.B. Expektorantien bei vorgeschädigter Magenschleimhaut mit besonderer Vorsicht bzw. entsprechenden Tipps (mit viel Flüssigkeit nach den Mahlzeiten) zu empfehlen.

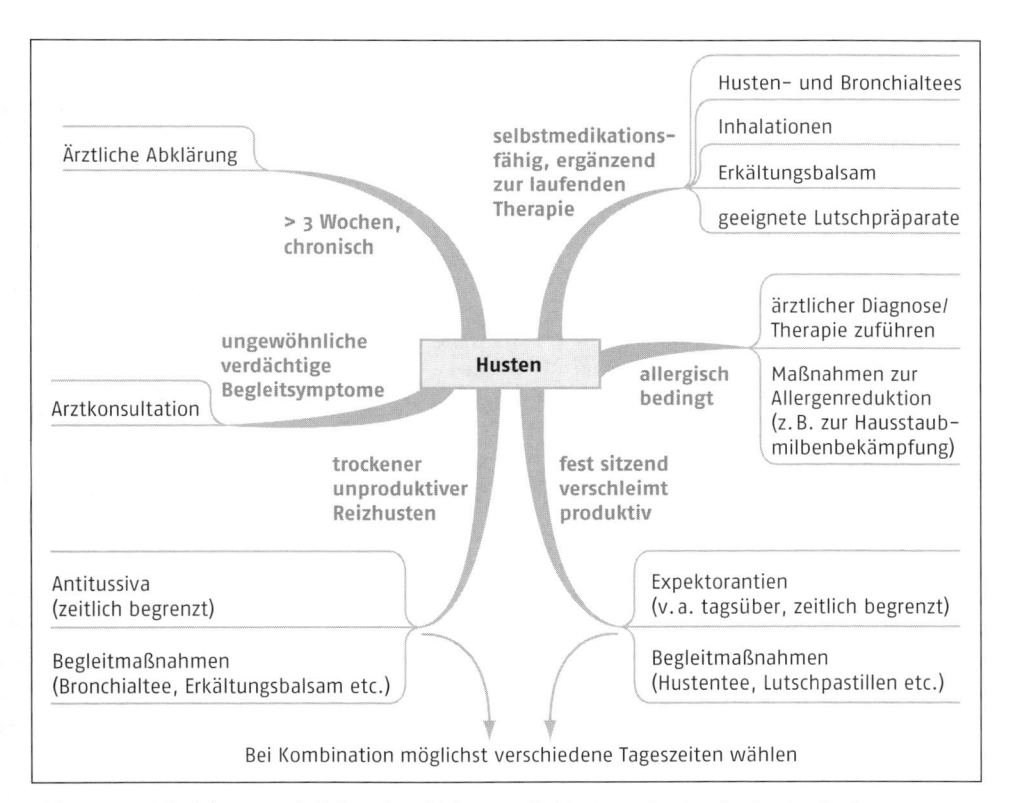

Abb. 7.2-12: Mindmap zu möglichen Empfehlungen für Hustenpatienten in der Apotheke

7.3 Grippaler Infekt

7.3.1 Krankheitsbild

Der Begriff **Grippe (Influenza)** sollte nur für akute Infektionskrankheiten der Atemwege verwendet werden, die durch die Influenzaviren A, B oder C aus der Familie der Orthomyxoviren hervorgerufen werden. Die Viren tragen auf ihrer Oberfläche die beiden Glykoproteine Hämagglutinin und Neuraminidase. Diese bestimmen die Subtypenklassifikation und induzieren als antigene Strukturen im Wirt die Antikörperproduktion. Die durch Punktmutation hervorgerufenen geringgradigen Antigenvariationen (antigenic drift) sind für die Influenza-Epidemien verantwortlich, die in Intervallen von 2–3 Jahren auftreten. In unregelmäßigem Abstand von Jahrzehnten kommt es zu großen Influenza-Pandemien, die auf größeren genetischen Veränderungen (antigenic shift) beruhen. Diesen liegt vermutlich ein Segmentaustausch zwischen Viren aus dem Tierreservoir (Hühner, Schweine) mit humanen Influenzaviren zugrunde. Wie man heute weiß, ist im Einzelfall auch die direkte Übertragung von Geflügel-Influenzaviren auf den Menschen möglich (sog. Vogelgrippe, Antigensubtyp H5N1, H5N8, H7N9).

Bei der Influenza handelt es sich um eine akut einsetzende fieberhafte Infektionskrankheit des Respirationstraktes, bei der im Frühstadium schwere Allgemeinsymptome typisch sind: Kopf- und Gliederschmerzen, Schwächegefühl und Kreislaufstörungen. Hinzu kommen Symptome von Seiten der Atemwege (Tab. 7.3-1).

Charakteristisch ist weiterhin die oft Wochen und Monate dauernde Rekonvaleszenz – die nicht selten durch Komplikationen weiter verzögert wird. Relativ häufige Komplikationen sind die Otitis media und die bakterielle Superinfektion einer primären Grippepneumonie. Seltene bis sehr seltene Komplikationen sind z. B. die Myokarditis (Entzündung des Herzmuskels), Perikarditis (Entzündung des Herzbeutels), Enzephalitis (Gehirnent-

Tab. 7.3-1: Unterscheidungsmerkmale zwischen echter Grippe (Influenza) und grippalem Infekt

Symptome:	Influenza:	Grippaler Infekt:
Beginn	schlagartig	schleichend
Fieber	plötzlich, hoch (> 39 °C)	allmählich, gering
Krankheitsgefühl	schlagartig, stark	verzögert, mild
Halsschmerzen	intensiv	mäßig bis stark
Schnupfen	selten, eher mild	fast immer, intensiv
Husten	stark, lang anhaltend	mild bis mäßig
Kopf- und Gliederschmerzen	stark	mäßig
Dauer	2–3 Wochen	7–10 Tage
Komplikationsgefahr	hoch	gering
Lebensbedrohung	möglich	nein
Rekonvaleszenzdauer	lange (einige Wochen)	kurz (einige Tage)
Impfung	möglich	nicht möglich

Grippaler Infekt

Tab. 7.3-2: Häufige Auslöser banaler Virusinfektionen. Nach Seifart 2007

Virus	Häufigkeit der Infektion (Prozent)
Rhinoviren	30 bis 50
Coronaviren	10 bis 15
Influenzaviren	5 bis 15
Metapneumoviren	5 bis 10
Respiratory Syncytical Virus (RSV)	5
Parainfluenzaviren	5
Adeno- und Enteroviren	unter 5
Unbekannt	15 bis 25

zündung), Meningitis (Entzündung der Hirn- und/oder Rückenmarkshäute) oder das Reye-Syndrom (akute, meist tödliche Leber-Hirn-Erkrankung im Anschluss an einen fieberhaften Infekt der Atmungsorgane – vor allem im späten Säuglings- und Kleinkindalter).

Der **grippale Infekt** ist eine meist leichter verlaufende Infektion des Respirationstraktes, ausgelöst durch verschiedene andere Viren, von denen teilweise sehr viele Serotypen bekannt sind. Banale Virusinfektionen der Atemwege werden meist durch Rhinoviren, Coronaviren und RSV (Respiratory Syncytial Virus) ausgelöst (s. Tab. 7.3-2). Aus der Symptomatik allein ist es nicht möglich auf den Erreger zu schließen, da die Viren ähnliche Symptome verursachen.

Beratungstipp

Bei der Beratung von „Grippe"-Patienten gilt es durch gezielte Fragen zu erkennen, ob es sich um einen selbstmedikamentionsfähigen grippalen Infekt oder die echte Grippe (Influenza) handelt. Sprechen die Symptome für Letztere, muss umgehend eine ärztliche Abklärung folgen.

7.3.2 Medikamentöse Maßnahmen

Die **Therapie** der viralen Infektionen des Respirationstraktes erfolgt rein symptomatisch, dabei sollte besonders auf folgende Maßnahmen Wert gelegt werden:

- **Fiebersenkende Mittel,** wenn hohes Fieber das Allgemeinbefinden stark beeinträchtigt.
- **Schmerzmittel** bei ausgeprägten Kopf- und Gliederschmerzen.
- **Sekretolytika/Mukolytika** zur Verflüssigung der oft zähen Sekrete; werden diese nicht oder nur unzureichend aus den Atemwegen abtransportiert, begünstigt dies bakterielle Superinfektionen.
- Wenn starker Husten den Kreislauf belastet und eine angemessene Nachtruhe unmöglich macht, sollten **Antitussiva** empfohlen werden.

Auf die im Sinne der **Immunstimulation** eingesetzten Phytopharmaka bzw. Homöopathika wird im Anschluss an die Grippemittel eingegangen.

Welche Arzneimittel stehen dem Apotheker zur Verfügung? Entsprechend der komplexen Symptomatik bei grippalen Infekten sind die meisten Grippemittel Kombinationspräparate – teilweise mit der Absicht auf den Markt gebracht, möglichst alle im Verlauf eines derartigen Infektes auftretenden Beschwerden zu behandeln.

Bekanntlich verläuft der grippale Infekt aber sowohl individuell als auch in Abhängigkeit vom Erreger sehr unterschiedlich. Außerdem können anfänglich dominierende Symptome rasch von anderen abgelöst werden. Daher werden die häufig als „Mehrzweckwaffen" oder „Schrotschusspräparate" apostrophierten Grippemittel auch selten günstig beurteilt.

7.3.2.1 Monopräparate

Vitamin C. Gibt man hohe Dosen von Vitamin C (1 bis 2 g pro Tag) prophylaktisch, dann soll sich die Dauer des grippalen Infektes verkürzen. Doch gerade diese Indikation ist nach wie vor umstritten. Die Studienergebnisse dazu sind widersprüchlich. Eine Meta-Analyse von 55 Studien aus 65 Jahren zur vorbeugenden oder frühzeitigen Einnahme von Ascorbinsäure bei Erkältungskrankheiten zeigte keine Reduktion der Inzidenzzahlen (PloS Medicine 2, 2005, 168). Lediglich für Subgruppen, die starken Belastungen ausgesetzt sind (Hochleistungssportler, Soldaten), war ein Nutzen im Sinne einer um rund die Hälfte verringerten Erkrankungshäufigkeit erkennbar. Die Erkältungsdauer reduzierte sich durch die vorbeugende Vitamin-C-Einnahme bei Erwachsenen und Kindern dagegen nur unbedeutend. Eine neuere japanische Studie bescheinigte Vitamin C dagegen mit Tagesdosen von 50 bis 500 mg einen gewissen Schutz vor Erkältungskrankheiten, während auf die Erkrankungsdauer und -schwere kein Einfluss erkennbar war. Mit **Nebenwirkungen** der Ascorbinsäure muss man rechnen, wenn eine Tagesdosis von 4 g überschritten wird (s. Kap. 3.1.2.2).

7.3.2.2 Kombinationspräparate

Wie bereits erwähnt, beherrschen diese den Markt – ihre Zusammensetzung folgt weitgehend demselben Schema: **Analgetika/Antipyretika** sind die Hauptbestandteile dieser Präparate. Als zweithäufigster Bestandteil sind **Antihistaminika** zu nennen, gefolgt von **Coffein, Sympathomimetika, Vitamin C** und **Antitussiva**.

Analgetika/Antipyretika in Grippemitteln

Als analgetisch-antipyretisch wirksame Arzneistoffe werden in Grippemitteln vor allem Acetylsalicylsäure und Paracetamol verwendet. Einzelheiten zum Wirkungsmechanismus, zur Pharmakokinetik und den möglichen Nebenwirkungen sind bereits in Kapitel 1.1.4 (Schmerz, Entzündung, Fieber) ausführlich dargelegt worden.

Antihistaminika in Grippemitteln

Antihistaminika sind Bestandteil vieler Grippepräparate, wobei Chlorphenamin den häufigsten Kombinationspartner darstellt. Die Antihistaminika wurden bereits im Kapitel 7.1.3.3 vorgestellt – schon mit der Einschränkung, dass Antihistaminika in oral anzuwendenden Kombinationspräparaten zur Behandlung des nicht allergisch bedingten Schnupfens nur von untergeordneter Bedeutung sind.

Im Jahr 2012 hat das BfArM in einer Risikoinformation darauf hingewiesen, dass die Anwendung von Antihistaminika der 1. Generation wie Doxylamin, Diphenhydramin und Dimenhydrinat bei Kindern unter 2 Jahren mit besonderer Vorsicht und unter strenger Beachtung der Dosierungsempfehlungen erfolgen muss. Hintergrund ist die in dieser Altersgruppe erhöhte Gefahr paradoxer Reaktionen wie Unruhe, Erregung, Angstzustände etc. auf diese Wirkstoffe. Antihistaminika-haltige Hustensäfte oder Grippemittel sind zwar in Deutschland für die gefährdete Altersgruppe nicht zugelassen. Jedoch ist die kindgerecht erscheinende Darreichungsform z.B. als Saft oft der Anlass dafür, dass diese Präparate entgegen der Zulassung doch für Kinder eingesetzt werden. Dies gilt es bei der Abgabe entsprechender Präparate in der Apotheke durch Beratung und Aufklärung der Kunden zu verhindern.

α-Sympathomimetika in Grippemitteln

Wie die Antihistaminika wurde auch diese Wirkstoffgruppe bereits ausführlich (Kap. 7.1.3.1) diskutiert. Bei Ephedrin, Phenylephrin und Phenylpropanolamin (Norephedrin) handelt es sich um Arzneistoffe mit nachgewiesener Wirksamkeit – auch bei Schnupfen – jedoch sind diese in den hier zu besprechenden Kombinationspräparaten oft unterdosiert und aufgrund ihres Nebenwirkungsprofils nicht unproblematisch.

Coffein in Grippemitteln

Grundsätzlich hat Coffein Vorteile durch seine psychostimulierende Wirkung; so kann es die sedierenden Effekte mancher Antihistaminika antagonisieren und auch das subjektive Wohlbefinden steigern. Mit durchschnittlich 25 mg (übliche Dosis 50 bis 200 mg) ist es jedoch vielfach unterdosiert.

Antitussiva in Grippemitteln

Als Antitussivum dominiert Dextromethorphan. Hustenblocker wurden bereits im Kapitel 7.2.3.1 besprochen. Allerdings sind auch die Hustenblocker in vielen Präparaten zu niedrig dosiert. In Anbetracht dieser Tatsache und im Hinblick auf ihren erforderlichen gezielten Einsatz erscheinen Kombinationspräparate mit Hustenblockern nur selten sinnvoll.

7.3.2.3 Bewertung von fixen Kombinationen zur Behandlung des grippalen Infektes

Nachdem Mono- und Kombinationspräparate – Letztere jedoch nur schematisch nach den gängigen Einzelkomponenten – besprochen wurden, soll eine kurze Bewertung, orientiert an der Praxis des Apothekenalltags, erfolgen.

Info

Kombinationspräparate gegen Erkältungskrankheiten sind bei Kunden beliebt und haben Compliance-Vorteile. Oft ist die symptomadaptierte Empfehlung von Monopräparaten jedoch sinnvoller.

Über Sinn und Nutzen von oralen Dekongestiva (in Deutschland sind keine Monopräparate auf dem Markt) und Kombinations-Grippemitteln wird in der Fach- und Laienpresse immer wieder kontrovers diskutiert. Eine abschließende Bewertung kann auch hier nicht getroffen werden. Jedoch sollen einige Detailaspekte zu diesem Beratungsthema näher beleuchtet werden.

Die Leitlinie „Rhinosinusitis" der Deutschen Gesellschaft für HNO-Heilkunde, Kopf- und Hals-Chirurgie (Stand 2016) empfiehlt Analgetika bzw. Antiphlogistika lediglich bei Schmerzen und nicht als abschwellende Maßnahme.

Antihistaminika werden vor allem in der angelsächsisch geprägten Medizin bei Rhinosinusitis adjuvant eingesetzt, meist in Kombination mit Sympathomimetika. Der adjuvante Einsatz eines Antihistaminikums wird von der Leitlinie jedoch nur bei nachgewiesener allergischer Rhinitis empfohlen.

Die therapeutische Anwendung oraler Sympathomimetika wird von der oben genannten Leitlinie wegen dosisabhängiger Nebenwirkungen, schlechter Steuerbarkeit und der besser belegten Wirksamkeit der Lokaltherapie nicht empfohlen. Dennoch wird darin erwähnt, dass nach klinischer Erfahrung nicht nur topische, sondern auch orale Dekongestiva die nasale Obstruktion reduzieren und zu einer deutlichen subjektiven Beschwerdeerleichterung bei den Patienten führen. Die enthaltenen Sympathomimetika können jedoch zu Nebenwirkungen wie Schlafstörungen, Hypertonie, Tachykardie, Kopfschmerzen und Hyperaktivität etc. führen.

Im Hinblick auf die Kundenberatung in der Apotheke gilt es also, die Vor- und Nachteile dieser Präparate gegeneinander abzuwägen und dann für den jeweiligen Einzelfall eine Entscheidung zu treffen. Folgende Pro- und Contra-Punkte sind dabei u.a. in Betracht zu ziehen:

Pro:

– Im Gegensatz zu den abschwellenden Nasalia scheinen oral verabreichte Dekongestiva weder zu einer Austrocknung der Nasenschleimhaut noch zu einem Rebound-Effekt mit der Gefahr einer Rhinitis medicamentosa zu führen.
– Systemische Sympathomimetika können auch topisch unzugängliche Schleimhäute der Nasennebenhöhlen erreichen und dort abschwellend wirken.

- Kombinations-Grippemittel erleichtern dem Patienten die Therapie und verbessern die Compliance. Viele Patienten würden die gleichzeitige Einnahme mehrerer Medikamente bei einer Erkältung ablehnen.
- Dosierungsfehler sind bei Kombinationspräparaten seltener als bei der Selbstmedikation mit mehreren Monopräparaten.
- Kombipräparate sind in Relation oft deutlich preisgünstiger.

Contra:
- Wechselwirkungen sind bei systemischer Gabe von Dekongestiva eher zu befürchten als bei lokaler Applikation.
- Die oben genannten Nebenwirkungen der Sympathomimetika treten bei oraler Gabe häufiger auf als bei lokaler Anwendung.
- Wenn die Möglichkeit einer lokalen Behandlung besteht, ist diese gerade in der Selbstmedikation oft sicherer durchführbar als eine systemische.

Wenn ein Kunde mit grippalem Infekt ein Grippemittel verlangt, sollte man ihn aufgrund seiner Symptomatik wie im Folgenden beschrieben beraten.

Wenn nur ein oder zwei Symptome behandelt werden sollen, z. B. Kopfschmerzen und/oder Schnupfen, sind ein lokal anzuwendendes Antirhinitikum und Kopfschmerztabletten (mit Acetylsalicylsäure oder Paracetamol, eventuell kombiniert mit Coffein) eine sinnvolle Empfehlung.

Wenn der Patient aber nach „Grippetabletten" verlangt, sollte man Kombinationen auswählen, die wirksame Einzelkomponenten in therapeutischer Dosis enthalten und die so gut wie möglich auf die individuelle Symptomatik ausgerichtet sind. Präparate mit Antitussiva sollten nur bei trockenem Reizhusten verwendet – und abgesetzt werden, sobald dieser in die produktive Phase übergeht. In den meisten Fällen ist die zusätzliche Gabe eines hustendämpfenden Monopräparates bei Reizhusten sinnvoller.

Wenn die Erkältung durch Kopfschmerzen, leichtes Fieber und Schnupfen charakterisiert ist, scheinen Kombinationspräparate aus Analgetikum/Antipyretikum, Vasokonstriktor und Antihistaminikum eine gute Wirkung zu zeigen. Bei den verwendeten Antihistaminika sollen Schleimhautabschwellung und Sekretionsminderung im Vordergrund stehen und für den in verschiedenen Studien demonstrierten günstigen therapeutischen Effekt mitverantwortlich sein. Sichere klinische Belege für den Beitrag der Antihistaminika zur Beseitigung der Symptome des nicht allergisch bedingten Schnupfens stehen jedoch aus.

Zur Präparateübersicht siehe Tabelle 7.3-3.

7.3.2.4 Immunstimulantien bei grippalem Infekt

Mit Immunstimulantien wird in erster Linie versucht, die unspezifischen körpereigenen Abwehrkräfte zu steigern. Der so erworbene Schutz wird als „Paramunität" bezeichnet, weil er nicht antigenspezifisch ist, die entsprechenden Wirkstoffe sind „Paramunitäts-Inducer". Der Erfolg der unspezifischen Immuntherapie hängt stark vom richtigen Zeitpunkt der Applikation, von der Applikationsart und von der Dosierung ab. Denn es besteht ein Unterschied, ob ein immunstimulierend wirkendes Präparat auf eine gesteigerte oder verminderte Abwehrlage des Organismus trifft. Bei einer Erhöhung der Dosis kann die Immunstimulation in eine Immunsuppression umschlagen.

Bei **viralen und bakteriellen Infektionen** tritt das körpereigene Abwehrsystem folgendermaßen in Aktion: Zuerst werden mit Hilfe unspezifischer Abwehrmechanismen die Erreger vernichtet (Phagozytose) oder zumindest deren Ausbreitung vom Infektionsherd aus limitiert. Dann erst kommt es zur spezifischen Immunantwort über Immunglobuline oder immunkompetente Zellen.

Wenn die Abwehrmechanismen überfordert sind, z. B.
- durch eine massive Erregerinvasion,

- durch ausgeprägte Virulenz der Erreger,
- oder durch eine temporäre Abwehrschwäche,

geht die asymptomatische Infektion in eine Erkrankung mit erregerspezifischer Symptomatik über.

Die pflanzlichen Immunstimulantien beeinflussen das unspezifische, antigenunabhängige Abwehrsystem und werden als Monopräparate oder in Kombination zur Steigerung der körpereigenen Abwehr eingesetzt.

Echinacea

Über die Wirkmechanismen und die klinische Wirksamkeit von Echinacea-Monopräparaten und Echinacea-Presssaft liegen inzwischen zahlreiche Publikationen vor. Nach oraler oder parenteraler Gabe kommt es zu einer erhöhten Gesamtleukozytenzahl und zu einer intensivierten Granulozyten- und Makrophagenaktivität, gemessen als Phagozytosesteigerung. Dies geht mit einer verringerten Rezidivhäufigkeit bei verschiedenen Infektionskrankheiten, einer Verkürzung der Krankheitsdauer und weniger ausgeprägten Krankheitssymptomen einher.

Neben Echinacea-Monopräparaten, die als Tropfen und Tabletten im Handel sind (z.B. Echinacin®, Echinacea-ratiopharm®, Esberitox® mono), gibt es inzwischen weitere Arzneiformen wie Echinacin® Capsetten (Lutschpastillen).

Die Aufbereitungskommission des Bundesgesundheitsamtes hat für Echinacea purpurea herba (Purpursonnenhutkraut) eine ausführliche Monographie erstellt. Im nachfolgenden Auszug aus dieser Monographie werden die wichtigsten Aspekte zitiert.

Tab. 7.3-3: Grippemittel (Auswahl)

Handelsname	Analgetika/ Antipyretika	Antihistaminika	Sympathomimetika	Vitamine	Antitussiva	Andere
Aspirin® plus C	Acetylsalicylsäure			Vitamin C		
Boxazin® plus C	Acetylsalicylsäure			Vitamin C		
Doregrippin®	Paracetamol		Phenylephrin			
GeloProsed®	Paracetamol		Phenylephrin	Vitamin C		
Grippostad® C	Paracetamol	Chlorphenamin		Vitamin C		Coffein
Olytabs®	Ibuprofen		Pseudoephedrin			
Wick® DayMed Erkältungskapseln für den Tag	Paracetamol		Phenylpropanolamin		Dextromethorphan	
Wick MediNait® Erkältungssirup für die Nacht	Paracetamol	Doxylamin	Ephedrin		Dextromethorphan	18% Ethanol

Bestandteile des Arzneimittels: Purpursonnenhutkraut, bestehend aus frischen, zur Blütezeit geernteten oberirdischen Teilen von *Echinacea purpurea* (L.) Moench sowie deren Zubereitungen in wirksamer Dosierung.

Anwendungsgebiete. Innere Anwendung: Unterstützende Behandlung rezidivierender Infekte im Bereich der Atemwege und der ableitenden Harnwege. Äußere Anwendung: Schlecht heilende oberflächliche Wunden.

Gegenanzeigen. Äußere Anwendung: Nicht bekannt. Innere Anwendung: Progrediente Systemerkrankungen wie Tuberkulose, Leukosen, Kollagenosen, Multiple Sklerose. Bei Neigung zu Allergien, besonders gegen Korbblütler, sowie in der Schwangerschaft: keine parenterale Applikation.

Hinweis. Bei Diabetes kann sich bei parenteraler Applikation die Stoffwechsellage verschlechtern.

Nebenwirkungen. Bei Einnahme und äußerer Anwendung: Nicht bekannt. Bei parenteraler Anwendung: Dosisabhängig treten Schüttelfrost, kurzfristige Fieberreaktionen, Übelkeit und Erbrechen auf. In Einzelfällen sind allergische Reaktionen vom Soforttyp möglich.

Wechselwirkungen mit anderen Mitteln. Nicht bekannt.

Dosierung (soweit nicht anders verordnet). Einnahme: Tagesdosis 6 bis 9 ml Presssaft; Zubereitungen entsprechend. Äußere Anwendung: Halbfeste Zubereitungen mit mindestens 15% Presssaft.

Art der Anwendung. Frischpflanzensaft sowie dessen galenische Zubereitungen zur inneren sowie zur äußeren Anwendung.

Dauer der Anwendung. Zubereitungen zur Einnahme und zur äußeren Anwendung: Nicht länger als 6 Wochen.

Wirkungen. Beim Menschen und/oder im Tierversuch haben Echinacea-Zubereitungen eine immunologische Wirkung. Sie steigern u. a. die Zahl der weißen Blutkörperchen und der Milzzellen, aktivieren die Phagozytoseleistung menschlicher Granulozyten und wirken fiebererzeugend.

In den **Kombinationspräparaten** findet man neben Echinacea-Zubereitungen vor allem Auszüge aus Herba Thujae und Radix Baptisiae sowie aus Eupatorium, Aconitum oder Bryonia hergestellte Urtinkturen/Dilutionen. Eine Präparateauswahl zeigt die Tabelle 7.3-4.

Eleutherococcus

Die immunmodulatorisch wirkenden Zubereitungen mit Eleutherococcus-Extrakt enthalten als wesentliche Bestandteile die Eleuteroside B und E, die für den Effekt auf das Immunsystem verantwortlich gemacht werden. Als Anwendungsgebiete werden die Erhaltung und Aktivierung der körpereigenen Widerstandskraft und Anpassungsfähigkeit, besonders bei außergewöhnlichen körperlichen, seelischen und geistigen Belastungen angegeben.

Die Aufbereitungskommission des Bundesgesundheitsamtes entsprach dem Indikationsanspruch weitgehend, erwähnt jedoch eine Anwendungsbeschränkung auf 3 Monate und gibt als Gegenanzeige den Bluthochdruck an.

Nebenwirkungen. Keine bekannt.

Wechselwirkungen mit anderen Mitteln. Keine bekannt.

Bestandteile des Arzneimittels. Eleuterococcus-senticosus-Wurzel, bestehend aus den getrockneten Wurzeln und/oder dem Wurzelstock von *Eleutherococcus senticosus* Ruprecht et Maximovich, sowie deren Zubereitungen in wirksamer Dosierung. Die Droge enthält Lignane und Cumarinderivate.

Grippaler Infekt

Tab. 7.3-4: Immunstimulantien (Auswahl)

Handelsname	Zusammensetzung
Contramutan® (Tbl./Saft/Tropfen)	1 Tbl. enth.: Echinacea angustifolia ⌀ 50 mg, Eupatorium perfoliatum ⌀ 0,05 mg, Aconitum ⌀ 0,015 mg, Belladonna ⌀ 0,015 mg 5 g Saft enth.: Echinacea angustifolia ⌀ 225 mg, Eupatorium perfol. ⌀ 0,225 mg, Aconitum D4 0,45 mg, Belladonna D4 0,45 mg 100 g Tropfen enth.: Echinacea ⌀ 10 g, Aconitum ⌀ 10 mg, Belladonna ⌀ 10 mg, Eupatorium perfol. ⌀ 10 mg
Echinacea-ratiopharm® (100 mg Tbl./Liquid/ Liquid alkoholfrei)	1 Tbl. enth.: getrockneter Presssaft aus frischem blühendem Purpursonnenhutkraut (22–65 : 1) 100 mg 100 g Liquid enth.: Presssaft aus frischem, blühendem Purpursonnenhutkraut (1,5–2,5 : 1) 80 g 100 g Liquid alkoholfrei enth.: getrockneter Presssaft aus frischem, blühendem Purpursonnenhutkraut (22–65 : 1) 3,57 g; Saft auch alkoholfrei
Echinacin® (Capsetten® Madaus/ Liquidum/Tabletten)	1 Lutschpast. enth.: getrockneter Presssaft aus frischem, blühendem Purpursonnenhutkraut (31,5–53,6 : 1) 88,5 mg 100 g Liquidum enth.: Presssaft aus frischem, blühendem Purpursonnenhutkraut (1,7–2,5 : 1) 80 g 1 Tbl. enth.: getrockneter Presssaft aus frischem, blühendem Purpursonnenhutkraut (22:65:1) 100 mg
Eleu Curarina® (Tropfen)	1 ml Tropfen enth.: Eleutherokokkwurzel- Fluidextrakt
Esberitox®/Compact (Tbl.)	1 Tbl. enth.: 3,2 mg/16 mg Trockenextrakt (4–9 : 1) aus einer Mischung v.: Färberhülsenwurzelstock, Purpursonnenhutwurzel, blassfarbener Sonnenhutwurzel, Lebensbaumspitzen u. -blättern (4,92 : 1,85 : 1,85 : 1) – Auszugsmittel: Ethanol 30 % (V/V)
Exberitox® mono (Tropfen)	1 g Tropfen enth.: Purpursonnenhutkraut-Presssaft (1–2 : 1) 640 mg
Influex® (Tabletten/Tropfen)	1 Tbl. enth.: Aconitum napellus D4 60 mg, Apis mell. D3 40 mg, Echinacea D1 120 mg, Lachesis mutus D5 12 mg 10 ml enth.: Aconitum napellus D4 1,5 ml, Apis mell. D3 1 ml, Echinacea ⌀ 3 ml, Lachesis mutus D6 3 ml
Lymphozil® Lutschtabletten	1 Lutschtbl. enth.: Trockenextr. aus Sonnenhutwurzel (4–8 : 1) 30 mg – AZM: Ethanol 50 % (V/V)
toxi-loges® (Tropfen/Tabletten)	1 ml Tropfen enth.: Echinacea angustifolia ⌀ 200 mg, Eupatorium perfoliatum ⌀ 100 mg, Baptisia tinctoria ⌀ 100 mg, Cinchona pubescens ⌀ 40 mg, Bryonia D4 185 mg, Aconitum napellus D4 185 mg, Cephaelis ipecacuanha D4 185 mg 1 Tbl. enth.: Eupatorium perfoliatum ⌀ 20 mg, Baptisia tinctoria ⌀ 50 mg, Aconitum napellus D4 20 mg, Cephaelis ipecacuanha D4 20 mg

Anwendungsgebiete. Als Tonikum zur Stärkung und Kräftigung bei Müdigkeits- und Schwächegefühl, nachlassender Leistungs- und Konzentrationsfähigkeit sowie in der Rekonvaleszenz.

Gegenanzeigen. Bluthochdruck

Dosierung. Soweit nicht anders verordnet: Tagesdosis 2 bis 3 g Droge, Zubereitungen entsprechend.

Art der Anwendung. Als Drogenpulver, zerkleinerte Droge für Teeaufgüsse sowie wässrig-alkoholische Auszüge zum Einnehmen.

Dauer der Anwendung. In der Regel bis zu drei Monaten. Eine erneute Anwendung ist möglich.

Wirkungen. In verschiedenen Stressmodellen, z.B. Immobilisationstest, Kältetest, wird die Belastbarkeit von Nagern erhöht. Bei gesunden Probanden wird nach Gabe des Fluidextraktes die Zahl der Lymphozyten, insbesondere der T-Lymphozyten gesteigert.

In zahlreichen klinischen Studien und Berichten aus der ärztlichen Praxis sind die positiven Erfahrungen mit Immunstimulantien dargelegt. Sie sind indiziert bei akuten und chronischen Atemwegsinfektionen: Die Rezidivfrequenz soll damit reduziert werden – insbesondere bei Kleinkindern –, und bei bestehendem Infekt kann die Krankheitsdauer verkürzt werden, wenn gleich mit Auftreten der ersten Symptome ein pflanzliches Immunstimulans eingenommen wird.

7.3.3 Patientengespräch

Erkältungskrankheiten bzw. der grippale Infekt machen einen Großteil der Beratung im HV aus – insbesondere in der kalten Jahreszeit. Im ersten Schritt gilt es die zwar seltenen, jedoch umso beachtenswerteren Fälle der Influenza aus der Masse von banalen grippalen Infekten herauszufiltern. Hierzu ist es nützlich, eine Liste typischer Unterscheidungsmerkmale (s. Tab. 7.3-1) parat zu haben.

Steht einer Behandlung der Erkältungskrankheit in Eigenregie nichts mehr im Wege, gilt es die vorliegenden Symptome zu erfragen und die Auswahl der möglichen Präparate darauf abzustimmen. Was die Beratung zur Selbstmedikation speziell von Schnupfen und Husten angeht siehe Kapitel 7.1.5 und Kapitel 7.2.4.

Erwägen Sie die Abgabe von Kombinationspräparaten oder Immunstimulantien, sollten zuvor einige Punkte im Kundengespräch abgeklärt werden.

Folgende Fragen können dabei nützlich sein:

Wer ist der Patient? Handelt es sich um einen ansonsten gesunden Erwachsenen, ein Kind (Alter?), einen chronischen Kranken (Asthmatiker, Diabetiker, Herzpatient), eine ältere oder geschwächte Person?

Wie lange bestehen die Symptome bereits? Mit dieser Frage lässt sich ein gewöhnlicher grippaler Infekt von einer chronischen Verlaufsform oder auch der länger anhaltenden Influenza abgrenzen. Faustregel: Vom Kunden geäußerte „Grippesymptome", die länger als eine Woche bestehen, müssen ärztlich abgeklärt werden!

Welcher Art sind die Beschwerden? Hier sollten Sie insbesondere auf die Unterscheidungsmerkmale zwischen Influenza und grippalem Infekt achten. Handelt es sich um typische Erkältungssymptome oder liegen Anzeichen für eine andere Erkrankung vor? Erscheinen Ihnen irgendwelche Begleitsymptome untypisch oder suspekt? Bei Fieber >39°C sollte ein Arzt konsultiert werden.

Welche Präparate hat der Kunde möglicherweise selbst schon eingesetzt? Mit welchem Erfolg? Überlegen Sie beim Wunsch nach Kombinationspräparaten, ob jeder der Inhaltsstoffe einen Beitrag zur Behandlung des aktuellen Krankheitsstadiums leisten kann. Im Zweifel empfehlen Sie, auch wenn das meist mehr Beratungsaufwand bedeutet, gezielt ausgewählte Monopräparate. Wenn die begonnene Selbstbehandlung sinnvoll erscheint, sollten Sie die Dosierung überprüfen und den zeitlichen Rahmen dafür festlegen. Weisen Sie bei der Abgabe von Immunstimulantien auf deren richtigen zeitlichen Einsatz (Prophylaxe, Rezidivprophylaxe) hin.

Welche Grunderkrankungen bestehen und welche Dauermedikation besteht? Überprüfen Sie – unterstützt per EDV-System – das Interaktionspotenzial. Bei Asthmatikern, COPD-Patienten, Diabetikern, Dialyse-pflichtigen Personen oder Senioren gilt es bei der Medikamentenauswahl generell besonders aufmerksam zu sein und die Grenze der Selbstmedikation etwas enger zu ziehen.

7.3.4 Mindmap zu Empfehlungen bei grippeartigen Symptomen

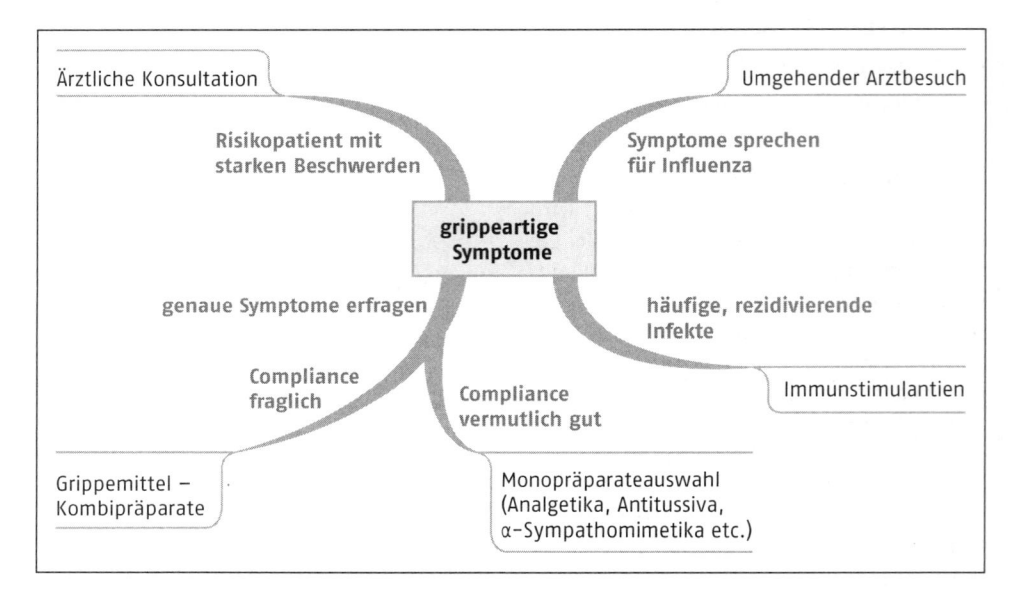

Mindmap – zentrales Thema: **grippeartige Symptome**

- Ärztliche Konsultation
  - Risikopatient mit starken Beschwerden
- Umgehender Arztbesuch
  - Symptome sprechen für Influenza
- genaue Symptome erfragen
  - Compliance fraglich → Grippemittel – Kombipräparate
  - Compliance vermutlich gut → Monopräparateauswahl (Analgetika, Antitussiva, α-Sympathomimetika etc.)
- häufige, rezidivierende Infekte → Immunstimulantien

8 Bewegungsapparat

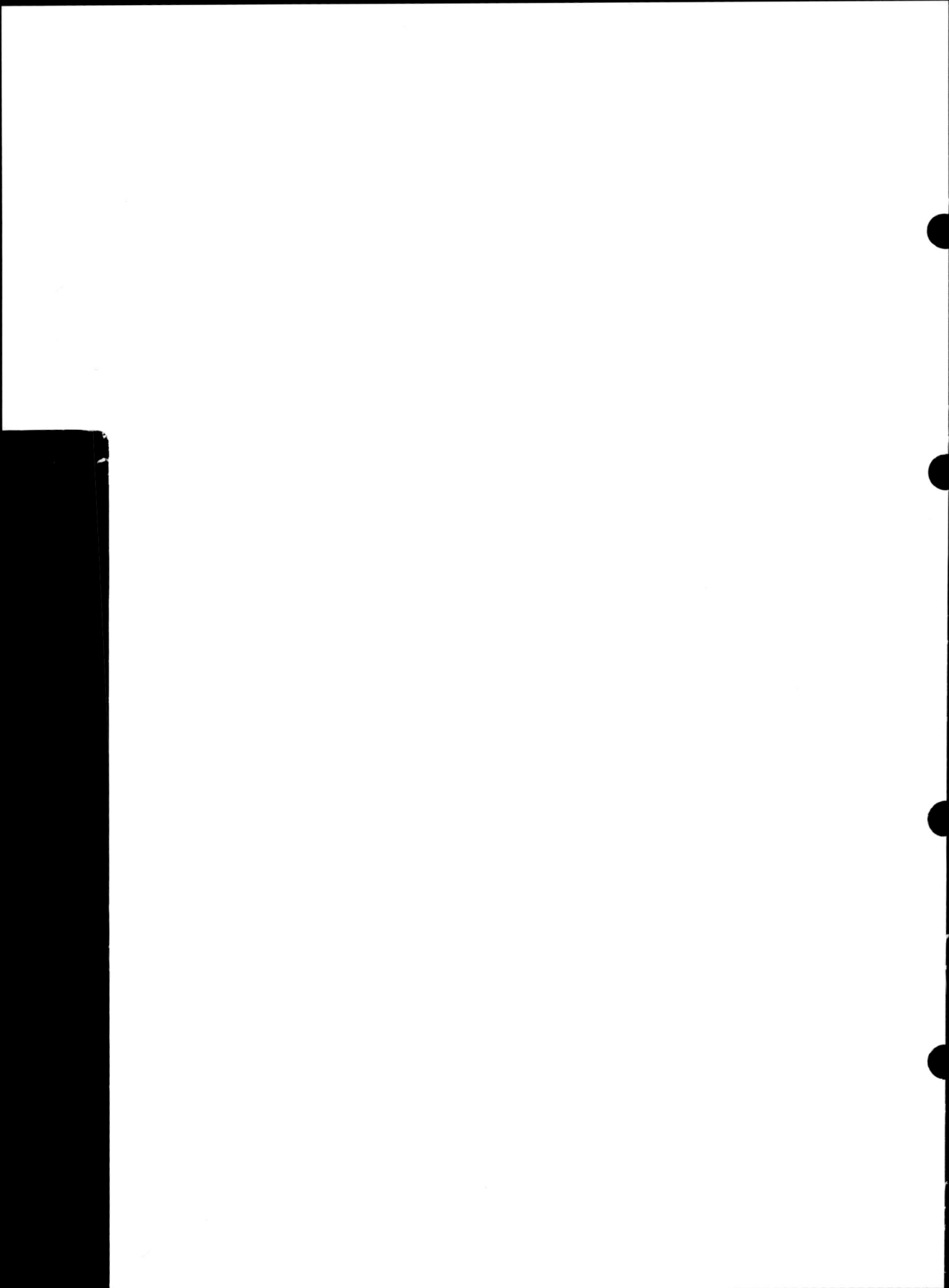

8 Bewegungsapparat

Von C. Weber

8.1 Anatomie und Physiologie

Normale Körperhaltung und Bewegungsabläufe setzen ein kompliziertes Wechselspiel zwischen Skelett, Skelettmuskulatur, zentralem und peripherem Nervensystem, Kreislaufsystem sowie dem Hormon-, Vitamin- und Mineralhaushalt voraus. Die wichtigsten **anatomischen Komponenten des Bewegungsapparates** sind die folgenden Elemente:

Die **Gelenke** sind die mobilen Verbindungen des Skeletts zwischen zwei oder mehreren Knochen. Kugelgelenke, wie z.B. das Schultergelenk, ermöglichen Bewegungen um viele Achsen, ferner gibt es Sattelgelenke (z.B. das Daumengrundgelenk), Scharniergelenke (z.B. Fingerendgelenk), Zapfengelenke (z.B. zwischen dem 1. und 2. Halswirbel) oder auch kombinierte Gelenke wie das Handgelenk und die unteren Sprunggelenke. Aufgebaut sind die meisten großen Gelenke aus Gelenkkopf und -pfanne, umschlossen von der Gelenkkapsel. Für die Sicherung der Gelenke sorgen entweder große knöcherne Pfannen oder aufwendige Bandstrukturen. Im Umgebungsbereich der Gelenke finden sich zahlreiche Schleimbeutel (Bursae). Die Aufgabe dieser flüssigkeitsgefüllten Säckchen liegt in der Polsterung vorspringender Knochenkanten.

Die **Bänder** (Ligamenta) dienen in erster Linie der Gelenkstabilisierung. Sie laufen als straffe Bindegewebszüge an den Seiten der Gelenke (Beispiel: Seitenbänder am Knie), im Innern der Gelenke (z.B. Kreuzbänder am Knie) oder strahlen fächerförmig als Verstärkung in die Kapsel ein. Je nach Funktion unterscheidet man auch Verstärkungsbänder, Führungsbänder und Hemmungsbänder.

Die **Muskeln,** die aktiven Anteile des Haltungs- und Bewegungsapparates, sind sehr vielfältig in Form und Funktion. Grundsubstanz der Muskelzellen besteht aus dem Zellplasma (Sarkoplasma), in das kontraktionsfähige Faserelemente (Myofibrillen) eingelagert sind. Der Muskel verkürzt sich durch eine elektrische Erregung, die über den motorischen Nerv auf die Oberfläche der Muskelzelle gelangt. Unter Zwischenschaltung energiereicher Verbindungen führt ein komplizierter Ionentransportmechanismus zur Kontraktion des Muskels. Die hierfür erforderliche Energie wird über den Abbau von Nährstoffen bereitgestellt.

Man unterscheidet verschiedene Kontraktionsformen: isometrische (Spannung verändert, Länge bleibt gleich), isotonische (Länge verändert, Spannung bleibt gleich), auxotonische (gleichzeitige Änderung von Länge und Spannung).

Die **Sehnen** (Tendines) dienen der Übertragung der Kontraktionskraft der Muskeln. Sie sind praktisch undehnbare Stränge mit hoher Reißfestigkeit, die aus parallel verlaufenden kollagenen Fasern bestehen. Vor allem dort, wo Sehnen eine längere Strecke über Knochen laufen oder sich überkreuzen, sorgen Bindegewebshüllen, die Sehnenscheiden, für Schutz und Verminderung der Reibung. Hohe Dauerbelastungen können zu entzündlichen Reizerscheinungen der Sehnenscheiden, der Sehnenansätze am Knochen und des Sehnengewebes selbst führen.

8.2 Krankheitsbilder

8.2.1 Skeletterkrankungen

Bei den Skeletterkrankungen lassen sich nach anatomischen Gesichtspunkten solche der **Knochen,** der **Gelenke** und der **Wirbelsäule** unterscheiden. Hilfreicher für die medikamentöse Behandlung erscheint jedoch die folgende Einteilung:

- infektiöse Knochenerkrankungen,
- Störungen bei Bildung und Abbau von Knochengewebe,
- entzündliche und degenerative Veränderungen der Gelenke und der Wirbelsäule,
- Gicht,
- Knochenmarkentzündungen,
- maligne Erkrankungen.

Einige wichtige Krankheitsbezeichnungen aus dem Bereich Skelett-Gelenke-Wirbelsäule sind:

- **Arthrosen,** typische verschleißbedingte Erkrankungen, die vor allem Kniegelenke (Gonarthrose), Hüftgelenke (Coxarthrose) und die Wirbelsäule (Spondylarthrose) betreffen. Bei der Entstehung spielen – neben anderen Faktoren – auch Entzündungsreaktionen der Gelenkinnenhaut (Begleitsynovitis) eine wichtige Rolle.
- **Arthritis** ist der Sammelbegriff für entzündliche Gelenkerkrankungen. Sie können z.B. auch im Rahmen einer Psoriasis oder einer Gicht auftreten.
- **Rheuma** ist kein eng fassbarer Begriff – die Erkrankungen des rheumatischen Formenkreises umfassen schmerzhafte, entzündliche und degenerative Prozesse, welche die Bewegungsfähigkeit des Patienten einschränken. Einige mögliche auslösende Faktoren nennt Tabelle 8.2-1.
- **Bursitiden,** Entzündungen der Schleimbeutel, treten bei zu großer Druckbelastung auf. Ein Beispiel: der Torwart-Ellenbogen.
- Zu den Verletzungen an Bändern und Gelenken zählen die **Distorsion** (Zerrung, Verstauchung), eine Überdehnung, die bis

Tab. 8.2-1: Auslösefaktoren rheumatischer Erkrankungen

Fehl- und Überbelastungen Exogen durch berufliche und sportliche Überbeanspruchung, durch Wirbelsäulenaffektionen, Gelenkprozesse usw.
Neurale Faktoren Reflexmechanismen von Gelenken, Wirbelsäule, inneren Organen
Traumen einschließlich Mikrotraumen
Kälte-, Feuchtigkeits- und Witterungseinflüsse
Infektionen
Hormonale und metabolische Faktoren
Psychische Faktoren

zur Zerreißung funktionell wichtiger Strukturen gehen kann (Bänderriss). Bei einer Zerreißung von Blutgefäßen der Kapsel sind meist Blutungen ins Gelenk die Folge. In einfachen Fällen kommt es nur zu Dehnungen des Kapselbandapparates mit geringen Schwellungen und Gelenkergüssen.

- Bei einer **Luxation** (Verrenkung) liegt eine Verschiebung zweier gelenkbildender Knochenenden aus ihrer funktionsgerechten Stellung vor. Dies sind immer schwerwiegende Gelenkverletzungen, deren Einrenkung nie ein Laie, sondern immer der Arzt vornehmen sollte.

8.2.2 Erkrankungen der Muskeln und anderer Weichteile

Bei **Myopathien** im engeren Sinne liegen strukturelle oder funktionelle Veränderungen der Muskelfasern vor. Durch Überbeanspruchung oder Traumen, z.B. Sportverletzungen, oder „rheumatisch" bedingt (Muskelrheumatismus) sind Störungen des Bewegungsablaufes die Folge, wobei meist den Muskelfasern benachbarte Bindegewebe betroffen sind. Während sich die funktionellen Schäden oder die durch sie verursachten Symptome medikamentös beseitigen oder lindern lassen, sind strukturelle (dystrophische) Myopathien, denen vererbbare degenerative Prozesse zugrunde liegen, nur schwer medikamentös beeinflussbar.

Auch **Störungen des Zentralnervensystems** (z.B. Morbus Parkinson) oder der **Erregungsübertragung** vom Nervenende auf die motorische Endplatte (Myasthenia gravis) verursachen Muskelerkrankungen. Hier werden Neuro- und zum Teil auch Psychopharmaka eingesetzt. **Myotonien,** d.h. vom Muskelgewebe selbst ausgehende Überfunktionen, können durch Neuropharmaka wie Muskelrelaxantien behandelt werden.

Einige Myopathien weisen auch enge Beziehungen zur **Endokrinologie** auf. So werden bei verschiedenen hormonellen Erkrankungen wie Hypo- bzw. Hyperthyreose, Morbus Cushing, Morbus Addison oder Diabetes auch Krankheitssymptome an der Muskulatur beobachtet.

Folgende **Muskelerkrankungen** sind durch **Selbstmedikation** beeinflussbar:

- **Myalgien** (Muskelschmerzen) sind schmerzhafte Verspannungen. Besonders häufig betroffen sind Nacken- und Rückenmuskulatur (z.B. nach überlangen Autofahrten).
- Als **Myogelose,** auch Hartspann, bezeichnet man den Dauertonus einer Muskelgruppe, z.B. im Nackenbereich, häufig auch in der Schulter-Arm-Region oder an der Außenseite der Schenkel (ausgehend von der Hüfte).
- **Tendinosen,** Sehnenerkrankungen, können die Folge einer hohen Dauerbelastung sein. Als Tendovaginitis (Sehnenscheidenentzündung) bezeichnet man die entzündliche Reizung der die Sehne umhüllenden Sehnenscheide. Typische Beispiele sind der Tennis- und der Golfspieler-Ellenbogen.
- **Lumbago** (Hexenschuss) ist ein akut auftretender Muskelrheumatismus der Lendengegend. Er wird häufig durch Bandscheibenveränderungen verursacht, welche reflektorisch den Muskelschmerz bedingen.
- **Kontusion** (Prellung) ist die wohl häufigste Sportverletzung überhaupt. Durch direkte Gewalteinwirkung (Stoß oder Schlag) kommt es zur Quetschung der Weichteile des Unterhautfettgewebes, manchmal auch der Muskulatur, wobei Blutungen auftreten können.
- Ein **Muskelkrampf** ist ein plötzliches Ereignis, das meist die Wadenmuskulatur betrifft. Die Ursache liegt wahrscheinlich in einer Stoffwechselstörung infolge Sauerstoffmangels bzw. einer Störung im Elektrolythaushalt. Zu den besten Vorbeugungsmaßnahmen bei durch sportliche Betätigung verursachten Muskelkrämpfen

gehören neben guten Trainingsvorbereitungen die Verabreichung salzhaltiger Getränke (Elektrolytlösungen) und Abreibungen der Beine in den Wettkampfpausen.

- **Neuralgien** (Nervenschmerzen) äußern sich als heftige, zum Teil anfallsweise auftretende helle Schmerzen im Ausbreitungsgebiet der Nerven.
- **Ischialgie** (Ischias) bezeichnet Schmerzzustände, die durch Reizung des Nervus ischiaticus ausgelöst werden. Sie äußern sich als ziehender Schmerz aus der Kreuzbeingegend über die Außenseite des Oberschenkels bis in den Fuß. Häufige Ursache ist eine Kompression der Nervenwurzel durch einen Bandscheibenvorfall.
- **Hämatom** (Bluterguss) ist eine Ansammlung von geronnenem Blut im Unterhautzellgewebe oder in anderen Weichteilen, oft im Zusammenhang mit stumpfen Traumen.
- **Muskelkater** entsteht durch Überlastung nicht genügend trainierter Muskeln, vor allem bei ungewohnten Bewegungsabläufen. Nach neuerer Auffassung handelt es sich nicht, wie früher angenommen, um eine Folge örtlicher Durchblutungsstörungen oder die Anhäufung saurer Stoffwechselprodukte, sondern wahrscheinlich um feinste Verletzungen in der Mikrostruktur des Muskels.

Info

Ischias-Beschwerden, die schon länger als 48 Stunden andauern, mit Begleiterscheinungen wie Kribbeln, Taubheitsgefühl oder Bewegungseinschränkungen einhergehen, sollten umgehend ärztlich abgeklärt werden.

Krankheitsbilder

8.3 Medikamentöse Maßnahmen

Eine medikamentöse Kausalbehandlung von Erkrankungen des Bewegungsapparates ist wegen begrenzter Kenntnisse der ihnen zugrundeliegenden detaillierten Pathomechanismen erst in geringem Umfang möglich. Selbst dort, wo die pathophysiologischen Zusammenhänge besser verstanden werden, fehlen gezielt angreifende Wirkstoffe. Insofern dominiert die symptomatische Behandlung, bei der neben der Pharmakotherapie auch physikalisch-therapeutischen Maßnahmen ein hoher Stellenwert zukommt.

Für die **Selbstmedikation** – auch unter Beratung durch den pharmakologisch versierten Apotheker – sind die therapeutischen Maßnahmen bei Erkrankungen des Bewegungsapparates begrenzt und beschränken sich im Wesentlichen auf die symptomatische Schmerzlinderung durch systemisch wirkende Analgetika-Antiphlogistika und die lokale externe Behandlung.

8.3.1 Interne Antineuralgika und Antineuritika

In den Verbrauchsstatistiken für Arzneimittel nehmen heute **Analgetika** und **Antirheumatika** einen führenden Rang ein. Der Begriff „Antirheumatika" ist unscharf, da er weder aus pathogenetischer noch aus pharmakologischer Sicht eine Abgrenzung von anderen Arzneimitteln zulässt. Einen wesentlichen Teil der unter dem Begriff „Antirheumatika" subsummierten Pharmaka stellen die „nicht steroidalen Antirheumatika" (NSAR) dar, deren Bezeichnung nicht befriedigender ist, und hinter denen sich die heute weit verbreiteten **Prostaglandinsynthese-Hemmstoffe**, vor allem die stärker wirksamen der neuen Generation, verbergen. Obwohl ihnen – laut Firmeninformationen durch exakte pharmakologische Versuche belegt –, verglichen mit den klassischen Prostaglandinsynthese-Hemmern der Salicylsäure- bzw. Pyrazolidinreihe, ein relativ geringer ulzerogener Index* zugeschrieben wird, sind sie doch mit erheblichen **Nebenwirkungen** belastet. Der perorale Einsatz dieser Substanzen und auch der stark antiphlogistisch wirkenden Glucocorticoide ist daher mit Ausnahme des innerhalb bestimmter Dosisgrenzen von der Rezeptpflicht freigestellten Ibuprofen, Naproxen und Diclofenac dem Arzt vorbehalten.

Die Begriffe der **Antineuralgika** und **Antineuritika,** von denen der erste der übergeordnete Begriff ist, lassen zwar ebenfalls keine exakte pharmakologisch-mechanistische Definition zu, werden von uns jedoch bevorzugt, weil sie die Zielrichtung der betreffenden Pharmaka erkennen lassen.

Antineuralgika sind etymologisch betrachtet den Analgetika gleichzusetzen, da alle Schmerzzustände durch neurale Reaktionen verursacht werden.

Unter **Antineuritika** hingegen sind (streng genommen) nur solche Pharmaka zu verstehen, welche gegen entzündliche Veränderun-

---

* Unter dem **ulzerogenen Index** versteht man das im definierten pharmakologischen Modell ermittelte Verhältnis zwischen ulzerogener und antiphlogistischer Wirkung einer bestimmten Substanz.

gen von Nervengewebe und hierdurch bedingte Schmerzzustände gerichtet sind. Praktisch verwischen jedoch die begrifflichen Unterschiede.

Gemessen an der gesamten Wirkstoffpalette zur Behandlung entzündlicher und degenerativer Erkrankungen des Bewegungsapparates einschließlich der Basistherapeutika und der starken Arzneimittel mit symptomatischer Wirkung sind die pharmakotherapeutischen Möglichkeiten im Bereich der Selbstmedikation gering. Sie beschränken sich auf

- die Behandlung der durch spontane Ereignisse ausgelösten Schmerzzustände (z.B. stumpfe Verletzungen, lokale Überlastungen wie „Tennisarm", lokale Entzündungen durch Zugluft) oder
- starke Schmerzschübe bei chronischen Erkrankungen des rheumatischen Formenkreises
- sowie auf die längerfristige unterstützende Behandlung chronischer Erkrankungen des Bewegungsapparates.

Für die genannten Zwecke kommen in begrenztem Umfang Analgetika-Antiphlogistika, Muskelrelaxantien, diverse physiologische Substrate (Vitamine, Nucleosidderivate und andere) sowie in begrenztem Umfang pflanzliche Arzneimittel in Betracht.

8.3.1.1 Analgetika-Antiphlogistika

Die Selbstbehandlung mit Analgetika aus der Reihe der Prostaglandinsynthese-Hemmer muss, auch wenn die Substanzen nicht verschreibungspflichtig sind, auf **akute Schmerzzustände** beschränkt bleiben. Eine Dauermedikation mit diesen Pharmaka bedarf wegen der Gefahr erheblicher, oft nicht ohne spezielle Diagnostik erkennbarer Nebenwirkungen der ärztlichen Überwachung. Näheres zum gezielten Einsatz analgetisch-antiphlogistischer Wirkstoffe vermittelt das Kapitel 1.1.4.

Beratungstipp

Kunden darauf hinweisen, dass keinesfalls mehrere Analgetika-Antiphlogistika in Eigenregie gleichzeitig eingenommen werden dürfen.

Kombinationstherapie

Ein großer Teil der nicht verschreibungspflichtigen Analgetika/Antirheumatika enthält neben analgetisch wirksamen Bestandteilen auch weitere Substanzen aus ganz verschiedenen Stoffgruppen. Fixe Kombinationen sind wissenschaftlich umstritten. Während die Befürworter derartiger Präparate sich eine bessere Verträglichkeit durch Dosisreduktion der Einzelkomponenten versprechen, argumentieren die Gegner mit der größeren Belastung des Organismus durch eine fast unüberschaubare Zahl von Substanzen, dem höheren Missbrauchsrisiko sowie der erschwerten Therapie im Falle einer Überdosierung.

Kombinationspartner der Analgetika in entsprechenden handelsüblichen Fixkombinationen sind Muskelrelaxantien, Coffein, Sedativa, Vitamine und diverse Pflanzenextrakte, welche später besprochen werden. Nicht alle verfügbaren Kombinationspräparate halten einer kritischen Bewertung stand. Der Zusatz von **Antihistaminika** zu antineuralgischen Präparaten kann zwar als Schlafhilfe Erleichterung bringen; ob hieraus jedoch die Berechtigung einer entsprechenden Fixkombination abgeleitet werden darf, sei dahingestellt – zumal diese Präparate auch am Tage gegeben werden und dann mit einem verminderten Reaktionsvermögen als Nebenwirkung gerechnet werden muss.

Die **Lithiumbehandlung der Gicht** stammt noch aus dem 19. Jahrhundert und gilt heute als obsolet. Gicht ist eine Erkrankung, welche auf eine Entgleisung des Harnsäurestoffwechsels zurückgeht und zu Urat- (insbesondere Natriumurat-)Ablagerungen und hierdurch bedingter Knötchenbildung im Gewebe führt. Ihre Behandlung mit Lithiumsalzen beruht auf der irrtümlichen Vorstellung, Natriumionen in den schwerlöslichen Uraten durch Lithiumionen ersetzen und somit die knötchenförmigen Ablagerungen auflösen zu können.

8.3.1.2 Muskelrelaxantien

Rheumatisch-entzündliche Erkrankungen oder stumpfe Verletzungen in der Peripherie können, wie auch einseitige regionale Überbelastungen des Bewegungsapparates oder degenerative Veränderungen der Wirbelsäule (z.B. Bandscheibenschäden), auf reflektorischem Wege zu lokalisierten Verspannungen der Skelettmuskulatur (Schonhaltung) führen. Bei derartigen krampfartigen Muskelbeschwerden sind **Muskelrelaxantien** indiziert, die entweder peripher durch Neurotransmitter-Hemmung an der motorischen Endplatte des Muskels selbst oder durch Hemmung polysynaptischer Reflexe im Rückenmark und in supraspinalen Bereichen des Zentralnervensystems angreifen. Die Muskelrelaxantien aus der Reihe der quartären Ammoniumverbindungen sind ausschließlich, die übrigen überwiegend verschreibungspflichtig. Für die Selbstmedikation stehen nur wenige Substanzen zur Verfügung.

Sieht man von den Magnesiumsalzen ab, welche bei durch entsprechende Mangelzustände bedingten Muskelkrämpfen indiziert sind, so war früher das einzige nichtverschreibungspflichtige Muskelrelaxans **Guaifenesin**. Es weist wie andere verwandte Glycerolether sedierende, expektorierende sowie muskelrelaxierende Eigenschaften auf. Später wurde gelegentlich noch das strukturverwandte, aber verschreibungspflichtige, **Mephenesin** verwendet.

Magnesiumzubereitungen einschließlich ihrer Kombinationspräparate (s.a. Kap. 3.2.2.1) haben eine Renaissance erlebt. Magnesiumsalze vermögen Krampfzustände der glatten und quergestreiften Muskulatur zu lösen, Muskelverspannungen und nächtlichen Wadenkrämpfen vorzubeugen oder zu lindern. Sie verringern die Muskelkontraktion durch Hemmung von Acetylcholin, also des Neurotransmitters an der motorischen Endplatte. Zum **Magnesiummangelsyndrom** gehören: Oberschenkelkrampf, Fußsohlenkrampf, Zehenkrampf und Parästhesien. Ein Magnesiummangel entsteht meist bei Fehl- oder Mangelernährung, bei bestimmten Erkrankungen (z.B. Durchfall, Leberzirrhose, Hyperthyreose, Diabetes mellitus), ferner durch Medikamente wie Diuretika oder Laxantien, durch Stress, Sport und auch in der Schwangerschaft.

Info

Chronischer Alkoholmissbrauch führt zu erhöhter renaler Magnesium-Ausscheidung und gilt heute als häufigste Ursache für Magnesiummangel.

Häufig tritt eine Hypomagnesämie bei chronischem Alkoholismus auf. Da Magnesium vorwiegend intrazellulär vorliegt und der Körper den Blutspiegel lange konstant hält, ist ein Magnesiumdefizit nur schwer nachweisbar. Eine exakte Bestimmung des intrazellulären Magnesiumspiegels ist außerordentlich aufwändig (Gewebeprobe) und wird auch in der ärztlichen Praxis sehr selten durchgeführt. Der optimale (tägliche) Dosierungsbereich dürfte um die 300 mg Magnesium liegen; Präparatebeispiele nennt Tabelle 8.3-1. Bei den dort aufgeführten Magnesiumoxid-enthaltenden Präparaten ist anzumerken, dass deren Resorbierbarkeit eine vorherige Lösung des Wirkstoffs im sauren Milieu des Magens voraussetzt. Welche Magnesiumverbindung in vivo die beste Bioverfügbarkeit besitzt, ist noch nicht endgültig geklärt. Manche Experten vertreten die Ansicht, dass auch schwerlösliche Verbindungen im Magen-Darm-Trakt zu Chloriden bzw. Phosphaten umgesetzt werden. Einige Hersteller verweisen auf Bioverfügbarkeitsuntersuchungen, wonach organische Magnesium-Verbindungen am besten resorbiert würden. Ein versuchsweiser Ein-

Medikamentöse Maßnahmen

Tab. 8.3-1: Magnesium-Handelspräparate (Auswahl)

Präparatename	Arzneiform	verwendete Salze	Menge Magnesium-verbindung (mg)	entspricht Mg²⁺ (mg)
A. niedrig dosierte				
Magnerot® Classic N	Tabletten	Orotat	500	32,8
Magnesiocard® 2,5 mmol	Filmtbl.	L-Aspartat-HCl	614,8	60,8
Magnesium Verla®-N	Dragees	L-Hydrogenglutamat Dicitrat	90 205	40,0
Magnesium-Diasporal® 100	Lutschtabl.	Dicitrat	610	98,6
B. mittel dosierte				
Magnesium-Verla®-N Konzentrat	Granulat	L-Hydrogenaspartat	1622,69 (berechnet wasserfrei)	121,5
Magnetrans®-forte	Kapseln	Oxid	250	150,7
Mg5-Longoral®	Kautbl.	DL-Hydrogenaspartat	1803	121,5
Magnesium-Diasporal® 150	Kapseln	Oxid	250	150,7
Magnesium-Sandoz® 121,5 mg	Brausetbl.	Hydrogenaspartat	202	121,5
C. hochdosierte				
Magnesium-Diasporal® 300	Granulat	Dicitrat	1856	300
Magnesium Sandoz® 243 mg	Brausetbl.	Dicitrat Hydrogenaspartat	667,6	243

satz, auch wenn kein Magnesiummangel vorliegt, erscheint akzeptabel – das **Nebenwirkungsrisiko** (weicher Stuhl bis zu Durchfällen) ist relativ gering. Mögliche **Interaktionen** unter einer hochdosierten Magnesiumtherapie sind Resorptionsminderungen von Eisen, Natriumfluorid, Tetrazyklinen, Gyrasehemmern etc. durch Salz- bzw. Komplexbildung. Deshalb sollte ein zeitlicher Abstand von ein bis zwei Stunden zur Magnesium-Einnahme eingehalten werden. Die Wirkung von Calciumantagonisten und manchen Muskelrelaxantien kann durch Magnesium verstärkt werden. Zu beachtende **Kontraindikationen** für Magnesiumsalze sind Nierenfunktionsstörungen sowie bestimmte Störungen des Reizleitungssystems im Herz.

Beratungstipp

Wegen möglicher Interaktionen bei der Abgabe von Magnesium-Präparaten unbedingt auf den zeitlichen Abstand von ein bis zwei Stunden zur Einnahme anderer Medikamente hinweisen!

8.3.1.3 Vitamine

Vitamine der B-Gruppe

Die Vitamine B_1, B_6 und B_{12} (vgl. Kap. 3.1.2.1) werden wegen ihrer Beteiligung an verschiedenen neuralen Stoffwechselprozessen als „neurotrope" Vitamine zur unterstützenden Behandlung schmerzhafter, entzündlicher und degenerativer Erkrankungen von Nervenbahnen des Bewegungsapparates eingesetzt. Man spricht ihnen hierbei pharmakodynamische Wirkungen zu, deren

Vitamin B₁ und Derivate		
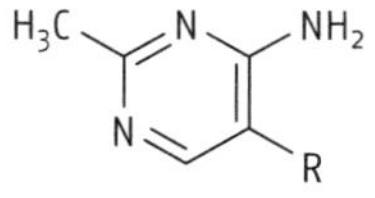 H₃C—⟨pyrimidine N,N⟩—NH₂, R	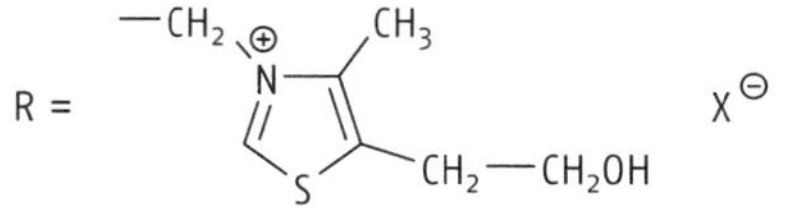 R = —CH₂—N⁺(thiazole)(CH₃)—CH₂—CH₂OH X⁻	Thiamin
	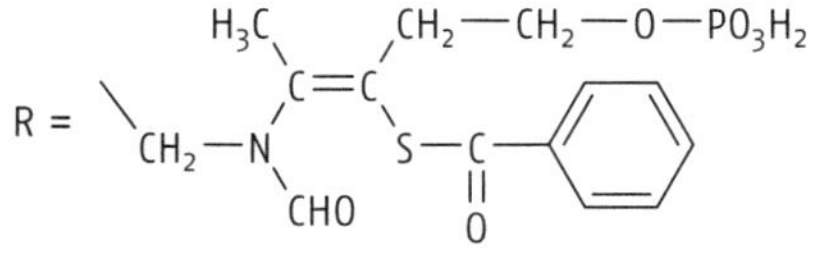 R = H₃C\C=C/CH₂—CH₂—O—PO₃H₂, CH₂—N(CHO)—S—C(=O)—C₆H₅	Benfotiamin

Abb. 8.3-1: Vitamine der B-Gruppe

streng wissenschaftlicher Nachweis jedoch noch aussteht.

Thiamin INN (frühere Bezeichnung: Aneurin)

Der tägliche Bedarf an Thiamin (Abb. 8.3-1) liegt bei 1,0 bis 1,3 mg für Erwachsene*. Die Wirkform des Vitamin B₁, das Thiaminpyrophosphat, entsteht aus Thiamin und ATP unter der Wirkung des Enzyms Thiaminpyrophosphokinase. Das Vitamin ist an vielen Stoffwechselprozessen beteiligt (Glykolyse, Pentosephosphatzyklus, Citratzyklus); Thiamin ist als Coenzym von Carboxylasen für den normalen Ablauf des Kohlenhydratstoffwechsels unentbehrlich. Es entfaltet seine Wirkung insbesondere dort, wo große Mengen an Kohlenhydraten verbraucht werden, z.B. in der Nervenzelle. Es werden ihm daher auch pharmakodynamische Wirkungen bei der Therapie von Neuritiden, Neuralgien und Erkrankungen des rheumatischen Formenkreises zugeschrieben. Obwohl das klinische Bild einer ausgeprägten B₁-Avitaminose (Beri-Beri) in unseren Breiten praktisch nicht vorkommt, führen doch verschiedene Faktoren (z.B. schwere körperliche Arbeit, chronischer Alkoholismus) zu latenten Mangelerscheinungen, die durch folgende Symptomatik geprägt sein können: neurasthenische Beschwerden, Appetitabnahme, Verdauungsstörungen, Müdigkeit oder auch Störungen des emotionellen Gleichgewichtes. Die hypothetische Begründung des Einsatzes von Vitamin B₁ ist sein bei Schmerzzuständen erhöhter Verbrauch. Der „analgetikumeinsparende Effekt" dieses Vitamins (bei einer täglichen Zufuhr von 100 bis 1 200 mg) kann jedoch keineswegs als gesichert gelten.

Therapeutisch genutzt werden auch lipidlösliche **Thiaminderivate,** die im Organismus ebenfalls zu Thiaminpyrophosphat phosphoryliert werden, wie z.B. Benfotiamin (Strukturformeln siehe Abb. 8.3-1, Präparatebeispiele siehe Tab. 8.3-2).

Pyridoxin

Die Sammelbezeichnung „Pyridoxin" (Abb. 8.3-2) für Vitamin B₆ umfasst **Pyridoxol, Pyridoxal** (die eigentliche Wirkform) und **Pyridoxamin.** Nach den Empfehlungen der DGE sollte die tägliche Zufuhr für Jugendliche und Erwachsene bei 1,2 bis 1,6 mg liegen. Die Coenzyme Pyridoxalphosphat und Pyridoxaminphosphat wirken bei zahlreichen enzymatischen Reaktionen mit, z.B. bei der Übertragung von Aminosäuren und Aminogruppen. Vitamin B₆ ist daher für die Proteinsynthese von Bedeutung, ferner auch

---

* Nach den Empfehlungen der *Deutschen Gesellschaft für Ernährung* (DGE), Frankfurt/Main 2017.

Tab. 8.3-2: Präparate mit Vitaminen der B-Gruppe (Auswahl)

Präparatename	Darreichungsform	Wirkstoffgehalt pro Dosierungseinheit	Weitere Inhaltsstoffe
A. Vitamin-B₁-Präparate			
B1-ASmedic®	Tabletten	B₁ 100 mg	–
B1-Kattwiga	Tabletten	B₁ 100 mg	–
Vitamin B₁-ratiopharm®	Tabletten	B₁ 200 mg	–
B. Vitamin-B₆-Präparate			
B₆-Vicotrat® 300 mg	Filmtbl.	B₆ 300 mg	–
Vitamin B6-Hevert®	Tabletten	B₆ 100 mg	
Vitamin B₆-ratiopharm®	Filmtbl.	B₆ 40 mg	–
C. Vitamin-B₁₂-Präparate			
Vitasprint®	Trinkfläschchen/ Kapseln	B₁₂ 0,5 mg/0,2 mg	Glutamin Phosphoserin
B₁₂ Ankermann®	Dragees	B₁₂ 1 mg	
Vitamin-B₁₂ ratiopharm®	Filmtbl.	B₁₂ 0,01 mg	
D. Kombinationspräparate			
Milgamma® 100	Dragees	Benfotiamin 100 mg B₆ 100 mg	–
Neurobion N® forte	Dragees	B₁ 100 mg B₆ 100 mg	–
Neuro-ratiopharm® 100 mg/100mg	Filmtbl.	B₁ 100 mg B₆ 100 mg	–
Neurotrat®S forte	Filmtbl.	B₁ 100 mg B₆ 100 mg	–
Neuro-Effekton® B	Dragees	B₁ 250 mg B₆ 100 mg	

für die Synthese biogener Amine, die wiederum z.T. Neurotransmitter sind. **Der therapeutische Nutzen** einer hochdosierten Vitamin-B₆-Gabe im Sinne einer pharmakodynamischen Neuraltherapie (tägliche Zufuhr: 30 bis 600 mg) kann nicht als gesichert angesehen werden.

Cyanocobalamin

Die angemessene Zufuhr an Vitamin B₁₂ (Abb. 8.3-2) wird von der DGE für Jugendliche und Erwachsene auf 3 μg geschätzt. Die aktiven Coenzyme des Cobalamin, Desoxyadenosylcobalamin und Methylcobalamin, sind an enzymatisch katalysierten intramolekularen Wasserstoffverschiebungen und intermolekularen Übertragungen von Methylfunktionen beteiligt. Die methylcobalaminabhängige Methioninsynthese ist eng gekoppelt mit der Synthese von Nukleinsäuren. Trotz der vielfältigen theoretischen molekularbiologischen Erklärungsmöglichkeiten pharmakodynamischer Wirkungen des Vitamin B₁₂ und seiner Abkömmlinge erscheinen die in Firmenprospekten postulierten Wirkungsmechanismen noch weitgehend spekulativ. Der **therapeutische Einsatz** in hoher Dosierung (tägliche Zufuhr: 0,03 bis 1 mg) erfolgt meist rein empirisch, wobei der durchaus erwünschte Suggestivanteil an der offenbar beobachteten Wirksamkeit schwer abzuschätzen ist.

Vitamin B₁			
(Struktur: HO, H₃C, N, R, CH₂OH)		R = CH₂OH	Pyridoxin (Pyridoxol)
		R = CHO	Pyridoxal
		R = CH₂NH₂	Pyridoxamin
Vitamin B₁₂			
(Cobalamin-Struktur)		R = CN	Cyanocobalamin
		R = OH	Hydroxocobalamin
		R = NO₂	Nitrocobalamin
		R = CH₃	Methylcobalamin

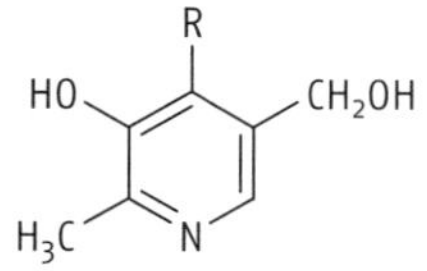

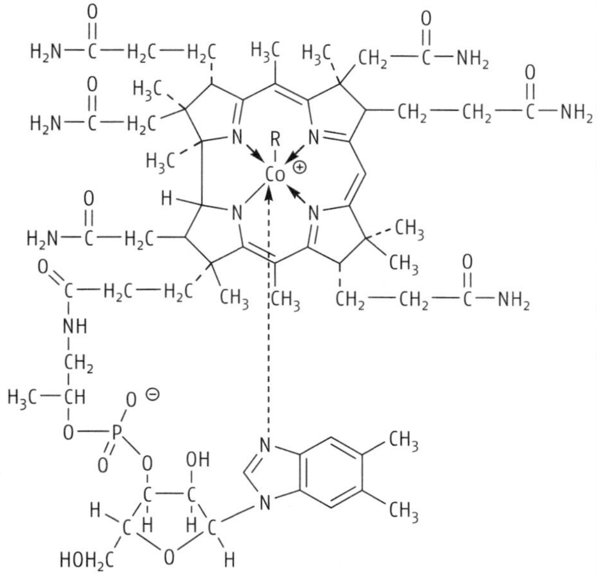

Abb. 8.3-2: Vitamine der B-Gruppe

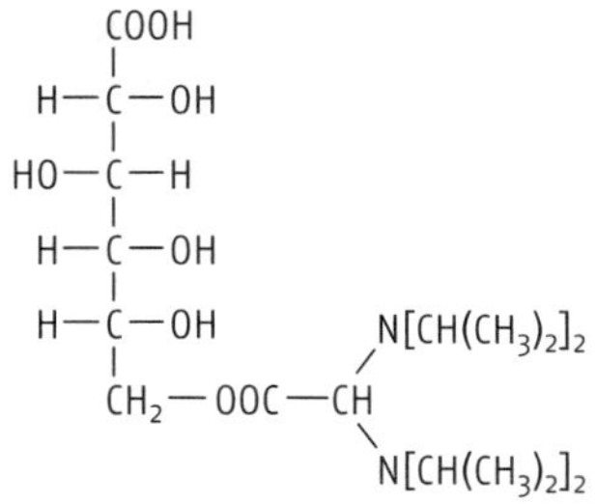

Pangamsäure:
COOH
H—C—OH
HO—C—H
H—C—OH
H—C—OH
CH₂—OOC—CH(N[CH(CH₃)₂]₂)₂

Pangamsäure

Schließlich sei auch **Vitamin B₁₅** erwähnt. Die Substanz, die in Mehl und besonders in Reiskleie vorkommt, soll an Transmethylierungsprozessen und an der Kreatinsynthese mitwirken. Pangamsäure wird versuchsweise eingesetzt bei Neuritiden, Spondylosen, Arthrose, Myalgien und Ischialgie; die empfohlene tägliche Dosierung liegt bei 15 bis 30 mg (Präparatebeispiel: Oyo® Dragees). Die **Wirksamkeit** ist nicht erwiesen.

Vitamin E

Vgl. auch Kapitel 3.1.2.5.
Der tägliche Vitamin-E-Bedarf von Jugendlichen und Erwachsenen liegt nach den Empfehlungen der DGE bei 11 bis 15 mg α-Tocopherol (Abb. 8.3-3) bzw. Äquivalenten. Tocopherole beeinflussen Aufbau und Funktion aller Gewebe mesodermaler Herkunft (Gefäße, Muskeln, Bindegewebe). Diesen lipophilen Antioxidantien soll auch eine „Zell-

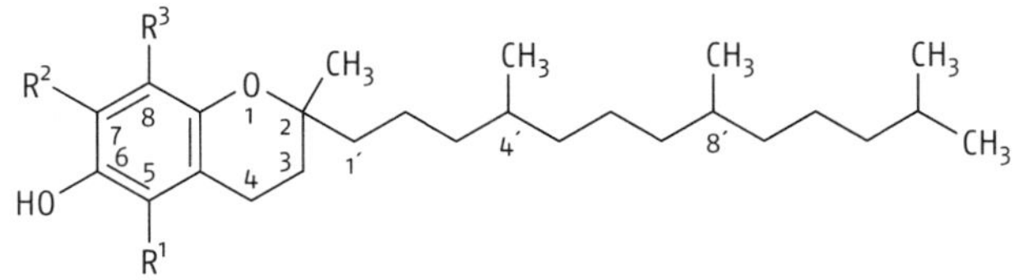

Medikamentöse Maßnahmen

Substanz	R¹	R²	R³
α-Tocopherol	CH₃	CH₃	CH₃
β-Tocopherol	CH₃	H	CH₃
γ-Tocopherol	H	CH₃	CH₃
δ-Tocopherol	H	H	CH₃

Abb. 8.3-3: Struktur der natürlich vorkommenden Tocopherole

schutzwirkung" zukommen. Man führt diese Schutzwirkung auf die Fähigkeit der freien Tocopherole zurück (nach dem in Abb. 8.3-4 gezeigten Schema), mit den im Verlauf einer überschießenden Phagozytose entstehenden aggressiven Peroxidradikalen und Peroxiden zu reagieren und so deren Funktion als Entzündungsauslöser zu blockieren.

Info

RRR-α-Tocopherol-Äquivalente lassen sich mit dem Faktor 1,49 in I.E. umrechnen:
1 mg = 1,49 I.E.

Laut Untersuchungen greifen Tocopherole – die höchste biologische Aktivität weist das α-Tocopherol auf – in die Arachidonsäurekaskade ein und bremsen den Abbau der Phospholipide über Arachidonsäure zu Prostaglandinen, Prostacyclin, Thromboxanen sowie Hydroxyfettsäuren und Leukotrienen. Aufgrund dieser **antiphlogistischen Eigenschaften** sowie ebenfalls beschriebener **antiproliferativer Wirkungen** nutzt man Vitamin E in hoher Dosierung auch bei entzündlichen Erkrankungen des Stütz- und Muskelgewebes sowie bei degenerativen rheumatischen Erkrankungen mit entzündlichen Schüben. Auch hier wurde von einem Analgetika-Einspareffekt berichtet.

Positive Einflüsse von Vitamin E (α-Tocopherol in einer Dosierung von täglich 600 mg über mindestens 10 Tage) auf die **Begleitsymptome der Arthrosis deformans** wurden in der Literatur beschrieben; ein Mechanismus dieser Wirkung ist unbekannt. In Kulturmedien konnte eine Verlängerung der Lebensspanne von Fibroblasten beobachtet werden. Trotz einer Vielzahl angebotener Vitamin-E-Zubereitungen (Tab. 8.3-3) gehen die Angaben zur nötigen täglichen **Dosierung** weit auseinander (100 bis 1000 mg). Im Blut und in den Organen ist die Aufnahme- und Speicherkapazität für dieses Vitamin nur begrenzt. Nach längerer Zufuhr hoher Dosen (täglich 400 bis 1600 mg über mehrere Wochen) wurden **Nebenwirkungen** wie z.B. Darmirritationen, Übelkeit, Erbrechen, Schwindel, Kopfschmerzen, Erschöpfungszustände oder Thrombophlebitis beobachtet.

Beratungstipp

Vitamin-E-Präparate sollten wegen ihrer Lipophilie möglichst nicht nur mit Wasser, sondern mit einer fetthaltigen Mahlzeit eingenommen werden.

8.3.1.4 Nucleoside/Nucleotide

Nucleoside sind Verbindungen aus Ribose oder Desoxyribose mit einer Purinbase

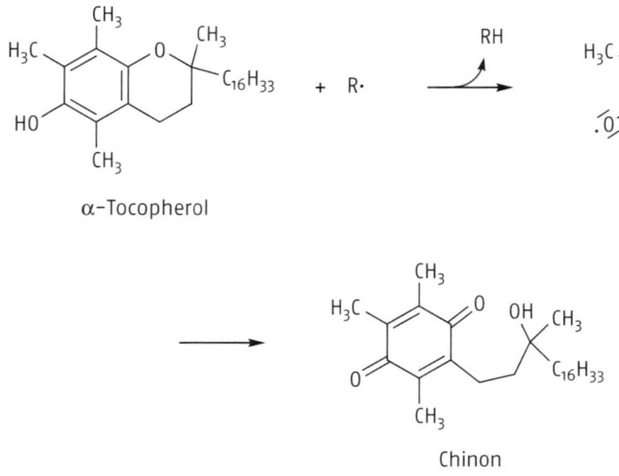

Abb. 8.3-4: Radikal-neutralisierende Wirkung von Vitamin E

(Adenin, Guanin, Hypoxanthin) oder Pyrimidinbase (Uracil, Thymin, Cytosin). **Nucleotide** hingegen sind die Phosphorsäureester der Nucleoside, energiereiche Verbindungen, die im zellulären Stoffwechsel entstehen und zu verschiedenen Syntheseprozessen benötigt werden.

Nucleosid- bzw. nucleotidreiche Organextrakte werden schon lange für verschiedene **Indikationen,** besonders zur unterstützenden Behandlung von Neuritiden und Myalgien, genutzt. Die Schädigung eines Nerven kann mit einem erhöhten Bedarf an derartigen Substraten verbunden sein.

Cytidinmonophosphat (CMP, vgl. Abb. 8.3-5) aktiviert die Phospholipidsynthese, ist an der Biosynthese der Sphingomyeline beteiligt und soll auch die Erholung der myelinhaltigen Nervenfasern nach Schädigung beschleunigen.

Uridintriphosphat (UTP, vgl. Abb. 8.3-5) ist eines der Schlüssel-Coenzyme im Kohlenhydratstoffwechsel; uridinaktivierte Monosaccharide steuern z.B. die Synthese von Glykolipiden, Glykoproteinen, Neuraminsäuren und Gangliosiden.

In der neurologischen Therapie, bei Erkrankungen des zentralen oder peripheren Ner-

Tab. 8.3-3: Präparate mit Vitamin E (Auswahl)

Präparatename	Darreichungsform	α-Tocopherol-Gehalt pro Dosierungseinheit	Sonstige Inhaltsstoffe
Evit® 400 mg	Kapseln	400 I.E.	–
Mowivit® Vitamin E 600/–1000	Kapseln	600/1000 I.E.	–
Optovit® forte/ –fortissimum 500/ –select 1000	Kapseln	200/500/1000 I.E.	–
Eusovit® forte 403 mg	Kapseln	600 I.E.	–
E Vitamin ratiopharm	Kapseln	400 I.E.	–

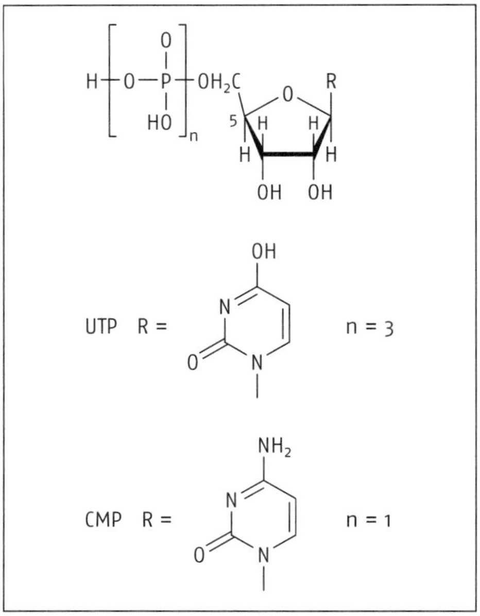

Abb. 8.3-5: Nucleoside/Nucleotide

vensystems, beobachtete man deutliche Besserungen von Motorik und Sensibilität durch die Gabe der physiologisch vorkommenden Nucleoside Cytidin und Uridin, bzw. deren Phosphaten. Aufgrund der Annahme, dass nicht die energiereichen Phosphate Voraussetzung für die Wirkung seien, sondern Nucleoside, die auch vor der Permeation der Zellmembranen gebildet und innerhalb der Zelle wieder in energiereiche Phosphate überführt werden, ist das Präparat Keltican® forte* (ein Gemisch aus im Wesentlichen UTP mit UDP und UMP) auf den **Gesamturidingehalt** und nicht auf UTP standardisiert. Die Di- und Triphosphate des Uridins sind nicht stabil und hydrolysieren zu UMP; nach bisherigen Untersuchungen ist diese Instabilität jedoch für die Wirkung nicht relevant.

Von diesem therapeutischen Konzept einer Stimulation der Reparationsmechanismen der Nervenzelle sind keine Soforteffekte zu erwarten (Langzeittherapie), die Substanzen besitzen keine direkte analgetische Wirkung. Ein strenger klinischer Wirksamkeitsnachweis in kontrollierten Studien fehlt.

8.3.1.5 Proteolytische Enzyme

Die proteolytische Aktivität verschiedener Enzyme wird auch zur Behandlung von Ödemen und Entzündungen genutzt. Bei derartigen Krankheitsprozessen gelangen Plasmaproteine und Flüssigkeit durch die Wände der Blutgefäße in den Interzellularraum. Das Exsudat verdickt sich (ein Teil des Fibrinogens wird in Fibrin umgewandelt) und kann nicht wieder in das Gefäßsystem gelangen. Durch Depolymerisation des Fibrins und weiterer pathologischer Proteine mit Hilfe der eingesetzten Enzyme soll die Durchlässigkeit verbessert und die Drainage wiederhergestellt werden. Verschiedene Untersuchungen zur antiinflammatorischen Wirkung von Enzympräparaten weisen auf einen Einfluss auf den Prostaglandinstoffwechsel (Arachidonsäuremetabolismus) hin; auch eine inaktivierende Wirkung auf Bradykinin, einen der Hauptentzündungs- und Schmerzmediatoren, wurde beschrieben.

Offensichtlich können einige Enzyme in gewissem Umfang ohne Verlust ihrer proteolytischen Aktivität die Darmwand passieren; sie werden also auch in hochmolekularer Form absorbiert. So liegen zu Bromelain inzwischen Untersuchungen vor, wonach das Enzym nach oraler Applikation im menschlichen Darm ohne nennenswerten Verlust seiner biologischen Aktivität resorbiert wird. In-vitro- und In-vivo-Studien haben gezeigt, dass Bromelain verschiedene fibrinolytische, antiödematöse, thrombozytenaggregationshemmende, immunmodulatorische und antiinflammatorische Aktivitäten entfalten kann. Der genaue Wirkmechanismus ist jedoch noch nicht endgültig verstanden. Sein Nebenwirkungspotenzial gilt dabei als recht gering. Für eine abschließende Bewertung des Nutzens proteolytischer Enzyme bei Er-

---

* Keltican® forte Kapseln enthalten pro Kapsel: Uridinmonophosphat (UMP) 50 mg, Cyanocobalamin 0,003 mg, Folsäure 0,4 mg.

krankungen des Bewegungsapparates sind jedoch noch umfangreichere Daten sowie weitere Studienergebnisse notwendig.
In den verschiedenen Fertigpräparaten zur oralen Anwendung (Tab. 8.3-4) bei Entzündungen, Verletzungen und Schwellungen werden folgende Enzyme eingesetzt:

Trypsin. Dieses im Dünndarm vorkommende Enzym entsteht aus dem im Pankreas gebildeten Proenzym Trypsinogen durch Abspaltung eines Hexapeptids.

Chymotrypsin. Die inaktive Vorstufe, das Chymotrypsinogen, wird ebenfalls in der Bauchspeicheldrüse gebildet und durch Trypsin in Chymotrypsin umgewandelt.

Bromelain. Hier handelt es sich um ein pflanzliches Enzymgemisch, das aus Stämmen und unreifen Früchten der Ananaspflanze gewonnen wird.

Papain. Diese Protease wird aus dem Milchsaft unreifer Früchte des Melonenbaumes (Carica papaya) gewonnen. Als „Mürbesalz" ist es Bestandteil von Fleischzartmachern.

Pankreatin. Dies ist ein standardisierter Pankreasextrakt, der pro Gramm durchschnittlich 2500 FIP-Einheiten Proteasen enthält, ferner 40000 FIP-Einheiten Lipase und 30000 FIP-Einheiten Amylase.

Beratungstipp

Die Einnahme von Enzympräparaten sollte möglichst nüchtern bzw. mindestens ½ bis 1 Stunde vor den Mahlzeiten erfolgen.

8.3.1.6 Organpräparate

Diese Zubereitungen zur parenteralen Anwendung (Präparatebeispiele: NeyChon®) dienen der sogenannten „**Umstimmungstherapie**". Sie sollen über eine Aktivierung des Immunsystems auch entzündliche und degenerative rheumatische Erkrankungen der Gelenke und Gewebe, akute und chronische Entzündungen sowie Ödeme günstig beeinflussen. Ihr therapeutischer Wert bei peroraler Verabreichung erscheint aus verschiedenen, im Folgenden beschriebenen Gründen problematisch.

Das Problem der **Standardisierung** von Organpräparaten ist noch nicht befriedigend gelöst.

Auch hinsichtlich der **Absorption** sind noch viele Fragen offen. Während der Passage durch den Verdauungstrakt ist ein weitgehender Abbau der enthaltenen physiologischen Substrate zu erwarten. Die Resorption intakter höhermolekularer Strukturen aus dem Gastrointestinaltrakt erscheint zwar grundsätzlich möglich (vgl. Kap. 8.3.1.5 Enzyme) – zu dieser Frage liegen aber nur we-

Tab. 8.3-4: Enzympräparate

Präparatename	Darreichungsform	Enthaltene Enzyme und Wirkstoffmenge pro Dosierungseinheit		Weitere Inhaltsstoffe
Bromelain®-POS	Tabletten, magensaftresistent	Bromelain	56,25–95 mg (entspr. 500 F.I.P.-Einheiten)	
Phlogenzym® mono	Filmtabletten, magensaftresistent	Bromelain	133–178 mg (entspr. 800 F.I.P-Einheiten)	
Traumanase®	Tabletten, magensaftresistent	Bromelain	13,2–17,0 mg (entspr. 100 F.I.P.-Einheiten)	
Wobenzym® plus	Tabletten, magensaftresistent	Bromelain	67,5–76,5 mg (entspr. 450 F.I.P.-Einheiten)	Rutosid 100 mg
		Trypsin	32–48 mg	

nige gesicherte Daten und keinerlei kontrollierte klinische Studien vor.
Eine Gefährdung der Patienten durch tierpathogene Viren (Beispiel: Bovine spongiforme Enzephalopathie, BSE) wird derzeit für wenig wahrscheinlich gehalten; dies bedarf jedoch noch einer definitiven wissenschaftlichen Abklärung.
Im Zusammenhang mit arthrotischen Gelenkbeschwerden beanspruchen Nahrungsergänzungsmittel auf der Basis von **Gelatine** bzw. **Kollagen-Hydrolysat** positive Effekte für sich. Die Argumentationsweise besteht darin, dass 70% des Gelenkknorpels aus Kollagen besteht, was die Gelenke beweglich und geschmeidig macht. Um dessen Funktion zu unterstützen bzw. zu verbessern, sollten quasi die Bausteine für diese körpereigene Substanz von außen zugeführt werden. Der Einsatz entsprechender Nahrungsergänzungsmittel gilt als unbedenklich. Doch ob und welche Effekte mit Gelatine bzw. einem enzymatisch hergestellten Kollagen-Hydrolysat (z.B. CH-Alpha®) langfristig erzielbar sind, müssen Untersuchungen erst noch zeigen.

8.3.1.7 Pflanzliche Antirheumatika

Orale Phytopharmaka werden in der Rheumatherapie vor allem als **Adjuvantien** eingesetzt. Sie können die Therapie mit chemisch-synthetischen Antirheumatika ergänzen und gegebenenfalls auch eine Einsparung von nicht steroidalen Analgetika und Antiphlogistika ermöglichen, die bei der erforderlichen Langzeitanwendung oft schlecht verträglich sind. Bei der Auswahl der entsprechenden Phytopharmaka sollte darauf geachtet werden, dass es rational begründete Belege für eine antirheumatische Wirkung gibt und dass die Arzneimittel in ausreichend hoher Dosierung verabreicht werden. Auf die ausschließlich in der **Volksmedizin** bei rheumatischen Erkrankungen verwendeten Drogen wie
- Mädesüßblüten (Spiraeae flos) und
- Stiefmütterchenkraut (Violae tricoloris herba)

wird hier daher nicht näher eingegangen.

Teufelskrallenwurzel

Die Teufelskrallenwurzel (Harpagophyti radix) ist im Europäischen Arzneibuch beschrieben. Danach handelt es sich um die „geschnittenen, getrockneten, krallenförmigen, sekundären Wurzeln von *Harpagophytum procumbens D.C*", einer in den Savannen Südafrikas und Namibias heimischen Pedaliaceae. Nach Angaben des Arzneibuchs enthält die Droge mindestens 1,2 % **Harpagosid**, ein bitter schmeckendes Iridoidglykosid (Abb. 8.3-6). Obwohl der Wirkungsmechanismus der Teufelskrallenwurzel bisher noch nicht eindeutig geklärt werden konnte, deuten viele Daten darauf hin, dass Harpagosid über die Hemmung der Eicosanoid-Biosynthese an der antirheumatischen Wirkung zumindest wesentlich beteiligt ist.

Einen NSAR-sparenden Effekt konnten bereits mehrere klinische Studien bei chronisch aktivierten Schmerzen am Bewegungsapparat zeigen.

Sowohl die Kommission E als auch die ESCOP (European Scientific Cooperative on Phytotherapy) haben Teufelskrallenextrakt positiv bewertet.

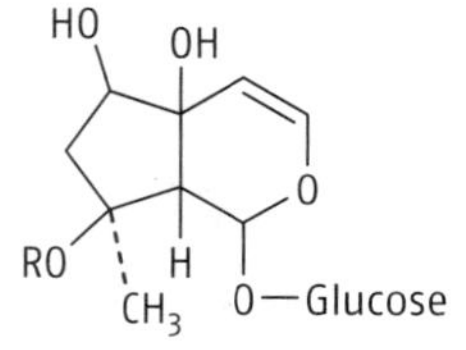

Harpagosid R = trans-Cinnamoyl
Harpagid R = H

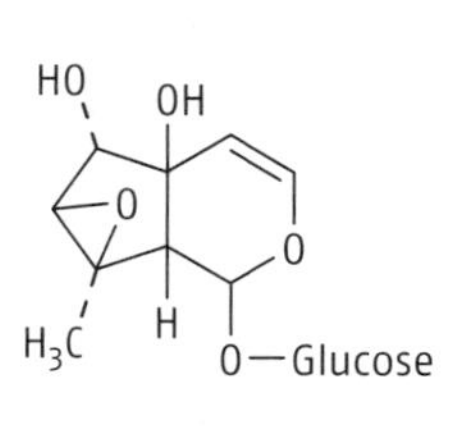

Procumbid

Abb. 8.3-6: Inhaltsstoffe der Teufelskrallenwurzel

Nach Angaben der Kommission B wirkt Teufelskrallenwurzel appetitanregend, choleretisch, **antiphlogistisch** und **schwach analgetisch**. Zu den Anwendungsgebieten zählt unter anderem die „unterstützende Therapie degenerativer Erkrankungen des Bewegungsapparates". Als **Tagesdosis** sieht die entsprechende Aufbereitungsmonographie bei dieser Indikation 4,5 g Droge vor. Zubereitungen sind entsprechend zu dosieren. Als **Gegenanzeigen** sind Magen- und Zwölffingerdarmgeschwüre angegeben; bei Gallensteinleiden soll Teufelskrallenwurzel nur nach Rücksprache mit dem Arzt eingesetzt werden. **Nebenwirkungen** und **Wechselwirkungen** sind nicht bekannt. In Tabelle 8.3-5 sind oral applizierbare Antirheumatika mit Teufelskrallenwurzel aufgeführt.

Beratungstipp

Bereiten Sie Ihre Kunden darauf vor, dass die Wirkung von Teufelskrallenextrakt-Präparaten verzögert einsetzt! Wegen der guten Verträglichkeit spricht nichts gegen eine Langzeitanwendung.

Brennnesselblätter/-kraut

Brennnesselblätter (Urticae folium) sind im Ph. Eur. beschrieben. Die offizinelle Droge

Tab. 8.3-5: Oral applizierbare pflanzliche Antirheumatika (Beispiele)

Präparatename	Darreichungsform	Wirksame Bestandteile pro abgeteilte Arzneiform
Brennnesselblätter/-kraut		
Hoxalpha	Kapseln	Trockenextr. aus Brennnesselblättern (19–33 : 1) 145 mg, AZM 2-Propanol 95 %
Rheuma-Hek® 268 mg Hartkapseln/forte 600 mg Filmtabletten	Kapseln/Filmtbl.	Trockenextr. aus Brennnesselblättern (8–10 : 1) mit AZM 50 % Ethanol, 268 mg/600 mg
Teufelskrallenwurzel		
Arthrotabs®	Filmtbl.	Teufelskrallentrockenextrakt (1,5–2 : 1) AZM Ethanol 40 %, 300 mg
Doloteffin®	Filmtbl.	Teufelskrallenwurzel-Trockenextrakt (1,5–2,5 : 1), AZM Wasser, 400 mg
Jucurba® 240 mg/ forte 480 mg	Kapseln/Filmtbl.	Teufelskrallenwurzel – Trockenextrakt (4,4–5 : 1), AZM Ethanol 60 %, 240/480 mg
Rheuma-Sern®	Kapseln	Teufelskrallenwurzel-Trockenextrakt (1,5– 2,5; AZM Wasser) 400 mg (1,5–2,5 : 1)
Rivoltan®	Filmtbl.	Teufelskrallenwurzel – Trockenextrakt (4,4–5 : 1), AZM Ethanol 60 %, 480 mg
Sogoon®	Filmtbl.	Trockenextrakt aus Teufelskrallenwurzel (4,4–5 : 1); AZM Ethanol 60 %; 480 mg
Teltonal® Teufelskralle 480 mg	Filmtbl.	Trockenextrakt aus Teufelskrallenwurzel (4,4–5 : 1) 480 mg
Weidenrinde		
Weidenrinde Schmerzdragees	Dragees	Weidenrinden-Pulver 500 mg

besteht aus den getrockneten Blättern von *Urtica dioica L.*, *Urtica urens L.*, deren Hybriden oder Mischungen von diesen.
Brennnesselblätter enthalten 1 bis 2 % Flavonoide, besonders Glucoside und Rutinoside des Quercetins, Kämpferols und Isorhamnetins. Leitsubstanz für die DC-Identifizierung ist unter anderem das Cumarin-Derivat **Scopoletin.**
Nach Angaben der Aufbereitungsmonographie können Brennnesselblätter und Brennnesselkraut unter anderem zur „unterstützenden Behandlung rheumatischer Beschwerden" eingesetzt werden. Die beobachtete Schmerzlinderung soll mit einer dosisabhängigen Hemmung von Entzündungsmediatoren, beispielsweise Interleukin-1β, zusammenhängen. Möglicherweise korreliert diese Wirkung direkt mit dem Gehalt an **Caffeoyl-Äpfelsäure,** die daher in letzter Zeit auch als Leitsubstanz für die Standardisierung vorgeschlagen wurde.
Die Angaben für die **Tagesdosis** sind in der **Aufbereitungsmonographie** relativ ungenau: Unabhängig von der eingesetzten Droge – Blätter oder Kraut – wird eine mittlere Tagesdosis von 8 bis 12 g angegeben. Die **Standardzulassung für Brennnesselkraut** sieht eine Dosierung von 3- bis 4-mal täglich 4 g vor. Die **Standardzulassung für Brennnesselblätter** (2479.99.99, Stand 2004) beschreibt als Anwendung: Gegen Harnwegserkrankungen und zur unterstützenden Behandlung rheumatischer Beschwerden. Als Dosierungsanleitung gibt die Standardzulassung 3- bis 4-mal täglich eine Tasse des wie folgt bereiteten Teeaufgusses vor: 4 Teelöffel voll (ca. 2,8 g) Brennnesselblätter mit ca. 150 ml siedendem Wasser übergießen und etwa 10 bis 15 Minuten ziehen lassen.
Brennnesselblätter und -kraut sind gut verträglich. Gelegentlich kann es zu Überempfindlichkeitsreaktionen der Haut oder des Magen-Darm-Trakts kommen. In Tabelle 8.3-5 sind oral applizierbare Antirheumatika mit Brennnesselblätter/-kraut aufgeführt.

Weidenrinde

Weidenrinde (Salicis cortex) ist im Ph. Eur. beschrieben. Danach handelt es sich um die Rinde „der im Frühjahr gesammelten, ganzen oder geschnittenen oder gepulverten, getrockneten jungen Zweige von *Salix purpurea L.*, *Salix daphnoides VILLARS* oder anderen

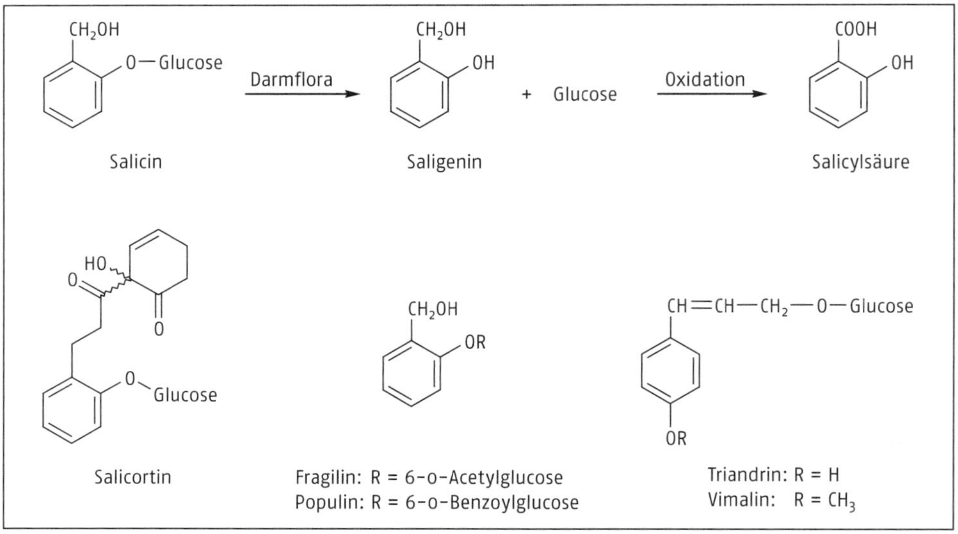

Abb. 8.3-7: Salicylalkohol-Derivate aus Weidenrinde und Metabolismus zu Salicylsäure. Aus Wichtl 2008

Salix-Arten". Die offizinelle Droge enthält mindestens 1 % Gesamt-Salicin, berechnet als **Salicin**. Die Kommission E hat eine Positivmonographie zu Weidenrindenextrakt bei rheumatischen Beschwerden erstellt. Die ESCOP (European Scientific Cooperative on Phytotherapie) schloss sich 1997 diesem Urteil bei der Behandlung leichter Rheumabeschwerden an. Klinische Belege für die Symptomlinderung bei rheumatischen bzw. arthritischen Beschwerden liegen in Form von Studien mit mehreren hundert Patienten vor. Weidenrinde enthält neben Salicin noch weitere Verbindungen, die durch die Darmflora in Saligenin (Salicylalkohol) gespalten und im Organismus zu Salicylsäure oxidiert werden (Abb. 8.3-7). Weidenrinde kann somit als pflanzliches Prodrug der Salicylsäure angesehen werden. Seit kurzem rückt jedoch auch die Polyphenolfraktion des Weidenrindenextrakts als Vermittler der entzündungshemmenden Effekte zunehmend in den wissenschaftlichen Fokus.

Nach Angaben der Aufbereitungsmonographie ist Weidenrinde bei fieberhaften Erkrankungen, Kopfschmerzen sowie bei „**rheumatischen Beschwerden**" indiziert. Als mittlere **Tagesdosis** wird eine Drogenmenge, die 60 bis 120 mg Gesamtsalicin entspricht, angegeben. Das Risiko für **unerwünschte Wirkungen** entspricht theoretisch dem von chemisch-synthetischen Salicylaten. Personen mit bekannter Überempfindlichkeit gegenüber Salicylaten, Allergiker, Asthmatiker und Patienten mit Magen-Darm-Geschwüren in der Anamnese sollten daher sicherheitshalber keine Weidenrindenextraktpräparate einnehmen.

Info

Obwohl der thrombozytenaggregationshemmende Effekt von Weidenrindenextrakt gering zu sein scheint, darf die potenzielle Interaktionsgefahr mit oralen Antikoagulantien nicht völlig außer Acht gelassen werden.

8.3.1.8 Chondroprotektiva

In den letzten Jahren hat die Nachfrage nach so genannten Chondroprotektiva stark zugenommen. In erster Linie handelt es sich dabei um D-**Glucosamin**- und **Chondroitin**-haltige Produkte. Sie werden heute teils als Arzneimittel teils als Nahrungsergänzungsmittel vertrieben. Die fundierte Beurteilung bzw. konkrete Empfehlung entsprechender Präparate gestaltet sich für den beratenden Apotheker schwierig. Manche Experten vertreten die Ansicht, dass keine rationale Basis für eine „Gelenknahrung" mit diesen Substanzen vorhanden sei, da bei arthrotischen Erkrankungen kein spezifischer Nährstoffbedarf bekannt ist. Andererseits liegen inzwischen einige Studiendaten vor, die einen Nutzen von Chondroprotektiva in bestimmten Situationen vermuten lassen (s.u.). Daher wird die Diskussion um den Nutzen und auch die rechtliche Stellung der Präparate in der Fachwelt weiter anhalten.

D-Glucosamin

D-Glucosamin (= 2-Amino-2-desoxy-D-glucose) ist bereits seit über 35 Jahren auf dem Markt. Im Jahr 1995 wurden der Wirkstoff und seine Salze zur oralen Anwendung aus der Verschreibungspflicht entlassen. Als zugelassene Arzneimittel sind in Deutschland heute z.B. dona® (D-Glucosaminsulfat) und Voltaflex® (Glucosaminhydrochlorid) verfügbar. Die deklarierte Indikation besteht in der „Linderung von Symptomen leichter bis mittelschwerer Arthrose des Kniegelenks".

Glucosamin wird sowohl über die Nahrung aufgenommen als auch vom Körper selbst synthetisiert. Die endogene Substanz stellt einen wichtigen Baustein für die Polysaccharidketten der Knorpelmatrix und für die Glucosaminoglykane in der Synovia dar. In-vitro-Untersuchungen und Tierexperimente deuten darauf hin, dass Glucosamin anabole Prozesse im Knorpel stimulieren und katabole hemmen kann. Dazu gehört die Synthesesteigerung von Hyaluronsäure durch Synoviozyten und die verstärkte Bildung physiologischer Glucosaminoglykane und Proteoglykane durch Chondrozyten. Gleichzeitig scheint Glucosamin die Aktivität knorpelabbauender Enzyme zu bremsen und auch antiinflammatorische Eigenschaften zu besitzen. Die genauen Wirkmechanismen sind jedoch noch unbekannt. Der Zeitpunkt für das Einsetzen einer Wirkung kann nicht vorausgesagt werden. Man muss jedoch von einem verzögerten Wirkungseintritt ausgehen. Wenn nach 2 bis 3 Monaten keine Symptomlinderung feststellbar ist, soll die Fortsetzung der Einnahme überprüft werden.

Glucosamin ist ein relativ kleines, leicht wasserlösliches Molekül. Die bisher vorliegenden Daten zur Pharmakokinetik sind allerdings begrenzt. Man geht davon aus, dass eine Glucosamin-Plasmakonzentration von 10 µM erforderlich ist, um proinflammatorische Mediatoren im Bereich der Knorpelzellen zu hemmen. Für kristallines Glucosaminhemisulfat liegen Daten vor, wonach diese Konzentration mit dieser Verbindung erreicht werden kann. Da das freie Glucosamin die eigentliche Wirkform darstellt, bewerten manche Kritiker die Form des Salzes jedoch als unerheblich.

Die übliche **Dosierung** für die orale Anwendung von D-Glucosaminsulfat liegt bei 1 500 mg pro Tag. **Nebenwirkungen** treten nur selten auf. Am ehesten ist mit Magen-Darm-Problemen wie Übelkeit, Diarrhoe oder Obstipation zu rechnen.

Die Datenlage zu möglichen **Interaktionen** mit Glucosamin ist ebenfalls begrenzt: Bei gleichzeitiger Einnahme von Cumarin-Antikoagulantien wurde über eine INR-Erhöhung berichtet. Entsprechende Patienten sollten daher zumindest anfangs engmaschig überwacht werden. Bei gleichzeitiger Einnahme von Tetracyclinen kann deren Resorption und Serumkonzentration durch Glucosamin erhöht werden.

Zu den **Gegenanzeigen** zählen wegen unzureichender Erfahrung Schwangerschaft und Stillzeit sowie Überempfindlichkeitsreaktionen gegen den Wirkstoff. Da Glucosamin aus dem Chitin von Krustentieren gewonnen wird, dürfen auch Personen mit Schalentier-Allergie diese Präparate nicht einnehmen.

Chondroitin

Chondroitin kommt ebenfalls im hyalinen Knorpel vor und sorgt für dessen Elastizität. Oral eingenommen soll Chondroitin (z.B. in Arthrosamin®) die Wasserbindung im Gelenkknorpel fördern. Chondroitin wird vorwiegend aus dem Knorpel von Kühen und Schweinen gewonnen. Doch auch Fisch- und Vogelknorpel sind mögliche Quellen. Da es sich bei Chondroitin nicht um eine einheitliche Substanz handelt und es natürlicherweise in vielfältigen Formen vorliegt, variiert die Zusammensetzung der handelsüblichen Produkte.

Klinische Daten

An der Universität Bern wurden alle weltweit vorhanden Studien zu Chondroitin einer Metaanalyse unterzogen (Reichenbach et al., Ann. Int. Med. 146, 580-90 (2007)). Dabei waren 20 randomisierte klinische Studien mit insgesamt 3 846 Arthrose-Patienten eingeschlossen. Verglichen wurde Chondroitin hinsichtlich seiner Schmerzlinderung oder Gelenkspaltveränderung gegenüber Plazebo oder Nichtbehandlung. Die Meta-Analyse kam zu dem Schluss, dass Chondroitin als Monotherapie keine signifikante schmerzlindernde Wirkung gegenüber Plazebo entfaltet. Während einzelne kleinere Studien eine gewisse schmerzlindernde Wirkung gezeigt hatten, konnte in den drei größten Studien, die fast die Hälfte aller in der Meta-Analyse betrachteten Patienten umfassten, keine schmerzlindernde Wirkung für Chondroitin festgestellt werden.

Um die Wirksamkeit und Sicherheit von D-Glucosaminhydrochlorid, Chondroitinsulfat bzw. einer Kombination zu beurteilen, wurde eine vom National Institute of Health finanzierte Studie durchgeführt (Clegg et al., N. Engl. J. Med. 354, 795-808 (2006)). Die randomisierte, multizentrische, doppelblinde Studie testete D-Glucosaminhydrochlorid (3 × 500 mg) und Chondroitinsulfat (3 × 400 mg) gegenüber Celecoxib (1 × 200 mg) und Plazebo über 6 Monate an 1 583 Patienten mit symptomatischer Gonarthrose. Primärer Endpunkt war eine 20-prozentige Reduktion des Arthrose-Index WOMAN-Score, der zur Beurteilung von Schmerzen, Steifigkeit und Gelenkfunktion dient. Dabei konnte nur für Celecoxib eine signifikante Wirkung gegenüber Plazebo festgestellt werden. In der Subgruppenanalyse zeigte sich allerdings bei Patienten mit stärkeren Schmerzen ein Vorteil für die Kombination beider Chondroprotektiva (79,2 % vs. Plazebo 54,3 %). Unklar blieb jedoch, ob diese Subgruppe auch von einer Chondroprotektiva-Monotherapie profitiert. Somit konnte auch diese Studie den Stellenwert dieser beiden Chondroprotektiva nicht eindeutig klären. Nebenwirkungen traten in den Therapiegruppen selten und nur geringfügig auf. Bemerkenswert ist der Plazeboeffekt von über 50 %!

Im Rahmen der Selbstmedikation können Glucosamin- und Chondroitin-haltige Chondroprotektive unter Beachtung der genannten Einschränkungen empfohlen werden. Ihre Einnahme gilt dann als relativ sicher. Allerdings dürfte ihr Einsatz durch den begrenzten Nutzen, den verzögerten Wirkeintritt, die notwendige Langzeitanwendung und den relativ hohen Preis limitiert sein.

Beratungstipp

Chondroprotektiva können Patienten im Arthrose-Frühstadium parallel zu einer anderen Behandlung oder auch prophylaktisch nutzen, nicht jedoch zur Behandlung akuter Schmerzzustände.

8.3.2 Lokaltherapeutika

Auf dem deutschen Markt befindet sich eine fast unüberschaubare Vielfalt von Medikamenten zur äußerlichen Anwendung bei Beschwerden im Zusammenhang mit Erkrankungen des Bewegungsapparates. Wie bei vielen anderen Medikamenten sind auch hier die Auffassungen über den therapeutischen Wert recht widersprüchlich. Die Gegner dieser Therapeutika argumentieren mit mangelnder Resorption der Wirkstoffe und erklären den Erfolg einer derartigen Behandlung in erster Linie mit einer Plazebowirkung.

Es gibt keine ursächliche „Rheumatherapie", vor allem nicht bei degenerativen Erkrankungen, und sie wird von derartigen Arzneimitteln wohl auch nicht beansprucht. Arthritis und Arthrose, also Erkrankungen, die therapeutische Wirkstoffkonzentrationen in der Synovia erfordern, können durch eine alleinige Lokalbehandlung nicht behandelt werden. Allerdings fällt in der Praxis doch auf, dass eine Vielzahl von Patienten zumindest eine Linderung ihrer Beschwerden dadurch verspüren. Diese Möglichkeit sollte man den Betroffenen ohne zwingenden Grund nicht nehmen. Zu einer Rückbesinnung auf Einreibungen führten nicht zuletzt auch die oft beobachteten Nebenwirkungen bei der systemischen Therapie. Als Lokaltherapeutika zur Behandlung bzw. Linderung von Beschwerden des Bewegungsapparates finden Verwendung:

- Lokalanästhetika,
- hyperämisierende Mittel,
- topische Antiphlogistika-Analgetika,
- Heparin und Heparinoide.

Hinzu kommt die aufgrund ihrer Hilfsstoffzusammensetzung kühlende Wirkung von Emulsionsgelen des O/W-Typs und von Hydrogelen, die in Form so genannter „Sportgele" für die Sofortbehandlung typischer stumpfer Verletzungen wie Prellungen oder Verstauchungen eingesetzt werden. Hyperämisierende Mittel eignen sich außer zur Wärmetherapie verschiedenster Beschwerden, wie z.B. Verspannungen, auch für die Prophylaxe von Sportschäden (Durchwärmung vor Belastung).

Tab. 8.3-6: Lokalanästhetika- bzw. ätherische Öl-haltige Fertigarzneimittel (Auswahl)

Präparatename	Darreichungsform	Wirkstoffe und Dosierung in 100 g	Sonstige Inhaltsstoffe
Algesal®	Creme	Myrtecain 1 g	Diethylamoniumsalicylat
Doloplast® bei Muskel- und Gelenkschmerzen	Creme	Pfefferminzöl 62,5 g	Eucalyptusöl, Rosmarinöl
JHP® Rödler	Lösung	Minzöl 95 g	
Thesit®	Gel	Polidocanol 4 g	
Trommsdorff® Schmerzcreme	Creme	Pfefferminzöl 62,5 g	Eucalyptosöl, Rosmarinöl

8.3.2.1 Lokalanästhetika

Neben den zahlreichen Lokalanästhetika-haltigen Fertigpräparaten zur Injektion (Neural- oder Segmenttherapie) stellen Lokalanästhetika zur topischen Applikation nur eine Minderheit dar. Die wenigen Salben, Gele und Sprays werden hauptsächlich auf **Schleimhäuten** (HNO-, Zahnheilkunde, Geburtshilfe), bei **Verbrennungen** und **Schürfwunden** eingesetzt und eignen sich nicht für die Therapie von Erkrankungen des Bewegungsapparates. Selbst bei aufgrund ihrer Hilfsstoffzusammensetzung gut durch die Haut penetrierenden Gelen muss man davon ausgehen, dass die in ihnen enthaltenen lokalanästhetischen Wirkstoffe in den schmerzverursachenden tieferen Gewebsbezirken kaum zur Wirkung kommen, da sie vorher bereits hydrolysiert bzw. in die Kapillargefäße des Coriums aufgenommen und über den Blutkreislauf abtransportiert werden. Somit sind befriedigende schmerzstillende Effekte nur bei oberflächlichen Läsionen zu erwarten.

Zur Anwendung kommen in entsprechenden Handelspräparaten die Lokalanästhetika **Myrtecain** und **Polidocanol** (Tab. 8.3-6). Bei der Empfehlung Lokalanästhetika-enthaltender Gele zur Behandlung von Erkrankungen des Bewegungsapparates sollte man sich der hiermit verbundenen **Sensibilisierungsgefahr** stets bewusst sein.

Auch **Menthol** weist gewisse lokalanästhetische Eigenschaften auf (vgl. Abb. 8.3-8); gern verwendet wird z.B. ein hochkonzentriertes Japanisches Minzöl.

Polidocanol ist ein häufig in Externa und zur Schleimhautanästhesie verwendetes Lokalanästhetikum und Antipruriginosum. Das nicht exakt definierte Gemisch verschieden hochpolymerisierter Polyoxyethylenverbindungen kann, vom Qualitätsstandpunkt aus betrachtet, wenig befriedigen.

Ein grundsätzliches **Argument gegen den Einsatz** von Lokalanästhetika in Präparaten zur Selbstmedikation liegt auch in der Aus-

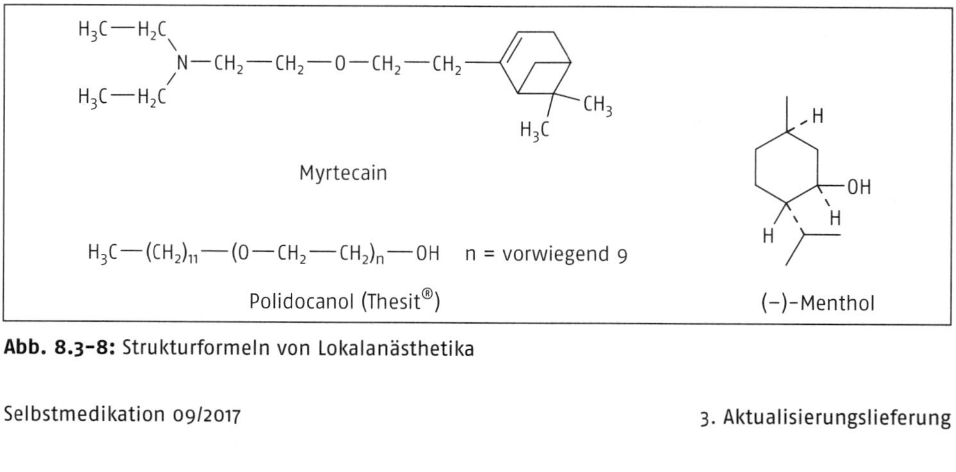

Abb. 8.3-8: Strukturformeln von Lokalanästhetika

schaltung des Warnzeichens „Schmerz"; dies kann zur Verschlimmerung einer Erkrankung führen (z. B. durch vermehrte Fehlbelastung). Durch das Gefühl einer scheinbaren Besserung verzögert sich ein notwendiger Gang zum Arzt, so dass allenfalls eine kurzfristige Anwendung sinnvoll erscheint.

8.3.2.2 Hyperämisierende Mittel

Die **Hautreiztherapie** gehört zu den ältesten physikalischen Behandlungsverfahren. Schon vor Jahrtausenden brachten Ärzte in China und Indien ihren Patienten kleine Brandwunden über dem schmerzenden Körperbereich bei, mit dem Ziel, die Beschwerden nach außen „ableiten" zu können. Nach der heutigen Auffassung handelt es sich hier um eine reflektorische Beeinflussung tiefer gelegener Bezirke durch eine Oberflächenreizung. Dieses therapeutische Ziel lässt sich auf anderen Wegen erreichen: Schon in früheren Zeiten wusste man die Wirkungen der natürlichen Scharfstoffe und verschiedener ätherischer Öle zu schätzen, deren Anwendung außer zu einem Wärmegefühl auch zu Schmerzlinderung und Entzündungshemmung führt.
Je nach Irritationsgrad unterscheidet man Rubefacientia, Vesicantia und die (heute obsoleten) Suppurantia, wobei die Übergänge jedoch fließend und auch dosisabhängig sind.
Rubefacientia verursachen nur eine starke Durchblutung, erkennbar an der Hautrötung. Ihnen kommt auf dem Gebiet der externen Antirheumatika und Antiphlogistika die größte Bedeutung zu.
Typische **Vesicantien** wie Cantharidin, Senföl, Capsaicin oder das obsolete Crotonöl verursachen in höheren Dosen eine weit stärkere Hautirritation und bilden Blasen mit Transsudat oder Exsudat.
Suppurantien verursachen eitergefüllte Blasen, es können Nekrosen auftreten. Erwünscht ist nur der rubifizierende Effekt.
Heute stehen uns außer den genannten Naturprodukten zahlreiche synthetische Medikamente zur Verfügung, und es liegen auch wissenschaftliche Untersuchungen zur Wirkung hyperämisierender Mittel vor. So konnte am Beispiel des **Nonivamids** („synthetisches Capsaicin") eine Durchblutungssteigerung um das Fünffache im behandelten Areal gemessen werden, die Hauttemperatur nahm um 5 bis 8 °C zu. Der primäre Hautreiz bewirkt die Freisetzung körpereigener Mediatoren (wie z. B. Bradykinin). Es kommt zu einer starken Gefäßerweiterung und zu einem intensiven, langandauernden Wärmegefühl (3 bis 6 Stunden). Über kutiviszerale Reflexe können auch innere Organe beeinflusst werden. Als Folge durch den Primärreiz ausgelöster biochemischer Prozesse, die durch humorale Mechanismen in Gang gesetzt werden, resultieren auch analgetische und antiphlogistische Wirkungen (z. B. durch Förderung leukozytärer Reaktionen).

Info

Hyperämisierende Präparate sind ebenso wie Rheumabäder und Wärmeanwendungen nur bei muskulären oder chronischen Symptomen geeignet – nicht bei hochakuten Entzündungszuständen.

Die „Rote Liste" enthält eine Vielzahl von Medikamenten zur externen Anwendung, die – oft in Kombination – Scharfstoffe, Rubefacientia, ätherische Öle, sowie topische Antiphlogistika-Analgetika enthalten.

Allgemeine Warnhinweise

Aus der Hauptwirkung (Erzeugung von Hautrötung und Wärmegefühl als Folge einer erhöhten Hautdurchblutung) lassen sich die allgemeinen Warnhinweise beim Umgang mit derartigen Zubereitungen ableiten, die im Beratungsgespräch (s. Kasten) beachtet werden sollten.

Medikamentöse Maßnahmen

Beratungstipp

- Hyperämisierende Präparate nicht auf Schleimhäute, entzündlich veränderte Hautpartien oder offene Wunden bringen!
- Nach dem Gebrauch Hände gründlich waschen, um versehentlichen Schleimhautkontakt (Vorsicht Auge!) zu vermeiden.

Scharfstoffe

Viele der natürlichen Scharfstoffe haben schon vor Hunderten von Jahren Eingang in die Therapie gefunden.

Senf

Senfpflaster und -wickel erleben dank der Renaissance der „Naturheilverfahren" heute wieder besondere Beachtung. Die Senfölglykoside oder Glucosinolate des **Schwarzen Senfs** (Sinapis nigrae semen DAC, Stammpflanze: *Brassica nigra* (L.) Koch) werden durch das Enzym Myrosinase in Gegenwart von Wasser zu den freien Senfölen umgesetzt (Abb. 8.3-9). So entsteht aus Sinigrin zu ca. 70% das flüchtige Allylsenföl. Im Vergleich hierzu ist das aus dem Glucosinolat Sinalbin des **Weißen Senfs** (Erucae semen oder Sinapis albae semen, Stammpflanze: *Sinapis alba* L.) entstehende p-Hydroxybenzylsenföl schwer flüchtig.

Zur Herstellung von Wickeln wird das Senfmehl mit lauwarmem Wasser (heißes Wasser über 60°C inaktiviert das Enzym) zu einem dicken Brei angerührt, den man in Leinwand packt und maximal 10 Minuten auflegt. Um Nebenwirkungen zu vermeiden, sind einige Regeln zu beachten: Senföle (biogen oder synthetisch) vermögen die Haut besonders stark zu hyperämisieren. Allylsenföl kann rasch in tiefere Hautschichten penetrieren und dort zu Entzündungen mit stechenden Schmerzen führen. Werden Senfpflaster zu lange an der Applikationsstelle belassen, so können Blasenbildung, eiternde und schlecht heilende Ulzerationen und sogar Nekrosen die Folge sein.

Beratungstipp

Senfwickel nicht mit heißem, sondern nur lauwarmem Wasser zubereiten und nicht länger als 10 Minuten auflegen.

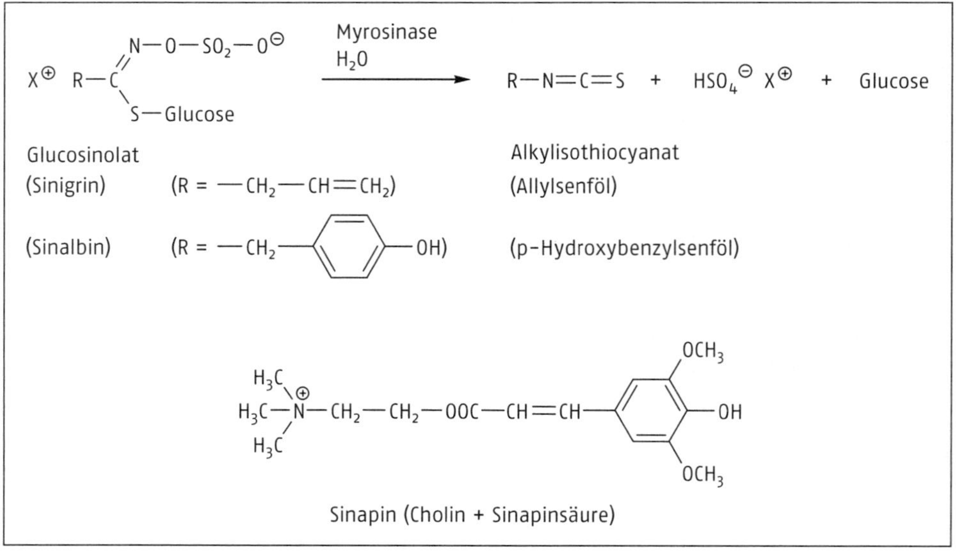

Abb. 8.3-9: Senfölglykoside/Allylsenföl

Paprika

Paprika, auch Cayennepfeffer, Chillies oder Spanischpfeffer genannt (Capsici fructus acer, Stammpflanze: *Capsicum annuum* L.) wurde von den Spaniern aus Amerika nach Europa gebracht. Die Capsaicinoide sind ein Gemisch isomerer Säureamide mit ca. 70 % Capsaicin (Abb. 8.3-10); dieses wird durch die Haut resorbiert und erweitert die Kapillaren. Durch einen Reiz auf die Nervenendigungen wird ein Wärmegefühl erzeugt, unabhängig von der ebenfalls hervorgerufenen Hyperämie. Paprikaextrakte findet man in einer Vielzahl von Kombinationspräparaten sowie in Rheumapflastern (Tab. 8.3-7). Zu lange Einwirkung kann Entzündungen und sogar Blasenbildung verursachen.

Die Capsicumextrakt-Aufbereitungsmonographie der Kommission E sieht als Indikation für die äußerliche Anwendung vor: schmerzhafter Muskelhartspann im Schulter-Arm-Bereich sowie im Bereich der Wirbelsäule bei Erwachsenen und Schulkindern. Zu den Gegenanzeigen zählen die Anwendung auf geschädigter Haut sowie die zusätzliche Wärmeapplikation. Die Anwendungsdauer von Capsicumextrakt-Zubereitungen sollte zwei Tage nicht überschreiten; vor erneuter Anwendung am gleichen Applikationsort muss ein Zeitraum von 14 Tagen abgewartet werden.

Info

Nach Abklingen der primären Wirkung kann durch warmes Duschen oder Baden die Hyperämisierung nochmals provoziert werden.

Capsaicin selbst, der Hauptscharfstoff des Paprikas, ist ebenfalls in mehreren Handelspräparaten enthalten. Ein synthetisches Capsaicin-Derivat ist **Nonivamid** (INN). Nonivamid ist z.B. enthalten in dem Handelspräparat Finalgon® Wärmecreme Duo.

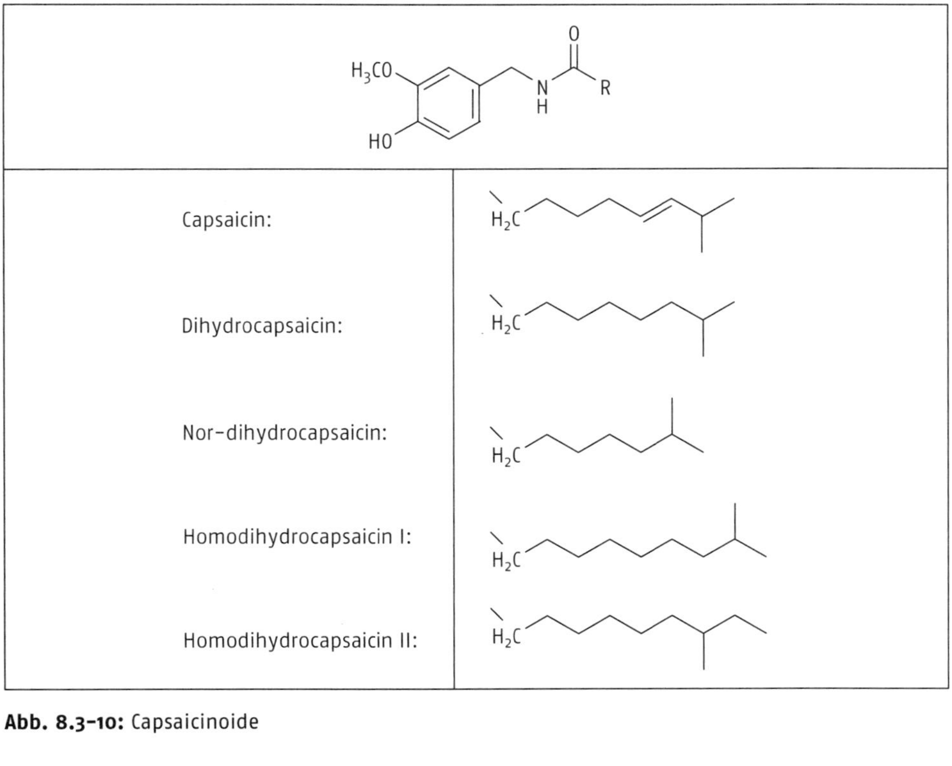

Abb. 8.3-10: Capsaicinoide

Medikamentöse Maßnahmen

Tab. 8.3-7: Capsicum-Präparate (Auswahl)

Präparatename	Darreichungsform	Wirkstoffgehalt in 100 g bzw. pro Pflaster	Sonstige Inhaltsstoffe
ABC® Wärme-Creme Capsicum 0,75 mg/g Hansaplast® med	Creme	Capsaicin 75 mg	
ABC Wärme-Pflaster Capsicum 11 mg Hansaplast® med	Pflaster	Cayennepfefferdickextr., standardisiert (395,4–551,7 mg; 4–7:1), AZM Ethanol 80 %, entspricht 11 mg Capsaicin	
ABC Wärme-Pflaster mit Sensitve-Vlies 9,85 mg Hansaplast® med	Pflaster	Nonivamid 9,85 mg	
Capsamol®	Salbe	Cayennepfefferdickextr. (11–30:1), AZM Isopropanol, 240–1020 mg, (entspr. 50 mg Capsaicin)	
Finalgon® CPD Wärmecreme	Creme	Cayennepfefferdickextr. (4–7:1) 662,7–1 829,2 mg (entspr. 53 mg Capsaicin), AZM Ethanol 80 %	
Hot Thermo dura® C	Creme	Dickextrakt aus Cayennepfeffer (4–7:1) 662,7–1 829,2 mg (entspr. 53 mg Capsaicinoide berechnet als Capsaicin) AZM Ethanol 60 %.	Rosmarinöl
Rheumaplast® 4,8 mg Wirkstoffhaltiges Pflaster	Pflaster	Cayennepfefferdickextr. (4–7:1) 112–167 mg (entspr. 4,8 mg Capsaicinoide berechnet als Capsaicin) AZM Ethanol 80 %.	
Thermo Bürger®	Creme	Cayennepfefferdickextr. (4–7:1), AZM Ethanol 80% 930–2000 mg (entspr. 40 mg Capsaicin)	Latschenkiefernöl Fichtennadelöl

Nonivamid

Nicotinsäureester

Vertreter dieser Gruppe sind in den meisten Handelspräparaten zur lokalen Applikation enthalten. Die Wirkung ist in zahlreichen Untersuchungen dokumentiert. So ergab die Untersuchung der Struktur-Wirkungsbeziehung bei Nicotinsäureestern mit Hilfe der Wärmeleitfähigkeitsmessung der Haut, dass Alkylester mit 4 bis 8 C-Atomen die Hautdurchblutung am stärksten anregen. Das Wirkungsoptimum wurde für den n-Hexylester gefunden. Ester mit weniger als 4 oder mehr als 8 C-Atomen zeigten geringere Wirkung. Vermutlich liegt bei diesen mittelkettigen Alkylestern das für eine Hautpenetration optimale Verteilungsverhalten dieser Verbindungsklasse. Es werden heute hauptsächlich diese Substanzen verwendet:

- Nicotinsäurebenzylester,
- Nicotinsäuremethylester,

Tab. 8.3-8: Präparate mit Nicotinsäureestern (Auswahl)

Präparatename	Darreichungsform	Wirkstoff und Gehalt in 100 g	Sonstige Wirkstoffe
Finalgon® Wärmecreme DUO	Creme	Butoxyethylnicotinat (= Nicoboxil) 1,08 g	Nonivamid 0,17 g
Pernionin® Thermo-Teilbad	Bad	Benzylnicotinat 0,5 g	Fichtennadelöl
Pernionin® Thermo-Vollbad	Bad	Benzylnicotinat 9,0 g	Fichtennadelöl
Phardol® Thermo Pflege-Balsam	Creme	Benzylnicotinat	Kiefernnadelöl

- Nicotinsäurebutoxyethylester (= Nicoboxil INN),
- Nicotinsäurehexylester.

Eine Übersicht über verschiedene Handelspräparate enthält Tabelle 8.3-8, die Strukturformeln zeigt Abbildung 8.3-11.

Ätherische Öle und deren Bestandteile

Zur Linderung von rheumatischen und neuralgischen Beschwerden, bei Prellungen und Muskelschmerzen erfreuen sich Präparate mit ätherischen Ölen großer Beliebtheit. Sie bewirken nach dem Einmassieren eine örtliche Durchblutungsförderung und einen Wärmereiz. Ätherische Öle werden gut perkutan resorbiert. Für einige ätherische Öle (wie Kamillenöl, Schafgarbenblütenöl, Arnikablütenöl oder Terpentinöl) konnten antiphlogistische Wirkungen nachgewiesen werden. Für die entzündungshemmende Wirkung ist auch die Verbesserung der lokalen Durchblutungsverhältnisse von Bedeutung. Die **Hautpenetrationsfähigkeit** der ätherischen Öle lässt sich durch geeignete Hilfsstoffzusätze, etwa die Verwendung gut spreitender fetter Öle in den Grundlagen, verbessern. Der Einsatz ätherischer Öle in Form von **Monopräparaten,** wie etwa Oleum Menthae arvensis var. piperita im Japanischen Heilpflanzenöl JHP Rödler®, ist eher die Ausnahme. Zurzeit dominieren bei den handelsüblichen Produkten **Kombinationspräparate** mit mehreren ätherischen Ölen oder deren Bestandteilen sowie solche, die neben ätherischen Ölen andere, z. B. hyper-

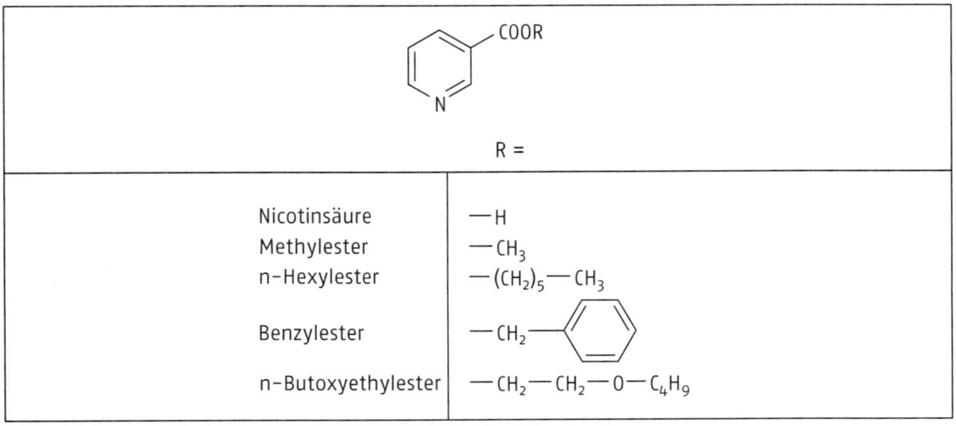

	R =
Nicotinsäure	—H
Methylester	—CH$_3$
n-Hexylester	—(CH$_2$)$_5$—CH$_3$
Benzylester	—CH$_2$—C$_6$H$_5$
n-Butoxyethylester	—CH$_2$—CH$_2$—O—C$_4$H$_9$

Abb. 8.3-11: Nicotinsäureester

$S{=}C{=}N{-}CH_2{-}CH{=}CH_2$

Allylsenföl

$S{=}C{=}N{-}CH_2{-}\langle\text{Ph}\rangle$

Benzylsenföl

ämisierende oder antiphlogistische Komponenten enthalten.

Die Palette der in Einreibemitteln verwendeten ätherischen Öle ist außerordentlich vielfältig, so dass hier auf eine detaillierte Besprechung verzichtet wird. Obgleich ätherische Öle im Allgemeinen als harmlos gelten, sind **Nebenwirkungen** nicht grundsätzlich auszuschließen. Zu ihnen gehören:

- **Kontaktallergien** (besonders bei terpenreichen Ölen, nicht rektifiziertem Terpentinöl, Zimtaldehyd in Zimtöl, eventuell auch durch Hydroperoxide, die bei unsachgemäßer Lagerung entstehen können).
- **Photosensibilisierung** (durch Cumarinderivate, bekannt bei Citronellöl, Bergamottöl).
- **Nekrosen** nach Langzeitapplikation extrem hoher Dosen des ätherischen Öles des Sadebaumes (*Juniperus sabina* L.)

Senfölglykoside/Allylsenföl

Die Bildung der Senfölglykoside aus Glucosinolaten wurde bereits beschrieben (s. Abschnitt „Scharfstoffe"). Allylsenföl und Benzylsenföl sind in (wenigen) Fertigpräparaten enthalten.

Sonstige Substanzen

Nicht unterschätzt werden sollte auch die hyperämisierende Wirkung in flüssigen und gelartigen Einreibungen oft in höherer Konzentration als Hilfsstoff enthaltener alkoholischer Lösungsmittel, in erster Linie Ethanol und Isopropanol. Im Gegensatz zu den kanzerogenitätsverdächtigen Halogenkohlenwasserstoffen, können die genannten alkoholischen Lösungsmittel als sinnvolle Adjuvantien betrachtet werden. Die früher sehr beliebten, durch partielle Hydrolyse von pflanzlichen Ölen (z. B. mit Ammoniak) rezepturmäßig mit diversen Zusätzen hergestellten Linimente, wie etwa der ammoniakhaltige Opodeldok des DAB 6, welche auch wegen ihrer physikalischen Labilität Probleme bereiten, spielen heute als Einreibemittel bei rheumatischen Beschwerden keine Rolle mehr.

8.3.2.3 Topische Antiphlogistika-Analgetika

Eine weitere wichtige Wirkstoffgruppe, die neben den hyperämisierenden Pharmaka in topischen oder balneologischen Zubereitungen zur Behandlung von Neuropathien und Myalgien zur Anwendung kommt, umfasst die synthetischen bzw. pflanzlichen Antiphlogistika. Erstere gehören der auch intern verabreichten Gruppe der Prostaglandinsynthese-Hemmer an. Durch die Entlassung zahlreicher synthetischer Antiphlogistika-Analgetika aus der Verschreibungspflicht kommen nun in Lokaltherapeutika für die **Selbstmedikation,** außer den pflanzlichen Wirkstoffen sowie Salicylsäure und ihren Derivaten, auch potente Substanzen wie Ibuprofen, Flufenaminsäure, Etofenamat, Piroxicam, Dimethylsulfoxid, Felbinac, Indometacin und Diclofenac in Betracht.

Die Hauptbarriere für die Arzneistoffpenetration in die Haut stellt das Stratum corneum, also die äußerste Schicht der Epidermis dar. Bei den topisch eingesetzten NSAR handelt es sich hauptsächlich um Verbindungen, die aufgrund ihrer Lipophilie durch die Barriereschicht der Haut diffundieren können. Das Ausmaß und die Geschwindigkeit, mit der die Wirkstoffe aus einer Grundlage freigesetzt werden, hängen maßgeblich auch von deren galenischer Formulierung ab.

So weisen Gele und Mikroemulsionen eine bessere Freisetzung auf als Cremes. Zusätze wie Isopropanol oder Ethanol können die Resorptionsrate erhöhen. Auch Penetrationsverstärker wie DSMO oder Propylenglykol kommen zum Einsatz. Topische NSAR-Zubereitungen sind also schon unter galenischem Aspekt nicht identisch und somit nicht einfach austauschbar.

Die bei den hier vorgestellten Topika auftretenden **Nebenwirkungen** sind vor allem lokale Hauterscheinungen wie Juckreiz, Rötung und Brennen. Sehr selten sind Allgemeinreaktionen wie Magen-Darm-Beschwerden, Kopfschmerzen und Schwindel.

Um die Wahrscheinlichkeit für unerwünschte Hautreaktionen infolge der Anwendung von NSAR-Topika zu reduzieren, sind folgende Abgabehinweise sinnvoll:
- Vor der Abgabe auf die korrekte Anwendung und mögliche kutane Nebenwirkungen hinweisen.
- Nach in der Vergangenheit bereits aufgetretenen NSAR-Hautunverträglichkeiten fragen.
- Von der Anwendung NSAR-haltiger Topika unter Okklusivverbänden abraten, da hierbei die Resorption stark verändert wird.
- Vor dem Anlegen eines – bei stumpfen Traumen häufig sinnvollen – Stützverbandes das aufgebrachte Gel einige Minuten eintrocknen lassen.
- Vor allem älteren Patienten dazu raten, vor der Anwendung mit einer etwa erbsengroßen Dosis z.B. am Unterarm die Verträglichkeit zu testen.
- Wegen des erhöhten Nebenwirkungsrisikos auf eine Kombination von oralen NSAR mit topischen NSAR verzichten.
- NSAR-haltige Topika beim Auftreten lokaler Hautrötungen sofort absetzen, mit viel Wasser abspülen. Bei schweren Hautreaktionen sollte unverzüglich ein Arzt aufgesucht werden.

Nicht angewendet werden dürfen Topika bei bekannter Überempfindlichkeit gegen den Wirkstoff (selten). Gegen die Anwendung bei Kindern und in der **Schwangerschaft** bestehen in der Regel keine Bedenken, wenn eine Langzeitbehandlung auf großen Flächen vermieden wird. Gleiches gilt für die Stillzeit, viele Wirkstoffe sind muttermilchgängig.

Es versteht sich von selbst, dass die **Grenzen der Selbstmedikation** zu beachten sind und starke bzw. unklare Beschwerden (z.B. Rückenschmerzen oder Verdacht auf Knochenbruch) einer ärztlichen Abklärung bedürfen.

Salicylsäure und ihre Derivate

Viele Handelspräparate enthalten Salicylsäure bzw. deren Salze oder Ester (Tab. 8.3-9, Abb. 8.3-12). Die zahlreichen Derivate bieten gegenüber der freien Salicylsäure in der Regel keine echten Vorteile. Zu den **Gegenanzeigen** der Salicylat-Präparate zählen Salicylat-Überempfindlichkeit und eine vorgeschädigte Niere. Bei bestimmungsgemäßem Gebrauch (d.h. bei Vermeidung der langfristigen Behandlung großer Körperflächen) sind Nebenwirkungen selten.

Weitere topische nicht steroidale Antirheumatika

Ibuprofen

Ibuprofen (s. Abb. 8.3-13), ein Phenylpropionsäurederivat, gilt als gut wirksam und verträglich. Ein nach einigen Minuten einsetzendes leichtes Kribbeln im Anwendungsbereich ist harmlos. Als Nebenwirkungen können in sehr seltenen Fällen Überempfindlichkeitsreaktionen (gegen den Wirkstoff oder gegen Hilfsstoffe wie Propylenglykol oder Parabene) mit Hautrötungen auftreten, bei entsprechend empfindlichen Patienten auch Asthmaanfälle. Ibuprofen-Topika sollen nicht auf verletzte oder ekzematös veränderte Haut aufgetragen und nicht auf Schleimhäute oder in die Augen gebracht werden. Kinder unter 14 Jahren sollten wegen noch fehlender klinischer Erfahrung nicht mit Ibuprofen behandelt werden. Ähnliches gilt für die Anwendung in Schwangerschaft und Stillzeit.

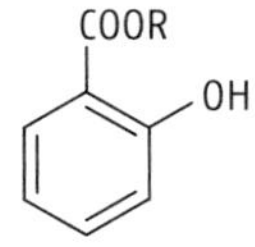

Medikamentöse Maßnahmen

	COOR ⬡—OH R =
Salicylsäure	H
Natriumsalicylat	Na
Ammoniumsalicylat	NH₄⁺
Monoethanolammoniumsalicylat	⁺NH₃—CH₂—CH₂—OH
Methylsalicylat	—CH₃
Ethylsalicylat	—C₂H₅
Phenylsalicylat	—C₆H₅
Salicylamid	—NH₂
Diethylammoniumsalicylat	—⁺NH(C₂H₅)₂
(2-Hydroxyethyl)salicylat	—CH₂—CH₂—OH
(2-Aminoethyl)salicylat	—CH₂—CH₂—NH₂
Cholinsalicylat	HO—CH₂—CH₂—⁺N(CH₃)₃

Abb. 8.3-12: Salicylsäure und topisch verwendete Salicylate

Der Wirkstoff ist plazenta- und muttermilchgängig, dürfte aber bei vorschriftsmäßiger Anwendung (nicht großflächig, nicht über längere Zeit) keine gravierenden unerwünschten Wirkungen aufweisen.

Ibuprofen-Zubereitungen als Microgel enthalten den Wirkstoff in gelöster Form in mikroskopisch kleinen Mizellen (z.B. doc® Ibuprofen Schmerzgel). Im In-vitro-Vergleich mit einer O/W-Cremeformulierung zeigte das Microgel einen vierfach höheren Ibuprofen-Flux, so dass in vivo mit einer schnelleren und stärkeren Wirkung auch in tieferen Gewebeschichten gerechnet werden kann.

Dosierung. Mehrmals (3- bis 4-mal täglich) einen 4 bis 10 Zentimeter langen Strang auf die schmerzende Stelle auftragen und einmassieren.

Etofenamat

Der Flufenaminsäureester Etofenamat gehört zur Familie der Anthranilsäurederivate. Hinsichtlich der Nebenwirkungen sowie der Dosierung dieser kutan gut resorbierbaren Substanz gelten die zu Ibuprofen gemachten Ausführungen analog.

Piroxicam

Piroxicam, ein Benzothiazinderivat, wird ebenfalls gut resorbiert und entspricht in Wirkungsmechanismus und Stärke dem Etofenamat. Wie bei den bereits dargestellten nicht steroidalen Antirheumatika sind allergische Hautreaktionen möglich. Hinsichtlich der Anwendung bei Kindern sowie in Schwangerschaft und Stillzeit gelten die unter Ibuprofen aufgeführten Sicherheitshinweise. In der medizinischen Fachliteratur wurden in Einzelfällen Nierenschäden nach mehrwöchiger, aber bestimmungsgemäßer Anwendung (keine Überdosierung!) bei älteren niereninsuffizienten Patienten beschrieben.

Dimethylsulfoxid

Dimethylsulfoxid (DMSO) wurde im Jahr 1995 mit folgenden Auflagen aus der Ver-

Tab. 8.3-9: Topische Präparate mit synthetischen Antiphlogistika (Auswahl)

Präparatename	Darreichungsform	Gehalt in 100 g	Sonstige Inhaltsstoffe
Diclofenac			
arthrex® Schmerzgel	Gel	Diclofenac-Natrium 1 g	–
Diclofenac-ratiofarm® Gel	Gel	Diclofenac-Natrium 1 g	–
Diclofenac-ratiopharm® Schmerzpflaster	Pflaster	140 mg/Pflaster	Menthol
Voltaren® Schmerzgel/forte®	Emulgel	Diclofenac, Diethylaminsalz 1,16 g/2,32 g	
Voltaren® Spray	Spray	Diclofenac-Natrium 4 %	Pfefferminzöl
Dimethylsulfoxid (DMSO)			
Abtei Schmerzgel	Gel	–	Campher, Menthol, Methylsalicylat
Etofenamat			
Rheumon® Creme/Lotion	Creme/Lotio	10 g	–
Traumon®	Gel 5˙/./10˙/./Spray	5 g/10 g/10 g	–
Felbinac			
Therma Care® Schmerzgel	Gel	3 g	–
Flufenaminsäure			
Mobilat® Intens Muskel- und Gelenksalbe®	Creme	3 g	Citronellöl, Rosmarinöl, Zitronenöl
Ibuprofen			
doc® Ibuprofen Schmerzgel		5 g	
Dolgit® Schmerzcreme	Creme	5 g	Bitterorangenblütenöl, Lavendelöl
Dolobene® Ibu	Gel	5 g	–
Ibutop® Schmerzcreme/Schmerzgel	Creme/Gel	5 g	–
Indometacin			
Indo Top-ratiopharm®	Spray	0,8 g	–
Mobilat® Schmerzspray 1 %	Spray	0,8 g	–
Piroxicam			
Pirocutan®	Gel	0,5 g	–
Piroxicam AL	Gel	0,5 g	–

Medikamentöse Maßnahmen

Tab. 8.3-9: Topische Präparate mit synthetischen Antiphlogistika (Auswahl) (Fortsetzung)

Präparatename	Darreichungsform	Gehalt in 100 g	Sonstige Inhaltsstoffe
Salicylsäure und Derivate			
Dolo Arthrosenex® M	Gel/Salbe	Hydroxyethylsalicylat	Menthol
Mobilat® DuoAktiv Schmerzgel/ Schmerzsalbe	Gel Creme	Salicylsäure 2 g	Chondroitinpolysulfat 0,2 g

schreibungspflicht entlassen: „zur kutanen Anwendung bei Menschen in einer Konzentration bis zu 15%". Die Substanz von einfacher chemischer Struktur (CH$_3$-SO-CH$_3$) fand lange als resorptionsverbessernder Zusatz – beispielsweise in Heparinsalben – Verwendung. Später zeigte sich, dass DMSO auch selbst über gute analgetische, antiphlogistische und abschwellende Wirkungen verfügt. Da DMSO die Aufnahme vieler, zum Teil schwer resorbierbarer Substanzen fördert, dürfen vor der kutanen Anwendung von DMSO-Zubereitungen keine anderen Topika aufgetragen werden. DMSO-Gele sollen ferner nicht auf kranke oder vorgeschädigte Haut gebracht werden. Besondere Vorsicht gilt bei schweren Leber- und Nierenfunktionsstörungen. Auch während einer Schwangerschaft, in der Stillzeit sowie bei Kindern unter fünf Jahren sollte DMSO nicht angewendet werden. Als Nebenwirkungen einer kutanen Behandlung mit DMSO-Zubereitungen können lokale Hauterscheinungen wie Juckreiz, Rötung und Brennen auftreten. Auch allergische Reaktionen sind möglich. Ein leicht knoblauchartiger Geruch der Ausatemluft sowie ein Geschmack nach Knoblauch sind Folge des DMSO-Abbaus zu Dimethylsulfid. Topische DMSO-Zubereitungen des Handels siehe Tab. 8.3-9.

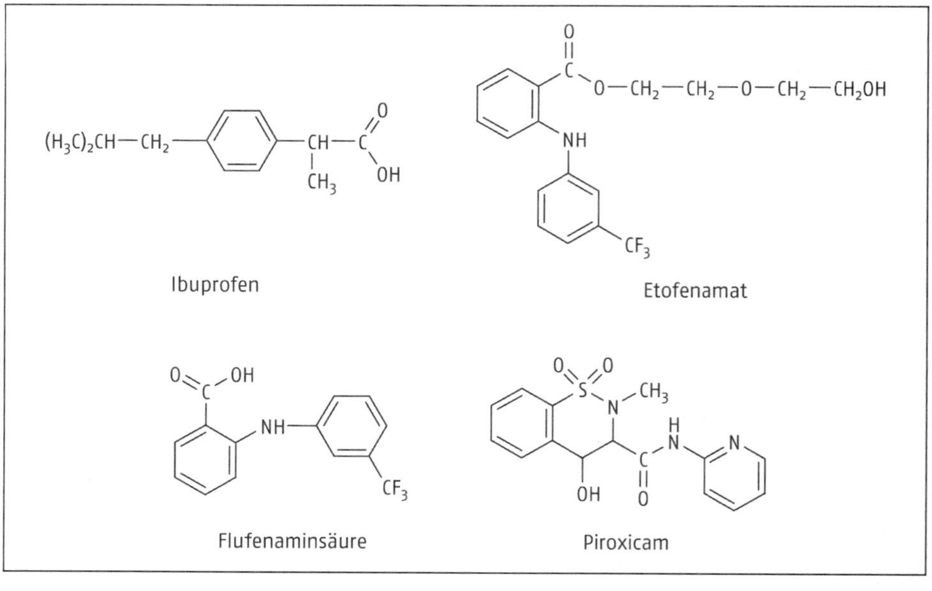

Abb. 8.3-13: Strukturformeln einiger NSAR zur topischen Anwendung

Felbinac

Chemisch betrachtet zählt Felbinac zu den Phenylessigsäure-Derivaten.

Dosierung. 2- bis 4-mal täglich 1 bis 2 Gramm Gel auf die schmerzhaften Stellen auftragen und leicht einmassieren.

Hinweis. Bei entsprechend disponierten Patienten wurden in Einzelfällen Asthmaanfälle beobachtet.

Indometacin

Seit dem Jahr 1996 steht auch das Indolylessigsäure-Derivat Indometacin für rezeptfrei erhältliche Rheuma-Topika zur Verfügung, allerdings mit einer Einschränkung hinsichtlich der Dosierung (max. 1%ige Lösung). Der Wirkstoff, seit den sechziger Jahren auf dem deutschen Markt, ist hinsichtlich seines Nutzens und möglicher Risiken gut bekannt.

Dosierung. Die Sprays werden 3- bis 5-mal täglich so aufgesprüht, dass das erkrankte Gebiet bedeckt ist.

Hinweis. Bei gleichzeitiger Anwendung anderer Indometacin-haltiger Darreichungsformen (z. B. Suppositorien, Kapseln) ist die Tageshöchstdosis von 200 mg Wirkstoff zu beachten.

Ketoprofen

Ketoprofen ist ein Phenylpropionsäure-Derivat.

Die äußerliche Behandlung mit Ketoprofen ist indiziert bei

- schmerzhaften Schwellungen und Entzündungen der gelenknahen Weichteile (z. B. Sehnen, Sehnenscheiden, Bänder und Gelenkkapsel) besonders im Bereich der Schulter und des Ellenbogens,
- Sport- und Unfallverletzungen, wie Prellungen, Verstauchungen und Zerrungen.

Dosierung. Das Dermatikum wird 3- bis 4-mal täglich auf die betroffenen Körperpartien (nur auf intakte Hautflächen!) aufgetragen und leicht eingerieben. Die Behandlungsdauer beträgt bis zu 2 Wochen.

Hinweis. Die topische Anwendung von Ketoprofen ist kontraindiziert bei

- bekannter Überempfindlichkeit gegen Ketoprofen oder andere nicht steroidale Antirheumatika,
- im letzten Trimenon der Schwangerschaft (großflächige Anwendung und langfristig),
- in der Stillzeit,
- Kindern unter 6 Jahren.

Rezeptpflichtig. Ketoprofen zur topischen Anwendung darf in der Selbstmedikation nicht mehr eingesetzt werden. Nach einer entsprechenden Empfehlung der europäischen Arzneimittelagentur (EMA) hatte der zuständige Ausschuss am BfArM die Verschreibungspflicht befürwortet und das Bundesministerium für Gesundheit die entsprechenden Präparate zum 1. Juni 2012 der Verschreibungspflicht unterstellt. Bei Ketoprofen wurde somit die Ausnahme für Zubereitungen „zur kutanen Anwendungen in Konzentrationen bis zu 2,5 Prozent" gestrichen, so dass nun ausnahmslos alle Ketoprofen-Gele nur noch auf ärztliche Verordnung abgegeben werden dürfen. Hintergrund ist ein Risikobewertungsverfahren der europäischen Arzneimittelagentur (EMA) zu Ketoprofen-Topika-bedingten phototoxischen Hautreaktionen. Diese Reaktionen scheinen sich bei gleichzeitiger Anwendung von Sonnenschutzmitteln mit dem UV-Filter Octocrylen zu verstärken. Ursächlich für diese Hautreaktionen ist vermutlich die Benzpohenon-Gruppe des Ketoprofen. Die von einer photoallergischen Reaktion betroffenen Patienten entwickeln zumeist Rötung, Bläschen und Juckreiz an der Haut, die auch nach Absetzen mehrere Wochen, in Einzelfällen auch mehrere Monate, anhalten können. Zu allen anderen NSAR zusammen wurden nur wenige Einzelfälle von photoallergischen Reaktionen berichtet. Bei der Abgabe rezeptpflichtiger Ketoprofen-Topika sollten die Anwender in der Apotheke darauf aufmerksam gemacht werden, dass sie ihre Haut während und bis 14 Tage nach Ende der Anwendung vor Sonnenbestrahlung schützen müssen.

Diclofenac, kutan

Diclofenac-haltige Arzneimittel zur kutanen Anwendung in Konzentrationen bis zu 5% wurden im Jahr 1999 aus der Verschreibungspflicht entlassen. Dies gilt für folgende Anwendungsgebiete: Schmerzen, Entzündungen und Schwellungen bei rheumatischen Erkrankungen der Weichteile, degenerative Erkrankungen der Gelenke und Wirbelsäule, Sport- und Unfallverletzungen. Präparate, die zusätzlich die Indikation „Entzündung oberflächlicher Venen" (Thrombophlebitis superficialis) beanspruchen, wie z.B. Voltaren® Emulgel®, bleiben rezeptpflichtig (Voltaren® Schmerzgel ist dagegen rezeptfrei). Bei dieser Indikation wird die Überwachung durch den Arzt weiterhin als notwendig erachtet. Von Diclofenac werden in Topika sowohl sein Diethylamin – als auch sein Natriumsalz verwendet (s. Tab. 8.3-9).

Unerwünschte Wirkungen des nicht steroidalen Antiphlogistikums Diclofenac betreffen überwiegend die Haut: Im Zeitraum von 2013 bis Mitte 2016 gingen bei der AMK 84 Spontanberichte aus Apotheken über unerwünschte kutane Nebenwirkungen nach Anwendung von Diclofenac-haltigen Gelen ein. Darunter waren neben Rötung, Juckreiz und Brennen an der Applikationsstelle auch großflächige Hautablösungen und große Blasenbildung. Systemische Nebenwirkungen wie Magen-Darm-Störungen, generalisierter Hautausschlag, Angioödem, Atemnot oder Photosensibilisierung sind nur in Einzelfällen und bei großflächiger, langfristiger Anwendung möglich.

Diclofenac-Gele sollten nur auf intakte Hautflächen aufgetragen werden und dürfen nicht in Kontakt mit Augen oder Schleimhäuten kommen.

Bei den Diclofenac-Gelen handelt es sich häufig um Hydrogele, deren Polymergerüst einen hohen Wasseranteil hat. Aufgrund der Verdunstungskälte kommt es zu einem angenehmen Kühleffekt, der durch Zusatz von Isopropanol oder Ethanol noch verstärkt wird. Außerdem dienen diese Alkohole als Penetrationsverbesserer, können aber wie DMSO in höherer Konzentration hautreizend sein.

Bei den sogenannten Emulsionsgelen (z.B. Voltaren® Schmerzgel) ist der Arzneistoff in Öltropfen konzentriert, die in einer Polyacrylatmatrix suspendiert vorliegen. Zwischen beiden Phasen befinden sich mehrschichtige Flüssigkristalle, die aus Arzneistoffen und Emulgator bestehen. Ein Vorteil dieser Emulsionsgele ist, dass das Öl die Gelmatrix geschmeidig hält und hautpflegende Eigenschaften entfaltet.

Das Voltaren®-Spray enthält Diclofenac in 4%iger Konzentration in Form von phospholipidhaltigen Mizellen, die in einer Isopropanol-Wasser-Mischung dispergiert sind. Nach dem Auftragen wandern die Mizellen in die Haut, lösen sich dort auf und setzen den Wirkstoff frei. Das Spray soll verglichen mit dem Schmerzgel aufgrund seiner höheren Wirkstoffkonzentration und der Mizellenstruktur eine bessere Wirkstoff-Penetration erzielen.

Phytotherapeutika

Arnika

Arnikablüten (Arnicae flos Ph. Eur. Stammpflanze: *Arnica montana* L.) dienen zur Herstellung der Arnikatinktur, eines klassischen Hausmittels mit unterstützender Wirkung bei Zerrungen, Prellungen, Verstauchungen sowie zur Förderung der Absorption von Blutergüssen und der Wundheilung. Manche Einreibungen unter den Fertigarzneimitteln enthalten ethanolische und isopropanolische Arnikaauszüge (Tab. 8.3-10). Von den verschiedenen Arnikainhaltsstoffen werden heute die Sesquiterpenlactone des Pseudoguaianolid-Typs, Helenanin bzw. Dihydrohelenanin sowie von beiden Verbindungen abgeleitete Ester (Abb. 8.3-14) als die therapeutisch wichtigsten betrachtet. Für diese Substanzen sind starke antiphlogistische, antirheumatische und antiarthritische Wirkungen nachgewiesen worden.

Die Standardzulassung (8199.99.99) nennt folgende Anwendungsgebiete: „Zur Unterstützung bei der Therapie von Zerrungen, Prellungen, Verstauchungen, Muskel- und Gelenkschmerzen, Schwellungen infolge von Quetschungen und stumpfen Verletzungen; Förderung der Resorption von Blutergüssen und der Wundheilung." Auf die Monographie „Arnikatinktur" des DAB sowie die entsprechende Standardzulassung (5799.99.99) wird verwiesen (s.a. Kap. 4.1.3).

Beratungstipp

Bei der Abgabe Arnikaextrakt-haltiger Externa auf die Möglichkeit lokaler Unverträglichkeitsreaktionen (Bläschen, Ekzeme) hinweisen!

Aesculus

Extrakte aus Rosskastaniensamen (Hippocastani semen, Stammpflanze: *Aesculus hippocastanum* L.) und auch das aus ihnen isolierte Aescin, eine Sammelbezeichnung für ein Gemisch zahlreicher Esterglykoside, zeigen antiödematöse, antiexsudative, gefäßfragilitätssenkende und auch antiphlogistische Eigenschaften (s.a. Kap. 4.6.2.2).

Tab. 8.3-10: Arnikahaltige Präparate (Auswahl)

Präparatename	Darreichungsform	Gehalt in 100 g	Sonstige Inhaltsstoffe
Arnica-comp. Gel® dhu	Gel	Arnica ad us. ext. HAB 10 g	Calendula ad us. ext. HAB 10 g
Arnika Schmerzfluid	Lösung	10 g Arnikatinktur	Verschiedene ätherische Öle, Perubalsam
doc® Arnika	Creme	Arnikatinktur (1:10) 21,5 g	Rosmarinöl
Klosterfrau Arnika Schmerz-Salbe	Salbe	Arnikatinktur (1:10) AZM Ethanol 70 % 25 g	–
Kneipp® Arnika Salbe S	Salbe	Öliger Auszug aus Arnikablüten (1:3,5–4,5) 10 g	–

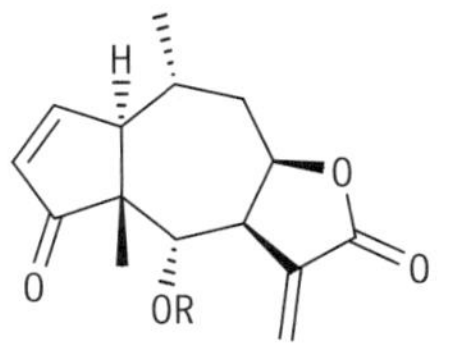

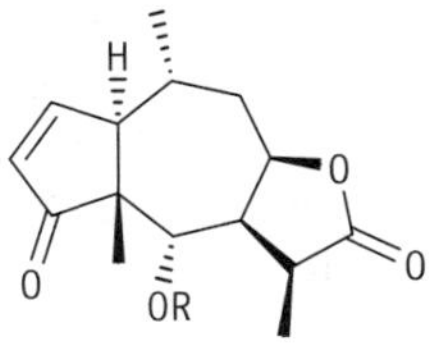

Medikamentöse Maßnahmen

R = H (Helenalin)
R = Acetyl
R = Isobutyryl
R = α-Methacrylyl
R = Tigloyl
R = Isovaleryl
R = 2-Methylbutyryl

R = H (11, 13-Dihydrohelenalin)
R = Acetyl
R = Isobutyryl
R = α-Methacrylyl
R = Tigloyl
R = Isovaleryl

Abb. 8.3-14: Arnika-Inhaltsstoffe

Symphytum

Zu den Hauptinhaltsstoffen der Beinwellwurzel (Symphyti bzw. Consolidae radix, Stammpflanze: *Symphytum officinale* L.) zählen Pyrrolizidinalkaloide sowie Allantoin, wobei Letzteres die Granulation und Geweberegeneration fördern soll. Bei oraler Einnahme gehören bestimmte Pyrrolizidinalkaloide zu den Kanzerogenen. Lokal appliziert werden Symphytumzubereitungen bei Knochenhautreizungen, Gelenkentzündungen, Gichtknoten, zur Förderung der Kallusbildung bei Knochenbrüchen, bei Sehnenscheidenentzündungen, Arthritis oder auch Sportverletzungen eingesetzt (Tab. 8.3-11). Nach der Aufbereitungsmonographie der Kommission E sowie den Ergebnissen verschiedener Anhörungen der betroffenen Hersteller wird eine Zulassung (unter bestimmten Einschränkungen) nur für die äußerliche Anwendung von Beinwell-Zubereitungen befürwortet. Zu beachten ist, dass die Anwendung nur auf intakter Haut erfolgen darf. Die Anwendung in der Schwangerschaft soll nur nach Rücksprache mit dem Arzt erfolgen. Um vollständig von der Haut aufgenommen zu werden, sollen die gelartigen Produkte dünn aufgetragen werden, in schweren Fällen ggf. mit einem Salbenverband.

Tab. 8.3-11: Symphytum-haltige Präparate (Auswahl)

Präparatename	Darreichungsform	Gehalt in 100 g	Sonstige Inhaltsstoffe
Kytta® Geruchsneutral	Creme	Rad. Symphyti-Fluidextr. (1:2) 35 g – AZM: Ethanol 60 %	
Kytta-Plasma® f	Paste	Rad. Symphyti-Fluidextr. (1:2) 30 g – AZM: Ethanol 60 %	
Kytta-Salbe® f	Creme	Rad. Symphyti-Fluidextr. (1:2) 35 g – AZM Ethanol 60 %	Lavendelöl, Fichtennadelöl
Traumaplant®	Creme	Zubereitung aus frischem Symphytum x uplandicum-Kraut (2–3:1) 100 g bestehend aus: 40 g Presssaft aus frischem Kraut (3–8:1) und 60 g Auszug aus dem Pressrückstand aus frischem Kraut (3–10:1); AZM: Ethanol 30 %	Rosmarinöl

Beinwell ist ein Komplex aus Hybriden, die unter der Bezeichnung „Symphytum x uplandicum Nyman" zusammengefasst werden und die sich in ihren phytochemischen Eigenschaften unterscheiden. Die speziell auf Abwesenheit von Pyrrolizidinalkaloiden in den oberirdischen Pflanzenteilen selektierte Sorte „Harras" ermöglicht die Anwendung der entsprechenden Zubereitung (Traumaplant®) auch auf verletzter Haut wie z.B. Schürfwunden. In Traumaplant® Creme sind keine Pyrrolizidinalkaloidgehalte nachweisbar (Nachweisgrenze 0,1 ppm). Das Präparat unterliegt daher auch nicht den Anwendungsbeschränkungen für Pyrrolizidinalkaloid-haltige Arzneimittel und darf laut Gebrauchsinformation auch auf begleitenden Schürfwunden aufgetragen werden.

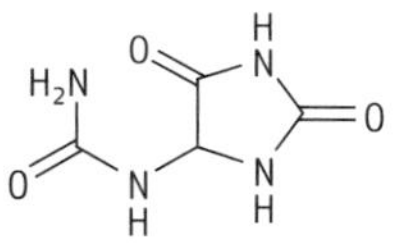

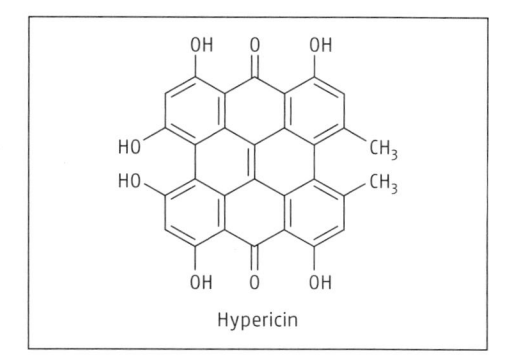

Hypericin

dungsgebiete öliger Hypericumzubereitungen die Behandlung und Nachbehandlung von scharfen und stumpfen Verletzungen, Myalgien und Verbrennungen ersten Grades. Zu beachten ist die mögliche photosensibilisierende Nebenwirkung des Hypericins (pralle Sonne oder Solarium meiden!).

Allantoin

Beratungstipp

Bei Anwendung einer Symphytum-Extrakt-haltigen Pastengrundlage ist angefeuchtetes Verbandmaterial zu verwenden, unter dem die Paste dünn aufgetragen wird.

Hypercium

Oleum Hyperici, Johanniskrautöl oder „Rotöl", das aus Hyperici herba (Stammpflanze: *Hypericum perforatum* L.) mit Hilfe von Olivenöl, Sonnenblumenöl oder Weizenkeimöl hergestellt wird, gehört ebenfalls zu den alten Hausmitteln. Die leicht hyperämisierende, granulationsfördernde und antiphlogistische Wirkung lässt sich wohl weniger dem Hypericin zuschreiben als vielmehr den Komponenten des ätherischen Öles (n-Alkane, bes. $C_{29}H_{60}$, daneben α-Pinen und andere Monoterpene). Die Kommission E nennt in der Aufbereitungsmonographie als Anwen-

Mineralstoff- und Moorpräparate

Fango

Die Definition der Kommission B8 für die Aufbereitungsmonographie von Fango lautet: Aus verschiedenen Gesteinen hergestellte pulverförmige, wasserbindende Materialien, die unmittelbar vor ihrem Gebrauch mit Wasser versetzt und zu einem Schlamm mit Packungskonsistenz aufbereitet werden. Für die Anwendung gelten folgende Empfehlungen:

- Heißanwendung (42 bis 48 °C), 20 bis 30 Minuten,
- Kaltanwendung (0 bis 15 °C), 10 bis 15 Minuten,
- Schichtdicke: 3 bis 5 Zentimeter.

Gebrauchsfertige Fangokompressen erfreuen sich großer Beliebtheit zur Reiz- und Wärmetherapie bei neuralgisch-rheumatischen Beschwerden, Verstauchungen oder Verrenkungen. Ihre Wirkung beruht primär auf einem physikalischen Effekt. Sie verursachen eine starke, langandauernde und tiefreichende Durchwärmung; möglicherweise werden hierdurch auch Schmerzzustände günstig beeinflusst (vgl. Kap. 8.4: Balneotherapie). Die Fertigkompressen, in verschiedenen Größen angeboten, werden zur Anwendung in 50 bis 60 °C warmes Wasser getaucht und – so heiß wie erträglich – auf die betreffende Körperstelle gelegt. Nach der Einwirkzeit soll die Kompresse entfernt und der behandelte Körperteil mit Wolldecken noch ca. eine Stunde warmgehalten werden. Eine Fangokompresse ist 10- bis 15-mal wiederverwendbar.

Eleganter in der Anwendung sind **Fango-Paraffin-Kompressen.** Die Vorteile liegen in einer geringeren Verschmutzung und in der körpergerechten Formbarkeit der Kompresse (Anpassung an jede Körperform).

(Fortsetzung nächste Seite)

Tab. 8.3-12: Fangopräparate des Handels (Auswahl)

Handelsname	Bemerkungen
Fangopress®	Jura Fango; Format: 12 × 23 cm, 23 × 26 cm, 23 × 40 cm, 23 × 54 cm
Fangotherm® Eifelfango Gr. 1/ Gr. 2	Natürlicher Eifel-Fangoschlamm; Format: 27 × 50 cm/27 × 28 cm
Ky-Thermopack® Gr. 1/Gr. 2	Getrockneter Hochmoortorf, Kieselsäure-haltiger Fango, Hartparaffin; Format: 25 × 20 cm/ 38 × 12,5 cm

Moor

Moor- und Torfbestandteile sind in zahlreichen Bädern enthalten (vgl. Kap. 8.4: Balneotherapie). **Humin-** und **Humussäuren** sind amorphe, chemisch heterogene, komplexe Verbindungen, die im Boden aus abgestorbenem, vorwiegend pflanzlichem Ausgangsmaterial durch chemische und biologische Umsetzungen entstehen. Verschiedene Einreibungen enthalten Huminsäuren, die besonders entzündliche Prozesse günstig beeinflussen sollen.

Die Aufbereitungsmonographie „Packungen mit wasserhaltigen natürlichen Peloiden" der Kommission B8 enthält folgende Anwendungshinweise:

- Heißanwendung (42 bis 48 °C), 20 bis 30 Minuten,
- Kaltanwendung (0 bis 15 °C), 10 bis 15 Minuten,
- Schichtdicke: 3 bis 5 Zentimeter.

Moorextrakt-Bäder, Moorlauge-Bäder, Moorsuspensions-Bäder sowie Huminsäure-Bäder erhielten Negativmonographien, da der Aufbereitungskommission kein ausreichendes wissenschaftliches Erkenntnismaterial zur Wirksamkeit bei den beanspruchten Anwendungsgebieten vorgelegt werden konnte.

Heparin

Heparin, ein polyanionisches Polysaccharid (Molekulargewicht 6 000–20 000, Abb. 8.3-15),

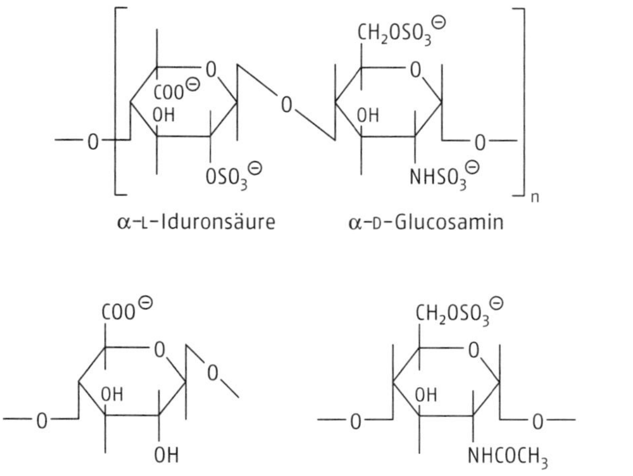

Abb. 8.3-15: Bausteine des Heparinmoleküls

gehört zu den stärksten Säuren des menschlichen Organismus und kommt in Mastzellen (Heparinozyten) und basophilen Granulozyten vor. Die erstmalige Isolierung erfolgte 1916 durch McLean aus Leber- und Herzgewebe, heute wird Heparin hauptsächlich aus tierischen Darmschleimhäuten gewonnen.

Heparin vermag an verschiedenen Stellen in das Gerinnungssystem einzugreifen: Nach Aktivierung des Antithrombin III (Heparin-Cofaktor) hemmt es vor allem den Gerinnungsfaktor Xa, ferner hemmt es die Umwandlung von Prothrombin in Thrombin sowie die Fibrinbildung aus Fibronogen. Weitere Wirkungen sind:

- Auflösung bestehender Thromben,
- Hemmung der Thrombozytenaggregation (in hohen Dosen),
- Senkung einer Lipidämie durch Aktivierung der Lipoproteinlipase.

Wichtigster **Anwendungsbereich** des Heparins ist die Gerinnungshemmung nach parenteraler Applikation. Darüber hinaus ist Heparin aber auch Bestandteil einer Vielzahl von – auch in der Selbstmedikation – verwendeten Salbenzubereitungen zur Behandlung von Venenentzündungen und stumpfen Traumen.

Ziel bei der Behandlung stumpfer Verletzungen mit Heparin ist eine lokale Antikoagulation und Durchblutungssteigerung, welche die Resorption von Blutergüssen beschleunigen soll. Ferner wird dem Heparin eine Lockerung verhärteten Gewebes (z. B. von Narben) durch Hydratation sowie eine Förderung der Gewebsregeneration und der Wundheilung nachgesagt.

Die Angabe des Wirkwertes von Heparin erfolgt in Einheiten (I. E.), bezogen auf die spezifische Wirkung eines internationalen Standardpräparates. Nach allen Bestimmungsmethoden enthält 1 Milligramm Substanz ca. 140 Einheiten.

Im Ph. Eur. finden sich die Monographien Heparin-Calcium und Heparin-Natrium. Die Aufbereitungsmonographie „Heparin zur topischen Anwendung" nennt als Anwendungsgebiet die unterstützende Behandlung bei Schwellungszuständen und stump-

Tab. 8.3-13: Heparin-haltige Handelspräparate zur topischen Anwendung (Auswahl)

Präparatename	Darreichungsform	Heparingehalt [I.E./100 g]	Sonstige Wirkstoffe
Exhirud® Heparin 60000	Salbe/Gel	60 000	–
Heparin ratiopharm® 30000/ – 60000 – 180000	Salbe Salbe Gel	30 000 60 000 180 000	
Hepathromb® 30000/60000	Creme	30 000/60 000	–
Hepathrombin® – 30000 – 60000	Gel/Salbe	30 000 60 000	
Thrombareduct® Sandoz – 30000 – 60000 – 100000 – 180000	Gel/Salbe Gel/Salbe Gel/Salbe Gel/Salbe	30 000 60 000 100 000 180 000	– – – –

fen Traumen. In Einzelfällen können als Nebenwirkung allergische Reaktionen auftreten. Bei hoher Dosierung (über 180 000 I.E./100 g) beobachtet man gelegentlich eine Verstärkung von Hämatomen. Für die genannten Indikationen wird empfohlen, Salben oder Gele im Dosierungsbereich zwischen 30 000 und 60 000 I.E./100 g 2- bis 3-mal täglich für eine Dauer von bis zu 10 Tagen aufzutragen (s. Tab. 8.3-13).

Info

In der Selbstmedikation sollte man sich bei Heparin-Topika auf Konzentrationen bis maximal 60 000 I.E. beschränken.

Die **perkutane Resorption** war in der Literatur häufig Gegenstand kritischer Diskussionen: Molekülgröße, elektrostatische Ladung, Anionencharakter der Substanzen lassen diese Kritik durchaus berechtigt erscheinen. Zwar konnte in verschiedenen Arbeiten mit unterschiedlichen Techniken eine begrenzte perkutane Resorption belegt werden, die Resorptionsquote erwies sich jedoch als sehr niedrig. Zweifel, dass die Wirksamkeit topisch applizierten Heparins allein auf seinen gerinnungshemmenden Eigenschaften beruht, erscheinen somit gerechtfertigt. Eine befriedigende rationale Begründung der topischen Heparintherapie ist offenbar zurzeit noch nicht möglich.

Heparinoide

Heparinoide sind durch Partialsynthese gewonnene Polyschwefelsäureester von Polysacchariden. Im Gegensatz zum Heparin enthalten sie **keinen Stickstoff**. Die Hauptvertreter dieser Substanzklasse sind:

- Mucopolysaccharidpolyschwefelsäureester,
- Natrium-pentosanpolysulfat.

Die therapeutische Breite der Heparinoide ist meist kleiner als die des natürlichen Heparins; der Einsatz erfolgt lokal. Hinsichtlich der Wirksamkeit bei topischer Anwendung gelten die Ausführungen bei Heparin für die Heparinoide gleichermaßen. Auch die Indikationsansprüche (ödematöse Schwellungen, Entzündungen oberflächlicher Venen und Lymphbahnen, Sport- und Unfallverletzungen wie Prellungen, Quetschungen, Verrenkungen, Verstauchungen, Zerrungen sowie Hämatome, Sehnenscheiden- und Schleimbeutelentzündungen) decken sich mit denen topischer Heparinzubereitungen. Bei akuten Entzündungen und besonders bei schmerzhaften Erkrankungen wie Thrombophlebitiden empfiehlt es sich, die Salben nicht einzumassieren, sondern nach dem Auftragen mit einem Verband abzudecken. Fertigpräparate sind in Tabelle 8.3-14 aufgeführt.

Die Aufbereitungsmonographie „Mucopolysaccharidpolyschwefelsäureester zur topischen Anwendung" empfiehlt für die Behandlung stumpfer Traumen mit und ohne Hämatom folgende Dosierung: 25 000 bis 40 000 I.E./100 g 2- bis 3-mal täglich über einen Zeitraum von ca. 10 Tagen auftragen.

Beratungstipp

Heparin- oder Hepariniod-haltige Präparate nicht auf offene Wunden oder nässende Ekzeme aufbringen.

Tab. 8.3-14: Heparinoide enthaltende Handelspräparate (Auswahl)

Präparatename	Darreichungsform	Gehalt in 100 g	Sonstige Inhaltsstoffe
Thrombocid®	Gel	Na-pentosanpolysulfat 1,5 g (entspr. 50 000 I.E.)	Ätherische Öle
Thrombocid®	Salbe	Na-pentosanpolysulfat 100 mg	Guajazulen

Medikamentöse Maßnahmen

8.4 Balneotherapie

Die „echte" Balneotherapie ist kein typisches Selbstbehandlungsverfahren; die im Handel befindlichen Fertigpräparate für den Bereich der Selbstmedikation können eine Balneotherapie am Kurort nicht ersetzen. Die **Bäderheilkunde** gehört wohl zu den ältesten Heilverfahren der Menschheit. Sie wurde angewendet in den Asklepios-Heiligtümern der alten Griechen oder in den Thermen der Römer, zu denen schon Aachen oder Badenweiler zählten. Lange vor Vincenz Prießnitz (1799–1851) oder Sebastian Kneipp (1821–1897) suchten Patienten Linderung ihrer Beschwerden durch Bäder, Waschungen oder Trinkkuren. Die Hydrotherapie nach Kneipp umfasst über 100 verschiedene Wasseranwendungen (Teil- und Vollbäder, Güsse, Wickel, Wechselbäder, usw.). Kneipp entdeckte auch, dass Hydrotherapie, Bewegungstherapie, Phytotherapie, Diätetik und Ordnungstherapie zusammenwirken müssen. Zur Behandlung rheumatischer Beschwerden nutzte er neben Sole-, Kräuter- und Moorbädern auch verschiedene, empirisch gefundene Badezusätze aus Fichtennadeln, Latschenkiefer oder Heublumen. Bei Bein- und Rückenleiden sowie bei rheumatischen Erkrankungen wurden schon lange Kaltwasser-Heilanstalten und Seebäder aufgesucht; daneben erkannte man schon bald den therapeutischen Wert von Schwefelquellen oder Moorbädern.

8.4.1 Balneotherapie am Kurort

Nachdem die Bäderheilkunde lange ein wissenschaftliches Schattendasein führte, sind sich heute die meisten Ärzte über den hohen Wert dieses Heilverfahrens (besonders in der **Behandlung chronischer Leiden**) einig. Auch bei der Erarbeitung wissenschaftlicher Grundlagen wurden Fortschritte erzielt. In zahlreichen experimentellen klinischen Untersuchungen ließen sich empirische Erkenntnisse untermauern. Allerdings sind nur wenige Bäderwirkungen spezifisch von den Inhaltsstoffen ableitbar (z.B. Kreislaufwirkung von Kohlensäurebädern, Affinität des Schwefels zu Haut- und Gelenkstrukturen). Zu den wichtigen therapeutischen Faktoren mineralarmer Wildwässer zählen vor allem unspezifische Wirkungen wie

- **Wärme** (Erregung der Wärmerezeptoren der Haut; Gefäßerweiterung),
- **Kälte** (Minderdurchblutung, Steigerung der Wärmeproduktion durch Erhöhung des Muskeltonus, reaktive Steigerung der Muskeldurchblutung bis zu 300%),
- **Auftrieb** (erleichterte Bewegung),
- **hydrostatischer Druck,**
- **physikalisch-chemische Wirkungen,** z.B. leichtere Resorption lipidlöslicher Stoffe wie Sauerstoff, Schwefelwasserstoff, Jod, sulfonierte Schieferölprodukte,
- **biologische Allgemeinwirkungen,** neurovegetative Umstellungsvorgänge, die zur Stabilisierung des Vegetativums führen.

Die Balneotherapie als Bäder- oder Trinkkur ist nur ein Teilaspekt der speziellen Therapie am Kurort. Die moderne kombinierte Kurbehandlung umfasst daneben alle Methoden der physikalischen Medizin (aktive und passive Übungstherapie, Hydro- und Thermotherapie, Massage, Elektrotherapie, Licht) sowie Pharmakotherapie, Diätbehandlung und kleine Psychotherapie (Entspannungsübungen, autogenes Training). Auch als Rehabilitationsmaßnahme nach operativen Eingriffen an Bandscheiben oder Gelenken hat die Balneotherapie ihren festen Platz, zusammen mit einem auf den Patienten abgestimmten Bewegungs- und Trainingsprogramm. Ärztliche Kontrolle ist nötig, um Schäden zu vermeiden; oft ist auch die Therapie chronischer Krankheiten nur in bestimmten Phasen möglich. Therapieziel ist die Kräftigung der Muskulatur, die Beseitigung von Bewegungseinschränkungen in den Gelenken sowie die Gewöhnung an Wärme- und Kälteeinflüsse.

Info

Rheumabäder und Wärmeanwendungen sind wie hyperämisierende Präparate nur bei muskulären oder chronischen Symptomen geeignet – nicht bei hochakuten Entzündungszuständen.

8.4.2 Balneotherapie zu Hause

Die Möglichkeiten zur Balneotherapie im kleinen Rahmen, nicht in den klassischen (Rheuma-)Badeorten, sondern in der eigenen Badewanne, bieten zahlreiche **Badekonzentrate** (Tab. 8.4-1) (Voll- und Teilbäder). Zu den beanspruchten **Indikationen** zählen:

- Muskelverspannungen,
- Zerrungen,
- rheumatische und neuralgische Erkrankungen,
- Durchblutungsstörungen.

Es handelt sich hier um Präparate ganz unterschiedlicher Zusammensetzung, meist um Kombinationen. Zum Einsatz kommen Substanzen mit Fernwirkungen als Folge einer primären örtlichen Reizwirkung auf die Haut (ätherische Öle, Campher). Ferner Stoffe mit einer vermuteten – selten nachgewiesenen – Allgemeinwirkung nach Resorption, z.B. Fangoerde, Moorextrakt, Huminsäuren, Salicylsäure und ihre Salze. Das Ausmaß einer möglichen Resorption ist abhängig von der Art der eingesetzten Substanzen, Badedauer und -temperatur, Hautzustand, Hilfsstoffzusätzen usw. Die Präparate enthalten hauptsächlich die im Folgenden beschriebenen Bestandteile.

Ätherische Öle als Badezusatz

Ätherische Öle wie Latschenkiefernöl, Rosmarinöl, Eukalyptusöl sind Bestandteil von Balneotherapeutika (siehe Tab. 8.4-1). Mittels Gaschromatographie durchgeführte Resorptionsstudien mit terpenhaltigen Badezusätzen zeigten, dass durch ein 20-minütiges Vollbad (1 ml Badeöl auf 10 l Badewasser) rund 0,04 g ätherische Öle aufgenommen werden. Mineralische Bestandteile vermögen dagegen die Haut nur schlecht zu durchdringen; Kohlendioxid und Radon penetrieren am leichtesten. Durch Reizung der Geruchsnerven (Nervus olfactorius) wirken ätherische Öle auch stimulierend auf das limbische System: Die Stimmungslage wird positiv be-

Tab. 8.4-1: Balneotherapeutika mit ätherischen Ölen (Auswahl)

Präparatename	Enthaltene ätherische Öle	Sonstige Inhaltsstoffe
Kneipp® Rheumabad spezial	Wacholderbeerenöl	Terpentinöl, Wintergrünöl
tetesept® Muskel Vital Bad	Ackerminzöl, Campher, Citronenöl, Eucalyptusöl, Rosmarinöl	Hydroxyethylsalicylat
Grippostad® Erkältungsbad	Eukalyptusöl, Fichtennadelöl, Levementhol	

Tab. 8.4-2: Moorbäder (Auswahl)

Präparatename	Inhaltsstoffe
Leukona-Sulfomoor Bad F	Moorextrakt
Neydharting Heilmoor Vital Bad	Heilmoor
Salhumin® Rheumabad	Huminsäuren, Salicylsäure

einflusst, was den Patienten anspornt und ihn die Therapie als angenehm empfinden lässt. Ein nicht zu vernachlässigender Aspekt in Anbetracht der Tatsache, dass viele Rheumapatienten unter depressiven Verstimmungen leiden.

Heublumen als Badezusatz

Heublumen, eine bunte Mischung der verschiedensten Wiesenblumen, wurden schon von Kneipp verwendet. Heute sind Fertigkonzentrate im Handel, die nur noch dem Badewasser zugegeben werden müssen (z.B. Heublumen Ölbad Schupp, Spitzner Balneo Heublumen). Über das Wirkprinzip dieser aufgrund empirischer Erfahrung verwendeten Heublumenpräparate ist wenig bekannt. Volksmedizinisch beliebt waren bei rheumatischen Erkrankungen auch Heublumensäcke oder -hemden als Auflagen. Ihnen wurde eine analgetische, entkrampfende und hyperämisierende Wirkung zugesprochen.

Moorbäder

Moorbäder werden standardisiert auf Huminsäuren oder auch als alkalische Mooraufschlüsse (Moorlaugen) angeboten. Um irreparable Verschmutzungen der Badewanne zu vermeiden, sollte auf den Hinweis „wannenunschädlich" geachtet werden. Oft liegen Kombinationen mit ätherischen Ölen oder Salicylaten vor. Bekannte Moorwirkungen sind Kapillarverengung und Mehrdurchblutung (Präparatebeispiele s. Tab. 8.4-2).

Schwefelbäder

Zum Einsatz kommen hier kolloidaler Schwefel oder Sulfide. Verschiedene Autoren vermuten ein Schwefeldefizit in Gelenkknorpel und -flüssigkeit beim Rheumatismus. In experimentellen Versuchen mit radioaktivem Schwefel konnte die wichtige Rolle dieses Elementes beim Aufbau der Chondroitin-Schwefelsäure des Gelenkknorpels gezeigt werden. Präparatebeispiel: Spitzner® Schwefelbad.

Ichthyol als Badezusatz

Ichthyol (Ammoniumbituminosulfonat, z.B. in Ichtho®-Bad): Zu den Wirkungen zählen in bescheidenem Umfang Hyperämisierung, Entzündungshemmung und Schmerzlinderung. Zur Wirkungsverstärkung empfiehlt der Hersteller das direkte Auftragen des Konzentrates auf die am stärksten betroffenen Stellen. Nach dieser Vorbehandlung wird das Bad genommen.

Salicylsäure als Badezusatz

Salicylsäure und Salicylate sind oft Bestandteil von Kombinationspräparaten, neben Huminsäuren, ätherischen Ölen oder Estern der Nicotinsäure. Präparatebeispiel: z.B. Salhumin® Rheumabad.

Solebäder

Solebäder, konzentrierte Salzlösungen eignen sich als Medium für eine Wärmeanwendung; die Wirkung ist kräftiger als die eines Moorbades. Beispiele: Biomin Mineral Badesalz, Fette Totes Meer Salz, Sole Badesalz Schupp.

Balneotherapie

8.5 Physikalische Maßnahmen

Die wenigsten dieser zahlreichen Maßnahmen eignen sich wohl für die reine Selbstmedikation; die Mehrzahl erfordert gezieltes Vorgehen und einen erfahrenen Therapeuten. Für die Beratung des Apothekers ist aber zumindest die Kenntnis dieser Therapieformen wichtig. Folgende physikalisch-therapeutische Methoden werden zur Behandlung rheumatischer Erkrankungen angewendet:

Bewegungstherapie

Bewegungstherapie (Krankengymnastik) dient vor und nach rheumachirurgischen Maßnahmen zur Kräftigung der Muskulatur und vor allem der Erhaltung der Gelenkfunktion. In aktiven Krankheitsphasen müssen die Gelenke bewegt werden, um Versteifungen vorzubeugen. Chronische Phasen erfordern tägliches gezieltes Gelenktraining. Welche Übungen und Hilfsmittel bei welcher Erkrankung angezeigt sind, können die Patienten von Krankengymnasten oder auch von der Deutschen Rheuma-Liga e.V. (Bundesverband, 53111 Bonn) erfahren.

Massagen

Massagen dienen der Lockerung verhärteter Muskeln und zur Steigerung der Durchblutung. Bindegewebsmassagen werden bei vegetativ mitverursachten Krankheiten angewendet. Das große Gebiet der Massage lässt sich einteilen in Hand- und Apparatmassagen. Zur Apparatmassage gehören u.a. die Verfahren der Vibrationsmassage, Wechseldruckglocke und auch die Ultraschall-Behandlung.

Manuelle Therapie

Durch manuelle Therapie, früher als Chiropraktik bezeichnet, können mit Hilfe diagnostischer und therapeutischer Handgrifftechniken funktionelle Störungen an der Wirbelsäule und den Extremitätengelenken gefunden und behoben werden. Die Methode erfordert vom Therapeuten gute anatomische Kenntnisse; mangelnde Fachkunde kann hier großen Schaden anrichten.

Thermotherapie

Thermotherapie umfasst Wärme- und Kälteanwendungen. **Wärme** ist in der Regel eher bei chronischen, degenerativen Erkrankungen des Bewegungsapparates angezeigt, vor allem bei Arthrosen. Zu den Gegenanzeigen der Wärmeanwendung in Form von Fangokompressen, Capsicumwatten und -pflastern, Wärmekissen oder sogenannte „Hot-Packs" (z.B. die wiederverwendbare Kalt & Warm Kompresse Wepa) zählen offene Verletzungen und offene Hautstellen, akute Entzündungen, akute rheumatische Schübe, Kreislauf- und Herzinsuffizienz, Hypertonie, fiebrige Erkrankungen, Tuberkulose.
Kälte wirkt schmerzstillend und abschwellend auf akut/subakut entzündete Gelenke oder stumpfe Traumen (Zerrungen, Prellungen, Blutergüsse). In der sogenannten Kryotherapie verwendet man Eisabrieb, Eispackungen, Kryogel, bei akuten Sportverletzungen meist ein Eisspray.

Packungen

Packungen gehören zu den Wärmeanwendungen, z.B. Fango oder Moor bei Arthrosen. Zur Förderung der Durchblutung, Lockerung und Entspannung der Muskulatur.

Wickel

Hierher gehören wärmeentziehende Wickel mit schmerzlindernder Wirkung, ferner wärmestauende Wickel wie Senf-, Sole- oder Heublumenwickel.

Wasseranwendungen

Zu den Wasseranwendungen (vgl. Kap. 8.4.2) zählen Arm- oder Fußteilbäder, heiße Bäder, Bäder mit ansteigender Temperatur, Wechselbäder.

Elektrotherapie

Elektrotherapie dient der Schmerzbekämpfung, Mehrdurchblutung und Tiefenerwärmung. Sie umfasst alle Verfahren, bei denen elektrische Energie therapeutisch nutzbar gemacht wird. Zur Anwendung kommen niederfrequenter Gleich- und Wechselstrom, daneben in der Hochfrequenztherapie (örtliche Wärmeerzeugung) auch Lang-, Kurz- und Mikrowellen. Niedere Frequenzen findet man bei der Galvanisation oder den Stangerbädern, mittlere bei der Interferenztherapie, hohe bei Kurzwellenverfahren. Bei der Iontophorese wird ein Medikament (z. B. Histamin, Calcium, Heparinoide) in Ionenform in ein elektrisches Feld eingebracht. Die Dosierung ist schwierig, die Eindringtiefe nur gering. Bei Lähmungen kommt die Reizstromtherapie zur Anwendung.

Strahlentherapie

Strahlentherapie mit Licht und den nicht sichtbaren elektromagnetischen Wellen Infrarot und Ultraviolett bezeichnet man auch als Aktinotherapie – in Abgrenzung zur Radiotherapie, welche mit ionisierenden Strahlen arbeitet.

Stützverbände, Fixierung

Bei akuten Affektionen oder chronischen Entzündungen durch Überlastung (Tendovaginitis) ist oft eine Ruhigstellung des betroffenen Körperteiles erforderlich. In diesen Fällen müssen alle physikalischen Reize einschließlich der Bewegung eingeschränkt werden.

Magnetismus

Eher der Kuriosität wegen sei auch auf die zahlreichen Magnetpflaster (mit asiatischen Phantasiebezeichnungen) hingewiesen. Ein Therapieerfolg durch Selbstbehandlung auf angegebenen Akupunkturpunkten ist zu bezweifeln.

9 Haut

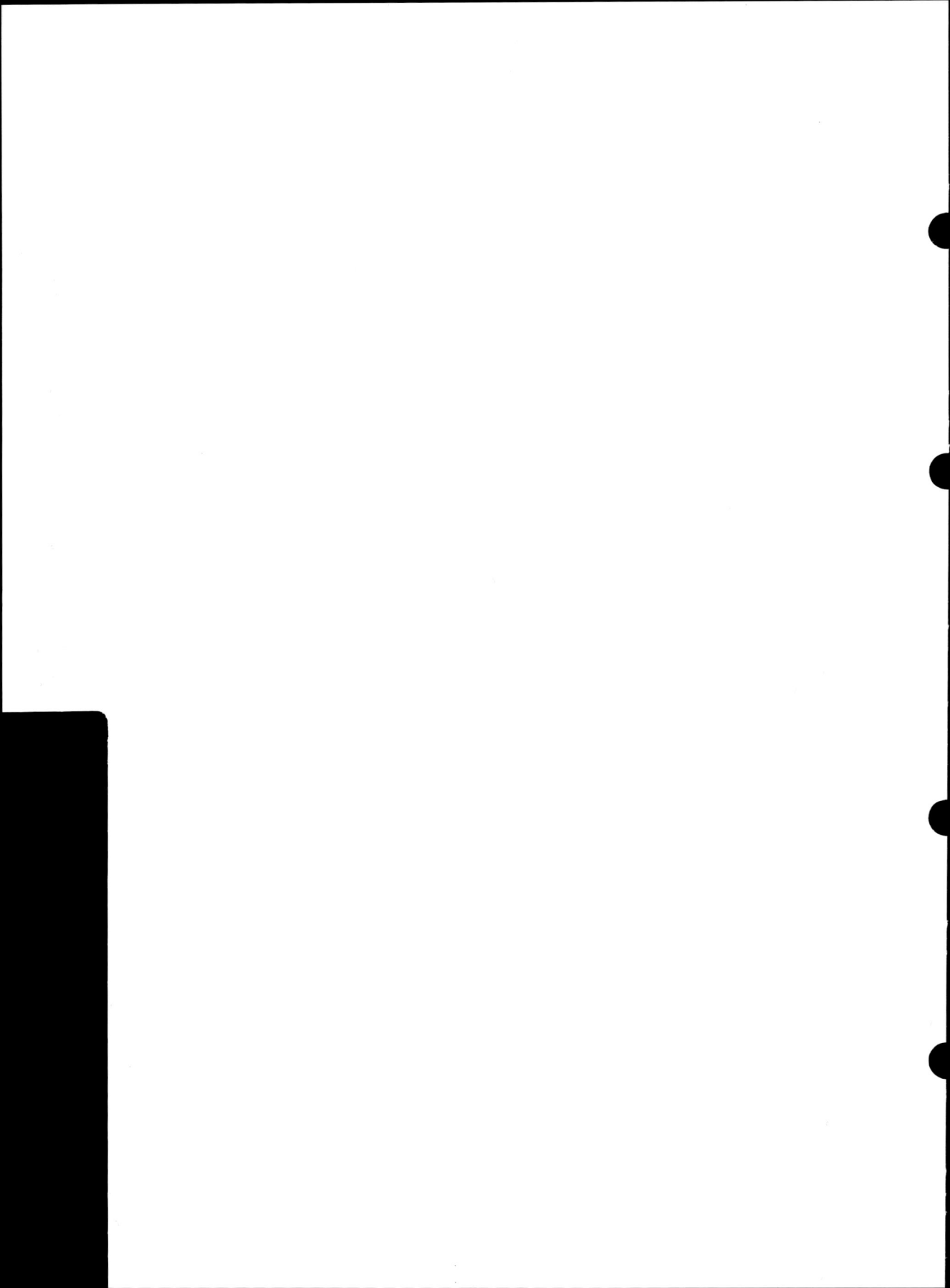

9 Haut

Von B. Wahl

9.1 Anatomie und Physiologie der Haut und der Hautanhangsgebilde

9.1.1 Aufbau

Die Haut stellt die Kontaktfläche des Organismus mit der Umgebung dar. Sie ist ein aus mehreren Schichten aufgebautes System (s. Abb. 9.1-1), das vielfältigste – je nach Körperregion auch unterschiedliche – Aufgaben erfüllen muss. Dies spiegelt sich unter anderem in der verschiedenartigen Struktur der Haut wider: So findet man z.B. an den unbehaarten Körperregionen wie Hand und Fuß die sogenannte **Leistenhaut**, an den übrigen (behaarten) Flächen des Körpers die **Felderhaut**.

Das typische Muster der Leisten ist genetisch festgelegt (→ Fingerabdruck).

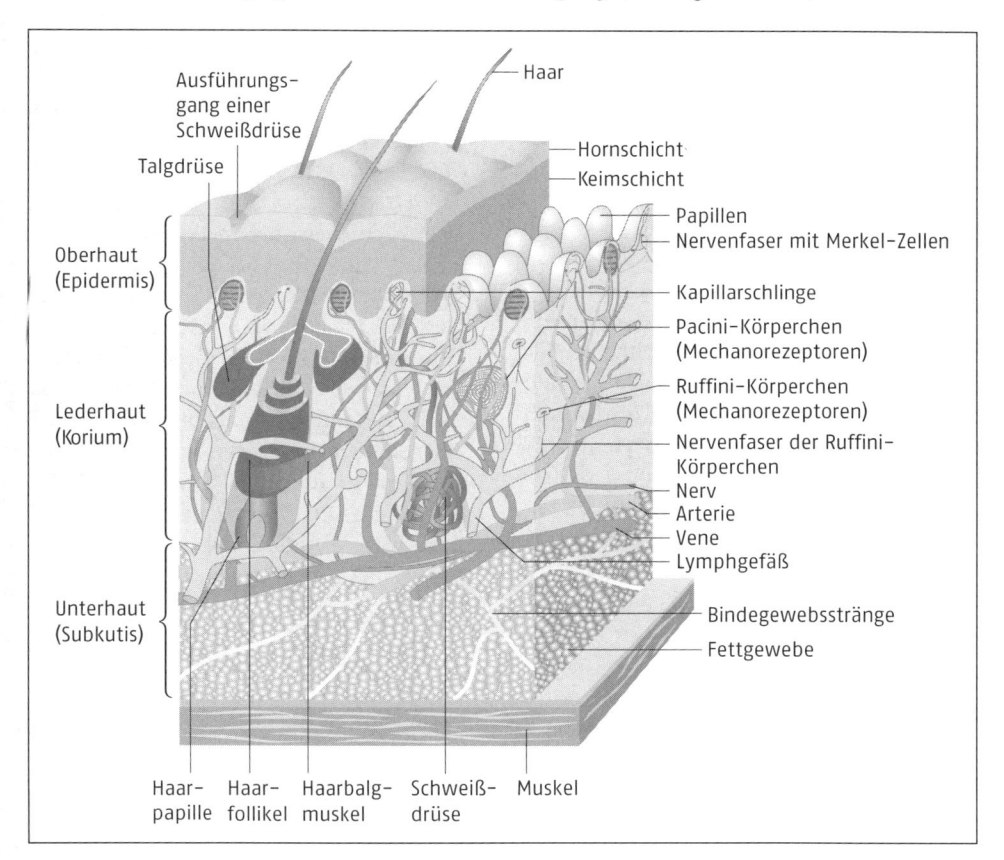

Abb. 9.1-1: Senkrechter Schnitt durch die Haut.

Auch die Dicke der Haut variiert je nach Körperstelle sehr stark: Während die Epidermis an Kopf, Rumpf und Armen ca. 0,5 mm stark ist (am Lid sogar nur ca. 40 µm), beträgt die Epidermisdicke an besonders beanspruchten Stellen, wie z.B. der Fußsohle, bis zu ca. 1,5 mm. Als sogenannte **Hornhaut** kann sie weit stärker ausgeprägt sein (bis 5 mm).

Info

Die Hautoberfläche beträgt beim Erwachsenen durchschnittlich 1,5 bis 2 m², das Gesamtgewicht der Haut 3 bis 4 kg, rechnet man das Fettgewebe mit ein, 18 bis 20 kg.

Innerhalb der Haut können 3 Schichten unterschieden werden: von außen nach innen die dem Ektoderm entspringende **Epidermis** sowie die aus dem Mesoderm stammenden Schichten **Korium** (= Dermis, Lederhaut) und **Subkutis** (= Unterhaut[fett]-gewebe). Korium und Epidermis werden auch unter dem Begriff **Kutis** zusammengefasst.

9.1.1.1 Epidermis

Die Epidermis als äußerste Grenzschicht zwischen Organismus und Umgebung besteht aus einem mehrschichtigen, nach außen hin immer mehr verhornenden Plattenepithel. Hauptbestandteil dieser Hautschicht sind mit über 90 % die sogenannten **Korneozyten** (Hornzellen), daneben **Melanozyten** (hier findet die Pigmentbildung statt), dem Immunsystem zuzuordnende **Langerhanszellen** und die als Mechanorezeptoren fungierenden **Merkelzellen**.

Die Epidermis ist nicht durchblutet, die Ernährung erfolgt über den engen Kontakt zwischen dem Stratum basale, der untersten Epidermisschicht, und der darunterliegenden Lederhaut. Um die Kontaktfläche zwischen Epidermis und Korium zu vergrößern, stülpt sich das Korium mit vielen ausgeprägten Papillen in das Stratum basale ein.

Innerhalb der Epidermis können **5 horizontale Schichten** unterschieden werden, deren Grenzen aber nicht scharf verlaufen (Tab. 9.1-1).

1. **Stratum basale:** Die Zellen sind vertikal ausgerichtet. In dieser Schicht findet die Regeneration der Epidermis, d.h. Neubildung von Epidermiszellen, statt. Die Versorgung der Epidermis wird durch den engen Kontakt zwischen Stratum basale und Stratum papillare der Lederhaut sichergestellt. In den Melanozyten findet ausgehend von der Aminosäure Tyrosin in vielen, teilweise noch ungeklärten Reaktionen die Melaninsynthese statt. Während bei allen Menschen die Zahl der Melanozyten gleich ist, sind bei dunkelhäutigen Menschen die Zellorganellen, aus denen sich die Melaningranula entwickeln, die Melanosomen, wesentlich größer als bei hellhäutigen Personen.
2. **Stratum spinosum:** Die Zellen verflachen, die einzelnen Zellen einer Schicht wie auch die Zelllagen untereinander werden über sogenannte Desmosomen verfestigt.
3. **Stratum granulosum:** Diese Zellschicht weist eine Dicke von 2 bis 5 Zellen auf. Eine weitere Abflachung der Zellen wird beobachtet. Keratohyalin, für den Verhor

Tab. 9.1-1: Schichten der Epidermis

Stratum corneum	Hornschicht
Stratum lucidum	Glanzschicht
Stratum granulosum	Körnerschicht
Stratum spinosum	Stachelzellschicht
Stratum germinativum	Keimschicht
Stratum basale	Basalschicht

nungsprozess der Zellen wichtig, wird in Keratohyalin-Granula abgelagert (Stratum granulosum).
4. **Stratum lucidum:** Diese Zellschicht ist meist nur einlagig, sie findet sich ausschließlich in der Leistenhaut der Hand und der Fußsohle und besitzt stark lichtbrechende Eigenschaften. Die einzelnen Zellen verfügen noch über einen Zellkern und zytoplasmatische Zellorganellen.
5. **Stratum corneum:** Die Zellmembran ist stark verdickt, es findet ein abrupter Übergang zur toten Hornzelle statt, die weder Zellkern noch andere Zellorganellen aufweist. Die Hornzellen werden an der Oberfläche ständig abgeschilfert (Desquamatio insensibilis [invisibilis]). Je nach Belastung ist die Hornschicht unterschiedlich stark ausgebildet, so z.B. am Bauch 6 bis 36 µm, an der Fußsohle dagegen 80 µm.

Die Proliferation der Epidermis, die ständig erneuert werden muss, findet im Stratum basale statt. Die darüberliegenden Schichten sind für die Ausdifferenzierung der Zelle bis hin zur toten Hornzelle verantwortlich. Die Turnoverzeit von Stratum basale bis zur Oberfläche beträgt ca. 4 Wochen.

Bei bestimmten Erkrankungen wie Psoriasis oder Pytiriasis ist die Turnoverzeit stark verkürzt und beträgt dort noch 8 bis 10 Tage, in einzelnen Fällen noch weniger.

9.1.1.2 Korium

Die Lederhaut kann nochmals in 2 Schichten untergliedert werden, denen unterschiedliche Aufgaben zukommen. Das **Stratum papillare** besteht aus einer homogenen Grundsubstanz, in die viele Blutgefäße, Nervenbahnen, Lymphgefäße und Zellen eingelagert sind, die der Versorgung der Epidermis dienen. Daneben finden sich Mastzellen, die bei allergischen Reaktionen eine Rolle spielen, sowie eine Vielzahl von Rezeptoren für Sinneswahrnehmungen wie Wärme, Kälte, Druck, Schmerz und Berührung.

Das darunterliegende **Stratum reticulare**, das zu 80 % aus kollagenen, daneben aus elastischen Fasern aufgebaut ist, dient in erster Linie der Festigkeit und Elastizität der Haut.

9.1.1.3 Subkutis

Die Subkutis besteht aus lockerem Bindegewebe, in das mehr oder weniger – abhängig von der Körperstelle und der Anlage in der Kindheit – Fettzellen eingelagert sind.
Die Dicke des Unterhautgewebes ist in erster Linie vom Ernährungszustand abhängig. Die Subkutis dient als Kälteschutz, daneben als Energiespeicher und ist für die mechanische Polsterung und damit Schutz von anderen Organen verantwortlich.

9.1.2 Anhangsgebilde der Haut

9.1.2.1 Haare

Am gesamten Körper, mit Ausnahme der Handteller und der Fußsohlen, entwickeln sich bereits in der 9. Embryonalwoche Haaranlagen (sogenannte primäre Epithelkeime). Bei der Geburt sind alle diese Haarfollikel (ca. 2 Millionen) angelegt, danach findet eine Neubildung nicht mehr statt.

Morphologie

Man unterscheidet die **Haarwurzel** (der in der Haut befindliche Teil) von dem aus der Haut herausragenden **Haarschaft.**
Nach unten ist die Haarwurzel zur **Haarzwiebel** verdickt, die die für die Ernährung des Haares verantwortliche **Haarpapille** umschließt. Diese führt Nerven und Blutgefäße an die Haarzwiebel heran.
Das Haar entsteht durch Verhornung und gleichzeitige Pigmenteinlagerung aus Matrixzellen der Haarzwiebel. Diese Zellen, die zu den aktivsten Zellen des menschlichen Organismus zählen, teilen sich 1-mal pro 24 Stunden mitotisch.
Im Querschnitt des Haares lässt sich beim Kopfhaar des Erwachsenen folgende Schich-

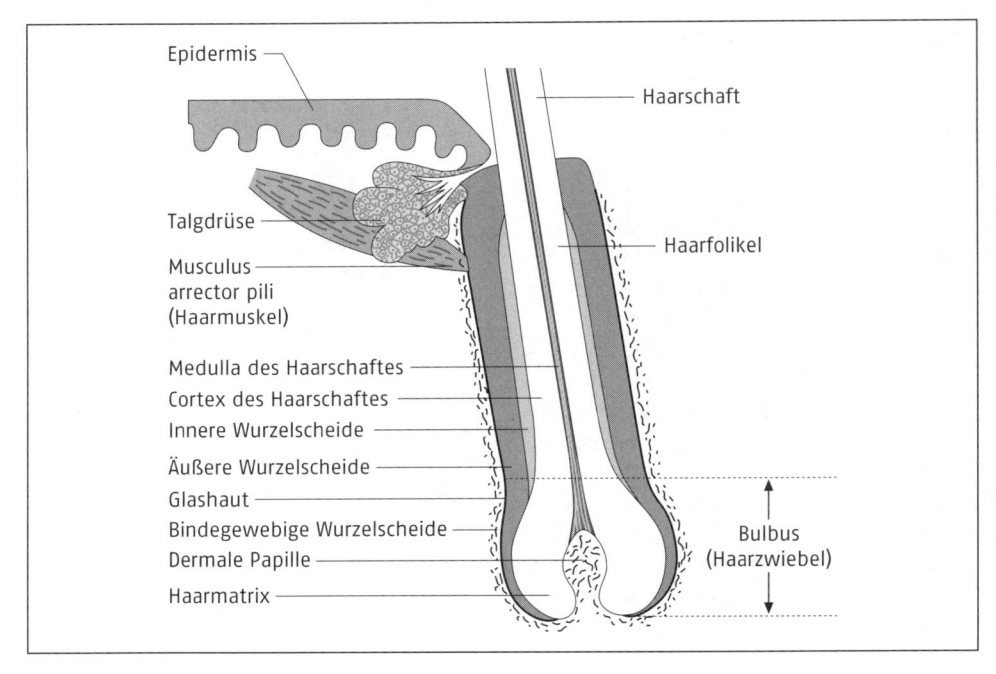

Anatomie und Physiologie der Haut und der Hautanhangsgebilde

Abb. 9.1-2: Haar-Talgdrüsenapparat. Nach Raab, Kindl 2004

tung erkennen: Das **Mark** (Medulla), bestehend aus großen polygonalen Zellen, ist von der **Haarrinde** (Kortex) umgeben, die aus pigmenthaltigen verhornten Zellen besteht. Nach außen schützt die ca. 3 bis 4 µm dicke **Kutikula** das Haar. Diese ist aus dachziegelartig übereinandergeschobenen verhornten Zellen aufgebaut und dient vor allem als Schutz gegen äußere Einflüsse. Jedes Haar ist in einen **Haarfollikel** eingebettet, der als Bestandteil der Epidermis verstanden werden kann (Abb. 9.1-2).

Der Haarmuskel (Musculus arrector pili) greift am Haarfollikel unterhalb der Talgdrüse an der Seite an, die mit der Kopfhaut einen spitzen Winkel bildet. Bei Kontraktion des Muskels richtet sich der Follikel auf, und es kommt zum Erscheinungsbild der „Gänsehaut".

Chemisch besteht das Haar aus Keratin, das sich durch einen besonders hohen Gehalt an Lysin von ca. 20 % auszeichnet. Disulfid- und Wasserstoff-Brückenbindungen bewirken die hohe chemische und mechanische Stabilität des Haares.

Entwicklung

Im Laufe des Lebens können 4 verschiedene Haartypen unterschieden werden (Tab. 9.1.-2).

Das fetale **Lanugohaar** wird nach der Geburt durch das kurze pigmentfreie **Vellushaar** (Wollhaar) ersetzt.

In der Kindheit entwickeln sich dann am Kopf sogenannte **Intermediärhaare,** die bereits pigmentiert sein können und auch eine regelmäßige Verteilung aufweisen.

Am behaarten Kopf, axillar, in der Pubesgegend und bei Männern auch im Gesicht und anderen Körperpartien, entsteht – unter hormonellem Einfluss – das kräftige markhaltige und stark pigmentierte **Terminalhaar.** Es weist einen Durchmesser von ca. 100 µm auf. Bereits frühzeitig lässt sich eine rückläufige Haarentwicklung erkennen. Durch Alterung der Haarfollikel erfolgt eine

Tab. 9.1-2: Haartypen. Nach Zortea-Caflisch 1985

Haartyp	Lebensalter	Eigenschaften
Lanugohaar	Fetalzeit	Weich, seidig, marklos, kurz, nicht pigmentiert
Vellushaar	Ab 6. Lebensmonat	Weich, fein, kurz marklos, nicht pigmentiert
Intermediärhaar	Kindheit	Nur am Kopf, fein, dicker, marklos
Terminalhaar	Ab Pubertät	Lang, dick, markhaltig, pigmentiert

Umwandlung von Terminalhaaren wieder in Vellushaare.

Haarwachstum und Haarzyklus

Pro Tag wächst das Haar ungefähr 0,3 bis 0,4 mm, es werden also im Bereich der behaarten Kopfhaut täglich 25 bis 30 m Haar, im Monat immerhin doch 800 m Haar produziert. Das Wachstum ist dabei von vielfältigsten Faktoren wie Hormonen, nervalen Einflüssen, Alter, Geschlecht (Haare bei Männern wachsen schneller), Ernährung und sogar von der Umgebungstemperatur abhängig. Das Haar wächst im Unterschied z.B. zu den Nägeln nicht kontinuierlich, sondern wird zyklisch produziert, wobei jeder Haarfollikel asynchron mit den Nachbarfollikeln einem Rhythmus von Wachstums- und Ruhephasen unterliegt. Man unterscheidet dabei folgende **Stadien** (Abb. 9.1-3).

Anagenphase (Wachstumsphase): Diese Phase dauert am behaarten Kopf des Erwachsenen etwa 2 bis 6 Jahre. Ein Anagenhaar fällt nicht von selbst aus, es kann nur unter Schmerz entfernt werden, da es fest im Haarfollikel verankert ist.

Katagenphase (Übergangsphase): Die mitotische Teilung der Haarzwiebelzellen endet, die Haarzwiebel selbst verhornt. Diese Phase dauert 1 bis 2 Wochen.

Telogenphase (Ruhephase): Man findet das typische Kolbenhaar, der Follikel, der sich etwas zurückgebildet hat, steht kurz unterhalb der Talgdrüsenmündung. Diese Phase dauert beim menschlichen Kopfhaar 3 bis 4 Monate.

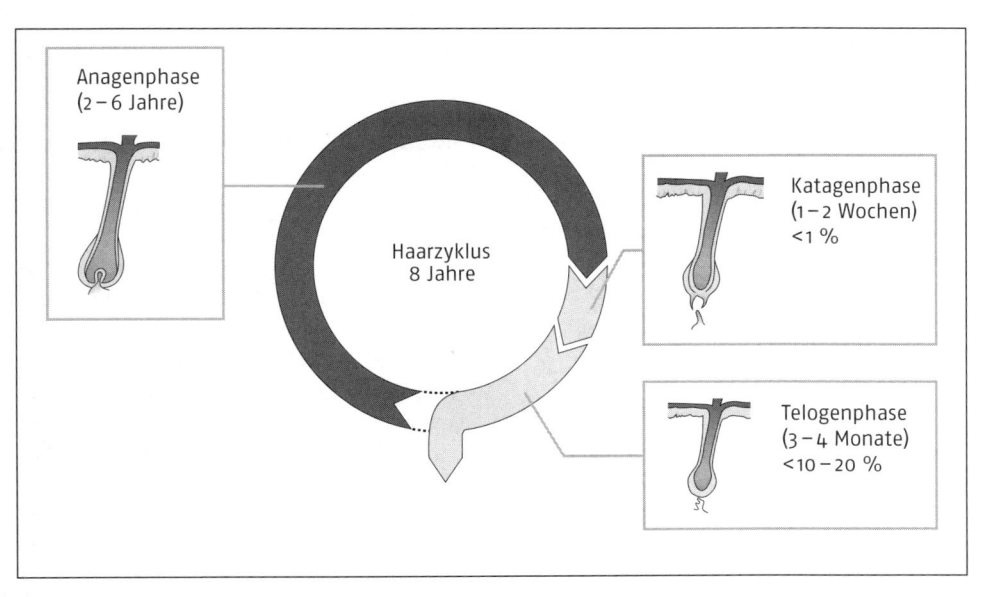

Abb. 9.1-3: Der Haarzyklus. Nach Raab, Kindl 2004

Das Kolbenhaar kann schmerzlos ausgezogen werden und wird am Ende der Telogenphase ausgekämmt oder fällt von selbst aus. Pro Tag verliert der Mensch bis zu 100 Kolbenhaare. Mit dem Ende der Telogenphase rückt der Haarfollikel wieder tiefer ins Korium ein und baut eine neue zwiebelförmige Haarwurzel auf. Ein neuer Haarzyklus beginnt.

Tab. 9.1-3: Haardaten

Anzahl Haarfollikel	2 Millionen
Anzahl Kopfhaare	100 000
Haardichte Körper	200/cm²
Haardichte Kopf	850/cm²
Durchmesser	100 µm
Haarwachstum pro Tag	0,3–0,4 mm
Haarproduktion pro Tag	25–30 m
Lebensdauer	2–6 Jahre
Haarverlust pro Tag	80–100

Bei normalem Zyklusablauf finden sich beim Erwachsenen 85% Anagen-, 1% Katagen- und 14% Telogenhaare.

Aufgaben der Haare

Die Haare haben beim Menschen keine wesentliche biologische Funktion zu erfüllen. In manchen Körperregionen schützen sie vor Sonnenstrahlen, isolieren gegen Wärme und Kälte und dienen der Berührungssensibilität. Im psychosozialen Umfeld wird der Haartracht aber ein hoher Stellenwert zuerkannt: Haarkrankheiten, und insbesondere Haarverlust, werden deshalb oft als tiefgreifende Störung empfunden, der Wunsch nach therapeutischen Maßnahmen wird oft an Arzt und Apotheker gerichtet.

9.1.2.2 Nägel

Die Nägel bedecken als Schutzorgane den Rücken der Zehen- und Fingerendglieder.

Morphologie

Der Nagel besteht aus der **Nagelmatrix**, der **Nagelplatte**, die dem **Nagelbett** aufliegt, sowie den besonders ausgebildeten Hautarealen, die die Verbindung zwischen Nagel und der Haut des jeweiligen Endgliedes darstellen.

Die Nagelmatrix stellt die Wachstumszone des Nagels dar; dort wird kontinuierlich durch Verhornung von Zellen die Nagelplatte, die physikalisch äußerst stabil ist, gebildet. Die Nagelplatte, gekennzeichnet durch einen hohen Calcium- und auch Disulfidgehalt, ist ungefähr 0,5 bis 0,7 mm dick und besteht aus etwa 100 bis 150 unregelmäßig übereinander angeordneten Hornzellschichten. Trotz der physikalischen Festigkeit ist der Nagel porös, was sich in der 100-mal stärkeren Wasserdurchlässigkeit gegenüber der Hornschicht der Haut ausdrückt.

Info

Das durchschnittliche Wachstum der Nägel beträgt 0,12 mm pro Tag, wobei Unterschiede zwischen Finger- und Zehennägeln einerseits und auch zwischen einzelnen Fingernägeln andererseits festgestellt werden können.

Das Wachstum der Nägel wird durch Faktoren wie Umgebungstemperatur, der Bewegung der Endglieder (also Durchblutung) beeinflusst, aber auch Alter und Ernährung spielen eine Rolle.

Die Nagelplatte schiebt sich beim Wachstum über das Nagelbett hinweg und löst sich am distalen Ende ab (freier Nagelrand, weiß), wo sie vom **Hyponychium** begrenzt wird.

Die Wachstumsrichtung wird durch den **Nagelfalz** bestimmt, in den die seitlichen Nagelränder eingebettet sind.

Am proximalen Ende kann man eine kreissegmentförmige weiße Zone (**Lunula**) erkennen. An dieser Stelle wird der Nagel durch das Nagelhäutchen (**Eponychium**) begrenzt (Abb. 9.1-4).

Die Form der Nägel ist individuell stark unterschiedlich.

Viele Allgemeinerkrankungen des Organismus führen zu einer Veränderung der Nagel-

Aufsicht auf einen Fingernagel

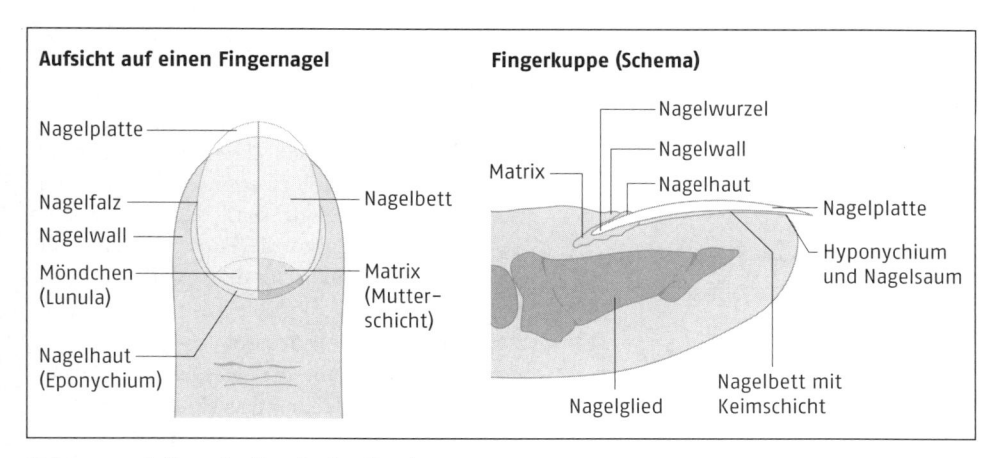

- Nagelplatte
- Nagelfalz
- Nagelwall
- Möndchen (Lunula)
- Nagelhaut (Eponychium)
- Nagelbett
- Matrix (Mutterschicht)

Fingerkuppe (Schema)

- Nagelwurzel
- Nagelwall
- Matrix
- Nagelhaut
- Nagelplatte
- Hyponychium und Nagelsaum
- Nagelglied
- Nagelbett mit Keimschicht

Abb. 9.1-4: Aufbau des Nagels. Aus Bender 2004

struktur und lassen sich so auch diagnostizieren. Ebenso führen verschiedene Chemikalien und auch Arzneimittel zu Änderungen der Nagelstruktur.

9.1.2.3 Talgdrüsen

Wie das Haar, entstehen die Talgdrüsen aus dem primären Epithelkeim. Deshalb werden Talgdrüsen praktisch nur zusammen mit Haarfollikeln gefunden. Die einzige Ausnahme sind die Talgdrüsen an Haut/Schleimhaut-Übergängen wie Lippe, Nasenöffnung, Augenlider und im Anogenitalbereich. Ebenso wie die Haare fehlen Talgdrüsen an Handteller und Fußsohle.

Es werden **3 verschiedene Follikelarten** unterschieden:

1. **Terminalhaarfollikel:** reicht bis in die Subkutis; produziert ein dickes (Terminal-)Haar, hierzu gehört eine große Talgdrüse (z.B. Kopfhaar).
2. **Vellushaarfollikel:** reicht bis ins Korium; Flaumhaar und kleine Talgdrüse (Flaumhaar im Gesicht von Frauen).
3. **Talgdrüsenfollikel:** der Follikel ist kurz; es wird ein kleines Haar produziert. Diese Art, die nur beim Menschen zu finden ist, weist eine charakteristische Verteilung auf: Gesicht, v-förmig Brust und Rückenregion, seitlich an den Oberarmen. Hier tritt z.B. Acne vulgaris auf.

Die Talgdrüsen bestehen aus mehreren Läppchen (**Azini**), die durch Talgdrüsenausführungsgänge in den Follikel (**Infundibulum**) münden. Die einzelnen Läppchen bestehen aus großen polygonalen Zellen, die von der Basis der Läppchen zentralwärts rücken, dabei zunehmend Lipide einlagern und schließlich völlig zu Talg zerfallen (holokrine Sekretion). Das Infundibulum ist mit verhornendem Epithel ausgekleidet. Die Talgdrüsensekretion unterliegt einer hormonellen Steuerung, wobei Androgene die Sekretion stimulieren, Östrogene und auch Glucocorticoide die Sekretion hemmen. Ob die Kontraktion des Musculus arrector pili (Haarmuskel) eine Talgausschüttung bewirkt, ist noch unklar.

Kurz nach der Geburt wird eine starke Talgdrüsentätigkeit festgestellt, die dann abnimmt und erst mit Einsetzen der Pubertät unter dem Einfluss von Androgenen stark stimuliert wird. Nach dem 35. Lebensjahr nimmt die Drüsentätigkeit wieder ab. Die Talgdrüsenaktivität im Erwachsenenalter weist große individuelle Unterschiede auf. Es wird bei der Talgsekretion sowohl ein zirkadianer wie auch ein jahreszeitlicher Rhythmus festgestellt.

Talg

Der in den Azini gebildete Talg fließt frei zur Hautoberfläche ab. Talg ist eine hellgelbe viskose Flüssigkeit und stellt ein Gemisch aus Glyceriden, Fettsäuren, Wachsen und Squalen dar (Tab. 9.1-4).

Tab. 9.1-4: Zusammensetzung des Hauttalgs

Fettsäuren	28 %
Triglyceride	32 %
Wachse	14 %
Cholesterol und -ester	4 %
Squalen	5 %
Dihydrocholesterol und andere Steroide	9 %
Andere Kohlenwasserstoffe	8 %

Auf der Hautoberfläche werden unter Einfluss von Bakterien der Hautflora aus den Triglyceriden vermehrt Fettsäuren abgespalten. Frisch produzierter Talg ist bei Hauttemperatur flüssig. Er wird auf der Haut durch mechanische Einwirkung verteilt. Neben dem Talgdrüsensekret enthält der Hauttalg auch Bestandteile der Schweißdrüsensekrete ebenso wie Abbauprodukte der Hornschicht.

Die Aufgabe des Hauttalges besteht darin, die Haut geschmeidig zu machen, Wasserverlust zu verhindern, daneben besitzt er antiseptische Eigenschaften.

Die Menge des produzierten Talges bedingt die verschiedenen Hauttypen, so spricht man bei verminderter Talgproduktion von **Sebostase**, bei erhöhter Talgproduktion von **Seborrhoe**.

Bei vorliegender Sebostase sind Haut und Haare trocken, eventuell schuppig. Es besteht die Neigung zu Kopfschuppen und Ekzemen. Bei stark erhöhter Talgproduktion, für die hormonelle und auch nervale Einflüsse verantwortlich sein können, sind Haut und Haare fettig glänzend. Seborrhoe ist Voraussetzung für die Entstehung einer Akne; bakterielle und Pilzerkrankungen werden ebenfalls durch eine Seborrhoe begünstigt.

9.1.2.4 Schweißdrüsen

Hier unterscheidet man die **ekkrinen** Schweißdrüsen von den **apokrinen** Schweißdrüsen. Die Schweißsekretion dient zum einen der Thermoregulation des Organismus (ekkrine Schweißdrüsen), daneben besitzen die Schweißdrüsen die Funktion von Duftdrüsen (apokrine Schweißdrüsen).

Ekkrine Schweißdrüsen

Diese Drüsen, die die eigentlichen Schweißdrüsen darstellen, entwickeln sich direkt aus epidermalen Sprossen. Aus dem Drüsenknäuel, das im Korium liegt, geht ein Ausführungskanal hervor, der zunächst gerade, in der Epidermis dann mehrfach – korkenzieherartig – gewunden, verläuft und schließlich frei an der Hautoberfläche endet. Aus den Zellen des einschichtigen Drüsenepithels werden plasmatische Einschlüsse (der Schweiß) direkt an das Lumen abgegeben. Gesteuert wird die Schweißproduktion und -sekretion vorwiegend über das vegetative Nervensystem, das auch mit den Schweißdrüsen und dem Ausführungsgang über kontraktile Fasern verknüpft ist. Auf der ganzen Haut verteilt finden sich ungefähr 2 Millionen ekkrine Schweißdrüsen, die Dichte der Verteilung variiert dabei aber je nach Körperregion (Tab. 9.1-5).

Tab. 9.1-5: Verteilung der ekkrinen Schweißdrüsen

Ellbeuge	750/cm²
Handteller	380/cm²
Brust	200/cm²
Gesäß	60/cm²
Rücken	75/cm²
Fußsohle	600/cm²

Pro Tag sezerniert der Mensch im Durchschnitt 800 ml Schweiß, wobei die Menge bei Anstrengung auf 3 bis 4 l, in Extremfällen sogar bis auf 10 l/Tag gesteigert werden kann. Durch das unmerkliche Schwitzen – sogenannte Perspiratio insensibilis – verliert der Körper 20 bis 30 ml Schweiß pro Stunde. Temperaturen über 31 °C bewirken, dass eine sichtbare Transpiration einsetzt.

Der Schweiß, dessen Sekretion Energie erfordert, enthält gelöst 1 % Salze, vor allem Natriumchlorid, daneben Glucose, Harnstoff, Milchsäure, Aminosäuren (vorwiegend Arginin und Histidin) und auch Peptide wie Bradykinin. Frisch sezernierter Schweiß ist geruchlos. Erst durch chemischen und bakteriellen Abbau an der Hautoberfläche, wobei Capron-, Capryl-, Isovalerian- und Buttersäure, daneben auch Ammoniak u.v.a. gebildet werden, entsteht der typische unangenehme Geruch.

Es werden verschiedene **Arten des Schwitzens** unterschieden:

- das thermoregulatorische subkortikale Schwitzen (das Schwitzen schlechthin, bei Anstrengung, Hitze ...),
- das kortikale emotionale Schwitzen (bevorzugt Handteller, Fußsohle und Achselhöhle),
- das gustatorisch-bulbäre Schwitzen (geht mit Salivation [Vermehrung des Speichelflusses] parallel), ausgelöst z.B. durch Alkohol, Kaffee, Tee, scharfe Gewürze,
- das spinal-sensorische Schwitzen.

Apokrine Schweißdrüsen

Ebenso wie die ekkrinen Drüsen finden sich auch die apokrinen Drüsen am Gesamtkörper verteilt, hier aber mit einer eindeutigen Häufung in der Achselhöhle, der Leistengegend und der Anogenitalregion, daneben an Augenlidern und Brustwarzen.

Die apokrinen Drüsen münden meist in einen Haarfollikel, sehr selten wie die ekkrinen Drüsen direkt an der Hautoberfläche.

Die Funktion der apokrinen Drüsen besteht in der Sekretion eines weißen bis gelblichen viskosen Sekretes, das einen hohen Gehalt an Lipiden und Cholesterol aufweist.

Frisch sezerniert ist dieses Sekret geruchlos; durch bakterielle Zersetzung werden Fettsäuren und verschiedene Indoxylverbindungen gebildet, die für den typischen Geruch verantwortlich sind.

Die Tätigkeit der apokrinen Drüsen unterliegt einer hormonellen Steuerung; die Aktivität der Drüsen lässt sich dabei gut mit dem Blutspiegel der Sexualhormone korrelieren. So nehmen auch die apokrinen Drüsen erst während der Pubertät ihre Tätigkeit auf, ebenso verringert sich am Ende der Keimdrüsentätigkeit die Aktivität dieser Drüsen.

Die apokrinen Drüsen sind bei der weißen Rasse adrenerg, bei Schwarzafrikanern oder Afroamerikanern u.Ä. cholinerg innerviert, wobei auf einen Reiz hin das kontinuierlich produzierte Sekret durch Kontraktion der Myoepithelien sezerniert wird.

Neben der Produktion dieses „Duftstoffes" kommt den apokrinen Schweißdrüsen keine weitere Aufgabe zu.

9.1.3 Hautflora

Es finden sich zahlreiche Keime auf der Hautoberfläche, beim reinlichen Menschen bis zu 10 Billionen.

Es gehören Aerobier wie Anaerobier, gramnegative wie grampositive Keime zur normalen residenten Keimflora.

Verschiedene Hautareale können dabei eine unterschiedliche Besiedlung sowohl hinsichtlich der Keimarten als auch bezüglich der Keimdichte aufweisen. Ebenso spielen Faktoren wie Lebensalter, Jahreszeit und auch die Körperhygiene für die Art und Menge der Flora eine Rolle.

Diese saprophytär lebenden Bakterien verursachen unter Normalbedingungen keinerlei Störungen, ja sie verhindern durch ihre Präsenz sogar die Besiedlung mit pathogenen Keimen.

9.1.4 Säuremantel

Auf der Hautoberfläche, zumindest an den Stellen, an denen eine freie Verdunstung des

Anatomie und Physiologie der Haut und der Hautanhangsgebilde

Schweißes gewährleistet ist, liegt ein saurer pH-Wert von 5,5 bis 6,5 vor (Abb. 9.1-5). Bedingt wird dieser saure pH-Wert durch organische Substanzen wie Milchsäure, Urocaninsäure, Bestandteile des Hauttalges etc. Dieser Wert ist individuell verschieden und weist auch je nach Körperregion Unterschiede auf.

An Körperstellen, an denen Haut auf Haut liegt (interdigital, unter der Brust, Anal- und Genitalbereich), Stellen also, an denen keine freie Verdunstung möglich ist, ist der pH-Wert etwas höher (6–7). Diese Stellen sind somit physiologische Lücken des Säureschutzmantels. Bedingt dadurch – aber nicht alleine – sind diese Orte leichter anfällig gegenüber bakteriellem oder Pilz-Befall.

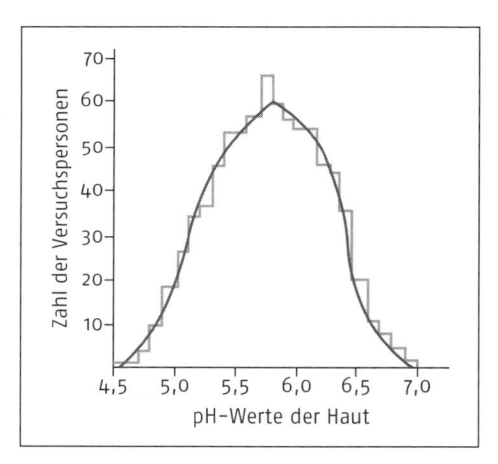

Abb. 9.1-5: pH-Wert der Haut. Verteilung bei 800 gesunden Versuchspersonen

Der „Säuremantel" ist als Schutz gegen Befall mit solchen Bakterien und vor allem Pilzen aufzufassen, die bei neutralem bis leicht alkalischem pH günstige Lebensbedingungen antreffen. Allerdings scheint diese antimikrobielle Wirksamkeit nicht nur auf den pH-Wert per se zurückzuführen zu sein, sondern auch auf die diesen pH-Wert bedingenden Säuren. Des Weiteren stellt der Säuremantel durch seine Pufferkapazität einen Schutz des Organismus gegen Säuren und insbesondere gegenüber Laugen dar.

9.1.5 Feuchtigkeitsgehalt

Der Feuchtigkeitsgehalt, der wesentlich für Zustand, Aussehen und auch Erfüllung der physiologischen Funktionen der Haut ist, wird durch Substanzen, die Bestandteile der Epidermis – und hier meist in der Hornschicht zu finden – sind, bestimmt.

Zum einen sind die Stoffe zu nennen, die unter der Bezeichnung **Natural Moisturizing Factor (NMF)** zusammengefasst werden. Hauptbestandteile des NMF sind Aminosäuren (hier vorwiegend Serin und Citrullin), Harnstoff, Lactat, Pyrrolidoncarbonsäure und anorganische Salze.

Diese Stoffe sind in der Lage, Wasser zu absorbieren und fest zu binden.

Zum anderen ist der **Hydrolipidfilm (HLF)** ganz wesentlich an der Regulation des Feuchtigkeitsgehaltes der Haut beteiligt. Neben Talg, Schweiß und Eiweißspaltprodukten spielen hierfür epidermale Lipide eine wichtige Rolle. Diese Stoffe verhindern eine zu große Wasserpermeabilität der Haut und schützen sie vor Austrocknung und Entfettung. Ein intakter Hydrolipidfilm gewährleistet Glätte und Geschmeidigkeit sowie Dehnbarkeit, Flexibilität und Elastizität der Haut.

Der Aufbau des HLF wird von verschiedensten Faktoren wie Lebensalter, Körperregion, Stress, Ernährung, Alkohol, Nicotin, menstrualer Zyklus, Tages- und Jahreszeit beeinflusst. Der Wassergehalt der Hornschicht beträgt in der Norm 10 bis 20%. Normalerweise liegt der Hydrolipidfilm in Form einer W/O-Emulsion vor, ist aber in der Lage, z.B. bei vermehrter Schweißsekretion, das Wasser aufzunehmen und sich als O/W-Emulsion zu organisieren.

Werden Substanzen des NMF oder HLF durch organische Lösungsmittel, durch zu häufiges Waschen mit Tensiden oder Wasser alleine ausgewaschen, so ist das Wasserbindungsvermögen nicht mehr ausreichend, die Haut wird rissig und spröde, die Barrierefunktion der Haut ist gestört.

9.1.6 Funktionen der Haut

Durch vielfältigste Regulationsmöglichkeiten ist die Haut in der Lage, auf äußere Einflüsse zu reagieren und schädigende Einflüsse abzuwehren oder zumindest abzuschwächen. Daneben übt die Haut nicht nur eine Schutzfunktion aus, sondern dient mit als Regulationseinheit zur Feineinstellung der Körpertemperatur und auch des Wasserhaushaltes des Organismus. Darüber hinaus erfüllt die Haut die Funktion eines Sinnesorganes und vermittelt vielfältigste Reize (Druck, Schmerz, Wärme …). Die wichtigsten Funktionen der Haut sind in Tabelle 9.1-6 zusammengefasst.

Tab. 9.1-6: Funktionen der Haut

Schutzorgan
Gegen **mechanische Einwirkungen** durch Festigkeit und Elastizität des Koriums, Fettpolster der Subkutis; Hornschichtverdickung an beanspruchten Stellen
Gegen **chemische Einwirkungen** gegen Säuren   Eiweißfällung, dadurch wird Vordringen in tiefere Schichten verhindert gegen Alkalien   Säuremantel mit Pufferkapazität der Aminosäuren
Gegen **Strahlung** Hornschichtbildung, Pigmentierung durch Melanin
Gegen **mikrobiellen Befall** Säureschutzmantel, eigene Flora, Enzyme auf der Hautoberfläche
Gegen **Austrocknung** NMF und HLF
Wärmeregulation Durchblutungsänderung der Haut, Schweißsekretion
Sinnesorgan Wärme, Kälte, Druck, Tastsinn, Schmerz
Ausscheidungsorgan (geringe Bedeutung)
Aufnahmeorgan
Vitamin-D-Synthese
Antikörperproduktion
Prägung des äußeren Erscheinungsbildes

9.2 Hauterkrankungen und ihre Behandlung

9.2.1 Allgemeines zur Therapie von Hauterkrankungen

Im Folgenden sollen die häufigsten Dermatosen vorgestellt und besprochen werden, einschließlich möglicher Therapieansätze. Weder Krankheitsbilder noch Therapiemöglichkeiten können im Rahmen dieses Buches aber vollständig erfasst werden. Die Vielzahl möglicher Hauterkrankungen und deren vielfältige Ursachen übersteigen aber oft die Beratungskompetenz des Apothekers, sodass frühzeitig die Verantwortlichkeit per Weiterleitung an den Hausarzt gefragt ist.

Nur von wenigen Hautkrankheiten kennen wir die genaue Ätiologie. Daher besteht auch in den meisten Fällen die Therapie lediglich in der Beseitigung oder Linderung von verschiedenen Symptomen. Ausnahmen sind Hauterkrankungen wie z.B. Mykosen oder bakterielle Infektionen, die einer kausalen Therapie zugänglich sind. Die Diagnose von Hauterkrankungen wird erschwert durch die Tatsache, dass verschiedene Erkrankungen unterschiedlicher Genese eine ähnliche, manchmal auch identische Symptomatik aufweisen.

Einzelne Arzneimittel oder Arzneimittelgruppen kommen für die Behandlung **verschiedenster** Grundkrankheiten in Frage. Es ist daher und auch aufgrund der Vielzahl an Wirkstoffen und auch Zubereitungsformen nicht immer einfach, das richtige Präparat auszuwählen.

Bei der Behandlung von Hauterkrankungen spielt die topische Therapie bei weitem die größte Rolle. Nur für einzelne Krankheitsbilder ist eine alleinige, oder in Kombination mit einer externen Therapie, perorale Wirkstoffapplikation erforderlich und auch sinnvoll.

Der **Auswahl des Vehikels** bei extern anzuwendenden Präparaten kommt eine entscheidende Bedeutung zu. Diese Grundlagen besitzen nicht nur Arzneistoffträgerfunktion, sondern auch selbst eine therapeutische Wirksamkeit aufgrund ihres physiko-chemischen Charakters.

Die Auswahl der am besten geeigneten Grundlage ist abhängig von:

1. dem Hauttyp des Patienten (Sebostase, Seborrhoe),
2. der Akuität der Hauterkrankung,
3. der Lokalisation,
4. dem morphologischen Bild der Haut.

Ad. 1.: Für Patienten mit Seborrhoe oder aber bei seborrhoischen Erkrankungen (z.B. Akne) kommen in erster Linie fettarme oder gänzlich fettfreie Zubereitungen wie Puder, alkoholische oder wässrige Lösungen, Schüttelmixturen oder auch Pasten in Betracht. Ebenso geeignet sind O/W-Emulsionen. Sebostatische Haut dagegen sollte mit fetthaltigen Zubereitungen (Salben, weiche Pasten, W/O-Emulsionen) behandelt werden.

Ad. 2.: Akute oberflächliche Entzündungen sollen mit Puder, Schüttelmixturen oder Cremes therapiert werden, um eine Abdunstung und Abkühlung des betroffenen Hautareals zu ermöglichen.

Dagegen sind für **chronische** Erkrankungen (z.B. chronisches Ekzem, Psoriasis) eher Salben, Fettsalben oder Pasten geeignet. Sie zeichnen sich durch gute Haftfähigkeit aus und begünstigen somit die Penetration von Wirkstoffen in die Haut.

Hauterkrankungen und ihre Behandlung

Ad. 3.: Für behaarte Stellen eignen sich hydrophile Lösungen, Schüttelmixturen, hydrophile Salben oder Hydrogele, auch für das Gesicht werden aus kosmetischen Gründen Cremes (abwaschbar, nicht fettend) bevorzugt.

Ad. 4.: Einen Überblick zur Grundlagenauswahl für verschiedene Hauterscheinungen geben Tabellen 9.2-1 u. 9.2-2.
Die Wahl des Vehikels entscheidet mit über Wirksamkeit, Verträglichkeit, eventuell unerwünschte Resorption, über Wirkstofffrei-

Tab. 9.2-1: Therapeutische Zweckbestimmung wichtiger Arzneiformen. Nach Surber 2007

„Gebräuchliche" Bezeichnung/ „galenisches" System	Eigenschaften	Therapeutische Zweckbestimmung und Hinweis zur Anwendung und Indikation
Lösung (wässrige oder alkoholische Lösung)	Hydrophil, nicht fettend, besonders mit Alkohol austrocknend, bisweilen Juckreiz verursachend, gut abwaschbar, kühlend	Behandlung akuter nässender Läsionen oder behaarter Regionen
Hydrogele (wässrige oder alkoholische Gele)	Hydrophil, nicht fettend, besonders mit Alkohol austrocknend, bisweilen Juckreiz verursachend, gut abwaschbar, kühlend	Behandlung akuter bis subakuter nässender Läsionen oder Schleimhäute, geeignet für großflächige Anwendung
Hydrolotio, Schaum (flüssige, wasserhaltige Systeme mit wenig Lipidanteil)	Hydrophil, kaum fettend, gut abwaschbar, leicht kühlend	Behandlung akuter bis subakuter nässender Läsionen, geeignet für großflächige Anwendung
Creme (halbflüssige bis gut streichfähige, wasserhaltige Systeme mit mäßigem Lipidanteil)	Hydrophil, leicht fettend, beschränkt abwaschbar, kaum kühlend	Behandlung subakuter Läsionen, weniger geeignet für großflächige Anwendung
Cremepaste	Hydrophil, nicht okkludierend, flüssigkeitsabsorbierend, gut abwaschbar, kühlend	Behandlung akuter bis subakuter nässender Läsionen im Intertrigobereich
Lipolotio (flüssige lipidhaltige Systeme mit wenig Wasseranteil)	Lipophil, fettend, sowohl leicht hydratisierend wie leicht okkludierend, schlecht abwaschbar, kaum kühlend	Behandlung chronischer, trockener Läsionen, geeignet für großflächige Anwendung
Fettcreme (halbflüssige bis streichfähige, lipidreiche Systeme mit wenig Wasseranteil)	Lipophil, fettend, sowohl leicht hydratisierend wie leicht okkludierend, schlecht abwaschbar, nicht kühlend	Behandlung chronischer, trockener Läsionen, vorwiegend kleinflächig, beschränkt geeignet für großflächige Anwendung
Fettsalbe, Oleogel, Lipogel (streichfähige, lipidreiche Systeme)	Lipophil, stark fettend, okkludierend, sehr schlecht abschwaschbar, nicht kühlend	Behandlung chronischer, xerotischer, hyperkeratotischer Läsionen, als Hautschutz gegen hydrophile Agenzien, vorwiegend kleinflächig, selten großflächig

Tab. 9.2-2: Einfluss verschiedener galenischer Grundlagen auf Anwendungsgebiete und Therapieerfolge. Nach Daniels 2007

Art der Grundlage	Eigenschaften der Grundlage		Wirkung der Grundlage auf die Haut						Zustand der Dermatose
	Wassergehalt	Fettgehalt	Wirkstoffpenetration	Antiexsudativ	Austrocknend	Kühlend	Hydratisierend	Mazerierend	
Feuchter Umschlag									Akut nässend
Flüssigkeit									Akut
Schüttelmixtur									
O/W-Emulsion									Subakut
W/O-Emulsion									Subchronisch
Paste									
Fettsalbe									Chronisch
Lipogel									Chronisch hyperkeratotisch
Kohlenwasserstoff-Gel									

gabe und Compliance (Geruch, Farbe, Schnelligkeit des „Einziehens" in die Haut) der Anwendung.

Info

Kriterien für die Auswahl einer bestimmten Grundlage sind die
- Eigenwirkung des Vehikels
  - kühlend,
  - befeuchtend (Juckreiz lindernd),
  - okkludierend,
  - trocknend,
  - bakteriostatisch, adstringierend (Alkohole),
- der Zustand der Haut („feucht auf feucht")
- der Applikationsort
  - Verteilbarkeit,
  - Abwaschbarkeit,
- der zu transportierende Wirkstoff
  - Lipophilie, Hydrophilie,
  - unerwünschte Resorption,
  - Unverträglichkeiten mit der Grundlage,
  - Metamorphose des Vehikels: Beim Auftragen auf die Haut kann es z.B. durch Verdunstung zu Verschiebungen im Wasser/Öl-Anteil kommen und dadurch die Wirkstofffreigabe verändert werden.

In Tabelle 9.2-1 und 9.2-2 sind deshalb die Effekte verschiedener Dermatikagrundlagen auf die Haut (nach Rolf Daniels, Tübingen) bzw. die therapeutische Zweckbestimmung von Arzneiformen (nach Christian Surber, Basel) dargestellt.

9.2.2 Antiseptika und Desinfektionsmittel

Antiseptika finden in der Dermatologie vielfältige Anwendung, sie sind keinem einzelnen Krankheitsbild zuzuordnen. Deshalb werden sie im Folgenden der Besprechung spezieller Krankheitsbilder und deren medikamentöser Behandlung vorangestellt.

Unter dem Begriff Antiseptika werden all diejenigen Substanzen zusammengefasst, die in der Lage sind, außerhalb des Organismus (wobei Haut, Schleimhaut und z.B. auch Wunden als Körperaußenseite bezeichnet werden) das Wachstum von Mikroorganismen zu hemmen oder diese sogar abzutöten. In der Literatur wird oftmals noch eine Unterscheidung getroffen zwischen **Desinfektionsmitteln** und **Antiseptika,** wobei dann unter Desinfektionsmitteln solche Stoffe ver-

standen werden, die zur Reduktion von Keimen in der Umwelt (Raum-, Wäsche-, Sputum-Desinfektion) verwendet werden, unter Antiseptika die Substanzen zusammengefasst werden, die am Körper angewendet werden. Eine klare Trennung zwischen diesen beiden Gruppen ist oft nicht möglich, da einzelne Substanzen für beide Zwecke geeignet sind.
Von den Chemotherapeutika im engeren Sinne (z.B. Sulfonamide) sind Antiseptika durch ihre größere Toxizität abzugrenzen, die gleichzeitig eine systemische Applikation verbietet.
Antiseptika werden generell zur Haut-, Schleimhaut- und Wunddesinfektion verwendet, wobei sie aber auch oftmals nicht nur zur Prophylaxe, sondern als echte Therapeutika bei schon bestehenden Erkrankungen (z.B. Pyodermien, Mykosen, Herpessimplex-Infektionen) eingesetzt werden. Antiseptika werden dabei noch häufig mit Antibiotika, Chemotherapeutika und Antimykotika kombiniert.
Antiseptika sind nicht einem Krankheitsbild zuzuordnen wie dies z.B. bei den Antimykotika möglich ist. Man findet diese Substanzen in Präparaten für unterschiedlichste Indikationen, seien es Ekzeme, Acne vulgaris u.a.
So vielfältig das Einsatzgebiet der antiseptisch wirksamen Substanzen ist, so heterogen sind diese Stoffe auch in ihrer chemischen Struktur (s. Kasten).

Strukturklassen von Antiseptika
- Alkohole
- Phenol und Phenolderivate
- Aldehyde
- Säuren
- Schwermetall-Verbindungen (Silber, Zink)
- Oxidationsmittel
- Halogenhaltige Substanzen
- Oberflächenaktive Stoffe
- Farbstoffe

Ein ideales Antiseptikum müsste folgende Eigenschaften erfüllen:

- schnelle mikrobizide Wirkung,
- breites Wirkspektrum gegen Bakterien (auch Sporen), Pilze, Protozoen, Viren,
- keine Resistenzentwicklung,
- keine Haut- oder Schleimhautreizung,
- keine systemische Toxizität,
- keine Inaktivierung durch Blut, Wundsekrete oder andere Körperflüssigkeiten sowie durch chemische oder physikalische Einflüsse,
- hohe chemische Stabilität in Lösung,
- keine Geruchsbelästigung.

Das Robert Koch Institut hat eine Liste geprüfter und anerkannter Desinfektionsmittel und -verfahren erstellt (Stand 2013 mit Nachtrag 2016) (www.rki.de), angegeben sind jeweils auch die entsprechende Indikation (z.B. Händedesinfektion, Instrumentendesinfektion, Flächendesinfektion), außerdem die jeweils notwendigen Konzentrationen und Einwirkzeiten. Auch der Verband für Angewandte Hygiene hat eine Desinfektionsmittelliste erstellt (Stand 2015) (www.VAH-online.de).

9.2.2.1 Alkohole

Aus dieser Stoffklasse werden Ethanol, n-Propanol und Isopropanol (2-Propanol) verwendet. Sie sind geeignet zur Desinfektion der gesunden, unverletzten Haut, nicht aber – wegen zu starker Reizwirkung – zur Wunddesinfektion. Die Alkohole zeichnen sich durch ein breites Wirkspektrum – sie sind auch viruzid wirksam – und eine rasch einsetzende Wirkung aus. Man nimmt an, dass diese Stoffe zur Denaturierung von Proteinen der Zellmembran von Mikroorganismen führen und somit Stoffwechselvorgänge beeinträchtigen.
Die Wirksamkeit der Alkohole nimmt mit steigendem Molekulargewicht und Siedepunkt zu. Die Reihenfolge der Wirksamkeit einwertiger Alkohole lautet daher: Methanol < Ethanol < Isopropanol < n-Propanol.
Die mikrobizide Wirkung der Alkohole ist an einen gewissen Wassergehalt gebunden, absolute Alkohole sind unwirksam, sie wirken

allenfalls bakteriostatisch. Dies wird darauf zurückgeführt, dass es bei Anwendung hochkonzentrierter oder absoluter Alkohole durch Wasserentzug zur Ausbildung undurchlässiger Proteinschichten kommt, die ein weiteres Eindringen des Alkohols in die Zelle verhindern. Das Wirkungsoptimum für Ethanol liegt bei 70–80 %, für Propanol bei 50–60 % und für Isopropanol bei 60–70 %.

Ein Nachteil der Alkohole besteht darin, dass sie nicht sporozid wirken, zu einer Entfet-

(Fortsetzung nächstes Blatt)

tung der Haut führen sowie bei Daueranwendung oder bei empfindlicher Haut Risse oder extreme Sprödigkeit verursachen. Isopropanol ist stärker mikrobizid wirksam als Ethanol, allerdings führt er wegen höherer Lipidlöslichkeit auch zur stärkeren Entfettung der Haut. Auch der Geruch von Isopropanol ist unangenehmer als der von Ethanol. Isopropanol fördert die Durchblutung, wirkt also leicht hyperämisierend, was zur Folge hat, dass es bei Injektionen – nach vorhergehender Desinfektion der Stelle mit Isopropanol – zu stärkeren Blutungen kommen kann. Daneben sind Alkohole leicht brennbar, die Dämpfe explosiv.

Die Anwendung der Alkohole beschränkt sich heute meist auf eine Desinfektion der intakten Haut vor Injektionen oder kleinsten Operationen. Daneben werden Alkohole zur Händedesinfektion (hygienisch wie chirurgisch) verwendet. Dort sind den Alkoholen oft Stoffe zugesetzt, die eine Rückfettung und -hydratisierung der Haut bewirken. Einen Überblick gibt Tabelle 9.2-3.

Darüber hinaus verstärken Alkohole die antiseptische Wirkung anderer Desinfizientia und sind somit oftmals ein geeigneter Kombinationspartner.

Sie sind nicht geeignet zur Desinfektion von Schleimhäuten und dürfen nicht in Augennähe und nicht bei offenen Wunden angewendet werden.

Tab. 9.2-3: Antiseptika auf Alkohol-Basis (Auswahl)

Handelsname	Wirksamer Alkohol
AHD 2000®	Ethanol 96 %
Aktivin® DHH	2-Propanol
Autoderm® extra	Ethanol 96 % 2-Propanol + Benzylalkohol
Freka®-Steril	1-Propanol 2-Propanol
Hospisept®	1-Propanol Ethanol
Spitacid®	Ethanol 96 % 2-Propanol + Benzylalkohol
Sterillium®	1-Propanol 2-Propanol + Mecetroniumetilsulfat

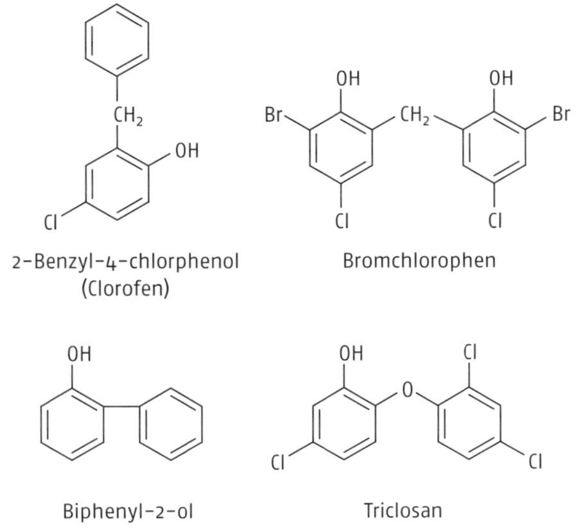

Abb. 9.2-1: Als Antiseptika verwendete Phenolderivate

Hauterkrankungen und ihre Behandlung

Tab. 9.2-4: Als Antiseptika verwendete Phenolderivate

Handelsname	Wirksame Bestandteile	Anwendung
Dibromol® Tinktur	Bromchlorofen, Dibromhydroxybenzolsulfonsäure, 2-Propanol	Hautdesinfektion vor Punktionen, Injektionen, operativen Eingriffen
Freka®-DERM	Biphenyl-2-ol, Chlorofen, Ethanol, Benzalkoniumchlorid	Hautdesinfektion vor Punktionen, Injektionen, operativen Eingriffen
Freka®-SEPT 80	Biphenyl-2-ol, Chlorofen, Ethanol, Benzalkoniumchlorid	Hygienische und chirurgische Händedesinfektion
Rutisept® extra	Triclosan, 2-Propanol	Händedekontamination

9.2.2.2 Phenolderivate

Aufgrund ihrer Toxizität und Allergenität haben die Phenole an Bedeutung in der Antiseptik verloren.
Im Handel sind nur noch wenige Kombinationspräparate (s. Tab. 9.2-4).
Sie sind wirksam gegen Bakterien, fungizid und zum Teil viruzid, nicht aber sporozid.
Nicht angewendet werden dürfen sie im Gesicht, auf Schleimhäuten, Wunden, in der Schwangerschaft und Stillzeit sowie bei Kindern und Jugendlichen unter 18 Jahren.
Triclosan (s. Abb. 9.2-1) wird zum Teil auch als Konservierungsstoff in Kosmetikartikeln, Haushaltsreinigern und Waschmitteln eingesetzt. Das Bundesinstitut für Risikobewertung (BfR) rät vom Einsatz zur Desinfektion im Haushalt, zum Beispiel in Reinigungsmitteln ab, da mit Resistenzbildung und auch mit Kreuzresistenz zu Doxycyclin und Ciprofloxacin zu rechnen ist.

9.2.2.3 Thymol

Thymol ist etwa 30-mal stärker wirksam als Phenol, dafür aber deutlich weniger toxisch, dazu noch antifungisch wirksam. Eingesetzt wird es z.B. im Retterspitz Äußerlich bei infektiösen Prozessen, Exanthemen und bei Zahnfleischentzündungen (z.B. Salviathymol®).

9.2.2.4 Säuren

Undecylensäure wird nur noch selten verwendet (Skinman soft). Die früher überaus weitverbreitete Verwendung von **Borsäure** (Borsalbe, Borwasser …) als Desinfiziens wurde aufgrund toxikologischer Befunde neu überdacht, die Anwendung von Borsäure als Antiseptikum in den dafür notwendigen Konzentrationen verboten. Die Verwendung von Borsäure und Boraten als Puffer in ophthalmologischen Zubereitungen ist hiervon nicht berührt.
Salicylsäure besitzt mikrobizide Wirksamkeit im Sinne einer Bakteriostase und Fungistase. Darum und auch wegen des guten keratolytischen Effektes findet sich Salicylsäure häufig als Kombinationspartner von Antimykotika.

$$CH_2=CH(CH_2)_8COOH$$
Undecylensäure

9.2.2.5 Schwermetallverbindungen

Schwermetallsalze entfalten ihre mikrobizide Wirkung dadurch, dass sie mit funktionellen Sulfhydrylgruppen von Membranen und Enzymen reagieren und somit den Stoffwechsel der Mikroorganismen stören. Aus dieser Stoffklasse werden Silbersalze verwendet.

Silberverbindungen

Insbesondere Silbernitrat wirkt in niederen Konzentrationen (0,1–2 %) mikrobizid und adstringierend, in höheren Konzentrationen proteindenaturierend und ätzend. Günstig hat sich Silber (z.B. als dünne Silberfolie) bei Verbrennungen erwiesen, da es außerdem

granulationsfördernde Eigenschaften aufweisen soll. Höhere Konzentrationen von Silbersalzen (> 1%) hemmen die Wundheilung. Eine seltene Anwendung von Silbernitrat ist die Mova Nitrat Pipette® (1%) bei Neugeborenen zur Verhütung einer Infektion mit *Neisseria gonorrhoe* und *Chlamydia trachomatis* (Credé Prophylaxe).
Als Natriumsilberchloridkomplex (Micropur) werden Silberionen zur Desinfektion von Trinkwasser, z.B. auf Tropenreisen, eingesetzt. Sie halten das Wasser 6 Monate bakterienfrei. In Micropur forte wirkt außer Silberionen auch Hypochlorit, wodurch neben Bakterien auch Viren und Amöben abgetötet werden.
Im Höllenstein-Stift wird Sibernitrat gegen Warzen verwendet.

9.2.2.6 Oxidationsmittel

Wasserstoffperoxid und Kaliumpermanganat wirken desinfizierend, da durch das Gewebs-Enzym Katalase atomarer, aktiver Sauerstoff gebildet wird, dem die eigentliche antiseptische Eigenschaft zukommt.

Wasserstoffperoxid

Wasserstoffperoxid (H_2O_2) kann in 3%iger Lösung zur Desinfektion eingesetzt werden. Die Berührung mit dem Auge ist zu vermeiden, Anwendung in Schwangerschaft und Stillzeit nur unter strenger Indikationsstellung!

Inkompatibilitäten bestehen mit starken Oxidationsmitteln (wie z.B. Kaliumpermanganat) und Jod.
Tabelle 9.2-5 gibt einen Überblick über im Handel befindliche Präparate.

Kaliumpermanganat

Als starkes Oxidationsmittel wirkt Kaliumpermanganat ($KMnO_4$) desinfizierend und über den durch die Reduktion entstandenen Braunstein, der mit dem Eiweiß der Haut reagiert, adstringierend. Es wird in wässriger Lösung (1:2000–1:10000), z.B. als Bad bei Fußpilz, verwendet. Hautreizungen sind möglich.
Bei der Abgabe von Kaliumpermanganat ist zu beachten, dass es bei Missbrauch zur Herstellung von Sprengstoff verwendet werden kann.
Permanganatstäube können am Auge eine Trübung der Hornhaut verursachen, die orale Aufnahme und Kontakt mit konzentrierten Lösungen außerhalb der medizinischen Verwendung ist wegen der ätzenden Wirkung absolut kontraindiziert!
Eine seltene Indikation ist der Einsatz als Antidot in der Notfallmedizin bei Morphium-, Phosphor- und Blausäurevergiftungen.

Info

Da Kaliumpermanganat stark wassergefährdend ist, sind bei der Entsorgung besondere Vorsichtsmaßnahmen zu beachten!

Tab. 9.2-5: H_2O_2-enthaltende Antiseptika und Antiinfektiva

Handelspräparat	Wirksame Bestandteile	Anwendungsgebiete
Crystacide® 1% Creme	Wasserstoffperoxid 1%	Primäre und sekundäre oberflächliche Hautinfektionen
Skinsept F Flüssigkeit	Wasserstoffperoxid-Lösung, 2-Propanol, Chlorhexidin bis (D-gluconat)	Hautantiseptik vor Operationen, Punktionen, Blutentnahmen, Impfungen, hygienische und chirurgische Händedesinfektion
Skinsept mucosa Flüssigkeit	Wasserstoffperoxid, Ethanol (96%), Chlorhexidinbis (D-gluconat)	Antiseptische Behandlung von oberflächlichen Schleimhäuten und angrenzender Haut, z.B. Vaginalbereich, Glanspenis, Mund, Rachenraum

9.2.2.7 Halogenhaltige Substanzen

Unter den Halogenen spielen für die Hautdesinfektion praktisch nur noch Iod und iodhaltige Verbindungen eine Rolle. **Chlor** wird als Desinfektionsmittel für Wasser verwendet. Eine gewisse Rolle spielt **Tosylchloramid-Natrium** (Chloramin-T-Lysoform) neben seinem Haupteinsatzgebiet, der Trinkwasserdesinfektion, noch zur Wundreinigung- und Händedesinfektion. Die Wirkung beruht auf der bei physiologischem pH-Wert **langsamen** Freisetzung von Chlor und anschließenden Bildung von Hypochloriten. Die Verträglichkeit ist gut.

Iod

Iod gehört zu den wirksamsten Haut- und Schleimhautantiseptika und besitzt ein breites Wirkspektrum (bakterizid, viruzid, fungizid, sporozid und tötet auch Protozoen ab) sowie eine äußerst rasche Wirkung (eine 1%ige Lösung führt innerhalb von 15 Minuten zu einer 98%igen Reduktion der Keime). Die Wirkung beruht auf den halogenierenden und auch oxidierenden Eigenschaften des Iods.

Nachteilig sind die starke lokale Reizwirkung, insbesondere auf Schleimhäuten und Wunden, die Hautfärbung sowie die durch Iod ausgelösten Sensibilisierungsreaktionen, die sich auch als anaphylaktische Reaktionen manifestieren können (Sensibilisierungen wurden bei 0,5% der Patienten beschrieben).

Info

Bei Patienten mit Schilddrüsenüberfunktion ist bei Behandlung größerer Hautflächen wegen der Resorption von Iod durch die Haut Vorsicht geboten, ebenso darf Iodtinktur nicht bei Säuglingen bis zu 1 Jahr angewendet werden.

Für die Wunddesinfektion sind 1%ige Iodlösungen ausreichend, wobei wässrige Iodlösungen alkoholischen vorzuziehen sind, da sie geringere Reizwirkung ausüben.

Iodi solutio ethanolica DAB 10

Iod	2,5 Teile
Kaliumiodid	2,5 "
Wasser	28,5 "
Ethanol 90%	66,5 "

Wässrige Iodlösung DAB 7
(Lugol'sche Lösung)

Iod	5 Teile
Kaliumiodid	10 "
Wasser	85 "

Iodophore

Besser zu beurteilen als Iod sind die sogenannten **Iodophore,** die heute Iod als Desinfektionsmittel weitgehend verdrängt haben. Zwar ist die desinfizierende Wirksamkeit geringer als die von Iod oder Iodiden, doch überwiegen die Vorteile, so dass Iodophore als vollwertiger Ersatz von Iod angesehen werden können.

$$Cl_2 + H_2O \rightleftharpoons H^{\oplus} + Cl^{\ominus} + HOCl$$

Iodophore sind Verbindungen, die Iod komplex binden und in Lösung langsam wieder abgeben. Häufig verwendet wird das Povidon-Iod (PVP-Iod), das ca. 10 % verfügbares Iod enthält.

Povidon

Die Substanz zeichnet sich dadurch aus, dass sie weniger irritierend und schmerzhaft wirkt als Iod, wenn sie auf Wunden aufgebracht wird, auch ist eine negative Beeinflussung der Wundheilung – wie sie von Iod beschrieben ist – nicht bekannt.
Gegenanzeigen für die Anwendung von Povidon-Iod sind manifeste Schilddrüsenerkrankungen, Iodüberempfindlichkeit und die Anwendung bei Säuglingen unter 6 Monaten.
Beispiele für Monopräparate:
- Betaisodona®,
- Braunol®,
- Mercuchrom-Jod,
- Sepso® J.

Kombinationspräparate:
- Betaseptic Mundipharma® (+ 2-Propanol + Ethanol),
- Braunoderm® (+ 2-Propanol).

Anwendungsgebiete sind Desinfektion der äußeren, intakten Haut oder Schleimhaut vor Operationen, Injektionen usw.
Monopräparate zusätzlich:
Wiederholte zeitlich begrenzte Anwendung zur antiseptischen Wundbehandlung, bei Verbrennungen, infizierte Dermatosen.

Beratungstipp

Bei PVP-Iod-haltigen Präparaten muss neben den möglichen Kontraindikationen der Patient auf die Einfärbung und damit mögliche Verschmutzung von Wäsche, Handtüchern usw. hingewiesen werden.

9.2.2.8 Chlorhexidin

Ein sehr potentes Antiseptikum mit hauptsächlich bakterizider Wirksamkeit, aber auch guter Wirkung gegen Hefen, stellt Chlorhexidin dar.
Die Wirkstärke ist in etwa mit der von PVP-Iod vergleichbar. Chlorhexidin wird eingesetzt zur Haut-, Schleimhaut- (z.B. Rachenraum) und auch Wunddesinfektion. Die Substanz zeichnet sich durch einen schnellen Wirkungseintritt und eine langanhaltende Wirksamkeit aus. Eine Beeinträchtigung der Wirkung durch Blut oder Wundsekret wird praktisch nicht festgestellt. In einer Konzentration von 0,1 % kann Chlorhexidin zur Prophylaxe von Plaque-Bildung und damit von Karies und Zahnfleischentzündungen eingesetzt werden, unterstützend vor allem nach oral-chirurgischen Eingriffen und bei Läsionen der Mundschleimhaut.

Chlorhexidin

Chlorhexidin hemmt die ATPase der bakteriellen Zellmembran und führt in höheren Konzentrationen zu Ausfällungen von Nukleinsäuren und Proteinen im Zytoplasma (Zytotoxizität).
Selten treten Hautirritationen auf, nach längerer wiederholter Anwendung von Chlorhexidin können Kontaktdermatitiden vorkommen. Photosensibilisierungen durch die Substanz sind beschrieben worden. An der Augenbindehaut und am Gehörgang kann es zu starken Reizungen kommen, auch wurde bei perforiertem Trommelfell beobachtet, dass Chlorhexidin zu Taubheit führen kann. Unklar ist das mutagene und kanzerogene Potential.

Beispiele für Handelspräparate:
- Hansamed® Spray,
- Skinsept F (+ 2-Propanol + H_2O_2),
- Skinsept mucosa (+ Ethanol 96% + H_2O_2),
- Chlorhexamed®.

9.2.2.9 Oberflächenaktive Stoffe

Im Gegensatz zu den herkömmlichen Seifen, die zu der Gruppe der anionenaktiven Detergentien gehören, besitzen kationenaktive Tenside wie quartäre Ammonium- oder Phosphoniumverbindungen gute mikrobizide Eigenschaften. Diese auch als Invertseifen bezeichneten Substanzen lagern sich an die Membran von Zellen an, verändern dort die Ladungsverhältnisse und führen so zu Störungen des Zellstoffwechsels. Außerdem wirken sie in höheren Konzentrationen proteindenaturierend.

Das Wirkspektrum dieser Substanzklasse umfasst vor allem Bakterien (hier bevorzugt grampositive) sowie Pilze (vor allem Dermatophyten) und (weniger) Viren. Oberflächenaktive Stoffe sind wirkungslos gegenüber Sporen und Mykobakterien. Die Wirksamkeit wird durch Blut, Wundsekret und auch durch anionenaktive Substanzen abgeschwächt. Die gleichzeitige Verwendung von anionenaktiven Tensiden z.B. aus Wasch- und Reinigungspräparaten ist deshalb kontraindiziert, ebenso die Anwendung von Antiseptika auf PVP-Iod-Basis auf benachbarten Hautbezirken, da es in den Grenzbereichen zu starken braun/violetten Verfärbungen kommen kann. Resistenzentwicklungen sind beschrieben worden.

Kationenaktive Tenside (s. Abb. 9.2-2) zeichnen sich durch gute Hautverträglichkeit und geringe lokale und Systemtoxizität aus, sie sind darüber hinaus geruchsneutral, nach chronischer Anwendung wurde jedoch über Kontaktallergien berichtet.

Indikationsgebiet für diese Stoffe ist zum einen die Haut-, Schleimhaut- und auch Wunddesinfektion, darüber hinaus finden sie zur Prophylaxe und Therapie von Mykosen Verwendung (Tab. 9.2-6).

Octenidin

Octenidin(-dihydrochlorid) ist ein oberflächenaktiver Wirkstoff (kationaktives Bispyridin), der für die Antiseptik in Kombination mit 2% Phenoxyethanol (Octenisept®) eingesetzt wird. Das Wirkungsspektrum umfasst grampositive und gramnegative Bakterien, Pilze sowie eine Reihe von Virusarten. Bei der Anwendung auf Wunden ist keine Resorption nachweisbar, sodass nach derzeitigem Kenntnisstand resorptiv-toxische Risiken auszuschließen sind.

9.2.2.10 Farbstoffe

Triphenylfarbstoffe (z.B. Gentianaviolett, Fuchsin) werden heute nicht mehr als Antiseptika eingesetzt, da sie z.T. kanzerogen sind und außerdem durch die starke Einfärbung eine Wundbeurteilung nicht mehr möglich machen.

Ethacridinlactat

Gebräuchlich ist noch der Acridinfarbstoff Ethacridin (Ethacridinlactat: Rivanol®), der als wässrige Lösung (0,025-0,1%) oder als Salbe (0,2%) als lokales Antiseptikum auch zur Behandlung infizierter Wunden und Pyodermien eingesetzt wird. Nachteilig sind relativ häufige Kontaktallergien.

Ethacridinlactat wirkt gegen Bakterien, Pilze, Protozoen (wie Amöben), Trichomonaden, Kokzidien und Anaplasmen.

Wahrscheinlich beruht die Wirkung auf der Bindung an die Bakterien-DNA- bzw. RNA, wodurch die Proteinsynthese verhindert wird.

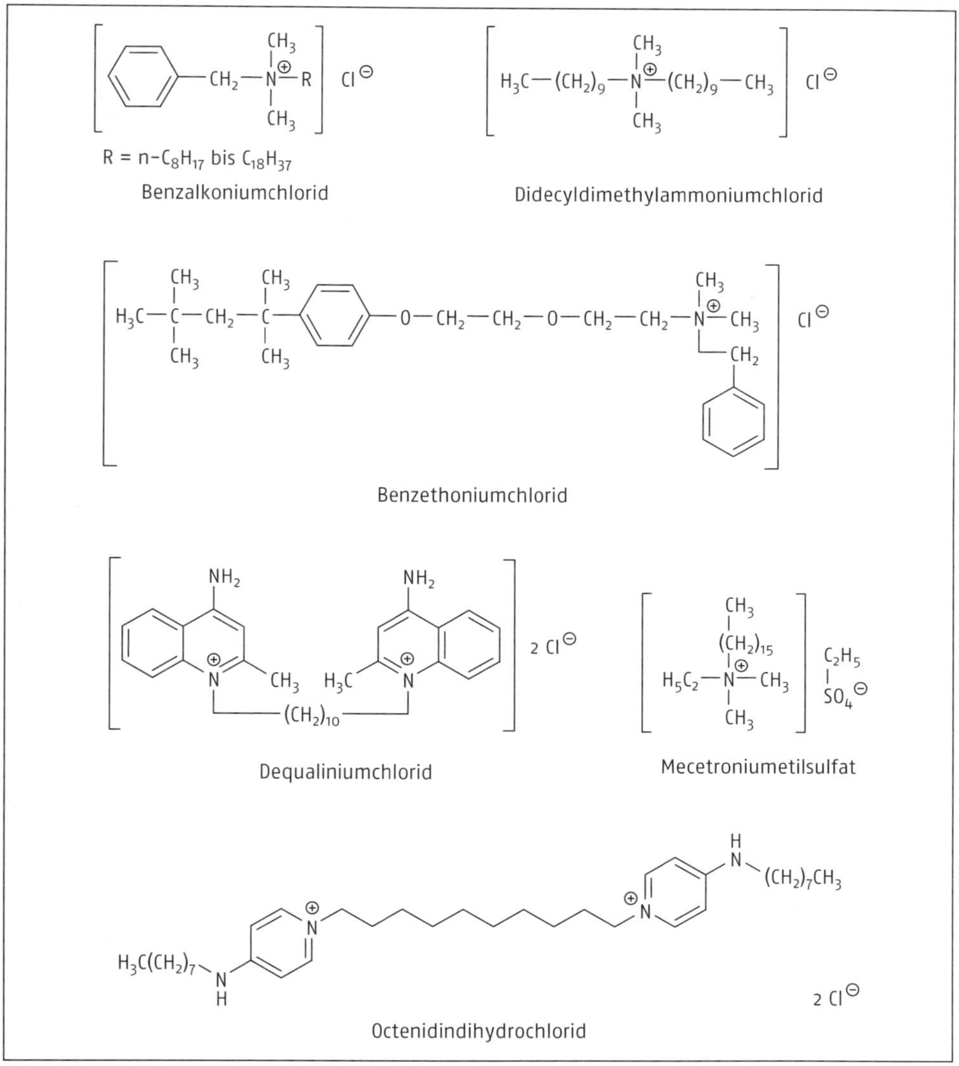

Abb. 9.2-2: Als Antiseptika verwendete kationenaktive Stoffe

Chinolinderivate

Chinolinolsulfat, im Handel als Chinosol® Tablette zum Auflösen in warmem Wasser oder Solutio Hydroxychinolinoli 0,4%, wird für Bäder, Spülungen, feuchte Verbände und Umschläge verwendet. Es ist wirksam gegen Bakterien und Pilze. Die Wirkung beruht vermutlich auf Inaktivierung der Enzyme der Mikroorganismen durch Chelatbildung der Metallkomponente der Enzyme. Allerdings ist ein Vorkommen von Kontaktekzemen allergischer oder toxischer Art häufig.

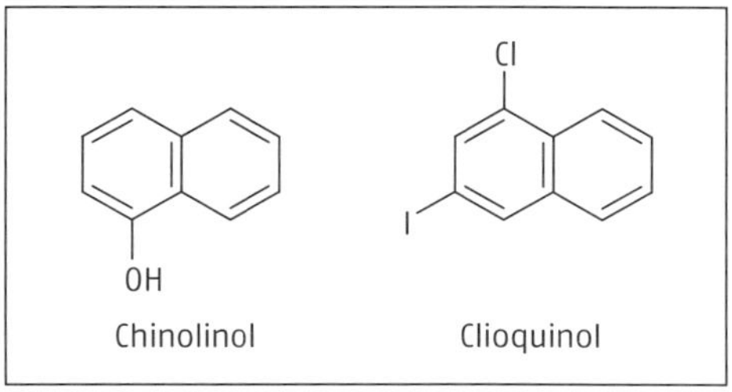

Hauterkrankungen und ihre Behandlung

Tab. 9.2-6: Oberflächenaktive Stoffe in Antiseptika/Desinfizienta (Auswahl)

Handelspräparat	Wirksame Bestandteile	Anwendungsgebiete
Freka® DERM	Benzalkoniumchlorid + Ethanol + Biphenyl-2-ol + Chlorofen	Hautantiseptikum vor Operationen, Injektionen, Impfungen, Blutentnahme etc.
Freka® SEPT	Benzalkoniumchlorid + Ethanol + Biphenyl-2-ol + Chlorofen	Hygienische und chirurgische Händedesinfektion
Hexaquart®-S	Benzalkoniumchlorid + Didecyldimethylammoniumchlorid	Fußpilzprophylaxe auf der Haut, Desinfektion von Schuhen, Strümpfen, Flächen
Laudamonium®	Benzalkoniumchlorid	Fußpilzprophylaxe, hygienische Körperwaschung
Skinman Soft	Benzalkoniumchlorid + 2-Propanol + Undecylensäure	Hygienische und chirurgische Händedesinfektion
Evazol® Creme	Dequaliniumchlorid	Bakterielle und mykotische Infektionen der Haut, infizierte Wunden
Brand- und Wundgel-Medice®	Benzethoniumchlorid + Macrogollaurylether + Harnstoff	Linderung von Hautläsionen
Amosept®	Didecyldimethylammoniumchlorid	Hygienische Händewaschung
Sterillium®	Mecetroniumetilsulfat + 2-Propanol + 1-Propanol	Hyg. und chirurg. Händedesinfektion, Hautdesinfektion vor Injektionen und Punktionen
Octenisept®	Octenidinhydrochlorid + Phenoxyethanol	Schleimhaut- und Wundantiseptik, auch im Vaginalbereich und zur Mundspülung
Octenisept® Vaginaltherapeutikum	Ocetenidindihydrochlorid + Phenoxyethanol	Bakteriell bedingter Juckreiz, Brennen, Ausfluss im Vaginalbereich
Serasept®	Polihexanid	Adjuvante antiseptische Behandlung von Wunden

Als Creme (Leioderm®) wird Chinolinolsulfat auch bei Impetigo und bakteriell sekundär infizierten Ekzemen verwendet.

Das 5-Chlor-7-iod-8-chinolinol (Clioquinol) findet im Handelspräparat Linola-Sept® Creme bei infizierten Hauterkrankungen Anwendung.

9.2.2.11 Hexetidin

Hexetidin, ein Hexahydropyrimidinderivat, wirkt breit antibakteriell, wahrscheinlich durch kompetitive Vedrängung von Thiaminpyrophosphat, einem wichtigen intrabakteriellem Coenzym.

Intravaginal wird es eingesetzt bei pathologischer Besiedlung der Vagina, zur präoperativen Prophylaxe und bei vorzeitigem Blasensprung (Vagi-Hex®). Störungen des Scheiden-pH-Wertes treten nicht auf, allerdings wird häufig eine allergische Kontakt-Dermatits beschrieben.
In 0,1 % Lösung (Hexoral®) wird Hexetidin bei entzündlichen und infektiösen Erkrankungen im Mund- und Rachenraum eingesetzt.

Hexetidin

9.2.2.12 Antibiotika

Für die Selbstmedikation steht zur lokalen Anwendung auf der Haut und zur Wundbehandlung nur Tyrothricin zur Verfügung. Es ist ein aus *Bacillus brevis* gewonnenes komplexes Gemisch von Polypeptiden, das zu ca. 80 % aus den basischen Tyrocidinen und zu ca. 20 % aus den neutral reagierenden Gramicidinen besteht. Gramicidine sind ca. 50-mal stärker wirksam als die Tyrocidine. Während die Gramicidine in die Atmungskette eingreifen, wirken die Tyrocidine auf die Zellmembran. Das Wirkspektrum umfasst neben hauptsächlich grampositiven Bakterien auch gramnegative Stämme und Hefen.
Wegen zu hoher systemischer Toxizität kann Tyrothricin nur lokal angewandt werden. Es wird von der Haut oder Wunde nicht resorbiert. Kreuzresistenzen wurden bisher nicht beobachtet.
Von vielen Autoren wird Tyrothricin lediglich als „besseres Antiseptikum" betrachtet.
Beispiel: Tyrosur® Puder.
Tyrosur® Gel (+ Cetylpyridiniumchlorid).

Beratungstipp

Während für frische, noch nicht infizierte Wunden ein Antiseptikum empfohlen werden kann, findet Tyrothricin auch dann noch Verwendung, wenn bereits eine bakterielle Infektion der Wunde manifest ist.
Größere Flächen oder Wunden an kritischer Stelle (z.B. nahe Schleimhautbereich) gehören nicht zum Indikationsgebiet von Tyrothricin. Der Apotheker sollte bei infizierten Wunden sehr kritisch die Grenzen der Selbstmedikation betrachten und in Zweifelsfällen den Patienten an einen Arzt verweisen.

9.2.2.13 Flächen- und Instrumentendesinfektionsmittel

Zur reinen Flächen-, Instrumenten-, Wäschedesinfektion gibt es viele Handelspräparate, die auch auf der Haut anwendbare Antiseptika einzeln oder im Kombination enthalten. Tabelle 9.2-7 listet einige Beispiele dafür auf, Ethanol und Popanol sind nicht extra aufgezählt.

Tab. 9.2-7: Flächendesinfektionsmittel

Wirkstoff	Handelspräparate (Auswahl)
Benzalkoniumchlorid	Mikrobac® basic, Incidin®
Didecyldimethyl-ammoniumchlorid	Fungisept®, Hexaquart® plus
Mecetroniumetilsulfat	Bacillol®
Tosylchloramid	Clorina®, Trichorol®
Biphenylol	Amocid®, Bomix®
Chlorofen	Bomix®, Helipur®

Daneben finden als reine Flächen- und Instrumentendesinfektionsmittel die Aldehyde Verwendung, die wegen zu großer Reizwirkung und Kontaktdermitiden auf der Haut nicht angewendet werden. Dämpfe verursachen starke Reizung der Augen und oberen Atemwege. Die Kanzerogenität für Menschen ist umstritten. Die Aldehyde wirken bakterizid, inkl. Tbc, fungizid und viruzid (inkl. HBV, HCV, HIV).

Verwendet werden Formaldehyd (in Lysoform®), Phtalaldehyd (in Cidex® OPA) und Glutaraldehyd (in Korsolex®-Endo-Disinfectant, Aerodesin®, Bacillol® plus, Incidur®, Kohrsolin®, Melsep®, Sekusept Extra).
Die Wirkung von Glutaraldehyd tritt schneller ein als die von Formaldehyd.
Kombinationspräparate aus Formaldehyd und Glutaraldehyd sind z.B.:
- Lysoformin®,
- Melsitt®,
- Sekusept forte,
- Sporcid®,
- Ultrasol®.

$$\underset{H}{\overset{O}{\underset{\diagdown}{C}}} - (CH_2)_3 - \underset{H}{\overset{O}{\underset{\diagup}{C}}}$$

Glutaraldehyd

9.2.3 Bakterielle Infektionen

Unter bakteriellen Infektionen (Pyodermien) werden eitrige, durch Bakterien hervorgerufene Erkrankungen der Haut bzw. deren Anhangsgebilde verstanden. Meist werden Pyodermien durch **Streptokokken** oder **Staphylokokken**, seltener durch gramnegative Keime wie *E. coli* oder *Pseudomonas* ausgelöst. Pyodermien entstehen meist bei immungeschwächten Patienten sowie durch ungünstige hygienische Bedingungen als Primärerkrankung oder – häufiger – als Sekundärerkrankung bei Ekzemen, Acne vulgaris, Mykosen oder allgemein als Wundinfektionen.
Die Infektion mit solchen Erregern erfolgt entweder vom Patienten selbst aus, von seiner Umgebung oder aber auch von kontaminierten Gegenständen.
Es lassen sich **oberflächliche** (z.B. Impetigo contagiosa) von **adnexialen** (z.B. Furunkel, Karbunkel) und **lymphogenkutanen** (z.B. Erysipel = Wundrose) **Pyodermien** unterscheiden.

9.2.3.1 Krankheitsbilder

Impetigo contagiosa

Impetigo („Grindflechte") ist eine hochinfektiöse Schmierinfektion, die häufig nach kleineren Verletzungen auftritt. Besondere Ansteckungsgefahr besteht z.B. bei Geschwistern, in Kindergärten und Schulen. Impetigo kann auch als Komplikation bei Neurodermitis auftreten.
Diese Erkrankung wird durch **Streptokokken** und **Staphylokokken** ausgelöst. Sie ist gekennzeichnet durch entweder flache Erosionen mit gelber Kruste oder aber durch eitrige Blasen, die häufig in der Nähe von Körperöffnungen (Nase, Mund, Ohr) zu finden sind und auf eine Infektion von diesen Stellen aus hinweisen (z.B. Otitis media, Schnupfen ...). Als Komplikation der meist bei Kindern auftretenden Infektion kann eine Glomerulonephritis vorkommen.
Im Vordergrund steht die Vermeidung der Ausbreitung durch sorgfältige Hygiene (Händewaschen und Desinfektion benutzter Gegenstände). Als therapeutische Maßnahme ist die örtliche Desinfektion und das Vermeiden von Kratzen oft ausreichend, ergänzend können antibiotikahaltige Salben und in schweren Fällen eine systemische Antibiotikatherapie nötig sein.
Für leichte Fälle oder zur Erstbehandlung bei Nicht-Erreichbarkeit eines Arztes steht dem Apotheker z.B. Leioderm® P-Creme (Chinolinol, s. 9.2.2.10) zur Verfügung.

Furunkel, Furunkulosen, Karbunkel

Es handelt sich um Entzündungen der tiefen Anteile von meist Terminalhaarfollikeln, ausgelöst meist durch *Staphylococcus aureus*. Prädilektionsstellen sind das Gesicht, der Nacken, Schultern sowie der Bereich der Oberschenkel und des Gesäßes. Die Infektion erfolgt durch das Eindringen der Erreger von außen in den Follikelkanal. Dort vermehren sich die Keime und rufen lokal Entzündungserscheinungen hervor. Es entwickelt sich ein druckempfindlicher, geröteter

Knoten (Furunkel), der sich nach einiger Zeit (Reifung) nach außen entleert. Das zerfallene Gewebe wird durch Narbengewebe ersetzt.
Furunkel kommen in der Kindheit nur selten vor, die Frequenz nimmt von der Pubertät bis ins frühe Erwachsenenalter zu, wobei Männer häufiger betroffen sind als Frauen.
Treten Furunkel nicht einzeln auf, sondern werden andauernd, oft über Jahre hinweg, neue Furunkel gebildet, so spricht man von einer **Furunkulose.** Sie wird begünstigt durch bestehende Grundkrankheiten wie Diabetes mellitus, Adipositas, Anämien, konsumierende Erkrankungen, HIV-Infektion, aber auch Kachexie sowie durch mangelnde Hygiene.
Initiale, d.h. in der Entstehung befindliche Furunkel können mit ichthyolhaltigen (20–50%) Salben therapiert werden. Dadurch wird die weitere Reifung, die Einschmelzung sowie das Entleeren des Furunkels stimuliert. Vorzugsweise wird hierzu das Furunkel mit z.B. einem Wattebausch abgedeckt. Ebenso unterstützend für den Einschmelzungsprozess wirkt auch eine Wärmebehandlung (z.B. Rotlicht).
Ein mechanisches Bearbeiten der Furunkel soll stets strikt wegen der Gefahr der weiteren Ausbreitung vermieden werden. Besonders groß ist dabei die Möglichkeit der lymphogenen Streuung bei Furunkeln im Gesichtsbereich.
Nach Aufbrechen und Entleeren der Furunkelpfropfen ist eine weitere Therapie mit Antibiotika und auch antiseptischen Dermatika zu empfehlen.

Info
Bei starkem Befall, bei Furunkeln im besonders gefährdeten Gesichtsbereich oder auch bei häufigen Rezidiven empfiehlt sich eine frühzeitige antibiotische Therapie (evtl. nach bakteriologischer Untersuchung), die entweder topisch oder auch systemisch zu erfolgen hat.

Beispiele für Therapeutika:
– Ichtholan® Salbe (Ammoniumbituminosulfonat),
– Ichtholan® T Gel (Natriumbituminosulfonat hell),
– Ichtoderm® Creme (Natriumbituminosulfonat hell),
– Thiobitum® Salbe (Ammoniumbituminosulfonat),
– Ilon® Abszess Salbe (Lärchenterpentin, gereinigtes Terpentinöl).

Die schwerste Verlaufsform eines Furunkels stellt das **Karbunkel** dar. Es handelt sich um gruppiert angeordnete, meist am Nacken lokalisierte Furunkel, die bis in die Subkutis reichen können. Zu den lokalen Entzündungserscheinungen kommen hier Allgemeinsymptome wie Fieber, Abgeschlagenheit sowie Vergrößerung der Lymphknoten hinzu.
Furunkel und Karbunkel müssen chirurgisch entfernt werden.

Erysipel (Wundrose)
Diese schwere Erkrankung wird durch **β-hämolysierende Streptokokken** ausgelöst. Das Erysipel (Wundrose) beginnt meist von kleinen Wunden aus (auch z.B. bei Fußpilz) und breitet sich rasch über die Lymphbahnen weiter aus. Neben den lokalen Erscheinungen (Rötung, Schwellung der Haut, Blasenbildung, Gewebsnekrosen) stehen Allgemeinsymptome wie Fieber und Schüttelfrost im Vordergrund.
Die Behandlung erfolgt meist stationär im Krankenhaus.

9.2.4 Virusinfektionen

Zu den häufigsten Viruserkrankungen der Haut gehören Infektionen durch Herpes-Viren (s.a. Kap. 2.1.2.1 u. Kap. 2.1.3.6) und humane Papilloma-Viren.

9.2.4.1 Herpes-Viren

Herpes-Viren rufen Windpocken und Gürtelrose hervor (Varizella-Zoster-Viren) und

Herpes simplex labialis, Keratitis und masalis (Herpes-simplex-Virus Typ 1) bzw. Herpes simplex genitalis (Herpes-Simplex-Virus Typ 2).

Varizella-Zoster-Virus

Windpocken zählen zu den häufigsten Kinderkrankheiten, die meist harmlos verlaufen. Treten sie im Erwachsenenalter auf, so verläuft die Infektion schwerer. Nach einer solchen Erstinfektion mit dem Virus vermag dieses in Neuralganglien zu persistieren und dort, z.B. bedingt durch eine Immunschwäche, das Bild einer Gürtelrose als Zweitmanifestation hervorzurufen. Das klinische Bild des Herpes zoster ist gekennzeichnet durch schubweise auftretende rote Bläschen, begrenzt auf ein Neurosegment des Körpers. Juckreiz und Schmerz tritt auf. Leichtere Erkrankungen heilen innerhalb von 8 bis 10 Tagen oft narbenlos ab, bei Prädisposition kann die Infektion aber auch über Wochen und Monate andauern und schmerzhafte Neuralgien verursachen.

Internisten raten vor allem älteren und immungeschwächten Personen zu einer Impfung gegen Gürtelrose, die aber in Deutschland im Gegensatz zu den USA – noch nicht offiziell empfohlen ist.

Herpes-simplex-Virus

Herpes-simplex-Viren sind weltweit verbreitet. Man geht heute davon aus, dass etwa 90 % der Bevölkerung das Virus in sich tragen, das nach einer Erstinfektion, die oft auch unbemerkt ablaufen kann, in Zellen des Ganglion trigeminale (Typ 1) oder Ganglion sacrale (Typ 2) persistiert.

Verschiedenste Auslösefaktoren wie lokale Reizung, Sonnenbestrahlung, Stress, Fieber, Menstruation u.a. führen zur „Aktivierung" des Virus und zur Ausbildung einer akuten Entzündungserscheinung, z.B. den „Fieberbläschen" (Herpes labialis).

Die Übertragung der Herpesviren erfolgt durch direkten Kontakt von Mensch zu Mensch.

Medikamentöse Maßnahmen bei Herpes-simplex-Infektionen

Wie mit den systemischen Virustatika, die jedoch ausnahmslos der Verschreibungspflicht unterliegen, erzielt man auch mit den topischen Präparaten zur Behandlung von Herpes-labialis-Infektionen die beste Wirkung immer dann, wenn man sofort konsequent nach Verspüren der ersten Anzeichen (Spannungsgefühl an der Lippe) mit der Therapie beginnt.

Zur Selbstmedikation stehen dem Apotheker zwei Nucleosid-Analoga, **Aciclovir** und **Penciclovir**, jeweils in Form von Lippen-Herpes-Cremes in einer Abgabemenge von 2 g ohne Verschreibung zur Verfügung.

Aciclovir

Penciclovir

Beide Substanzen dringen in die durch den Virus befallenen Zellen ein und werden dort vor allem von viralen Kinasen in ihre aktivierte Form (Triphosphate) umgewandelt, so dass sie selektiv nur in den Zellen wirken, die mit dem Virus infiziert sind, gesunde Zellen sind nicht betroffen.

Das Handelspräparat für **Penciclovir** ist Fenistil® Pencivir bei Lippenherpes Creme 2 g, für **Aciclovir** gibt es eine Anzahl von Handelspräparaten zur Selbstmedikation, hier eine Auswahl:

- Zovirax® Lippenherpescreme 2 g,
- Aciclostad® gegen Lippenherpes 2 g,
- Supraviran® Creme 2 g,
- Virzin® 2 g.

Zur Behandlung des frühen Stadiums des Lippenherpes wird auch **Docosanol** (Erazaban® Creme) eingesetzt. Docosanol wird in den Zellen der Haut zu Docosansäure metabolisiert. Der entstandene Metabolit wird in die Zellmembran eingebaut und verhindert dass die Herpes-simplex-Viren Typ 1 in die Zellen eindringen können, um sich zu replizieren. Docosanol soll bei den ersten Symptomen eines Lippenherpes fünfmal täglich bis zum Abheilen (etwa 4–10 Tage) auf die betroffene Stelle der Lippen aufgetragen werden. Die Creme soll nicht in der Nähe des Auges angewendet werden. Patienten mit Immunschwäche und Kinder unter 12 Jahren sollen Docosanol nicht verwenden. Da die systemische Aufnahme von Docosanol vernachlässigbar ist, kann es sowohl bei Schwangerschaft als auch in der Stillzeit angewendet werden. Doch grundsätzlich sollten Schwangere und Stillende mit einer Herpes-Infektion einen Arzt aufsuchen.

Außerdem muss die Übertragung der Infektion auf einen Säugling unbedingt vermieden werden.

Eher zur Behandlung und/oder Vermeidung von Sekundärsymptomen (Juckreiz, bakterielle Infektion etc.) sind Präparate mit **Lokalanästhetika, adstringierend wirkenden Stoffen** (z.B. Zinkoxid) oder **antiseptisch wirkenden Substanzen** (Benzalkoniumchlorid, z.B. in Virudermin®, Labiosan®) gedacht. Dagegen wird **Zinksulfat** eine echte virustatische Wirksamkeit bescheinigt. Neuerdings wird der Wirkmechanismus mit einer Hemmung der Virusadsorption an die Wirtszelle beschrieben. Ebenso wird die Penetration des Virus in die Zelle unterbunden. Die Verträglichkeit der Präparate wird als sehr gut beurteilt (z.B. Virudermin®). Noch verstärkt wird die Wirkung der **Zinkionen** durch gleichzeitige Applikation von **Heparin,** das die Adsorption von Viren an die Zielzelle noch weiter herabsetzt. Der Vorteil einer Kombination beider Substanzen soll in sehr raschem Wirkeintritt und damit einer resultierenden höheren Effektivität liegen (Lipactin® Gel).

Daneben steht ein Präparat (Lomaherpan®) zur Verfügung, das als Wirkprinzip **Melissenextrakt** enthält. Die nicht eindeutig belegte virustatische Wirksamkeit soll durch das ätherische Öl der Melisse bzw. den Hauptinhaltsstoffen, den Citralen, zustande kommen.

Ohne Wirkstoff, mittels **Hydrocure® Technology,** verspricht Compeed® Herpesbläschen-Patch eine rasche Abheilung von Lippenherpes durch:

- Linderung von Juckreiz und Brennen,
- Schutz der betroffenen Stelle vor Verschmutzung und Sekundärinfektionen von außen,
- Verhinderung der weiteren Verbreitung des Herpes durch Bläschenflüssigkeit,
- Vorbeugung von Schorfbildung und Verkrustungen.

Wichtig ist auch hier die Anwendung sofort bei ersten Herpes-Anzeichen.

Patientengespräch

Bei der Beratung ist der Hinweis wichtig, dass ganz entscheidend für die Wirksamkeit des Präparates und damit für die Dauer und Schwere der Erkrankung das frühzeitige Auftragen des Präparates auf die betroffenen Areale ist. Die Applikation ist mehrmals täglich, eventuell auch nachts, konsequent zu wiederholen. Auf scharfe Speisen (Essig, salzige Speisen …) sollte verzichtet werden, um eine zusätzliche Reizung zu unterbinden.

Als ergänzende Maßnahme eignet sich prophylaktisch der Schutz der Prädilektionsstellen vor zu starker Sonneneinstrahlung mit Lichtschutzsubstanzen. Eine gesicherte Rezidivprophylaxe gibt es aber derzeit nicht.

Die Herpes-Creme sollte am besten mit einem Wattestäbchen aufgetragen werden, um den direkten Kontakt mit dem Herpes zu vermeiden. Herpes ist ansteckend und auf andere Körperteile übertragbar. Vorsicht ist vor allem geboten beim Umgang mit Säuglingen, eine Herpes-Infektion kann bei ihnen zu lebensbedrohlicher Enzephalitis führen! Auch ein „Verschmieren" ins Auge kann schwerwiegende Folgen bis zur Erblindung haben! (Vorsicht vor allem auch bei Kontaktlinsenträgern!) Auf besondere Hygiene ist zu achten (Zahnbürste, Händewaschen, z.B. nicht aus gleichem Glas trinken ...).

Bei schwerem Verlauf mit Fieber, bei Infektion der Augen, bakteriellen Superinfektionen, Hautkrankheiten, geschwächtem Immunsystem und in Schwangerschaft und Stillzeit ist ein Arzt zu Rate zu ziehen!

9.2.4.2 Papovaviren

Zu dieser Gruppe gehören die humanpathogenen Papillomaviren (HPV), die für die Entstehung von Warzen verantwortlich sind. Diese Viren, bei denen derzeit 32 verschiedene Typen unterschieden werden können, werden durch direkten Kontakt von Mensch zu Mensch oder aber auch von Tieren (z.B. im Schlachthof) übertragen und führen dann – abhängig von lokalen Faktoren – nach einer Inkubationszeit von 3 Wochen bis 12 Monaten zum klinischen Erscheinungsbild der Warzen.

Erleichtert wird die Manifestation einer Infektion durch Haut- oder Schleimhautdefekte sowie mangelhafte Durchblutung. Außerdem hängt die Infektiosität von der Anzahl der Viruspartikel sowie der individuellen Empfindlichkeit des Menschen ab.

Papillomaviren rufen eine Vielzahl von Warzentypen hervor, von denen die gängigsten beschrieben werden sollen.

Verrucae vulgares, gewöhnliche Warzen

Prädilektionsstelle für diese am häufigsten anzutreffenden Warzen sind die Finger, der Nagelwall und die Fußsohle. Sie können einzeln stehen oder sich beetförmig ausbreiten. Die Warze stellt zunächst ein hartes, hautfarbenes, aus der Hautoberfläche hervorragendes Knötchen dar, dessen Oberfläche durch zunehmende Verhornung rau wird. Sie erreicht Erbsen- sehr selten sogar bis Bohnengröße. Oft entstehen in direkter Nachbarschaft zusätzlich sogenannte Tochterwarzen. Die Gestalt der einzelnen Warzen variiert je nach Körperstelle.

Verrucae plantares, Fußsohlenwarzen, Dornwarzen

Diese Gruppe stellt eine besondere Form der Verrucae vulgares mit Sitz an den Fußsohlen dar. Sie bereiten große Schmerzen, da sie bei Belastung fest in die Fußsohlen eingedrückt werden.

Verrucae planae juveniles, plane Warzen

Bevorzugt bei Jugendlichen und Kindern treten diese, kaum über das Hautniveau herausragenden Warzen auf. Sie kommen zumeist in großer Zahl vor. Prädilektionsstellen sind das Gesicht, Hand- und Fingerrücken, Handgelenke und die Unterarme. Die meisten planen Warzen sind von rundlicher Gestalt, ihre Farbe variiert von gelblich, graugelb, bräunlich bis kaffeebraun sowie auch rötlich bis rot.

Die Warzen können über Jahre hinweg persistieren und heilen häufig spontan, oft direkt nach einer Phase der Verschlechterung, ohne Zurücklassung von Narben ab.

Condylomata acuminata, Feigwarzen

Sie treten vorwiegend beim Erwachsenen in intertriginösen Haut/Schleimhautregionen (Anogenitalbereich) auf. Ihr Auftreten und Wachstum ist an feuchtwarmes Milieu gekoppelt. Die zunächst weißen bis rötlichen stecknadelkopfgroßen Knötchen wachsen schnell zu größeren Gebilden heran.

Übertragen werden sie häufig beim Geschlechtsverkehr, sie werden deshalb den Geschlechtskrankheiten zugeordnet. Bei Frauen kann sich aus der HPV-Erkrankung der Zervix ein Zervix-Karzinom entwickeln.

Warzenmittel

Warzen sollten behandelt werden, da sie abhängig von der Lokalisation Schmerzen verursachen sowie auch zu Bewegungseinschränkungen führen können (Warzen an Fußsohlen, Fingerkuppen). Die Therapie fällt umso leichter, je jünger eine Warze ist.

Bei der Auswahl der geeigneten Therapieform (medikamentös, chirurgische Maßnahme) sollte dabei aber stets bedacht werden, dass Warzen als virusbedingte Infektion sehr stark zu Remissionen neigen.

Die am meisten verbreitete Therapie bei Warzen ist die Anwendung von keratolytisch wirksamen Substanzen wie **Salicylsäure** und **Milchsäure**.

Je nachdem, ob Warzen einzeln vorkommen oder großflächig verbreitet sind, empfiehlt sich die Anwendung von Tinkturen oder Pflastern, die diese oben genannten Stoffe enthalten.

Wichtig ist es dabei, die umliegende Haut abzudecken und so zu schützen, wobei zu beachten ist, dass um die Warze herum etwa 3–4 mm gesunder Haut mitbehandelt werden sollen, um Rezidiven vorzubeugen.

Salicylsäure ist der Wirkstoff z.B. in Verrucid® oder Guttaplast®. **Kombinationspräparate** aus **Salicylsäure** und **Milchsäure** sind u.a. Duofilm®, Clabin® N, W-Tropfen®. Clabin® plus enthält Salicylsäure und Milchsäure auf Kollodiumbasis.

Pflaster (z.B. Guttaplast®) werden formgerecht zugeschnitten, mit Leukoplast-Streifen direkt über den zu behandelnden Gebieten befestigt und verbleiben zunächst für 48 Stunden auf den Warzen. Anschließend wird das aufgeweichte Hornmaterial – evtl. nach vorausgegangenem Bad in lauwarmem Wasser (besser noch in Salzwasser) – mechanisch entfernt. Die Prozedur muss bis zum vollständigen Verschwinden der Warze wiederholt werden. Oftmals als positiv hat sich eine alternierende Therapie mit Tinktur und Pflaster erwiesen.

Wird die umliegende Haut konsequent abgedeckt, ist diese Therapieform nebenwirkungsarm. Insbesondere bei Kleinkindern sollten aber nur kleinere Flächen behandelt werden, um durch Resorption entstehende Nebenwirkungen gering zu halten.

Eine Anwendung darf nicht im Gesicht und im Genitalbereich erfolgen, ebenso darf man nicht mit Augen und Schleimhäuten in Berührung kommen.

Erfahrungsgemäß dauert eine solche konservative Therapie ungefähr 12 Wochen. Der Patient sollte vorher über die Dauer und die Notwendigkeit einer konsequenten Durchführung der Maßnahmen informiert werden. Meist sind auftretende Rezidive nämlich nur auf eine ungenügend lange Behandlung zurückzuführen.

Die alternative Medizin wendet Thujatinktur und Schöllkrautsaft gegen Warzen an. Inwieweit diesen volksmedizinischen Anwendungen ein tatsächlicher therapeutischer Effekt zugrunde liegt, oder ob diese Therapieformen als Suggestivtherapie anzusehen sind, ist unklar.

Patientengespräch

Oftmals ist unbekannt, dass es sich bei Warzen um das Erscheinungsbild einer viralen Infektion handelt. Wird dies dem Patienten klargemacht, fällt es häufig leichter, ihn dann von einer konsequenten Durchführung der doch oft langwierigen Therapie mit herkömmlichen Schälmitteln zu überzeugen. Diese Therapieform ist sicher, bedarf aber doch eines entsprechenden Zeitaufwandes. Hinzuweisen ist auf das notwendige Abdecken des umgebenden Hautareals.

Eine Methode, Warzen zu behandeln ist auch die Kryochirurgie, bei der ein Kühlmittel (Temp. $< -50\,°C$) auf die Warze gesprüht wird, wodurch die Geschwulst-Schichten absterben und sich ablösen lassen.

In der Selbstmedikation steht hierfür das Präparat Wartner® zur Verfügung. Wartner® enthält ein Gemisch aus Dimethylether und Propangas. Dieses Flüssiggas-Gemisch vereist die Warzen bei einer Temperatur von $-57\,°C$.

Warzen sind prinzipiell ansteckend, vor allem solche im Genitalbereich. Verändern Warzen ihr Aussehen, ist mit bösartiger Entartung zu rechnen und auf jeden Fall ein Arzt aufzusuchen.

Auch bei tief in der Haut sitzenden Warzen sind der Selbstmedikation Grenzen gesetzt, hier ist die chirurgische Entfernung nötig.

9.2.5 Pilzinfektionen – Mykosen

Trotz einer Vielzahl zur Verfügung stehender, hochwirksamer Antimykotika sind Dermatomykosen weit verbreitet.
Ursachen hierfür sind:

1. Die verstärkte Anwendung von Antibiotika, Immunsuppressiva und Corticoiden. Unter dieser Therapie wird Mykosen bei geschwächter Abwehrlage bzw. geänderter bzw. vernichteter Standortflora das Ausbreiten erleichtert.
2. Ein größeres Freizeitangebot mit Sauna, Schwimmbad usw. sowie Fernreisen. Die Möglichkeiten zur Kontamination steigen und es werden auch solche Dermatomykosen importiert, die bisher in unseren Breiten unbekannt waren.
3. Das Unterlassen einer sofortigen Therapie. Die Behandlung einer Mykose wird oft als nicht notwendig angesehen, da sie häufig – zumindest zu Beginn – keine Beschwerden verursacht, der Betroffene ist subjektiv nicht beeinträchtigt.
4. Die zu langwierige und auch zu teure Therapie. Die konsequente Therapie einer Mykose ist zeit- und arbeitsaufwendig (Wäsche usw.). Dies führt zu mangelnder Compliance. Auch wird oft – nach Verschwinden der oberflächlichen Erscheinungen – die Therapie zu früh abgebrochen, was Rezidive ermöglicht.

Humanpathogene Pilze lassen sich im Wesentlichen in 3 Gruppen einteilen (sogenanntes **DHS-System**):

1. **D**ermatophyten (Fadenpilze) z.B. Trichophyton-, Epidermophyton-, Microsporumarten,
2. **H**efen (Sproßpilze) Candida-Arten *(Candida albicans),*
3. **S**chimmelpilze: hier vor allem *Aspergillus*-Arten.

Daneben sind weitere, in dieses Schema nicht einzuordnende humanpathogene Pilze bekannt wie *Malassezia furfur*, der Erreger der Pytiriasis versicolor, eine weitverbreitete, harmlose, rezidivfreudige Hautmykose und viele Erreger tiefer Hautmykosen, die unterschiedlichste Krankheitsbilder verursachen

Mindmap zur Beratung bei Warzen

Virusinfektion → ansteckend — Langwierige, konsequente Behandlung nötig

Alternative: Kryochirurgie

Warzen

Bei Veränderung
↓
Arzt aufsuchen
(maligne Entartung)

Tiefe Warzen erfordern chirurgische Entfernung

und deren Erreger verschiedensten Gruppen zuzuordnen sind:
- *Phialophora verrucosa,*
- *Sporothrix schenkii,*
- *Entomophthora conidiobolae.*

9.2.5.1 Krankheitsbilder

Dermatophyten

Dermatophyten befallen ausschließlich die Haut und eventuell deren Anhangsgebilde, also Haare und Nägel.

Diese Mykosen werden unter dem Begriff **Tinea** zusammengefasst, wobei zwischen nur oberflächlichen, mäßig stark verlaufenden Entzündungsformen (Tinea superficialis) und tieferreichenden Formen (Tinea profunda), die mit starken Entzündungserscheinungen einhergehen, unterschieden wird.

Oberflächliche Mykosen sind charakterisiert durch kreisförmige Herde, wobei zum Rand hin Rötung und Schuppung dominieren. Der Pilz hat die Tendenz zur Ausbreitung und wächst von der Ringmitte in die Peripherie aus. Tineainfektionen werden von Mensch zu Mensch übertragen, selten, und dann vor allem bei Kindern, erfolgt die Übertragung von Tieren (Haustiere) auf den Menschen.

Die größte Rolle spielt die Ansteckung in Schwimmbädern, Saunen und in Gemeinschaftsunterkünften. Feucht warmes Milieu in der Umgebung und auch am Infektionsort – bedingt z.B. durch abschließende luftundurchlässige Kleidung – sowie mangelnde Hygiene begünstigen den Befall und die Verbreitung von Tineamykosen.

Ein – vielleicht unvermuteter – Risikofaktor für Nagelpilz sind künstliche lange Fingernägel, unter denen sich durch Tätigkeiten wie Putzen und Gartenarbeit durch undichte Stellen Nagelpilz ansiedeln kann.

Dazu fördern endogene Faktoren, wie z.B. das Vorhandensein eines Diabetes mellitus, eine abgeschwächte Immunabwehr sowie auch Durchblutungsstörungen (z.B. der Extremitäten), die Ausbreitung dieser Mykosen. Die häufigste Dermatomykose ist der Befall im **Zehenzwischenraum** (Tinea pedis), hauptsächlich ausgelöst durch *Trichophyton rubrum* (50 %), *Trichophyton mentagrophytes* (40 %) und *Epidermophyton floccosum*. Eine Häufung der Tinea pedis findet sich in den Sommermonaten (Badesaison), vorwiegend Erwachsene sind betroffen.

Klinisch manifestiert sich diese Mykose in einer nur mäßigen Rötung und Schuppung, die Zehenzwischenräume sind deutlich mazeriert. Sekundärinfektionen mit Bakterien sind häufig anzutreffen. Das vorherrschende Symptom dieser als Tinea superficialis (s.o.) charakterisierten Infektion ist der Juckreiz.

Insbesondere in ländlichen Gegenden ist die meist durch *Trichophyton verrucosum* verursachte profunde Tinea (sog. Kerion Celsi) anzutreffen. Hauptüberträger sind die Rinder. Bei Kindern ist dabei meistens der behaarte Kopf, bei Erwachsenen der Bart und der Unterarmbereich betroffen.

Symptomatisch lassen sich Karbunkel mit an der Oberfläche sitzenden Pusteln erkennen, Haarausfall tritt zuweilen auf.

Tinea der Nägel. Eine langwierige und auch schwierig zu therapierende Mykose stellen die Mykosen der Fuß- und Fingernägel dar, wobei Fußnägel häufiger betroffen sind als Fingernägel. Nagelmykosen sind gekennzeichnet durch Gelbfärbung der Nägel, krümeligen Zerfall, aber auch Weißfärbung in transversaler Richtung.

Ein **Gentest (MycoTYPE® Skin)**, entwickelt vom Universitätsklinikum Dresden, zusammen mit der Firma Biotype Diagnostics, vergleicht genetisches Material von Patientenproben (Haut, Haar, Nagel) mit dem von bestimmten Pilzarten. Nachweisbar sind mit diesem Test fünf Dermatophyten-Spezies, auch die von Haut- und Nagelpilz. Die Testergebnisse liegen bereits nach 1–3 Tagen vor, sodass eine zeitnahe spezifische Behandlung erfolgen kann (im Vergleich dazu dauert das Anlegen einer Kultur ca. 4 Wochen). Da der Test genetisches Material untersucht, funktioniert er auch nach Vorbehandlung, was bei Anlegen einer Kultur meist nicht mehr möglich ist. Der Test ist erhältlich für eine

Hauterkrankungen und ihre Behandlung

Probennahme durch den Arzt, Fußpfleger oder Apotheker oder in einer anderen Variante für eine Probenentnahme durch den Patienten selbst. (Preis knapp 100 Euro). Für ein sicheres Ergebnis ist die korrekte Probenentnahme durch einen Arzt aber zu bevorzugen.

Hefen

Candidaarten führen zu Infektionen der Mundhöhle, der Anogenitalregion und der großen Hautfalten. In über 90% der Fälle ist der Erreger *Candida albicans,* der bei 25 bis 30% der Erwachsenen zur Standortflora der Mundhöhle gehört.
Die Ausbreitung von Candidosen wird durch feuchtes Milieu, z.B. in den Hautfalten, begünstigt.
Candidosen der Mundhöhle, auch **Mundsoor** genannt, sind gekennzeichnet durch weiße Beläge auf dem Zungenrücken und der Mundschleimhaut.
Mundwinkelrhagaden können ein erstes Symptom darstellen.
Der Befall des weiblichen Genitales, der übrigens durch die Einnahme oraler Kontra-

Tab. 9.2-8: Intern anzuwendende Antimykotika

INN	Handelspräparate (Auswahl)	Wirkspektrum	Wirktyp	Bemerkung
Amphotericin B	Ampho-Moronal® Amphotericin B AmBisome® Trockensubstanz	Insbesondere Hefen, daneben andere Systemmykosen	Fungistatisch	Rp
Nystatin*	Adiclair® Biofanal® Candio-Hermal® Moronal® Dragees Mykundex® Dragees Mykundex® Suspension Nystaderm®	Hefen	Fungistatisch	Ap
Natamycin*	Pimafucin®	Hefen, Schimmelpilze (Dermatophyten)	Fungistatisch	Rp
Flucytosin	Ancotil® Roche	Hefen, Kryptokokkose	Fungistatisch – Fungizid	Rp
Griseofulvin	griseo 125/–500 von ct Likuden® M 500	Dermatophyten	Fungistatisch	Rp
Itraconazol	Sempera® Siros Kapseln			Rp
Miconazol	Infectosoor Mundgel Micotar® Mundgel Daktar® Mundgel	Dermatophyten, Hefen, Schimmelpilze	Fungistatisch – Fungizid	Ap Ap Ap
Fluconazol	Diflucan®	Hefen, Kryptokokkose	Fungistatisch – Fungizid	Rp Rp
Terbinafin	Lamisil®	Dermatophyten	Fungistatisch – Fungizid	Rp
Anidulafungin	Ecalta®	Invasive Candidiasis i.v.	Fungizid	Rp
Caspofungin	Cancidas®	Systemische Candidosen, Aspergillosen, i.v.	Fungistatisch – Fungizid	Rp

* keine systemische Wirkung wegen fehlender Resorption

zeptiva erleichtert wird, geht mit einer Rotfärbung der Vaginalschleimhaut, mit erhöhtem Ausfluss und schließlich auch mit Juckreiz einher. Daneben gibt es aber symptomarme bis symptomlose Verläufe.

Kutane Mykosen, für die Hefepilze verantwortlich sind, finden sich überwiegend in großen Hautfalten; daher sind besonders Adipöse gefährdet. Selten treten Candidosen als generelle Hautinfektionen auf, dann bevorzugt beim Säugling oder beim alten Menschen. Neben *Candida albicans* seien als weitere Vertreter dieser Gruppe *Candida stellatoidea*, *Candida glabrata* und *Candida pseudotropicalis* genannt.

Schimmelpilze

Deutlich seltener im Vergleich zu Dermatophyten oder Hefen werden Dermatomykosen mit Erregern dieser Gruppe gefunden. Schimmelpilze verursachen in der Regel oberflächliche Hautmykosen wie z.B. *Scopulariopsis brevicaulis* und *Hendersonula toruloidea*, die Onychomykosen sowie Hand- und Fußmykosen auslösen können. Daneben zählt zu dieser Gruppe *Aspergillus niger*, der eine Otitis externa mycotica verursachen kann.

Mallassezia furfur

Dieser Keim findet sich als Bestandteil der normalen Hautflora der meisten Erwachsenen in der Brustregion. Er ist in dieser Form nicht pathogen. Die Ursache für den Übergang in das pathogene Stadium ist weitgehend unbekannt, vermutet wird, dass starke Schweißsekretion und auch zu häufiges Baden den Übergang in die virulente Form fördern.

Das Krankheitsbild, die Pytiriasis versicolor, bei der meist der Kopf, aber auch die behaarten Regionen des Oberkörpers befallen sein können, zeichnet sich durch feinschuppige Plaques von hellbräunlicher, oftmals auch weißer Farbe aus.

9.2.5.2 Medikamentöse Maßnahmen

Die zur Therapie von Hautmykosen eingesetzten Substanzen umfassen nicht nur die unter der Rubrik „Antimykotika" in der Roten Liste zusammengefassten Präparate, sondern darüber hinaus noch eine Vielzahl von Stoffen, die unspezifisch fungistatisch oder fungizid wirken. Sie sind auch im genannten Präparateverzeichnis unter der Rubrik „Desinfizientia/Antiseptika" zu finden und werden im Rahmen dieses Buches auch im Kapitel „Antiseptika" besprochen (9.2.2).

Bei den eigentlichen Antimykotika kann eine Einteilung nach verschiedenen Gesichtspunkten erfolgen. Es kann zum einen zwischen intern und extern anzuwendenden Stoffen unterschieden werden. Zum anderen kann innerhalb der Gruppe der topisch applizierbaren Antimykotika eine Einteilung getroffen werden in:

1. Ältere Antimykotika mit unspezifischer Wirkung und breitem Wirkspektrum,
2. Antimykotika mit hoher Wirksamkeit, aber begrenztem Wirkspektrum,
3. Antimykotika mit hoher Wirksamkeit und breitem Wirkspektrum.

9.2.5.3 Intern anzuwendende Antimykotika

In Tabelle 9.2-8 sind die intern anzuwendenden Antimykotika aufgeführt. Sie gehören unterschiedlichen Wirkstoffklassen an und zeigen auch ein unterschiedliches Wirkspektrum.

Intern anwendbar bedeutet in diesem Falle aber nicht auch gleich systemische Wirksamkeit. Mit Nystatin und Natamycin stehen hier zwei Substanzen zur Verfügung, die zwar oral appliziert werden, aber wegen fehlender Resorption ausschließlich zur Behandlung von Mykosen des Gastrointestinaltraktes geeignet sind. Dasselbe gilt für Amphotericin bei oraler Gabe.

Alle in dieser Tabelle aufgeführten Substanzen, die zur systemischen Therapie von Mykosen verwendet werden, zeichnen sich bei guter Wirksamkeit durch auch zum Teil stark ausgeprägte Nebenwirkungen aus. Sie unterliegen fast alle der Verschreibungspflicht und werden auch teilweise ausschließlich in Kliniken verwendet.

9.2.5.4 Extern anzuwendende Antimykotika

Ältere Antimykotika mit unspezifischer Wirkung und breitem Wirkspektrum

Unspezifisch wirkende Antimykotika (Wirkstoffklassen)
• Chinolin-Derivate • Quartäre Ammonium- und Phosphoniumverbindungen • Carbonsäure-Derivate (aliphatisch, aromatisch) • Phenol-Derivate • Teere • Farbstoffe • Ätherische Öle • Schwefel und schwefelhaltige Verbindungen • Metallorganische Verbindungen • Iodhaltige Verbindungen • Alkohole • Aldehyde

In dieser Gruppe finden sich zum Großteil unspezifisch antiseptisch wirksame Substanzen verschiedenster Wirkstoffklassen (s. Kasten). Sie werden zumeist im Kapitel „Antiseptika" besprochen.

Insgesamt kann gesagt werden, dass diese älteren Antimykotika für die Therapie an Bedeutung verloren haben, seitdem spezifischere Wirksubstanzen, insbesondere die Breitspektrumantimykotika, zur Verfügung stehen. Die älteren Antimykotika werden heute meist nur noch als Zusatzmedikation oder in Kombinationspräparaten verordnet. Dennoch besitzen einige Vertreter noch eine Bedeutung für die antimykotische Therapie.

Undecylensäure z.B. findet sich in Skinman Soft® in Kombination mit 2-Propanol und Benzalkoniumchlorid als Händedesinfektionsmittel.

Tab. 9.2-9: Polyenantibiotika

Bezeichnung	Strukturformel	Applikationsart
Nystatin		Oral, lokal, intravaginal, Instillationen
Amphotericin B		Systemisch, oral, lokal, intravaginal
Natamycin		Oral, lokal, intravaginal

Antimykotika mit hoher Wirksamkeit und begrenztem Wirkspektrum

Hierzu zählen:

Amphotericin B Rp! } Polyenantibiotika wirksam, insbesondere gegen Hefen
Natamycin Rp!
Nystatin

Tolnaftat } wirksam, insbesondere gegen Dermatophyten
Tolciclat

Aus der ersten Gruppe der Polyenantibiotika soll nur das Nystatin besprochen werden. Die beiden anderen genannten Substanzen unterliegen der Verschreibungspflicht.

Nystatin

Nystatin (Tab. 9.2-9) wurde 1949 entdeckt und wird seitdem mit großem Erfolg bei Haut- und Schleimhautmykosen, die durch Hefen, insbesondere Candida-Arten, hervorgerufen werden, eingesetzt.
Nystatin zeigt keine Wirkung gegenüber Dermatophyten und Schimmelpilzen. Eine systemische Therapie mit Nystatin ist – im Unterschied zu Amphotericin – wegen der zu hohen Toxizität der Substanz nicht möglich.
Nach oraler Gabe wird Nystatin nicht bzw. in nicht nennenswertem Umfang resorbiert und dient in dieser Form zur Behandlung von Mykosen des Gastrointestinaltraktes, die oftmals nach langer Antibiotika-, Cortikoid- oder Immunsuppressiva-Therapie auftreten (z.B. Adiclair® Filmtabletten, Biofanal® Tabletten, Nystatin „Lederle" Filmtabletten, Moronal® Dragees). Weitere wichtige Einsatzgebiete für Nystatin sind – außer dem weiten Bereich der Hautmykosen – Candidosen der Mundhöhle (Soor v.a. bei Kleinkindern) (z.B. Biofanal® Suspensionsgel, Nystatin „Lederle" Tropfen, Moronal® Suspension) und des Genitalbereiches (z.B. Biofanal® Kombipack, Nystatin „Lederle" Ovula/Kombipack). Lokal angewandt (Präparate s. Tab. 9.2-10) zeichnet sich Nystatin bei sehr guter Wirksamkeit gegenüber Hefen durch eine gleicheitige gute Verträglichkeit aus. Hautreizungen sind selten beschrieben.
Der Wirkmechanismus des Nystatin wie auch der anderen Polyenantibiotika beruht darauf, dass sie mit den in der Zytoplasmamembran von Pilzen, nicht hingegen von Bakterien, enthaltenen Sterolen komplexartig reagieren und sich so in die Pilzmembran einlagern, dass Kanäle gebildet werden, durch die aus der Zelle Ionen, Aminosäuren, Zucker und andere Zellstoffwechselprodukte verlorengehen. Das Fehlen der Sterole in der Bakterienzellmembran erklärt die selektive Wirkung der Polyenantibiotika auf Pilze und die fehlende antibakterielle Wirkung. Der Wirkungsantagonismus zwischen Azolderi-

Tab. 9.2-10: Nystatin-enthaltende Antimykotika zur externen Anwendung (Auswahl)

Monopräparate		
Adiclair®	Creme, Salbe	1 g = 100 000 I.E.
Biofanal®	Salbe	1 g = 100 000 I.E.
Candio-Hermal®	Creme, Softpaste, Salbe	1 g = 100 000 I.E.
Lederlind® Heilpaste	Paste	1 g = 100 000 I.E.
Moronal®	Salbe	1 g = 100 000 I.E.
Mykoderm® Heilsalbe	Salbe	1 g = 100 000 I.E.
Mykundex® mono Salbe	Salbe	1 g = 100 000 I.E.
Nystaderm	Creme, Paste	1 g = 100 000 I.E.
Nystatin „Lederle"	Creme, Paste, Salbe	1 g = 100 000 I.E.
Kombinationen mit Nystatin		
Multilind® Heilsalbe mit Nystatin	Salbe	Nystatin, Zinkoxid
Mykundex® Heilsalbe	Salbe	Nystatin, Zinkoxid
Oleum Zinci oxidati cum Nystatino SR	Ölige Suspension	Nystatin, Zinkoxid

vaten und Polyenantibiotika ist zu beachten. Gegen Nystatin sind noch keine Resistenzen bekannt geworden.

Tolnaftat

Tolnaftat (Ph. Eur.) besitzt eine ausgezeichnete fungizide Wirkung gegenüber Dermatophyten, dagegen nur eine schwache Wirksamkeit gegen Schimmelpilze. Die Substanz ist unwirksam gegenüber Hefen und Bakterien.
Als Wirkmechanismus wird wie bei den Allylaminen eine Hemmung des Enzyms Squalenepoxidase und damit eine Verminderung der Ergosterol-Biosynthese angegeben (Abb. 9.2-3).
Die Substanz ist gut hautverträglich, nur gelegentlich können Hautirritationen wie Juckreiz, Rötung und Schuppung auftreten. Eine systemische Resorption kann nicht beobachtet werden.
Haupteinsatzgebiet für Tolnaftat sind Tinea pedis und Pilzbefall in der Leistengegend. Nicht geeignet ist die Substanz dagegen für eine Behandlung von Nagelmykosen und Mykosen der Haarfollikel.

Tolnaftat

Die Wirksamkeit wird bei vorliegenden Hyperkeratosen abgeschwächt, dort empfiehlt sich eine Kombination z.B. mit Salicylsäure.
Die Heilungsrate wird bei Tinea pedis mit ca. 80 % angegeben, allerdings sind bei Anwendung dieser Substanz Rezidive beschrieben worden.
Handelspräparate sind: Tinatox® Creme/Lösung und Tonoftal® Creme/Lösung.

Antimykotika mit hohem Wirkungsgrad und breitem Wirkspektrum

Unter diese Kategorie sind alle Azolderivate einzuordnen (Tab. 9.2-11), des Weiteren die strukturell davon abweichenden Stoffe Ciclopiroxolamin (außer Nagellacke Rp!) sowie Naftifin, Terbinafin und Amorolfin (Tab. 9.2-12).

Azolderivate

Mit den Azolderivaten wurde in den 60er Jahren eine Stoffklasse für die antimykotische Therapie gefunden, die im Vergleich zu den damals verfügbaren Therapeutika einen enormen Fortschritt bedeutete. Sie zeichnen sich durch gute fungistatische bis fungizide Wirksamkeit gegen Dermatophyten, Hefen und auch – etwas geringer – gegen Schimmelpilze aus.
Der Wirkmechanismus der Azolderivate beruht auf ihrem Eingriff in die Synthese des Ergosterols, eines essentiellen Bausteins der Pilzzellmembran. Die Azolderivate hemmen die Umwandlung von 24-Methylendihydrolanosterol zu Desmethyllanosterol. Infolge-

Tab. 9.2-11: Azolderivate

Azolderivate	Präparate (Auswahl)	Strukturformel	Applikationsart
Bifonazol	Bifon Bifomyk® Mycospor® Canesten® Extra		Topisch
Clotrimazol	Antifungol® Canesten® Fungizid-ratiopharm® Canifug® Myko Cordes® Mykofungin®		Topisch

Tab. 9.2-11: Azolderivate (Fortsetzung)

Azolderivate	Präparate (Auswahl)	Strukturformel	Applikationsart
Econazol	Epi-Pevaryl®		Topisch
Fenticonazol	Lomexin®		Topisch
Fluconazol	Diflucan®		Oral i.v. (Rp!)
Isoconazol	Travocort® (mit Diflucortolon-21-valerat)		Topisch (Rp!)
Itraconazol	Sempera® Siros®		Oral (Rp!)
Ketoconazol	Nizoral® Terzolin®		Topisch
Miconazol	Castellani mit Miconazol Daktar® Daktar® Mundgel Fungur® M Creme Micotar® Mykotin®		Bei Vaginalcandidose und Mundgel topisch

Hauterkrankungen und ihre Behandlung

Tab. 9.2-11: Azolderivate (Fortsetzung)

Azolderivate	Präparate (Auswahl)	Strukturformel	Applikationsart
Oxiconazol	Myfungar®		Topisch
Posaconazol	Noxafil®		Oral (Rp!)
Sertaconazol	Mykosert® Zalaïn®		Topisch
Tioconazol	Mykontral®		Topisch
Voriconazol	VFEND		Oral (Rp!), i.v. (Rp!)

dessen lagern sich falsche Sterole ein und stören so die normale Membranfunktion, vor allem die Funktion membranständiger Enzyme (z.B. die Chitinsynthetase, die unersetzlich ist für das Zellwachstum und die Zellteilung von Pilzen) (Abb. 9.2-3).
Der zusätzlich fungizide Effekt einiger Azole, z.B. Clotrimazol, beruht auf einer Strukturveränderung der Zytoplasmamembran, die zum Verlust wichtiger Zellbestandteile führt.
Aufgrund des Wirkungsmechanismus ergibt sich ein Wirkungsantagonismus zwischen Polyenantibiotika (Nystatin, Amphotericin u.a.) und Azolen. Dies ist bei der Therapie zu beachten.
Oral angewendet (alle Rp!) werden heute nur noch Itraconazol (gegen Aspergillus-Arten),

Tab. 9.2-12: Strukturformeln von Amorolfin, Ciclopiroxolamin, Naftifin und Terbinafin

INN	Präparate (Auswahl)	Strukturformel	Applikationsart
Amorolfin	Loceryl®		Topisch
Ciclopirox	Batrafen® Rp! Nagel Batrafen Ap! Miclast®		Topisch (Rp! außer Nagellack)
Naftifin	Exoderil®		Topisch
Terbinafin	Lamisil® Lamisil® Once Fungizid-ratiopharm® EXTRA		Topisch, oral (Rp!)

Fluconazol (gegen Hefen), Voriconazol und Posaconazol (gegen Aspergillus und Candida), alle anderen werden nur noch topisch eingesetzt.
Bei dieser Therapieform zeichnen sich die Substanzen aber durch eine sehr gute Verträglichkeit aus, Sensibilisierungen treten kaum auf, des Weiteren werden Hautirritationen selten beobachtet.
Azolderivate lassen sich galenisch gut verarbeiten, die Penetration in Epithelien ist als gut zu bezeichnen, während eine Resorption mit der Gefahr der systemischen Toxizität sehr gering ist (z.B. Clotrimazol 0,5 %, Econazol, Miconazol 1 %).
Die Hornschicht wirkt dabei nicht nur als Barriere, sondern zugleich als Reservoir für die lipophilen Substanzen. So beträgt z.B. die Halbwertszeit von Bifonazol in der Hornschicht ca. 24 Stunden, was eine einmal tägliche Behandlung ermöglicht.
Auch weitere neuere Azolderivate wie Oxiconazol, Tioconazol oder Omoconazol können zum Teil einmal täglich appliziert werden, während bei den älteren Substanzen eine zweimal tägliche Applikation erforderlich ist. Auch wenn die Symptome schon abgeklungen sind, sollte die Behandlung mit Azolen immer 3–4 Wochen konsequent durchgeführt werden, um Rezidive zu vermeiden.
Im Allgemeinen wurden bei Azolen noch keine Resistenzentwicklungen beobachtet, selten wird eine Resistenz von Candida- und Aspergillus-Arten gegen Miconazol beschrieben.
Die Heilungsrate wird z.B. für Clotrimazol bei Tinea pedis mit 60 bis 100 % angegeben, für Miconazol findet man eine Angabe von > 90 %.

Allylamine
Naftifin (z.B. Exoderil®) wie auch **Terbinafin** (z.B. Lamisil®) gehören in die Wirkstoffklasse der Allylamine (Tab. 9.2-12). Die Substanzen wirken fungistatisch bis fungizid ge-

gen Hefen, fungizid gegen Schimmelpilze und insbesondere Dermatophyten. Daneben sind sie bakteriostatisch bis bakterizid gegen grampositive und auch gramnegative Bakterien wirksam. Ebenso wie die Azole beeinflussen Naftifin und Terbinafin die Ergosterolbiosynthese, allerdings, im Unterschied zu den erstgenannten Substanzen, auf einer etwas früheren Stufe. Allylamine hemmen die Umwandlung von Squalen in Lanosterol durch Beeinflussung des Enzyms Squalenepoxidase (Abb. 9.2-3). Eine daraus resultierende Akkumulation von Squalen führt zu einer Schädigung der Zellmembran aufgrund einer Erhöhung der Membranfluidität und/oder aufgrund von spezifischen Wechselwirkungen von Squalen mit Membranlipiden. Auch wird eine Zerstörung von Enzymsystemen in der Zellmembran durch Squalen diskutiert. Dieser „duale" Effekt der Allylamine ist für die gute fungizide Wirkung verantwortlich.

Die perkutane Resorption beträgt ca. 4 %, eine einmal tägliche Applikation ist ausreichend.

Speziell für die Anwendung bei Fußpilz steht mit **Lamisil® Once** (Terbinafin 1 %) eine Lösung zur Verfügung, die über eine spezielle Galenik eine Einmalbehandlung ermöglicht (Depoteffekt, soll bis zu 13 Tage im Stratum corneum bleiben). Manche Hautärzte raten von einer Einmalbehandlung jedoch ab, da in Ruhe befindliche Pilzsporen nicht erfasst werden, die Haut als schnell wachsendes Gewebe mit hohem Feuchtigkeitsgehalt (Schwitzen) nicht als Depot prädestiniert ist und außerdem Terbinafin ein schmaleres Wirkspektrum aufweist als andere Antimykotika und nicht wasser-(schweiß-)fest ist. Andererseits erhöht die einmalige Anwendung die Compliance bei Patienten, so dass je nach Patientendisziplin mit gleich guten Ergebnissen zu rechnen ist. Nach Anwendung von Lamisil® Once dürfen die Füße 24 Stunden nicht gewaschen werden, um den Film nicht zu früh von der Hautoberfläche zu entfernen.

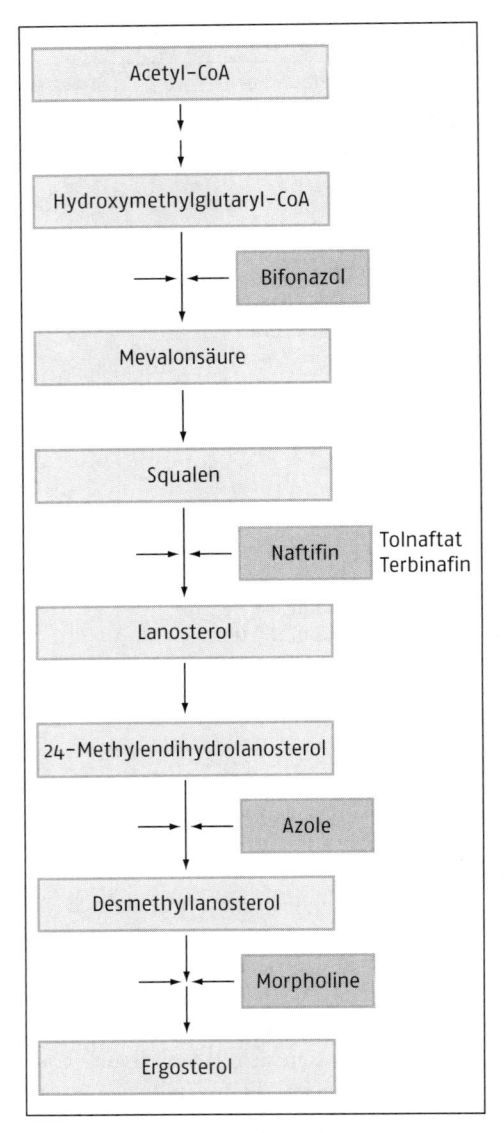

Abb. 9.2-3: Ergosterol-Biosynthese und Angriffspunkte verschiedener Antimykotika; Erläuterungen im Text

Im Gegensatz zu Naftifin kann Terbinafin auch oral eingesetzt werden, wobei es dort nahezu ausschließlich gegen Dermatophyten wirksam ist.

Ciclopirox

Ciclopirox ist wiederum einer anderen Wirkstoffklasse (Pyridon-Abkömmling) zuzuordnen. Ciclopirox soll die Aufnahme essentieller Substrate in die Pilzzelle hemmen. Die Substanz zeichnet sich durch ein breites Wirkspektrum bei guter Verträglichkeit aus. Die Resorption ist äußerst gering, obwohl die Substanz gute Tiefenwirksamkeit aufweist und für Erkrankungen der Haarfollikel und auch Nagelmykosen geeignet ist (z.B. Nagel Batrafen® Lösung; Ciclopirox Winthrop® Nagellack).

Die **Nagellacke** (Ciclopirox 8%) **sind verschreibungsfrei,** alle anderen Darreichungsformen, einschließlich Shampoo sind **verschreibungspflichtig.**

Amorolfin

Amorolfin gehört zur Klasse der Morpholinderivate und hemmt die Ergosterolbiosynthese auf einer späten Stufe nämlich durch Inhibition der Δ14-Reduktase sowie der Δ8–Δ7-Isomerase. Die Konsequenz sind die Entstehung und Einlagerung falscher Sterole in die Zellmembran und dementsprechend in Folge funktionelle Störungen in der Pilzmembran. Die Substanz ist besonders gut wirksam gegen Dermatophyten und wird auch insbesondere bei Nagelmykosen eingesetzt, da sich Amorolfin gut in den Nagel einlagert (Loceryl® 5% Nagellack Lösung).

9.2.5.5 Patientengespräch

Mykosen können jedermann befallen, ohne eigenes Zutun und ohne eigenes Verschulden. Nichts gegen eine Mykose zu unternehmen, ist aber nicht zu verantworten sowohl im Hinblick auf den eigenen Organismus als auch wegen einer Ansteckungsgefahr von mittelbaren oder unmittelbaren Kontaktpersonen.

Folgende Punkte soll der Apotheker bei der Beratung von Patienten, die mit dem Problem (oftmals auch nur dem Verdacht) einer Mykose an ihn herantreten, beachten und ansprechen:

1. Mykosen der inneren Organe (die ja nur vom Arzt diagnostiziert werden können) sowie der Schleimhäute (Mundhöhle und vor allem Genitalbereich) sind der Diagnose und Therapie des Arztes zu überlassen. Eine Selbstmedikation in diesem Bereich ist nicht zu verantworten.
2. Ursachen von Mykosen können sein:
   - internistische Erkrankungen mit Schwächung der Immunabwehr (z.B. Diabetes mellitus),
   - Behandlung (auch vorausgegangen) mit Corticosteroiden oder anderen Immunsuppressiva,
   - Antibiotikatherapie mit Störung der physiologischen Mikroflora.

   An Alternativ- oder zusätzliche Maßnahmen zur antimykotischen Therapie sollte daher gedacht werden.
3. Bei Befall der oberen Körperregionen und vor allem des behaarten Kopfes ist an eine Infektion durch Tiere (evtl. Haustiere) zu denken. Dies ist dann im Sinne einer Rezidivprophylaxe entsprechend zu berücksichtigen.
4. Primärziel einer antimykotischen Therapie ist die Elimination der Erreger und die Rückbildung von Entzündungserscheinungen.

Deshalb soll eine antimykotische Therapie
- baldmöglichst nach Auftreten oder Bemerken der ersten Symptome beginnen,
- konsequent, d.h. regelmäßige Applikation des Therapeutikums entsprechend der Dosierungsempfehlung des Arztes bzw. des Herstellers, durchgeführt werden,
- lange genug, d.h. auch nach Verschwinden äußerer Symptome (Rötung, Nässung, Schuppung usw.) für ein bis zwei Wochen, fortgesetzt werden,
- auch die Umgebung des offensichtlich befallenen Hautareals miteinbeziehen, da sich auch hier lebende Pilzelemente befinden.

Der Patient muss von vornherein über die lange Behandlungszeit (z.T. Monate) aufgeklärt werden, auch über die Zeitdauer bis zum Eintritt erster Besserung.

5. Nur mit gleichzeitig durchgeführten unterstützenden Maßnahmen zur Verhinderung einer Reinfektion lässt sich eine Mykose wirksam therapieren. Dazu gehören:
   - Täglicher Wechsel der Wäsche (z.B. Strümpfe bei Tinea pedis) und deren Desinfektion (mindestens 30 Minuten bei 60 °C waschen bzw. Behandlung mit antimykotisch wirksamen Stoffen), ebenso geeignetes Schuhwerk (gute Belüftung) tragen und diese ebenso täglich wechseln.
   - Sorgfältige Hygiene. Die Reinigung der betroffenen Stellen sollte mit klarem Wasser evtl. mit Syndets vorgenommen werden. Auf Alkaliseifen ist zu verzichten.
   - Die befallenen Stellen sind trocken zu halten (nach dem Waschen gut abtrocknen oder fönen. Oftmals sind Puder hilfreich).
   Auch ist sorgsam die Ansteckung der Umgebung zu vermeiden (keine gemeinsame Benutzung von Handtüchern, Sandalen etc.).
6. Auch der Auswahl der Applikationsform des betreffenden Antimykotikums kommt eine Bedeutung zu. Die Wahl ist dabei abhängig von der zu behandelnden Körperstelle.
   - **Creme oder Salbe** → an unbehaarten, gut zugänglichen, nicht nässenden Stellen.
   - **Lösung** → an schlecht zugänglichen Stellen (z.B. Interdigitalbereich) oder behaarten Körperarealen.
   - **Puder** → vor allem bei nässenden Mykosen oder auch in Hautfalten. Puder werden oft mit den anderen Applikationsformen kombiniert.

Da eine Differentialdiagnose für den Apotheker nicht möglich ist, sollte den Breitspektrumantimykotika vom Azol-Typ der Vorzug gegeben werden. Gänzlich verzichtet werden kann auf die Empfehlung eines älteren Antimykotikums als Primärtherapeutikum. Einzig bei der Therapie der Tinea pedis kann auf Tolnaftat ausgewichen werden, das eine hohe Spezifität gegenüber Dermatophyten aufweist.

Candidosen treten meist in Schleimhautbereichen auf. Sie sollten vor einer Therapiewahl vom Arzt diagnostisch abgesichert werden.

9.2.5.6 Patienteninformationen speziell zu Fußpilz

Da ungefähr jeder dritte Erwachsene in Deutschland von Fußpilz betroffen ist und die meisten primär eine Selbstmedikation probieren möchten, ist der Apotheker hier besonders gefordert. Mangelnde Hygiene ist meist **nicht** verantwortlich für Fußpilz, insofern muss das Thema auch etwas aus der Grauzone („Vertuschen, Schämen") geholt werden.

Ursachen und begünstigende Faktoren:
- Hauptsächlich Infektionen in Sauna, Schwimmbad, Fitnesscentren,
- geschwächtes Immunsystem,
- höheres Lebensalter,
- Diabetes mellitus,
- Durchblutungsstörungen.

Anzeichen:
- Brennen und Jucken zwischen den Zehen,
- weißliche Aufquellungen oder trockene Hautschuppung,
- Entzündungen, manchmal Bläschen.

Beratungstipp

Fußpilz

Vorbeugende Maßnahmen:
- Bequemes, atmungsaktives Schuhwerk.
- Strümpfe aus Baumwolle.
- Raue, rissige Haut (begünstigt das Eindringen von Krankheitserregern) vermeiden, ebenso aggressive Hautreinigung.
- Immer gut abtrocknen!!

Begleitende Maßnahmen:
- Schuhe, Badeteppiche etc. gut auslüften und desinfizieren.
- Strümpfe (Baumwolle!) täglich wechseln, mit 60 °C waschen.
- Handtücher und Waschlappen täglich wechseln und ebenfalls bei 60 °C waschen.

Die sichere Diagnose kann nur der Hautarzt vornehmen!
Gefährlich ist die Möglichkeit weiterer Sekundärinfektionen (Erysipel).
Zu sinnvollen vorbeugenden und therapiebegleitenden Maßnahmen siehe Kasten: Beratungstipp.
Entscheidend für den Therapieerfolg ist die **Compliance** des Patienten, die für die einzelnen Präparate angegebene **Therapiedauer** muss unbedingt eingehalten werden, auch wenn die subjektiven Beschwerden nachgelassen haben, sonst drohen **Rezidive**!
Die Gesellschaft für Dermopharmazie e.V. (GD) hat für Fußpilz, ebenso wie für Nagelmykosen einen Ratgeber herausgegeben, der im Internet unter www.gd-online.de abrufbar ist oder bestellt werden kann bei:
GD Gesellschaft für Dermopharmazie e.V.
c/o Siegfried Wallat
Marie-Curie-Str. 9
D-40789 Monheim am Rhein.

9.2.5.7 Mindmap Fußpilz

Fußpilz – Tinea pedis

- Infektionen begünstigt durch feucht-warme Umgebung (Schwimmbad, Sauna usw.)
- Stoffwechselerkrankungen wie Diabetes können Neigung zu Fußpilz verstärken
- Grenze der Selbstmedikation erreicht bei:
  - erfolgloser Behandlung,
  - wenn gesamte Fußsohle bzw. alle Zehenzwischenräume infiziert sind
- **Therapiedauer einhalten!**
- In schweren Fällen: Orale Therapie erforderlich
- Als Vorbeugung und bei der Behandlung wichtig:
  - sorgfältige Reinigung und gutes **Abtrocknen** der Füße, vor allem der Zehenzwischenräume,
  - günstig z. B. Badeschuhe
- Erkrankung möglichst schnell behandeln, Behandlung oft langwierig, da Sporen auch nach Verschwinden der Symptome noch überleben können.
  Da keine Erregerdiagnostik in der Apotheke möglich: Breitband-Antimykotikum (z. B. Bifonazol) am sinnvollsten

9.2.5.8 Besonderheiten bei Nagelmykosen

Nagelmykosen sind ernst zu nehmende, therapiepflichtige Erkrankungen:

- oft sind Nagelmykosen mit körperlichen Schmerzen verbunden (Wucherungen),
- Gefahr der Ausbreitung auf die Haut und Ausdehnung auf weitere Körperteile,
- Gefahr der Ansteckung anderer und der eigenen Re-Infektion,
- psychische Belastung für die Betroffenen (Scham, soziale Abschottung, besonders bei Befall der Hand-Nägel!).

Befall der Nägel – vorwiegend mit Dermatophyten – bedarf einer besonderen Therapie; die Behandlung ist äußerst langwierig und wird bei Fingernagelmykosen mit mindestens drei, bei Zehennagelmykosen mit mindestens sechs Monaten Behandlungsdauer angegeben.

Eine Nagelmykose soll generell der Therapie des Arztes überlassen bleiben, der entscheidet, ob eine lokale (z.B. mit **Nagel Batrafen® oder Loceryl® Nagellack**), eine kombinierte lokal/systemische Behandlung (z.B. mit Griseofulvin, Terbinafin oder Itraconazol) oder eine lokal/chirurgische (Ablösen des Nagels chirurgisch oder Auflösen des Nagels evtl. mit **Harnstoff (Onychomal®, Onyster®)** oder **Canesten® Extra Nagelset** (Bifonazol plus Harnstoff)) angezeigt ist.

Durch den Harnstoff wird die Nagelplatte innerhalb von 1–2 Wochen abgelöst, so dass der Wirkstoff besser zum Infektionsherd gelangen kann.

In hartnäckigen Fällen ist eine Kombination aus Lack/Abfräsen der Nagelplatte und oralem Antimykotikum angezeigt.

9.2.5.9 Patientengespräch: Nagelmykose

Nagelmykose gehört in die Hand eines Arztes!

Anzeichen einer Nagelmykose sind:

- verfärbte Nagelplatten,
- brüchige, unnatürlich dicke Nägel.

Die Infektion kann sich auf andere Nägel und die Haut ausdehnen und über Juckreiz zu Wunden und bakteriellen Sekundärinfektionen führen.

Begünstigt werden Nagelmykosen durch häufiges Tragen von Gummihandschuhen (nach dem Ausziehen Händewaschen!), enges, nicht atmungsaktives Schuhwerk, Verletzungen. Besonders gefährdet sind über 50-Jährige, da die Wachstumsgeschwindigkeit der Nägel mit steigendem Lebensalter nachlässt, Menschen mit Durchblutungsstörungen, Diabetiker und Immungeschwächte.

Maßnahmen bei einer bestehenden Nagelmykose (und gleichzeitig vorbeugende Maßnahmen):

- Schuhe und Badewannenvorlagen etc. desinfizieren bzw. gut reinigen,
- Strümpfe (Baumwolle!!) täglich wechseln und möglichst bei 60°C waschen.

Die Gesellschaft für Dermopharmazie hat auch für Nagelpilz einen Ratgeber herausgegeben (s.o.).

9.2.6 Parasitäre Erkrankungen

9.2.6.1 Parasitosen

Neben Stechmücken, Bremsen und Wespen, die den Menschen belästigen und durch Stich oder Biss lokale – in Ausnahmefällen auch systemische Allgemeinerscheinungen – Entzündungen hervorrufen, gibt es innerhalb der Arthropoden ein paar wenige Arten, die humanpathogen sind. Sie verursachen z.T. lediglich Juckreiz, können aber als Überträger von Infektionskrankheiten dem Menschen gefährlich werden. Sie leben teilweise auf der Haut (Milbe oder Laus sowie Zecke) oder befallen den Menschen nur kurzfristig zum Stich (Floh, Wanze).

Für die Parasitosen muss in den letzten Jahren festgestellt werden, dass ihre Verbreitung stark zunimmt. Insbesondere sind hier der Befall mit Kopfläusen, Filzläusen und auch Krätzemilben hervorzuheben. Die Ursachen für diese oft epidemisch auftretenden Parasitosen sind mit in der mangelnden Behandlungsbereitschaft, aber auch im bestehenden Informationsdefizit zu sehen. Darüber hinaus spielt sicherlich der zunehmende Ferntourismus mit dem Import solcher Parasiten eine Rolle.

9.2.6.2 Läuse

Beim Menschen werden **3 Läusearten** unterschieden:

- **Kopflaus** *(Pediculus humanus capitis)*,
- **Kleiderlaus** *(Pediculus humanus humanus)*,
- **Filzlaus** *(Phthirus pubis)*.

Am weitesten verbreitet sind die Kopfläuse, praktisch keine Bedeutung mehr besitzt dagegen die Kleiderlaus.

Von Kopfläusen sind meist Kinder im Kindergarten- oder Schulalter betroffen, da dort wegen des engen Kontaktes eine leichte Verbreitung der Läuse gewährleistet ist.

Läuse werden nur durch direkten Kontakt übertragen, da sie sich nur kriechend fortbewegen können. Sie können allerdings auch bei tieferer Temperatur bis zu 7 Tage überleben.

Läuse sind 2 bis 4 mm groß, von schwach bräunlicher Farbe und besitzen 3 kräftige mit Krallen versehene Beinpaare mit denen sie sich gut z.B. im Haar festkrallen können. Die befruchteten Weibchen kleben mit einem wasserunlöslichen Kitt ihre jeweils 150 bis 300 Eier an Körperhaare (Kopf- und Filzlaus) oder in Wäschesäume (Kleiderlaus). Diese sogenannten **Nissen** sind ca. 0,8 mm lang und von ovaler Gestalt. Aus diesen schlüpfen nach ca. 8 Tagen die Läuselarven, die nach 3 Häutungen nach 2 bis 3 Wochen selbst geschlechtsreif sind. Die leeren Nissen verbleiben am Haar, sie lassen sich im Unterschied zu Kopfschuppen nicht durch Kämmen vom Haar abstreifen.

Prädilektionsstelle für die Kopflaus ist der Nackenbereich sowie hinter den Ohren (günstige Temperatur). Die Filzlaus befällt bevorzugt die Schamhaare sowie andere Bereiche mit apokrinen Schweißdrüsen (z.B. Achselhaare); selten bei Kleinkindern auch Augenbrauen und Wimpern. Nissen und Läuse lassen sich an diesen Stellen mit der Lupe identifizieren.

Oftmals bemerkt der Patient erst nach mehreren Tagen den Parasitenbefall. Das einzige Symptom hierbei ist der Juckreiz, der sich auf das Eindringen von Läusespeichel beim Blutsaugen (alle 2 bis 3 Stunden) zurückführen lässt. Es entstehen dabei hochrote Papeln; Kratzen ermöglicht die Ausbildung von Sekundärinfektionen.

Erkannt wird ein Kopflausbefall meist durch Juckreiz hinter dem Ohr und im Nacken.

Die Kleiderlaus ist etwas größer als die Kopflaus, sie ist nur noch unter extrem schlechten hygienischen Bedingungen anzutreffen. Diese Laus sitzt nicht am Körper, sondern in den Nähten und Säumen der anliegenden Kleidung. Symptome auf der Haut sind lediglich Juckreiz, Rötungen und eventuell Knötchenbildung. Kleiderläuse sind wegen der Übertragung von Fleckfieber, Rickettsiosen u.a. gefürchtet.

9.2.6.3 Mittel gegen Läuse

Das früher gebräuchliche Lindan darf nach einer Entscheidung der EU Kommission ab 2008 in Arzneimitteln nicht mehr verwendet werden.

Kombiniert werden heute chemische, mechanische und physikalische Wirkprinzipien für eine optimale Behandlung.

Insektizide

Ein Extrakt aus Chrysanthemum cinerariae folium enthält verschiedene **Pyrethrine** und **Cinerine,** die für Läuse neurotoxisch wirken. Dies sind Ester des Pyrethrolons oder Cinerolons mit der Chrysanthemummono- und -dicarbonsäure (Abb. 9.2-4).

Diese natürlichen Pyrethrinverbindungen sind in dem Präparat **Goldgeist® forte** enthalten.

Sehr ähnliche Substanzen sind **Allethrin, Bioallethrin** (ein Stereoisomer des Allethrins) und **Permethrin,** die synthetisch hergestellt werden. Sie sind Inhaltsstoffe von Jacutin® Pedicul Spray sowie Infectopedicul®.

Piperonylbutoxid, das zusätzlich in Goldgeist® forte sowie im Jacutin® Pedicul Spray enthalten ist, dient als Antioxidans und wirkt dem raschen Abbau der wirksamen Inhaltsstoffe durch Inhibition von Cytochrom-P450-Enzymen entgegen.

Hauterkrankungen und ihre Behandlung

Begünstigt durch die galenische Zubereitung in Kombination mit dem hygroskopisch wirkenden Diethylenglykol werden auch – durch Austrocknung, d.h. Wasserentzug – Nissen erfasst, zusätzlich führt Chlorocresol zur Erweichung der Kittsubstanz, die zur Anhaftung der Nisse dient (Goldgeist® forte).

Pyrethrine zeigen eine geringe akute Toxizität, sie scheinen schlecht über die Haut resorbiert zu werden. Beschriebene Nebenwirkungen sind vor allem Parästhesien der Kopfhaut sowie Kontaktdermatitiden; ein Kontakt mit den Augen oder Schleimhäuten sollte vermieden werden. Daneben sind al-

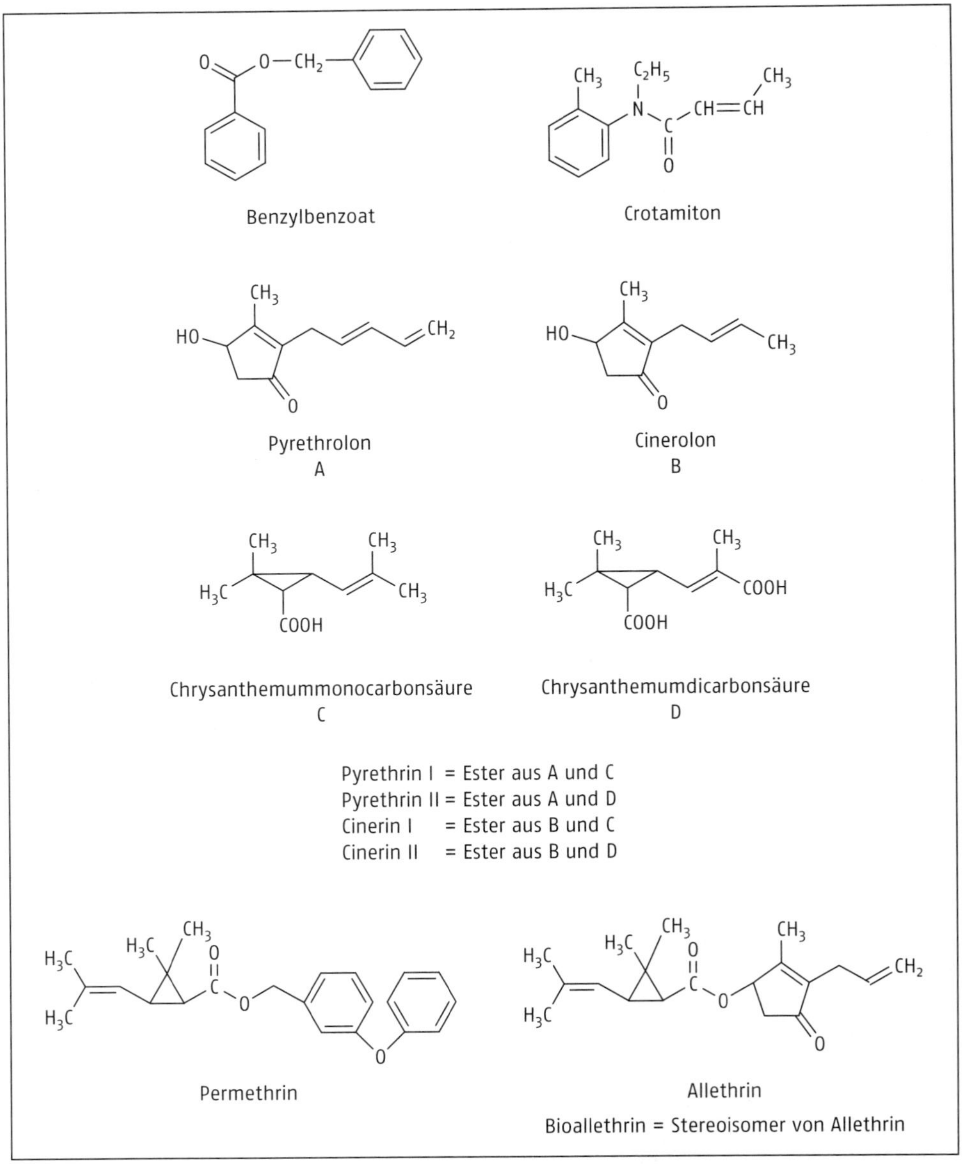

Benzylbenzoat

Crotamiton

Pyrethrolon
A

Cinerolon
B

Chrysanthemummonocarbonsäure
C

Chrysanthemumdicarbonsäure
D

Pyrethrin I = Ester aus A und C
Pyrethrin II = Ester aus A und D
Cinerin I = Ester aus B und C
Cinerin II = Ester aus B und D

Permethrin

Allethrin
Bioallethrin = Stereoisomer von Allethrin

Abb. 9.2-4: Antiparasitäre Mittel

lergische Reaktionen insbesondere im Bereich der Atemwege beschrieben. Dies gilt in besonderem Maß für Präparate, die Pyrethrumextrakte verwenden, weniger für Zubereitungen mit synthetischen Pyrethroiden. Chlorocresol, wie in Goldgeist® forte enthalten, erhöht das Risiko einer Kontaktdermatitis. Da die Langzeitfolgen einer Pyrethrumtherapie noch strittig sind (evtl. Anreicherung im Gehirn) sollten kurzwirksame Pyrethroide bevorzugt werden, Permethrin also für diesen Zweck nicht empfohlen werden.

Eine Behandlung von Säuglingen soll unter ärztlicher Aufsicht vorgenommen werden.

Die Anwendung bei Säuglingen unter 2 Monaten ist kontraindiziert. Bei Kleinkindern ist die Dosis entsprechend zu reduzieren. Auch sollen diese während der Einwirkungszeit der Präparate beobachtet werden.

Obwohl zur Anwendung von Pyrethrumpräparaten während der Schwangerschaft keine gesicherten Berichte vorliegen, kann aufgrund der geringen Absorptionsrate eine geringere Toxizität als für Lindan-haltige Präparate angenommen werden. Jedoch sollen Pyrethrumpräparate in dieser Periode nur nach Rücksprache mit dem Arzt und dessen Nutzen/Risiko-Abschätzung zur Anwendung kommen. Im 1. Trimenon soll gänzlich darauf verzichtet werden.

Beratungstipp

Bei allen Mitteln gegen Kopfläuse ist es wichtig, dass die Anweisungen der Hersteller über Einwirkzeit, Wiederholungsbehandlung und Vorsichtsmaßnahmen genau beachtet werden!

Physikalisch/mechanische Maßnahmen

Eine Alternative zum Einsatz von Insektiziden ist die Behandlung mit Ölen. Zum Einsatz kommen hier **Silikonöl (Dimeticon)** und **pflanzliche Öle (Kokosöl, Anisöl, Ylang-Ylang-Öl)**. Diese Präparate (s. Tab. 9.2-13) wirken rein **physikalisch**, indem sie in die Atemöffnungen der Läuse eindringen, diese verkleben und damit zum Absterben führen. Es gibt **keine Resistenzen**, auch Reizwirkungen auf die Haut sind bisher nicht beschrieben, so dass diese Präparate auch bei kleinen Kindern angewandt werden können.

Tab.9.2.13 b: Mittel zur physikalischen Behandlung von Läusen (Auswahl)

Wirkstoff	Handelspräparat
Dimeticon	Eto Pril®
	Nyda® und Nyda® plus
	Jacutin® Pedicul fluid
	Läuse Stopp Ratiopharm®
	Dimet® 20
Kokosöl Anisöl Ylang-Ylang-Öle Andiroba Öl	zum Teil als Gemisch z.B. in: Aesculo® Gel, Paranix® Spray, Rausch Laus Stop®
Neem Extrakt	Licener® Shampoo, SOS® Läuseshampoo
Weidenrindenextrakt	Rausch® Weidenrinden Spezialshampoo

Die Anwendung sollte auch hier wieder gemäß den Angaben des Herstellers erfolgen. Zum Teil wird auch eine Anwendung bei Kindern unter 2 Jahren nicht empfohlen. Nicht in Kontakt mit Auge, Schleimhäuten und Nase bringen!

Tab.9.2.13 a: Insektizide gegen Läuse (Auswahl)

Wirkstoff	Handelspräparat
Pyrethrum Extrakt	Goldgeist® forte (+Piperonylbutoxid, Chlorocresol und Diethylenglycol)
Allethrin	Jacutin® Pedicul Spray (+Piperonylbutoxid)
Permethrin	Infectopedicul®
	Pedimitex® Lösung 0,5 %
	Permethrin biomo® 0,5 %

Verordnungsfähig für Kinder bis 12 Jahre sind alle Mittel, die apothekenpflichtige Arzneimittel sind. Die Verordnungsfähigkeit von Medizinprodukten kann in Anlage V der Arzneimittelrichtlinie überprüft werden.

Beratungstipp

Zusätzliche Maßnahmen

Benutzte Kämme, Haarbürsten usw. sollten in warmer Seifenlösung gewaschen werden, Wäsche entweder bei 60 °C oder unter Zusatz von z.B. Mosquito® Läusewaschmittel, das schon bei 30 °C/40 °C lausabtötend wirkt (Geraniol + Kokosöl + waschaktive Substanzen).
Für andere benutzte Gegenstände gilt, dass nach 2 Wochen in einem gut verschließbaren Plastikbeutel oder nach einem Tag im Gefrierfach die Läuse „ausgehungert" sind.
Für Kindersitze, Fahrradhelme, Sofa etc. gibt es die Möglichkeit des Einsprühens mit z.B. Mosquito® Läuseumgebungsspray (Geraniol + Kokosöl + Rizinusöl) und anschließendem Absaugen, z.B. der Polster.

Ergänzt wird die Behandlung der Kopfläuse durch „nasses Auskämmen" der verbliebenen Nissen, je nach Präparat nach unterschiedlichen Zeiten. Vor allem bei dichten Haaren kann dieses Auskämmen (mit Hilfe eines speziellen Nissenkammes (Zinkenabstand < 0,2 mm) erleichtert werden durch die Anwendung von **Essigwasser** (Speiseessig: Wasser – 2:1), z.B. **Liberanit®** Haarbalsam (Essigsäure 4%), oder Haar-Conditionern.

Fehler bei der Behandlung

Als Fehler bei der Behandlung können auftreten:

- zu kurze Einwirkzeit des Anti-Läuse-Mittels,
- zu starke Verdünnung durch Einbringen in zu nasse Haare,
- Auftragen von zu wenig Läusemittel,
- Auslassen der Wiederholungsbehandlung.

Bei der Behandlung unbedingt wichtig ist die Einhaltung des vom Robert-Koch-Institut empfohlenen Behandlungsschemas. Dieses basiert darauf, dass aus nicht erfassten Eiern nach bis zu 8 Tagen neue Larven nachschlüpfen können und ab Tag 11 nach dem ersten Behandlungsbeginn junge Weibchen schon wieder Eier legen können. Läuse leben im Durchschnitt 2–3 Monate, das heißt jedes Weibchen legt ca. 200–300 Eier.

Behandlungsschema bei Kopflausbefall

Behandlungsschema empfohlen vom Robert-Koch-Institut.

- Sofort am Tag der Diagnose (Tag 1) sollte mit einem Insektizid behandelt werden (nach Herstellerangabe). Wichtig ist gute Benetzung, vor allem der Haare im Kopfhautbereich und eine genügend lange Einwirkzeit.
- Mit einem speziellen Nissenkamm nass auskämmen (Zinken des Kammes stehen nicht mehr als 0,2 mm voneinander entfernt, so dass die Läuse/Nissen gut erfasst werden, von der Kopfhaut Richtung Haarspitze, Strähne für Strähne.
- Unbedingte Wiederholung der Insektizid-Behandlung am Tag 9 oder 10, um die inzwischen nachgeschlüpften Larven zu erfassen.
- Tag 13: Kontrolluntersuchung durch Auskämmen des nassen Haares mit einem Nissenkamm (Strähne für Strähne, von Kopfhaut Richtung Haarspitze, anschließend Abstreifen auf einem hellen Tuch).
- Tag 17: eventuell nochmalige Kontrolle durch nasses Auskämmen.

9.2.6.4 Patientengespräch

Gerade bei einem so heiklen, mit Tabus, Vorurteilen und Scham behafteten Thema wie Befall mit Kopfläusen ist der Apotheker als neutraler, sachlicher und Vorurteile ausräumender Fachmann in seiner Beratungstätigkeit gefragt.

- Kopfläuse kommen unabhängig von der sozialen Herkunft vor, sie sind kein Zeichen mangelnder Hygiene und können durch normales Haarewaschen auch nicht beseitigt werden.

Mindmap zur Beratung bei Kopflausbefall

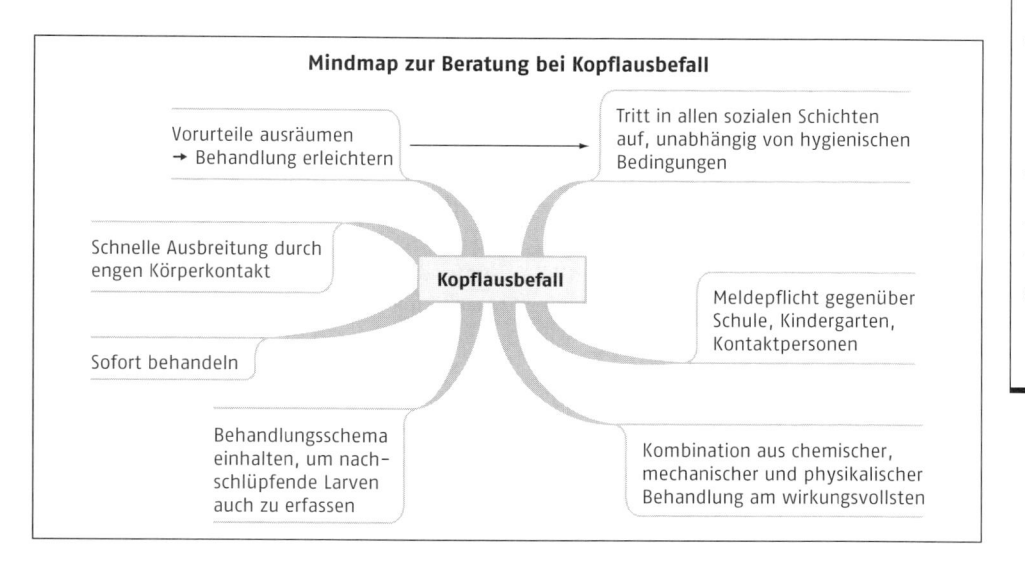

- Vorurteile ausräumen → Behandlung erleichtern
- Tritt in allen sozialen Schichten auf, unabhängig von hygienischen Bedingungen
- Schnelle Ausbreitung durch engen Körperkontakt
- **Kopflausbefall**
- Meldepflicht gegenüber Schule, Kindergarten, Kontaktpersonen
- Sofort behandeln
- Behandlungsschema einhalten, um nachschlüpfende Larven auch zu erfassen
- Kombination aus chemischer, mechanischer und physikalischer Behandlung am wirkungsvollsten

- Übertragen werden sie bei relativ engem Kontakt (die Läuse krabbeln von einem Haar aufs andere), die Ansteckung über gemeinsam benutzte Kämme, Fahrradhelme usw. ist eher selten. Gefährdet sind also vor allem Kinder in Kinderkrippen, Kindergärten, Schulen.
- Läuse übertragen keine Krankheiten, aber Kratzen kann Sekundärinfektionen begünstigen.
- Erste Anzeichen sind Juckreiz hinter den Ohren und im Nacken.
- Ohne Kopfhautberührung sterben die Läuse nach 2–3 Tagen ab (fehlende Ernährung).
- Wichtig ist die schnelle Behandlung, um eine weitere Ausbreitung zu verhindern.
- Die Mittel gegen Kopfläuse müssen streng nach Anweisung des Herstellers angewendet werden.
- Um auch nachschlüpfende Larven zu erfassen, sollte das Behandlungsschema des Robert-Koch-Instituts (s. Kap. 9.2.6.3) unbedingt eingehalten werden.
- Eltern sind zur Behandlung ihrer Kinder verpflichtet.
- Kopflausbefall muss der Kinderkrippe, dem Kindergarten, der Schule und Kontaktpersonen gemeldet werden.

9.2.6.5 Milben

Milben gehören zu den Spinnentieren. Erkrankungen durch sie werden als Acariose bezeichnet. Von den über 50 000 verschiedenen Arten (auch zum Beispiel Mehlmilben) werden hier nur drei Arten besprochen, die beim Menschen Krankheiten auslösen können.

9.2.6.6 Krätzemilben

Die Krätzemilbe *Acarus siro var. hominis* ist der Erreger der **Skabies** (Krätze), die in den letzten Jahren weite Verbreitung gefunden hat.
Die weibliche Milbe ist 0,2 bis 0,4 mm groß und besitzt 4 Beinpaare. Das befruchtete Weibchen gräbt sich in die Hornschicht der Haut ein und sitzt am Ende des mehrere Millimeter langen tunnelartigen Ganges. Auch die Ausscheidungsprodukte (Kot) werden dort abgelegt. Sie ernährt sich vom Zellsaft beschädigter Hornzellen und legt täglich 2 bis 4 Eier. Nach wenigen Wochen stirbt das Weibchen. Aus den Eiern entstehen über ein Larven- und Nymphenstadium nach 3 Wochen geschlechtsreife Milben.
Männliche Tiere, die nur 0,1 bis 0,2 mm groß sind, sterben nach der Begattung ab.

Die Übertragung von Milben erfolgt nur durch längeren direkten körperlichen Kontakt, ganz selten über die Kleidung. Die Milbe kann nur 2 bis 3 Tage außerhalb der Haut überleben.
Als Symptom bei Skabies tritt starker Juckreiz auf, der sich in der Wärme (z.B. Bett) verstärkt. Bevorzugte Befallstellen sind die Interdigitalfalten von Händen und Füßen sowie Ellenbeugen, Achselfalten, Nabel, Gürtelregion, innerer Fußrand und Analregion. Rücken, Hals und der Kopfbereich werden in der Regel nicht befallen.
Bei Erstbefall mit Milben tritt der Juckreiz erst ungefähr nach 4 Wochen auf, bei Wiederansteckung beginnt der Juckreiz sofort (eventuell allergische Reaktion).
Aufgrund des starken Juckreizes und damit einhergehenden Kratzens ist die Gefahr von Sekundärinfektionen groß.
Die eindeutige Diagnose kann nur durch das Auffinden der Milbengänge und die mikroskopische Identifikation der Milben vorgenommen werden. Hinweise auf eine Milbenerkrankung sind der an den genannten Prädilektionsstellen auftretende Juckreiz, der sich in der Wärme verstärkt. Weiteres Indiz wäre ein Auftreten der gleichen Symptome bei Menschen in der direkten Umgebung (Ehepartner usw.) des Patienten.

9.2.6.7 Mittel gegen Skabies (Krätze)

Wie gegen Läuse ist **Permethrin** auch gegen Milben wirksam. Meist ist eine einmalige Behandlung ausreichend, der Erfolg der Therapie sollte aber nach 2 und 4 Wochen kontrolliert werden. Auch hier wird die Anwendung bei Kindern nicht empfohlen, Personen, die das Mittel bei anderen auftragen, sollten Schutzhandschuhe anziehen (Infectoscab® 5% Creme, **Rp!**). Da der Juckreiz auch nach Beseitigung der Milben noch einige Zeit fortbestehen kann, ist eine anschließende antiinflammatorische Pflege oft anzuraten. Wirksam gegen Krätzmilben ist auch Benzylbenzoat, das akarizid und ovizid wirkt.

Benzylbenzoat ist wenig toxisch und eignet sich zur Ganzkörperbehandlung mit Ausnahme des Kopfbereiches. Die Anwendung erfolgt einmal täglich über einen Zeitraum von drei Tagen. Am 4. Tag ist der Wirkstoff vollständig und gründlich zu entfernen, entweder durch ein Vollbad oder durch Abseifen unter der Dusche. Als Nebenerscheinung tritt nach dem Einreiben ein Brennen auf, das durch ein zu starkes Waschen der Haut noch verstärkt wird. In Einzelfällen treten Überempfindlichkeitsreaktionen auf, die sich in Unwohlsein, Urtikaria und Angioödem oder einer Kontaktdermatitis äußern können. Ein Kontakt mit den Augen ist unbedingt zu vermeiden, ebenso soll Benzylbenzoat nicht auf Schleimhäute oder vorgeschädigte Hautareale aufgebracht werden. Für Erwachsene steht Benzylbenzoat als 25%ige, für Kinder über 6 Jahren als 10%ige Emulsion zur Verfügung (Antiscabiosum®). Bei Säuglingen und Kleinkindern soll Benzylbenzoat nicht angewendet werden, eine Anwendung während Schwangerschaft und Stillzeit soll nur unter ärztlicher Kontrolle und in begründeten Ausnahmefällen vorgenommen werden. Der Brustbereich von stillenden Müttern ist dabei auf jeden Fall auszusparen.
Crotamiton (Crotamitex®, Eraxil®) (Abb. 9.2-4) wird 5 bzw. 10%ig als Creme, Lotio oder Salbe angewendet. Crotamiton wirkt akarizid, schwach bakteriostatisch und soll daneben juckreizstillende Eigenschaften besitzen. Der Vorteil dieser Substanz liegt darin, dass sie sehr lange wirkt (6 bis 8 Stunden) und abgesehen von einem beim Auftragen auftretenden Wärmegefühl gut hautverträglich ist. Eine großflächige Applikation ist aber insbesondere bei Kindern wegen der dann auftretenden möglichen systemischen Nebenwirkungen zu vermeiden. Ebenso soll ein Augenkontakt sowie ein Aufbringen auf Schleimhäute vermieden werden. Nur in Ausnahmefällen ist Crotamiton während Schwangerschaft und Stillzeit zu verwenden. Die Anwendung soll dabei unter ärztlicher Kontrolle erfolgen.

9.2.6.8 Patienteninformation

Skabies ist extrem ansteckend und sollte deshalb so früh wie möglich behandelt werden. Tritt sie in öffentlichen Einrichtungen auf, ist sie meldepflichtig (Altersheime!). Neben der medikamentösen Behandlung müssen Maßnahmen ergriffen werden, um die Ansteckungsgefahr zu minimieren:

- Desinfektion benutzter Gegenstände.
- Täglicher Wechsel von Wäsche, Bettwäsche, Handtüchern und deren Reinigung bei mindestens 60 °C (tötet Milben ab).
- Nicht bei 60 °C Waschbares gut lüften oder 72 Stunden in Plastiksäcken lagern, da die Milben außerhalb des menschlichen Körpers nur kurz überleben.
- Teppiche, Polstermöbel usw. gut saugen oder gegebenenfalls desinfizieren.

9.2.6.9 Grasmilben

Die als Grasmilbe, Herbstmilbe, Heumilbe usw. bezeichneten Laufmilben (Trombiculidae) verursachen die starke juckende Trombidiose beim Menschen.
In Deutschland ist häufig *Neotrombicula autumnalis*, die Herbstmilbe, der Verursacher. Doch täuscht ihr Name, denn je nach Standort und Witterung tritt der Befall von März bis November auf.
Nur die Larven der Laufmilben befallen den Menschen. Normalerweise befallen die 0,3 mm kleinen, rot-orangen, sechsbeinigen Larven kleine Säugetiere, wie z.B. Mäuse oder Vögel.
Auf dem Menschen laufen die Milben oft erst größere Strecken bevor sie stechen. Dabei verletzen die Milbenlarven mit ihrem Mundwerkzeugen die oberste Hautschicht. Nachdem sie Speichel injiziert haben, saugen sie anschließend das so vorverdaute Gewebe auf. Bevorzugte Stichstellen sind feuchtwarme Hautstellen, so finden sich Stiche an Knöchel und Taille.
Die Milbenlarven verbleiben meist nur wenige Stunden auf der Haut.

Nach 4–36 Stunden tritt heftiger Juckreiz auf, der bis zu Tagen anhalten kann. Es zeigen sich hochrote Flecken und Quaddeln.

9.2.6.10 Behandlung von Grasmilben

Die Behandlung erfolgt symptomatisch mit juckreizstillenden und antientzündlichen Arzneistoffen.
Zur Anwendung kommen Arzneizubereitungen zur äußerlichen Anwendung, die Antihistaminika oder Glucocorticoide enthalten. Auch Zinkoxid- und Gerbstoff-haltige Zubereitung finden Verwendung.

Beratungstipp

Vorbeugende Tipps gegen Grasmilben-/Herbstmilben-Befall

- Wenn möglich betroffene Gebiete meiden.
- Nach dem Aufenthalt im Freien direkt duschen.
- Es sollten Repellentien verwendet werden.
- Möglichst geschlossene Schuhe und lange Hosen tragen. Dabei die Strümpfe über der Hose ziehen.

9.2.6.11 Hausstaubmilben

Hausstaubmilben (Dermatophagoides) sind gefürchtet, weil sie beim Menschen Allergien auslösen können.
Hausstaubmilben sind 0,1–0,5 mm groß, weiß, mit haarförmigen Borsten. Ihr Lebensraum sind die menschliche Wohnung und hier vor allem Matratzen, Kopfkissen und Polstermöbel. Sie ernähren sich von abgefallenen Hautschuppen, von denen der Mensch pro Tag bis zu 2 g verliert. Die durch Atemluft und Schweiß beim Schlafen entstehende Feuchtigkeit sowie Bettwärme bieten den Milben darüber hinaus ideale Nährstoff- und Lebensbedingungen. Erhitzen kann die Milbendichte verringern, aber selbst gewaschene Kissen enthalten noch 10 000 Milben. Weibchen überleben je nach Temperatur und Luftfeuchtigkeit 30–100 Tage und legen in dieser Zeit 40–80 Eier, aus denen sich inner-

halb von 30–50 Tagen geschlechtsreife Tiere entwickeln.

Allergieauslösend sind der Kot der Milben, Eier und Reste der Tiere. Sie haben eine Partikelgröße von 35 µm und verteilen sich deshalb gut mit dem Staub, über den sie dann eingeatmet werden. Neben den üblichen allergischen Reaktionen wie Juckreiz, Niesreiz, tränende Augen kann Hausstauballergie auch Atemnot und Asthma auslösen.

Hausstaubmilben sind sehr widerstandsfähig, sie überleben auch jeweils eine Stunde lang eine 60° Wäsche und Einfrieren. Allergiker sollten deshalb möglichst kochfeste Bettwäsche und waschbare Kissen und Deckbetten benutzen und diese in kurzen Zeitabständen über eine Stunde lang bei über 60° waschen, Kuscheltiere alternativ für 24 Stunden einfrieren.

Encasing, ein Milben- und Allergendichter Überzug über Matratze, Kopfkissen und Deckbett kann helfen, die Symptome zu lindern.

Einsprühen von Matratzen, Deckbetten und Kissen mit Produkten auf Niemölbasis (Milbopax® Sprühlösung) macht abgefallene Hautschuppen für Milben ungenießbar, sie verhungern. Für 6 Monate können so Milbenanzahl und allergenes Potential verringert werden.

Mindmap zur Beratung bei Hausstaubmilbenallergie

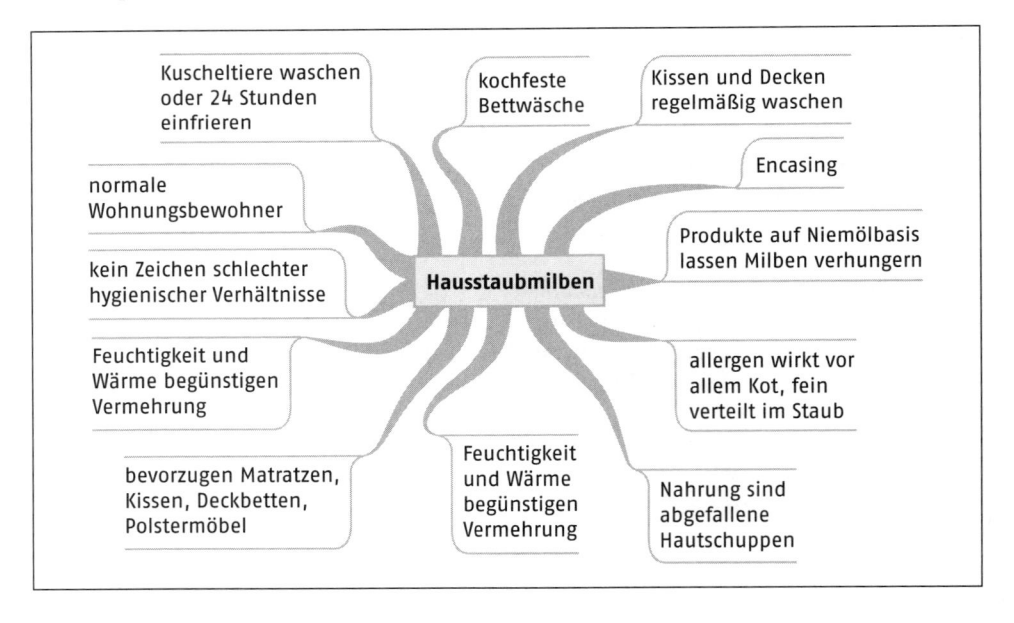

- Kuscheltiere waschen oder 24 Stunden einfrieren
- kochfeste Bettwäsche
- Kissen und Decken regelmäßig waschen
- normale Wohnungsbewohner
- Encasing
- kein Zeichen schlechter hygienischer Verhältnisse
- **Hausstaubmilben**
- Produkte auf Niemölbasis lassen Milben verhungern
- Feuchtigkeit und Wärme begünstigen Vermehrung
- allergen wirkt vor allem Kot, fein verteilt im Staub
- bevorzugen Matratzen, Kissen, Deckbetten, Polstermöbel
- Feuchtigkeit und Wärme begünstigen Vermehrung
- Nahrung sind abgefallene Hautschuppen

9.2.6.12 Zecken

Zecken lauern fast überall. Nicht nur in Gebüschen, auf dem heimischen Rasen, der Wiese, im Wald, auch über Haustiere können Zecken an den Menschen gelangen. Besonders gefährdet sind daher neben Waldarbeitern und Gärtnern Kinder, die im Freien spielen, Hobbygärtner, Camper, aber auch jeder, der gerne im Wald oder in Parks spazieren geht, im Freibad auf dem Rasen liegt oder sich in seinem Garten aufhält.

Die Zecke ist ein 8-beiniges Spinnentier und gehört zur Ordnung der Milben. Als Ektoparasit ernährt sie sich vom Blut ihrer Wirte. Gefährlich ist sie als Überträger von über 50 verschiedenen Krankheiten. In Deutschland und den angrenzenden Urlaubsgebieten gefürchtet sind vor allem FSME (Frühsommer Meningoenzephalitis) und Lyme Borreliose.

In Deutschland am weitesten verbreitet ist der „Gemeine Holzbock", „Ixodes ricinus". Er erkennt seinen Blutwirt mithilfe des sogenannten Hallerschen Riechorgans, das zum Beispiel Kohlendioxid, Milchsäure, Buttersäure und damit menschlichen und tierischen Atem und Schweiß erkennt. Durch eine kurze Berührung mit dem Wirt lässt er sich abstreifen, krallt sich auf dem Opfer fest und sucht dann eine geeignete Stelle zum Stechen, die feucht, warm, gut durchblutet und dünn ist (Arme, Kniekehle, Hals, Kopf, Genitalbereich). Dabei sondert er mit seinem Speichel Stoffe ab, die die Einstichstelle betäuben und entzündungshemmend wirken, so dass der Wirt den Stich gar nicht bemerkt, außerdem eine blutgerinnungshemmende Substanz, die bewirkt, dass die Zecke bis zu 15 Tage lang an der Einstichstelle Blut saugen kann. FSME Viren können dabei direkt mit dem Speichel schon sofort beim Stich übertragen werden, Borellien befinden sich im Darm der Zecke und werden daher erst ca. 12 bis 24 Stunden nach dem Stich abgesondert. Hier kann also die frühzeitige Entfernung der Zecke unter Umständen eine Infektion verhindern. Wichtig daher nach einem Aufenthalt im Freien: Zeitnah den Körper gründlich auf Zecken untersuchen und diese entfernen!

Beratungstipp

- Einen gewissen **Schutz** vor Zecken bietet das Tragen langer Kleidung (die Strümpfe dabei über die Hosen ziehen) und geschlossener Schuhe. Zusätzlich ist die Anwendung von Repellentien (vgl. Kapitel 9.2.7.3) empfehlenswert.
- Nach dem Aufenthalt im Freien den Körper gründlich auf Zecken **untersuchen! Rechtzeitige Entfernung kann Schlimmeres verhüten!**
- Zecken möglichst schnell, unter Umständen noch unterwegs **entfernen.** Dazu mit einer speziellen Zeckenzange, Zeckenkarte oder Pinzette, unterwegs zur Not auch mit den Fingernägeln die Zecke dicht über der Haut an der Einstichstelle packen und langsam herausziehen! Ruckartige Bewegungen und Quetschen der Zecke vermeiden, da dadurch eine erhöhte Speichelabgabe und somit erhöhte Infektionsgefahr provoziert werden kann! Kein Öl, Lösungsmittel, Klebstoff, Alkohol oder sonstiges Hilfsmittel benutzen! Anschließend die Zecke am besten durch Zerdrücken mithilfe eines Papiers oder sonstigen Schutzes abtöten!
- Nach dem Entfernen der Zecke sollte die Einstichstelle gründlich **desinfiziert** werden!
- Die Einstichstelle **beobachten** und bei eventuell auftretender Rötung, Schwellung, Schmerzen oder Fieber einen Arzt aufsuchen! Eine auftretende ringförmige Rötung könnte Anzeichen einer Borrellien Infektion sein!
- Zecken an sich sind weltweit verbreitet, das Risiko einer Infektion mit FSME Viren ist regional unterschiedlich, das für Borreliose ist in Deutschland und vielen anderen Ländern ubiquitär.

Lyme Borreliose

Erreger der Lyme Borelliose sind die Spirochäten Bakterien Borellia, vor allem Borellia burgdorferi, das sich im Darm von Zecken befindet. Die Infektion erfolgt somit erst 12 bis 24 Stunden nach dem Zeckenbiss und ist durch rechtzeitige Zeckenentfernung unter Umständen verhinderbar!

Die Deutsche Borreliose-Gesellschaft empfiehlt, die Einstichstelle vier bis sechs Wochen auf das Auftreten einer Rötung zu beobachten bzw. im gleichen Zeitraum das Auf-

treten von Fieber mit dem Zeckenbiss in Zusammenhang zu bringen.
Das typische Erythema migrans, die Wanderröte, eine sich ausbreitende Rötung um die Einstichstelle, tritt dabei nicht zwangsläufig auf! Träger von Borreliose auslösenden Bakterien sind bis zu 30% der Zecken.

Symptome: Auffälliges äußeres Merkmal der Borreliose, das allerdings nicht immer auftreten muss, ist eine kreisförmige Rötung um die Einstichstelle. Das Stadium I (bis zu 4 bis 6 Wochen nach dem Biss) ist weiterhin gekennzeichnet durch grippeähnliche Symptome wie Fieber, Kopfweh, Magen-Darm Beschwerden, Müdigkeit, Erschöpfung, Gelenkschmerzen. In diesem Stadium ist die Gabe von Antibiotika (Tetracycline) noch wirksam, eventuell auch prophylaktische Gabe bei diffusen grippeähnlichen Symptomen ohne Wanderröte!
Stadium II der Erkrankung, Wochen bis Monate später, ist gekennzeichnet durch Befall von Organen, Gelenken, Muskeln und des peripheren und zentralen Nervensystems mit Lähmungserscheinungen, Gelenkschmerzen, Herz-Kreislaufproblemen.
Im chronischen Stadium III mit symptomfreien Zeiten, aber auch Verschlechterung der Erkrankung kommt es zu vielfältigen Krankheitsbildern wie neurologischen Störungen, Herzproblemen, Gelenkserkrankungen, chronischer Müdigkeit.

Frühsommer Meningoenzephalitis

Die Frühsommer Meningoenzephalitis wird durch Viren ausgelöst, übertragen ebenfalls durch Zecken. In den gefährdeten Gebieten sind ca. 5% der Zecken Virusträger.
Im Unterschied zu der Borreliose ist die Übertragung der FSME in speziellen Gebieten wie Baden-Württemberg, Bayern, Österreich verbreiteter als in anderen Gegenden, pauschal stimmt dies aber nicht, auch in Norddeutschland sind FSME Fälle bekannt.
In speziellen Internet Portalen kann die FSME Gefahr für bestimmte Regionen z.B. für Urlaubsreisen abgerufen werden.
Auch bei der FSME treten zu Beginn grippeähnliche Symptome auf, später kann sich eine Meningitis oder Enzephalitis entwickeln. Eine Therapie gibt es nicht, dafür aber sehr guten Schutz durch eine auch für Kinder gut verträgliche Schutzimpfung, die gefährdeten Personen in den betroffenen Regionen empfohlen wird.

Mindmap

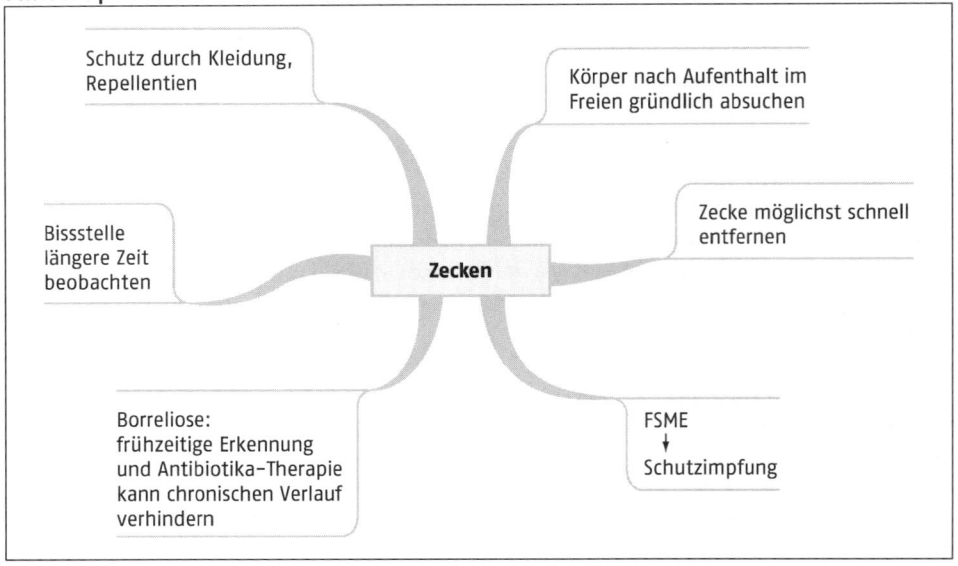

Zecken
- Schutz durch Kleidung, Repellentien
- Körper nach Aufenthalt im Freien gründlich absuchen
- Bissstelle längere Zeit beobachten
- Zecke möglichst schnell entfernen
- Borreliose: frühzeitige Erkennung und Antibiotika-Therapie kann chronischen Verlauf verhindern
- FSME ↓ Schutzimpfung

9.2.6.13 Flöhe

Flöhe sind Parasiten, die Menschen und Tiere befallen können. Charakteristisch sind ihre kräftigen Hinterbeine, mit denen sie bis zu einem Meter weit springen können und ihr harter Chitinpanzer, der einfaches „Zerdrücken" unmöglich macht. Ihr Körper ist seitlich abgeplattet, was die Fortbewegung im Wirt zwischen Fell und Haaren erleichtert. Flöhe wechseln ihre Wirte, können also von Hund und Katze auf den Menschen übertragen werden. Flohstiche sind durch starken, quälenden Juckreiz gekennzeichnet, der mit einer Hydrocortison-haltigen Creme bekämpft werden kann. Man kann Flohstiche daran erkennen, dass sie meist in einer Reihe liegen, was daher kommt, dass die Flöhe mehrere „Probestiche" vornehmen. Durch den starken Juckreiz und das dadurch bedingte Kratzen besteht die Gefahr, dass sich der Stich entzündet und infiziert. In diesem Fall müssen zusätzlich antiseptische und antibiotische Substanzen verordnet werden, man sollte die Patienten dann zum Hautarzt schicken.

Bekämpfung von Flöhen

Flöhe nisten gerne in Teppichen, Decken, Polstermöbeln, von denen sie aus dann zum Blutsaugen Tiere und Menschen befallen können. Vorbeugend wirkt gründliches Staubsaugen, speziell was die Schlafplätze von Haustieren betrifft bzw. möglichst heißes Waschen von Decken, Bettwäsche etc. Flohpuder, Flohspray und spezielle Lösungen töten erwachsene Flöhe und Eier ab, nach einer gewissen Einwirkzeit können sie durch Staubsaugen entfernt werden.
Für Hunde und Katzen, empfiehlt sich das Tragen eines Flohschutzhalsbandes. Sie können ebenfalls mit Flohpuder direkt behandelt werden, oft ist eine mehrmalige Anwendung notwendig. Flohshampoos und Kämmen mit speziellen Flohkämmen sind weitere Alternativen. Spot-ons (z.B. Frontline spot on®) werden mit einer Pipette oder als Spray direkt auf die Haut des Tieres im Genick aufgetragen (so dass das Tier es nicht ablecken kann), das Mittel verteilt sich innerhalb von 24 bis 48 Stunden gleichmäßig auf dem Fell und tötet vorhandene Flöhe ab. Spot ons können bis zu 3 Monate wirken.

Wirkstoffe: Fipronil, Methoprene
Flohfallen bestehen aus einem Teller Wasser mit Spülmittel, in dessen Mitte nachts eine Kerze angezündet wird. Das Licht lockt die Flöhe an, sodass sie in Richtung der Kerze springen und durch die fehlende Oberflächenspannung des Wassers ertrinken.

9.2.7 Insektenstiche

Beim Menschen verursachen Stiche oder Bisse von Insekten in aller Regel eine lokal begrenzte Reaktion, die mit Quaddelbildung, Rötung und Juckreiz oder Schmerz einhergeht. Viel seltener kommen allgemein toxische oder allergische Reaktionen vor.
Eine Unterteilung kann gemacht werden in einerseits Stiche von Bienen, Wespen, Hummeln oder Hornissen, Vertretern aus der Gruppe der Hautflügler (Hymenoptera), und andererseits in Stiche oder Bisse von blutsaugenden Insekten wie z.B. Bremsen oder Stechmücken, die unter die Zweiflügler (Diptera) zu rechnen sind.
Bei den Hymenoptera-Arten ist der Eilegeapparat zum Stechapparat umgebildet, während bei den Zweiflüglern die Mundwerkzeuge zum Stechapparat umgeformt sind. Der Unterschied zwischen den beiden Gruppen liegt nicht nur in der unterschiedlichen Ausbildung des Stechapparates, viel wichtiger ist die unterschiedliche Symptomatik und damit auch klinische Relevanz der Stiche durch diese beiden Gruppen.

9.2.7.1 Bienen- oder Wespenstiche

Das Insektengift, das nach Bienen- oder Wespenstich in das Gewebe injiziert wird, dient in erster Linie der Verteidigung bzw. dann auch dem Beutefang und damit schließlich zur Ernährung dieser Insekten. Um diese Ziele zu erreichen, muss das Insektengift eine rasche und zudem gute Wirkung entfalten können.

Beim Bienen- oder Wespenstich gelangt das Gift durch den Stachel direkt in die unteren Schichten der Kutis. Von dort aus kann es sich rasch in tiefer gelegene Gewebsschichten bzw. auch in das Lymph- oder Blutgefäßsystem ausbreiten.

Die Zusammensetzung des Bienen- bzw. Wespengiftes gewährleistet eine koordinierte synergistische Wirkung, die zu den lokal begrenzten oder auch systemischen Erscheinungen nach einem Insektenstich führt. Hauptbestandteile des Bienen- oder Wespengiftes sind Phospholipasen und die Polypeptide Mellitin (Biene) bzw. Mastoparan (Wespe). Daneben sind verschiedene weitere Enzyme wie Hyaluronidase oder Phosphatase sowie biogene Amine wie Histamin, Acetylcholin, Serotonin und Dopamin enthalten. Die Hauptsymptomatik wird durch die Phospholipase im Zusammenspiel mit dem jeweiligen Polypeptid verursacht, wobei die anderen Bestandteile des Giftes die Wirkung dieser beiden Komponenten ermöglichen bzw. verstärken.

So bewirkt z.B. die im Gift enthaltene Hyaluronidase eine Spaltung der Interzellulärsubstanz und ermöglicht so eine leichte Diffusion des Giftes durch Zellschichten hindurch in das darunterliegende Gewebe. Phospholipase spaltet Phospholipide, aus denen dann zelltoxische Lysophosphatide und zu Entzündungsmediatoren (Prostaglandine, Leukotriene) umwandelbare Fettsäuren entstehen.

Mellitin bzw. Mastoparan wirken durch direkte Interaktion mit der Zellmembran oder Membranproteinen zytotoxisch. Daneben sind diese Polypeptide durch Wechselwirkung mit Nervenzellen an der Schmerzentstehung beteiligt. An der Einstichstelle selbst ist die Giftkonzentration so hoch, dass Nervenzellen zerstört werden. Daraus resultiert die schmerzfreie Zone im Zentrum des Insektenstichs.

Nach einem Insektenstich gelangt das Gift durch Diffusion in das umliegende Gewebe. Dort werden verschiedenste Zellen und Reaktionen aktiviert. So bewirkt eine Stimulation der Mastzellen eine Ausschüttung von Entzündungsmediatoren, die für die typischen Erscheinungen wie Rötung, Schwellung (durch Ödembildung) und – im Zusammenspiel mit Mellitin oder Mastoparan – schmerzverantwortlich sind. Im Zentrum des Einstichs werden Zellen zerstört oder in ihrer Funktion stark beeinträchtigt.

Der Heilungsprozess setzt im Allgemeinen recht rasch ein, so dass nach kurzer Zeit die Funktion des Gewebes wieder vollkommen hergestellt ist.

Bei mehr als 20 (andere Autoren sprechen von 50) Stichen innerhalb kürzester Zeit besteht durch die hohe Giftkonzentration, die in den Körper gelangt, die Gefahr einer „**Vergiftung**" mit ernsthaften systemischen Folgen, die sogar letal sein können. Am häufigsten werden Herz-Kreislauf-Versagen, Schock, Atemnot sowie Krampfanfälle beschrieben.

Immer öfters werden **allergische Reaktionen** auf Bienen- oder Wespenstiche beobachtet. Hierbei werden nach Erstkontakt v.a. gegen Phospholipase, Hyaluronidase sowie Mellitin und Mastoparan Antikörper aus der IgG-, IgM- oder – am häufigsten – der IgE-Klasse gebildet. Etwa 0,4–1% der Bevölkerung bilden IgE-Antikörper gegen Bienen- oder Wespengift aus. Nicht bei allen entwickelt sich aber nach einem erneuten Insektenstich eine allergische Reaktion, die von generalisierten Hautsymptomen über asthmatische Anfälle bis hin zum letal endenden anaphylaktischen Schock reichen kann.

Info

Erste Hilfe bei Insektenstichen
(s. a. Kap. 9.2.7.4)

- Bei Insektenstichen im Mundraum Eis lutschen lassen. Falls das nicht vorhanden ist, kalte Umschläge um den Hals.
- Auf jeden Fall sofort den Notruf 112 rufen, da Erstickungsgefahr besteht.
- Auch bei allergischen Reaktionen, Fieber, Kreislaufproblemen oder mehreren Wespen- oder Bienenstichen sofort den Notarzt benachrichtigen.

9.2.7.2 Stiche von Bremsen oder Stechmücken

Der Stich oder Biss von Bremsen oder Stechmücken dient der Nahrungsaufnahme. Etwa alle 3 Tage benötigen die Weibchen eine solche „Mahlzeit", während die männlichen Mücken sich mit Blütennektar begnügen, daher für den Menschen harmlos sind. Dazu sind die Ober- und Unterlippe zum Steckrüssel umgebildet, in dem sich das Nahrungsrohr und auch das Speichelrohr befinden. Mit der Spitze des Stechrüssels durchbohrt das Insekt die oberen Hautschichten, spritzt über das Speichelrohr etwas Speichelflüssigkeit mit gerinnungshemmenden, aber auch entzündungsfördernden Substanzen ein und entnimmt dann über das Nahrungsrohr Lymphe oder Blut.

Zwar wird bei dieser „Mahlzeit" der injizierte Insektenspeichel zum größten Teil wieder abgesaugt, doch die zurückbleibenden Mengen reichen aus, um eine lokal begrenzte Hautreaktion mit den Symptomen Rötung, Schwellung, Schmerz oder Juckreiz hervorzurufen. Ernsthaftere Reaktionen, wie bei Bienen- oder Wespenstichen beschrieben, kommen dagegen äußerst selten vor.

9.2.7.3 Repellentien

Gelegentlich können durch Insektenstiche auch Infektionskrankheiten übertragen werden. Beispiele solcher Infektionen sind Malaria oder die auch in unseren Breiten durch Zeckenstich übertragene virale Frühsommer-Meningo-Enzephalitis (FSME) sowie die Lyme-Borreliose, deren Bedeutung in den letzten Jahren beträchtlich zugenommen hat. Insektenstichallergien werden selten beobachtet.

Um sich gegen diese Parasiten zu schützen, sind Stoffe entwickelt worden, die die Eigenschaft besitzen, die vom Organismus abgesonderten Lockstoffe (Duftstoffe aus Blut und Schweiß) so zu verändern, dass sie den attraktiven Charakter für die Insekten verlieren. Repellentien müssen also ausreichend flüchtig sein. Die Anforderungen an Repellentien liegen einmal in der verlässlichen Abwehrwirkung gegen eine Vielzahl von Insekten (breites Wirkspektrum) sowie in einer langen Wirkdauer und dazu in einer guten Hautverträglichkeit, d.h. die Substanzen dürfen nicht irritierend wirken.

Die Wirksamkeit eines Repellens wird nicht allein durch den Inhaltsstoff bestimmt, beeinflusst wird die insektenabwehrende Wirkung auch von der Grundlage der Formulierung, vom pH-Wert sowie den Emulgator- oder Parfümzusätzen der Zubereitung.

Aus diesem Grund erscheint die Einarbeitung von Repellentien in Sonnenschutzpräparate nicht immer sinnvoll, zudem werden Repellentien auch dann benötigt, wenn ein Sonnenschutzpräparat nicht angewendet werden muss. Es sollte eher auf zwei getrennte Präparate zurückgegriffen werden, von denen dann zunächst der Sonnenschutz und nach 30 Minuten darüber das Repellens aufgetragen werden soll.

Das über 40 Jahre lang verwendete **DEET** wurde seit 1998 weitgehend durch Icaridin (Bayrepel®, Saltidin®) ersetzt (s. Abb. 9.2-5). Nachteile von DEET sind sein unangenehmer Geruch, dass DEET Kunststoffe angreifen kann (Brillengestelle!) und ein gewisses Allergierisiko besitzt. Es sollte nicht bei Schwangeren, in der Stillzeit und Kindern unter 3 Jahren angewendet werden.

Icaridin (Bayrepel®) ist seit 1998 das „Standard-Repellens". Es ist breit wirksam, gegen Mücken und Zecken, wirkt auch zur Malaria-Abwehr, greift Kunststoffe nicht an, ist gut hautverträglich und bietet je nach Formulierung zwischen 4 und 8 Stunden Schutz. Empfohlen wird die Anwendung auch für Kinder ab 2 Jahren, wobei das Präparat nicht auf Kinderhände aufgetragen werden sollte. Beide Wirkstoffe blockieren bzw. „verwirren" die Riechsinneszellen der Insekten, so dass der Mensch für sie nicht mehr „attraktiv" ist. Neben den beiden genannten synthetischen Stoffen findet eine Vielzahl von ätherischen Ölen (Pfefferminz-, Zitronen-, Nelkenöl etc.)

Verwendung. Nachteile dieser Mischungen sind geringe Reichweite, enges Wirkspektrum sowie kurze Wirkdauer. Daneben besteht hier oftmals die Gefahr von Hautirritationen.

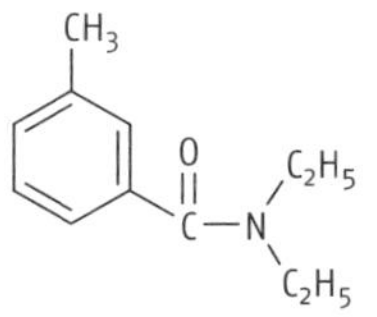

Diethyltoluamid (DEET)

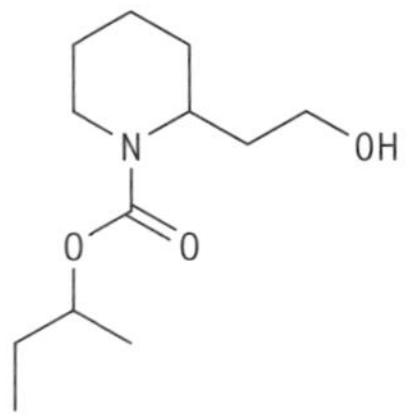

Icaridin = Hydroxyethyl Isobutyl Piperidine Carboxylate = Bayrepel®

Abb. 9.2-5: Repellent-Wirkstoffe

DEET wird von der WHO empfohlen bei Reisen in die Tropen, da es außer auf Zecken, Milben, Flöhe auch gegen den Malaria Erreger Anopheles und gegen Gelbfieber und Dengue Fieber übertragende Mücken wirksam ist. Zusätzlich wird die Verwendung von Moskitonetzen und evtl. imprägnierter Kleidung empfohlen (z.B. Nobite® Kleidung, Inhaltsstoff Permethrin)! Genauere Informationen bei Reisen in gefährdete Gebiete sind bei verschiedenen Tropeninstituten abfragbar, ebenso Impfempfehlungen!

Beratungstipp

Folgende Hinweise zur Anwendung von Repellentien sollen gegeben werden:
- Alle unbekleideten Hautpartien sind **lückenlos** einzureiben.
- Auch dünne Textilien bieten oftmals keinen ausreichenden Schutz, sie werden mühelos durchstochen.
- Bei starkem Schwitzen, nach Waschen oder Baden ist ein wiederholtes Anwenden der Substanz notwendig.
- Schleimhäute oder verletzte Hautpartien auch z.B. bei Sonnenbrand, dürfen nicht benetzt werden, da dort die Repellentien Irritationen auslösen.
- Einzelne Repellentien lösen verschiedene Kunststoffe an oder erzeugen auf synthetischen Materialien Flecken. Vorsicht mit z.B. Brillengestellen oder Elastik-Geweben (DEET).
- Repellentien immer zuletzt anwenden, nach Sonnencreme und Kosmetika.

Auch Thiamin (Vitamin B_1) soll eine insektenabweisende Wirkung besitzen, die evtl. auf dem unangenehmen Geruch infolge der Ausdünstung des Vitamins oder von Abbauprodukten durch die Haut beruht. Die Höhe der Dosierung ist unklar (die Angaben schwanken von 75 bis 600 mg als Tagesdosis), auch die Wirksamkeit ist nicht eindeutig belegt. Eine Wirkung ist erst – wenn überhaupt – nach ca. 3 Tagen regelmäßiger Einnahme zu erwarten.

Tab. 9.2-13 a: Repellentien-Auswahl

Handelspräparat	Wirkstoff
Anti Brumm® Naturel	Citriodiol® (aus Eukalyptus)
Anti Brumm® Forte	DEET 30 %
Anti Brumm® Zecken Stopp	Icaridin 15 % + Citriodiol®
Anti Brumm® Sensitiv	Icaridin 20 % + Dexpanthenol
Autan® Protection Plus	Icaridin 16 %–20 % (Bayrepel®)

Tab. 9.2–13 a: Repellentien-Auswahl

Handelspräparat	Wirkstoff
Autan® Junior Gel	Icaridin 10 %
Autan® Family care	Icaridin 10 %
Autan® Family care Dry	DEET 15 %
Autan® Tropical Dry	DEET 25 %
Autan® Tropical	Icaridin 20 %
Doctan® Active	Icaridin 20 % (Saltidin®)
Doctan® Classic	Icaridin 20 % + Olivenöl
Doctan® Kinder	Icaridin 20 %
Nobite® Hautspray	DEET 50 %
Nobite® Haut sensitive	Icaridin 30 %
Soventol® PROTECT/Mücken/Zecken	PMD (p-Menthan-3,8-diol) (Zitrone/Eukalyptus; naturbasierter Wirkstoff)

9.2.7.4 Maßnahmen bei Insektenstichen

Handelt es sich lediglich um eine **lokale Entzündungsreaktion,** so lässt sich bereits durch Kühlung der Einstich- oder Bissstelle das Ausmaß der Entzündung verringern, ebenso wird der Schmerz gemildert.
Unterstützend wirken hier Medizinprodukte wie Fenistil® Kühl Roll-on, Soventol® Stift oder Systral® Kühl Gel.
Bei Kindern unter 2 Jahren und Schwangeren sollten die Präparate nicht großflächig und nicht im Gesicht und am Hals angewendet werden, ebenso nicht auf verletzten oder entzündeten Hautstellen.
Eine Behandlung der Einstichstelle mit konzentrierter Wärme ist das Prinzip des bite away® Stichheilers. Ab einer Temperatur von ca. 50 °C werden Giftbestandteile des Insektes teilweise zersetzt und die Ausschüttung von Histamin vermindert. Für Kinder und Erwachsene mit empfindlicher Haut ist eine kürzere Anwendungsdauer (3 Sekunden statt 6 Sekunden) vorgesehen.
Lokale wie systemische Gabe von **Antihistaminika** (s. Kap. 9.2.8.2) kann den Juck-reiz mildern. Ebenso können die nun nicht mehr der Verschreibungspflicht unterliegenden Hydrocortison- und Hydrocortisonacetat-Zubereitungen verwendet werden, wobei die antiinflammatorischen und juckreizstillenden Wirkungen der Corticoide ausgenutzt werden (s. Kap. 9.2.8.2).
Bei eventuell auftretenden Sekundärinfektionen sind desinfizierende Maßnahmen (vgl. Kapitel 9.2.2) bzw. wenn notwendig eine antibiotische Therapie indiziert.
Andere Maßnahmen dagegen sind zu ergreifen, wenn eine **allergische Reaktion** auf Insektenstiche auftritt.
Unter Federführung der **Deutschen Gesellschaft für Allergologie und klinische Immunologie** (DGAKI) wurde eine **Leitlinie** zu Akuttherapie und Management der Anaphylaxie erarbeitet (Stand 31. 12. 2013, gültig bis 31. 12. 2018), http://www.awmf.org/leitlinien/detail/ll/061-025.html).
In dieser sind auch die Bestandteile eines Notfallsets und Indikationen zur Verordnung eines Adrenalin Autoinjektors aufgeführt:

Tab. 9.2-13 b: Bestandteile des Notfallsets zur Soforthilfe für Patienten

Bestandteil	Applikationsweg und Dosierung
Adrenalin	Autoinjektor zur intramuskulären Applikation, gewichtsadaptiert: >15 kg: 150 µg Adrenalin, >30 kg: 300 µg Adrenalin
H_1-Antihistaminikum	Nach Patientenalter und -präferenz oral als Flüssigkeit oder (Schmelz-) Tablette. Die zugelassene Tagesdosis des jeweiligen Antihistaminikums kann als Einzeldosis empfohlen werden. Bei Dimetinden-Tropfen kann analog eine gewichtsadaptierte Dosierung der i.v.-Formulierung als oral einzunehmende Dosis empfohlen werden
Glukokortikoid	Nach Patientenalter und -präferenz rektal oder oral (als Flüssigkeit oder Tablette) mit 50–100 mg Prednisolonäquivalent
Optional	Bei bekanntem Asthma bronchiale: β_2-Adrenozeptoragonist. Bei zu erwartender Obstruktion der Atemwege: inhalatives Adrenalinpräparat mit Sprühkopf für Arzneimittelfläschchen (extra vom Apotheker anfordern)
Hinweis	Ein Notfallset zur Soforthilfe soll eine schriftliche Anleitung zur Anwendung der Bestandteile enthalten (z.B. Anaphylaxie-Pass und/oder Anaphylaxie-Notfallplan)

Indikationen für die Verordnung eines Adrenalin-Autoinjektors:

- Patienten mit systemischer allergischer Reaktion und Asthma bronchiale (auch ohne Anaphylaxie in der Vorgeschichte)
- Progrediente Schwere der Symptomatik der systemischen allergischen Reaktion
- Vorgeschichte früherer anaphylaktischer Reaktionen gegen nicht sicher vermeidbare Auslöser
- Systemische Allergie auf potente Allergene wie Erdnüsse, Baumnüsse, Sesam
- Hoher Sensibilisierungsgrad, z.B. Patienten, die bereits auf kleinste Mengen des Allergens reagieren
- Erwachsene mit Mastozytose (auch ohne bekannte Anaphylaxie)

Lohnenswert ist es, bei bekanntem Vorliegen einer Bienen- oder Wespengiftallergie eine Hyposensibilisierungsbehandlung durchzuführen. Dabei werden Bienen- bzw. Wespengift in gereinigter Form verabreicht, um protektiv die Bildung von Antikörpern zu stimulieren. Da bei ungefähr der Hälfte der Behandlungen eine allergische Reaktion auftritt, sollte diese Maßnahme unter stationärer Beobachtung erfolgen. Ein Behandlungserfolg ist nicht immer gegeben.
Empfohlen wird, eine solche Behandlung durchführen zu lassen, wenn bereits eine allergische Reaktion im Sinne einer Anaphylaxie aufgetreten ist.

Beratungstipp

Entfernung eines Teiles des Insektengiftes ist mit einer Unterdruck-Minipumpe (Aspivenin®) möglich.
Dadurch können die Folgen des Insektengiftes eventuell entschärft werden.
Angewendet werden kann das Medizinprodukt bei Hornissen-, Wespen-, Bienen- und Mückenstichen, bei Ausschlag verursachenden Pflanzen, Fischen, Skorpionen und manchen Schlangen.

9.2.8 Pruritus, Juckreiz

9.2.8.1 Krankheitsbild

Juckreiz ist ein Symptom ganz verschiedener zugrunde liegender Ursachen und Erkrankungen.

Entgegen früherer Meinungen gilt Juckreiz heute nicht mehr als der „kleine Bruder des Schmerzes". Histaminvermittelter Juckreiz wird über andere Nervenfasern (C-Fasern) ins Gehirn geleitet, dabei werden nicht nur motorische und sensorische Juckreizareale aktiviert, sondern auch emotionale Bereiche im Gehirn. Weitere noch beteiligte Nervenfasern sind noch nicht endgültig bekannt. Wie beim Schmerz existiert auch für Juckreiz eine Art „Gedächtnis", Menschen mit Pruritus nehmen Juckreiz bereits ab einer viel niedrigeren Schwelle wahr. Durch Spiegelneurone im Gehirn wird Juckreiz darüberhinaus „geistig ansteckend".

Strukturelle Veränderungen der Haut wie Akanthose (bei Psoriasis) oder sehr trockene Haut, auch Altershaut, begünstigen die Entstehung von Juckreiz.

Auch zentrale Reizungen können einen Juckreiz auslösen.

Pruritus ist kein eigenständiges Krankheitsbild, sondern wird als Symptom vieler Hauterkrankungen, aber auch verschiedener Allgemeinerkrankungen gefunden (Tab. 9.2-14). Juckreiz selbst ist oftmals Ausgangspunkt und Ursache von Hauterkrankungen, insbesondere Ekzeme und Kratzwunden, die leicht einer Sekundärinfektion zugänglich sind. Denn der Betroffene beantwortet den Juckreiz meist mit Kratzen, Reiben oder Scheuern, da diese anderen Reizqualitäten die Empfindung des Juckreizes – zumindest kurzfristig – zurückdrängen können.

9.2.8.2 Medikamentöse Maßnahmen

Bevor eine unspezifische topische oder auch systemische Therapie begonnen wird, sollte nach der Ursache des Juckreizes geforscht werden. Primäres Ziel muss die Behandlung und evtl. Beseitigung der Grundkrankheit darstellen.

Oftmals sind aber Erkrankungen, die mit Juckreiz einhergehen, nicht (z.B. Malignome) oder nur unzureichend (z.B. Diabetes mellitus, Nierenerkrankungen) therapierbar, in anderen Fällen (z.B. Pruritus sine materia) wird eine Ursache nicht gefunden, so dass die symptomatische Therapie des Pruritus in den Vordergrund rückt.

Grundsätzlich ist Juckreiz therapiebedürftig. Nicht nur, dass er subjektiv als störend und beeinträchtigend empfunden wird, es kön-

Tab. 9.2-14: Mögliche Ursachen für Pruritus

1. Hauterkrankungen
Exsikkation der Haut (Hornschicht) und Sebostase
Ekzeme
Neurodermitis
Urtikaria
Insektenstich
Intertrigo
Prurigo
Lichen ruber planus
Mykosen
Psoriasis
Parasitosen (Skabies)
Juckreiz bei Virusinfektionen (Windpocken, Herpes zoster) und bakteriellen Infektionen der Haut

2. Allgemeinerkrankungen
Lebererkrankungen
Nierenerkrankungen
Ikterus
Endokrine Störungen (Diabetes mellitus, Schilddrüsenerkrankungen)
Eisenmangel
Infekte
Hämatologische Erkrankungen
Gicht
Malignome
Durchblutungsstörungen (z.B. venöse Stauung)
Anorexie

3. Pruritus mit psychischer Ursache
Depression
Angst

4. Schwangerschaftspruritus

5. Medikamentös induzierter Pruritus
Antibiotika
Antidepressiva
Betablocker
Hormone
Lipidsenker
u.v.m.

nen z. B. durch ständige mechanische Belastung der betroffenen Hautstellen (durch Scheuern und Kratzen als Kompensationsreaktion) sekundäre Hauterkrankungen auftreten. Auch kann andauernder Juckreiz zu Beeinträchtigungen des normalen Lebensrhythmus (z.B. Schlafstörungen) führen.
Verschiedene Maßnahmen zur Behandlung des unspezifisch auftretenden Symptoms Juckreiz sind möglich:
- allgemeine Maßnahmen,
- lokale Behandlung,
- systemische Behandlung,
- Therapie mit UV-Licht.

Allgemeine Maßnahmen

Da trockene Haut entweder selbst ursächlich für die Entstehung von Juckreiz verantwortlich ist, zumindest aber die Juckreizempfindung verstärkt, soll allgemein darauf hingezielt werden, dass die Haut immer einen entsprechenden Feuchtigkeits- und auch Fettgehalt aufweist.

In diesem Zusammenhang sind die Wasch-, Dusch- oder Badegewohnheiten anzusprechen und darauf hinzuweisen, dass Häufigkeit und Dauer der Reinigungsprozeduren in einem vernünftigen Maß gehalten werden, dass statt Seifen besser Syndets verwendet werden sollen, und dass der Haut nach bzw. mit der Reinigung das entzogene Fett und die Feuchtigkeit durch Rückfettung und -hydratisierung mittels geeigneter Emulsionen und/oder auch Badezusätzen wieder zugeführt werden.

Beispiele:
Balneum Hermal®/F
Ölbad Cordes®/F
Linola®-Fett-N Ölbad
Oleobal®
Lipo Cordes®
Linola®
Basiscremes auf W/O-Basis
Basodexan® (Harnstoff 10%)
Nubral® Creme/Salbe (Harnstoff 10%)
Eucerin® Urea Waschlotion

Lokale Behandlung

Lokalanästhetika

Aus der Gruppe der Lokalanästhetika werden für eine Therapie auf der Haut **Benzocain, Lidocain, Polidocanol** und **Quinisocain** angewandt (s. Tab. 9.2-15).

Die Schwierigkeit in der Verwendung von Lokalanästhetika liegt in einer unzureichenden Resorption durch die **intakte** Haut.

Lokalanästhetika sollen nur lokal, nicht großflächig, angewendet werden, Sensibilisierungen sind insbesondere nach Benzocain beobachtet worden. Günstig in dieser Hinsicht ist Polidocanol zu beurteilen, das auch Emulgatoreigenschaften besitzt und auch aus

(Fortsetzung nächste Seite)

Tab. 9.2-15: Lokalanästhetika zur lokalen Anwendung

Struktur	INN-Name	Handelspräparate (Auswahl)
(Benzocain-Struktur)	Benzocain	Labocane Anti-Juckreiz-Salbe
(Lidocain-Struktur)	Lidocain	EMLA® Creme EMLA® Pflaster
$C_{12}H_{25}-(O-CH_2-CH_2)_x-OH$	Polidocanol	Anaesthesulf® Lotio, Brand- und Wundgel Medice® N Optiderm®
(Quinisocain-Struktur)	Quinisocain	Haenal®

diesem Grund gern für Rezepturen verwendet wird, als Stoffgemisch hinsichtlich seiner Standardisierung jedoch Probleme bereitet. Die Wirkung von Menthol oder Campher (Campher z.B. in Vaopin® N Kühlgel) beruht auch auf einem lokalanästhetischen Effekt. Die Stoffe sollten nicht großflächig aufgetragen werden und bei Säuglingen und Kleinkindern mit Vorsicht angewandt werden (Vergiftungserscheinungen nach Inhalation).

Corticoide

Seit der Entlassung aus der Verschreibungspflicht stehen dem Apotheker Hydrocortison- und Hydrocortisonacetat-Zubereitungen zur topischen Anwendung zur Empfehlung in der Selbstmedikation zur Verfügung. Eingeschränkt ist die Verwendung in der Selbstmedikation auf **Personen über 6 Jahren.** Daneben sollten bei der Abgabe von Corticoidpräparaten noch folgende Hinweise gegeben werden:

1. Keine Anwendung im und am Auge und auf offenen Wunden.
2. Keine langandauernde Anwendung (hier sollte die Grenze schon ab 1 Woche gezogen werden).
3. Keine großflächige Anwendung (maximal 10 % der Körperoberfläche). Neben allergischen Reaktionen, die sowohl durch Wirkstoffe wie auch Hilfsstoffe ausgelöst werden können, besteht nach längerdauernder Anwendung die Gefahr von Hautatrophien, Steroidakne, Hypertrichosis, Striae und Teleangiektasien. Diese Nebenwirkungen werden allerdings bei den nun rezeptfreien Zubereitungen nur äußerst selten beobachtet.

Nicht angewendet werden dürfen die Cortisonzubereitungen zur Behandlung von bakteriell ausgelösten Hauterkrankungen, Mykosen und bei Viruserkrankungen und im ersten Drittel der Schwangerschaft, strenge Indikationsstellung während der gesamten Schwangerschaft und Stillzeit.

Die Präparate werden in der Regel 1- bis 3-mal täglich in dünner Schicht aufgetragen und leicht eingerieben.

Der große Nutzen der Cortisonpräparate liegt in ihrem breiten Wirkspektrum, wobei sie in den eingesetzten Konzentrationen antiinflammatorische, immunsuppressive und juckreizstillende Eigenschaften aufweisen. In höherer Konzentration oder bei den stärker wirksamen Corticoiden addiert sich die antiproliferative Komponente. Idealerweise finden die Cortisonpräparate dann bei akut entzündlichen wie auch allergischen Erscheinungen Verwendung, wobei die Anwendungspalette von Sonnenbrand, leichten Verbrennungen, Insektenstich, allergischen Hautreaktionen, Urtikaria bis zu Ekzemen reicht.

Präparatebeispiele:

Ebenol®	0,25 %/0,5 % Hydrocortison
Fenistil® Hydrocort	0,25 %/0,5 % Hydrocortison
Linola® akut	0,5 % Hydrocortison
Soventol® Hydro-Cort Creme	0,5 % Hydrocortison
Systral® Hydro-Cort	0,25 % Hydrocortison

H_1-Antihistaminika

Zur Behandlung des Pruritus weitverbreitet sind extern angewandte Antihistaminika in Salben- oder Gelform, wobei der juckreizstillende Effekt der Wirkstoffe durch die kühlende Wirkung eines Gels unterstützt wird.

Tab. 9.2-16: Extern anwendbare H_1-Antihistaminika

INN	Handelsname (Auswahl) (Zubereitungsformen)
Bamipin	Soventol® Gel
Chlorphenoxamin	Systral® Creme
Dimetinden	Fenistil® Gel
Tripelenamin	Azaron Stift

Die Anwendung von H_1-Antihistaminica (Tab. 9.2-16) ist vor allem indiziert bei Pruritus allergischer Genese und nach Insektenstichen.
Antihistaminika können jedoch Hautsensibilisierungen hervorrufen. Nach großflächiger Anwendung ist mit systemischen Nebenwirkungen, wie zentralnervösen Beschwerden, Glaukomauslösung, Gastro-intestinalen Störungen, Miktionsstörungen zu rechnen.

Bei Kleinkindern sollten die Präparate mit Zurückhaltung und dann nur lokal eng begrenzt, nicht großflächig angewandt werden.

Sonstige

Kein Arzneimittel, sondern apothekenexklusives Medizinprodukt ist der **Fenistil® Kühl Roll-on** Stift, der durch seinen Kühleffekt Juckreiz und Brennen schnell lindert. Die punktuelle Auftragung ist für kleinere Flächen geeignet, Größe und Handhabung praktisch für unterwegs.
Inhaltsstoffe sind:
Benzalkoniumchlorid-Lösung, Carbomer 974P, Wasser, Naedetat, NaOH, Propylenglykol.
Von manchen Ärzten propagiert wird die topische Applikation von **Capsaicin** gegen Juckreiz, auch nicht Histamin-induzierter Art. Capsaicin greift direkt an den Nervenfasern an und unterbricht über eine Desensibilisierung der sensorischen Nervenfaser die Weiterleitung von kutanem Pruritus. Die Wirkung kommt nur zustande bei mehrfacher täglicher Anwendung (mindestens 3- bis 6-mal täglich), was die Patientencompliance erschwert.
Wichtig ist eine einschleichende Therapie (0,025 % – 0,05 % – 0,075 % – 0,1 %).
Im Anfangsstadium kommt es zu Brennen und Hautirritationen.
Als Rezepturgrundlage wird **Ungentum Ieniens (Kühlsalbe)** verwendet, die durch ihren kühlenden Effekt die juckreizmildernde Wirkung verstärkt.
Speziellere Formen des Pruritus entziehen sich der Selbstmedikation, so z.B. die Behandlung von Pruritus vulvae.

Systemische Therapie

H_1-Antihistaminika, systemisch appliziert, zeigen im Allgemeinen eine gute juckreizstillende Wirkung, allerdings muss einschränkend vermerkt werden, dass dabei die Antihistaminika hoch dosiert werden müssen und nicht jede Art von Juckreiz auf orale Antihistaminika anspricht.

Tab. 9.2-17: Antihistaminika

Struktur	INN Name	Externe Anwendung (Auswahl)	Systemische Anwendung (Auswahl), Dosierung
	Bamipin	Soventol®	–
	Cetirizin	–	Reactine® Zyrtec® 10 mg
	Chlorphenoxamin	Systral®	–
	Clemastin	–	Tavegil® Tabletten 1 mg Tavegil® Sirup Tavegil® Injektionslösung
	Dexchlorpheniramin	–	Polaronil 2 mg Tabletten
	Dimetinden	Fenistil® Gel	Fenistil® 1 mg – Tropfen 1 mg – Sirup 1 mg Fenistil®-24-Stunden Retardkapseln 4 mg Fenistil® Injektionslösung
	Loratadin	–	Lisino® Brause Loraderm Loratoadin AL

Hauterkrankungen und ihre Behandlung

Tab. 9.2-17: Antihistaminika (Fortsetzung)

Struktur	INN Name	Externe Anwendung (Auswahl)	Systemische Anwendung (Auswahl), Dosierung
(Strukturformel Terfenadin)	Terfenadin*	–	Terfenadin AL 60 Rp!
(Strukturformel Tripelennamin)	Tripelennamin	Azaron Stift	–

* verschreibungspflichtig

Diese notwendigerweise hohe Dosierung limitiert gleichzeitig auch den Einsatz solcher Präparate, da sie dann sehr oft zur motorischen Verlangsamung bis hin zur Sedierung führen. Eine Anwendung unter Tags kann oftmals nicht akzeptiert werden, für die Nacht sind sie geeignet. Zumindest muss der Apotheker auf die Möglichkeit dieser Nebenwirkung aufmerksam machen und vor dem Führen eines Fahrzeuges oder aber vor dem Bedienen von z.B. elektrischen Maschinen warnen. Durch Alkohol wird der sedative Effekt dieser Substanzen drastisch verstärkt, ebenso durch die Einnahme anderer zentral dämpfender Pharmaka.

Bei Antihistaminica der 2. Generation ist dieser zentrale Effekt nicht mehr oder nicht mehr so stark ausgeprägt vorhanden (z.B. Loratatin, Cetirizin).

Bei Kindern sind nach Gabe von H_1-Antihistaminika auch schon paradoxe Reaktionen, d.h. eine zentralnervöse Erregung beschrieben worden.

Bei Kleinkindern, in der Schwangerschaft und in der Stillzeit sollten Antihistaminika nicht in Selbstmedikation angewandt werden.

Beratungstipp

H_1-Antihistaminika nicht zusammen mit Alkohol oder anderen zentraldämpfenden Arzneimitteln einnehmen.

9.2.8.3 Therapie mit UV-Licht

Bei vielen Formen von Pruritus hat sich der Einsatz von UV-Licht bewährt, vor allem von UVB. Vermutet wird ein systemischer antipruritogener Effekt, eventuell durch Hemmung proentzündlicher Mediatoren, Induktion antientzündlicher und immunsuppressiver Faktoren und antiproliferative Effekte, eventuell auch eine UVB-induzierte Mastzell-Apoptose.

Ebenso nicht medikamentös greift die (**E-lektro-**)**Akupunktur** in den Juckreiz- „Teufelskreis" ein.

9.2.8.4 Patientengespräch und allgemeine Maßnahmen

Da Juckreiz nicht nur eine Folge von Insektenstichen oder Hauterkrankungen sein muss, sondern vielfältige Ursachen haben kann (auch internistische Erkrankungen, medikamentöse Ursachen usw.), sollte der

Patient im Beratungsgespräch auf diese Möglichkeiten aufmerksam gemacht werden und eventuell zur weiteren Abklärung an einen Arzt verwiesen werden.

Zur Linderung von Pruritus empfiehlt die Deutsche Dermatologische Gesellschaft (DDG) folgende Therapiemaßnahmen (aus: Leitlinien der Deutschen Dermatologischen Gesellschaft (DDG) 07/2007):

- **Vermeidung** von Faktoren, die die Hauttrockenheit fördern, wie z.b. trockenes Klima, Hitze (z.B. Sauna), alkoholische Umschläge, Eiswürfelpackungen, häufiges Waschen und Baden, zu wenig Trinken.
- **Vermeidung** von Kontakt mit irritierenden Stoffen oder Substanzen (z.B. Umschläge mit z.B. Rivanol, Kamille, Teebaumöl).
- **Vermeidung** von heißem und stark gewürztem Essen, größeren Mengen von heißen Getränken und Alkohol.
- **Vermeidung** von Aufregung und Stress.
- **Verwendung** milder, nicht alkalischer Seifen, rückfettender Waschsyndets oder Dusch- und Badeöle (Spreitungsöl mit geringem Tensidgehalt). Verwendung lauwarmen Wassers, Badezeit von max. 20 Minuten. Nach dem Duschen/Baden sofortiges Eincremen der Haut in Rücksichtnahme auf den individuellen Hautzustand.

- **Bei Vorliegen von Dermatosen:** Abtupfen des Körpers ohne starkes Reiben, da sonst die bereits vorgeschädigte Haut noch stärker verletzt und abgelöst wird.
- **Regelmäßiges Rückfetten** der Haut mit pflegend-hydratisierenden, dem individuellen Hautzustand angepassten Externa.
- **Tragen** adäquater, weicher, luftiger Kleidung, z.B. aus Baumwolle (keine Wolle, keine synthetischen Materialien).
- **Bei Atopikern:** Vermeidung von Hausstaub bzw. Hausstaubmilben, die Pruritus extern aggravieren können.
- **Kurzfristige Prurituslinderung/bei nächtlichem Pruritus:** Applikation von Cremes/Lotionen mit Harnstoffen, Campher, Menthol, Polidocanol, Gerbstoffe, feuchte oder kühlende Umschläge, kühles Duschen, Schwarzteeumschläge.
- **Schulung** im Umgang mit Pruritus durch adäquate Methoden, den Juck-Kratz-Zyklus zu unterbrechen, wie z.B. Auflegen eines kalten Waschlappens, leichte Druckausübung. Die Ermahnung, nicht zu kratzen, ist sinnlos. Besser ist der Versuch der Ablenkung und Zuwendung zu einer Bezugsperson.
- **Entspannungsübungen** (autogenes Training), Entspannungstherapie, Stressvermeidung, Aufklärung und Beeinflussung des psychosozialen Umfeldes.

9.2.8.5 Mindmap

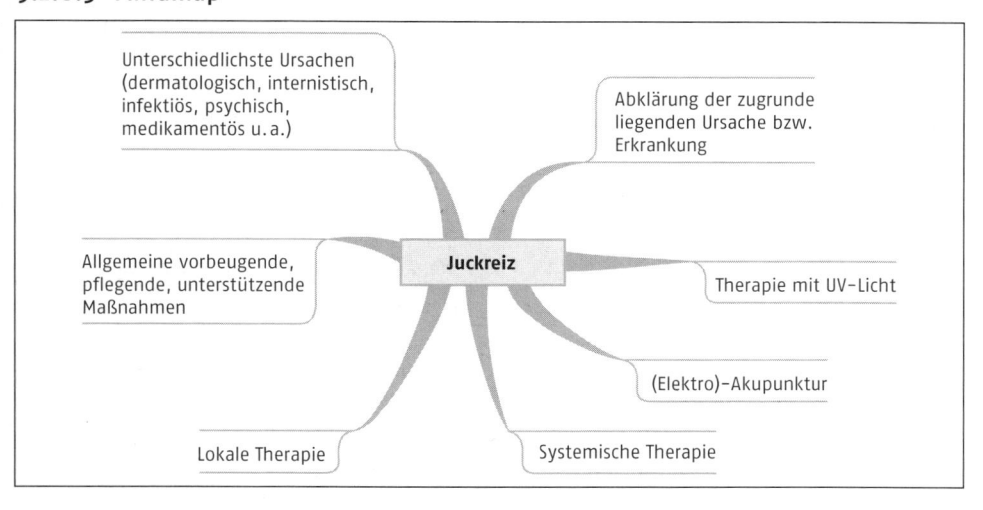

Juckreiz
- Unterschiedlichste Ursachen (dermatologisch, internistisch, infektiös, psychisch, medikamentös u.a.)
- Abklärung der zugrunde liegenden Ursache bzw. Erkrankung
- Allgemeine vorbeugende, pflegende, unterstützende Maßnahmen
- Therapie mit UV-Licht
- (Elektro)-Akupunktur
- Lokale Therapie
- Systemische Therapie

9.2.9 Urtikaria – Nesselsucht

9.2.9.1 Krankheitsbild

Unter Urtikaria versteht man eine krankhaft übersteigerte Hautreaktion, die im oberen Korium lokalisiert ist.

Klinisch zeigt sich ein innerhalb weniger Minuten aus einem Erythem hervorgehendes, scharf begrenztes, leicht gerötetes Ödem (Quaddel, Urtika), das innerhalb kurzer Zeit (3 bis 8 Stunden) wieder restlos verschwindet. Starker Juckreiz begleitet diese Hautefloreszenzen. Manchmal sind die einzelnen Quaddeln von einem fleckigen, hellroten Erythem umgeben. Die Größe der einzelnen Hauterscheinungen reicht von Stecknadelkopf- über Linsengröße (z.B. bei Insektenstich) bis zu handtellergroßen, flächenhaften Gebilden.

Urtikaria kann einmal kurzfristig auftreten (akute Urtikaria, Dauer 6 Wochen) oder als chronisch kontinuierliche (Dauer > 6 Wochen) oder auch rezidivierende Erscheinung über Monate, Jahre bis Jahrzehnte anhalten.

Die Erkrankungshäufigkeit wird mit 20 bis 30 % angegeben, wobei in der Mehrzahl nur einmalig eine solche urtikarielle Reaktion auftritt. 90 % der Urtikaria-Erkrankungen heilen innerhalb 4 bis 6 Wochen vollständig ab.

Die **Ätiopathogenese** der Urtikaria ist weitgehend unklar. Bei über 50 % der diagnostizierten Fälle ist keine direkte Ursache bekannt, nur 6 bis 8 % der Urtikaria lassen sich auf allergische Reaktionen zurückführen, 10 bis 20 % sollen durch physikalische Faktoren ausgelöst werden und bei 25 bis 30 % werden Intoleranzreaktionen (nicht allergischer Natur) verantwortlich gemacht.

Auf molekularer Ebene kommt bei der Entstehung der Urtikaria dem Histamin neben anderen Mediatorsubstanzen wie Serotonin, Bradykinin, Leukotrienen und Prostaglandinen eine bedeutende Rolle zu. Histamin wird dabei auf chemisch-physikalischen Reiz hin oder aufgrund chemischer Reaktionen aus den Mastzellen des oberen Koriums freigesetzt und führt zu den eingangs erwähnten Symptomen der Urtikaria.

Das klinische Erscheinungsbild und die Schwere der Urtikaria wird durch zahlreiche weitere Faktoren bestimmt, unter denen das Immunsystem sowie das vegetative Nervensystem eine besondere Bedeutung besitzen.

Tab. 9.2-18: Auslöser einer Urtikaria

1. Allergene	
Endogene Allergene	Körpereigene Proteine
	Tumorzerfallsprodukte
	Stoffwechselprodukte von Hefen oder Bakterien
Exogene Allergene	Insektengifte
	Medikamente
	Nahrungsmittel (Nüsse, Sellerie, Hühnereiweiß, Milch, Hülsenfrüchte)
	Konservierungsmittel
	Farbstoffe
	Tierhaare
2. Kontakt z.B. mit	Brennnessel, Qualle, Ameise, Insektenstich oder -biss
3. Histaminliberatoren	Wie Bacitracin, Polymyxin, Kobalt, Perubalsam
4. Physikalische Faktoren	
Druckurtikaria	Treten entweder nur am Ort der Reizeinwirkung oder aber
Wärme- oder Kälteurtikaria	auch generalisiert auf
Lichturtikaria	
5. Intoleranzerscheinungen	Gegen verschiedene chemische Stoffe

Ausgelöst wird eine Urtikaria durch verschiedenste Reize (Tab. 9.2-18).
Bei den Intoleranzerscheinungen handelt es sich um Unverträglichkeitsreaktionen gegenüber bestimmten Stoffen oder Stoffgruppen. Insbesondere werden hier Farbstoffe, Konservierungsmittel und bei Medikamenten die Gruppe der Analgetika genannt. Die Intoleranzerscheinungen sprechen nicht auf eine Behandlung mit Antihistaminika an (Unterschied zu allergischen Reaktionen). Offensichtlich kommt hier nicht dem Histamin, sondern eher den Prostaglandinen die vorherrschende Rolle zu.

9.2.9.2 Medikamentöse Maßnahmen

Das wichtigste Ziel in der Therapie der Urtikaria stellt die Aufklärung des auslösenden Moments dar. Dabei ist an Nahrungsmittel, Kosmetika, Medikamente, aber auch an physikalische Faktoren wie Druck, Wärme oder Kälte zu denken.
Die einfachste und wirksamste Therapie stellt dann, wenn möglich, die Allergenkarenz dar. Für Kälteurtikaria sollten generelle Empfehlungen hinsichtlich der Kleidung (Tragen von Mütze, Schals, Handschuhen, evtl. Gesichtsschutz) gegeben werden. Schwimmen in kaltem Wasser kann ebenso eine urtikarielle Reaktion provozieren. Es sollte daher ganz vermieden werden oder nur mit einer Begleitperson unternommen werden.
Bei Sonnenlicht-Intoleranz oder Sonnenurtikaria hat sich eine Prophylaxe mit **Carotinoiden** bewährt. Auf jeden Fall sollte ein Lichtschutzpräparat mit genügend hohem Schutzfaktor angewendet werden. Auch hier sollten Empfehlungen in Bezug auf Kleidung und Verhalten in der Sonne nicht fehlen.
Die **systemische Therapie** der Urtikaria allergischer Genese besteht in der Gabe von H_1-**Antihistaminika** (s. Kap. 9.2.8.2). Ebenso wie bei Pruritus muss auch hier, um eine befriedigende Wirkung zu erzielen, hochdosiert werden. Dies ist aber oft durch das Auftreten der Nebenwirkung Sedation limitiert. Eine Alternative stellen Stoffe dar, die die Histaminliberation aus den Mastzellen verhindern, indem sie die Mastzellmembran stabilisieren (**Cromoglicinsäure**, z.B. Colimune®, PENTATOP®100, Allergoval®). Cromoglicinsäure wirkt aber nur auf die jeweils behandelten Schleimhäute. Für die Urtikaria spielt Cromoglicinsäure u.a. bei Nahrungsmittelallergien eine Rolle.
Ob die Einnahme von **Calciumpräparaten** bei Urtikaria vorteilhaft ist, bleibt noch umstritten. Es werden dabei zwei mögliche Wirkmechanismen diskutiert: Entweder eine allgemeine zellmembranstabilisierende Wirkung, wodurch die Zellen dann gegenüber exogenen Reizen unempfindlicher werden, oder – durch eine Erhöhung der intrazellulären Calciumionen-Konzentration – eine Abbauhemmung von cAMP, das dann seinerseits eine Histaminliberation vermindert.
Sofern es sich bei der urtikariellen Reaktion um lokal begrenzte Erscheinungen handelt (z.B. Insektenstich, Quallen, Ameisen usw.), kann auch hier – wie bei Pruritus – eine **topische Therapie** mit H_1-**Antihistaminika**-Präparaten empfohlen werden. Wirksamkeit und verwendete Präparate siehe Kap. 9.2.8.2. Weiterhin können die aus der Verschreibungspflicht entlassenen Hydrocortison-

Cromoglicinsäure

und Hydrocortisonacetat-Präparate vorteilhaft eingesetzt werden (s. Kap. 9.2.8.2).
Als verschreibungspflichtige Therapiealternative stehen weitere **Glucocorticoide** (systemisch wie topisch) zur Verfügung, die aber nur bei schweren Fällen oder aber bei Patienten, die auf eine Antihistaminika-Therapie nicht ansprechen, angewandt werden sollten.

Als **Notfallmaßnahmen** bei Urtikaria mit anaphylaktischen Begleiterscheinungen sind Adrenalin, subkutan verabreicht, oder hohe Dosen Antihistaminika, i.v. oder i.m. gegeben, angezeigt.

Beispiel: Tavegil® Injektionslösung.

9.2.9.3 Mindmap

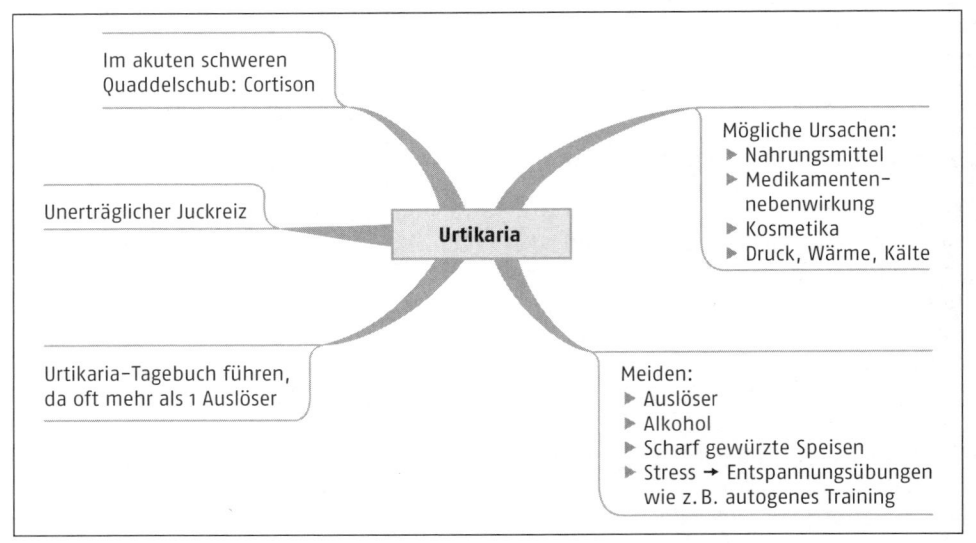

Urtikaria
- Im akuten schweren Quaddelschub: Cortison
- Unerträglicher Juckreiz
- Urtikaria-Tagebuch führen, da oft mehr als 1 Auslöser
- Mögliche Ursachen:
  ▸ Nahrungsmittel
  ▸ Medikamentennebenwirkung
  ▸ Kosmetika
  ▸ Druck, Wärme, Kälte
- Meiden:
  ▸ Auslöser
  ▸ Alkohol
  ▸ Scharf gewürzte Speisen
  ▸ Stress → Entspannungsübungen wie z. B. autogenes Training

9.2.10 Ekzeme

9.2.10.1 Krankheitsbilder

Im Sprachgebrauch wird der Begriff Ekzem sehr oft dann verwendet, wenn es sich um Hautveränderungen unklarer Genese handelt.
Die Vielzahl der Ekzemerkrankungen, die in der Literatur häufig unterschiedliche Benennung und Einteilung der Ekzemformen sowie das vielfältige – je nach Stadium unterschiedliche – Erscheinungsbild der Ekzeme haben zur Unsicherheit im Umgang mit dem Begriff Ekzem beigetragen.
Generell versteht man unter einem Ekzem **eine entzündliche Erkrankung der Epidermis und des Koriums** (Lederhaut), die durch **intraepidermale Bläschenbildung** (Ödem) charakterisiert ist. Je nach Akuitätszustand lassen sich verschiedene Stadien unterscheiden.

- **Akutes Ekzem:**
  Rötliche Herde, die nässen, sodann zur Krustenbildung neigen, finden sich neben Knötchen und Bläschen.
- **Subakutes Ekzem:**
  Zahlreiche Knötchen neben wenig Bläschen. Charakteristisch sind die Schuppen und Schuppenkrusten.
- **Chronisches Ekzem:**
  Es ist charakterisiert durch trockene, teilweise verdickte hyperkeratotische Haut mit lichenifizierten Herden. Die Haut ist manchmal hyperpigmentiert.

Gemeinsam ist allen 3 Stadien der auftretende **starke Juckreiz**. Ursache für die Entstehung eines Ekzemes ist eine Vielzahl exogener und endogener Faktoren, die entweder allein oder im Zusammenspiel zur Ekzementstehung beitragen können. Das klinische Bild ist dabei abhängig von der Art, Dauer, Lokalisation und Stärke des Reizes und wird dabei durch genotypische und umweltbedingte Faktoren moduliert. Eine neuere **Einteilung der Ekzemkrankheiten** sieht eine Gliederung in

- vorwiegend exogene Ekzeme,
- vorwiegend endogene Ekzeme,
- dysregulativ-mikrobielle Ekzeme vor.

Exogene Ekzeme

In diese Gruppe sind die Kontaktekzeme allergischer und nicht allergischer Genese einzuordnen.

Nicht allergische Kontaktekzeme beruhen auf einer länger andauernden subakuten Reizung und Schädigung der Epidermis, hervorgerufen oft z.B. durch beruflich bedingten Kontakt mit reizenden Stoffen wie Zement, Haarfärbelösungen, Waschmittel, Obstspritzmittel, Fotoentwicklerlösungen etc. Auch durch Schmuck, Uhrenarmbänder, Stirnbänder etc. können über längere Zeit Kontaktekzeme entstehen. Bei Kontaktekzemen **allergischer** Natur dringt das Allergen durch eine geschädigte und damit durchlässige Hornschicht in die Epidermis ein und führt dort zur Immunreaktion.

Kontaktekzeme allergischer Natur treten meist nicht als Sofortreaktion, sondern nach einer Latenzzeit von 12 bis 24 Stunden auf. Eine Sonderform des allergischen Kontaktekzems stellt das photoallergische Ekzem nach Lichtexposition dar.

Endogenes Ekzem

Das endogene Ekzem (atopisches Ekzem, **Neurodermitis diffusa**) ist genetisch determiniert und kann in allen Altersstufen zum Ausbruch kommen. Etwa bei 10 % der Bevölkerung besteht die Disposition zum endogenen Ekzem. Diskutiert wird, dass durch Gendefekte wichtige Strukturproteine der Haut gestört sind und die Schutzfunktion der Haut dadurch erheblich vermindert ist. Auslösende Faktoren können sein:

- mechanische Hautreize, Schwitzen, Irritationen durch Kleidung (z.B. Wolle), Waschmittel, Weichspüler,
- Reizung durch spezielle Nahrungsmittel (scharfe Gewürze, Alkohol, Citrusfrüchte), individuell verschieden!
- Infekte,
- Stress,
- UV Licht, Klimaveränderung,
- hormonell.

Zum Erkennen auslösender Faktoren kann ein Tages-Protokoll nützlich sein (Nahrung, Kleidung, Aufenthaltsräume usw.).
Durch die gestörte Barrierefunktion der Haut kommt es auch leicht zu bakteriellen oder Pilz-Sekundärinfektionen.
Die Erkrankung verläuft in Schüben. In der akuten Phase ist die Haut rot und schuppig, es bilden sich kleine Bläschen, die aufplatzen können und offene nässende Stellen hervorrufen, die dann verkrusten.
Charakteristisch ist der starke Juckreiz!
Rund 10 % aller Kinder haben Neurodermitis, im Erwachsenenalter noch ca. 3 %.
Im Säuglingsalter sind meist Kopf und Wangen betroffen, in der Kindheit und Jugend bevorzugt der Ellenbogen, Kniegelenk, Handgelenk, Knöchel oder der Nacken, im Erwachsenenalter finden sich Ekzeme am ganzen Körper verteilt mit einer Bevorzugung der Beugestellen. Häufig findet man bei solchen Patienten neben dem Ekzem auch Bronchialasthma, Heuschnupfen oder aber Nahrungsmittelallergien. Typisch sind sehr empfindliche trockene Haut und starker Juckreiz, der einen Teufelskreis von Hautirritationen auslöst.
Meist bessern sich die Symptome im Sommer oder unter dem Einfluss von sogenanntem „Reizklima" (Meer oder Hochgebirge).

Tab. 9.2-19: Mögliche auslösende Faktoren für dysregulativ-mikrobielle Ekzeme. Nach Hornstein, Nürnberg 1985

Pathogene Faktoren	Wirkung
Hyperhidrosis	Quellung der Hornschicht, vasomotorische Dysfunktionen
Hyper- oder Dysseborrhoe	Veränderte Barrierefunktion der Hornschicht, Dysmikrobie der Standortflora
Exsikkose der Hornschicht	Schwund des „Wasser-Lipid-Mantels", Rauigkeit, Elastizitätsschwund
Physikalische Noxen (akut, intermittierend, chronisch)	Druck, Scheuern, Wärmestauung, Einwirken von Licht-, IR- und UV-Strahlen
Chemische Noxen	Entzug von Lipiden und wasserlöslichen Puffersubstanzen der Hornschicht
Störungen der dermalen Mikrozirkulation	Lympho- oder hämovasale Stauung, arterielle Minderdurchblutung, Akrocyanose
Neurale Irritationen oder Läsionen	Vasomotorische Dysfunktionen (neurovegetative Durchblutungsstörungen, viszero-kutane Dysreflexion)
Endogen-viszerale Dysregulationen	Renale, hepato-biliäre Stoffwechsel- und Exkretionsstörungen, Dysproteinämie

Das atopische Ekzem gilt als nicht heilbar, seine Symptome sind aber linderbar.

Dysregulativ-mikrobielle Ekzeme

Verschiedenste endogene und/oder exogene Faktoren führen zur Einschränkung der normalen Schutzfunktion der Hornschicht (Tab. 9.2-19). Aufgrund dieser schädigenden Einflüsse bewirken nun Bakterien, die z.T. auch der Hautflora entstammen können, selbst oder durch Toxinabgabe die Entstehung eines Ekzemes.

Die Schädigung der Hornschicht ist also Voraussetzung, der eigentliche Verursacher des Ekzems ist aber in den Bakterien (Strepto-, Staphylokokken, Enterobakterien, Pseudomonas-Arten) zu sehen.

Im klinischen Erscheinungsbild sind die drei Ekzemformen oft nicht zu unterscheiden, die Einteilung gibt lediglich einen Hinweis auf die Genese und damit auch auf die daraus resultierenden Therapiemöglichkeiten.

9.2.10.2 Therapeutische Maßnahmen

So vielfältig das Erscheinungsbild und so verschiedenartig die Ätiologie von Ekzemen sein kann, so unterschiedlich sind auch die medikamentösen therapeutischen Möglichkeiten.

Generelle Empfehlungen können nicht gegeben werden, lediglich die Ziele einer antiekzematösen Therapie können dargestellt sowie die sinnvollerweise eingesetzten Arzneimittelgruppen angesprochen werden.

Therapieziele einer antiekzematösen Behandlung sind:

- Beseitigung objektiver und subjektiver Symptome (z.B. Läsionen, Juckreiz etc.),
- Beseitigung bzw. Prophylaxe von Sekundärinfektionen (Bakterien, Pilze und auch Viren),
- Wiederherstellung einer normalen Hautschutzfunktion,
- Verhinderung neuer Ekzemschübe durch Beseitigung exogener Noxen oder Allergenkarenz.

Patientengespräch

Im Gespräch mit dem Patienten sollte erfragt werden, mit dem Ziel, evtl. die Ursache des Ekzems zu lokalisieren,

- wann das Ekzem aufgetreten ist,
- welche Stellen betroffen sind,

- ob solch ein Ekzem früher schon beobachtet wurde.

Dabei sollte nicht nur an eine exogene Ursache des Ekzems gedacht werden, sondern auch durch Fragen nach allergischen Reaktionen (Asthma bronchiale, Nahrungsmittelallergien, Exantheme als Nebenwirkungen von Arzneimitteln) des Patienten oder ähnlichen Erkrankungen in der Familie die Möglichkeit eines endogenen Ekzems in Betracht gezogen werden.

Andere Krankheiten des Patienten (Durchblutungsstörungen u.a. bei Ekzem an Extremitäten, Diabetes mellitus u.a.) können auch an der Entstehung des Ekzems beteiligt sein.

Grundlage einer Ekzemtherapie stellt die richtige Pflege der erkrankten Hautpartie dar. Dabei soll auf folgendes hingewiesen werden:

- Die betroffenen Hautpartien müssen gänzlich ruhiggestellt werden. Eventuell sind Verbände angebracht, wobei auf guten nicht verrutschenden Sitz geachtet werden muss. Reibende Kleidungsstücke (Wolle) sind für ekzematisierte Haut schädlich und behindern eine Heilung.
- Alkalische Seifen, Scheuermittel oder Alkoholabreibungen dürfen nicht angewandt werden. Heiße Bäder (> 35°C) oder zu heiße Waschungen der Hautpartien sind zu vermeiden.
- Zu starke Austrocknung der Haut z.B. durch zu intensive oder zu lange dauernde Sonnenlichtexposition verzögert den Heilungsprozess.
- Rückfettung und Rehydratisierung der Haut sind essentiell für eine schnelle und vollständige Abheilung.

Diese Maßnahmen sind lange genug beizubehalten, denn auch wenn die oberflächlichen Symptome eines Ekzems wie Rötung oder Schuppung etc. verschwunden sind, bleibt die Haut in der Phase danach noch irritabel und kleinste Noxen oder Imbalancen können einen erneuten Ekzemschub auslösen.

Mit entscheidend für den Erfolg einer antiekzematösen Therapie ist es, primär Faktoren, die das Ekzem begünstigen, zu eliminieren. Dabei ist z.B. an das Vorliegen einer Hyperhidrosis, einer Seborrhoe etc. zu denken, Zustände also, die die normale Widerstandskraft der Haut beeinträchtigen.

In diesen Bereich gehört aber auch die Behandlung bestehender Grundkrankheiten wie Durchblutungsstörungen, die z.B. an den Extremitäten an schlechter versorgten Hautarealen Ekzeme begünstigen könnten.

Ekzemprophylaxe

Oftmals kann – wenn es erkannt wird – das für die Entstehung eines Ekzems verantwortliche Agens in der Folgezeit gemieden werden. In manchen Fällen gelingt dies nicht (wenn die Ursache unbekannt ist, wenn die Haut auf vielerlei Noxen mit der Ausbildung eines Ekzems reagiert usw.), und der Patient muss seine empfindliche Haut vor der schädigenden Wirkung schützen. Dazu ist es oftmals sinnvoll, entweder z.B. bei der Arbeit Handschuhe zu benutzen (Hausfrauenekzem u.Ä.), oder aber durch die Anwendung sogenannter **Hautschutzsalben** eine Barriere zwischen Haut und der Noxe zu schaffen. Einsatz finden diese Salben vor allem bei beruflich bedingtem Kontakt mit potentiell schädigenden Stoffen.

Hautschutzsalben

Bei den Hautschutzsalben (Tab. 9.2-20) können verschiedene Typen mit unterschiedlichem Einsatzgebiet unterschieden werden:

- O/W-Emulsionen zum Schutz vor Ölen und lipophilen Schadstoffen.
- Emulsionen mit eingearbeiteten Festsubstanzen (sogenannte Feststoffgitter) als Barriere mit amphiphiler Schutzwirkung (gegen hydrophile und lipophile Substanzen).
- W/O-Emulsionen und vor allem Schutzsalben auf Silikonölbasis mit wasserabstoßender Wirkung und damit primärer Schutzwirkung gegen wasserlösliche Schadstoffe.

Hauterkrankungen und ihre Behandlung

Tab. 9.2-20: Hautschutzsalben (Auswahl)

Präparat	Formulierung bzw. Inhaltsstoff
Aqua non Hermal® Silicoderm F	Silikonöl Silikonöl
Stephalen®-Creme	W/O-O/W-Umschlagsemulsion
Sansibal®	O/W-Emulsion mit Feststoffgitter
Stokolan® Stokoderm®	O/W-Emulsion + Gerbstoff (adstringierend) O/W-Emulsion + Gerbstoff (adstringierend)

Gerbstoffe in Schutzsalben sollen aufgrund ihres adstringierenden Effektes die Schutzwirkung dieser Salben verstärken.

Therapie von Ekzemen

Die Auswahl eines geeigneten Therapeutikums richtet sich zunächst einmal nach dem vorliegenden objektiven und subjektiven Befund, etwa einer bakteriell, mykotisch oder viral bedingten Infektion, einer Hyperkeratose oder einer Entzündung, und nach subjektiven Symptomen wie Juckreiz. Arzneistoffe aus den Gruppen

- **Antiseptika, Antibiotika, Antimykotika, Virustatika,**
- **Antipruriginosa,**
- **Keratolytika**

kommen für eine antiekzematöse Therapie (systemisch und lokal) in Frage.
Ein Extrakt aus Bittersüßstängel (Dulcamarae stipites) wird sowohl systemisch als auch als Salbe eingesetzt (**Cefabene®**).
Als Antiphlogistika kommen **Corticoide** in Betracht.
Levomenol, ebenfalls ein Antiphlogistikum, ist Inhaltsstoff von **Sensicutan®** Salbe.
Neuere Ansätze sind die Calcineurininhibitoren Pimecrolismus (Elidel®) und Tacrolismus (Protopic®), beide sind verschreibungspflichtig!
Ebenso wichtig wie die Wahl des richtigen Arzneistoffs ist die Anwendung der richtigen Applikationsform, d.h. der geeigneten Grundlage. In der akuten Phase des Ekzems stellt oftmals die Therapie mit einer wirkstofffreien Grundlage die beste Methode dar. Allein der physiko-chemische Charakter der Grundlagen kann eine Verbesserung des ekzematösen Zustandes bewirken. Hierzu können folgende Empfehlungen gegeben werden:

Akutes Ekzem, evtl. nässend:

- Feuchte, wässrige Umschläge evtl. mit leicht adstringierend wirkenden Substanzen (Gerbstoffe synthetisch oder Eichenrindenextrakt) oder desinfizierenden Zusätzen wie Kaliumpermanganat 1:10000 oder Chinosol 1:1000. Die Umschläge sind ca. alle 30 Minuten zu erneuern. Nach 12 Stunden ist das Ekzem in der Regel trocken.
- Hydrogel.
- O/W-Emulsionen, keinesfalls Puder oder Salben.

Subakutes Ekzem mit Rötung, Schuppung, Papeln: O/W-Emulsionen, Schüttelmixturen, Pasten, Öle.

Chronisches Ekzem mit Schuppenkrusten, Lichenifikation, hyperkeratotische Zustände: W/O-Emulsionen, Salben.

9.2.10.3 Maßnahmen bei Neurodermitis

Die Haut Neurodermitis-Kranker erfordert, auch wenn keine akuten Symptome vorhanden sind, spezielle Pflege. Dies beginnt bei

der Reinigung: Nur kurz und nicht heiß duschen/baden, seifenfreie, pH-neutrale Waschlotionen bzw. rückfettende Ölbäder verwenden, nur vorsichtig trocken tupfen, nicht „frottieren"!
Unterstützend bei der Behandlung und auch in Intervallphasen wichtig ist der Hautschutz und die Pflege der Haut.
Zur Verfügung stehen hier z.B. Decoderm® Basiscreme, Remederm Creme Widmer, Linola® Fett, Multilind® Mikro Silber, auch geeignet für Kinderhaut.
Zur **Nachbehandlung** und Intervallbehandlung eignen sich auch **Harnstoffpräparate**, diese dürfen aber nicht auf entzündete Hautstellen aufgetragen werden. Vorsicht auch bei Kindern, da sie auf der Haut brennen können.
Beispiele: Basodexan®, Elacutan®, Optiderm® (Harnstoff + Polidocanol).
Zur **Akutbehandlung** kann systemisch und topisch **Nachtkerzensamenöl** (Epogam®, Neobonsen®, Linola® Gamma Creme) eingesetzt werden, zur topischen Behandlung auch **Levomenol** (Sensi-Cutan® Salbe) (vgl. Kap. 9.2.10.5).
Juckreizstillend und leicht antientzündlich wirken (vgl. a. Kap. 9.2.10.5) Optiderm® (Polidocanol) und Gerbstoff-Präparate (Tannolact®, Tannosynt®).
Als pflanzliches Mittel kann Bittersüßstängel (Cefabene®) zur Anwendung kommen.
Systemisch können orale Antihistaminika den Juckreiz lindern, in schweren Fällen wird der Arzt evtl. Corticoide verschreiben oder Calcineurininhibitoren (s. vorne).
Weitere mögliche Behandlungen, auf die Einzelne ansprechen, sind UV-Therapie, Akupunktur, hilfreich kann auch ein Klimawechsel sein (Meer/Berge), Entspannungstechniken oder der Austausch in Selbsthilfegruppen.

9.2.10.4 Mindmap

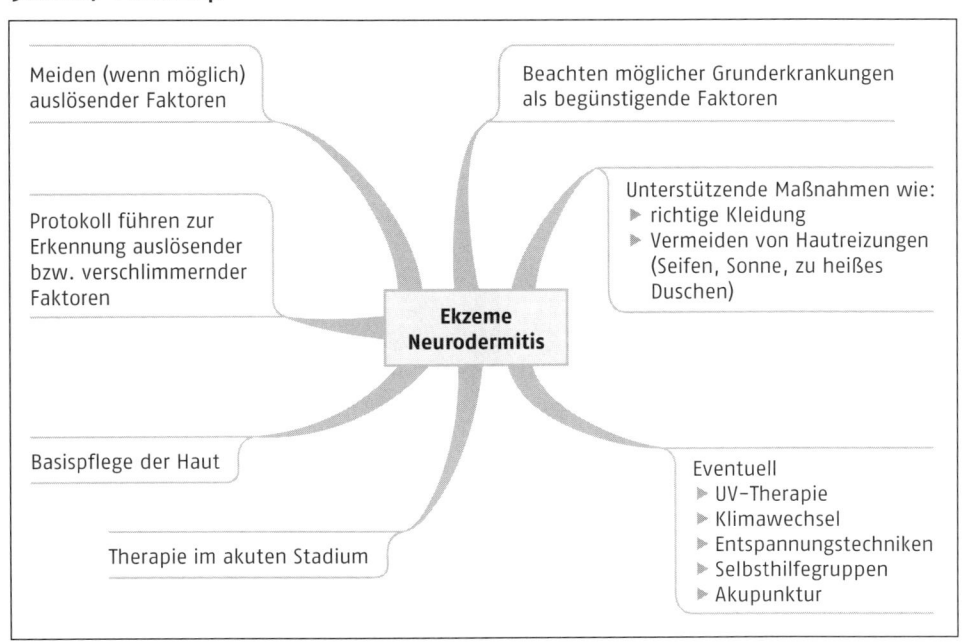

- Meiden (wenn möglich) auslösender Faktoren
- Beachten möglicher Grunderkrankungen als begünstigende Faktoren
- Protokoll führen zur Erkennung auslösender bzw. verschlimmernder Faktoren
- Unterstützende Maßnahmen wie:
  ▶ richtige Kleidung
  ▶ Vermeiden von Hautreizungen (Seifen, Sonne, zu heißes Duschen)
- **Ekzeme Neurodermitis**
- Basispflege der Haut
- Therapie im akuten Stadium
- Eventuell
  ▶ UV-Therapie
  ▶ Klimawechsel
  ▶ Entspannungstechniken
  ▶ Selbsthilfegruppen
  ▶ Akupunktur

9.2.10.5 Windeldermatitis

Ursachen

Die Ursachen für eine Windeldermatitis sind sehr vielfältig:
Ein Grund ist sicher das feuchte Klima, das in den modernen Windeln durch Luftabschluss und Wasserundurchlässigkeit entsteht. Urin enthält Harnstoff, der zu Ammoniak zersetzt wird und damit den Haut pH ins Alkalische verschiebt. Verdauungsenzyme aus dem Stuhl begünstigen ebenfalls die Schädigung der Haut und das Eindringen von Keimen wie Staphylokokken und Streptokokken und z.B. Candida albicans. In Pflegeprodukten enthaltene Duft- und Konservierungsstoffe können außerdem die Empfindlichkeit der Windelregion fördern.

Symptome

Windeldermatitis ist für das Kind äußerst schmerzhaft. Der Windelbereich ist gerötet, entzündet, betroffen ist vor allem der Gesäß- und Genitalbereich, aber es kann sich auch auf die Oberschenkelinnenseiten und in den Rücken hoch ausbreiten. Schwellungen, Wasser- und Eiterbläschen und oberflächliche Hautverletzungen können auftreten, als Komplikation ist auf der geschädigten Haut die Ausbreitung von Soor möglich.

Maßnahmen

Wichtigste Maßnahme ist häufiges Windelwechseln, am besten nach jedem Urin- oder Stuhlabgang. Trocknen der betroffenen Region an der Luft ist empfehlenswert, nicht aber das früher propagierte Trockenföhnen der Haut.
Sekundärinfektionen mit Bakterien oder Windelsoor sollten der Behandlung durch den Arzt überlassen werden, Nystatin (z.B. in Candio Hermal Softpaste) ist hier das Mittel der Wahl.
Zum Reinigen genügen warmes Wasser und eventuell ein Öl, Feuchttücher und andere Pflegeprodukte enthalten meist Duft- und/oder Konservierungsstoffe.

Zur Pflege des Windelbereichs empfehlen sich Farb-, Duft- und Konservierungsmittel-freie Babypflegeprodukte, zum Beispiel Zinkoxidpasten- oder Dexpanthenolhaltige Produkte (zum Beispiel Mirfulan® Salbe, Mitosyl® Salbe, Multilind® Wickelspray), auch in Kombination mit Nystatin (z.B. Mykundex® Heilsalbe, Multilind® Heilsalbe). Zur Vorbeugung von Wundsein eignet sich zum Beispiel Linola® Schutz-Balsam (ohne Zinkoxid und Silikone).
Die Ernährung der stillenden Mutter (Zitrusfrüchte, Fruchtsäfte) kann im Einzelfall Einfluss haben.

9.2.11 Psoriasis – Schuppenflechte

9.2.11.1 Krankheitsbild

Die **Ätiologie** dieser Erkrankung ist noch nicht geklärt. Gesichert ist, dass Psoriasis eine Erbkrankheit darstellt, die durch unterschiedlichste endogene und/oder exogene Faktoren zum Ausbruch gebracht werden kann (Tab. 9.2-21).
Das Auftreten der Schuppenflechte kann in jedem Lebensalter beobachtet werden, eine Häufung findet sich während Pubertät und Klimakterium (Hormone als Auslösefaktor?). Prädilektionsstellen der Psoriasis sind Ellbogen, Streckseiten der unteren Extremitäten, die behaarte Kopfhaut und auch die Nägel.
In ca. 5 bis 20 % der Fälle ist die Psoriasis mit einer arthritischen Erkrankung der Gelenke (Psoriasis arthropathica) vergesellschaftet, häufiger (bei ca. 30–50 % der Patienten) werden Nagelveränderungen (Tüpfelung, Krümelnägel oder Ablösung) beobachtet.
Es können bei der Psoriasis verschiedene **Erscheinungsbilder** unterschieden werden:

1. **Der akute Psoriasisschub = eruptiv-exanthemisch = Typ I:**
   Kennzeichen sind rote, mit einer weißlichen bis silbrigen Schuppen bedeckte, anfänglich kleine, scharf abgegrenzte Areale, die später konfluieren können.

Tab. 9.2-21: Auslösefaktoren für Psoriasis

1. Endogene Faktoren
• Infektionen des Respirationstraktes (Angina) oder des Intestinaltraktes • Pubertät ⎫ • Klimakterium ⎬ Phasen der hormonellen Umstellung • Schwangerschaft oder Entbindung ⎭ • Stoffwechselimbalancen (z. B. vorübergehende Hyperurikämie) • Störungen im Elektrolythaushalt (z. B. Hypocalcämie) • Psychovegetative Belastungen
2. Exogene Faktoren
• Klimawechsel • Einnahme von Medikamenten (Lithium, Betablocker, Antimalariamittel und andere) • Alkohol • Sonnenbrand • Hautverletzungen

2. **Die chronische Psoriasis = chronischstatisch = Typ II:**
   Die Merkmale dieser Form sind große, mit dicken Schuppen bedeckte Plaques

Histologische Kennzeichen der Psoriasis sind die vorwiegend exsudative Entzündung des Papillarkörpers (Stratum papilläre der Lederhaut), der hyperämisiert nahezu bis an die Hautoberfläche reicht. Dadurch kommt es nach Abreißen der Schuppen zu kleineren, punktförmigen Blutungen („blutiger Tau"), die kennzeichnend für das Vorliegen einer Psoriasis sind.
Das Stratum basale der Epidermis ist stark verdickt, der Zellzyklus dort drastisch verkürzt.

Die Zellproliferation von Stratum basale bis zur Hornschicht, die üblicherweise 30 Tage dauert, ist in Extremfällen auf 3 bis 4 Tage verkürzt. Die Epidermis ist auf das 3- bis 5(10)fache der Norm verdickt. Die Haut schuppt sich sehr stark, wobei aufgrund der sehr kurzen Proliferationszeit kernhaltige Hornzellen (im Unterschied zu den normalerweise abgeschilferten toten, kernlosen Hornzellen) abgestoßen werden.
Diese Beschleunigung der Zellproliferation wie auch die Reifestörung der Keratinozyten sind auf komplexe Anomalien des Keratinozyten-Stoffwechsels zurückzuführen, wobei

(Fortsetzung nächstes Blatt)

Hauterkrankungen und ihre Behandlung

die eigentliche Ursache dafür aber noch nicht geklärt ist.

Neben einer Erhöhung der Aktivität des Pentosephosphatzyklus findet sich ein Ungleichgewicht der zyklischen Nukleotide cyclo-GMP und cyclo-AMP, weitere Stoffwechselwege wie Glykolyse, Protein- und Nukleinsäurestoffwechsel laufen verstärkt ab.

9.2.11.2 Behandlung der Psoriasis

Die Behandlung der Psoriasis stellt derzeit eine rein symptomatische Therapie dar, eine grundlegende Heilung (d.h. kausale Behandlung) ist nicht möglich. Das Therapieziel besteht darin, möglichst rasch „Erscheinungsfreiheit" zu erlangen, d.h. schnelle Abheilung des akuten Psoriasisschubes und eine möglichst lange Rezidivfreiheit. Denn das größte Problem der Psoriatiker besteht in der Isolation von der Umwelt, bedingt durch die – unbegründete – Angst vor einer Ansteckung oder den empfundenen Ekel der Mitmenschen.

Die zu wählende Therapieform hat sich nach dem jeweiligen Erscheinungsbild (akuter Schub oder chronische Psoriasis) zu richten. Dabei kann generell angemerkt werden, dass leichte Formen mit topischen Therapeutika behandelt werden, mittelschwere Fälle mittels Phototherapie und besonders schwere Fälle mittels systemischer Arzneimittelapplikation inklusive den relativ neuen parenteral zu verabreichenden Therapeutika, die in das Immungeschehen eingreifen. Topisch anzuwendende Präparate sind in allen Stadien und Behandlungsschemata zumindest als Ergänzung angezeigt.

9.2.11.3 Allgemeine Maßnahmen

Allgemeinmaßnahmen, die ausnahmslos jedem Psoriatiker zu empfehlen sind, bestehen darin, die trockene psoriatische Haut entsprechend rückzufetten und den Wassergehalt der Haut zu normalisieren, auch in erscheinungsfreien Zeiten!

Regelmäßige Anwendung milder rückfettender Bäder oder auch die Therapie mit leicht fettenden Salben oder Lipogelen mit Harnstoff- bzw. Glycerolzusatz ist anzuraten (Tab. 9.2-22). Generell ist anzumerken, dass nur dermatologisch getestete Präparate zur Anwendung gelangen sollten. Weiter sollte die Haut nicht trockengerieben sondern trockengetupft werden, jegliche Hautreizungen und -verletzungen sind zu vermeiden.

Tab. 9.2-22: Auswahl geeigneter Präparate zur Rückfettung psoriatischer Haut

Handelsname	Hauptinhaltsstoffe
Bäder:	
Balneum Hermal®	Sojaöl
Balneum Hermal® F	Erdnussöl, Paraffin
Balneum Hermal® Plus	Sojaöl, Polidocanol
Balneoconzen® N	Sojabohnenöl
Balneovit® Öl	Sojabohnenöl
Oleobal®	Sojaöl, Paraffin
Neuroderm Mandelölbad	Mandelöl, Paraffin
Linola®-Fett-N Ölbad	Paraffin, langkettige Fettsäuren
Externa:	
Basodexan® Fettcreme, Salbe, Softcreme	Harnstoff
Nubral® Creme, Salbe	Harnstoff
Lactisol® Creme, Unguentum	Sauermilchmolkenkonzentrat
Lipo Cordes®	Allantoin, Dexpanthenol, Ethyllinolat
Sebexol® Creme-Lotio	Glycerol, Allantoin etc.
Sebexol® Lotio cum urea 5%	Harnstoff, Glycerol, Allantoin etc.

Die Kleidung sollte so gewählt werden, dass sie leicht ist, locker anliegt und keinesfalls die Haut belastet.

Obwohl ein direkter Zusammenhang zwischen Ernährung und Psoriasis nicht erwiesen ist, sollten die Patienten zu gesunder Lebensführung angehalten werden (Vermeiden von Überernährung, Alkohol). Auch können gewisse diätetische Maßnahmen (fleischlose Diät, Buttermilchkur u.a.) für manche Patienten durchaus hilfreich sein. Zur Beurteilung der beschriebenen Erfolge mit solchen Therapieformen soll angemerkt werden, dass bei Psoriasis durchaus spontane Remissionen beobachtet werden können.

Schwierigkeiten im Umgang und der Bewältigung der Psoriasis können dem Patienten oftmals erleichtert werden, indem man ihn über die Krankheit aufklärt und ihm auch zur Teilnahme an Selbsthilfegruppen (Deutscher Psoriasisbund e.V. Seewartenstraße 10, 20459 Hamburg, www.psoriasis-bund.de oder Psoriasis Selbsthilfe Arbeitsgemeinschaft, Schmitzweg 64, 13437 Berlin www.psoriasis-selbsthilfe.org oder regionale Gruppen) rät.

9.2.11.4 Systemische Therapie

Obgleich nahezu ausschließlich in der Verantwortung des Arztes sollen der Vollständigkeit halber die systemischen Therapiemöglichkeiten kurz erwähnt werden.

Während eines akuten Schubs kann mit **Corticoiden** – niedrig dosiert – therapiert werden. Demgegenüber spricht eine chronische Psoriasis nicht auf eine Corticoidtherapie an. Beim Absetzen der Corticoide ist zu beachten, dass eine abrupte Beendigung der Corticoidtherapie einen Psoriasis-Schub im Sinne eines Rebound-Phänomens provozieren kann, ein langsames Absetzen der Medikation ist daher erforderlich.

Direkt in den Prozess der Hyperkeratose greifen **Vitamin A** und dessen synthetische Abkömmlinge, die **Retinoide** (s. Kap. 3.1.2.3), ein.

Sie bewirken eine Normalisierung der Zellproliferation und Zelldifferenzierung, darüber hinaus beeinflussen sie auch direkt das Entzündungsgeschehen durch Blockade der Einwanderung von z.B. neutrophilen Granulozyten in den Entzündungsherd.

Das Retinoid Acicetrin wirkt teratogen und embryotoxisch. Während und auch noch bis zu zwei Jahre nach einer Behandlung muss eine Schwangerschaft mit Sicherheit, am besten durch orale Kontrazeption, ausgeschlossen werden. Weitere Nebenwirkungen wie Juckreiz, Trockenheit der Schleimhäute, Haarausfall, Ansteigen der Leberenzymwerte sowie Gelenkschmerzen sind beschrieben worden. Die Behandlung mit Retinoiden wird oft mit Phototherapie kombiniert (s. Tab. 9.2-23). Die Anwendung darf nur unter strenger ärztlicher Kontrolle und unter Beachtung der Fachinformation erfolgen!

Eine Therapie der Psoriasis mit **Zytostatika** (z.B. Methotrexat, Bsp. Lantarel®) oder **Ciclosporin** bleibt allein ansonsten therapieresistenten Fällen vorbehalten.

Als letzte Therapiereserve war 2004 für die Behandlung erwachsener Patienten mit mittelschwerer bis schwerer Psoriasis der **Antikörper Efalizumab (Raptiva®)** zugelassen worden. Der Wirkmechanismus beruht auf der Bindung des Antikörpers an die Oberfläche von T-Zellen und verhindert dadurch, dass sich die T-Zellen an die Gefäßwand anheften und ins Gewebe einwandern. Die T-Zellen werden dadurch nicht aktiviert, setzen keine antiinflammatorischen Zytokine frei und damit wird der Entzündungsprozess unterdrückt. Wegen gravierender Nebenwirkungen (Multifokale Leukoenzephalopathie) wurde die Zulassung jedoch 2009 widerrufen.

Fumarsäure

Ausgehend von der Vorstellung, dass bei Psoriasis eine Störung des Citratzyklus vorliegt, wurde 1959 erstmals versucht, mit Fumarsäure eine antipsoriatische Wirkung zu erzielen. Basierend auf der damals gemachten positiven Erfahrung sowie aufgrund wei-

terer unter medizinischer Kontrolle erzielten vielversprechenden Resultaten stehen Präparate mit Fumarsäure zur systemischen Anwendung bei Psoriasis zur Verfügung.
Dabei ist die Wirkform nicht die freie Fumarsäure sondern deren Ester. Im Präparat Fumaderm® werden Dimethylfumarsäureester und Monoethylfumarsäureester verwendet, die das Immunsystem beeinflussen und auch antipsoriatisch wirken. Um die Wirkform zu erhalten, werden die ansonsten im Magensaft abgebauten Ester in magensaftresistenten Tabletten verabreicht. Hauptsächlich zu Beginn der Therapie treten häufig Nebenwirkungen wie Flush oder gastrointestinale Beschwerden auf.

9.2.11.5 Topische Therapie

Die allgemeinen hautpflegenden Maßnahmen wurden bereits angesprochen (s.o.).

Vitamin-D3-Analoga

Ausschließlich der Verschreibungspflicht unterliegen die Vitamin-D3-Analoga, die die gestörte Neubildung und Entwicklung der Hautzellen normalisieren sollen. Zudem sollen sie antientzündlich wirken.

Präparate:

Curatoderm® Salbe/Emulsion	Tacalcitol
Daivonex® Creme/Salbe/Lösung	Calcipotriol
Psorcutan® Creme/Lösung/Salbe	Calcipotriol
Silkis 3 µg/g Salbe	Calcitriol

Möglich ist die Kombination mit UV-Therapie.

Keratolytika

Zur Ablösung von Schuppen und Plaques hat sich seit langem die Anwendung von **Salicylsäure** in Konzentrationen von 2 bis 10% bewährt. Salicylsäure wirkt keratolytisch, d.h. die interzelluläre Kittsubstanz zwischen den Hornzellen wird aufgelöst, so dass sich die einzelnen Zellen leicht aus dem Zellverband herauslösen lassen. Ein wesentlicher Gesichtspunkt in der Therapie der Psoriasis mit keratolytisch wirksamen Substanzen besteht in der dadurch erzielten erleichterten Penetration von antiproliferativ wirksamen Substanzen (z.B. Dithranol) in die Haut.
Salicylsäure sollte allerdings nicht großflächig angewendet werden (dies gilt in besonderem Maße für Säuglinge, Kleinkinder und während der Schwangerschaft), da resorptive Vergiftungserscheinungen mit zentralnervösen Störungen und Nierenschädigungen auftreten können. Zwar besitzt Salicylsäure, topisch verabreicht, nur eine geringe allergene Potenz, nach Resorption kann sie aber die von Acetylsalicylsäure bekannten Intoleranzerscheinungen bei entsprechender Prädisposition auslösen (Urtikaria, Asthma).
Insgesamt besser zu beurteilen als Salicylsäure ist in dieser Hinsicht **Harnstoff**, der, da aber schwächer keratolytisch wirksam, entsprechend höher dosiert werden muss.

Präparate:

Squamasol® Gel/Lösung	Salicylsäure 10%
Psorimed® Lösung	Salicylsäure 10%
Lygal® Kopfsalbe N	Salicylsäure 3%
Psoralon®MT	Dithranol und Salicylsäure Rp!
Psoradexan®/-mite/-forte	Dithranol u. Harnstoff Rp!

Teere

Teere haben heute aufgrund ihrer Nebenwirkungen fast keine Bedeutung mehr in der Therapie von Juckreiz, Ekzemen und Psoriasis. So rufen sie Kontaktallergien hervor, photosensitive Reaktionen und Teerfollikulitis, können nephrotoxisch wirken und stehen im Verdacht auf Kanzerogenität. Sie dürfen nur 4 Wochen lang und nur unter ständiger ärztlicher Kontrolle angewendet werden.

Präparat:

Tarmed® Lösung (Steinkohlenteerlösung 4%) Rp!

Schieferölsulfonate

Bituminosulfonate (Ichthyole®) werden aus Schieferöl durch Raffination gewonnen und anschließend durch Sulfonierung und nachfolgende Neutralisation in wasserlösliche Verbindungen überführt.

Bituminosulfonate stellen ein Gemisch aus schwefelhaltigen Heterozyklen, substituierten Chinolinen und Pyridinen u.a. dar. Der Schwefelgehalt des Gemisches liegt bei 10%. Mit dem Prozess der Sulfonierung ist eine Bleichung des Ausgangsmaterials verbunden. Verwendet werden die Ammonium-, Calcium- oder Natriumsalze.

Bituminosulfonate zeichnen sich durch antimikrobielle und entzündungshemmende Eigenschaften aus. Daneben spielt die hemmende Wirkung auf die Talgdrüsensekretion eine Rolle, was besonders bei seborrhoischen Hauterkrankungen wie z.B. Acne vulgaris Vorteile bringt.

Bituminosulfonate sind gut verträglich, auch wirken sie im Gegensatz zu Teeren nicht photosensibilisierend. Ebenso ist hier kein kanzerogenes Risiko gegeben. Üblicherweise werden 5–10%ige Zubereitungen verwendet, bei tiefer gelegenen Erkrankungen sogar 20–50%ige Präparationen.

Auch eine systemische Therapie ist mit dieser Wirkstoffklasse möglich (Ichthraletten®). Für die Behandlung der Psoriasis hat die Bedeutung der Bituminosulfonate stark abgenommen.

Präparate:

Ichthoderm® Creme	Natriumbituminosulfonat
Ichtho® – Bad	Ammoniumbituminosulfonat
Solutio Cordes® N Lösung	Natriumbituminosulfonat

Dithranol

Dihydroxyanthranol (Dithranol), eine synthetische Nachahmung des aus dem südamerikanischen Goa-Baum *(Andira araroba)* stammenden Chrysarobin, hat sich seit etwa 75 Jahren in der Klinik als Psoriasistherapeutikum bewährt. Es stellt heute trotz einiger nachteiliger Wirkungen das Mittel der Wahl dar.

Die Wirkungsqualitäten dieser tautomeren Substanz, die nur in der Keto-Form wirksam ist, liegen in der Hemmung der Zellproliferation infolge einer Hemmung des Zellstoffwechsels (Glykolyse, Pentosephosphatweg, cGMP-Bildung, Lipoxygenase) und einer Hemmung der DNA-Synthese durch Bindung an Nukleinsäuren.

Dithranol führt unspezifisch zu einer Haut- und Schleimhautreizung, die bereits nach wenigen Stunden beginnt und ihr Maximum nach ungefähr zwei bis drei Tagen erreicht. Mit zunehmender Behandlungsdauer sind diese Irritationen meist rückläufig.

Verstärken lässt sich die Wirkung des Dithranols durch Vorbehandlung der Haut mit einer keratolytisch wirksamen Substanz (s.o.) oder aber der direkten Kombination von Dithranol mit solchen Stoffen.

Salicylsäure besitzt in Kombinationen neben der Erleichterung der Penetration den zusätzlichen Vorteil, dass das Gleichgewicht zwischen Keto- und Enolform des Dithranols stark auf die Seite des wirksamen Ketons verschoben ist, eine rasche Oxidation von Dithranol wird zudem verhindert.

Für die Anwendung von Dithranol haben sich im Laufe der Zeit verschiedene Schemata ergeben:

- Zweimal tägliche Applikation für 4 bis 5 Tage, nach eintägiger Pause erneuter Zyklus.
- Dithranol-Minutentherapie (Dithranol verbleibt nur für jeweils 10 bis 20 Minuten auf der Haut und wird dann abgewaschen). Da Dithranol sehr schnell in die Haut eindringt, bleibt die Wirkung bei gleichzeitiger Reduktion der Nebenwirkungen erhalten.
- Kombination von Dithranol mit Phototherapie (s.u.).

Neben den genannten auftretenden entzündlichen Reaktionen der behandelten Hautstellen liegt die am meisten störende Nebenwirkung des Dithranols im kosmetischen Bereich. Dithranol und seine Abbauprodukte, die auf bzw. in der Haut entstehen, führen zu einer leichten Braunfärbung der Haut, die nach Absetzen des Präparates reversibel ist.
Auch Kleidungsstücke und Wäsche (Bett!) werden durch Dithranol bräunlich verfärbt. Diese Färbungen sind in manchen Fällen nicht mehr zu beseitigen. Der Ratschlag an den Patienten, auf alte Wäsche zurückzugreifen und andere Vorsichtsmaßnahmen zu treffen, darf keinesfalls fehlen. Zum Aufbringen der Salbe sollten Einmalhandschuhe verwendet werden.
Eine Anwendung am behaarten Kopf verbietet sich aus demselben Grund. Insbesondere blonde Patienten neigen zu einer grünlichen Verfärbung der Haare.
Hautfalten und andere empfindliche Hautregionen wie Gesicht oder Anogenitalbereich sollten wegen der dort besonders stark auftretenden hautreizenden Wirkung nicht mit Dithranol behandelt werden.
Dithranolhaltige Zubereitungen unterliegen der Verschreibungspflicht und es sollte die Entscheidung

- ob Dithranol zur Therapie verwendet wird,
- welche Konzentration angewandt wird,
- welches Therapieschema (s.o.) verfolgt wird,

dem erfahrenen Arzt überlassen bleiben.

Präparate:

MICANOL® 1%/3% Creme	Dithranol
Psoralon®MT (Minutentherapie)	Dithranol und Salicylsäure
Psoradexan®/-mite/-forte auch zur Kombinationstherapie mit anderen Psoriasisbehandlungen (UV-Licht, Sole-Phototherapie)	Dithranol u. Harnstoff

Corticoide

Die wichtige und zahlenmäßig umfangreiche Gruppe der Corticosteroide, denen eine rein symptomatische antiinflammatorische sowie in höheren Dosen eine antiproliferative Wirkung zukommt, ist im Falle der Psoriasis der ärztlichen Therapie vorbehalten. Da sie langfristig in Form einer Dauertherapie verabreicht werden müssen, ist ihre Anwendung je nach der Größe des zu behandelnden Hautareals sowie abhängig von der jeweiligen Substanz mit mehr oder weniger schwerwiegenden Nebenwirkungen verbunden. Wie bei der systemischen Anwendung so ist auch bei einer Lokaltherapie mit Corticoiden nach Absetzen der Substanz mit einem Rebound der Psoriasis zu rechnen.

9.2.11.6 Phototherapie, Photochemotherapie

Heute werden zur Therapie der Psoriasis verschiedenste Methoden mit Sonnenlicht bzw. UV-Licht angewandt.
Der Kombination UV-Bestrahlung mit Dithranol-Therapie, durch die die Wirkung des Dithranols beträchtlich gesteigert wird, sowie der Kombination von UV-A-Strahlung mit sogenannten Psoralenen (z.B. 9-Methoxypsoralen = Methoxsalen, Meladinine®) kommt eine große Bedeutung zu.
Dabei wirkt 9-Methoxypsoralen – systemisch oder lokal appliziert – photosensibilisierend, so dass die UV-A-Bestrahlung im Folgenden zu einer Störung des Zellstoffwechsels in den bestrahlten Arealen führt.

Da falsche und auch zu häufige Anwendung dieser Phototherapieformen schwere Schädigungen (insbesondere Langzeitveränderungen) der Haut hervorrufen kann, muss diese Therapie dem erfahrenen Arzt überlassen bleiben. Eine Übersicht über die verschiedenen Phototherapieformen gibt Tabelle 9.2-23.

Info

Zu beachten ist, dass Patienten, die sich einer Photochemotherapie unterziehen, einen konsequenten Lichtschutz benötigen, um sich vor überschießenden Reaktionen – bedingt durch Sonnenlicht – zu schützen (Schutzbrille, Sonnenschutzpräparate mit hohem Lichtschutzfaktor, Handschuhe verwenden!).

Tab. 9.2-23: Verschiedene phototherapeutische Verfahren zur Behandlung der Psoriasis Modifiziert nach: Schröpl 1983

Heliotherapie (Sonneneinstrahlung)
• Klimatherapie (Gebirge, Meeresklima)   • Heliothalasso-Therapie (Sonne und Meerbäder, besonders am Toten Meer)
Photochemotherapie (PUVA = Psoralen + UVA)
• PUVAin = PUVA nach 9-Methoxypsoralen intern   • PUVAex = PUVA nach 9-Methoxypsoralen extern   • PUVAbal = PUVA nach Baden in Methoxypsoralen-Wasser
Selektive Phototherapie (SFT, SUP) (reine UV-Therapie, hauptsächlich UVB, wenig UVA-Anteil)
• Metallhalogenid-Hochdruckstrahler (Säulen, Einzelstrahler)   • Niederdrucklampen (Kabinen, Liegen)
Balneo-Phototherapie (nach vorherigem Baden in Thermalsole)
Retinoid-Phototherapie
• RePUVA = PUVA + Retinoid   • ReSUP, ReSFT = SUP, SFT + Retinoid
Dithranol-Phototherapie
Excimer-Lasertherapie
• UV-Schmalband-Spektrum   • Vor allem für kleinere, schwer erreichbare Hautregionen (Hautfalten, Gelenkbeugen)   • Geringere Therapiezeit durch höhere Bestrahlungsstärke des Lasers.

9.2.11.7 Mindmap

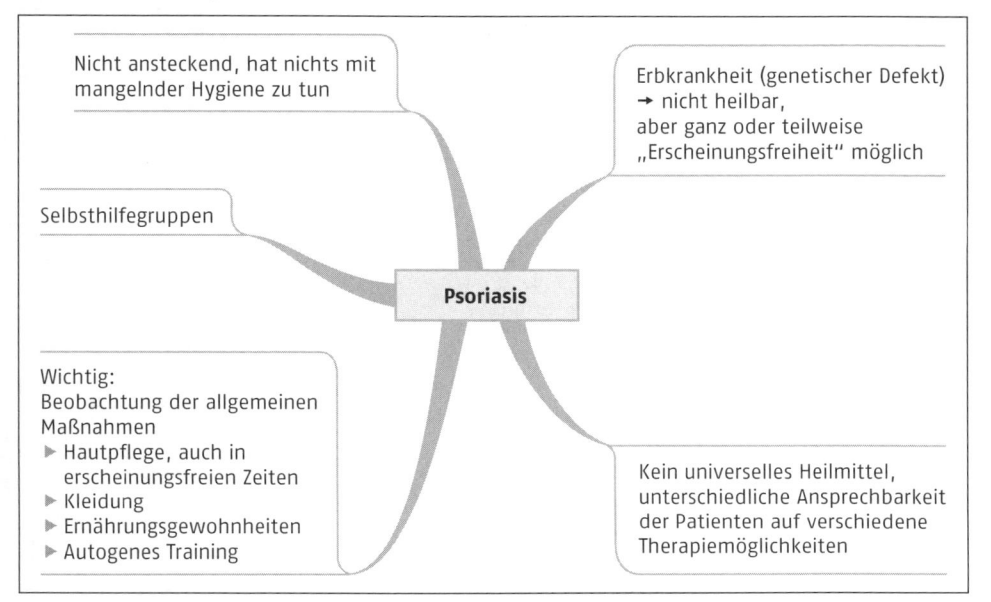

Psoriasis

- Nicht ansteckend, hat nichts mit mangelnder Hygiene zu tun
- Erbkrankheit (genetischer Defekt)
  → nicht heilbar, aber ganz oder teilweise „Erscheinungsfreiheit" möglich
- Selbsthilfegruppen
- Wichtig: Beobachtung der allgemeinen Maßnahmen
  ▶ Hautpflege, auch in erscheinungsfreien Zeiten
  ▶ Kleidung
  ▶ Ernährungsgewohnheiten
  ▶ Autogenes Training
- Kein universelles Heilmittel, unterschiedliche Ansprechbarkeit der Patienten auf verschiedene Therapiemöglichkeiten

9.2.12 Seborrhoe

9.2.12.1 Krankheitsbild

Unter einer Seborrhoe versteht man den Zustand einer gestörten Talgdrüsenfunktion, wobei vorrangig nicht die Quantität der Talgsekretion, sondern die Talgzusammensetzung verändert ist.

Als **Seborrhoea oleosa** wird die Produktion von viel öligem Talg, als **Seborrhoea sicca** die Sekretion von wenig gleitfähigem Talg bezeichnet.

Eine Seborrhoea oleosa führt zu dem Erscheinungsbild fettig glänzender Haut und fettigen, strähnigen Haaren, die Seborrhoea sicca äußert sich als trockene schuppige Haut und reichlicher Kopfschuppenbildung.

Eine Seborrhoe ist konstitutionell bedingt und wird durch endogene oder exogene Faktoren wie Hormone, intestinale, psychische oder lokale Reize manifest. Auch verschlechtert z.B. Stress eine Seborrhoe. Auf dem Boden einer Seborrhoe können sich verschiedene Hautkrankheiten entwickeln, so ein seborrhoisches Ekzem oder auch eine Akne (Kap. 9.2.13). Eine Seborrhoea capitis, also ein Befall der Kopfhaut, kann zu starker Schuppenbildung, zu Juckreiz und schließlich durch Atrophie der Haarwurzeln zum irreversiblen Haarausfall führen (Tonsurglatze oder Geheimratsecken).

Abzuklären ist, ob der übermäßigen Schuppenbildung im Bereich der Kopfhaut keine ernsthafte Erkrankung wie z.B. Psoriasis zugrunde liegt.

9.2.12.2 Medikamentöse Maßnahmen

Selen

Sowohl bei Kopfschuppen als auch bei seborrhoischen Zuständen der Kopfhaut kann Selen in Form von Selendisulfid (als 2,5%ige Suspension, s. Tab. 9.2-24) verwendet werden. Den genauen Wirkmechanismus kennt man nicht, man weiß nur, dass Selen anstelle eines Schwefelatoms in ein Keratinmolekül eingebaut wird oder mit Sulfhydrylgruppen des Keratins reagieren kann. Ferner ist Selen antimitotisch wirksam. Allerdings kann bei manchen Patienten paradoxerweise eine verstärkte Talgproduktion beobachtet werden.

Hauterkrankungen und ihre Behandlung

Tab. 9.2-24: Präparate bei Seborrhoe und Schuppen

Wirkstoff	Handelspräparate (Auswahl)	Bemerkungen
Selendisulfid	Selsun® 2,5 % Suspension Selukos® Suspension Selegel Antischuppen-Shampoo Dercos Antischuppen-Shampoo	+ Salicylsäure
Salicylsäure	Lygal® Kopfsalbe Squamasol® Gel/Lösung Kertyol Antischuppen-Shampoo	+ 2-Propanol
Natriumbitumino-Sulfonat (hell)	Ichthoderm® Creme Solutio Cordes® Lösung Ichthraletten®	oral
Lithiumsuccinat	Efadermin® Salbe	+ Zinksulfat Symptomatische Linderung der seborrhoischen Dermatitis, entzündungshemmend und juckreizstillend, Wirkungsmechanismus noch unklar
Steinkohlenteerlösung 4 %	Tarmed®	Rp! Nicht bei Kindern unter 12 Jahren

Selen wird durch die intakte Haut nicht resorbiert, auf verletzter oder entzündeter Haut darf es nicht angewandt werden, um eine Resorption und daraus resultierende toxische Erscheinungen zu vermeiden. Nach Resorption von Selen kann, bedingt durch Entstehung von Selenwasserstoff, ein knoblauchartiger Geruch in Schweiß und Atemluft festgestellt werden.

Das eingesetzte Selendisulfid muss frei von löslichen Selenverbindungen (Seleniten und Selenaten) sein, da bei Letzteren die Gefahr einer vermehrten Resorption durch die Haut besteht.

Weitere Vorsichtsmaßnahmen bei Anwendung eines selenhaltigen Präparates sind:

- keine zu häufige Anwendung,
  Empfehlung: zweimal wöchentlich 2 Wochen lang, sodann: einmal wöchentlich 2 Wochen lang, danach nur bei Bedarf,
- keine zu lange Anwendung,
  Präparat nur jeweils 4-6 Minuten einwirken lassen,
- gut ausspülen, da sonst Verfärbung der Haare möglich,
- nicht auf Schleimhäute oder in die Augen bringen,
- danach Hände, insbesondere Stellen unter den Fingernägeln, gut waschen, vor der Anwendung Ringe und Schmuck ablegen.

Info

Bei ungenügendem Auswaschen kann eine Haarverfärbung auftreten.

Selten kann nach längerer oder aber zu häufiger Anwendung von Selen Haarausfall beobachtet werden. Selen erhöht die Lichtempfindlichkeit der Haut. Bei längerer regelmäßiger Anwendung von Selenshampoos kann die antiseborrhoische Wirksamkeit nachlassen und sogar in das Gegenteil umschlagen. Ein Wechsel auf andere Präparate ist daher im Abstand von 4 bis 6 Wochen empfehlenswert.

Bituminosufonate, Salicylsäure

Ebenfalls indiziert ist die Anwendung von Bituminosulfonaten (s.a. Kap. 9.2.11.5) und

Tab. 9.2-25: Verschiedene Akneformen

1. Endogene Akne	
Acne vulgaris:	Acne comedonica Acne papulopustulosa Acne conglobata
Sonderformen oder Komplikationen:	Acne fulminans Acne neonatorum Acne infantum Prämenstruelle Akne Acne excoriée Gramnegative Follikulitis
2. Exogene Akne	
Acne venenata Physikalisch bedingte Akne Medikamentös bedingte Akne Mallorca-Akne = Acne aestivalis	

Salicylsäure (keratolytisch und Talgsekretion modulierend). Ebenso wie bei der Psoriasis spielen Teere heute fast keine Rolle mehr (vgl. Kap. 9.2.11.5).

9.2.13 Akne

Unter dem Begriff Akne werden verschiedene Krankheitsbilder unterschiedlichster Genese und mit teilweise unterschiedlichem klinischen Bild zusammengefasst (Tab. 9.2-25).

Generell kann gesagt werden, dass unter Akne eine **Erkrankung im Bereich der Talgdrüsenfollikel** verstanden wird. Da die Verteilung der Talgdrüsenfollikel am Körper nicht einheitlich ist, findet man die Akneeffloreszenzen bevorzugt im Gesicht sowie v-förmig an Brust und Rücken, eventuell noch an den Oberarmen.

Die häufigste Form der Akne, die **Acne vulgaris,** tritt praktisch bei jedem Menschen in der Pubertät – mehr oder weniger stark ausgeprägt – auf, sie verschwindet aber in der Regel bis um das 20. Lebensjahr, selten persistiert sie bis zum 30. Lebensjahr.

Die Ausbildung sowie der Schweregrad einer Akne ist von mehreren Faktoren abhängig (s. Kasten). Nur wenn alle Faktoren gegeben sind, wird eine Akne manifest, fehlt einer der Faktoren, so führt dies zu einer subklinischen Erscheinungsform.

9.2.13.1 Pathophysiologische Grundlagen

Talg

Eine starke Talgproduktion (Seborrhoe) ist Voraussetzung für die Entstehung einer Akne. Aknepatienten weisen vergrößerte Talgdrüsen auf, daneben ist die Talgsekretion erhöht. Der Schweregrad der Akne korreliert dabei direkt mit der Menge des sezernierten Talgs. Hemmt man die Talgproduktion z.B. durch Östrogene, so sistiert auch die Akne.

Faktoren, die Voraussetzung für die Entstehung einer Akne sind
- Talg
- Hormone
- Vererbung
- Bakterien
- Verhornungsstörung

Hormone

Hormone, insbesondere Androgene, stimulieren die Talgproduktion. Eunuchen z.B.

weisen eine geringe Talgproduktion auf, sie zeigen niemals Aknesymptome.

Vererbung

Der Hauttypus und somit die Disposition zur endogenen Akne wird vererbt, ein autosomal dominanter Erbgang wird angenommen. Wenn beide Elternteile eine Akne durchgemacht haben, so entwickeln die Nachkommen mit 50%iger Wahrscheinlichkeit ebenfalls eine Akne.

Bakterien

Propionibacterium acnes, ein anaerob lebender Standortkeim jedes Follikelkanals, ist primär nicht pathogen. Stoffwechselprodukte (u.a. Lipasen und chemotaktische Substanzen) dieses Bakteriums fördern einerseits die Bildung von Komedonen und sind andererseits für die Entstehung der entzündlichen Erscheinungen mitverantwortlich. Neben *Propionibacterium acnes* können manchmal auch Staphylokokken beteiligt sein.

Verhornungsstörung

Heute wird als **Hauptursache der Akne** eine Verhornungsstörung des Follikelkanalepithels angesehen. Dabei werden im unteren Teil des sogenannten Infundibulums (gemeinsamer Talgdrüsen-Haarausführungsgang) vermehrt Hornzellen gebildet, werden allerdings nicht in entsprechendem Maß mit dem Talg nach außen abgestoßen (Retentionshyperkeratose). Sie bilden, dicht gepackt, das Gerüst des Komedos (Mitesser). Aknepatienten weisen eine erhöhte Bereitschaft auf, auf verschiedene Reize hin mit einer verstärkten Verhornung des Follikelepithels zu reagieren. Solche Reize sind z.B. Kohlenwasserstoffe, Corticoide usw., wobei aber auch Talg bzw. dessen Abbauprodukte selbst komedogen wirken. Bei der Akne handelt es sich also nicht – wie früher angenommen – um eine Talgretentionsstörung, sondern primär um eine übersteigerte Verhornung von Epithelzellen des Follikelkanals. Talg kann auch noch durch den Komedo hindurch an die Oberfläche gelangen. Andererseits bietet Talg Propionibakterien ideale Lebensbedingungen, und Talgabbauprodukte führen zu den entzündlichen Akneerscheinungen.

9.2.13.2 Krankheitsbilder

Acne vulgaris

Primärerscheinung der Acne vulgaris ist der Komedo in offener oder geschlossener Form. Im Infundibulum kommt es durch eine Verhornungsstörung zum stetigen Anhäufen von Hornzellmassen, die nicht nach außen abtransportiert werden; das Infundibulum wird kugelig rund, das Follikelepithel wird zum Komedonenepithel umgebildet.

Klinisch erkennt man diese sogenannten **geschlossenen Komedonen** gut, wenn die über dem Komedo liegende Haut angespannt wird, als weißliche kugelige Gebilde mit einer kleinen zentralen Öffnung (sog. white-head). Weiteres Wachstum des Komedos führt zur Umwandlung in die Form des **offenen Komedos**. Der Pfropf besteht nun aus vielen hunderten sehr dicht gepackten Korneozyten, dazwischen Talg und auch Bakterien (bis zu 10^6 bis 10^8 Bakterien pro Komedo). Die schwärzliche Spitze des Komedos besteht aus Melanin (sog. black-head).

Im Komedo finden Propionibakterien ein ideales Milieu mit hoher Feuchtigkeit und Wärme vor. Lipasen dieser Bakterien können nun aus Triglyceriden des im Komedo eingebetteten Talges freie Fettsäuren (insbesondere C_{12}-, C_{18}-Fettsäuren) abspalten, die für die Ausbildung der entzündlichen Erscheinungen wie Papeln, Pusteln und Knoten als ursächlich angesehen werden. Freie Fettsäuren, die normalerweise in der Haut nicht vorkommen, sind toxisch und lösen – z.B. intrakutan appliziert – Entzündungsreaktionen aus.

Je nach dem vorherrschenden Erscheinungsbild wird bei **Acne vulgaris** zwischen einer Acne comedonica, Acne papulopustulosa oder einer Acne conglobata unterschieden.

Bei der **Acne comedonica** finden sich vorwiegend Komedonen in offener und geschlossener Form zunächst meist an der Nase, sodann an Stirn und Wangen. Dabei reicht das Erscheinungsbild von nur wenigen Komedonen bis zum massiven Befall. Diese Form der Akne findet sich oft initial bei Jugendlichen. Tritt keine Entzündung auf, so heilt die Acne comedonica narbenlos ab.

Bedingt durch die Besiedelung mit Propionibakterien oder auch Staphylokokken werden entzündliche Erscheinungen wie Papeln (gerötete Knötchen) und Pusteln (eitergefüllte Bläschen) hervorgerufen. Stehen diese Effloreszenzen im Vordergrund, so spricht man von einer Acne papulopustulosa.

Die **Acne conglobata** stellt eine schwere Verlaufsform der Acne papulopustulosa dar. Während dort Papeln und Pusteln einzeln stehen, treten hier flächenhafte Entzündungen auf. Daneben sind äußerst schmerzhafte, harte Knoten, die durch Einschmelzungen Fisteln bilden können, zu finden. Aus den eitrigen Absonderungen lassen sich oftmals Staphylokokken, daneben auch β-hämolysierende Streptokokken nachweisen. Bei chronischem Verlauf kann diese Form der Akne von Leukozytose, Steigerung der Blutsenkungsgeschwindigkeit und anderen Zeichen einer den Organismus belastenden Entzündung begleitet sein. Diese Form der Akne kann lange über die Pubertät hinaus ins Erwachsenenalter persistieren, auch können Akne-atypische Körperregionen wie Nacken, Achsel, Genitokrural- und Gesäßpartie betroffen sein. Acne conglobata wird bevorzugt bei Männern gefunden. Wie die Acne papulopustulosa heilt auch die Acne conglobata unter Zurückbleiben von Narben ab.

Der Vollständigkeit halber seien nun die in Tabelle 9.2-25 aufgeführten weiteren Akneformen kurz angesprochen.

Acne fulminans

Hierbei handelt es sich um eine fast ausschließlich bei Männern beobachtete schwere Verlaufsform einer Acne conglobata mit zusätzlichen Allgemeinsymptomen wie Fieber, erhöhter Blutsenkungsgeschwindigkeit, Anämie, Leukozytose und einer stark ausgeprägten Polyarthritis der großen Gelenke. Die Ursache ist unbekannt, eine Störung des Immunsystems scheint von Bedeutung zu sein.

Acne neonatorum

Darunter versteht man eine in den ersten Lebenswochen auftretende Akneform mit Komedonen und Papulopusteln im Nasen-Wangenbereich. Nach wenigen Wochen bis Monaten heilt diese Erscheinung ab. Diskutiert wird als Ursache ein Überhang an mütterlichen Androgenen.

Acne infantum

Diese Form der Akne tritt – selten – zwischen dem 3. Lebensmonat und dem 2. Lebensjahr (hier Häufung) auf. Das Erscheinungsbild ist geprägt von entzündlichen Papeln und Pusteln. Die Abheilung ist – im Unterschied zur Acne neonatorum – sehr verzögert und meist nur unter Narbenbildung möglich. Die Ursache wird in einer passageren Testosteronplasmaspiegelerhöhung gesehen, der durch einen Anstieg der Gonadotropine ausgelöst wird.

Prämenstruelle Akne

Vor allem im Wangen- und Kinnbereich kann es bei jüngeren Frauen in der zweiten Zyklushälfte zu akneartigen Erscheinungen kommen. Ursache ist hier das zyklusbedingte Ansteigen der Androgen- und Progesteronausschüttung sowie die Reduktion der Östrogenproduktion.

Acne excoriée

Hier handelt es sich eigentlich nicht um eine Sonderform der Akne, sondern um eine Folgeerscheinung. „Aufdrücken" von Aknepickeln kann zu Exkoriationen, kleineren Narben und auch bakteriellen Superinfektionen führen.

Gramnegative Follikulitis
Begünstigt durch eine vorliegende Akne mit einer gleichzeitigen Störung der Standortflora (Anwendung von Antibiotika oder Desinfizientia) breiten sich bevorzugt gramnegative Keime wie Klebsiella, Proteus oder Pseudomonas aus. Diese Komplikationen der Akne gehen mit Papel- oder Pustelbildung einher.

Exogene Akneformen
Sie werden ausgelöst durch chemische Noxen (Acne venenata), durch z.B. langjährige Sonnenlichteinwirkung (physikalisch bedingte Akne) oder aber durch Medikamente.
Zu den chemischen Noxen, zu denen u.a. Kohlenwasserstoffe, Lipide, Öle, Teere oder Chlor zu rechnen sind, seien die Begriffe Kosmetikakne, Ölakne, Teerakne oder Chlorakne genannt.
Eine medikamentös bedingte Akne wird häufig durch Iod- oder Bromverbindungen, Vitamine B_6 und B_{12}, Antikonvulsiva (z.B. Phenytoin), Barbiturate oder Corticoide ausgelöst.
Gemeinsam ist den exogen bedingten Akneformen, dass sie nicht nur im für die Acne vulgaris typischen Lebensalter und an den typischen Aknestellen vorkommen.
Treten Akneeffloreszenzen in einem anderen Lebensabschnitt auf, so sollte stets an eine exogen bedingte Akne gedacht werden. Meist kann die Ursache entdeckt und die Akne ohne medikamentöse Therapie beseitigt werden.

Mallorca-Akne, Acne aestivalis
Hierbei handelt es sich um eine Überempfindlichkeitsreaktion, die aus einer Reaktion von UV-Licht mit Bestandteilen aus fetthaltigen Kosmetika und Sonnenschutzmitteln entsteht. Betroffen sind vor allem Dekolleté und Oberarme (s.a. Kap. 9.2.14.2).

9.2.13.3 Medikamentöse Maßnahmen
Obwohl Akne primär keine ernste Erkrankung im physischen Sinne darstellt (mit Ausnahme der schweren Verlaufsformen wie Acne conglobata oder Acne fulminans), darf sie nicht ignoriert werden, da sie große ästhetische Bedeutung besitzt und ihr Auftreten psychische Stresssituationen auslösen kann.
Gerade in der Pubertät – der Zeit der Acne vulgaris – spielt die Frage der Persönlichkeit, des Auftretens, der Akzeptanz, eng verbunden mit dem äußeren Erscheinungsbild, eine ganz besondere Rolle.
Akne kann nicht geheilt werden, Ziel der Aknetherapie ist es deshalb, das Erscheinungsbild zu verbessern sowie schwere Verlaufsformen der Akne zu verhindern. Abhängig von der Erscheinungsform stehen die

- Elimination von Komedonen (Mitesser),
- Beseitigung entzündlicher Reaktionen oder
- Verminderung der Talgproduktion

im Vordergrund der Therapie.

Hautreinigung und „Aknetoilette"
Da die Haut und auch das Kopfhaar des typischen Aknepatienten seborrhoisch ist, steht mit an erster Stelle der therapeutischen Maßnahmen eine **Entfettung der Haut**, d.h. eine Entfernung des übermäßig produzierten Hauttalges. Zwar hat dieser sich auf der Oberfläche der Haut befindliche Talg die „kritischen Stellen" Follikel und Komedonen bereits passiert, dennoch hat sich eine gründliche Entfettung der Haut als vorteilhaft erwiesen.
Dazu soll die Haut 2-mal täglich mit warmem Wasser gereinigt werden. Die Verwendung eines Syndets hat sich bewährt. Diese weisen gegenüber Seife folgende Vorteile auf:

- keine auch nur kurzzeitige Beeinträchtigung des Säureschutzmantels der Haut und damit bessere Abwehrfunktion gegenüber Bakterien,
- Syndets bewirken keine so starke Quellung der Haut,
- Syndets führen nicht zur Kalkseifenbildung mit evtl. möglichem Verschluss von Follikeln,

- Syndets sind mild antimikrobiell wirksam (wirken allerdings nur an der Hautoberfläche).

Es sollte stets ein weicher Waschlappen verwendet werden, um die physikalische Reizung der Haut so gering wie möglich zu halten. Seifen mit antimikrobiell wirksamen Zusätzen oder aber mit Schwefel werden als nicht sehr sinnvoll angesehen, da die Kontaktzeit mit der Haut zu kurz ist, um eine Wirkung zu entfalten. Da bei der Hautreinigung bei Akne die gründliche Waschung mit Wasser wichtig ist, werden evtl. in den Seifen enthaltene Wirkstoffe also sehr rasch wieder abgewaschen. Alternativen zur Reinigung mit Wasser und Syndets stellen Reinigungsmilch (O/W-Emulsion) oder alkoholarme Hauttonika dar.

Eine zu starke Austrocknung der Haut ist dabei zu vermeiden, um die Anfälligkeit gegenüber bakteriellen Infektionen nicht zu erhöhen (aus diesem Grund sollen alkoholarme oder -freie Zubereitungen bevorzugt werden).

Kritischer muss man Präparaten gegenüberstehen, die im Sinne einer sogenannten **abrasiven Therapie** Komedonen öffnen und so den Talgabfluss erleichtern sollen. Diese Art der Therapie ist nur in leichten Fällen oder zur Rezidivprophylaxe anwendbar, andererseits wird die Haut durch diese Maßnahmen (z.B. mit Brasivil®-Paste, die Aluminiumoxid-Partikel enthält) auch gereizt (Tab. 9.2-26).

Während einer Akne bzw. einer Aknetherapie soll auf die Anwendung von Kosmetika (insbesondere fetthaltigen) verzichtet werden. Geeignet erscheinen die als Aknekosmetika angebotenen farblosen oder leicht getönten Präparate, die die Abdeckung von Komedonen ermöglichen.

Info

Jegliche Manipulation an Akneeffloreszenzen sollte unterbleiben, da unsachgemäßes Drücken oder Quetschen an Komedonen zu Entzündungserscheinungen mit nachfolgender Narbenbildung führen kann. Diese „Aknetoilette" sollte erfahrenen Personen (z.B. Kosmetikern) überlassen bleiben.

Wenn es schon als notwendig empfunden werden sollte, dann können Komedonen nach einem Kamillendampfbad oder Auflegen von heißen Kompressen oder nach einer Gesichtsmaske durch Ziehen an der umliegenden Haut in alle 4 Richtungen, nicht aber durch Drücken, entfernt werden.

Schälmittel

Schälmittel sind Stoffe, die vorhandene Komedonen auflösen und gleichzeitig durch Lockerung der Hornsubstanz die Bildung neuer Komedonen verhindern sollen (sie wirken also komedolytisch). Sie sind immer dann indiziert, wenn die vorherrschende Erscheinungsform der Akne die Komedonen (offen oder geschlossen) darstellen.

Tab. 9.2-26: Aknetherapeutika zur Therapie der leichten Akne (Auswahl)

Name	Form	Inhaltsstoffe
Akaderm® N	Tinktur (alkohol.)	Salicylsäure, Milchsäure
Aknefug® Liquid	Lösung (alkoh.)	Salicylsäure
Aknichthol®	Creme Lotio	Natriumbituminosulfonat hell
Brasivil®	Paste	Aluminiumoxid-Partikel
DDD Hautbalsam DDD Hautmittel	Creme Lösung (alkohol.)	U.a. Salicylsäure, Pathenol, Methylsalicylat, Campher, Thymol, Allantoin

Aber auch bei Vorliegen einer Acne papulopustulosa sind Schälmittel in Kombination mit z.B. Antibiotika geeignete Therapeutika. Zur Anwendung kommen bei leichteren Akneformen vor allem **Salicylsäure**, vereinzelt die **Schieferölsulfonate** und sehr selten **Tioxolon** (Tab. 9.2-26).
Einsatzgebiete sind auch schwerere Akneformen, dann in Kombination mit Antibiotika (z.B. Aknemycin® Emulsion: Erythromycin + Ammoniumbituminosulfonat, hell).

Salicylsäure

Salicylsäure wirkt in niedriger Konzentration keratoplastisch, ab einer Konzentration von ca. 5% sicher keratolytisch. Daneben besitzt die Substanz weitere, hier erwünschte, Wirkqualitäten, indem sie antiseptisch (wahrscheinlich aufgrund von Enzymhemmung), antiproliferativ sowie auch entzündungshemmend wirkt.

Auch bei Salicylsäure soll allerdings wegen einer hohen Resorption durch die Haut und den damit verbundenen systemischen Nebenwirkungen bis hin zu Intoxikationen eine großflächige Anwendung, vor allem bei Kleinkindern, unterbleiben.

Tioxolon

Tioxolon, eine schwefelhaltige Verbindung, wirkt keratolytisch, antimikrobiell und auch regulierend auf die Talgproduktion. Die Verträglichkeit wird als gut beschrieben.

Die Therapie der Akne mit Salicylsäure, Tioxolon oder Schieferölsulfonaten wird heute von vielen Fachleuten als eine Therapie zweiter Wahl bezeichnet, zum einen wegen der doch relativ schwachen Wirkung und der Nebenwirkungen, die aus der Resorption der Substanzen resultieren können, zum anderen, weil mit Benzoylperoxid, Vitamin-A-Säure und neuerdings Azelainsäure stärkere und damit sicher wirksame Arzneimittel zur Verfügung stehen.

Als Zusatztherapie oder bei leichteren Fällen ist die Anwendung dieser Stoffe aber durchaus sinnvoll.

Benzoylperoxid

Mit Benzoylperoxid steht auch für die Selbstmedikation eine gut wirksame und auch recht gut verträgliche Substanz zur Verfügung.
Folgende Wirkqualitäten werden dieser Substanz zugeschrieben:
Mild hautreizend und damit durchblutungsfördernd. Die daraus resultierende sogenannte „resorbierende Entzündung" fördert die Abheilung der Effloreszenzen.
Komedolytische und keratolytische Wirkung. Komedonen werden aufgelöst, die interzelluläre Verkittung von Hornzellen aufgehoben, der Talg fließt nunmehr besser ab; auch wird die Neubildung von Komedonen vermindert. Diese Wirkqualität wird der aus Benzoylperoxid entstehenden Benzoesäure zugeschrieben.

Tab. 9.2-27: Benzoylperoxid-Zubereitungen (Auswahl)

Aknefug®-oxid mild 3%, 5%, 10%	Gel, wässrig	3%, 5%, 10%
Aknefug® Oxid Wash	Suspension	4%
Akneroxid® 5/10	Gel	5%, 10%
Akneroxid® L	Suspension	4%
Benzaknen® 5/10	Gel	5%, 10%
Benzaknen® W	Suspension	5%
Cordes® BPO 3/5/10	Gel	3%, 5%, 10%
PanOxyl® mild 2,5/5	Creme	2,5%, 5%
PanOxyl® 5/10 Akne Gel, Creme	Gel	5%, 10%
PanOxyl®-W	Emulsion	10%
Sanoxit®	Gel	2,5%, 5%, 10%
	Lotio	5%

Antimikrobielle Wirkung. Durch Abspaltung von Sauerstoff aus Benzoylperoxid oder durch Oxidation von bakteriellen Enzymen werden Propionibakterien im Wachstum gehemmt.
Auf dem Markt sind Benzoylperoxid-Zubereitungen mit einem Wirkstoff-Gehalt zwischen 2,5 % bis 10 % erhältlich (Tab. 9.2-27). Die Therapie sollte mit einmal täglicher Applikation eines schwächeren Präparates begonnen werden, sodann bei guter Verträglichkeit auf eine 2-malige Applikation gesteigert werden. Die Applikation erfolgt anfangs abends nach dem Waschen, bei zweimaliger Verwendung morgens und abends.

Benzoylperoxid

In schweren Fällen und bei guter Hautverträglichkeit kann auf eine 10 %ige Zubereitung übergegangen werden.
80–90 % der Patienten sprechen auf diese Therapieform mit Benzoylperoxid gut an, ein Erfolg der Behandlung wird meist nach 4–10 Wochen Behandlungsdauer gesehen.
Nach Benzoylperoxid-Anwendung sind Kontaktsensibilisierungen beschrieben worden. Die Angaben über die Häufigkeit schwanken dabei zwischen 0,5 und 2,5 %.
Resorptive Nebenwirkungen, wie sie bei den älteren Schälmitteln beschrieben werden, werden hier nicht beobachtet, da bei Resorption der Substanz Benzoesäure entsteht, die keine Probleme verursacht. Benzoylperoxid wirkt bleichend auf gefärbte Textilien und Haare. Die Patienten sollten darauf hingewiesen werden.
Im Vergleich mit Vitamin-A-Säure besitzt Benzoylperoxid den Vorteil der besseren Verträglichkeit, auch der zusätzliche antimikrobielle Effekt stellt einen Benefit dar. Insgesamt ist die Wirkung von Benzoylperoxid aber schwächer als die der Retinoide.

Beratungstipp

Die Bleichung von Haaren und Entfärbung von Textilien ist möglich, Patient darauf hinweisen. Bei zu starker Reizung und starker Rötung der Haut sollte die Therapie für 2–3 Tage ausgesetzt werden.

Weitere Therapiemöglichkeiten

Retinoide
Mit gleichem Wirkspektrum und gleichem Therapieziel wie Benzoylperoxid werden Retinoide eingesetzt. Zur Therapie mit diesen Substanzen, die der **Verschreibungspflicht** unterstehen, sollen folgende Hinweise gegeben werden:

- Die Substanzen wirken photosensibilisierend. Starke Sonnenlichtexposition ist zu vermeiden, ebenso der Besuch von Solarien.
- Durch die Hautreizung durch Vitamin-A-Säure wird es zunächst zu einem Aufblühen der Akne kommen. Der Patient sollte trotzdem zum Fortführen der Therapie motiviert werden.
- Unter Vitamin-A-Säure-Therapie sollen alle anderen Lokaltherapeutika und auch Kosmetika sowie Körperpflegemittel (Rasierwasser, Reinigungslotionen usw.) an den betreffenden Stellen abgesetzt werden, da ansonsten die hautreizende Wirkung von Vitamin-A-Säure verstärkt werden kann. Auch auf Alkaliseifen sollte verzichtet werden, da die Permeabilität der Haut dadurch erhöht wird.
- Vitamin-A-Säure soll stets auf eine trockene Haut aufgetragen werden. Feuchte Haut begünstigt die Permeation der Substanz, und damit werden evtl. Nebenwirkungen verstärkt.
- Vitamin-A-Säure darf während der Schwangerschaft nicht angewendet werden

(teratogene Wirkung). Die Behandlung muss einen Monat vor einer geplanten Schwangerschaft beendet werden (s.a. Isotretinoin oral).

Vitamin-A-Säure Präparate werden nicht nur bei Akne eingesetzt, sondern zeigen gute Wirkung auch bei vorzeitiger Hautalterung. Nach längerer Anwendung (Monate!) werden hier eine Glättung der Haut, eine Verbesserung des Farbtons der Haut, das Verschwinden von Altersflecken, eine Erhöhung der Durchblutung etc. beobachtet.

Die Vorsichtsmaßnahmen und Ratschläge wie oben beschrieben gelten auch hierbei. Eine Nutzen-Risiko-Betrachtung muss hierbei besonders sorgfältig durchgeführt werden.

Präparatebeispiele: alle Rp!
Airol 0,05 % (Tretinoin)
Cordes® VAS (Tretinoin)
Differin® Creme/Gel (Adapalen)
Isotrex® Creme (Isotretinoin)

Kombination mit Erythromycin:
Aknemycin®, Plus (Tretinoin)

Kombination mit Benzoylperoxid:
Epiduo® Gel (Adapalen)

Adapalen

Eine Kombination mit Benzoylperoxid ist nur mit Retinoiden der dritten Generation (polyaromatische Retinoide) wie z.B. Adapalen möglich, da die aliphatischen Strukturen mit Benzoylperoxid reagieren würden.

Azelainsäure

Die physiologisch vorkommende Dicarbonsäure Azelainsäure besitzt nach topischer Anwendung folgende Eigenschaften:

- Normalisierung der Verhornungsstörung und damit Hemmung der Komedonenbildung. Dies ist auf den Eingriff in die Synthese von Proteinen (Filaggrin), die für die Enddifferenzierung von Keratinozyten notwendig sind, zurückzuführen.
- Antibakterielle Wirkung gegen *Propionibacterium acnes* und Staphylokokken aufgrund der Hemmung der bakteriellen Proteinbiosynthese.
- Entzündungshemmung aufgrund der Hemmung der Bildung von reaktiven Sauerstoffradikalen.

$$HOOC-(CH_2)_7-COOH$$
Azelainsäure

Der Anwendungsbereich umfasst somit das gesamte Spektrum der Acne vulgaris von Acne comedonica, Acne papulopustulosa bis hin zur Acne conglobata, wo Azelainsäure aber Vitamin-A-Säure in der Wirksamkeit unterlegen ist.

Azelainsäure wird 20 %ig in Cremeform und 15 %ig als Gel angeboten. Eine zweimal tägliche Applikation wird empfohlen. Nach topischer Applikation werden < 4 % resorbiert, wobei Azelainsäure dann zu 60 % unverändert renal ausgeschieden wird, der Rest wird in Leber und Niere zu Acetyl-CoA und CO_2 umgewandelt.

Bei 5 bis 10 % der Patienten treten – vorzugsweise zu Beginn der Therapie – hauptsächlich lokal begrenzte Nebenerscheinungen auf wie Prickeln oder Brennen. Seltener dagegen werden Schuppung, Erythembildung oder Juckreiz beobachtet.

Im Unterschied zu Vitamin-A-Säure wirkt Azelainsäure nicht teratogen oder mutagen, eine Anwendung während Schwangerschaft oder Stillzeit kann unter strenger Indikationsstellung durchgeführt werden.

Präparat: Skinoren® **(Rp!)**

Antibiotika

Bei entzündlichen Akneeffloreszenzen werden häufig die verschreibungspflichtigen **Antibiotika** systemisch (Minocyclin, Tetracyclin, Oxytetracyclin) oder lokal (Clindamycin, Erythromycin, Tetracyclin, Chloramphenicol) eingesetzt.

Bewährt haben sich bei externer Therapie auch direkte Kombinationen eines Schälmittels (v.a. Salicylsäure) mit einem Antibiotikum, wodurch die Penetration des Antibiotikums an den Wirkort beträchtlich erhöht wird.

Auf die mögliche photosensibilisierende Wirkung v.a. von Tetracyclinen ist hinzuweisen.

Beispiele: (Externa)

Chloramphenicol	in Ichthoseptal® (+ Ichtyol®-Na)
Clindamycin	Basocin®, DUAC® Akne Gel (+ Benzoylperoxid)
Erythromycin	Aknefug®-EL, Eryaknen®, Inderm®, Aknemycin® Emulsion (+ Ammoniumbituminosulfonat), Zineryt® (+ Zinkacetat)
Tetracyclin	Imex®

Ein Nachteil der Behandlung mit Antibiotika ist die Tatsache, dass Aknetherapie oft sehr langwierig ist und durch langandauernde Antibiotikaanwendung Resistenzen und Kreuzresistenzen beobachtet werden.

Östrogene und Antiandrogene

Direkt in die Talgproduktion kann mit den ebenfalls verschreibungspflichtigen **Östrogenen** oder aber **Antiandrogenen** regulierend eingegriffen werden. Beide Maßnahmen sind verständlicherweise nur bei weiblichen Patienten anwendbar. Eine eindeutige Wirkung ist allerdings erst nach 3–6 Einnahmezyklen zu erwarten.

Beispiel:

Cyproteronacetat	Androcur®, in z.B. Diane®-35

Corticoide

Corticoide intern oder extern angewandt verringern entzündliche Reaktionen und wirken in hohen Dosen auch antiproliferativ, leider jedoch auch immunsuppressiv, so dass die Virulenz anwesender pathogener Keime erhöht wird. Nachteilig bei diesen Substanzen ist ferner die große Palette weiterer Nebenwirkungen, insbesondere bei längerer Anwendungsdauer. Corticoide sollen selbst komedogen wirken können.

Isotretinoin oral

Nur bei sehr schwerer Akne, die auf eine kombinierte Behandlung mit systemischer Gabe von Antibiotika und lokaler Therapie nicht anspricht, ist die Anwendung von oralem Isotretinoin indiziert. Dies betrifft vor allem die Acne conglobata mit großen entzündlichen Knoten und Abzessen mit Gefahr dauerhafter Narbenbildung. Isotretinoin reduziert die übermäßige Talgproduktion, normalisiert Verhornungsstörungen und wirkt antibakteriell und antientzündlich. Eine gleichzeitige zusätzliche lokale oder systemische Aknetherapie ist nicht erforderlich. Obwohl die Substanz verschreibungspflichtig ist und für Selbstmedikation keinesfalls zur Verfügung steht, ist bei der Abgabe eine fundierte Beratung notwendig.

Isotretinoin darf nicht gleichzeitig mit **Tetracyclinen** gegeben werden (Gefahr eines erhöhten Schädelinnendrucks, Pseudotumor cerebri. Anzeichen: Kopfschmerzen, Übelkeit, Erbrechen; Therapie sofort abbrechen!). Ebenso darf nicht gleichzeitig **Vitamin A** eingenommen werden (Achtung: Multivitaminpräparate!) wegen Gefahr der Hypervitaminose.

Das größte Problem bei der Anwendung von Isotretinoin ist die nachgewiesene embryotoxische/teratogene Wirkung. Isotretinoin ist in Schwangerschaft und Stillzeit **absolut kontraindiziert**, es kann auch bei nur kurzer Anwendung zu schweren Missbildungen und Fehlgeburten führen. Aus diesem Grund ist bei Behandlungsbeginn und bis einen Monat nach Behandlungsende eine Schwangerschaft auszuschließen! Tritt während der Behandlung eine Schwangerschaft auf, ist die Aknetherapie sofort abzubrechen, ein Arzt aufzusuchen und die Schwangerschaft dem Bundesinstitut für Arzneimittel und Medizinprodukte zu melden. Vor Therapiebeginn müssen die zu behandelnden **Frauen und auch Männer** im Folgenden beschriebene Bedingungen erfüllen.

Schwangerschaftsverhütungsprogramm:
Die orale Anwendung von Isotretinonin ist nur indiziert bei:

- Frauen mit schwerer Akne (wie Akne nodularis oder Akne conglobata oder an einer Akne bei der das Risiko einer dauerhaften Narbenbildung besteht), welche sich gegenüber adäquaten Standardtherapiezyklen mit systemischen Antibiotika und topischer Therapie als resistent erwiesen hat.
- Das teratogene Risiko ist der Frau bewusst, sie wurde über die Folgen aufgeklärt.
- Sie muss die entsprechenden Maßnahmen (Empfängnisverhütung, regelmäßige Schwangerschaftstest) akzeptieren und durchführen.
- Der Empfängnisschutz muss 1 Monat vor der Behandlung einsetzen, während der Therapie weitergeführt werden bis 1 Monat nach Beendigung der Behandlung.
- Als minimale Vorraussetzung müssen Frauen mit dem potentiellen Risiko einer Schwangerschaft mindestens eine wirksame Methode zur Empfängnisverhütung durchführen.
- Vorzugsweise sollte die Patientin zwei sich ergänzende Formen der Empfängnisverhütung, inklusive einer Barrieremethode, anwenden.
- Vor Behandlungsbeginn muss eine Schwangerschaft ausgeschlossen werden. Auch während der Behandlung und 5 Wochen nach Ende der Therapie müssen Schwangerschaftstest durchgeführt werden.

Wichtig für die **Abgabe** und Beratung in der Apotheke sind auch folgende Punkte:
Rezepte für Isotretinon müssen für Frauen im gebärfähigen Alter auf einen Behandlungszeitraum von **30 Tagen** limitiert sein. Die Abgabe von Isotretinoin muss innerhalb von maximal 7 Tagen nach der Ausstellung des Rezeptes erfolgen.
Männliche Patienten müssen darauf hingewiesen werden, dass sie das Arzneimittel mit niemandem, vor allem nicht mit Frauen, teilen und auch nicht weitergeben dürfen.

Zusätzliche Vorsichtsmaßnahmen
Die Patienten müssen dazu angehalten werden, das Arzneimittel niemals an andere Personen weiterzugeben und nicht benötigte Kapseln am Ende der Behandlung in ihren Apotheker zurückzugeben.
Aufgrund des potentiellen Risikos für den Fötus einer schwangeren Frau, welche eine Transfusion erhält, dürfen Patienten während der Behandlung mit Isotretinin und für 1 Monat nach Beendigung der Behandlung kein **Blut spenden**.
Ein besonderer Warnhinweis gilt auch für **psychische Störungen** in der Anamnese; alle Patienten müssen bzgl. des Auftretens von **Depressionen**, Ängstlichkeit, Suizidgedanken aggressiven Störungen beobachtet werden!
Zahlreiche **Nebenwirkungen** (s.u.) treten schon auf, **bevor** die Hauptwirkung sichtbar ist. Den Patienten von vorneherein darauf aufmerksam zu machen, erhöht sicher die Compliance (Nebenwirkungen nach ca. 2 Wochen, Hauptwirkung nach 6 bis 8 Wochen). Ein Behandlungszyklus dauert 4–6 Monate, meist ist eine Wiederholung

nicht nötig. Zu Beginn der Therapie ist eine Verschlechterung der Akne möglich!

Nebenwirkungen
Isotretinoin trocknet Haut und Schleimhäute sehr stark aus, so dass von Behandlungsbeginn an Feuchtigkeitscremes und Lippenbalsam benutzt werden sollte. Wachsepilation und Laserbehandlung sind erst 6 Monate nach Beendigung der Behandlung wieder ohne Gefahren möglich. Die gleichzeitige Verwendung von keratolytischen topischen Mitteln ist ebenso zu vermeiden wie starke Sonnen- und UV-Exposition (hoher LSF!).
Aufgrund trockener Augen kann es während der Therapie unmöglich werden, Kontaktlinsen zu tragen.

Handelspräparate: z.B. Aknefug® Iso, Aknenormin®, Isoderm®, Isotrexin®.

Sonstige

Eine Therapie der Akne mit **Hefe** (Hamadin®, Perenterol®, Yomog®) ist umstritten, eine positive Wirkung nicht bewiesen, andererseits gehört Hefe aber selbst zu den Produkten, die eine Akne auslösen können.
Genauso wie bei Seborrhoe ist auch bei Acne vulgaris die orale Anwendung von **Ichthyol® Na** (Ichtraletten®) möglich.
Ob die orale Gabe von **Zink** für die Aknetherapie geeignet ist, kann noch nicht eindeutig beurteilt werden. Positive Befunde über eine Wirksamkeit bei entzündlichen Akneformen liegen vor. Zur topischen Anwendung finden Zinkverbindungen in Kombinationspräparaten Anwendung.
UV-Licht kann eine Verbesserung der Akneerscheinungen bewirken. Eine Therapie mit UV-Licht muss der Entscheidung des Arztes überlassen werden, bei Kombinationen mit anderen Medikamenten sind phototoxische Reaktionen möglich!
Einen Überblick gibt die Leitlinie „Behandlung der Akne" der Deutschen Dermatologischen Gesellschaft, aktuelle Fassung vom Oktober 2011, gültig bis 1. 12. 2015.

9.2.13.4 Patientengespräch

Sehr oft wird der Aknepatient – da der Weg zum Arzt wegen dieser „Bagatelle" gescheut oder aber als nicht notwendig betrachtet wird – an den Apotheker mit der Bitte herantreten, ihm ein geeignetes Therapeutikum zur Behandlung der Akne zu empfehlen.
Es ist dann die vorrangige Aufgabe des Apothekers, selbsttherapierbare von ärztlicher Therapie bedürftigen Erscheinungsformen abzugrenzen.
Leichte Akneformen in Form einer Acne comedonica, bei der also die Komedonen das Erscheinungsbild bestimmen, können durchaus selbst behandelt werden. Treten aber entzündliche Erscheinungen auf (Acne papulopustulosa), sollte nicht gezögert werden, den Patienten an einen Arzt zu verweisen, der dann die geeignete Therapieform wählt. Aber auch in diesen Fällen ist der Rat des Apothekers gefragt, insbesondere auch hinsichtlich einer Begleitmedikation oder allgemeinen Maßnahmen bei einer Aknetherapie.
Im Vordergrund des Patientengesprächs sollte eine Aufklärung über die Akne und deren Verlauf stehen. Dabei können die Möglichkeiten einer Therapie angesprochen werden. Generell sollten die zu berücksichtigenden hygienischen Maßnahmen erläutert und deren zentrale Stellung in der Aknetherapie deutlich gemacht werden.
Auch der ungünstige Einfluss von eng sitzenden, scheuernden Kleidungsstücken (z.B. Stirnbänder) sowie die negativen Auswirkungen von Kosmetika, die sogar als Auslösefaktoren für eine Akne in Frage kommen, sollen erwähnt werden. Immer dann, wenn Akneerscheinungen im nicht pubertären Alter oder an akneatypischen Stellen auftreten, muss an exogene Akneformen gedacht werden. Hier sollte nach Umgang mit Reizstoffen im Beruf, Anwendung von Kosmetika, Pomaden etc. oder anderen in Frage kommenden Stoffen (Chlor, Medikamente u.a.) gefragt werden.

Der Themenkreis „Aknediät" kann folgendermaßen beantwortet werden: Es besteht derzeit keine gesicherte Erkenntnis über den Zusammenhang zwischen Ernährung, sei es Schokolade, Nüsse, Fette oder Kohlenhydrate, z.B. in Form von Süßigkeiten, und Akne. Es sollten aber durchaus individuelle Beobachtungen des Patienten (z.B. Verschlechterung nach Genuss von Schokolade) miteinbezogen werden, ebenso sollte ein Patient, der von seiner Aknediät überzeugt ist, nicht verunsichert werden.

Zur Auswahl der geeigneten Therapieform ist es wichtig zu wissen, ob der Patient früher schon einmal mit dem einen oder anderen Präparat positive wie negative Erfahrungen gemacht hat und auch, welche Maßnahmen (Hygiene und/oder Medikamente) der Patient derzeit unternimmt.

Nicht zuletzt muss darauf hingewiesen werden, dass es sich bei der Therapie der Akne um eine Langzeittherapie handelt. Auch ein Ansprechen auf die verschiedenen Behandlungsformen ist oft erst nach mehreren Wochen sichtbar. So wurde z.B. bei konsequenter Therapie mit systemisch applizierten Antibiotika und zusätzlicher topischer Behandlung nach 2 Monaten bei 40%, nach 4 Monaten bei 60% und nach 6 Monaten bei 80% der Patienten mit Acne vulgaris eine deutliche Besserung festgestellt. Der Patient muss daher von der Notwendigkeit einer langen und auch regelmäßigen Therapie überzeugt werden.

9.2.14 Sonnenschutz und Sonnenbrand

9.2.14.1 Wirkung von Licht auf die Haut

Das Sonnenlicht umfasst einen Strahlenbereich von 100 nm bis 1 mm Wellenlänge. Dabei werden verschiedene Bereiche unterschieden (die Angaben schwanken je nach Autor), wobei der Energiegehalt der Strahlung mit steigender Wellenlänge abnimmt.

Anteil an Gesamtenergie:

- **Ultraviolettstrahlung**
  (UV) 100–400 nm   4,3%
- **Sichtbares Licht**
  400–800 nm   51,8%
- **Infrarotstrahlung** (IR)
  800 nm–1 mm   43,9%

Infrarot-Strahlung wird von der Haut als Wärme wahrgenommen. Dieser Effekt kommt dadurch zustande, dass IR-Strahlen bis in die Subkutis gelangen und dort unter Erzeugung von Wärme absorbiert werden. Es resultiert daraus eine Vasodilatation und damit eine Durchblutungssteigerung des Gewebes.

Sichtbares Licht löst selbst unmittelbar keine Hautreaktionen aus, kann aber das UV-Licht in seiner Wirkung verstärken.

Für die Dermatologie, d.h. für die Auslösung von Reaktionen in der Haut, spielt insbesondere das UV-Licht (Wirkungen s. Kasten) eine Rolle. Das Spektrum des UV-Lichts wird nochmals in 3 Bereiche unterteilt:

- UV-A 320–400 nm
- UV-B 280–320 nm
- UV-C 100–280 nm.

Neuerdings wird innerhalb des UV-A-Bereichs nochmals eine Unterteilung getroffen in:

- UV-A$_1$ 340–400 nm
- UV-A$_2$ 320–340 nm.

Diese Unterscheidung wurde getroffen, da nachgewiesen werden konnte, dass erst oberhalb einer Wellenlänge von 340 nm keine akut schädigenden Wirkungen auf die Haut und auch keine Veränderungen an der DNA der Zellen ausgelöst werden.

Im Gegensatz dazu ist das kürzerwellige UV-A$_2$-Licht durchaus in der Lage. Es kann in sehr hohen Dosen akute Erytheme auszulösen und Spätschäden der Haut, z.B. durch Wechselwirkung mit der DNA der Zellen, verursachen.

Sonnenlicht enthält ca. 5,6% UV-A-Strahlung und 0,4% UV-B-Strahlung, in Regionen mit verminderter Ozonschicht (z.B. Berge) kann die UV-A- und UV-B-Strahlung deutlich höher sein.

Haut

Wirkungen von UV-A- und UV-B-Strahlung

UVA

- Direkte Pigmentierung der Haut, Maximum der Wirkung bei 340 nm
- Keine Erythemauslösung, jedoch Verstärkung der Erythemwirkung von UV-B (Photoaugmentation)
- Keine DNA-Schädigung im UV-A_1-Bereich (> 340 nm)
- Auslösung phototoxischer und photoallergischer Dermatitiden bei Anwesenheit von phototoxisch oder photoallergisch wirksamen Substanzen
- Verantwortlich für vorzeitige Hautalterung mit Bindegewebsschäden; evtl. Karzinomentstehung in Kombination mit UV-B.

UVB

- Indirekte Pigmentierung der Haut, Maximum der Wirkung bei 308 nm
- Erythemauslösung nach Latenzzeit von 2–5 Stunden mit den Symptomen Rötung, Schwellung, Ödem, Schmerz und Juckreiz. Freisetzung von Histamin und Prostaglandinen
- Störung der DNA-Struktur
- Stimulation der Vitamin-D-Synthese aus Vorstufen
- Auslösung der Keratokonjunktivitis
- Verdickung der Hornschicht der Haut (Ausbildung der Lichtschwiele)
- Präkanzerogene und evtl. kanzerogene Wirkung in Kombination mit UV-A.

Die energiereichste UV-C-Strahlung spielt auf der Erde keine Rolle, da dieser Anteil des Sonnenlichts nahezu vollständig durch die Ozonschicht absorbiert wird.

Mit entscheidend für die Auslösung von Reaktionen in der Haut ist die Eindringtiefe der Strahlung. Hierbei zeigt sich, dass die Eindringtiefe der Strahlung mit zunehmen der Wellenlänge wächst, hierbei gelangt

- UV-C (aus künstlichen Lichtquellen) bis zum Stratum granulosum der Epidermis,
- UV-B bis zum Stratum basale der Epidermis,
- UV-A bis in die mittleren Schichten des Koriums.

Wirkung der UV-Strahlen

Die Strahlung bewirkt eine Anregung von Elektronen in einen aktivierten Zustand, bei deren Übergang in den Grundzustand wieder Energie frei wird. Aus dieser Reaktion können photochemische Sekundärreaktionen resultieren, die

a) zur Bildung freier Radikale führen (dies ist wichtig für die Ausbildung des Sonnenerythems (Sonnenbrand) und der Pigmentierung der Haut),
b) die Vitamin-D-Synthese aus Vorstufen stimulieren,
c) Veränderungen und Schädigungen an Proteinen und der DNA verursachen.

Physiologischer Lichtschutz

Der Organismus ist in der Lage, auf Strahlenexposition zu reagieren und sich so vor der schädigenden Wirkung der Strahlung zu schützen. Die im Folgenden beschriebenen Mechanismen stehen ihm dabei zur Verfügung.

Verdickung der Hornschicht

Im Stratum corneum wird der größte Teil des Lichtes reflektiert, abgelenkt oder absorbiert, ohne dass biologische Wirkungen resultieren. An Hornhaut – also einer sehr stark ausgebildeten Hornschicht – z.B. der Handinnenfläche oder Fußsohle ist es praktisch unmöglich, einen „Sonnenbrand" zu erzeugen. Längere Sonnenlichtexposition führt zur Ausbildung einer „Lichtschwiele", d.h. also einer Verdickung des Stratum corneum; dafür ist der UV-B-Anteil des Lichtes verantwortlich.

Nach wiederholter UV-B-Einwirkung kommt es bereits nach wenigen Tagen zu dieser Verdickung der Epidermis. Die Lichtschwielenbildung ist nach zwei bis drei Wochen abgeschlossen. Die Schutzfunktion einer solchen Lichtschwiele lässt sich an der Tatsache ablesen, dass eine Dicke von 10 μm bereits ausreicht, die Intensität der eindringenden UV-Strahlung zu halbieren. Eine fertig ausgebildete Lichtschwiele ist in der Lage, nur 25 %

der einfallenden Strahlung in tiefere Hautschichten passieren zu lassen. Neben der Dicke der Lichtschwiele spielt auch der Feuchtigkeitszustand der Hornschicht eine bedeutende Rolle: UV-Licht kann besser durch nasse als durch trockene Hornschichten penetrieren.

Pigmentierung

Die Melaninsynthese stellt den effektivsten Schutzmechanismus der Haut gegen Strahlung dar. Melanin ist dabei nicht nur in der Lage, Strahlung, sondern auch Wärme (aus sichtbarem und IR-Licht) zu absorbieren und schützt so den Organismus vor Überwärmung.

Melanin wird im Stratum basale in den Melanozyten aus Tyrosin über Dihydroxyphenylalanin in komplexer Reaktionsfolge, die noch nicht vollständig geklärt ist, synthetisiert. Die Anzahl der Melanozyten variiert dabei je nach Körperregion. So findet man im Gesicht 2000 bis 2500 Zellen/mm², an den Innenflächen der Arme und Beine nur ca. 1000 Zellen/mm².

Melanin wird schließlich während des Verhornungsprozesses in der Epidermis in die Keratinozyten übertragen und wandert so allmählich an die Hautoberfläche.

Man unterscheidet eine **direkte Pigmentierung,** die unter UV-A-Strahlung ausgelöst wird, von einer durch UV B verursachten **indirekten Pigmentierung** der Haut.

Bei der direkten Pigmentierung werden innerhalb weniger Stunden bereits vorhandene, farblose Melaninvorstufen in Melanin umgewandelt. Die Intensität der Pigmentierung ist dabei von der Wellenlänge der UV-A-Strahlung (je kurzwelliger, desto intensiver), der Dauer und Stärke der Strahlung und auch vom Gehalt an Melaninvorstufen in der Haut abhängig. Die dabei entstehende Bräunung geht allerdings bereits nach kurzer Zeit mit der normalen Hautabschilferung verloren.

Die indirekte Pigmentierung verläuft im Gegensatz dazu langsam, oft über Tage hinweg. Sie beruht auf einer Stimulation der Melanozytenneubildung sowie auf einer Aktivierung des Enzyms Tyrosinase (Enzym der Melaninsynthese) durch UV-B-Strahlung. Diese Art der Pigmentierung bedingt eine tiefe, länger anhaltende Bräunung. Das Melanin, das ja in den unteren Schichten der Epidermis gebildet wird, wandert mit den Korneozyten im normalen Verhornungsprozess nach oben zur Hornschicht.

Durch die Pigmentierung der Haut erhöht sich der Schutz gegen Lichtreaktionen maximal um das Zehnfache.

Urocaninsäure

Eine untergeordnete Rolle bei der Energieabsorption wird noch der in der Epidermis und im ekkrinen Schweiß vorkommenden Urocaninsäure zugesprochen. Unter Sonnenlichteinwirkung wird die Synthese von Urocaninsäure in der Epidermis aus Histidin durch Desaminierung stimuliert. Sie wird schließlich mit dem Schweiß an die Hautoberfläche abgegeben, wo sie Strahlung absorbiert, indem Urocaninsäure unter Energieaufwand isomer umgelagert wird.

Diese Eigenschutzleistungen der Haut sind jedoch – abgesehen von den nicht so wirksamen Prinzipien der direkten Pigmentierung und der Synthese von Urocaninsäure – keine Sofortreaktionen. Es handelt sich um langsam verlaufende Prozesse, die zur Lichtgewöhnung führen, wobei die Strahlungstoleranz bis um das 40fache gesteigert werden kann.

Darüber hinaus ist der Organismus in der Lage, in gewissem Umfang durch UV-Licht hervorgerufene Schädigungen der DNA über verschiedene Mechanismen zu reparieren (Repair-Mechanismen). Diese Mechanismen haben jedoch eine beschränkte Kapazität. Werden sie z.B. durch ständige übertriebene Sonnenlichtexposition überfordert, so resultiert eine chronische Schädigung (Altershaut) bzw. steigt das Risiko von Präkanzerosen.

Erythemschwellendosis

Unter der Erythemschwellendosis (Minimale Erythemdosis, MED) wird diejenige Strah-

lendosis (Produkt aus Strahlenstärke und Expositionsdauer) verstanden, die ausreicht, um auf der Haut gerade ein Erythem – also eine schwache, aber deutlich wahrnehmbare Rötung – entstehen zu lassen. Diese Dosis stellt keinen konstanten Wert dar, sondern ist individuell sehr unterschiedlich und abhängig von:
- der Sonnengewöhnung der Haut und dem daraus resultierenden Eigenschutz (s.o.),
- der individuellen Empfindlichkeit (s. Tab. 9.2-28),
- der Einnahme oder der lokalen Applikation von Substanzen, die photosensibilisierend wirken oder die MED extrem vermindern.

9.2.14.2 Krankheitsbilder

Das Ausmaß der schädigenden Wirkung der Strahlung ist abhängig von:
- der individuellen Empfindlichkeit,
- der Expositionsdauer,
- der Intensität der Strahlung.

Die Intensität der Strahlung variiert dabei je nach dem Einfallswinkel der Sonne (abhängig von der Tageszeit, Jahreszeit und dem jeweiligen Standort (Äquator oder gemäßigte Zone usw.)), der Meereshöhe (der UV-B-Anteil nimmt pro 1 000 Höhenmeter um 20% zu) und dem Streulichtverhalten des Lichtes. Hierbei ist zu berücksichtigen, dass Wasser, Schnee (zu 70%) und heller Sand (zu 20%) das Licht reflektieren, auch Nebel, der Streulicht hervorruft, verstärkt die Intensität der Strahlung.

Akute Schäden

Sonnenbrand (Sonnenerythem, Dermatitis solaris)

Wird die Erythemschwellendosis überschritten, so bilden sich nach einer Latenzzeit von 2 bis 5 Stunden die typischen Entzündungssymptome, wie Rötung, Schwellung und Schmerz aus. Das Maximum der Reaktion wird nach 24 Stunden erreicht.

Das entstehende Erythem ist dabei auf exakt den Bereich begrenzt, der der Strahlung ausgesetzt war. Vom klinischen Bild dominiert zunächst eine stark ausgeprägte Hautrötung mit ödemartiger Schwellung, Blasen- oder Bläschenbildung und häufig Juckreiz. In der Spätphase steht die Schuppung und Abstoßung der zerstörten Oberhautzellen (sunburn cells) im Vordergrund. In der Regel entstehen keine Narben.

Je nach Intensität der Strahlung entstehen Schädigungen, die Verbrennungen 1. oder 2. Grades entsprechen. Extreme Belastungen können auch zu Gewebsnekrosen führen. Bei starkem Sonnenbrand können die Hauterscheinungen auch mit Fieber, Erbrechen,

Tab. 9.2-28: Individuelle Empfindlichkeit gegenüber Strahlung

Hauttyp	1	2	3	4	Kinder
Hautfarbe	Sehr hell, blass	Hell	Hellbraun	Braun	Sehr hell
Augenfarbe	Meist blau	Blau, grün, grau	Grau, braun	Dunkel	Alle Farben
Haarfarbe	Rötlich/hellblond	Blond	Dunkelblond	Dunkel	Alle Farben
Sonnenbrand	Sofort	Schnell	Selten	Kaum	Sehr schnell
Eigenschutzzeit (in Minuten)	5 bis 10	10 bis 20	15 bis 25	20 bis 30	Max. 10
Empfohlener Lichtschutzfaktor	30 bis 50+	20 bis 50	15 bis 30	10 bis 15	30 oder höher

Kopfschmerz oder gar Kreislaufkollaps verbunden sein.

Ursache des Sonnenerythems sind UV-B-Strahlen im Bereich zwischen 290 und 320 nm, wobei das Maximum der Wirkung bei 308 nm liegt. Dort löst UV-B Reaktionen an Lipiden, Aminosäuren, Enzymen und auch der DNA aus. Mit beteiligt an der Entstehung des UV-B-Sonnenerythems sind initial Histamin und später vor allem Prostaglandine, deren Freisetzung durch UV-B stimuliert wird. UV-A-Licht verstärkt dabei die UV-B-Wirkung (Photoaugmentation).

Phototoxische und photoallergische Reaktionen

Die systemische oder auch lokale Anwendung verschiedenster Stoffe (Arzneimittel, Pflanzeninhaltsstoffe, Kosmetika) kann zu entzündlichen Reaktionen in Kombinationen mit einer Sonnenlicht- (oder auch Kunstlicht-)Exposition führen. Hierbei kommt der UV-A-Strahlung die Hauptbedeutung zu.

Phototoxische Reaktionen

Die Substanz (systemisch oder lokal appliziert) verändert die Sensibilität der Haut gegenüber UV-A so, dass bereits geringste Strahlungsmengen ausreichen, um eine entzündliche Hautreaktion (Sonnenbrand, Rötung mit Blasenbildung, selten Nekrosen) auszulösen. Die Reaktion kann sich aber auch „nur" in einer übersteigerten Pigmentierung äußern (sogenannte Berloque-Dermatitis). Hier sind Furocumarine die auslösenden Stoffe, die in Bergamottöl oder anderen ätherischen Ölen vorkommen und häufig in Parfüms zu finden sind. Naturstoffe spielen generell für die Auslösung phototoxischer Reaktionen eine besondere Rolle (Johanniskraut, Umbelliferen).
Auch viele Arzneistoffe können zu unerwünschten Wirkungen dieser Art führen, z.B. Stoffe aus der Gruppe der Phenothiazine, Sulfonamide, Tetracycline, Thiaziddiuretika oder orale Kontrazeptiva.

Ob eine Reaktion auftritt und welche Intensität eine solche phototoxische Reaktion aufweist, hängt nicht zuletzt von der Konzentration des betreffenden Stoffes ab. Die Reaktion bleibt auf das der UV-A-Strahlung ausgesetzte Gebiet beschränkt.

Therapeutisch genutzt wird eine gezielte kontrollierte phototoxische Reaktion z.B. bei der Behandlung der Psoriasis. Hier werden 9-Methoxypsoralen und andere Stoffe mit UV-A-Strahlung kombiniert (s. Kap. 9.2.11.6).

Photoallergische Reaktion

Unter dem Einfluss von UV-A-Strahlung entsteht aus einer lokal oder systemisch angewandten Substanz eine neue chemische Verbindung mit allergenem Charakter. Beim Erstkontakt tritt eine Sensibilisierung des Organismus ein, bei allen nachfolgenden Kontakten wird sodann eine allergische Reaktion ausgelöst, die sich entweder als sofort auftretende Urtikaria als Folge einer Histaminliberation oder aber erst langsam als Lichtekzem manifestiert. Die von dieser Reaktion betroffenen Hautareale können dabei weit über die der Strahlung ausgesetzten Hautflächen hinausreichen, auch spielt die Konzentration des Stoffes im Gegensatz zu phototoxischen Reaktionen keine Rolle. Zu photoallergischen Arzneimitteln zählen z.B. Sulfonamide, Phenothiazine, Griseofulvin oder auch (lokal angewendet) die Gruppe der halogenierten Salicylanilide. Photoallergische Reaktionen treten weitaus seltener auf als phototoxische Erscheinungen.

Sonnenurtikaria

Einen Sonderfall der photoallergischen Reaktion stellt die Sonnenurtikaria dar, die in den letzten Jahren immer häufiger beobachtet werden kann. Bereits kurze Zeit nach Sonneneinstrahlung (meist beim ersten längeren Kontakt im Frühjahr) treten stark juckende Quaddeln auf, die entweder sofort wieder abklingen oder über Stunden hinweg bestehen bleiben. Die Stärke der Reaktion kann in Einzelfällen bis hin zum Schock reichen. Dies ist in den meisten Fällen auf eine durch Sonneneinstrahlung bewirkte physikalische Histaminliberation aus Mastzellen infolge von Membrandestabilisierung zurückzuführen.

Seltener ist die echte allergische Reaktion, bei der unter dem Einfluss von UV-Licht ein Autoantigen gebildet wird. Dies löst – nach Reaktion mit entsprechenden Antikörpern – die allergische Reaktion aus.

Als Sonderfall der sogenannten „Sonnenallergien" kann die als **„Mallorca-Akne"** bezeichnete Lichtreaktion gelten.

An Prädilektionsstellen wie Oberarmen und Dekolltée entwickeln sich unter dem Einfluss von UV-A-Licht Flecken, Knötchen oder sogar Quaddeln mit starkem Juckreiz. Es handelt sich vermutlich um eine Reaktion freier Radikale mit den Lipiden aus fetthaltigen Kosmetika, Sonnenschutzmitteln und körpereigenem Talg (s.a. Kap. 9.2.13.2).

Chronische Schäden

Als Resultat einer über längere Zeit andauernden Exposition an Sonnen- oder Kunstlicht tritt unter dem Einfluss von UV-A-Strahlung eine vorzeitige Hautalterung ein. Diese beginnt mit Trockenheit der Haut, Vergröberung der Hautfaltung und führt zu einer faltigen, unelastischen Haut, bei der die kollagenen Fasern des Bindegewebes irreversibel degeneriert sind. Eine Rückbildung solcher Schäden ist nicht möglich.

Auf dem Boden dieser degenerativen Veränderungen können ausgelöst durch UV-A- und UV-B-Strahlung Präkanzerosen und Kanzerosen entstehen. Die einzige Therapie besteht in der Vorbeugung durch ausreichenden Lichtschutz und eine vernünftige UV-Licht-Exposition. Es ist dabei zu berücksichtigen, dass bereits ⅔ der Strahlendosis, die zur Auslösung von akuten Lichtschäden (Sonnenbrand) notwendig ist, ausreichen, um chronische Hautschädigungen (Hautalterung) zu verursachen. Grund dafür ist, dass die Repair-Mechanismen bereits bei dieser Strahlendosis maximal ausgelastet sind.

Darüber hinaus gibt es wissenschaftliche Untersuchungen, dass das Immunsystem durch UV-Licht möglicherweise geschwächt wird.

9.2.14.3 Lichtschutzmittel

Sonnenschutzpräparate können die Gefahren für die Haut durch UV-Strahlen nur **vermindern, nicht verhindern**. Einen absoluten Schutz („Sun Block"-Präparate) gibt es **nicht!** Ohne entsprechendes Verhalten (s. Kap. 9.2.14.4 Patientengespräch) kann eine Schädigung der Haut nicht verhindert werden!

Wichtig ist die Auswahl eines geeigneten Präparates in Bezug auf:

- Lichtschutzfaktoren,
- galenische Zubereitung.

Lichtschutz

Anders als früher sollen Sonnenschutzmittel heute nicht nur vor dem durch UV-B-Strahlen bedingten Sonnenbrand schützen, sondern auch einen hohen UV-A-Schutz beinhalten, um Hautkrebs, Schädigungen des Immunsystems und vorzeitiger Hautalterung vorzubeugen. Nach Empfehlungen der EU-Kommission sollten bis 2009 alle Sonnenschutzpräparate einheitlich gekennzeichnet sein und verschiedene Präparate durch standardisierte Methoden untereinander vergleichbar sein.

Die COLIPA (The European Cosmetic, Toiletry and Perfumery Association, Comité de Liaison des Associations Européennes de l'Industrie de la Parfumerie, des Produits Cosmétiques et de Toilette European), der Dachverband der europäischen Körperpflegemittel-Industrie, entwickelte 2007 eine neue, europaweit vereinbarte In-vitro-Methode zur Bestimmung des Schutzes gegen UV-A-Strahlen. Die UV-A-Schutzleistung soll einheitlich durch das Logo („UVA" in einem Kreis) (s. Abb. 9.2-6) auf allen Sonnenschutzpräparaten ausgewiesen sein, die gemäß den gültigen Empfehlungen einen aus-

reichenden Schutz vor UV-A-Strahlen aufweisen.
Nach Vorgaben der EU Kommission muss der so ausgewiesene UV-A-Schutz mindestens ein Drittel des im LSF angegebenen UV-B-Schutzes betragen.

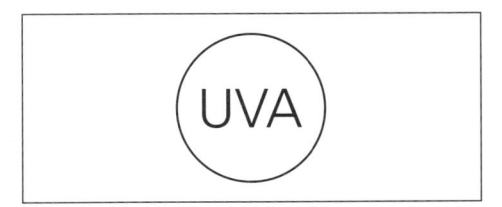

Abb. 9.2.-6: Logo für ausreichenden Schutz vor UVA-Strahlung

Lichtschutzfaktor

Neben dem Symbol für UV-A-Schutz sollen nach der Empfehlung der EU-Kommission auf der Packung klar der Lichtschutzfaktor und das Lichtschutz-Niveau erkenntlich sein. Da die Unterschiede zwischen „benachbarten" Lichtschutzfaktoren sehr gering sind, wird es in Zukunft nur noch 4 Kategorien geben (s. Tab. 9.2-29).

Tab. 9.2-29: Einteilung der Lichtschutzfaktoren in Schutzklassen

Schutzklasse	Lichtschutzfaktoren
Basis (low, niedrig)	6, 10
Mittel (medium)	15, 20, 25
Hoch (high)	30, 50
Sehr hoch (very high)	50+

Die Bezeichnung „Lichtschutzfaktor 12" wird es also zum Beispiel in Zukunft nicht mehr geben.
Zur Vereinheitlichung beitragen sollen weitere Anwendungshinweise auf den Verpackungen. So soll z.B. vor exzessivem Sonnenbaden in der Mittagszeit gewarnt werden, der Hinweis „vor dem Sonnen" auftragen und „regelmäßig erneuern", um den Schutz zu erhalten, speziell nach dem Schwimmen oder Abtrocknen sollte nicht fehlen und die Empfehlung, das Präparat großzügig aufzutragen, da zu dünnes Auftragen die Schutzwirkung vermindert. Ebenso darf der Hinweis nicht fehlen, dass auch Sonnenschutzmittel mit hohem Lichtschutzfaktor keinen vollständigen Schutz vor UV-Strahlen bieten. Speziell für Babys und Kleinkinder wichtig ist der Hinweis: „Babys und Kleinkinder nicht dem direkten Sonnenlicht aussetzen" und „schützende Kleidung sowie Produkte mit hohem Lichtschutzfaktor (> 25) verwenden" (s.a. Kap. 9.2.14.4).

Der **Lichtschutzfaktor** (**LSF**, **SPF**, Sun Protection Factor) wird nach einer international einheitlichen, ebenfalls von der COLIPA entwickelten Methode (International Sun Protection Factor Test Method, 2006) bestimmt. In diesem Messverfahren sind einheitlich 2 mg/cm^2 Auftragsmenge vorgegeben, was im täglichen Leben üblicherweise nicht eingehalten wird (durchschnittlich nur 0,5-1 mg/cm^2 Hautoberfläche). Bei 0,5 mg/cm^2 Auftragsmenge wird aber nur ein Viertel des deklarierten Schutzes erreicht. Im Zweifelsfall also zum nächsthöheren Lichtschutzfaktor greifen! Die Angabe des Lichtschutzfaktors bezieht sich nur auf den UV-B-Schutz, d.h. den Schutz vor Sonnenbrand. Er gibt an, um wie viel länger man sich mit dem Präparat in der Sonne aufhalten kann als ohne, bis ein gerade sichtbares UVB-Erythem entsteht (vgl. a. Tab. 9.2.-28). **Wiederholtes Auftragen verlängert die Schutzwirkung nicht, sondern erhält sie nur aufrecht!**

Definiert ist der Lichtschutzfaktor als Quotient aus:

$$\frac{\text{Erythemschwellenzeit mit Präparat}}{\text{Erythemschwellenzeit ohne Präparat}} = \text{LSF}$$

Er gibt jedoch nur einen Anhaltspunkt für die Intensität der Schutzwirkung eines Präparates. Die Erythemschwellenzeit bzw. Dosis hängt vom Hauttyp, vom Ort des Aufenthaltes, Tageszeit usw. ab (s. vorne). Ebenso wird die Schutzwirkung durch die galenische Zubereitung beeinflusst (s.u.).

UV-Filter
Als Sonnenschutzfilter kommen physikalische und chemische Filter zum Einsatz, meist in Kombination miteinander.

Physikalische Filter
Diese mineralischen Filter dringen nicht in die Haut ein, sondern reflektieren bzw. streuen das ankommende UV-Licht. Verwendet werden vor allem die mineralischen Pigmente **Zinkoxid** (Zinkoxid ist im Moment nur vorläufig bis 31. 12. 2010 zugelassen) und **Titanoxid**, die als Nanopartikel eingesetzt, keine sichtbaren Spuren (weißlicher Glanz) auf der Haut hinterlassen. Das Bundesinstitut für Risikobewertung (BfrR) sieht aktuell keine gesundheitlichen Risiken bei der Anwendung nanotechnologisch hergestellter UV-Filter und rät von ihrem Einsatz nicht ab.
Ab 2012 muss der Einsatz von Nano-Partikeln gekennzeichnet werden. Da physikalische Filter nicht in die Haut penetrieren, werden sie für Kleinkinder empfohlen und von Naturkosmetik-Herstellern bevorzugt. Es werden keine Kontaktallergien und keine Photoreaktionen beobachtet.
Den von der EU geforderten UV-A-Schutz können sie aber **nicht** erzielen, hier ist im Moment noch der Zusatz chemischer Filter notwendig. Eine Kombination beider Filter senkt aber die nötige Konzentration an chemischen Filtersubstanzen.

Chemische Filter
Chemische Filter sind organische Verbindungen, die UV-Strahlung absorbieren und als energieärmere Strahlung (Wärme) wieder abgeben, die Substanzen dringen in die Haut ein. Je nach Absorptionsspektrum unterschiedet man zwischen UV-A-, UV-B- und Breitbandfiltern (UV-A + UV-B). Meist wird eine Kombination mehrerer Filter eingesetzt, um einen möglichst großen UV-Bereich abzudecken.
Wichtig ist, dass diese Substanzen photostabil sind, die sie sonst unwirksam werden unter UV-Einfluss und photoallergische Reaktionen hervorrufen können.

In die Kritik geraten sind einige, vor allem UV-B-Filter, wegen möglicher hormoneller (östrogener) Wirkungen. Das Bundesinstitut für Risikobewertung (BfR) empfahl 2005 aber nur 4-MBC (4-Methylbenzylidencampher) wegen möglicher östrogener und Schilddrüsen beeinflussender Wirkungen vom Markt zu nehmen. Die Diskussion um andere Substanzen, wie die Benzophenone, Octyl-dimethyl-PABA hält an. Bisher nachgewiesene östrogene Wirkungen lagen um den Faktor 10^{10} niedriger als nach Exposition mit Phytoöstrogenen, die über die Nahrung aufgenommen wurden.
Das BfR hat sich auch mit der Photostabilität chemischer UV-Filter befasst. Als photostabil wurden dabei 8 Stoffe bewertet (vgl. auch Tab. 9.2-30). Die Photostabilität eines Produktes wird wesentlich durch die Gesamtformulierung sowie die Kombination der UV-Filter beeinflusst. Stabilisierende UV-Filter nehmen in Kombinationen die vom Filter 1 absorbierte Energie auf und verhindern so dessen Selbstzerstörung.
Auf der anderen Seite können UV-Filter im Kombination miteinander auch zu Wirkungsverlusten führen. Octocrylen (OC, UV-B-Filter) wirkt z.B. stabilisierend auf Parsol 1789 (UV-A-Filter), OMC (Octyl-methoxycinnamat) dagegen führt in Kombination mit Parsol 1789 zu Wirkverlust bei Parsol.
Bezüglich der Schutzleistung dürfte sich eine Photoinstabilität eigentlich nicht auswirken, da der LSF in vivo an Probanden nach UV-Bestrahlung bestimmt wird, der Wirkverlust somit also schon erfasst sein sollte. Durch Photoinstabilität können außerdem eventuell schädliche Abbauprodukte entstehen, Erkenntnisse hierüber liegen zurzeit nicht vor.
Die Kombination mehrerer UV-Filter bietet außer der Abdeckung eines breiten Spektrums außerdem die Möglichkeit, wasserlösliche (z.B. Mexoryl SX, UV-A) mit lipophilen (z.B. Mexoryl XL, Breitband) Filtern zu kombinieren und dadurch galenische Vorteile zu erzielen.

Hauterkrankungen und ihre Behandlung

Tab. 9.2-30: In der Kosmetikverordnung (Anlage 7) zugelassene organische Lichtschutzfilter. Nach Anlage 7, bearbeitet von R. Daniels

Chemische Bezeichnung	INCI-Name	Handelsnamen® (Beispiele)	Wirkspektrum	Photostabilität nach BfR	Bemerkungen
UV-A-Filter:					
3,3'-(1,4-Phenylendiathin)-bis-(7,7-dimethyl-2-oxobi-cyclo-[2.2.1]-heptan-1-methansulfonsäure) und ihre Salze	Terephthalidene Dicamphor Sulfonic acid (TDSA)	Mexoryl SX	UV-A	Ja	Wasserlöslich Abs. max: 345 nm
1-(4-tert-Butylphenyl)-3-(4-methoxyphenyl)-propan-1,3-dion	Butyl Methoxydibenzoylmethane BMDM)	Eusolex 9020 Parsol 1789	UV-A	Nein	Abs. max: 360 nm
UV-B-Filter:					
2-Cyan-3,3-diphenyl-acrylsäure (2-ethylhexylester)	Octocrylene (OC)	Eusolex OCR Neo Heliopan 303 Uvinul N-539	UV-B	Ja	
4-Aminobenzoesäure	PABA	PABA	UV-B	–	
Breitband-Filter					
2-(2H-benzotriazol-2-yl)-4-methyl-6-(2-methyl-3-(1,3,3,3-tetramethyl)propyl) phenol	Drometrizole Trisiloxane (DTS)	Mexoryl XL	UV-A/ UV-B	Ja	UV-A Max: 303 nm + UV-B Max: 344 nm fettlöslich
2,2'-Methylen-bis(6-(2H-benzotriazol-2-yl)-4-(1,1,3,3-tetramethyl-butyl)phenol)	Methylen bis-Benzotriazolyl Tetramethylbutylphenol (MBBT)	Tinosorb M*	UV-A/ UV-B	Ja	UV-A (306 nm) + UV-B (348 nm)
2,4-Bis[4-(2-ethylhexyloxy)-2-hydroxyphenyl]-6-(4-methoxyphenyl)-1,3,5-triazen	Bis-Ethylhexyloxyphenol Methoxyphenyltriazin (BEMT)	Tinosorb S	UV-A/ UV-B	Ja	Löslich in Öl
2-Hydroxy-4methoxy-benzphenon	Benzophenone-3	Eusolex 4360 Neo Heliopan BB Uvinul M40 Escalol 567 UVAsorb MET/C	UV-A/ UV-B	–	UV-B + schwache Wirkung bei ca. 320–340 nm nicht ganz „Breitband"
2-Hydroxy-4-methoxy-benzophenon-5-sulfonsäure und das Natriumsalz	Benzophenone-4	Uvasorb S 5 Escalol 577 Uvinul MS 40	UV-A/ UV-B	–	

* Tinosorb M ist ein organisches Pigment, unlöslich in Wasser und Öl, wirkt über Absorption + Reflexion (chemischer Filter + Pigment, Mikrodispersion ohne Weißeleffekt).

Auswahlkriterien für Sonnenschutzmittel

Auswahlkriterien für Lichtschutzfaktoren

Einen Anhaltspunkt für die aktuelle Gefährdung gibt der **UV-Index**. Er ist ein international einheitlich festgelegtes Maß für die höchste sonnenbrandwirksame UV-Strahlung eines Tages, bezogen auf Bodenwerte. Für Deutschland und einige Urlaubsgebiete ist er täglich abrufbar im Internet unter http://www.wetter-online.de. Ebenfalls ange-

Tab. 9.2-31: UV-Index und empfohlene Maßnahmen (u.a. nach den Empfehlungen der deutschen Strahlenschutzkommission)

Hauttyp I:
Sehr helle Haut, rötliches oder hellblondes Haar, meist Sommersprossen

Index	Belastung	Sonnenbrandzeit	Maßnahmen
> 8	Sehr hoch	< 10 Minuten	Unbedingt erforderlich
7-5	Hoch	> 15 Minuten	Unbedingt erforderlich
4-2	Erhöht	> 25 Minuten	Erforderlich
1-0	Gering	Unwahrscheinlich	Nicht erforderlich

Hauttyp II:
Helle Haut, blondes Haar, eventuell Sommersprossen

Index	Belastung	Sonnenbrandzeit	Maßnahmen
> 8	Sehr hoch	< 15 Minuten	Unbedingt erforderlich
7-5	Hoch	> 20 Minuten	Erforderlich
4-2	Erhöht	> 30 Minuten	Empfehlenswert
1-0	Gering	Unwahrscheinlich	Nicht erforderlich

Hauttyp III:
Hellbraune Haut, dunkelblond, brünett

Index	Belastung	Sonnenbrandzeit	Maßnahmen
> 8	Sehr hoch	< 20 Minuten	Unbedingt erforderlich
7-5	Hoch	> 25 Minuten	Erforderlich
4-2	Erhöht	> 45 Minuten	Empfehlenswert
1-0	Gering	Unwahrscheinlich	Nicht erforderlich

Hauttyp IV:
Braune Haut, dunkle oder schwarze Haare, keine Sommersprossen

Index	Belastung	Sonnenbrandzeit	Maßnahmen
> 8	Sehr hoch	< 25 Minuten	Unbedingt erforderlich
7-5	Hoch	> 35 Minuten	Erforderlich
4-2	Erhöht	> 60 Minuten	Nicht erforderlich
1-0	Gering	Unwahrscheinlich	Nicht erforderlich

UV-Index	Belastung
0-2	niedrig
3-5	mittel
6-7	hoch
> 8	sehr hoch

geben sind empfohlene Maßnahmen für die verschiedenen Hauttypen (s. Tab. 9.2-28). Kinder sind natürlich verstärkt zu schützen! Ebenfalls zusätzliche Maßnahmen sind beim Hinzukommen weiterer Faktoren wie Reflexion durch Schnee zu ergreifen!
Ebenfalls abrufbar sind die UV-Index-Werte beim Bundesamt für Strahlenschutz (http://www.bfs.de/de/uv/uv2/uvi). Hier sind die aktuellen Messwerte für Deutschland und zusätzlich im Sommerhalbjahr 3-Tages-Prognosen, im Winterhalbjahr 3-Monats-Prognosen und weltweite UV-Indexwerte abrufbar. Die Letzteren sind durch Modellrechnung gewonnene Werte, jeweils für den 21. jeden Monats. Diese Orientierungswerte können durch aktuelle individuelle Parameter zu niedrig sein!

Auswahl der Präparateform

Sonnenschutzmittel werden in vielerlei Zubereitungsformen wie Milch, Öl, Creme, Gel, Spray, Lösung etc. angeboten. Die am meisten verwendete Form ist die Sonnenmilch (ca. 75%), daneben Cremes (15%) und Öle (7%). Da die Grundlagen einen entscheidenden Einfluss auf die Wirksamkeit besitzen, sollen die unterschiedlichen Zubereitungsformen kurz vergleichend angesprochen werden. Wichtig für die Akzeptanz und evtl. wiederholtes Auftragen ist, dass die galenische Zubereitung dem Anwender zusagt, so dass er das Produkt gerne und auch wiederholt anwendet. Insofern ist eine Vielfalt an Zubereitungen positiv, jeder Anwender kann das ihm angenehmste und passende Präparat auswählen.

Alkoholische Lösungen
Vorteilhaft ist, dass sie nicht kleben und auch nicht fetten. Demgegenüber steht die Gefahr der Hautaustrocknung bzw. Hautirritation. Nachteilig ist ebenfalls, dass alkoholische Lösungen nicht sehr lange auf der Haut haften, sie werden durch Schweiß schnell ausgespült. Ebenso ist keine gleichmäßige Schichtdicke möglich.

Öle
Als Vorteil wird angesehen, dass die meisten verwendeten Öle als Grundlage selbst einen lichtabsorbierenden Effekt besitzen, auch sind Öle wasserbeständig und werden auf der Haut als angenehm empfunden. Nachteilig ist, dass der eingearbeitete Lichtschutzstoff nur schwer aus dem Öl in die Hornschicht (dem Wirkort) penetrieren kann, es wird daher meist **kein hoher Lichtschutz (nur ca. Faktor 6)** erreicht. Des Weiteren lassen sich nur lipophile Filtersubstanzen einarbeiten. Ein geschlossener Ölfilm auf der Haut behindert den Wärme- und Flüssigkeitsaustausch der Haut mit der Umgebung. Durch Schwitzen kann der Ölfilm zerreißen, ein Lichtschutz ist dann nicht mehr gewährleistet.

Hydrogele
Hydrogele sind zu empfehlen, wenn ein fettfeuchter Hauttypus oder gar eine Aknehaut vorliegt. Ebenso stellen Hydrogele eine Alternative bei den Kunden dar, die an Mallorca-Akne (s. Kap. 9.2.14.2) leiden.

Lipogele
Lipogele haften gut auf der Haut. Sie sind darüber hinaus wasserabstoßend, sie werden deshalb von Wassersportlern als wasserfeste Zubereitungen geschätzt. Günstig sind sie auch bei trockener Haut zu beurteilen. Nachteilig ist, dass nur fettlösliche Filtersubstanzen verwendet werden können.

O/W-Emulsionen (Milch, Creme)
Diese Zubereitungsformen vereinigen mehrere positive Eigenschaften in sich. Sie sind gut streichfähig, sind abwaschbar, werden von der Haut als angenehm empfunden, nicht zuletzt auch bedingt durch den Kühleffekt. Es lassen sich in beide Phasen der Emulsion Filtersubstanzen einarbeiten, d.h. auch eine Kombination von wasser- und lipidlöslichen Filtersubstanzen ist möglich. Emulsionen können, ohne dass der Lichtschutz verlorengeht, Schweiß aufnehmen.

Insgesamt kann festgestellt werden, dass O/W-Emulsionen wie Milch oder Creme bei guter Anwendbarkeit und Verträglichkeit eine sehr hohe Effektivität hinsichtlich des Lichtschutzes bewirken.

Wasserfeste Zubereitungen
Wasserfestigkeit der Präparate ist unbedingt erforderlich für Kinder und als Schutz im Wasser, da Wasser UV-Strahlen nicht zurückhält (Schnorchler!).
Nach dem Baden muss der Schutz erneuert werden, auch bei wasserfesten Produkten. Die Schutzzeit verlängert sich dadurch **nicht**, sie bleibt nur erhalten.

Sonnenschutz im Winter
Im Winter ist Sonnenschutz noch wichtiger als im Sommer. Die Haut ist sonnenungewohnt, dadurch pigmentärmer, die Lichtschwielen des Sommers wieder abgebaut, der Eigenschutz der Haut also vermindert. Insgesamt ist die Haut trockener und empfindlicher.
Hinzu kommt, dass in Höhenlagen die UV-Strahlung besonders hoch ist, Schnee zusätzlich reflektiert und durch die Kälte die Sonneneinstrahlung als nicht so stark empfunden wird.
Ein hoher LSF ist deshalb notwendig (mindestens 20, auf Gletschern mindestens 30, UV-A- + UV-B-Schutz!).
Verwendet werden sollten Grundlagen mit höherem Fettanteil und die Haut anschließend vor Austrocknung und Rissigwerden geschützt werden!
Lippen und Augen sind besonders zu schützen!

Sonstige Bestandteile von Sonnenschutzpräparaten
Zusätzlich zu den UV-Filtern enthalten die meisten Sonnenschutzmittel heute pflegende Bestandteile, außerdem Antioxidantien und auch Stoffe, die Zellschäden reparieren sollen. In Frage kommt hierfür der Einsatz von DNA-**Reparaturenzymen** (z.B. **Photolyase**), die, liposomal verkapselt, in die Haut penetrieren können und dort das körpereigene Reparatursystem für UV-geschädigte Zellen unterstützen sollen.
Antioxidantien als Zusatz in Sonnenschutzmitteln wirken als **Radikalfänger** protektiv auf Schäden an Lipiden in der Zellmembran, den Nukleinsäuren von DNA und RNA, Kohlenhydraten und Proteinen durch freie Radikale. Darüber hinaus sind freie Radikale auch an Lichtdermatosen („Sonnenallergie") beteiligt. Als Radikalfänger kommen vor allem die Vitamin C und E (optimal: liposomal verkapselte) **topisch** zum Einsatz, außerdem Flavonoide wie Catechin.
Studien weisen auch auf eine zellschädigende Wirkung von IR-Strahlung hin und damit einen eventuellen Anteil an vorzeitiger Hautalterung und Krebsentstehung (evtl. über die Bildung von reaktivem Sauerstoff in den Mitochondrien). Antioxidantien, die sich in den Mitochondrien anreichern, und Produkte, die über einen weiten Strahlungsbereich schützen (nicht nur UV), können zur Vermeidung von Langzeitschäden beitragen.

Carotinoide
Systematisch angewandt können Carotinoide wie β-Carotin und Lycopin den körpereigenen Lichtschutz erhöhen und Hautalterung vorbeugen.
Studien haben gezeigt, dass bei einer oralen Einnahme von 20–25 mg/Tag β-Carotin nach 8–12 Wochen der körpereigene Grundschutz um den Faktor 3–4 erhöht ist und die Hautrötung im Erythem-Maximum um 20–30% vermindert ist. Synergistische Effekte wurden in Kombination mit Vitamin E und C nachgewiesen. Auch Lycopin (40 g Tomatenmark + 10 g Olivenöl) konnte nach 10 Wochen den Basisschutz um einen LSF von 2–3 erhöhen. Wichtig ist die Bioverfügbarkeit (denaturiert und in lipidhaltigem Träger!). Gemüse reicht allerdings als Lichtschutz-Verstärkung nicht aus!

β-Carotin-Tabletten erhöhen nur den körpereigenen Grundschutz, sie sind kein Ersatz für Sonnenschutzmittel. Sie sind als Antioxidantien wirksam (Inaktivierung von Singulett-Sauerstoff) und führen bei längerer Anwendung zu einer gelblichen Hautfärbung (eventuell interessant bei Vitiligo) (vgl. a. Kap. 9.2.15).

Raucher dürfen β-Carotinoide wegen Erhöhung der Bronchialkrebs-Gefahr **nicht** einnehmen!

9.2.14.4 Patientengespräch

Gerade beim Thema „Sonnenschutz" und seiner enormen Bedeutung als Präventivmaßnahme ist ein Beratungsgespräch unentbehrlich, zumal einige wichtige, aber einfach zu befolgende Punkte nur wenigen Verbrauchern bewusst sind.

- Hinweise auf die **Gefährlichkeit** übermäßiger UV-Strahlung vor allem bei Kindern (s.u.) (Hautkrebs …)
- Der beste Schutz ist das **Vermeiden** insbesondere der direkten Sonnenbestrahlung in der **Mittagszeit**.
- Sonnenschutzmittel sind nur Ergänzung, kein Ersatz für richtiges Verhalten und kein so guter Schutz wie geeignete **Kleidung**, Sonnenhut, Sonnenbrille.
- Bei der Präparateauswahl auf Haut-Typ, Aufenthaltsgebiet/Schnee, Wassersport, Höhe …), Jahreszeit, Allergien und sonstige Besonderheiten achten (z.B. bei Mallorca-Acne nur fettfreie Produkte).
- UV-Index abrufbar.
- Auf UV-A-Kennzeichnung achten.
- Vorsicht bei **Medikamenteneinnahme** (evtl. Photosensibilisierung), keine Parfums, Deos und andere Kosmetika gleichzeitig benutzen (Gefahr bleibender Pigmentierung).

Anwendungshinweise

Sonnenschutzmittel vor dem Sonnen gleichmäßig und dick auftragen (**„viel hilft viel"**), da der ausgewiesene LSF für Auftragsmengen von 2 mg/cm² Hautoberfläche bestimmt wird, der Normalverbraucher aber nur ca. 0,5-1 mg/cm² aufträgt, also nur ein Viertel des deklarierten Schutzes erreicht. Im Zweifelsfall nächsthöheren LSF wählen!

Ein britischer und ein neuseeländischer Arzt empfehlen als Anhaltspunkte die sogenannte **„Neuner Regel"** von Wallace, die auch für die Beurteilung für Verbrennungen dient.

Die Körperoberfläche wird dabei in elf Regionen unterteilt, die jeweils neun Prozent der Hautoberfläche umfassen:

1. Kopf und Nacken, Hals,
2. linker Arm,
3. rechter Arm,
4. oberer Rücken,
5. unterer Rücken,
6. Brustbereich,
7. Bauchregion,
8. linker Oberschenkel,
9. rechter Oberschenkel,
10. linker Unterschenkel und Fuß,
11. rechter Unterschenkel und Fuß.

Um die nötigen 2 mg Auftragsmenge zu erreichen, muss **jede** Zone mit einem Creme-

Beratungstipp

Richtig geschützt vor der Sonne

Alle **2 Stunden** muss das Sonnenschutzmittel **erneut aufgetragen** werden, um den Sonnenschutz zu erhalten, die Wirkung wird dadurch **nicht verlängert!** Der angestrebte Lichtschutz kann nur einmal für einen Tag erreicht werden! Nach dem **Schwimmen, Abtrocknen** und **starkem Schwitzen sofort erneuern**, das gilt auch für wasserfeste Präparate (Abrieb)!
Empfindliche Partien wie Lippen, Nacken, Nase, Ohren, wenig behaarte Kopfhaut nicht vergessen.
Fensterglas und Wasser sind kein UV-Schutz, bei Schnee, Sand und Wasser Sonnenreflexion beachten.
Auch im Schatten ist UV-Strahlung vorhanden. 100 % Schutz („Sun Block") gibt es nicht!
Carotinoide können nur Ergänzung sein, nicht Ersatz für Sonnenschutzmittel, nicht für Raucher wegen erhöhter Bronchialkrebs-Gefahr!

Streifen der gesamten Länge von Zeige- und Mittelfinger eingecremt werden, alternativ nur die Menge, die der Länge eines Fingers entspricht, dafür Wiederholung nach einer halben Stunde.
Da viele Verbraucher heute andere galenische Zubereitungen, z.B. Sprays bevorzugen, empfiehlt sich auf jeden Fall die **wiederholte Anwendung nach einer halben Stunde**, um eine einigermaßen ausreichende Auftragsmenge zu erreichen.

Besondere Hinweise für Kinder:
Kinder und vor allem Säuglinge sind durch Sonne besonders gefährdet, da ihre Haut viel dünner ist und die körpereigenen Schutzmechanismen (Lichtschwiele, Melaninbildung, Reparaturmechanismen) während der ersten sechs Lebensjahre noch nicht vollständig entwickelt sind. Die UV-Dosis in den ersten Lebensjahren ist ein bestimmender Faktor für die Entstehung von Hauttumoren! Sonnenbrand ist unbedingt zu vermeiden! Säuglinge sollten während der ersten zwölf Monate keiner **direkten** Sonnenbestrahlung ausgesetzt werden.
Später sollten Kinder unbedingt schützende Kleidung, Sonnenhut und Sonnenbrille tragen, sich möglichst im Schatten oder unter Sonnenschirmen aufhalten und unbedeckte Körperstellen regelmäßig mit wasserfestem Sonnenschutz mit einem LSF > 25 geschützt werden. Auch hier Ohren, Nase, Lippen nicht vergessen!

9.2.14.5 Mindmap

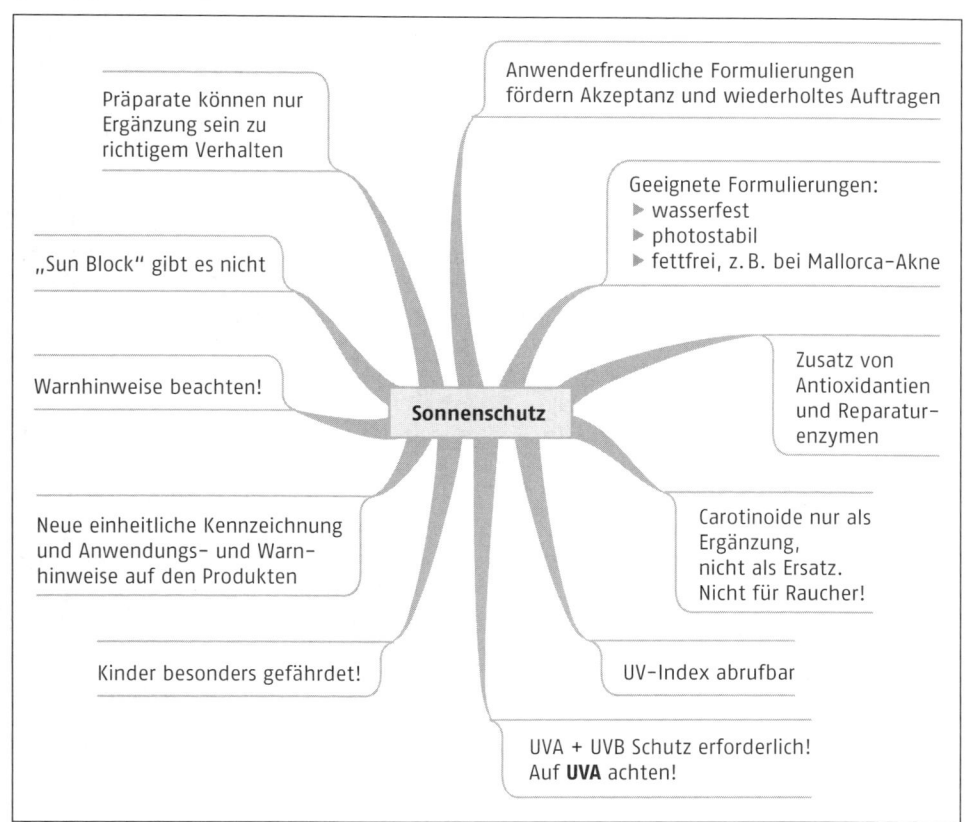

Sonnenschutz

- Präparate können nur Ergänzung sein zu richtigem Verhalten
- Anwenderfreundliche Formulierungen fördern Akzeptanz und wiederholtes Auftragen
- Geeignete Formulierungen:
  ▸ wasserfest
  ▸ photostabil
  ▸ fettfrei, z. B. bei Mallorca-Akne
- „Sun Block" gibt es nicht
- Warnhinweise beachten!
- Zusatz von Antioxidantien und Reparaturenzymen
- Neue einheitliche Kennzeichnung und Anwendungs- und Warnhinweise auf den Produkten
- Carotinoide nur als Ergänzung, nicht als Ersatz. Nicht für Raucher!
- Kinder besonders gefährdet!
- UV-Index abrufbar
- UVA + UVB Schutz erforderlich! Auf **UVA** achten!

9.2.14.6 Maßnahmen bei einem Sonnenbrand

Die Maßnahmen, die bei einem Sonnenbrand zu treffen sind, richten sich ganz nach der Phase der Entzündung.

In der Initialphase, in der hauptsächlich Histamin beteiligt ist, sind Antihistaminika geeignet. Die Auswahl des Präparates richtet sich nach Wirkdauer und Sedierungseffekt.

Im weiteren Verlauf des Sonnenbrandes treten verstärkt die Prostaglandine in den Vordergrund. Somit ist als geeignete Therapie die Gabe von nicht steroidalen Antiphlogistika vorzuschlagen.

Meist wird ein Sonnenbrand erst dann realisiert, wenn er bereits manifest geworden ist.

In leichteren Fällen kann versucht werden, durch kühlende Umschläge oder bei größeren Flächen durch nasse Tücher einen Rückgang der Entzündungserscheinungen zu erzielen.

Topisch können entweder Antihistaminika zum Einsatz kommen oder aber – bevorzugt wegen ihres breiteren Wirkspektrums Hydrocortison- oder Hydrocortisonacetat-Zubereitungen. Hierbei ist aber eine großflächige Anwendung zu vermeiden (maximal 10% der Körperoberfläche). In schweren Fällen wird man potentere Glucocorticoide (lokal oder systemisch) einsetzen müssen. Nicht angewendet werden sollen Pasten, lipophile Cremes oder Salben, die die Wärme- oder Wasserdampfabgabe der Haut behindern.

Eingesetzte Gele wirken oftmals bereits aufgrund ihres Kühleffektes positiv.

Info

Schwere Fälle von Sonnenbrand sollten vom Arzt behandelt werden.

9.2.15 Künstliche Hautbräunung

Aus kosmetischen Gründen, aber auch zum Teil zur Beseitigung störender Pigmentstörungen (wie Vitiligo, Narben, Besenreiser, Altersflecken) werden künstliche Hautbräunungsmethoden verwendet.

Drei verschiedene Möglichkeiten zur künstlichen Hautbräunung (d.h. ohne die Einwirkung von Sonnenlicht) werden beschrieben:
- Anfärbung der Haut durch hyperpigmentierende Stoffe (selbstbräunende Präparate),
- orale Applikation von Carotinoiden,
- Anwendung von künstlichen Strahlenquellen.

$$H_2C-OH$$
$$|$$
$$C=O$$
$$|$$
$$H_2C-OH$$

Dihydroxyaceton (DHA)

9.2.15.1 Hautbräunung durch hyperpigmentierende Stoffe

Die hierzu verwendeten Substanzen gehen eine chemische Reaktion mit Aminosäuren des Hautkeratins ein und führen so zur Bildung gefärbter Endprodukte, der sogenannten Melanoidine.

Verwendet wird heute vor allem Dihydroxyaceton (DHA) und Erythrulose, Substanzen, die mit den Proteinen der Hornsubstanz im Sinne einer „Maillard-Reaktion" reagieren und dadurch eine Braunfärbung der obersten Hautschicht bewirken.

Die Reaktion
- läuft im Dunkeln ab (wird aber durch Licht beschleunigt),
- verläuft langsam und ist im Falle von Dihydroxyaceton innerhalb von 4 bis 6 Stunden abgeschlossen,
- ist abhängig vom pH-Wert der Haut,
- setzt einen gewissen Feuchtigkeitsgehalt der Haut voraus.

Der entstehende Farbton ist abhängig von
- dem verwendeten Präparat,
- der Dicke der Hornschicht,
- der Schichtdicke des aufgetragenen Präparates.

Die entstehende Färbung (sie beschränkt sich auf die obersten Schichten des Stratum corneum) ist nicht abwaschbar und hält mehrere Tage. Sie geht im Verlauf der normalen Schuppung verloren.
Wichtig ist zu bemerken, dass diese Färbung keinen Lichtschutz darstellt.
Schädliche Nebenwirkungen einer solchen Hautfärbung sind bisher nicht bekannt, auch sensibilisierende Eigenschaften dieser Stoffe wurden bisher nur selten beobachtet.
Die Schwierigkeit dieser Methodik liegt in der Erzielung einer einheitlichen Hautbräunung. Auch versagt Dihydroxyaceton bei ca. 10–15 % aller Menschen, da deren Keratin eine andere Zusammensetzung aufweist, bei weiteren 10 % entwickelt sich nur eine unnatürliche gelbliche Färbung.
Dem Anwender sollen einige Hinweise gegeben werden:

- Die Haut soll vor der Anwendung der Präparate gründlich gereinigt werden, am besten mit einem Peeling, da sonst ungleichmäßige Bräunung auftritt.
- Auf Areale mit dickerer Hornschicht (Ellenbogen, Knie) soll sparsamer aufgetragen werden, da hier stärkere Einfärbung eintritt.
- Wichtig ist ein gleichmäßiges Auftragen.
- Nach dem Auftragen sind die Hände zu waschen, um eine Bräunung der Handinnenflächen zu vermeiden.
- Bis zum Abschluss der Reaktion soll die Haut nicht gewaschen werden, auch Kosmetika sollen nicht angewendet werden.
- Da sich die Haut ständig erneuert, hält die Bräunung maximal 5 Tage an.
- Wiederholte Anwendung intensiviert die Bräune und verlängert sie.
- Kontakt mit den Augen vermeiden!
- Bei häufiger Anwendung können gelb/braune Verschmutzungen an der Kleidung auftreten (Kragen).

Aus der Natur ist die hautbräunende Wirkung frischer Walnussblätter bekannt, für die der Inhaltsstoff Juglon (5-Hydroxy-1,4-naphthochinon) verantwortlich ist. 2-Hydroxy-1,4-naphtochinon (Henna-Blätter) bewirkt ebenfalls eine Braunfärbung, beide Substanzen werden z.B. in abwaschbaren Make-up-Präparaten verwendet.

Juglon (Walnuss) und Henna-Farbstoff

9.2.15.2 Carotinoide

Ausgehend von der Beobachtung, dass Säuglinge und Kleinkinder nach Überfütterung mit Karotten eine gelblich-bräunliche Hautfärbung aufweisen, wurde gezeigt, dass sich in vielerlei Pflanzen vorkommende Carotinoide in die Haut einlagern und dort zu einer Farbveränderung beitragen können.
Carotinoide sind Vorstufen des Retinol (Vitamin A), die im Organismus teilweise zu Vitamin A gespalten werden. Bedeutung besitzen heute β-Carotin und Lycopin (vgl. Kap. 9.2.14.3). Betacarotin ist ein im Organismus natürlich vorkommender Stoff, der u.a. für die normale Hautfärbung mitverantwortlich ist.
Bei Einnahme von β-Carotin (Betacaroten) steigt der Carotingehalt der Epidermis um das 4- bis 5fache an. Da β-Carotin allerdings in die neugebildeten, also unteren Epidermiszellen, eingelagert wird, dauert es ca. 8–12 Wochen, bis die maximale Carotinwirkung in der Haut erzielt wird. Die Intensität der Bräunung lässt sich über die Dosierung des β-Carotins gut steuern.

Wirkungen von β-Carotin

β-Carotin wirkt photoprotektiv, d.h. die Substanz ist in der Lage, in gewissem Umfang schädigende Wirkungen des UV-Lichtes abzufangen.

Hauterkrankungen und ihre Behandlung

Carotinoide $C_{40} = 2 \times C_{20}$

Lycopin (Tomate)

X = H: β-Carotin (Karotten)

Vitamin A ($C_{20} = \frac{1}{2} \times C_{40}$)

Dabei soll β-Carotin bei Bestrahlung entstehende Radikale neutralisieren können, ebenso soll entstehender Sauerstoff im Singulettzustand durch β-Carotin abgefangen werden können (antioxidativ).

β-Carotin bewirkt darüber hinaus eine Anfärbung der Haut. Diese kann zu kosmetischen Zwecken benutzt werden, um entweder vorgebräunt zum Sonnenbad zu gelangen oder aber eine durch Sonnen- oder künstliche Bestrahlung erworbene Hautbräunung weiterzuerhalten. Einen Lichtschutzeffekt im Sinne eines Sonnenschutzmittels besitzt β-Carotin **nicht,** es erhöht nur den körpereigenen Grundschutz. Anwendung: 20–25 mg/Tag erhöht nach 8–12 Wochen den körpereigenen Basisschutz um den Faktor 3–4 (vgl. Kap. 9.2.14.3).

Anwendung von β-Carotin

1. Photodermatosen

Hier ist insbesondere das Symptom Lichturtikaria hervorzuheben, das Auftreten von Quaddeln nach Lichtexpositionen, insbesondere im Frühjahr, den Tagen der ersten Sonnenlichtexposition. Hier hat eine ca. 8 Wochen zuvor beginnende Therapie mit β-Carotin gute Erfolge.

2. Prophylaxe von UV-bedingten Hautschäden

β-Carotin ist geeignet als Begleitmedikation bei Einnahme von Medikamenten, von denen eine phototoxische Reaktion bekannt ist. Daneben soll β-Carotin auch die durch UV-A-Licht bedingte Frühalterung der Haut und auch die Karzinomentstehung beeinflussen können.

3. Anwendung bei Hyper- und Hypopigmentierung

Die Einnahme von β-Carotin führt zum Kontrastausgleich unterschiedlich pigmentierter Hautareale. Der Vorteil dieser Methode ist darin zu sehen, dass sich β-Carotin bevorzugt in hypopigmentierte Areale einlagert, andererseits bei vorliegender Hyperpigmentierung die normal gefärbte Haut durch Carotinoideinlagerung etwas an die hyperpigmentierten Areale angeglichen wird.

4. Bräunung der Haut zur Erzielung einer angestrebten Hautfärbung

Die Lichtschutzwirkung von β-Carotin im Sinne einer Verhinderung von akuten oder chronischen Lichtschäden ist insbesondere bei Patienten mit krankhafter Lichtempfindlichkeit ausgeprägt. Bei in dieser Hinsicht normal reagierenden Personen darf außer der Änderung des Farbtons der Haut kein weiterer Effekt erwartet werden.

Nachteile einer doch relativ lange andauernden Therapie mit β-Carotin sind in der Anfärbung von Handtellern und Fußsohlen, insbesondere Bereichen mit dicker Hornhautschicht zu sehen. Des Weiteren können als Nebenerscheinungen Obstipationen oder auch Diarrhoen harmloser Art beobachtet werden. **Raucher dürfen β-Carotinoide wegen erhöhten Bronchialkrebs-Risikos nicht einnehmen!**

Präparate-Beispiel: Carotaben® Kapseln

9.2.15.3 Anwendung künstlicher Strahlenquellen

Auch künstliche UV-Strahlen schädigen die Haut, die Europäische Kommission verweist ausdrücklich auf Melanom- und Augenkarzinom-Gefahr durch Solarien und rät von einem Besuch ab. Insbesondere Personen des Haupttyps 1 sowie Kinder und Jugendliche sind nach dem Jahresbericht des Bundesamtes für Strahlenschutz für 2007 stark gefährdet. Seit 2009 gelten daher ein Solariumverbot für Jugendliche bis 18 Jahre und UV-Grenzwerte für Sonnenbänke.

9.2.15.4 Patientengespräch

Schön braun zu sein, gilt heute als Schönheitsideal und stellt das Synonym für Sportlichkeit, Dynamik und Attraktivität dar. Der Apotheker wird häufig nach den Möglichkeiten einer schnellen und letztlich auch preisgünstigen Hautbräunung gefragt werden. Diese Gelegenheit sollte wahrgenommen werden, um über den Sinn der Hautbräunung und den eventuellen Schaden für den Organismus zu informieren.

Als harmlos, aber sicher schwierig in der Handhabung, sind die sogenannten hyperpigmentierenden Stoffe zu bezeichnen. Diese stellen aber keinen Schutz gegen Sonnenbrand dar! Beta-Carotin – richtig dosiert – kann durchaus positiv beurteilt werden, insbesondere als Vorbereitung auf die Sonne für Personen, die besonders lichtempfindlich sind. Auf den rechtzeitigen Therapiebeginn ist allerdings hinzuweisen (ca. 4 Wochen vorher) sowie auf die Kontraindikation: „Raucher".

Von der Anwendung künstlicher Strahlenquellen zur Hautbräunung sollte abgeraten werden.

9.2.16 Pigmentstörungen

9.2.16.1 Depigmentierungen

Vitiligo

Vitiligo (Leucopathia aquisita, Weißfleckenkrankheit) ist eine chronische, nicht ansteckende Hautkrankheit, von der ca. 2 Prozent der Bevölkerung betroffen sind. Typisch sind weiße, pigmentfreie Hautflecken, vor allem an den Unterarmen, Händen, Fingern, Ellbogen, Füßen. Die genaue Ursache ist noch nicht bekannt, diskutiert wird eine Autoimmunerkrankung, da sie auch oft zusammen mit autoimmunen Schilddrüsendefekten (Hashimoto – Thyreoiditis) auftritt. In etwa 30 % der Fälle liegt eine genetische Disposition vor.

Obwohl die Erkrankung an sich „harmlos" ist, stellt sie für die Betroffenen doch eine große psychische Belastung dar und kann in schweren Fällen zu einer Anerkennung von 30 % Behinderung führen. Da die weißen Hautareale nicht pigmentiert sind, sind sie sehr empfindlich gegen Sonnenbrand und müssen mit einem hohen LSF geschützt werden.

Vitiligo ist nicht heilbar, dennoch gibt es verschiedene **Therapieansätze**.

Der Einsatz von Corticosteroiden ist umstritten. Repigmentierungen bis zu 75% sind beschrieben. Durch die lange Therapiedauer (6–8 Monate) kommt es aber zu einer deutlichen Atrophie der Haut und Neigung zu oberflächlichen Hautblutungen.
Eine neue Behandlungsmethode ist der Einsatz von topischen Immunmodulatoren. Eingesetzt werden dabei Calcineurinhemmer.
Da in den betroffenen Hautzellen ein zu hoher Gehalt an H_2O_2 gefunden wurde, der die Bildung von Melanin verhindert, ist ein weiterer Therapieansatz die lokale Behandlung mit Katalase-Gel nach Bestrahlung, dabei baut die Katalase H_2O_2 ab. Allerdings sind Erfolge erst nach 9–12 Monaten sichtbar.
Ein weiterer Ansatz ist die Fototherapie. Ebenfalls über 6–12 Monate erstreckt sich hierbei die Behandlungsdauer mit UV-Strahlen.
Hier werden verschiedene Therapiemöglichkeiten eingesetzt: Schmalbandspektrum UV-B-Bestrahlung bei 311–313 nm, seltener UV-A-Therapie mit Psolaren (PUVA, vgl. a. Kap. 9.2.11.6). „Excimer-Lasertherapie" (vgl. Kap. 9.2.11.6) wird vor allem im Gesicht und bei kleineren Hautarealen eingesetzt, da sie lokal begrenzt wirken kann, allerdings nur, wenn sich der weiße Fleck nicht gerade ausbreitet. Die hohe Intensität und tiefere Penetration erlaubt kürzere Bestrahlungszeit und punktgenaueres Bestrahlen.
In Spezialfällen sind autologe Melanozyten-Transplantationen und in sehr schweren Fällen (> 60% der Haut betroffen) Depigmentierungen („Bleichung" der nicht betroffenen Areale) möglich.
Camouflage (Spezial-Make-up), Selbstbräuner oder β-Carotin-Kapseln, die den hellen Hautpartien einen orangenen Hautton geben, sind weitere Möglichkeiten.

Albinismus

Albinismus ist eine rezessive Erbkrankheit, bei der Melanozyten zwar vorhanden sind, durch einen Enzymdefekt aber kein Melanin gebildet wird (deshalb auch Veränderungen an den Augen, da normalerweise Melanin auch in der Iris und Netzhaut vorhanden wäre).
Menschen mit Albinismus bekommen leichter Sonnenbrand, deshalb ist entsprechende Kleidung und Sonnenschutzmittel mit hohem LSF nötig.

9.2.16.2 Hyperpigmentierungen

Hyperpigmentierungen (übermäßige Einlagerung von Melanin in die Haut) treten insgesamt häufiger und in verschiedenen Erscheinungsformen auf.

Muttermale

Fast bei jedem Menschen werden diese, aus Melanozyten bestehenden, Hyperpigmentierungen beobachtet, die zum Teil angeboren, teilweise später erworben sind. Die an allen Körperstellen vorkommenden Muttermale (Naevi) zeichnen sich durch ihre scharfe Abgrenzung aus.

Leberfleck

Im Unterschied zum Muttermal findet man bei Leberflecken (Lentigo) gleichzeitig eine Verdickung der Oberhaut. Leberflecke sollten – besonders gefährdet sind hier stark sonnenexponierte Stellen – ständig beobachtet werden. Jede Veränderung, sei es eine Vergrößerung, Veränderung der Farbe oder kleine Blutungen, sollte Anlass sein, den Arzt aufzusuchen. Ein solcher Leberfleck stellt eine potentielle Gefahr der malignen Entartung (Lentigo maligna) dar und sollte sobald als möglich entfernt werden.
Auffällige Muttermale und Leberflecken gehören unbedingt in die Hand des Facharztes!

Sommersprossen

Durch UV-B-Bestrahlung werden die ansonsten unauffälligen Pigmentflecke deutlich. Die Melanozytenaktivität wird durch Sonnenlichtexposition stark erhöht. Die Anlage zu Sommersprossen (Epheliden) ist genetisch determiniert, häufig sind sie bei hell-

häutigen Personen mit rötlichen Haaren anzutreffen.
Sommersprossen können in großer Zahl auftreten, wobei sie nur an lichtexponierten Stellen vorkommen. Sie besitzen keinen Krankheitswert, können dagegen, ähnlich wie Vitiligo, ein psychisches Problem darstellen.

Altersflecken

Vom Erscheinungsbild ähnlich wie Sommersprossen, sind die Lentigines seniles aber im Gegensatz dazu dunkler, größer und nicht so regelmäßig geformt. Ihre Farbe ändert sich unter Lichteinfluss nicht, dennoch ist ein Zusammenhang zwischen Licht und der Entstehung von Altersflecken offensichtlich, da sie bevorzugt an lichtexponierten Stellen wie Gesicht oder Handrücken vorkommen. Einen Krankheitswert besitzen sie nicht, auch ist bislang eine maligne Entartung nicht bekannt. Differentialdiagnosen sind die aktinische Keratose und Lentigo maligna (Melanom in situ, Präcancerose).
Altersflecken sind scharf begrenzt!
Im Gegensatz zu Lentigo maligna, bei der durch langjährige UV Exposition DNA Schäden der Melanozyten vermutet werden, beruht die Hyperpigmentierung der Altersflecken wahrscheinlich auf oxidierten Fettsäuren der Zellmembran.
Medizinisch gesehen ist eine Entfernung nicht notwendig, wenn die Altersflecken als kosmetisch störend empfunden werden, kann man sie mittels Laser vom Hautarzt entfernen lassen.
Nach Ausschluss eines Melanoms, von Hauttuberkulose und entzündlichen oder Virus bedingten Hauterkrankungen können hyperpigmentierte Hautareale entweder durch Camouflage kaschiert werden oder mit Hilfe von Specialcremes behandelt werden.
Beispiele: Lentisol® Specialcreme bei Altersflecken (Hydroxyphenoxypropionsäure + Pigmente + UV Schutz), Dermasence MelaBlok (Fruchtsäuren + Vitamin C + Q10), Pigmanorm Creme von Widmer (Hydrochinon + Tretinoin + Dexamethason) Rp!

Chloasmen

Reversible scharf begrenzte unregelmäßige braune bis bräunliche Flecken im Gesicht (bevorzugt an Stirn, Kinn und den Wangen). Ein Zusammenhang mit weiblichen Sexualhormonen ist nachgewiesen, da z.B. während der Schwangerschaft oder bei Einnahme von oralen Kontrazeptiva diese Pigmentstörung auftritt.
Eine Therapie ist meist nicht nötig, in sehr schweren Fällen werden von Ärzten z.T. Peelings mit Fruchtsäure oder Trichloressigsäure oder Laserbehandlungen durchgeführt.

Für alle Hautveränderungen gilt für die Selbstbeobachtung: genaue Beobachtung nach der **ABCDE Regel**
Asymmetrie
unregelmäßige **B**egrenzung, unscharfe Ränder
Colorit, also Farbveränderung oder uneinheitliche Färbung
Dynamik, Veränderung in **D**urchmesser, Größe, Farbe, Form, **D**icke
Erhabenheit bzw. **E**volution, Schnelligkeit der Veränderung
und bei auftretender Veränderung, Auffälligkeit sofort Untersuchung durch den Facharzt!

9.2.17 Enthaarungsmittel

Zur Beseitigung unerwünschter Haare sind verschiedene Methoden beschrieben. Vorwiegend werden solche Maßnahmen durchgeführt, um vor allem bei Frauen mit männlichem Behaarungsmuster wie z.B. Damenbart oder auch übermäßiger Behaarung an Armen und Beinen diese dem Schönheitsideal oder dem ästhetischen Empfinden nicht entsprechenden Haare zu beseitigen.
Generell können zwei Arten der Enthaarung unterschieden werden:

- die kurzfristige Enthaarung, das Haar wächst wieder nach: Depilation,
- die dauerhafte Enthaarung, das Haar wächst nicht wieder nach: Epilation.

9.2.17.1 Depilation

Neben dem Schneiden oder Rasieren können **einzelne** Haare – und hier vor allem die kräftigeren Haare wie Augenbrauen oder Borstenhaare im Nasen-, Ohrenbereich – mittels einer Pinzette einzeln ausgezupft werden. Hierbei wird das Haar im Follikel abgerissen. Nachteilig ist der dabei auftretende Schmerz, der verringert werden kann, wenn genau in Wuchsrichtung des Haares und vor allem ruckartig ausgezupft wird. Ein weiterer Nachteil des Auszupfens besteht in der Gefahr des Auftretens von Follikelentzündungen. Dem kann und sollte dadurch begegnet werden, dass nach dieser Maßnahme die entsprechende Stelle mit einem alkoholhaltigen Gesichtswasser desinfiziert wird.

Vorteil dieser Methode ist die relativ – im Unterschied zu Schnitt oder Rasur – lange Wirkdauer dieser Maßnahme, da das Haar im Follikel ausgezupft wurde. Das Auszupfen ist für größere Areale nicht zu empfehlen, untersagt ist es, Haare auf Muttermalen auszuzupfen.

Eine Methode, die dem Auszupfen – nur eben für eine größere Fläche und für die feineren Körperhaare gedacht – gleichzusetzen ist, ist das Anwenden von Wachsen. Dabei werden sowohl sogenannte **Kalt-** wie auch **Warmwachse** verwendet. Die Kaltwachse sind bei Raumtemperatur dickflüssig und lassen sich sofort verwenden. Dabei werden sie mit einem Band (meist gibt es gebrauchsfertige Enthaarungsstreifen) aufgepresst und ruckartig wie ein Heftpflaster wieder abgerissen.

Im Unterschied dazu werden die bei Zimmertemperatur festen Warmwachse vor Gebrauch auf ca. 50 °C erwärmt. Dabei gehen diese in einen dem Kaltwachs entsprechenden zähflüssigen Zustand über, sind dabei intensiv haftend und können daher auch zur Entfernung kräftigerer Haare z.B. im Gesicht verwendet werden. Die erhöhte Temperatur führt zu einer Porenöffnung, die Haare können dadurch gründlicher, etwas leichter und damit schmerzfreier als bei Kaltwachsen entfernt werden.

Vorteil der Anwendung von Wachsen ist wie beim Zupfen der längeranhaltende Erfolg, Nachteil sicher der auftretende Schmerz. Zu beachten ist, dass Areale mit Muttermalen oder Krampfadern ausgespart bleiben. Eine nachträgliche Desinfektion und Beruhigung der behandelten Flächen ist empfehlenswert.

Die eigentlichen **Enthaarungsmittel** sind meist Strontium- oder Calciumsalze der Thioglykolsäure, die in Form von O/W-Emulsionen, Lotionen, Cremes oder Gelen auf die trockene Haut aufgetragen werden. Dabei nutzt man die keratolytische Wirkung dieser schwefelhaltigen Verbindungen aus, die Disulfidbrücken des Haarkeratins werden gespalten, das Haar wird weich und lässt sich nach kurzer Einwirkungszeit (3–5, max. 15 Minuten) leicht abwaschen. Zur Überdeckung des dabei entstehenden unangenehmen Schwefelwasserstoff-Geruchs sind die Produkte meist stark parfümiert. Die Keratolyse läuft in alkalischem Milieu am schnellsten ab, deshalb sind die Präparate zumeist auf den optimalen pH-Wert von 12 eingestellt. Diese Mittel eignen sich für nicht allzu kräftige Haare (also nicht im Bartbereich). Im Unterschied zu den o.g. Methoden ist die Wirkung nur kürzer anhaltend, ca. nach spätestens 2 Wochen ist eine Wiederholung erforderlich.

Die Vorteile liegen in der schnellen und einfachen Anwendung. Die Mittel sind im Allgemeinen gut verträglich, Allergien werden nur selten beschrieben. Hautreizungen sind aber nicht auszuschließen, ebenso können Follikelentzündungen vorkommen. Empfehlenswert ist ein Test auf einer kleinen Hautfläche, zum Ausschluss einer Hautunverträglichkeit. Reizungen treten meist an empfindlichen Hautpartien, etwa den Achselhöhlen auf. Im Genitalbereich und Gesicht nur mit Vorsicht anwenden, jeglicher Schleimhautkontakt ist zu vermeiden!

Es wird empfohlen, nach einer Anwendung solcher Mittel für ca. 24 Stunden keine Kos-

9.2.18 Haarausfall

9.2.18.1 Krankheitsbilder

Haarausfall in geringem Ausmaß ist natürlich (40–100 Haare pro Tag), da nachwachsende Haare „alte" Haare aus ihrem Follikelkanal verdrängen (s.a. Kap. 9.1.2.1). Krankhafter Haarausfall liegt vor, wenn über einen längeren Zeitraum (Wochen bis Monate) täglich mehr als 100 Haare ausfallen. 3 Formen von Alopezie sind zu unterscheiden.

Alopecia areata
Alopecia areata (kreisrunder Haarausfall), als Ursache wird eine **Autoimmunerkrankung** vermutet. Es gibt kein allgemeingültiges Therapiekonzept, Hautärzte haben schon gute Erfahrungen gemacht mit der begleitenden Einnahme von Zink zu einer Therapie mit Corticoiden oder PUVA (8-Methylpsoralen + UVA, vgl. a. Kap. 9.2.11.6).

Alopecia diffusa
Bei der Alopecia diffusa handelt es sich um einen diffusen Haarausfall, die Haare werden dünner und fallen aus.
Ursachen hierfür können mangelnde Ernährung, Stress, Infektionen, hormonelle Störungen (z.B. der Schilddrüse), Neurodermitis oder eine Nebenwirkung von Medikamenten sein.
Die Behandlung erfolgt je nach Ursache, entzündete Kopfhautpartien werden z.B. mit Salicylcreme oder lokalem Corticoiden behandelt. Zur Pflege eignen sich Harnstoffcreme und -Shampoo. Ergänzend kann z.B. die Gabe von Eisen sinnvoll sein (Eisenmangel).
Unterstützend kann die Gabe von **Pantovigar® Kapseln** wirken, zugelassen als traditionell angewandtes Arzneimittel zur Behandlung der diffusen Alopezie (Kombinationspräparat aus Thiaminnitrat, Calciumpantothenat, Cystin, Keratin, Saccharomyces cerevisiae-Trockenhefe, inaktiviert).

Alopecia androgenetica
Alopecia androgenetica (hormonell-genetisch bedingte Veränderung der Haarfollikel) wird verursacht durch einen Überschuss von Androgenen (Testosteron, Dihydrotestosteron) oder einen Mangel an Östrogenen.
Bei Männern ist diese Form des Haarausfalls genetisch bedingt, bei Frauen vererbt oder ausgelöst durch Hormonveränderungen in den Wechseljahren. Bei Männern entsteht, beginnend mit „Geheimratsecken", der typische „Haarkranz" von der Seite um den Hinterkopf herum, bei Frauen bilden sich kahle Stellen am Scheitel.
Ursache ist eine Überempfindlichkeit der Haarfollikel gegenüber Testosteron und Dihydrotestosteron, wodurch die Haarfollikel verkümmern, die Nährstoffversorgung wird schlechter, die Wachstumsphase verkürzt, die Ruhephase verlängert, wodurch neue Haare kürzer, heller und weniger kräftig nachwachsen und schneller ausfallen. Eine therapeutische Möglichkeit für die Selbstmedikation ist die lokale Anwendung von **Minoxidil (Regaine®, 5% für Männer, 2% für Frauen, Alopexy® 5%). Ein Minoxidil-Haarspiritus 5% ist auch als NRF Rezeptur (NRF 11.121.)** herstellbar. Die Haltbarkeit beträgt bei Raumtemperatur im Dunklen 1 Jahr. Minoxidil, ursprünglich ein Mittel gegen Hypertonie, erweitert lokal auf der Kopfhaut die Blutgefäße und fördert so die Blut- und Nährstoffversorgung des Haarfollikels. Außerdem wird eine Beteiligung von Wachstumsfaktoren oder der Prostaglandinsynthase-1 vermutet. Das Wachstum neuer Haare wird gefördert, die Haare wachsen kräftiger nach.
Achtung: in der Anfangsphase können kurzfristig vermehrt alte, nicht mehr aktive Haare ausfallen, indem sie durch neue, kräftiger nachwachsende Haare ersetzt werden (Umstellung der Haare von der Telogen- auf die Anagenphase), **„Shedding Effekt"!** Dieser dauert nur wenige Wochen und ist ein Zeichen dafür, dass die Therapie anspricht, sollte den Patienten im Vorfeld aber bekannt sein, um nicht fälschlicherweise den Ein-

druck eines Therapie-Versagens aufkommen zu lassen!

Die Wirksamkeit von Minoxidil ist erwiesen, notwendig ist allerdings eine konsequente, möglichst 2-mal tägliche Anwendung, lebenslang! Die Einwirkzeit beträgt 4 Stunden, erst danach sollten die Haare gewaschen werden. Gewarnt wird auch vor einer Kontamination des Gesichtes, zum Beispiel über das Kopfkissen, da sonst unerwünschte Hypertrichosen auftreten könnten.

Erste Erfolge sind nach 12 Wochen sichtbar, auch danach muss die Behandlung gleichmäßig weitergeführt werden, ein Absetzen der Therapie führt wiederum zu Haarausfall.

In Ausnahmen kann es zu lokalen Hautreizungen kommen, die Anwendung des Regaine® Schaums für Männer ist der Lösung dann vorzuziehen.

Kontraindiziert ist Minoxidil in der Schwangerschaft und Stillzeit!

Zur Wirksamkeit von Minoxidil vgl. auch die S 3-Leitlinie der Deutschen Dermatologischen Gesellschaft zu androgenetischem Haarausfall (2011).

Eine weitere Möglichkeit für die Selbstmedikation ist die **äußerliche Anwendung** von **Alfatradiol (Ell Cranell® alpha; Pantostin®)**. Die Wirkung soll in einer Hemmung der 5α-Reduktase und somit einer verminderten Synthese von Dihydrotestosteron bestehen. Eine Wirksamkeit konnte von der S 3-Leitlinie aufgrund fehlender Daten nicht beurteilt werden. Erwiesen dagegen ist die Wirkung einer oralen Anwendung von 5α-Reduktase-Hemmern (Finasterid, Rp!), eine Bewertung dieser Therapie, die nicht in Selbstmedikation erfolgen kann, soll hier nicht vorgenommen werden.

Auch eine Wirksamkeit von Aminosäuren, Vitaminen, Eisen, Kieselsäure, Koffein, grünem Tee, Ginseng, Hirse, Zink, Kupfer oder einer Laserbehandlung konnte in der S 3-Leitlinie für androgenetische Alopezie nicht belegt werden (z.B. Priorin® Kapseln als Nahrungsergänzungsmittel (Hirseextrakt, Pantothensäure, L-Cystin)).

9.2.19 Übermäßiges Schwitzen

Schwitzen bei hohen Temperaturen, körperlicher Aktivität oder psychischem Stress sowie das unmerkliche Schwitzen (ca. 800 ml Tag) gehören zum Alltag. Übermäßiges Schwitzen schon bei geringsten Anlässen aber kann für die Betroffenen zu einem echten Leiden werden.

Die circa 2–3 Millionen Schweißdrüsen des Körpers unterteilen sich in:

- **Ekkrine Schweißdrüsen** (Axillen, Handflächen, Stirn, Brust, Fußsohlen), sie dienen vor allem der Thermoregulation und werden durch thermische, emotionale oder gustatorische Reize zur Produktion von Schweiß angeregt, Überträgerstoff ist das Acetylcholin (vgl. a. Kap. 9.1.2.4).
- **Apokrine Schweißdrüsen** sind vor allem in den Achselhöhlen, der Leistengegend, Anogenitalregion, den Brustwarzen und Augenlidern lokalisiert. Ihre Tätigkeit ist hormonell gesteuert und beginnt erst in der Pubertät (Kap. 9.1.2.4).

Schweiß an sich ist geruchlos, der typische Geruch entsteht durch bakteriellen Abbau (Kap. 9.1.2.4).

9.2.19.1 Krankheitsbild

Eine übersteigerte Transpiration (Hyperhidrosis) wird als Begleitsymptom vieler verschiedener Allgemeinerkrankungen gefunden. Genannt seien hier Infektionen wie Tuberkulose oder Typhus, daneben Diabetes mellitus, Hyperthyreose, Adipositas oder psychiatrische Erkrankungen. Als Begleiterscheinung bei Einnahme von Parasympathomimetika, Schilddrüsenhormonen, Antidepressiva kann ebenfalls eine verstärkte Aktivität der ekkrinen Schweißdrüsen beobachtet werden. Daneben kann eine Hyperhidrosis genetisch determiniert sein oder aber vegetative sowie emotionelle Ursachen haben. Bei vegetativ bedingter Hyperhidrosis findet man vor allem eine verstärkte axillare

Tab. 9.2-32: Antihidrotika

Adstringentien		
Präparat	Formulierung	Inhaltsstoffe
Externa		
Aluminiumacetat-Tartrat-Lösung DAB	Lösung Wässrig	Aluminiumacetat-Tartrat
Hidrofugal®	Spray Creme Roll-on	Aluminiumsalze
Odaban®	Spray, Handlotion, Fuß- und Schuhpuder	Aluminiumchlorid
Essitol®	Tabletten zur Lösungsherstellung	Basisches Aluminiumacetattartrat
Antihydral®	Salbe	Methenamin 13 %
Tannosynt®	Creme Lotio	Synthetischer Gerbstoff
Tannosynt® flüssig	Badezusatz	
Tannolact®	Creme Fettcreme Lotio Puder Badezusatz	Synthetischer Gerbstoff
Interna		
Salbei Curarina®	Alkohol Auszug von Folia Salviae (1:4–5)	
Salvysat® Bürger	Wässriger Auszug von Fol. Salv. offic. (Tropfen) (1:2.9-3.1), bzw. Trockenextrakt (Dragees) (4-6.7:1)	
Sweatosan® N	Dragees, Trockenextrakt aus Folia Salviae (4–6:1)	

Transpiration, während eine emotionell bedingte Hyperhidrosis sich zunächst in einer verstärkten Schweißsekretion an Hand und Fußsohlen äußert, bei stärkeren Formen wird eine übermäßige Transpiration an Stirn, Axillen und auch am ganzen Körper gefunden. Hitzewallungen sind typisch für Wechseljahr-Beschwerden. Wenn Schweißausbrüche mit Fieber verbunden sind, weisen sie auf eine Infektion hin.

Neben der Störung im kosmetischen Bereich (Schwitzflecke, unangenehmer Geruch durch bakterielle Zersetzung des Schweißes), kann eine Hyperhidrosis auch berufliche Nachteile mit sich bringen und ist für die Betroffenen ein sozial-gesellschaftliches Problem. Darüber hinaus stellt eine Hyperhidrose auch einen begünstigenden Faktor für verschiedene Dermatosen (z.B. Mykosen und Ekzeme) dar. Ziel der Therapie mit Antihidrotika ist es, eine übermäßige Schweißproduktion zu normalisieren bzw. die unangenehme Geruchsbildung zu vermeiden, indem die bakterielle Zersetzung des Schweißes gehemmt wird.

9.2.19.2 Medikamentöse Maßnahmen

Verschiedene Möglichkeiten einer antihidrotischen Therapie sind denkbar:

- Den unangenehmen Schweißgeruch zu überdecken mit Desodorantien mit parfümlichen Zusätzen.

- Die bakterielle Zersetzung des Schweißes zu hemmen mit Hilfe von Desodorantien mit Zusatz desinfizierender Mittel.
- Die Schweißsekretion zu vermindern durch Antiperspirantien im eigentlichen Sinne.

Grundlage von Desodorantien, meist in Sprayform, ist sehr oft Ethanol. Letzterer besitzt zwar selbst adstringierende, kühlende und damit auch kurzzeitig schweißhemmende Eigenschaften, demgegenüber steht aber die häufig auftretende Empfindlichkeit der zu behandelnden Hautregionen (meist Axillen) gegenüber Ethanol. Es wird heute versucht, Ethanol in Sprays durch andere niedrigvisköse hydrophobe Substanzen zu ersetzen. Gegen starken Fußschweiß werden spezielle Einlegesohlen angeboten.

In diesem Rahmen werden nur die sogenannten Antiperspirantien näher besprochen, da dieser Wirkstoffgruppe für den Apotheker die größte Bedeutung zukommt (s. Tab. 9.2-32).

Verschiedene Angriffspunkte innerhalb des Weges vom parasympathischen Ganglion bis hin zur ekkrinen Drüse bzw. deren Ausführungsgang sind für die Schweißsekretion hemmende Pharmaka denkbar.

Folgende pharmakologischen Wirkstoffgruppen kommen als Bestandteile von Antiperspirantien in Betracht:

- Adstringentien: Aluminiumsalze, Methenamin, Gerbstoffe,
- Anticholinergika: intern,
- zentral wirksame Substanzen: Sedativa, Tranquillantien,
- Sonstige: Salbeiblätterextrakt.

Adstringentien

Die Bedeutung der **Aluminiumsalze** ist in den letzten Jahren deutlich zurückgegangen. Verwendet wird Aluminiumchlorid und Aluminiumacetat-Tartrat (Essitol®), das in 5 bis 10%iger wässriger Lösung angewandt, weitaus weniger Hautirritationen verursacht als die sauer reagierenden Aluminiumsalze, insbesondere das Aluminiumchlorid.

Eine 1- bis 2-malige Anwendung pro Woche genügt in der Regel, die Wirksamkeit lässt sich durch Einmassieren oder durch Okklusivverband verstärken. Schwitzen während der Anwendung vermindert die Wirksamkeit, deshalb wird die **abendliche Applikation** empfohlen, da während des Schlafs die emotionale Schweißdrüsentätigkeit ruht.

Die Wirkung der Aluminiumsalze beruht auf der Ausbildung eines aluminiumhaltigen Pfropfes (Komplexbildung mit Mucopolysacchariden) im Schweißdrüsenausführungsgang sowie auf der Zerstörung von Zellen dieses Ausführungskanals.

Bei älteren Menschen versagt die Therapie mit Aluminiumsalzen aus ungeklärten Gründen öfters.

Eine Möglichkeit für eine **Rezeptur** ist hydrophiles Aluminiumchlorid-Hexahydrat-Gel, NRF 11.24.

Die gesundheitliche Unbedenklichkeit von Aluminium aus Antitranspirantien wird immer wieder kritisch hinterfragt. Dies gilt insbesondere im Hinblick auf eine mögliche Beteiligung an der Entwicklung der Alzheimer Krankheit und der Entstehung von Brustkrebs. In einer Stellungnahme des BfR (Bundesinstitut für Risikobewertung) vom 26. Februar 2014 wird das Risiko wie folgt bewertet: „Die geschätzte Aluminiumaufnahmemenge aus Antitranspirantien liegt möglicherweise in dem Bereich, der von der EFSA als tolerierbare wöchentliche Aufnahmemenge festgesetzt wurde (TWI, tolerable weekly intake). Die Überschreitung dieses Wertes führt zu einer Verringerung des Sicherheitsabstandes zu der (höchsten) Dosis, die im Tierversuch (gerade noch) keine gesundheitsschädlichen Effekte verursachte (NOAEL, no observed adverse effect level). Ein Zusammenhang zwischen der erhöhten Aluminiumaufnahme durch Antitranspirantien, aber auch durch Lebensmittel bzw. Trinkwasser oder bestimmter aluminiumhaltiger Medikamente (sog. Antazida) und der Alzheimer-Krankheit bzw. Brustkrebs konnte trotz einer Reihe entsprechender Studien aufgrund der inkonsistenten Datenlage bisher nicht wissenschaftlich fundiert belegt werden. Verbraucherinnen und Verbraucher nehmen bereits über Lebensmittel hohe Mengen Aluminium auf, und die wöchentlich tolerierbare Aufnahmemenge ist wahrscheinlich bei einem Teil der Bevölkerung alleine durch Lebensmittel ausgeschöpft. Bei langfristiger Anwendung aluminiumhaltiger kosmetischer Mittel könnte der TWI dauerhaft überschritten werden und sich Aluminium im Körper anreichern. Wissenschaftliche Unsicherheiten bestehen derzeit aber noch u.a. in Bezug auf die tatsächliche Penetrationsrate und die Langzeitfolgen chronischer Aluminiumexposition. Die individuelle Aluminiumaufnahme kann reduziert werden. Kosmetika, wie **aluminiumhaltige Antitranspirantien** oder Cremes, können zur Gesamtaufnahme von Aluminium beitragen. Die Aufnahme durch aluminiumhaltige Antitranspirantien kann vor allem gesenkt werden, indem diese **nicht unmittelbar nach der Rasur bzw. bei geschädigter Achselhaut verwendet werden.**"

Gegen starke Schweißabsonderungen vor allem im Zehenzwischenbereich, den Handinnenflächen und den Achseln wird auch **Methenamin** als Salbe eingesetzt (**Antihydral® Salbe**). Durch den sauren pH, der meist beim Schwitzen entsteht, wird aus Methenamin **Formaldehyd** freigesetzt. Er führt zur Eiweißfällung (Gerbung) und damit zum Verschluss des Schweißdrüsenausführungsganges. Formaldehyd wirkt stärker antihidrotisch als die Aluminiumsalze, er wirkt auch bei älteren Patienten, die nicht mehr auf eine Therapie mit Aluminiumsalzen ansprechen, besitzt aber den Nachteil, dass er hautirritierend und sensibilisierend wirken kann. Zudem ist Formaldehyd aufgrund seines im Tierversuch allerdings unter anderen Bedingungen beobachteten karzinogenen Potentials in Misskredit geraten.

Methenamin sollte nicht eingesetzt werden bei Überempfindlichkeit gegen Formaldehyd und bei stillenden Frauen nicht mit der Brust in Berührung kommen.

Als milde Adstringentien und damit als Antiperspirantien haben sich auch **Gerbstoffe** bewährt, die heute synthetisch hergestellt werden und dadurch nicht mehr färben. Sie können entweder gezielt lokal aufgetragen werden oder eignen sich auch bei allgemeinen hyperhidrotischen Zuständen zur Verwendung als Teil- oder Vollbad.

Hinzu kommt bei dieser Anwendungsweise ein zusätzlicher, kurzzeitiger antihidrotischer Effekt des warmen Wassers selbst, das eine leichte Aufquellung der Haut und damit eine Verminderung der Transpiration bewirkt.

Gerbstoffe können auch in Schwangerschaft und Stillzeit eingesetzt werden.

Anticholinergika

Durch die cholinerge Innervation der Schweißdrüsen kann mit Anticholinergika – intern angewandt – die Schweißsekretion gehemmt werden. Zu berücksichtigen sind allerdings die systemischen anticholinergen Nebenwirkungen einer solchen Therapie. Die Präparate sind verschreibungspflichtig und sollen nur in schweren Fällen angewendet werden.

Beispiel: Sormodren®, Vagantin®

Sonstige

Als weitere Therapiemaßnahme hat sich – insbesondere bei starkem Nachtschweiß – die Gabe von **Salbeiblättertee** oder besser von **Salbeiextrakt** als mildes Antihidrotikum bewährt. Die Europäische Monographie für Salviae Folium macht hierzu folgende Angaben:

- Teezubereitung: 2 g auf 160 ml kochendes Wasser
- Flüssigextrakt (ethanol.) (1:3.5–5): 10–20 Tropfen, gelöst in Flüssigkeit, 3 × täglich, bei Nachtschweiß: 1 Stunde vor oder direkt beim Zubettgehen: 30 Tropfen in Flüssigkeit

- Flüssigextrakt (ethanol.) (1:4–5): 50 Tropfen (= 2 ml) 3 × täglich für die Indikation: „Exzessives Schwitzen".

Die Aufnahme von Thujon sollte dabei 3 mg/Tag nicht überschreiten, aus diesem Grund sollte die Anwendung auch nicht länger als 14 Tage erfolgen und wird die Anwendung in Schwangerschaft und Stillzeit nicht empfohlen, ebenso keine Anwendung wegen mangelnder Daten bei Kindern und Jugendlichen unter 18 Jahren. Das Reaktionsvermögen kann beeinträchtigt sein. (Doc. Res.: EMEA/HMPC/331653/2008)
Vermutet wird ein direkter Einfluss der Inhaltsstoffe auf das Thermoregulationszentrum oder auf ekkrine Drüsen.

Bedingt durch die häufige emotionale Ursache einer Hyperhidrosis kann in Einzelfällen eine Therapie mit Sedativa oder Tranquillantien notwendig und gerechtfertigt sein.

Klimakteriumbedingte Hitzewallungen können durch Hormongabe positiv beeinflusst werden.

Neue Entwicklungen sind die intradermale Injektion von Botulinumtoxin (hemmt Freisetzung von Acetycholin), Schwachstromtherapie durch Leitungswasser-Iontophorese (Proteinkoagulation blockiert Schweißdrüsenausführungsgänge an Handflächen und Fußsohlen) und bei extremer Belastung die chirurgische Entfernung von Schweißdrüsen durch Saugkürettage.

9.2.19.3 Patientengespräch

Bei Verdacht auf eine Infektion oder sonstige Allgemeinerkrankung als Ursache für übermäßiges Schwitzen sollte der Patient einen Arzt zu Rate ziehen.

Beratungstipp

Ergänzende Maßnahme zur Anwendung von Antihydrotika sind:
- Verzicht auf schweißtreibende Nahrungsmittel wie Alkohol, Kaffee, Tee, scharfe Gewürze,
- Atmungsaktive, weite Kleidung,
- Entspannungstechniken wie autogenes Training, Yoga,
- Übergewicht reduzieren,
- Ausreichend trinken.

9.2.19.4 Mindmap

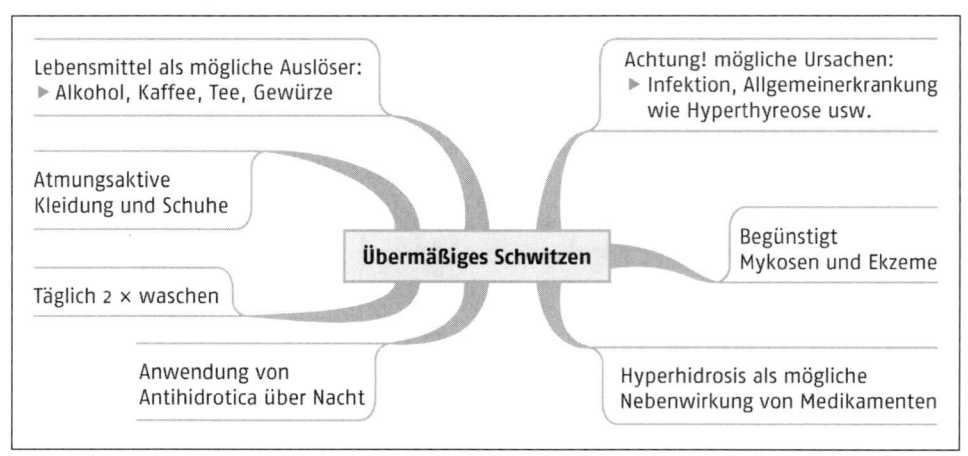

Übermäßiges Schwitzen

- Lebensmittel als mögliche Auslöser: ▶ Alkohol, Kaffee, Tee, Gewürze
- Atmungsaktive Kleidung und Schuhe
- Täglich 2 × waschen
- Anwendung von Antihidrotica über Nacht
- Achtung! mögliche Ursachen: ▶ Infektion, Allgemeinerkrankung wie Hyperthyreose usw.
- Begünstigt Mykosen und Ekzeme
- Hyperhidrosis als mögliche Nebenwirkung von Medikamenten

9.2.20 Hühneraugen

Im Gegensatz zu den Warzen (siehe 9.2.4.2) sind Hühneraugen keine Virenerkrankung und damit auch nicht ansteckend, dafür aber umso schmerzhafter! Der Name „Hühnerauge", lateinisch Clavus leitet sich vom Aussehen der betroffenen Stelle ab, die je nach Ausprägung an ein Vogelauge erinnern kann.

9.2.20.1 Krankheitsbild

Hühneraugen entstehen durch anhaltenden Druck und mit einhergehender Reibung auf knochennaher Haut. Prädisponierte Stellen sind die Fußsohlen und die Zehen. Ursache ist vor allem zu enges, ungeeignetes Schuhwerk, begünstigende Faktoren sind ein bestehender Senk- oder Spreizfuß, Fehlstellungen wie Hallux oder Hammer- und Krallenzehen oder Veränderungen der Zehengelenke durch z.B. Arthrose.

9.2.20.2 Entstehung von Hühneraugen

Durch anhaltenden Druck des Schuhs verdickt sich die Oberhaut als Schutz gegen diese Störung von außen. Dauert der Druck von außen an, verhornt die betreffende Stelle weiter und schiebt sich wie ein Dorn ins Innere. In der Lederhaut trifft dieser Dorn dann auf Nervenstränge, was zu starken Schmerzen führen kann.
Man unterscheidet zwei Arten von Hühneraugen, die so genannten harten und die weichen Hühneraugen.

Harte Hühneraugen

Das harte Hühnerauge findet sich vor allem oben auf den Zehen, auf den Fußsohlen und an den Fersen. Es ist meistens rund, kann leicht gelblich sein und ist durch seinen nach innen, auf Nervenbahnen treffenden Sporn äußerst schmerzhaft.

Weiche Hühneraugen

Weiche Hühneraugen entstehen vor allem zwischen den Zehen im feuchten Interdigitalklima durch Mazeration. Sie haben keinen harten Kern, können aber dennoch äußerst schmerzhaft sein.

9.2.20.3 Behandlung

Bei unklarem Befund empfiehlt sich zur Sicherheit der Gang zum Hautarzt, um sicher zu stellen, dass keine Warze vorliegt.
Leichtere, noch nicht sehr tief sitzende Hühneraugen kann man in Selbstbehandlung zu entfernen versuchen, bei hartnäckigeren Fällen ist es besser, die Entfernung einem Podologen zu überlassen, in sehr schweren Fällen hilft nur noch der Gang zum Hautarzt.
Erste Maßnahme, gleichgültig ob zu Hause oder beim Podologen ist die Erweichung der Haut durch ein warmes Fußbad.
Mit einem Bimsstein, einer speziellen Hornhautfeile oder Hornhauthobel kann anschließend die verhornte Haut vorsichtig abgetragen werden. Dabei ist wegen der verletzungs- und damit einhergehenden Entzündungs- und Infektionsgefahr besondere Vorsicht nötig, insbesondere bei Diabetikern!

Medikamentöse Behandlung

Wirkstoffhaltige Hühneraugenpflaster, Tinkturen oder Hühneraugenstifte enthalten meist Salicylsäure als Keratolytikum, diese sind für Diabetiker allerdings nicht zu empfehlen. Weiche Hühneraugen sollten nicht mit Salicylsäure behandelt werden, hier empfiehlt sich die Behandlung beim Podologen.
Es muss darauf geachtet werden, dass der Wirkstoff-haltige Teil nur das Hühnerauge bedeckt und nicht auf gesunder Haut zu liegen kommt.
In vielen Präparaten ist die Aufweichung des Hühnerauges durch Salicylsäure kombiniert mit gleichzeitiger sofortiger Druckentlastung durch Schaumstoffpolster (zum Beispiel Hansaplast, Compeed, Scholl).
Intensiv Seren für die lokale, punktgenaue Behandlung mit Urea und Milchsäure sind schonender und auch für Diabetiker geeignet

(Beispiel: Hansaplast® Anti Hornhaut Intensiv Serum).

Wirkstofffreie Behandlung
Neuere Produkte lösen die verhornte Haut nicht mehr mit Keratolytika, sondern erweichen die betroffene Stelle schonend durch ein Gel-Pflaster, das einerseits polstert und andererseits das Hühnerauge durch das Schaffen eines feuchten Klimas nach und nach aufweicht.
(Bsp. Hydra Guard™ Technologie von Scholl, Compeed® Aktiv Gel)
Vorbeugend sollten – neben geeignetem Schuhwerk – die Füße mit einer feuchtigkeitsspendenden Creme (z.B. Urea) gepflegt werden, um sie geschmeidig zu halten und die Entstehung von Hornhaut zu vermeiden.

9.2.21 Hautpflege

Ziel der Hautpflege ist die Schaffung bzw. Erhaltung einer gesunden, heilen Haut. Hautpflege umfasst somit

- Hautreinigung,
- Unterstützung und Homöostase des natürlichen Hautzustandes, der Hautbalance,
- daraus resultierend die Verhinderung von Hautreizungen oder Hauterkrankungen (bzw. -Schädigungen), beginnend bei z.B. Sonnenbrand bis hin z.B. zu lästigen und langwierigen Hautmykosen,
- Vorbeugen gegen vorzeitiges Altern der Haut
- sowie, und das ergibt sich als Zusammenfassung der genannten Punkte, die positive Beeinflussung des Erscheinungsbildes mit einer gesunden, glatten, elastischen und weichen Haut.

(Fortsetzung nächste Seite)

9.2.21.1 Hautalterung

Die Hautalterung beginnt ca. ab dem 25. Lebensjahr. Betroffen von der Hautalterung sind die Oberhaut und das Bindegewebe. Die Oberhaut wird dünner, die Zahl der Zellschichten nimmt ab, die gleichmäßige Struktur innerhalb der einzelnen Schichten geht verloren. Äderchen können durchschimmern. Das Relief der Hornschicht vertieft sich, dadurch werden Fältchen und Falten gebildet.

Die Pigmentierung – insbesondere an lichtexponierten Stellen – gestaltet sich fleckförmig, das Erscheinungsbild der sogenannten Altersflecken (gutartige Pigmentflecke, s. Kap. 9.2.16.2) tritt auf.

Da die Hautdrüsen weniger Sekret (Talg und Schweiß) produzieren, wird die Hautoberfläche fettärmer und trockener, die Geschmeidigkeit der Haut ist vermindert. Die abnorme Trockenheit und die vermehrte Schuppung führen häufiger zum Auftreten von Juckreiz. Auch die Schutzfunktionen der Haut sind damit beeinträchtigt.

Kollagen und Elastin werden von löslichen in unlösliche, unelastische Formen übergeführt, das Bindegewebe erschlafft; die Haut verliert ihre Elastizität.

Hautalterung kann in das sogenannte „Zeitaltern" (intrinsisches Altern), das genetisch vorprogrammiert ist, und das sogenannte „Umweltaltern", das durch verschiedene Faktoren wie Sonne, Klima, Umwelt, Ernährung, Rauchen und Lebensstil beeinflusst wird, unterteilt werden. Im Mittelpunkt steht bei Letzterem sicher der Einfluss der UV-Strahlung.

Eine Theorie der Hautalterung besagt, dass vermehrt freie Radikale entstehen, dass die Umwandlung von Nährstoffen in Zellenergie durch Ubichinon in den Mitochondrien verringert ist, hierauf beruht der Einsatz von Ubichinon, **Coenzym Q**, zum Schutz vor freien Radikalen und zur Anregung der Energieproduktion in den Hautzellen.

Ein zweiter Faktor bei der Entstehung von Falten ist der abnehmende Hyaluronsäure-Gehalt der Hautzellen. Da 1 g **Hyaluronsäure** bis zu 6 Liter Wasser binden kann, „füllt" von außen zugeführte Hyaluronsäure die faltige Haut von innen „auf". Der sichtbare Effekt verschwindet nach einem Tag wieder, nur regelmäßige Anwendung kann zum Langzeiteffekt führen.

Pro Jahr nimmt außerdem der Kollagengehalt der Haut um ca. 1 % ab, hier kommen u. a. Ursolsäure und Gingko zur Stimulation der Kollagensynthese zum Einsatz.

Für die Behandlung sehr ausgeprägter Gesichtsfalten ist seit März 2006 auch Botulinumtoxin zugelassen.

9.2.21.2 Hauttypen

Der Hauttyp eines Menschen ist erblich bedingt, wiewohl er sich im Laufe eines Lebens verändern kann. Auch können an verschiedenen Körperregionen unterschiedliche Hauttypen angetroffen werden.

Während in der Jugend – hier insbesondere während der Pubertät – die Haut eher fett ist, wird sie mit zunehmendem Alter fettärmer und trockener. Ebenso wie durch das Lebensalter wird der Hautzustand durch verschiedene äußere Faktoren wie Umgebungstemperatur, Ernährung, Rauchen, Alkohol sowie auch durch die Psyche beeinflusst.

Normalerweise wird zwischen drei Hauttypen unterschieden:

1. Normale Haut
Sie ist feinporig, glatt, gut durchblutet und zeigt keinen Fettglanz. Die sogenannte T-Zone (Stirn, Nase, Kinn) weist leicht vergrößerte Poren sowie eine geringfügig erhöhte Fettabsonderung auf.

2. Trockene Haut
Sie ist die „empfindliche" Haut, stellt also im dermatologischen Sinne die „Problemhaut" dar. Sie ist bei 25 % der jüngeren Menschen, im Alter bei bis zu 80 % der Personen anzutreffen. Die trockene Haut

ist feinporig, glanzlos und matt. Der Wassergehalt der Epidermis beträgt unter 10%. Diese Haut trocknet leicht aus; Personen mit trockener Haut neigen zu frühzeitiger Falten- oder Runzelbildung.

3. Fette Haut
Diese Haut zeigt auffallenden Fettglanz sowie große Poren. Man spricht auch von der typischen „Aknehaut", da sie insbesondere bei Jugendlichen in der Pubertät anzutreffen ist.

Zur Beurteilung des Hauttyps bedarf es einer Hautdiagnose. Dabei wird meist mit einer Lupe die Porenbeschaffenheit sowie die Struktur der Hautoberfläche untersucht.

Die Empfehlung einer richtigen Hautpflege muss dem jeweiligen Hauttyp entsprechend erfolgen. Ein Ziel der Hautpflege ist es dabei, der Haut entweder Fett und Feuchtigkeit zuzuführen (trockene Haut) oder überschüssiges Fett zu reduzieren (fette Haut).

9.2.21.3 Hautreinigung

Die Haut bedarf einer regelmäßigen Reinigung. Als Richtwert dazu wird eine einmalige gründliche Reinigung pro Tag als ausreichend erachtet, Anwender von Kosmetika dagegen sollten zweimal täglich eine gründliche Reinigung vornehmen. Zweck der Reinigung ist die

- Entfernung von Schmutz, anderer Partikel sowie Mikroorganismen,
- Entfernung von abschilfernden und abgeschilferten Zellen,
- Entfernung von Resten von Hautdrüsensekreten (Talg, Schweiß) vor Eintritt der Zersetzung,
- Entfernung von Kosmetikaresten oder Resten von dermatologischen Produkten.

Reinigen bedeutet also die Entfernung von wasser- **und** lipidlöslichen Substanzen. In Konsequenz daraus kann gesagt werden, dass Wasser alleine für eine Reinigung der Haut nicht ausreichend sein kann. Darüber hinaus führt Wasser zum Herauslösen von wasserlöslichen Feuchthaltefaktoren der Haut und bewirkt dadurch eine Austrocknung der Haut. Auch ist Wasser für eine Aufquellung der Hornschicht verantwortlich, was eine erhöhte Durchlässigkeit der Hornschicht gegenüber Fremdstoffen und Mikroorganismen zur Folge hat.

Ein Zuviel an Wasserkontakt hat also ebenso negative Auswirkungen auf die Hautbalance wie ein Zuwenig an Hautreinigung. In diesem Zusammenhang soll erwähnt werden, dass aufgrund dieser Eigenschaften des Wassers ein Duschbad einem Vollbad zu Reinigungszwecken vorzuziehen ist.

Seife oder Syndet?

Seifen und Syndets stellen waschaktive Substanzen dar. Bei Seifen handelt es sich um Alkalisalze (vorwiegend Natrium) höherer Fettsäuren, Syndets sind synthetische Detergentien unterschiedlicher chemischer Struktur. Hauptsächlich werden Alkylpolyglykolethersulfate verwendet.

Seifen zeichnen sich durch gute Waschkraft und hohe Oberflächenaktivität aus. Sie besitzen allerdings die nachteilige Eigenschaft, dass sie aufgrund ihrer chemischen Struktur nicht neutral, sondern alkalisch reagieren (pH-Wert zwischen 10 und 11), d.h. bei Anwendung verschieben sie den normalen Haut-pH-Wert, zumindest kurzfristig, in den alkalischen Bereich.

Normale, gesunde Haut ist in der Lage, innerhalb weniger Stunden den ursprünglichen pH-Wert wieder einzustellen. Bei sehr häufiger Anwendung von Seifen – etwa, wenn dies beruflich notwendig ist – oder aber bei empfindlicher oder geschädigter Haut wird der normale pH-Wert erst sehr viel langsamer oder gar nicht mehr erreicht. Der Säureschutzmantel der Haut ist nachhaltig beeinträchtigt, die Haut wird empfindlicher gegenüber mikrobiellem Befall und besitzt nur noch eine ungenügende Pufferkapazität gegenüber Säuren und Laugen.

Eine weitere nachteilige Eigenschaft der Seifen besteht in der Bildung von schwerlöslichen Kalkseifen zusammen mit Calciumionen. Dies führt zum einen an Waschbecken und Badewannen zu unschönen Rändern (insbesondere bei kalkhaltigem Wasser), aber, und dies scheint von größerer Bedeutung zu sein, auch auf der Haut zu Kalkseifenniederschlägen, die die Poren verstopfen können. Dies beeinträchtigt die Hautfunktion und führt in manchen Fällen zu entzündlichen Erscheinungen.

Syndets dagegen sind meist mit Hilfe von Milch- oder Citronensäure auf einen leicht sauren bis neutralen pH-Wert (pH 5–7) eingestellt und führen damit – im Gegensatz zur Seife – nicht zu einer Veränderung des normalen pH-Wertes der Haut (Abb. 9.2-7).

Außerdem ist das Hautreizungsrisiko eines Syndets – unabhängig von der Beeinflussung des pH-Wertes der Haut – geringer als das von Seifen, wobei Syndets in flüssiger Form günstiger abschneiden als feste Formulierungen.

Weitere Vorteile von Syndets liegen darin, dass sie keine wasserunlöslichen Niederschläge (s.o.) bilden und auch, dass sie sowohl in fester wie auch flüssiger Form erhältlich sind. Nachteilig ist, dass Syndets die Haut etwas stärker austrocknen als Seife und dass sie bei längerem Gebrauch zu „Versumpfung" neigen (d.h. sie werden angelöst und werden schmierig). Der Preis von Syndets ist oftmals höher als der von Seifen.

Aus den genannten Vor- und Nachteilen von Seifen und Syndets (s.a. Tab. 9.2-33) lässt sich folgende Empfehlung ableiten:
Seifen können angewandt werden für die gesunde, normale Haut. Dabei sollte man dann auf eine Feinseife zurückgreifen, die wenig parfümliche Zusätze enthält und dadurch aus allergologischer Sicht günstiger zu beurteilen ist. Für die empfindliche, kranke oder für die eher fette Haut sowie immer dann, wenn häufige Reinigungen erforderlich sind, ist ein Syndet vorzuziehen.

Weitere Reinigungspräparate

Für die sehr empfindliche Haut, z.B. Aknehaut, bietet sich die Reinigung mit besonders hautschonenden Präparaten an. Dazu gehört die **Reinigungsmilch,** die keine oder nur sehr geringe Mengen Tenside enthält. Es handelt sich um O/W-Emulsionen mit ca. 70% Wasseranteil.

Das Pendant zur Reinigungsmilch stellt die **Reinigungscreme** dar, die für die trockene Haut empfohlen werden kann. Als Zusätze in Reinigungsmilch oder -creme finden sich

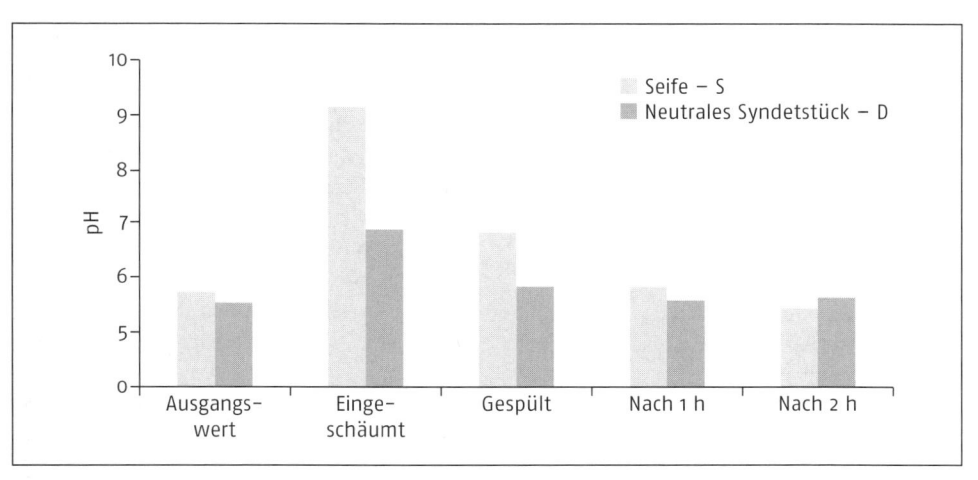

Abb. 9.2-7: Haut-pH-Werte bei und nach Anwendung einer alkalischen Seife (S) und eines neutralen Syndetstückes (D). Seifenvergleich bei 10 Probanden ohne Hautprobleme. Aus Raab, Kindl 2004

Tab. 9.2-33: Vergleich von Seife und Syndet. Aus Raab, Kindl 2004

Seife	Syndet
pH 10–11	pH beliebig einstellbar (meist zwischen 5–7)
Geeignet für „normale" Haut	Geeignet für Problemhaut
pH-Änderung der Haut	Keine oder nur geringfügige pH-Änderung der Haut
Bildung von Kalkseifen bei hartem Wasser	Wasserhärtebeständig
Geringe Versumpfung	Versumpfungsgefahr
Günstigerer Preis	Teurer als Seife

teilweise die als Schleifmittel mit zusätzlichem Reinigungseffekt bei fetter Haut wirkende Mandelkleie oder Seesand.
Daneben gibt es sogenannte **Reinigungsöle**, die insbesondere geeignet sind zur Entfernung von Make up, Eyeliner oder anderen dekorativen Kosmetika. Sie enthalten geringe Mengen Tenside und bilden zusammen mit Wasser eine O/W-Emulsion, die sich leicht abwaschen lässt.

Gesichtswässer

Sie dienen zur Nachreinigung, evtl. auch zur Entfernung von z.B. Reinigungscremeresten, in der Hauptsache wird aber mit der Anwendung von Gesichtswässern das Ziel verfolgt, die Haut zu erfrischen, zu „tonisieren".
Gesichtswässer sind meist alkoholische Zubereitungen (max. 25–30% Alkohol), denen oftmals pflanzliche Extrakte beigemischt sind. So finden sich Aloe, Hamamelis, Kamille, Menthol, Kampfer und verschiedene Blütendestillate.
Diese Inhaltsstoffe sollen neben dem angenehmen Duft auch günstige Eigenschaften für die Haut entfalten, indem sie z.B. durchblutungsfördernd (Kampfer), entzündungshemmend (Kamille) oder adstringierend (Hamamelis) wirken.
Bei trockener oder sehr trockener Haut sollte auf Gesichtswässer mit einem sehr niedrigen Alkoholgehalt zurückgegriffen werden.

9.2.21.4 Auswahl der Pflegepräparate

Hautpflegepräparate dienen zum einen zum Schutz der Haut gegenüber Umwelteinflüssen, sollen aber auch der Regeneration der Haut dienen.
Tagescremes sind vorwiegend „Schutzcremes", die der Haut zusätzlich Feuchtigkeit zuführen.
Nachtcremes dienen vor allem als Schutz vor Austrocknung der Haut und unterstützen die Regeneration.
Tagescremes sind in der Regel Emulsionscremes vom Typ O/W. Ausnahmen sind Tagescremes für sehr trockene Haut, die oft auch als W/O-Emulsion angeboten werden. Nachtcremes stellen in der Regel W/O-Emulsionen dar. Generell führen O/W-Emulsionen der Haut zunächst Feuchtigkeit zu, wirken aber – da sie in der Lage sind, aus dem Stratum corneum Wasser auch aufzunehmen – nachfolgend entquellend und sogar austrocknend. Geeignet sind solche Tagescremes ohne Einschränkung für die jugendliche oder fette Haut mit hoher Talg- und Schweißproduktion, bedingt geeignet für die normale bis trockene Haut, ungeeignet allerdings für die sehr trockene (d.h. meist auch die Haut älterer Menschen) oder empfindliche Haut. So dauert die Hydratation der Hornschicht bei O/W-Emulsionen nur eine halbe Stunde an, während mit W/O-Emulsionen eine Hydratation über 4 Stunden erreicht wird.
Bei diesen letztgenannten Hauttypen empfiehlt sich, auch als Tagescreme eine W/O-Emulsion zu bevorzugen, obwohl diese schwerer in die Haut einzumassieren ist und auch oftmals einen nicht erwünschten Fettglanz auf der Haut zurücklässt.
Für O/W- und W/O-Emulsionen gilt aber, dass solche Produkte nachteilig sind, die ex-

trem in eine Richtung gehen, also entweder einen sehr hohen Wassergehalt oder einen sehr hohen Lipidanteil besitzen. Sie überfetten die Haut auf der einen Seite oder wirken auf der anderen Seite zu stark austrocknend.

Inhaltsstoffe von Pflegepräparaten

In Pflegecremes werden eine Vielzahl unterschiedlichster Stoffe eingearbeitet. Diese Vielfalt spiegelt gleichzeitig die Unsicherheit über Wert und Unwert solcher Stoffe wider.

Die größte Bedeutung bei der Auswahl eines geeigneten Hautpflegepräparates kommt nicht den zugesetzten Substanzen zu, sondern ganz eindeutig den verwendeten Grundlagen und vor allem dem richtigen Emulsionstyp.

Häufig findet man in Tagescremes Substanzen, die eine Wasserbindungsfähigkeit besitzen und so die obersten Hautschichten vor Austrocknung schützen können. Geeignet sind:

- Glycerol, Propylenglykol,
- Natural Moisturizing Factor (NMF), ein Gemisch aus Aminosäuren, Pyrrolidoncarbonsäure, **Harnstoff**, Mineralsalzen, Milchsäure etc.,
- **Hyaluronsäure** oder allgemein: Mukopolysaccharide (s. Hautalterung),
- Kollagenaufbauende Substanzen.

Nachtcremes sind oft mit Vitaminen (**Vitamin A (Retinol) und Vitamin E** versetzt bzw. enthalten Öle, die einen natürlichen Gehalt an Vitamin E besitzen (Weizenkeim-, Avocado- oder Mandelöl). Gut bewährt hat sich aufgrund des hohen Spreitvermögens das Jojobaöl, das sehr gut verträglich ist und sich gut auf bzw. in der Haut verteilt, ohne einen Fettglanz zu hinterlassen.

Hautverwandte Lipide (Ceramide, Triglyceride) stärken die Barrierefunktion der Haut, **Omega-6-Fettsäuren** (z. B. in Nachtkerzensamenöl) werden z. B. direkt in die Strukturlipide eingebaut.

Daneben können günstig beurteilt werden z. B. Pflanzenextrakte mit nachgewiesenem therapeutischem Wert wie Kamille (bzw. Azulen oder Bisabolol) oder Hamamelis.

Liposomen- oder Niosomenpräparate

Ein vielversprechender Ansatz in der Hautpflege, Kosmetik, aber auch in der Therapie stellen Liposomen- oder Niosomenpräparationen dar.

Die Membran dieser 20–3500 nm großen kugeligen Partikel besteht dabei entweder aus Phospholipiden (Liposomen) oder Polyglycerolethern (Niosomen). Die Membranschicht kann dabei als einfache Doppelmembran (unilamellare Vesikel) oder aber als Mehrfachmembran (multilamellare Vesikel) ausgebildet sein.

Die physikalischen Eigenschaften und auch die chemische Stabilität der Liposomen wird stark von den verwendeten Phospholipiden beeinflusst. Hauptkomponente bei Liposomen stellt das Phosphatidylcholin dar. Liposomen oder Niosomen können in ihrem Hohlraum hydrophile Substanzen aufnehmen und transportieren, während in der Membranschicht lipophile Substanzen gespeichert werden können.

Werden Liposomen auf die Haut aufgetragen, so binden die Phospholipide an das Keratin der Hornschicht und bilden einen lipophilen Überzug auf der Haut. Ein Teil der Phospholipide wird bereits an der Hautoberfläche abgebaut. Werden größere Mengen Liposomen auf die Haut appliziert, gelangen Liposomen auch in tiefere Hautschichten und verbinden sich dort mit Membranen von Hautzellen, entfalten also dort ihre Wirkung. Liposomen können somit einerseits als Transportsystem für Arzneistoffe zur Wirkung in der Haut dienen (Beispiele Antibiotika, Antimykotika, Corticoide, Retinoide), zum anderen aber auch als Träger für Substanzen, die auf der Hautoberfläche wirken sollen, wie z. B. Feuchthaltemittel oder Reinigungsmittel.

Nicht unterschätzt werden darf die Wirkung von wirkstofffreien Liposomen selbst, da diese durch den Gehalt an Phospholipiden selbst als Feuchthaltefaktoren dienen und den epidermalen Wasserverlust mindern. Sie führen also insbesondere bei trockener Haut und auch bei leichten Akneformen zu einer

Tab. 9.2-34: Unterscheidung toxischer und allergischer Hautreaktionen. Nach Raab, Kindl 2004

Toxische Reaktion (Hautirritation)	Allergische Reaktion (allergisches Kontaktekzem)
Auftreten beim ersten Kontakt	Auftreten frühestens beim zweiten Kontakt, nach erfolgter Senibilisierung
Monomorphes Bild	Polymorphes Bild
Streng auf die Kontaktstelle beschränkt	Über die Kontaktstellen hinausreichend
Beginn der Entzündung nach 6 bis spätestens 24 Stunden	Beginn nach 24 bis 48 Stunden
Höhepunkt nach 24 Stunden	Höhepunkt nach 48 Stunden
Nachweis: meist andere Zeichen der Hautempfindlichkeit vorhanden bzw. obligat toxische Reaktion bei falscher Rezeptur	Nachweis: Patch-Test (Epikutantest) mit allen verdächtigen Inhaltsstoffen der kosmetischen Präparation
Schwaches Erythem bis zur Blasenbildung	Erythem

Verbesserung des Hautzustandes, die Haut wird glatter und straffer.

Inwieweit Liposomen über eine feuchtigkeitsspendende oder feuchtigkeitshaltende Wirkung hinaus propagierte Wirkungen wie Faltenverminderung oder -glättung besitzen, muss zumindest in Frage gestellt werden.

Die Verträglichkeit von Liposomen ist äußerst gut. Ein Problem von Liposomen besteht in der Anfälligkeit gegenüber Tensiden, ihrer Oxidationsempfindlichkeit (bei Phospholipiden mit einem hohen Gehalt an ungesättigten Fettsäuren) und der Hydrolyseempfindlichkeit.

Stabilste Form für Liposomen stellen daher Hydrogele dar, Cremes oder Lotionen sind nur bei Anwendung spezieller Emulgatoren stabil zu halten.

9.2.21.5 Verträglichkeit von Kosmetika

Viele Kosmetika enthalten Inhaltsstoffe, auf die Anwender bereits nach kurzfristiger oder aber nach mehrmaliger längerdauernder Anwendung mit Hautreizungen, entzündlichen Hautreaktionen oder aber „nur" mit einem unangenehmen Gefühl auf der Haut reagieren. Dabei sind bei diesen Hautreaktionen Hautirritationen im Sinne einer toxischen Reaktion von echten allergischen Reaktionen zu unterscheiden (Tab. 9.2-34). Letztere werden, gemessen an der Vielzahl der Anwender, nur recht selten beobachtet. Es finden sich Angaben von weniger als 1 Promille in der Literatur.

Ursache für Hautirritationen können praktisch alle Inhaltsstoffe von Kosmetika sein (s. Kasten). Hier kann nur der Rat gegeben werden, dass bei Auftreten von Hautreaktionen, die in Zusammenhang mit Kosmetika gebracht werden können, ein Auslassversuch bzw. ein vollständiges Absetzen des Kosmetikums als Maßnahme erfolgen sollte. Grundsätzlich ist anzuraten, nur auf gut getestete und vor allem vollständig deklarierte Kosmetika zurückzugreifen, wobei die Überprüfung der Angaben auf der Packung auf Vollständigkeit praktisch unmöglich ist.

Der Begriff „hypoallergene Kosmetika" ist mehr als Werbeaussage zu werten, als dass er rationale und alleinige Begründung für die Bevorzugung eines bestimmten Präparates sein kann.

Info

Verantwortlich für Kontaktdermatitiden durch Kosmetika sind vor allem:
- Konservierungsmittel,
- Parfums und Parfumölbestandteile,
- p-Phenylendiamin,
- Propylenglykol,
- Wollwachs und -alkohole,
- Thioglykolsäureglycerinester,
- Perubalsam,
- Thiomersal.

9.2.21.6 Richtige Anwendung von Kosmetika

Ein häufiger Fehler bei der Anwendung von Kosmetika ist das Auftragen von Cremes in zu dicker Schicht, auch wird oft nicht gleichmäßig verteilt und nicht hinreichend in die Haut einmassiert. Jeder Überschuss an Creme führt zur Okklusion der Hautporen, verhindert die Hautatmung und kann so zu Wärme- und Feuchtigkeitsstau in der Haut führen. Außerdem besteht die Gefahr der bakteriellen Zersetzung der Cremereste mit der Folge eines unangenehmen Geruchs sowie der Bildung eventueller toxischer Produkte, die zu Hautirritationen führen können. Kosmetika sollten generell spätestens nach 12 Stunden durch gründliche Reinigung (s. Kap. 9.2.20.3) entfernt werden.

10 Wunden

Von B. Wahl

Der Organismus ist bemüht, aufgetretene Wunden möglichst rasch zu verschließen, um einerseits einen zu hohen Blut- bzw. Wasserverlust zu vermeiden, sich andererseits aber vor Infektionen, also Eindringen von Fremdkörpern in den Organismus, zu schützen. Jede Verletzung, die mit der Zerstörung von Zellen einhergeht, setzt daher einen reparativen Prozess in Gang, die sogenannte Wundheilung.

10.1 Krankheitsbilder und Wundheilung

10.1.1 Primäre Wundheilung

Wunden mit minimaler Gewebsverletzung sowie glatten Wundrändern heilen nach kurzer Entzündungsphase innerhalb von 6 bis 8 Tagen vollständig ab, wenn keine Wundinfektionen auftreten oder Fremdkörper in der Wunde vorhanden sind. Eine nennenswerte Neubildung von Gewebe findet dabei nicht statt. Der Wundschorf löst sich ab, die frisch epithelisierte Narbe wird kaum erkannt und führt – wenn überhaupt – zu einer nur minimalen Funktionsstörung des Gewebes. Die primäre Wundheilung stellt die ideale Form der Heilung dar, die man nach chirurgischen Schnitten sowie bei kleineren Stich-, Kratz-, Schnitt- oder Schürfwunden findet.

10.1.2 Sekundäre Wundheilung

Tritt bei Verletzungen ein größerer Gewebsdefekt auf, so muss er mit Granulationsgewebe gefüllt werden, ein Prozess, der Zeit erfordert. Das reichlich gebildete Narbengewebe ist nur von einem dünnen, vulnerablen Epithel bedeckt, auch bedingt diese Narbenbildung oftmals eine größere funktionelle Beeinträchtigung des Gewebes. Die schließ-

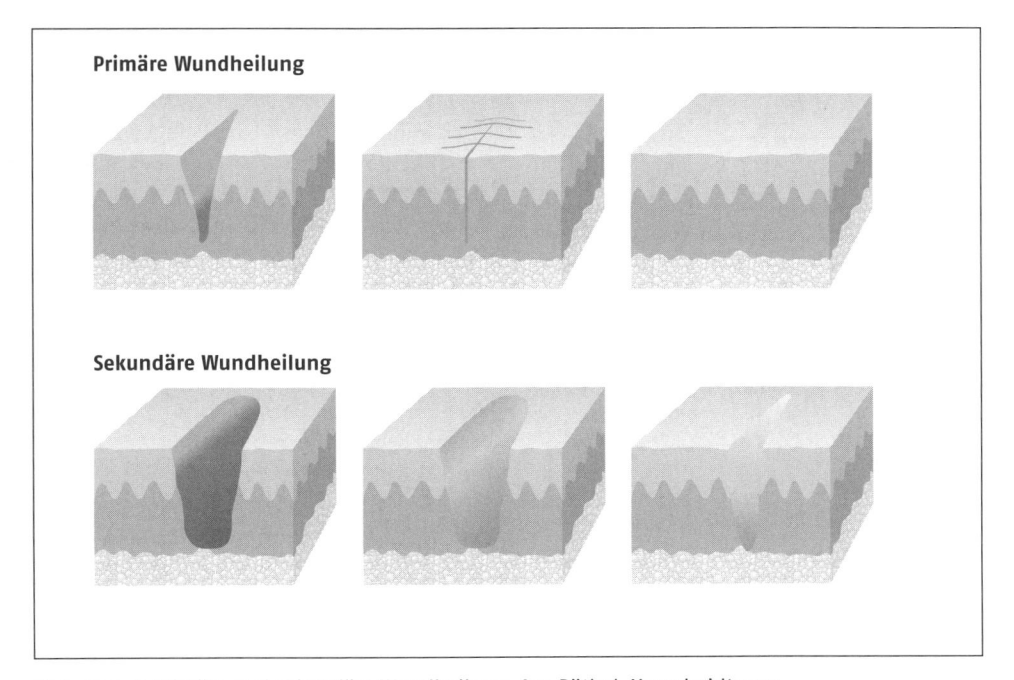

Abb. 10.1-1: Primäre und sekundäre Wundheilung. Aus Röthel, Vanscheidt 1997

lich vom Narbenepithel bedeckte Oberfläche ist kleiner als die ursprüngliche Wundfläche. Dies ist auf im Granulationsgewebe enthaltene Myofibroblasten mit kontraktilen Eigenschaften zurückzuführen. Sie ziehen die Wundränder zusammen, was zunächst als Schutzmechanismus gegenüber Infektionen positiv erscheint, sich aber auch negativ auswirken kann, indem die Bewegungsfreiheit des Gewebes behindert ist oder in Hohlorganen zu Stenosen führen kann.

Sekundäre Wundheilungen, die sich nicht qualitativ, sondern nur in quantitativer Hinsicht von der primären Wundheilung unterscheiden, findet man häufig bei Quetsch-, Riss- oder Platzwunden sowie nach Verbrennungen 2. oder 3. Grades, außerdem zählen chronische Wunden wie der diabetische Fuß, Unterschenkel- und Dekubitalgeschwüre, Strahlenschäden und Gewebszerstörungen durch Tumore dazu. Als chronisch wird eine Wunde bezeichnet, wenn der Wundheilungsvorgang mehr als acht Wochen benötigt.

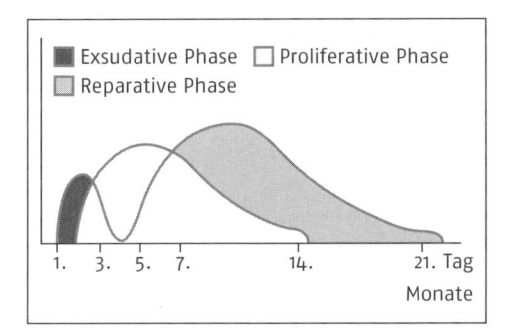

Abb. 10.1-2: Die Phasen der Wundheilung. Nach Verbandstoffe und moderne Wundversorgung 3, Paul Hartmann AG, Heidenheim

10.1.3 Phasen der Wundheilung

Der Wundheilungsprozess lässt sich in **3 Phasen** untergliedern (s. Abb. 10.1-2), die aber nicht streng voneinander getrennt verlaufen, sondern fließend ineinander übergehen.

Die Dauer der einzelnen Phasen ist dabei von der jeweiligen Wunde (Ort, Größe, Infektion durch Mikroorganismen?) sowie auch vom Allgemeinzustand des Patienten abhängig.

10.1.3.1 Entzündungsphase – Exsudative Phase

Unter dem Einfluss von Gerinnungsfaktoren polymerisiert das im Wundsekret enthaltene Fibrinogen zu Fibrin, das die Wundränder verklebt und durch Bildung des Wundschorfs die Blutung stillt. Gleichzeitig wird dadurch die Wunde gegen mechanische Schädigung oder Infektionen geschützt. Aktivierte Makrophagen greifen in den Prozess der Wundreinigung ein, indem diese und auch proteolytische Enzyme die Wunde von Zelltrümmern, Bakterien und anderen Fremdkörpern befreien. Bei sauberen, nicht infizierten Wunden dauert diese Phase 2 bis 3 Tage, bei größeren, insbesondere bei kontaminierten Wunden läuft die Entzündungsphase jedoch stark verzögert ab.

10.1.3.2 Proliferative Phase – Fibroplasie

Bereits innerhalb von 1 bis 2 Tagen nach der Verletzung, während der Entzündungsphase also, proliferieren ursprünglich ruhende Zellen aus der direkten Umgebung der Wunde, wobei gleichzeitig die Bildung von Kapillaren und lockerem Bindegewebe erfolgt. Die auslösenden Faktoren für diesen Wachstumsprozess sind noch nicht genau bekannt, es gibt aber Hinweise dafür, dass Substanzen, die von Thrombozyten und aktivierten Makrophagen freigesetzt werden, das Wachstum von Endothelzellen und Fibroblasten stimulieren. In der Literatur findet man dazu den Begriff „Wundhormone", die aber bisher nicht identifiziert werden konnten. Die Menge an Kollagen nimmt ungefähr bis zum 14. Tag nach der Verletzung zu, um danach – zumindest in einer geschlossenen, z.B. genähten Wunde –, konstant zu bleiben.

Am Ende der proliferativen Phase ist die Wunde mit Granulationsgewebe gefüllt, die Gefahr einer Infektion ist damit weitgehend gebannt, die Wunde kann geringeren mechanischen Beanspruchungen standhalten.

10.1.3.3 Reifungsphase – Reparative Phase

Diese Phase der Wundheilung kann viele Wochen bis sogar mehrere Jahre dauern. Nun wird das Granulationsgewebe zu Narbengewebe umgebaut, Zellen des Granulationsgewebes nehmen dabei an Zahl und Größe ab, dafür bilden sich vermehrt Fasern aus. Das Kollagennetz wird so umorganisiert, dass es mechanischen Belastungen gut standhalten kann. Dabei laufen gleichzeitig Lyse und in gleichem Umfang Neusynthese von Kollagen ab. Diese Umstrukturierung des Gewebes beginnt von den Wundrändern bzw. vom Grund der Wunde.

10.1.4 Faktoren, die die Wundheilung beeinflussen

Viele Faktoren können die Wundheilung verzögern oder erschweren, wobei sie entweder die Entzündungsphase oder die proliferative Phase der Heilung beeinflussen. Eine Beeinflussung der reparativen Phase ist nur schwer zu erkennen, wobei aber auch eine Störung dieser Wundheilungsphase von untergeordneter Bedeutung im Vergleich mit den beiden ersten Stadien zu sein scheint.

Eine verzögerte Heilung kann sowohl die Folge einer gesteigerten als auch einer verminderten Entzündung sein. Eine **Stimulation der Entzündungsphase** wird vor allem bei

- einer Infektion der Wunde,
- Fremdkörpern in der Wunde,
- großem Gewebsdefekt mit viel untergegangenem Gewebe,

eine **verminderte Entzündungsreaktion** und infolge eine verzögerte Wundheilung bei

- allgemein schwacher Immunabwehr z.B. bei Diabetes mellitus oder Leukämie,
- einer Behandlung mit Corticoiden oder Zytostatika

gefunden.

Besonders gefürchtet sind Wundinfektionen, die zumeist durch von außen in die Wunde eingedrungene Erreger ausgelöst werden (z.B. Verschmutzung der Wunde). Aber auch ansonsten apathogene Mikroorganismen, die Bestandteil der residenten Hautflora sind, können in die Wunde eindringen und dort – unter geänderten meist idealen Wachstumsbedingungen – Infektionen auslösen. Allerdings muss einschränkend gesagt werden, dass nicht jede Kontamination der Wunde auch zu einer Wundinfektion führt. Anzahl und Virulenz der Erreger, Art der Wunde (wie groß, wie tief), die Blutversorgung sowie auch die allgemeine Abwehrlage des Organismus entscheiden – neben weiteren Faktoren – darüber, ob eine Infektion manifest wird.

Neben den durch die Infektion ausgelösten Wundnekrosen stellen Toxine, die von den Mikroorganismen ausgeschieden werden und in die Blutbahn gelangen, die Hauptgefahr nach einer Wundinfektion dar (z.B. Tetanus, Gasbrand, Tollwut).

Die proliferative Phase kann durch verschiedene Mangelzustände negativ beeinflusst werden. Hierzu zählen eine mangelhafte Durchblutung (z.B. beim Adipösen, dessen Fettgewebe nur schwach durchblutet ist), schwere Anämieformen und dadurch vermindertes Sauerstoffangebot, Vitaminmangel, Mangel an Spurenelementen wie Kupfer, Cobalt oder Zink sowie Eiweißmangel. Auch eine Therapie mit Zytostatika verzögert die Wundheilung in dieser Phase, da diese Substanzen vor allem auf sich schnell teilende Zellen wirken. Die Zellen des Granulationsgewebes als sehr aktive Zellen sind daher sehr empfindlich gegenüber Zytostatika.

Ob die Wundheilung nicht nur negativ beeinflusst werden kann, sondern ob sie unter dem

Einfluss von Substanzen über das Normalmaß hinaus auch beschleunigt werden kann, ist umstritten. Sicherlich wird durch einen guten Allgemeinzustand, gute Ernährungslage und Versorgung mit Vitaminen sowie Mineralstoffen die Wundheilung günstig beeinflusst.

Ebenso wirken sich geeignete Sofortmaßnahmen nach einer Verletzung wie Wunddesinfektion und Schutz der Wunde durch geeignete Verbandstoffe positiv aus, in dem Sinne, dass sie eine ansonsten erschwert oder langsamer verlaufende Wundheilung verhindern.

10.2 Wundbehandlung

Ziel jeder Wundbehandlung ist es, möglichst eine „restitutio ad integrum" im Sinne einer primären Wundheilung (s. Kap. 10.1.1) zu erreichen.
Wichtig ist es, um eine größere Narbenbildung oder Komplikationen zu vermeiden, rasch folgende Maßnahmen zu ergreifen:

- sorgfältige chirurgische Wundversorgung (bei größeren oder tiefer reichenden Verletzungen),
- Ruhigstellen der Wunde,
- nur geeignete Verbandstoffe und Medikamente anwenden,
- Überprüfung und ggf. Auffrischung des Tetanus-Impfschutzes.

Größere Wunden, Wunden mit Infektionsgefahr (Wundränder sind nicht glatt, sondern z.B. gequetscht) bzw. mit bereits vorhandener Infektion, oberflächliche Wunden, die eine tiefer liegende innere Verletzung vermuten lassen (z.B. Stichwunde) gehören zur Behandlung in die Verantwortung des Arztes.
In diesen Fällen beschränkt sich die Akutbehandlung auf das Anlegen eines keimarmen Not- bzw. Druckverbandes. Weitere Maßnahmen wie Reinigung, Desinfektion, ja sogar das Entfernen evtl. vorhandener Fremdkörper aus der Wunde, muss unterbleiben.
Eine Behandlung offener Wunden, die keine ärztlichen Maßnahmen erfordern, soll folgendermaßen durchgeführt werden:

1. Wundreinigung,
2. Wunddesinfektion,
3. Wundversorgung mit Verband oder Wundschnellverband (d.h. Ruhigstellung der Wunde),
4. Unterstützung der Wundheilung, (wenn notwendig) in der Proliferationsphase (nicht auf frische, offene Wunden) mit granulationsfördernden Präparaten.

Wundreinigung und Wunddesinfektion sind die entscheidenden Maßnahmen, die in erster Linie den weiteren Verlauf und die Qualität der Wundheilung bestimmen.

Beratungstipp

Bei **schwerwiegenden** Wunden gilt:
- Wunde nicht auswaschen oder reinigen.
- Eventuell eingedrungene Fremdkörper nicht entfernen.
- Wunde und Wundumgebung nicht mit den Händen berühren.
- Im Vordergrund steht als erstes die Blutstillung, wenn es sich um lebensbedrohliche Blutungen handelt (Druckverband).
- Wunde möglichst steril abdecken.
- Betroffene Körperregion ruhig stellen.
- Patienten hinsetzen oder hinlegen.

10.2.1 Wundreinigung

10.2.1.1 Ausspülen

Oberflächliche, akute Wunden, z.B. Schürfwunden bei Kindern, sind oft verschmutzt und sollten deshalb im einfachsten Fall unter sauberem, fließendem Wasser ausgespült werden. Weitere Möglichkeiten sind sterile, physiologische Kochsalzlösung (nicht bei gleichzeitiger Anwendung von Silber im Wundbereich) oder Ringerlösung (enthält zusätzlich Calciumchlorid und Kaliumchlorid, was sich günstig auf die Elektrolytsitua-

tion in der Wunde auswirkt). Auch das Auswischen mit sterilen Kompressen oder Wundreinigungstüchern ist möglich.
Der Einsatz von Wasserstoffperoxid wird wegen seiner Zytotoxizität nicht empfohlen.
Haben sich Wundbeläge/Nekrosen auf der Wunde gebildet, vor allem auch bei chronischen Wunden, ist die Dekontamination mit physiologischer Kochsalzlösung oder Ringerlösung meist nicht mehr ausreichend.
Hier kommen außer dem **chirurgischen Debridement** durch das Skalpell verschiedene, im Folgenden beschriebene, Debridementverfahren zur Anwendung.

10.2.1.2 Autolytisches Debridement

Hierbei werden vorhandene Wundbeläge durch hydroaktive Wundauflagen, die Feuchtigkeit zuführen, aufgeweicht und abgelöst und so die körpereigenen Reinigungsprozesse unterstützt.
In Frage kommen hier Hydrogele (z.B. Purilon® Gel, Hydrosorb Gel®, Askina® Gel), Schaumstoffe, Nasstherapeutika (z.B. Tender Wet®, superabsorbierendes Wundkissen aus Polyacrylat), Hydrokolloide (z.B. Aquacel®, Suprasorb).
Diese Art der Wundreinigung ist sehr schonend, schmerzfrei und einfach anzuwenden. Zum Teil werden die Wundauflagen mit dem Einsatz von Ringerlösung kombiniert.
Ein neuer Ansatz ist die Wundreinigung durch Vakuumversiegelung, der entstehende Unterdruck trägt mechanisch zur Wundreinigung bei, das Ruhigstellen der Wunde sowie das feuchte Wundmilieu wirken zusätzlich positiv.

10.2.1.3 Enzymatisches Debridement

Nur noch geringe Bedeutung hat das enzymatische Debridement, da die eingesetzten Enzyme zum Teil nur eine sehr kurze Halbwertszeit haben und deshalb mehrmals am Tag aufgetragen werden müssen. Wichtig ist, dass die eingesetzten Präparate **nur in feuchter Umgebung** wirken können! Hydrogele sind eher zu empfehlen als Salben (Vaseline!).

Beispiel:
Varidase® N Gel (*Streptococcus-pyogenes*-Extrakt mit Streptokinase und Streptodornase)

10.2.1.4 Biochirurgisches Debridement – Madentherapie

Die so genannte „Madentherapie" ist indiziert und sehr effektiv bei chronischen, auch infizierten stark nekrotischen und mit Wundbelägen „belegten" Wunden, auch ergänzend zu einer Antibiotika-Therapie.
Steril gezüchteten Larven der Fliegenart *Lucilia sericata* werden auf die Wunde aufgebracht und geben in diese Verdauungssäfte (Enzyme) ab, die speziell nekrotisches Gewebe und Eiter auflösen. **Gesundes, lebendes Gewebe wird nicht angegriffen!**
Die Maden werden entweder freilaufend in die Wunde eingesetzt (unter einem Netz), wodurch auch ein Eindringen in tiefere Regionen ermöglicht wird, oder in einem Beutel aus Schaumstoff oder Gaze, durch den hindurch dann die Abgabe der Verdauungssäfte und die Aufnahme des aufgelösten Gewebes erfolgt.
Kontraindikation ist der Einsatz bei stark blutenden Wunden und in der Nähe großer Blutgefäße und innerer Organe.
Die Maden verbleiben 2–4 Tage auf der Wunde, die Anwendung kann wiederholt werden.
Außer einer effektiven Wundreinigung tragen die Maden auch zur Wundheilung bei durch die Absonderung von Wachstumsfaktoren und durch Schaffen eines Bakterienfeindlichen pH-Wertes in der Wunde. Sie sind wirksam auch bei mit MRSA (Methicillin-resistenter *Staphylococcus aureus*) und anderen multiresistenten Bakterien infizierten Wunden. Nicht beseitigt werden *Pseudomonas-*, *Proteus-* und *E. coli*-Infektionen, die vor dem Maden-Einsatz deshalb behandelt werden sollen! Die Maden können nur in feuchter, nicht aber zu nasser Umgebung überleben, evtl. also mit steriler NaCl- oder

Ringerlösung befeuchten. Sie können auf ärztliche Einzelverordnung bezogen werden und sollten möglichst am Tag der Lieferung verwendet werden.
Bei ca. einem Fünftel der behandelten Patienten kommt es zu einem verstärkten Schmerzempfinden.
Beispiel: BioBag®

10.2.2 Wunddesinfektion

Bei der Abwägung, ob die antiseptische Behandlung einer Wunde nötig ist, muss die Toxizität des Antiseptikums für die Wunde gegen die Schädigung durch die Infektion gegeneinander abgewogen werden (zu Antisepektika u. Desinfektionsmittel s.a. Kap. 9.2.2). Da bakterielle Endo- und Exotoxine schon in geringer Menge die Wundheilung stören, ist ihre Absorption bei chronischen Wunden begleitend zur Antiseptik notwendig.
Im Allgemeinen kann man sich grob nach dem im Folgenden beschriebenen Schema orientieren.
Kontaminierte und verschmutzte **akute Wunden** wie Schürf-, Biss- und Stichwunden sollten gereinigt und einmalig desinfiziert werden. Mittel der Wahl sind hier:

- **Octenidin** (z.B. Octenisept®),
- **Polihexanid**

Octenidin besitzt bei guter Verträglichkeit eine hohe Wirksamkeit, es wirkt schnell (nach ca. 30 Sekunden), wird nicht resorbiert und weist keine Blutfehler auf.
Polihexanid hat einen langsameren Wirkungsbeginn (5–20 Minuten), es weist ebenfalls keinen Eiweiß- und Blutfehler und auch keine nennenswerte Resorption auf.
PVP-Jod (z.B. Betaisodona®, Braunol®, Mercuchrom-Jod®) wird aufgrund seiner guten viruziden und sporoziden Wirkung noch kurzfristig bei akuten Wunden eingesetzt, z.B. bei Stich- und Schnittverletzungen mit dem Risiko einer HIV-, HBV- oder HCV-Infektion. Ansonsten ist es aufgrund seiner Schilddrüsentoxizität durch Resorption, seiner Zytotoxizität für empfindliche Wunden und seiner Wirkungseinbuße bei blutenden Wunden nicht mehr Mittel der Wahl.

Bei **chronischen Wunden** und **Verbrennungswunden** muss die Antiseptik nach dem Abtragen nekrotischer und infizierter Gewebeteile begleitend zur Heilung fortgesetzt werden. Mittel der Wahl ist hier **Polihexanid**, da es neben der antiseptischen Wirkung gleichzeitig die Granulation und damit die Wundheilung positiv beeinflusst. Es steht als Wundspüllösung, auch zum Befeuchten von Wundauflagen zur Verfügung (z.B. Serasept®, Prontosan® Wundspüllösung, Prontosan® Wound Gel). Auch das NRF (Neues Rezeptur-Formularium) enthält Rezepturen für verschiedene Polihexanid-Zubereitungen.
Silberverbindungen finden aufgrund ihrer Zytotoxizität nur noch in Wundauflagen Anwendung, wobei darauf geachtet werden sollte, dass kein Silber in die Wundumgebung abgegeben wird, um die Heilung nicht allzu sehr zu behindern. Auch hier kommt immer mehr Polihexanid zum Einsatz.
Alle anderen Antiseptika werden für die Wundheilung heute nicht mehr empfohlen:

- **Wasserstoffperoxid** weist eine zu große Zytotoxizität bei zu geringer Wirksamkeit, vor allem in Anwesenheit von Blut auf,
- **Ethacridinlactat** und **Chlorhexidin** sind wegen ihrer allergisierenden Wirkung und der Entwicklung von Resistenzen bei gleichzeitiger Verzögerung der Wundheilung ungeeignet, außerdem erschwert bei Farbstoffen die Verfärbung eine gute Beurteilung des Wundstatus.

10.2.3 Wundabdeckungen

Die Aufgabe von Wundabdeckungen ist es, die Wunde mechanisch, vor äußeren Einflüssen, vor Schmutz und Infektionen zu schützen und gleichzeitig ein günstiges Wundheilungsklima zu schaffen.

10.2.3.1 Wundschnellverbände

Für kleinere Verletzungen sind Wundschnellverbände geeignet, es gibt sie in großer Auswahl in starrer Form, elastisch, wasserfest, spezielle Formen für empfindliche Haut, zum Abschneiden oder als fertige Strips in verschiedenen Formen.

Bei der trockenen Wundheilung finden die Regenerationsprozesse meist – im Gegensatz zur feuchten Wundheilung – unter einer Kruste statt. Um ein Verkleben mit der Wundauflage zu vermeiden und für infektionsgefährdete Wunden werden auch für die trockene Wundheilung Aluminium-bedampfte oder Silber-beschichtete Wundschnellverbände angeboten (z.B. Hansaplast® med Reihe).

Gegenüber den älteren Klebemassen auf Kautschuk/Harz-Basis mit Zinkoxid haben die neueren Polyacrylatkleber den Vorteil, dass sie sich meist schmerzlos entfernen lassen, die Haut nur wenig reizen und weniger mit Haaren verkleben. Verwendet werden heute hauptsächlich synthetische acrylathaltige Klebemassen mit nur geringem allergenen Potenzial. Daneben gibt es noch vereinzelt synthetische kautschukbasierte Klebemassen (z.B. Hansaplast® Elastic und Hansaplast® Classic). Produkte, die aus der Zeit vor der Umstellung noch Naturkautschuk enthalten, sind entsprechend auf der Packung gekennzeichnet. Bei ausgeprägter Allergie gegen alle Klebemassen muss die Wunde mit Kompressen und Mullbinden versorgt werden. Generell halten Pflaster nur auf trockener, nicht fetter Haut.

10.2.3.2 Wundnahtstreifen

Wundnahtstreifen aus Vliesstoff mit Polyacrylatkleber verhindern bei Schnittwunden oft eine Narbenbildung.
Beispiele: Omnistrip®, Steri-Strip®, Porofix®, Curapont®

10.2.3.3 Sprühpflaster

Sprühpflaster bilden auf der Haut einen dünnen, homogenen Film. Dieser Film ist einerseits durchlässig für Luft und Wasserdampf, so dass die Hautatmung und auch die Versorgung der Wunde mit Sauerstoff nicht behindert wird, andererseits stellt er eine Barriere für Keime dar und schützt die Wunde so vor Kontamination. Sie sind geeignet zum Beispiel für Kinder bei Bagatellwunden, dürfen aber nicht eingesetzt werden auf Schleimhäuten und in Augennähe, bei verschmutzten, infizierten, blutigen, nässenden, tiefen und sehr großflächigen Wunden und auch nicht bei Verbrennungen.
Beispiele: Hansaplast® Sprühpflaster, flint® MED Sprühverband

10.2.3.4 Wundauflagen

Während früher Wunden möglichst schnell trockengelegt wurden, u.a. auch durch den Einsatz von Puder, weiß man heute, dass **feuchtes Milieu** die beste Voraussetzung für eine gute Wundheilung ist. Allerdings nicht im Sinne einer feuchten Kammer unter einer luftundurchlässigen Salbenschicht, sondern unter permanentem Gas- und Wasserdampfaustausch. Das Feuchthalten der Wunde beschleunigt die Zellteilung und damit die Regeneration der verletzten Zellen, erniedrigt die Infektionsgefahr und beugt Narbenbildung vor. Subjektiv empfinden die Patienten außerdem weniger Schmerzen. Optimal ist es außerdem, wenn der Verband nicht täglich gewechselt werden muss und ein Verbandswechsel ohne Beschädigung der Wunde und ohne Schmerzen vonstattengeht.

Diese Bedingungen erfüllen die modernen Wundauflagen, die sich vor allem in der Therapie chronischer Wunden etabliert haben. Mit einigen ist es sogar möglich zu duschen.
Inzwischen gibt es von unterschiedlichen Herstellern eine Vielzahl verschiedener Wundauflagen. Bei ihrem Einsatz kommt es darauf an, wie tief die Wunde ist, wie stark

sie exsudiert, ob eine Wundinfektion vorliegt, in welcher Heilungsphase sich die Wunde gerade befindet und ob die Wunde z.B. mit Wundbelag bedeckt ist oder unangenehm riecht.
Für kleinere Verletzungen stehen auch einfache Wundauflagen in Pflasterform zur Verfügung, zum Beispiel Hansaplast® Schnelle Heilung oder Hansaplast® med Schnelle Heilung (mit Silber).

Alginat-Wundauflagen/Kompressen und Tamponaden

Hergestellt werden die Kompressen aus Seealgen, sie bilden ein fasriges, dehnbares Vlies. Aufgrund ihrer großen Saugfähigkeit können sie bei mittel bis stark exsudierenden und auch stark blutenden und infizierten Wunden eingesetzt werden. Sie sind geeignet zur Tamponade für tiefe Wunden. Zur Anwendung kommen Calciumsalze der Alginsäure, die bis zu einem Mehrfachen ihres Eigengewichtes Exsudat aufnehmen können. Dabei werden Calciumionen aus der Wundauflage in die Wunde abgegeben, diese wirken blutstillend, im Austausch dafür werden Natriumionen aus Blut und Sekret aufgenommen. Das Alginat wandelt sich dabei in ein hydrophiles Gel um, das sehr viel Feuchtigkeit binden kann, die Wunde ausfüllt, ein feuchtes Wundmilieu aufrechterhält und außerdem Bakterien und abgestorbene Zellteile in die Gelstruktur einschließt und somit aktiv zur Wundreinigung beiträgt.
Beispiele: Seasorb Soft®, Algosteril®, Sorbalgon®, Suprasorb® A, DracoAlgin, Sorbsan®, Mextra Superabsorbent, Askina® Sorb

Hydrogele

Hydrogele enthalten bis zu 70% Wasser und sind deshalb für trockene Beläge gut geeignet. Sie halten die Wunde feucht, lösen Nekrosen und Beläge ab und unterstützen das autolytische Debridement. Eingesetzt werden sie als Gele oder Kompressen. Nicht angewandt werden sollten sie bei infizierten Wunden.

Beispiele: Comfeel® Purilon Gel, Varihesive® Hydrogel, Hydrosorb®, Go®Tac Hydrogel Pflaster, Urgo Hydrogel

Hydrokolloide

Hydrokolloidverbände sind in allen Wundheilungsphasen einsetzbar. Sie bestehen aus saug- und quellfähigen Hydrokolloiden (Pektin, Carboxymethylcellulose), die auf einem semipermeablen Polyurethanfilm aufgebracht sind. Durch die Aufnahme von Wundsekret bildet sich auch hier ein Gel, das sich allmählich als „Blase" von der Wunde abhebt. Hydrokolloide erhalten ein feuchtes Wundmilieu, nehmen Sekret auf und können bis zu 7 Tage auf der Wunde verbleiben, auch beim Duschen. Dies reduziert die Anzahl der oft schmerzhaften Verbandswechsel und beschleunigt somit den Heilungsprozess. Nicht angewendet werden sollten sie bei infizierten Wunden.
Beispiele: Varihesive® E, Contreet® Hydrokolloidverband, Hydrocoll®, Suprasorb® H, GoTa-Derm® Wundpflaster hydrokolloid, DracoHydro, Algoplaque, Alione®, Ratioline® protect, DermaPlast® Hydro Strips, Askina® Hydro

Schaumverbände

Schaumstoffkompressen mit wasserdampfdurchlässiger Polyurethan-Deckschicht werden hauptsächlich bei chronischen und tiefen sezernierenden Wunden eingesetzt. Die hydrophile Schaumstruktur, meist Polyurethanschaumstoffe, bzw. Hydrogelschichten, die Wundsekret an die Schaumstoffschicht weitergeben, binden Sekret und Zelltrümmer und erhalten ein feuchtes Wundheilungsklima, das die Granulationsphase fördert. Sie sind einfach in der Handhabung und können bis zu 7 Tage auf der Wunde verbleiben. Sie polstern Druck auf verletzte Stellen ab und sind gut geeignet für z.B. venöse Unterschenkelgeschwüre, da sie unter einem Kompressionsverband eingesetzt werden können, nicht zu empfehlen bei infizierten Wunden.

Beispiele: Perma Foam®, Tielle®, Suprasorb® P, DracoFoam, Askina®.

Wundfolien

Semipermeable Wundfolien, meist aus Polyurethan, sind geeignet für kleine oberflächliche, trockene Wunden. Sie sorgen für ein feuchtes Wundmilieu, sind selbstklebend, wasserfest und transparent, wodurch bei einer Verweildauer von bis zu 14 Tagen eine Wundbeobachtung möglich ist. Da von außen keine Nässe eindringen kann, können die Patienten mit der Wundauflage duschen. Nur mit Vorsicht sollten sie angewandt werden bei sehr dünner Alters- oder Cortison-geschädigter Haut, hier kann es beim Abziehen zu einer Schädigung der Wunde kommen.

Beispiel: Opsite® Flexigrid, Suprasorb® F

Silberhaltige Wundauflagen

Silberhaltige Wundauflagen sind aufgrund der antimikrobiellen Wirkung von Silber indiziert bei infizierten oder infektionsgefährdeten Wunden.

Indikationen sind: Verbrennungen 2. Grades, diabetischer Fuß, Ulcus cruris, Dekubitus, Hautentnahme- und Transplantatstellen.

Die Wirkung von Silber auf gr+ und gr– Bakterien einschließlich MRSA sowie Pilze beruht auf einer Reaktion der Silberionen mit Proteinstrukturen (vor allem mit Thiolgruppen von Aminosäuren) und damit Beeinflussung von Proteinen der bakteriellen Atmungskette und von Transportproteinen, einer Schädigung der Zellmembran sowie Inaktivierung von Nucleinsäuren (Bindung an DNA) (Oligodynamie).

Die gegen Mikroorganismen eingesetzten Silberkonzentrationen sind für den Menschen gut verträglich, wieviel Silber tatsächlich resorbiert wird ist nicht geklärt, für eine toxische Wirkung ist die Konzentration allerdings zu gering.

Wachsende Bedeutung kommt silberhaltigen Wundauflagen durch die Problematik von Antibiotika Resistenzen zu, hier sind sie eine gute Alternaive. Kontraindikation ist eine Überempfindlichkeit gegen Silber. Für eine Resistenzentwicklung gegen Silber gibt es momentan keine relevanten Hinweise.

Für die Anwendung ist zu beachten:

Für die Freisetzung der Silberionen ist ein feuchtes Wundmilieu, Kontakt mit dem Wundexsudat Voraussetzung.

Nanokristallines Silber darf nicht mit NaCl Lösung in Berührung kommen, durch Oxidation würde das Silber sonst seine Wirksamkeit verlieren.

Die Auflage darf nicht mit Produkten auf Ölbasis kombiniert werden.

Verfärbungen der Umgebungshaut lassen sich verhindern, indem die Wundauflage passend zugeschnitten wird.

Die Anwendung bei Strahlentherapie und MRT muss abgeklärt werden!

Für die gleichzeitige Anwendung anderer Antiseptica die Herstellerangaben beachten!

Produktbeispiele: Acticoat™ (kolloidales, nanokristallines Silber), Allevyn® AG (Silbersulfadiazin), UrogTül® (Silbersulfadiazin), Mepilex Ag (Silbersulfat), Aquacel® Ag (ionisches Silber), Biatain® AG

Antibakterielle und geruchsbindende Wundauflagen

Bei infizierten, infektionsgefährdeten und übel riechenden Wunden ist die Anwendung von Silber/Silber-Aktivkohle-Auflagen indiziert. Mikroorganismen werden an die Aktivkohle-Oberfläche irreversibel gebunden, auch bei mechanischer Beanspruchung der Wunde, und vom an die Aktivkohle gebundenen Silber abgetötet. Ebenso werden unangenehme Gerüche neutralisiert. Die Aktivkohle-Wundauflage darf aber auf keinen Fall zerschnitten werden, da sonst Aktivkohleteilchen in die Wunde gelangen können, deshalb vor dem Ablösen eventuell mit Ringer Lösung anfeuchten. Je nach Zustand der Wunde und Menge an Exsudat kann die Auflage bis zu 3 Tage auf der Wunde verbleiben, eventuell ist aber auch ein täglicher Wechsel notwendig.

Beispiele: SuprasorbA®+Ag, Actisorb® Silver 220, Atrauman® Ag, Aquacel® Silver, Ascina® Carbosorb

Für die unterschiedlichsten Wunden und Problemwunden steht eine Vielzahl weiterer verschiedenartiger Wundauflagen zur Verfügung, z.B. speziell imprägnierte, Salbenkompressen usw., über deren Einsatz jeweils im Einzelfall entschieden werden muss. Ausführliche Produktinformationen finden sich bei den einzelnen Herstellern.

10.2.4 Medikamentöse Maßnahmen

Positiv auf die Wundheilung wirkt sich nach einer Studie der Universität Heidelberg speziell gefiltertes Infrarotlicht aus.

Puder sind als Wundbehandlungsmittel obsolet, durch ihr Verkleben mit der Wunde hemmen sie die Wundheilung.

Wund- und Heilsalben können fördernd auf den Wundheilungsprozess einwirken, sie sollten allerdings nicht auf die offene Wunde aufgetragen werden und auch nicht auf nässende Wunden, da die Fettschicht okklusiv auf der Wunde wirkt, den Abfluss von Wundsekret hemmt und durch den Effekt einer feuchten Kammer die Wundheilung hemmen und Infektionen begünstigen kann.

10.2.4.1 Wundheilgele

Auf dem Prinzip der feuchten Wundheilung basiert auch die Anwendung von Wundheilgelen.

Medigel® Schnelle Wundheilung und Soventol® Wund- und Heilgel sind zum Beispiel hydroaktive Lipogele, die zur äußerlichen Behandlung akuter trockener und mäßig nasser Wunden, kleinflächiger Verbrennungen 1. und 2. Grades, Sonnenbrand und auch für wunde Babypopos (nach Ausschluss einer Candida Infektion) und von Fachpersonal bei nicht infizierten chronischen Wunden (Dekubitus) eingesetzt werden kann.

Fenistil® Wundheilgel wirkt als hydroaktives Hydrokolloid über das gleiche Prinzip, Anwendung möglich bei trockenen und nässenden Wunden.

10.2.4.2 Dexpanthenol

Dexpanthenol ist in einer Vielzahl von Präparaten als Salbe oder als Lösung/Spray für Spülungen, Umschläge, Pinselungen im Handel. Es wird gut resorbiert und in der Haut in die wirksame Form Pantothensäure umgewandelt. Diese fördert als Bestandteil des Coenzym A die Epithelisierung und unterstützt die Heilung von Haut- und

(Fortsetzung nächstes Blatt)

Wundbehandlung

Schleimhautverletzungen. Die Substanz ist sehr gut verträglich.

10.2.4.3 Zinkoxid

Zinkoxid wirkt abdeckend protektiv und sekretbindend und kann auch bei nässenden Wunden eingesetzt werden. Als Einzelwirkstoff ist es in Zinksalbe/Zinkpaste/Weiche Zinkpaste nach DAB mit 23,5–26,5 bzw. 28–32 % Zinkoxid und in einigen Handelspräparaten und auch in Kombinationen erhältlich (s. Tab. 10.2-1).

Tab. 10.2-1: Medikamentöse Unterstützung der Wundheilung

Wirksame Substanz	Handelspräparate (Beispiele)	Darreichungsform	Zusätzliche wirksame Inhaltsstoffe
Dexpanthenol (5 %)	Bepanthen® Marolderm® Panthenol Spray Panthenol®-ratiopharm	Salbe Lösung Spray Wundbalsam	
	Cicaplast Baume B5	Balsam	Madecassoside Kupfer Zink Mangan
Octenidin	Octenisept® Wundgel	Gel	Propylenglykol Hydroxyethylcellulose
Tyrothricin	Tyrosur® Gel Tyrosur® Puder	Gel	Hydrogel
Zinkoxid	Guta® Zinksalbe Mitosyl® N Salbe (10 %) Pantederm® N Hexal® Salbe Zinkoxidsalbe/ -emulsion LAW	Salbe	
	Mirfulan® Salbe (10 %) Mirfulan® Spray (25 %) Mucaderma® Salbenspray S Zinksalbe – CT (10 %)	Salbe Spray Spray Salbe	Lebertran (10 %) Lebertran(10 %), Levomenol Titandioxid Lebertran, Glycerol
Hamamelis Extrakt	Hametum®	Creme Salbe Flüssigkeit	
Kamillenextrakt	Kamillosan®	Salbe Creme Lösung	
Echinacea Presssaft	Echinacin® Salbe	Salbe	
Propolis Auszug	Propolisept® Salbe		
Calendula	Calendula Wundsalbe Calendula Essenz	Salbe Tinktur	
Lebertran	Unguentolan®	Salbe	
Hämodialysat aus Kälberblut	Actihaemyl®	Gelee Creme	

10.2.4.4 Pflanzliche Wundbehandlungsmittel

Traditionell finden Hamamelis, Kamille, Calendula und Echinacea Verwendung in der Unterstützung der Wundheilung. Einige Handelspräparate sind in Tabelle 10.2-1 aufgelistet.

Ebenfalls aus der traditionellen Anwendung kommt der Einsatz von Lebertran und von Hämodialysat aus Kälberblut.

Die Deutsche Gesellschaft für Wundheilung und Wundbehandlung (DGfW) hat 2012 eine S3-Leitlinie „Lokaltherapie chronischer Wunden bei Patienten mit den Risiken periphere arterielle Verschlusskrankheit, Diabetes mellitus, chronische venöse Insuffizienz" veröffentlicht, gültig bis 30.4.2016. (www.awmf.org).

10.2.5 Mindmap

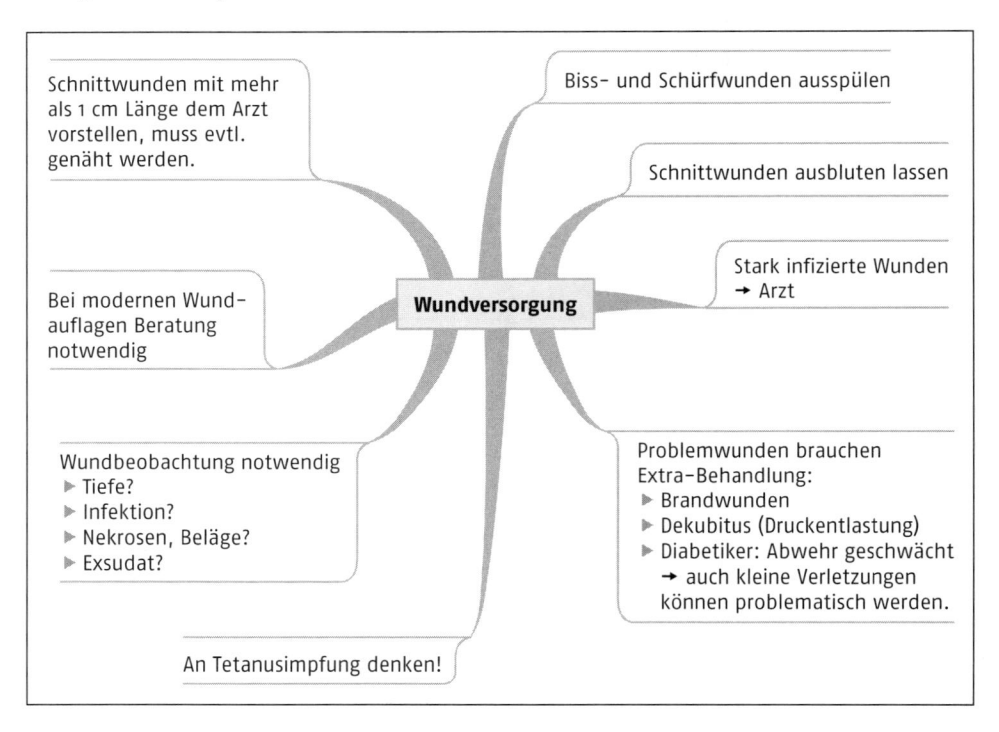

Wundversorgung

- Schnittwunden mit mehr als 1 cm Länge dem Arzt vorstellen, muss evtl. genäht werden.
- Bei modernen Wundauflagen Beratung notwendig
- Wundbeobachtung notwendig
  ▶ Tiefe?
  ▶ Infektion?
  ▶ Nekrosen, Beläge?
  ▶ Exsudat?
- An Tetanusimpfung denken!
- Biss- und Schürfwunden ausspülen
- Schnittwunden ausbluten lassen
- Stark infizierte Wunden → Arzt
- Problemwunden brauchen Extra-Behandlung:
  ▶ Brandwunden
  ▶ Dekubitus (Druckentlastung)
  ▶ Diabetiker: Abwehr geschwächt
  → auch kleine Verletzungen können problematisch werden.

metika auf die behandelten Areale aufzutragen, ebenfalls ist auf alkoholhaltige Lösungen wegen der erhöhten Empfindlichkeit der Haut zu verzichten.

Wenn ein Entfernen der Haare, z.B. bei zu empfindlicher Haut, nicht möglich ist, kann durch reines **Bleichen** das Haar aufgehellt und dadurch weniger auffallend gemacht werden.

9.2.17.2 Epilation

Mehr der Vollständigkeit halber soll dieses Verfahren erwähnt werden, das nur von Fachkräften durchgeführt werden soll.

Bei der Epilation wird unter Anwendung eines Hochfrequenzstroms, der entlang des Haares zur Haarzwiebel geleitet wird, die Haarpapille stark geschädigt oder zerstört, so dass es zu einer irreversiblen Hemmung des Haarwuchses an dieser Stelle kommt.

Während bei der **Nadelepilation** mit einer feinen Nadel der Strom direkt zur Haarzwiebel geleitet wird, wird bei der **Pinzettenepilation** das Haar selbst als Stromleiter benutzt. Die Wirkung der Pinzettenepilation ist demnach auch schwächer als die der radikalen Nadelepilation.

Nachteilig bei beiden Methoden ist der hohe Aufwand, bei der Nadelepilation die Gefahr der Narbenbildung und die Schmerzhaftigkeit der Maßnahme. Die Trefferquote bei der Nadelepilation liegt auch bei Kosmetikerinnen nur bei ca. 60%. Epilationen sollten also nur in Ausnahmefällen wie z.B. beim besonders störenden Damenbart – und auch dann nur von Fachkräften – durchgeführt werden.

Haarentfernung durch **Laser** sollte ebenfalls nur vom Hautarzt durchgeführt werden.

(Fortsetzung nächstes Blatt)

10.3 Verbrennungen

Verbrennungen sind akute, durch Hitzeeinwirkung entstandene Gewebsschäden, deren Ausmaß von der Dauer der Einwirkung und von der einwirkenden Temperatur abhängig ist. Eine Erwärmung über 50 °C hinaus bewirkt einen Gewebsuntergang mit der Freisetzung toxischer Stoffwechselprodukte, die schwerste Allgemeinerscheinungen (z.B. Schock, Kreislaufversagen) verursachen können.
Verbrennungen spielen vor allem auch im Kindesalter eine große Rolle (z.B. Verbrühung). Abhängig vom Ausmaß der Schädigung teilt man Verbrennungen in **4 Schweregrade** ein (s.a. Tab. 10.3-1 u. Abb. 10.3-1).

10.3.1 Verbrennungen 1. Grades

Es ist nur die oberste Hautschicht – die Epidermis – betroffen. Man findet eine Rötung und eine leichte Schwellung der entsprechenden Hautareale, Schmerz tritt auf. Verbrennungen 1. Grades heilen spontan unter Abschuppung der Haut ab, ohne Dauerschäden zu hinterlassen. Als Beispiel wäre hier leichter Sonnenbrand zu nennen.

10.3.2 Verbrennungen 2. Grades

Es ist auch die Lederhaut in Mitleidenschaft gezogen. Es bildet sich ein Erythem aus, Blasen treten auf. Eine Spontanheilung ohne Zurücklassung von Narben ist möglich, sofern keine sekundäre (z.B. bakterielle) Infektion der Wunde auftritt.

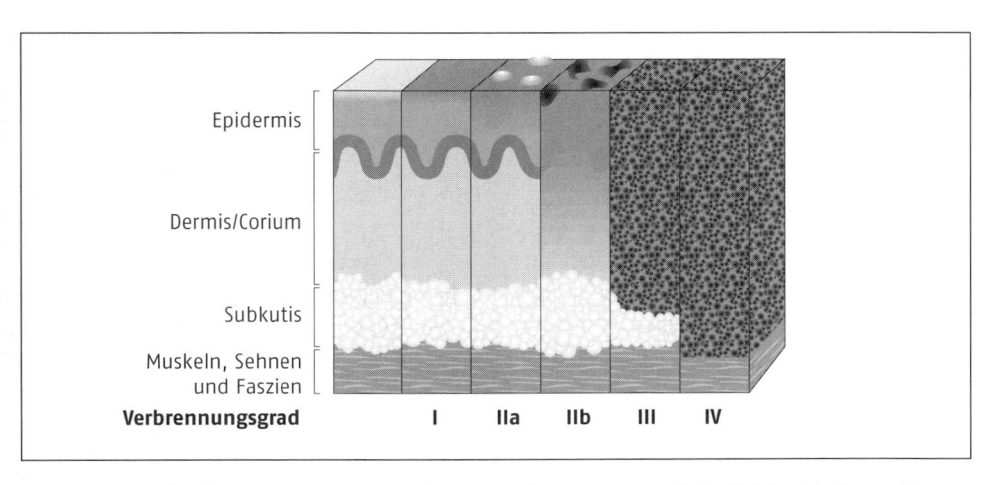

Abb. 10.3-1: Klassifikation des Schweregrads einer Verbrennungswunde in Abhängigkeit von der Tiefe des Schadens. Nach Paul Hartmann AG

Tab. 10.3-1: Merkmale von Verbrennungen unterschiedlichen Schwerdegrades. Aus Probst, Vasel-Biergans 2004

Verbrennungsgrad	I	II a	II b	III	IV
Ursachen	UV-Strahlen Stichflamme	Verbrühung Stichflamme	Verbrühung Flamme Öl, Fett	Flamme, Öl, Fett, Starkstrom	Verätzung
Aussehen	Rötung	Blasenbildung	Blasenbildung	Blasenbildung Brandschorf	Trockene verbrannte Hautfetzen, freiliegende tiefere Strukturen
Wundgrund	Keine Wunde	Rötlich	Weißlich	Weißlich	Weiße Denaturierung Schwarze Verkohlung
Rötung wegdrückbar	Ja	Ja	Kaum/nein	Nein	Nein
Wundfläche	Keine Wunde	Feucht	Feucht	Trocken	Gelblich, wachsartig
Haare	Festsitzend	Festsitzend	Locker sitzend	Ausfallend	Ausfallend
Schmerz	Deutlich, später Juckreiz	Sehr deutlich, besonders auf Luft und Temperatur	Herabgesetzt, sensibel auf Druck	Fehlt	Fehlt
	Spontane Heilung		**Chirurgische Intervention**		
Ausheilung	Ohne Narben	Ohne Narben, gelegentlich Pigmentstörung	Hohes Risiko von hypertrophen Narben und Kontrakturen	Sehr hohes Risiko von Kontrakturen	
Heilungsdauer	3–6 Tage	7–21 Tage	Über 21 Tage	Monate bis Jahre, wenn überhaupt	

10.3.3 Verbrennungen 3. Grades

Die Schädigung reicht bis in das Unterhautgewebe. Dabei werden Haarfollikel, Talg- und Schweißdrüsen irreversibel zerstört. Ein eiweißreiches Exsudat wird ausgeschieden. Verbrennungen 3. Grades heilen nur unter Narbenbildung ab.

10.3.4 Verbrennungen 4. Grades

Bei der Verbrennung 4. Grades liegt eine Schädigung und Verkohlung weiterer Gewebe wie Muskeln, Sehnen und Knochen vor.

10.3.5 Beurteilung der Ausdehnung der Verbrennung

Neben dem Verbrennungsgrad als Maß dafür, wie tief die Gewebeschädigung reicht, spielt

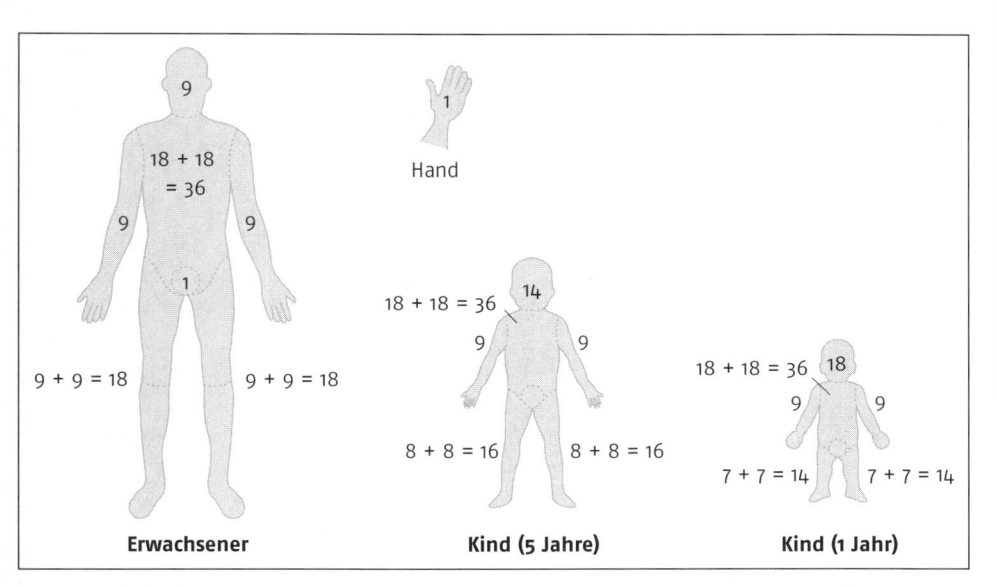

Abb. 10.3-2: Neunerregel nach Wallace zur Abschätzung der Relation von Verbrennungsfläche zur gesamten Körperoberfläche (in Prozent). Aus Probst, Vasel-Biergans 2004

für die Beurteilung der Schwere der Verbrennung die Fläche der betroffenen Hautareale eine entscheidende Rolle. Hierbei wird nach der sogenannten „**Neunerregel**" vorgegangen. Dabei entspricht der Kopf eines Erwachsenen 9 %, ein Arm 9 %, ein Unter- bzw. Oberschenkel 9 %, der Rücken sowie Bauch und Brust zusammen je 18 % der Körperoberfläche (Abb. 10.3-2). Eine Handfläche wird mit 1 % der Gesamtkörperfläche angenommen.
Eine ambulante Behandlung von Brandwunden sollte generell nur bei Verbrennungen 1. Grades sowie bei kleinflächigen Verbrennungen 2. Grades (< 10 % der Körperoberfläche betroffen) erfolgen. Bei Verbrennungen 2. und 3. Grades, bei denen größere Körperflächen verbrannt sind, ist eine sofortige Einweisung in dafür besonders ausgerüstete Kliniken erforderlich. Mit der Möglichkeit einer Schockausbildung ist bereits bei Verbrennungen 2. Grades, die mehr als 10 % der Körperfläche umfassen, zu rechnen, wobei Kinder viel leichter solche Allgemeinsymptome ausbilden.
Sind mehr als 50 % der Körperoberfläche verbrannt, besteht ein hohes Letalitätsrisiko.

10.3.6 Versorgung von Brandwunden

Verbrennungen 1. Grades heilen im Normalfall innerhalb von ca. einer Woche narbenlos ab. Außer dem sofortigen guten Kühlen, in dem man die betroffene Hautstelle **sofort** für 15 bis 20 Minuten unter fließendes kaltes Wasser hält, kann man unterstützend ein Brand- und Wundgel (z.B. Brand- und Wundgel – Medice® N) leicht auftragen.
Kleinere Wunden (1. und evtl. 2. Grades) können mit z.B. Dermaplast Hydro Brandwunden-Pflaster abgedeckt werden, einem Hydrogel-Pflaster, das durch Schaffung eines feuchten Milieus die Wundheilung fördert, Schmerzen lindert, die Wunde polstert und schützt und somit insgesamt auch der Narbenbildung vorbeugen soll. Die Transparenz des Pflasters gewährleistet eine gute Wundbeobachtung.
Leichtere Verbrennungen 1. und 2. Grades können steril abgedeckt werden, eine Auswahl geeigneter Wundauflagen findet sich in Tabelle 10.3-2 und 10.3-3.

Verbrennungen

Anwendungsbeschränkungen sind infizierte und stark nässende Wunden sowie Verbrennungen 3. Grades.
Zu den Sofortmaßnahmen der Ersten-Hilfe siehe Kasten.

Schwerere Verbrennungen 2. Grades sowie Verbrennungen 3. Grades dürfen hiermit nicht behandelt werden, sie gehören unverzüglich in die Hand des Arztes.

Tab. 10.3-2: Wirkstoff-freie Wundauflagen für leichtere Verbrennungen 1. und 2. Grades (Auswahl)

Handelspräparat (Auswahl)	Zusammensetzung	Bemerkungen
Algoplaque®	Carmellose-Natrium	Verbandwechsel nach 2–6 Tagen
Alione® Hydrokapillarer Verband	Polyurethan-Folie, Cellulose, Polyethylen, Natrium-Polyacrylat, Carmellose, Styrol-Isopren-Blockcopolymer, hydriertes Kohlenwasserstoffharz, Dioctyladipat	Kann bis zu 7 Tage auf der Wunde verbleiben
Biatain® Schaumverband	Polyurethanschaum	Kann bis zu 7 Tage auf der Wunde verbleiben
Comfeel® plus	Polyurethanfolie, Carmellose, Calciumalginat, Styrol-Isopren-Blockcopolymer, hydriertes Kohlenwasserstoffharz, Dioctyladipat	
Draco Hydrogel	Carboxymethylcellulose, Polyurethanfolie, SBS Block-Copolymer, butyliertes Hydroxytoluol in Lebensmittelqualität, weißes Mineralöl, aufbereitete gepulverte Cellulose, Pektin	Kann 2–6 Tage auf der Wunde verbleiben
Draco Tül Wundgaze	Polyester-Netzgewebe, Hydrogelbeschichtung: Hydrogel-Polymer, Wasser, Trägerlösungsmittel (als Trägerlösungsmittel wird nicht Propylenglykol verwendet)	
Go Ta-Derm® Wundpflaster hydrokolloid	Carmellose, Pektin	
Mepitel®	Polyamidnetz, Silikon	
Physiotulle®	Carmellose, Vaseline	
Seasorb®Soft	Calciumalginat, Carmellose	
Traumasive®	Polyurethan, Polyisobutylen, Carmellose-Natrium, Gelatine, Pektin	
Urgocell®	Vaseline, dickflüssiges Paraffin, Carmellose-Natrium	
Urgotül® Comfort	Vaseline weiß, dickflüssiges Paraffin, Carmellose-Natrium	Alle 2–3 Tage wechseln

Tab. 10.3-3: Wirkstoff-haltige Wundauflagen für leichtere Verbrennungen 1. und 2. Grades (Auswahl)

Handelspräparat (Auswahl)	Zusammensetzung	Bemerkungen
Biatain® Ibu Schaumverband	Polyurethanschaum, Ibuprofen 0,5 mg/cm²	Kann bis zu 7 Tage auf der Wunde verbleiben
Biatain® Ag Schaumverband	1 cm² enth.: Silber, ionisch 1 mg	Kann bis zu 7 Tage auf der Wunde verbleiben
Mepilex® Ag	Polyurethan, Silbersalz (Ag_2SO_4), Aktivkohle, Silikon	Kann mehrere Tage auf der Wunde bleiben
Urgocell Silver	Vaseline, dickflüssiges Paraffin, Carmellose-Natrium, Silbersalz	Non adhesive, alle 1–3 Tage wechseln
Urgotül Silver	Vaseline weiß, dickflüssiges Paraffin, Carmellose-Natrium, Silbersalz	Alle 1–3 Tage wechseln

Beratungstipp

Erste-Hilfe bei Brandverletzungen

- Brennende Kleidung durch Wälzen am Boden, mit Decken oder Wasser löschen.
- Den Verunglückten aus dem Gefahrenbereich bringen.
- Die Kleidung und eventuellen Schmuck entfernen, da Stoff und Metall die Wärme speichern. Allerdings mit der Haut verklebte Kleidung belassen.
- Die Kaltwasseranwendung sollte unverzüglich beginnen. Mit 15–20 °C kaltem Wasser die betroffene Stelle übergießen oder abduschen, etwa 15–20 Minuten lang. Eine Kühlung kann durch Auflegen feuchter Kompressen fortgeführt werden.
- Zur Kühlung kein Eis oder Kühlkompressen aus der Kühltruhe verwenden.
- Bei großflächigen Brandwunden besteht die Gefahr der Unterkühlung, deshalb die restlichen Körperteile z.B. mit einer Decke schützen.
- Brandwunden keimfrei und locker mit einem möglichst sterilen Verband abdecken.
- Wunden dürfen nicht geöffnet werden. Es dürfen auch keine Salben, Puder oder sogar Mehl oder Öl angewendet werden.
- Bei stärkeren oder großflächigen Verbrennungen den Rettungsdienst alarmieren.

Verbrennungen

10.4 Blutstillung

10.4.1 Medikamentöse Maßnahmen

Hämostyptika sind Stoffe, die kleinere, lokale Blutungen zum Stillstand bringen, indem sie entweder einen künstlichen Propf erzeugen oder selbst eine Matrix darstellen, an der eine Blutgerinnung erleichtert ablaufen kann. Sie können nur kleinere Blutungen günstig beeinflussen, nicht aber größere oder Blutungen aus unter Druck stehenden Gefäßen.

10.4.1.1 Adstringentien

Alaun (meist Kalialaun, K2Al2(SO4)4 · 24 H2O)

Für sehr kleine Verletzungen, zum Beispiel bei der Nassrasur oder auch der Krallenpflege von Haustieren wird gerne Alaun verwendet. Die Verwendung eines Stiftes wird heute gegenüber der von Alaunblöcken bevorzugt. Die adstringierende, gewebszusammenziehende Wirkung beschleunigt den Wundverschluss.

Gerbstoffe

Die adstringierende Wirkung von Tannin wird im Stryphnasal® Nasenstift zusammen mit basischem Bismutgallat bei Nasenbluten eingesetzt.

10.4.1.2 Clauden

Clauden®-Pulver findet in verschiedenen Verbandmitteln Anwendung. Es ist ein Konzentrat aus defibriniertem Kälberblut, durch Säure- und Hitzebehandlung sowie Dampfsterilisation wird Keimfreiheit gewährleistet. Als Eiweißkonzentrat ist es mit Clioquinol konserviert. Clauden® Verbandmittel sind

Tab. 10.4-1: Gerüstbildende Substanzen zur Blutstillung (Auswahl)

Gerüstbildende Substanz	Handelspräparate (Auswahl)	Bemerkungen
Gelatine	Gelaspon® Schwamm/-Strip	Lokale Blutstillung, Tamponade von chirurg. Wunden, Auffüllung von Gewebedefekten bei operat. Eingriffen oder Zahnextraktionen und Wundversorgung oberfl. Wunden, z.B. Ulcus cruris
	Gelastypt® Schwamm	Resorbierbar
Kollagen	Hemocol® Kollagenvlies	Resorbierbar
	TissuCone E Kollagenvlies	Zahnextraktion
	TissuFleece Kollagenvlies	
	TissuFoil E Kollagenfolie	
Cellulose (oxidiert, regeneriert)	Tabotamp Gazestreifen	Resorbierbar, v.a. in der minimalinvasiven Chirurgie angewendet

5 Jahre haltbar, sie sollten vom Arzt angewendet, gewechselt und entfernt werden. Clauden® Watte ist zusätzlich mit Glycerol 85% behandelt, sie verklebt nicht mit der Wunde, des Weiteren sind Clauden® Nasentamponade, Clauden® Gaze, Clauden® Schlauchgaze steril und Clauden® Tupfer steril im Handel.

Clauden® ist sehr gut verträglich.

10.4.1.3 Gerüstbildende Substanzen

Eine andere Möglichkeit, lokal Blutungen zu stillen, besteht in der Auflage von Substanzen auf die Wunde, die ein Gerüst darstellen, an dem die Blutgerinnung erleichtert wird (s. Tab. 10.4-1). Einsatzgebiete sind hier vor allem kleinere chirurgische Wunden, insbesondere auch die Zahnmedizin (Zahnextraktionen) und oberflächliche Wunden zum Beispiel beim Ulcus cruris.

10.4.1.4 Pflanzliche Hämostyptika

Ein Extrakt aus Herba Bursae pastoris (Hirtentäschelkraut) ist zur inneren Anwendung als Dragees (Styptysat® Bürger) im Handel. Indikationen sind hier die symptomatische Behandlung leicht verlängerter und verstärkter Regelblutungen wie Menorrhagien und Metrorrhagien sowie bei Blutungen des Magen-Darm-Traktes, des Harnapparates und der Atemwege.

10.5 Dekubitus

Ein Dekubitus wird durch längere Druckbelastung, die zu einer Störung der Mikrozirkulation und nachfolgender Ischämie der Haut sowie des darunterliegenden Gewebes führt, ausgelöst. Man findet einen Dekubitus vor allem bei längerer Bettlägrigkeit nach Unfällen, Operationen, Apoplex, bei Rollstuhlfahrern oder bei Lähmungen, an den am meisten belasteten Stellen wie Gesäß, Hüftpartie, Ferse, Knöchel, Zehen, Knie, Hinterkopf und Lumbosakralregion. Auch unter zu engen Verbänden oder Gipsverbänden finden sich Dekubitalgeschwüre. Besonders gefährdet sind magere, untergewichtige und kachektische Patienten.

Schlechte Durchblutung des Gewebes, z.B. infolge Diabetes mellitus oder Arteriosklerose, verstärkt die Gefahr der Dekubitusentstehung.

Klinisch erkennt man zunächst scharf begrenzte rote Bezirke, die später nekrotisieren. Bedingt durch das meist feuchtwarme Milieu der Umgebung ist die Gefahr einer bakteriellen Sekundärinfektion auch mit geschwürigem Zerfall gegeben, der sich rasch bis hin zu Muskeln, Sehnen oder bis zu den Knochen in die Tiefe ausdehnen kann. Klinisch werden mehrere Stadien unterschieden: im Stadium I, in dem die Haut noch intakt ist, wird lediglich eine anhaltende, abgegrenzte Hautrötung beobachtet, die typischerweise durch Fingerdruck nicht verblasst („Fingertest"). Im Stadium II tritt ein Hautdefekt auf mit eventueller Blasenbildung, das subkutane Fettgewebe ist sichtbar.

Sind alle Hautschichten und große Teile des darunter liegenden Bindegewebes zerstört, spricht man von Stadium III. Im Stadium IV sind weiterhin Muskeln und Knochen betroffen. Septische Komplikationen sind in den Stadien III und IV häufig.

10.5.1 Dekubitusprophylaxe

Die Prophylaxe dient der Pflege der besonders beanspruchten Haut, der Durchblutungsförderung der belasteten Hautareale und dem gezielten Entlasten der besonders belasteten Stellen.
Hierbei sind anzuführen:

- Am besten Schräglagerung (30°) der Patienten, auf keinen Fall 90°-Lage, da die Gefahr von Trochanterdekubitalulzera gegeben ist.
- Entlastende Maßnahmen mit speziellen Dekubitusmatratzen.
- Regelmäßige Umlagerung der Patienten (mindestens alle 2 Stunden).
- Sorgfältige Weichlagerung.
- Sorgfältige Körperpflege vor allem bei Inkontinenz.
- Vorbeugende Hautpflege und sorgfältige Beobachtung der gefährdeten Haut.
- Einreibung und leichte Massage mit z.B. Franzbranntwein oder anderen **leicht** hyperämisierenden Mitteln.
- Vitaminhaltige Salben z.B. auf Lebertranbasis beeinflussen den Hauttonus günstig und dienen als Epithelschutz.
- Salben oder Salbensprays auf Zinkoxid- oder aber Silikonbasis verhindern ein Aufweichen der Haut im feuchtwarmen Milieu dadurch, dass sie wasserabstoßend wirken, trotzdem aber die physiologische

Tab. 10.5-1: Therapeutika zur Prophylaxe von Dekubitus (Auswahl)

Handelspräparat (Auswahl)	Wirksame Bestandteile
Guta® Zinksalbe	Zinkoxid 10 %
Mirfulan® Salbe	Zinkoxid 10 % + Lebertran 10 %
Mirfulan® Spray N	Zinkoxid 13 % + Lebertran 5 %
Mitosyl® N Salbe	Zinkoxid 27 %
Mucaderma® Salbenspray S	Zinkoxid + Titandioxid
Pantederm® N Hexal® Salbe	Zinkoxid 10 %
Retterspitz Heilsalbe ST	Zinkoxid 10 %
Zinkoxidsalbe/-emulsion LAW	Zinkoxid 10 %/25 %
Zinksalbe-CT	Zinkoxid 10 % + Lebertran 7,5 % + Glycerol (85 %) 10 %
Zinksalbe Lichtenstein	Zinkoxid 10 %
Symadal® M Spray	Dimeticon 200 (Polydimethylsiloxan)
Linola® Schutz-Balsam	frei von Zinkoxid und Silikon

Hautfunktion nicht wesentlich einschränken.
- Ausgewogene Ernährung und ausreichende Flüssigkeitszufuhr sind wichtige Faktoren, um einen Dekubitus zu vermeiden oder hinauszuzögern.

10.5.2 Therapeutische Maßnahmen

Ist Prophylaxe alleine nicht ausreichend und haben sich schon dekubitale Geschwüre gebildet, sind je nach Stadium des Dekubitus zusätzlich zu den oben schon erwähnten Maßnahmen (regelmäßige Umlagerung usw.) entsprechende Therapien notwendig.

Stadium I
Persistierende, nicht weg-drückbare Hautrötung liegt vor: Die Haut ist noch intakt.
Als Lokaltherapie empfiehlt sich ein steriler, transparenter Wundverband, der die
- Wundheilung unterstützt,
- die Wundbeobachtung ermöglicht und einen
- gewissen mechanischen Schutz, vor allem auch gegenüber Scherkräften, die beim Umbetten des Patienten an der Wunde reißen können, bietet.

In Frage kommen hier Wundverbände aus Polyurethanfolie, z.B. Askina® Derm (vgl. Kap. 10.2.3.4).

Stadium II
Zusätzlich zur Rötung treten Blasenbildung und Hautdefekte auf.
Nach Abtragen der Blase ist eine Wundreinigung und zur Vorbeugung einer Infektion eine Spülung mit z.B. Polihexanid notwendig (s. Kap. 10.2.1, Kap. 10.2.2). Als Wundauflagen eignen sich Schaumverbände und Alginat Wundauflagen, sie
- fördern die Wundheilung durch ein feuchtes Milieu,
- binden Wundsekret,
- polstern die Wunde und bieten so Schutz vor weiterer mechanischer Belastung durch Druck und Scherkräfte.

Beispiele: Askina® Touch, s. auch Kap. 10.2.3.4

Stadium III
Zusätzlich zu Stadium II werden alle Hautschichten und Bindegewebe zerstört, Ulkus bis zum Muskelgewebe entsteht.
Reinigen und Desinfektion der Wunde bei jedem Verbandwechsel, Schaumstoff- und Alginat-Verbände, evtl. mit Silberauflage, die

für tiefe Ulzerationen geeignet sind und hohes Exsudat-Bindevermögen haben (vgl. Kap. 10.2.3.4).

Stadium IV
Alle Hautschichten sind betroffen. Nekrosen bis auf Knochen, Muskeln, Sehnen treten auf. Nerven sind oft freiliegend.
Behandlung wie Stadium III.

10.5.3 Mindmap

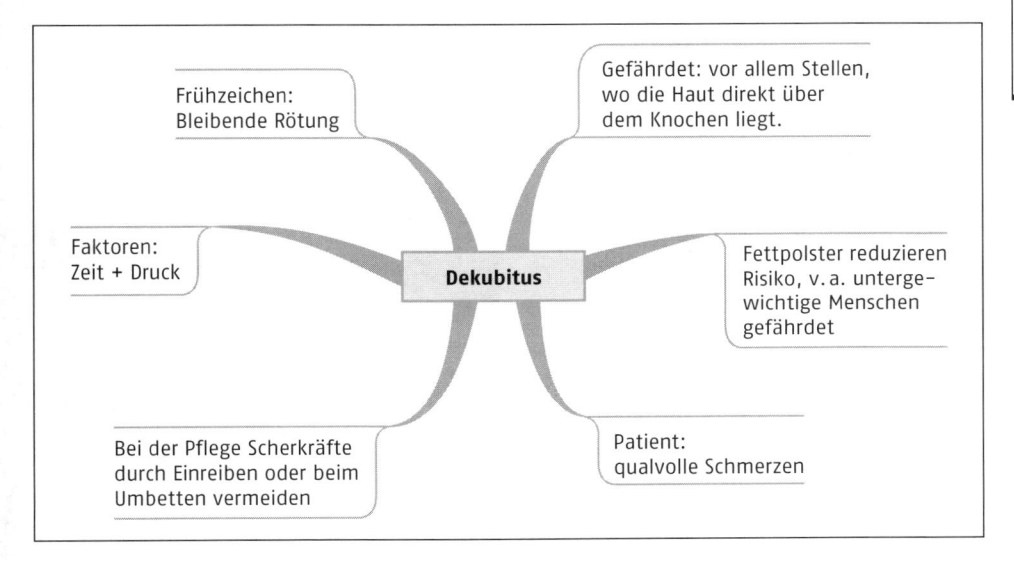

Mindmap **Dekubitus**:
- Frühzeichen: Bleibende Rötung
- Gefährdet: vor allem Stellen, wo die Haut direkt über dem Knochen liegt.
- Faktoren: Zeit + Druck
- Fettpolster reduzieren Risiko, v. a. untergewichtige Menschen gefährdet
- Bei der Pflege Scherkräfte durch Einreiben oder beim Umbetten vermeiden
- Patient: qualvolle Schmerzen

10.6 Narben

Narben stellen das physiologische Ergebnis der Reaktion des Organismus auf eine Verletzung hin dar. Jede Verletzung, die tiefer als das Epithelgewebe reicht, hinterlässt eine Narbe, denn der Mensch, im Gegensatz zu niederen Organismen, ist nicht in der Lage, das hochdifferenzierte untergegangene Gewebe zu ersetzen. Er behilft sich daher mit dem Ersatz des Gewebes durch unspezifisches Bindegewebe (Narbengewebe), das nicht mehr die Eigenschaften und Fähigkeiten des ursprünglichen Gewebes aufweist. So ist Narbengewebe weniger pigmentiert, weniger kräftig und elastisch sowie auch schwächer durchblutet. Es werden z.B. auch keine Haarfollikel, keine Talg- oder Schweißdrüsen gebildet, auch die typische Hautfelderung fehlt. Die Oberflächenkontinuität wird durch ein dünnes, relativ instabiles Epithel wiederhergestellt. Im günstigsten Fall ist die Narbe nach Abschluss der Reifungsphase, die Monate bis sogar Jahre dauern kann, nach anfänglicher Rot- bis Blaurotfärbung, als hellerer (da pigmentärmer und schwächer durchblutet) Strich zu erkennen, der sich dem Hautniveau angeglichen hat (so genannte Haarliniennarbe). Älteres Narbengewebe kann manchmal hyperpigmentiert sein.

Unter bestimmten Voraussetzungen kommt es nicht zu einer solch optimalen Abheilung und dem angesprochenen Narbenverschluss des verletzten Gewebes. Pathologische Narbenbildungen werden häufig durch Stoffwechselstörungen wie Diabetes mellitus, Vitamin-C-Mangel, Proteinmangel oder Mangel an den Spurenelementen Kupfer, Zink und Cobalt verursacht. Daneben kann es in der Schwangerschaft oder allgemein bei Störungen des Hormonhaushalts zu solchen Komplikationen kommen. Weitere Ursachen sind in der Anwendung von Corticoiden oder Zytostatika, die eine „normale" Wundheilung beeinflussen, zu suchen, daneben können UV- oder Röntgenstrahlung genannt werden. Und nicht zuletzt finden sich unphysiologische Narbenbildungen, wenn die Wunde infiziert ist oder aber Fremdkörper in der Wunde (z.B. auch Nahtmaterial) die Wundheilung beeinträchtigen. Außer der unter Umständen starken kosmetischen Beeinträchtigung (v.a. auffällige Narben im Gesicht, an den Armen) können Narben auch dauerhafte Schmerzen und Juckreiz verursachen und im Bereich von Gelenken zum Beispiel bis zur Einschränkung der Beweglichkeit führen.

Folgende Erscheinungsbilder einer unphysiologischen Vernarbung sind bekannt:

Atrophe Narben. Die Narbe ist durch Schrumpfung zusammengezogen sie liegt zumeist unter dem Hautniveau. Diese Form der Narbe ist oft nach Furunkulosen oder nach einer Acne conglobata zu sehen. Ursache ist eine durch eine Störung der Wundheilung verursachte verminderte Bildung von Bindegewebsfasern, oft ist also die Epidermis die einzige Bedeckung wichtiger Körperstrukturen.

Hypertrophe Narben. Die meist sehr großen Narben ragen über das Hautniveau hinaus; sie sind oft breit, von blauroter Farbe und fühlen sich derb an. Später verblasst das Narbengewebe, eine Angleichung an das Hautniveau findet nicht statt. Ursache für diese Form der Narbenbildung ist eine überschießende Regeneration von Fibroblasten während der Wundheilung, die auf eine zu starke Spannung bzw. Zugkräfte auf die Wunde zurückzuführen ist.

Keloid. Keloide sind feste, plattenartige Erhebungen von zunächst rosaroter Farbe, später dann verblassend. Im Unterschied zur hypertrophischen Narbe wuchert das Keloid über das eigentliche Wundgebiet hinaus. Es besteht aus dicht verfilzten Kollagenfibrillen und -fasern.

Keloide werden häufig – nach Säure oder Laugenverätzungen oder aber nach Verbrennungen gefunden. Daneben wird eine Keloidbildung nach Wundinfektionen, nach einer Akne oder auch nach Impfungen gefunden. Bevorzugte Stellen für eine Keloidbildung sind der Brust- und der Schulterbereich, nach Impfungen oder einer Akne auch an anderen Stellen. Keloide finden sich bei stärker pigmentierten Menschen (z.B. Afrikanern) ca. 10-mal häufiger, auch eine familiäre Konstitution zur Keloidbildung scheint eine Rolle zu spielen, ebenso das Lebensalter. Nahezu 90 % aller Keloide treten in den ersten 3 Lebensjahrzehnten auf.

Durch die große Ausdehnung der Keloide können Kontrakturen entstehen, die neben der psychischen Belastung des Patienten auch die Funktion einzelner Körperteile oder Gelenke beeinflussen können. Eine Behandlung des Keloids ist äußerst schwierig, auch eine chirurgische Entfernung ist oftmals mit Rezidiven verbunden.

10.6.1 Narbenbehandlung

Narben können nicht vollständig rückgängig gemacht werden. Ziel einer Behandlung ist es, Rötung, Juckreiz und Schmerz zu vermindern, das äußere Erscheinungsbild zu verbessern, bestehende Funktionsbeeinträchtigungen beim Vorliegen von Spannungen oder verminderter Beweglichkeit zu reduzieren, und das Narbengewebe elastischer und belastbarer zu machen.

Im **Entstehungsprozess** der Narbe kann man schon eingreifen, indem die entsprechenden Bereiche keinen starken Temperaturreizen wie extremer Kälte oder starker Sonneneinstrahlung ausgesetzt werden, Sauna und Solarium sind ebenfalls nicht förderlich. Zu vermeiden sind auch enge, scheuernde Kleidung, physikalische Reize und extreme Belastungen wie Bodybuilding.

Von ärztlicher Seite gibt es verschiedene Möglichkeiten der Narbenbehandlung: Dermabrasion, Mikrodermabrasion, Laser, Vereisen mit flüssigem Stickstoff, operative Behandlung, das Einspritzen von Cortison, das Auffüllen der Wunde mit Kollagen, Hyaluronsäure oder Eigenfett. Positiv auf die Narbenbildung wirkt sich die lokale Injektion von Botulinus-Toxin um die Wunde herum aus, die umliegenden Muskeln, die auf die Wunde einwirken und eine stärkere Narbenbildung verursachen, werden durch Botulinus-Toxin gehemmt, die Narbenbildung dadurch „entspannt".

In der Selbstmedikation stehen die im Folgenden beschriebenen Möglichkeiten zur Narbenbehandlung zur Verfügung.

10.6.1.1 Salben zur Narbenbehandlung

Heparin/Heparinoide

Heparin soll die Durchblutung anregen und die Mikrozirkulation verbessern, so dass die Haut besser mit Nährstoffen versorgt werden kann und das Narbengewebe aufgelockert wird. Zugesetzt werden zum Teil Harnstoff bzw. Allantoin als Feuchtigkeitsregulator. Unterstützend kann auch Ultraschall zusätzlich eingesetzt werden. Zu den entsprechenden Präparaten siehe Tabelle 10.6-1.

Die Behandlung erfordert regelmäßiges, mehrmals tägliches Einmassieren über einen sehr langen Zeitraum, bis zu mehreren Monaten. Sie ist geeignet für hypertrophe, atrophe und keloidartige Narben.

Tab. 10.6-1: Narbenbehandlungsmittel (Auswahl)

Wirksamer Hauptbestandteil	Handelspräparate (Auswahl)	Zusätzliche Wirkstoffe
Heparin	Contractubex® Gel	Extractum Cepae, Allantoin
Silikon	Kelofibrase® Sandoz Creme (Kosmetikum)	Harnstoff, α Tocopherol Campher u.a.
	Dermatix™ Silicon-Gel/Spray	Polysiloxan, Silikondioxid
	Kelo-cote® Gel/Spray	Polysiloxan, Silikondioxid
	Bepanthen® Narben-Gel	Dimeticon, Dexpanthenol
	Scar Fx® Silikon-Narbenpflaster	
	Scar Sil® Silikon-Narbengel	
	Cica Care®	Silikongelplatte

Als weiterer Wirkstoff (zum Teil enthalten in den Präparaten Tab. 10.6–1) wird **Extractum cepae, (Zwiebelextrakt)**, in der **S2K-Leitlinie der Deutschen Dermatologischen Gesellschaft zur Therapie pathologischer Narben** (hypertrophe Narben und Keloide) zurückhaltend positiv bewertet: „Extractum cepae wirkt entzündungshemmend, bakterizid und hemmend auf die Fibroblastenproliferation. Die Therapie von aktiven hypertrophen Narben mit Extractum cepae (Zwiebelextrakt) enthaltenden Kombinationspräparaten kann als Zusatztherapie erwogen werden. Die Anwendung von Extractum cepae (Zwiebelextrakt) enthaltenden Kombinationspräparaten kann zur postoperativen Prophylaxe einer de novo Entstehung von HTN oder Keloiden sowie zur Rezidivprophylaxe nach operativer Therapie einer hypertrophen Narbe/eines Keloids erwogen werden".

Silikone

Silikone werden als Gel oder Spray zur Behandlung hypertropher und keloider Narben nach Abschluss der Wundheilung eingesetzt. Außer dem schon früher bekannten Einsatz als Platte oder Kissen auf der Narbe ist auch die Anwendung als Gel oder Spray möglich. Es wird ein dünner semipermeabler Schutzfilm gebildet, der sich positiv auf die Heilung auswirkt, die Narbe wird weicher und elastischer, der Entstehung von hypertrophen Narben und Keloiden wird vorgebeugt, Juckreiz und Narbenschmerzen werden vermindert. Wichtig ist die **frühzeitige Anwendung** nach abgeschlossener Wundheilung und eine ein- bis zweimal tägliche Anwendung über bis zu 6 Monate. Vorteil ist die Elastizität, daher ist ein Einsatz auch bei z.B. Gelenken, Schultern möglich (vgl. a. Tab. 10.6-1). Auch hier erfolgt eine positive Bewertung bzw. sogar Empfehlung durch die oben genannte Leitlinie:

„Empfehlung Silikonplatten und Silikongel: Eine Behandlung mittels Silikonpräparaten kann insbesondere als Zusatztherapie bei aktiven hypertrophen Narben erwogen werden. Eine Anwendung von Silikonpräparaten postoperativ zur Prophylaxe einer de novo Entstehung von HTN oder Keloiden bei Risikopatienten/Prädisposition sowie nach operativer Therapie von hypertrophen Narben und/oder Keloiden kann empfohlen werden".

10.6.1.2 Narbenpflaster/ Narbenverbände

Narbenpflaster (z.B. **Hansaplast MED Narben Reduktion**) sind geeignet zur Vorbeugung und Behandlung hypertropher und geröteter Narben. Sie bestehen aus Polyurethan und fördern die Regenerationsprozesse im Narbengewebe, die Blutzirkulation wird erhöht, Stoffwechselprozesse gesteigert, die Narbe wird heller, flacher und elastischer. Die Wirkung ist ähnlich wie die von Silikon, vielleicht etwas schneller und gut verträglich. Das Pflaster sollte mindestens 12 Stunden am Tag getragen werden, erste Erfolge können schon nach 3–4 Wochen sichtbar sein, eine Behandlung von mindestens 2–3 Monaten ist aber nötig. Narbenpflaster dürfen erst nach abgeschlossener Wundheilung angewendet werden, wenn die Fäden gezogen sind bzw. der Schorf abgefallen ist.

Mepiform® **Silikonverband** eignet sich zur Behandlung alter und frischer hypertropher Narben, von Keloiden und zur Prävention von hypertrophen Narben und Keloiden.

Kompressionsverbände können angewendet werden bei Narben durch Brandwunden.

11　Auge

11 Auge

H. Hamacher

11.1 Anatomie und Physiologie des Auges

Das menschliche Auge ist ein besonders kostbares und zugleich empfindliches Organ. Kaum ein anderes Organ ist auf die richtige Behandlung zum richtigen Zeitpunkt so angewiesen wie das Auge. Die Möglichkeiten einer Selbstbehandlung seiner Erkrankungen sind auf wenige Indikationen begrenzt und erfordern vom beratenden Apotheker besondere Vorsicht und eine kritische Abwägung der Möglichkeiten im Rahmen der Selbstmedikation. Im Zweifelsfall ist stets die Hilfe des Facharztes in Anspruch zu nehmen.

Das **menschliche Auge** besteht einerseits aus optischen Gründen aus wenig differenzierten bradytrophen, d.h. „langsam ernährten" Geweben, wie Hornhaut, Lederhaut, Linse und Glaskörper, zum andern ist es durch die höchst differenzierte Netzhaut und den Nervus Opticus an das Zentralnervensystem angeschlossen. Bradytrophe Gewebe haben kein eigenes Blutkapillarsystem. Sie müssen sich Sauerstoff und Nährstoffe auf längeren Diffusionswegen zuführen und Abbauprodukte auf demselben Weg ausscheiden.

Das Auge vermittelt nicht nur Helligkeits-, Bild- und Farbensehen, sondern auch durch sensorische Kopplung beider Augen das räumliche Sehen.

Darüber hinaus beeinflussen Lichtreizwirkungen über das Zwischenhirn-Hypophysen-System vegetative Funktionen in Abhängigkeit vom qualitativen und quantitativen Lichteinfall. Der Organismus wird z.B. über dieses System an den Hell-Dunkel-Wechsel und damit an den 24-Stunden-Rhythmus angeschlossen. Erst bei Wahrnehmung von Dunkelheit wird das für einen gesunden Nachtschlaf notwendige Melatonin gebildet, und Licht hemmt die Synthese. In den USA sind Melatonin-Präparate als Nahrungsergänzungsmittel weit verbreitet. Im Juli 2007 hat die EMA der Firma Neurim Pharma-

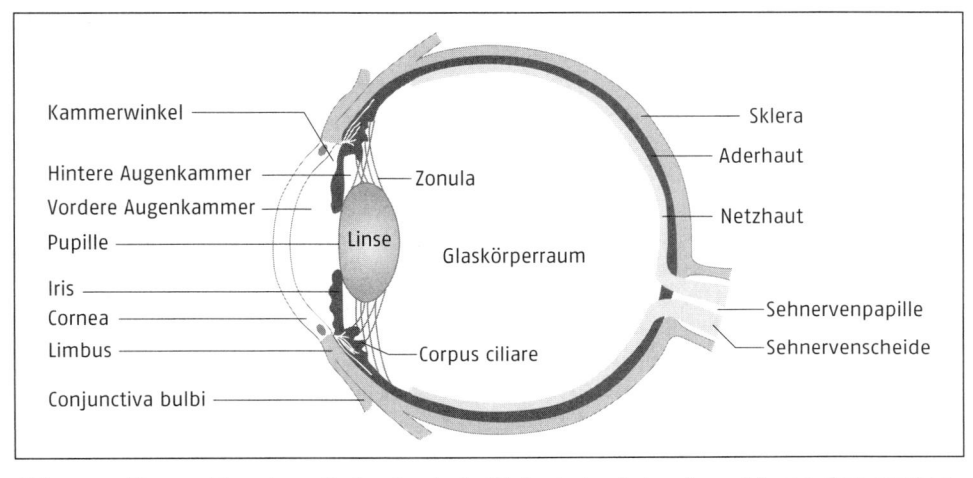

Abb. 11.1-1: Waagrechter schematischer Durchschnitt durch den linken Augapfel, von oben gesehen

Anatomie und Physiologie des Auges

ceuticals die Zulassung für Circadin (enthält 2 mg Melatonin) erteilt. Das Präparat ist verschreibungspflichtig.

Der Augapfel (7,5 g schwer und 24 mm lang) setzt sich aus 3 Hüllen, 3 Räumen und den Adnexen zusammen.

Die drei Hüllen sind:

- Die aus der klaren durchsichtigen Hornhaut (Cornea) über der Pupille und der Lederhaut (Sklera) bestehende „äußere Haut" (Tunica fibrosa).
- Die Regenbogenhaut (Iris) mit der mittleren kreisrunden Öffnung, der Pupille, Ciliarkörper und Aderhaut (Choroidea) bestehende „mittlere Haut" (Tunica vasculosa, Uvea). Die Iris regelt das auf die Netzhaut einfallende Licht über eine Optimierung der Pupillenweite. Der Durchmesser der Pupille beträgt bei maximaler Dilatation (Mydriasis) bis zu 8 mm, bei maximaler Kontraktion (Miosis) 1,5 mm. Der Ziliarkörper dient als Aufhängeapparat der Linse. Er bewirkt über eine Veränderung deren Krümmung die Akkommodation des Auges. Im Epithel des Ziliarkörpers wird das Kammerwasser gebildet, welches der Ernährung der Linse und der Hornhaut dient und den intraokularen Druck aufrechterhält. Das Gefäßsystem der Aderhaut mit einem sehr hohen Blutflussvolumen versorgt die Netzhaut (Retina) und das vordere Augensegment und gewährleistet die Temperaturkonstanz der Netzhaut.
- Die aus zahlreichen neuroepithelialen Gewebsschichten aufgebaute Netzhaut bildet die „innere Haut" (Tunica nervosa). Von besonderer Bedeutung für den Sehvorgang ist die aus Stäbchen und Zapfen bestehende Photorezeptorschicht. Die Zapfen bewirken das Sehen bei Licht sowie das Erkennen von Farben und kleinen Objekten. Die Stäbchen zeigen ihre höchste Aktivität bei schwachem Licht und sind für das Nachtsehen verantwortlich. Dem Sehvorgang liegt eine Photoreaktion zugrunde.

Das auf die Netzhaut fallende Licht bewirkt eine Isomerisierung des 11-cis-Retinals in seine all-trans-Form und löst einen elektrischen Impuls aus, der vom Axon der Rezeptorzellen an den Sehnerv weitergegeben und über diesen zum Sehzentrum in der Großhirnrinde weitergeleitet wird. In der Netzhautmitte befindet sich der „gelbe Fleck" (Macula lutea), die Stelle des schärfsten Sehens und höchsten Dichte der Lichtrezeptoren.

Die drei Räume betreffen:

- Die vordere Augenkammer mit dem Kammerwinkel und dem intraskleralen Venenplexus (Plexus venosus sclerae, Schlemm-Kanal), durch den das Kammerwasser abfließt.
- Die hintere Augenkammer zwischen Regenbogenhaut und Linse gelegen. Hier wird in der Ziliardrüse das Kammerwasser gebildet. Es dient der Ernährung der gefäßfreien Organteile wie Hornhaut und Linse und der Erhaltung des intraocularen Drucks, der normal zwischen 15–20 mmHg liegt.
  Eine Erhöhung des intraocularen Druckes ist ein Hinweis auf das mögliche Vorliegen eines Glaukoms (Grüner Star).
- Den dritten Raum bildet der Glaskörperraum mit dem gallertigen Glaskörper zwischen Linse und Netzhaut.

Der Augapfel ist von seinen Adnexen geschützt, dazu zählen:

- Ober- und Unterlid mit Wimpern und Lidheber- und Schließmuskeln, die das Auge durch blitzschnellen Schluss vor äußeren Reizen bewahren können.
- Die seitlich oberhalb des Auges gelegene Tränendrüse, die das zur Austrocknung neigende gefäßlose Hornhautepithel befeuchtet und klar erhält, und durch den Lysozymgehalt der Tränenflüssigkeit eine bakterizide Wirkung auf Bindehautkeime hat.
- Die ableitenden Tränenwege.
- Die von Schädelknochen gebildete Orbita (Augenhöhle) mit den vier geraden und zwei schrägen Augenmuskeln, der Tenon-

Lipidschicht ca. 0,1 µm
Cholesterylester
Cholesterol
Triglyceride
Phospholipide

Wässrige Schicht ca. 7 µm
98 – 99 % Wasser
ca. 1 % anorganische Salze
ca. 0,2 – 0,6 % Proteine,
Globuline, Albumin
ca. 0,02 – 0,06 % Lysozym
Rest: Glucose, Harnstoff,
neutrale Mucopoly-
saccharide (Muzin),
saure Mucopolysaccharide

Verdünnte Muzinschicht
Muzinschicht 0,02 – 0,05 µm
Epithel mit Mikrozotten
und Falten

Abb. 11.1-2: Schematischer Aufbau des Tränenfilms

schen Kapsel, die den Augapfel vom Fettgewebe der Orbita abgrenzt, sowie Gefäßen, Nerven, Binde- und Fettgewebe.

11.1.1 Der Tränenapparat

Da der Komplex des „trockenen Auges" bei der Entstehung der banalen Konjunktivitis immer mehr Raum einnimmt, ist das Verständnis der Funktion des Tränenapparates wichtig.

Die Tränenflüssigkeit verdünnt, neutralisiert, löst und entfernt Schmutz vom Auge. Außerdem bewahrt sie die Bindehaut und vor allem die klare Hornhaut (Cornea) vor Austrocknung, die zu einer Trübung und damit zu nebligem Sehen führen müsste. Das bakterizide Enzym Lysozym ist ebenfalls in der Tränenflüssigkeit enthalten.

Die Tränenflüssigkeit setzt sich im Wesentlichen aus den drei im Folgenden beschriebenen Komponenten zusammen (s. Abb. 11.1-2).

Schleim- oder Muzinschicht. Muzin (s. Abb. 11.1-3) macht die eigentlich hydrophobe Hornhautoberfläche erst benetzbar, indem sich die Muzine aufgrund ihrer amphiphilen Struktur an das Epithel der Hornhaut anlagern. Außerdem glättet es die durch Mikrozotten und Falten unregelmäßige Hornhautoberfläche und führt so zu besserer optischer Wahrnehmung. Muzin wird in den Becherzellen der Bindehaut gebildet.

Darüber findet sich die **wässrige Schicht**, mit 98–99% Wasser, Salzen und Proteinen sowie 0,02–0,06% Lysozym. Sie benetzt die Hornhaut und hält sie feucht und damit klar. Sie wird in den Tränendrüsen gebildet.

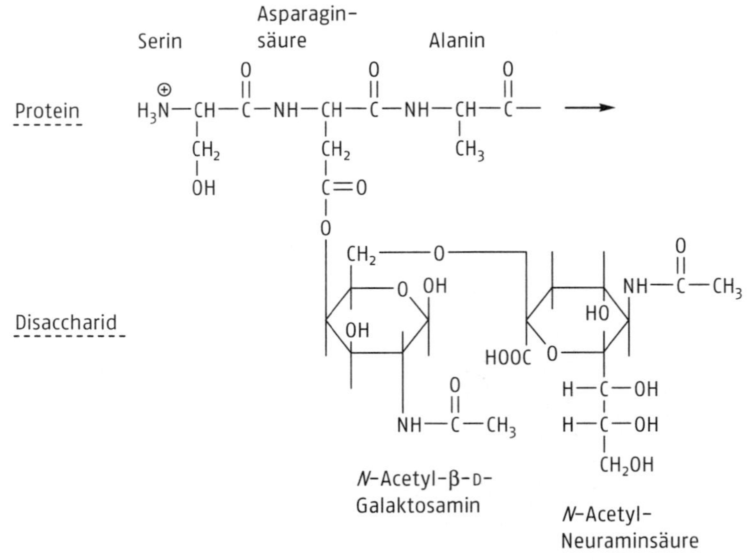

Anatomie und Physiologie des Auges

Abb. 11.1-3: Ausschnitt aus der Strukturformel von Muzin (schematisch)

Den Abschluss nach außen bildet eine aus Cholesterol, Cholesterglestern, Triglyceriden und Phospholipiden bestehende **Lipidschicht**. Sie wird von den am Lidrand gelegenen Talgdrüsen (Maibom-Drüsen) gebildet und verhindert ein schnelles Verdunsten der wässrigen Phase.

Neben der Produktion der Tränenflüssigkeit ist die Wiederherstellung bzw. die Aufrechterhaltung des Tränenfilms von Bedeutung. Dies geschieht durch den Lidschlag.

Die tägliche Tränenmenge beträgt 0,6–1,0 g. Die Tränendrüsen sezernieren die Flüssigkeit in die Übergangsfalten der Bindehaut. Der Abfluss erfolgt über die nasal liegenden Tränenpünktchen in die Tränenkanäle und über den Tränensack in die Nase.

11.1.2 Begriffserklärungen

Akkomodation: Fähigkeit des Auges, durch stärkere Wölbung der Linse und damit Vergrößerung der Brechkraft nahe gelegene Objekte auf der Netzhaut scharf abzubilden.

Asthenopie: „Sehschwäche"; subjektive Sehstörungen, hervorgerufen durch ganz verschiedene Ursachen, wie beispielsweise durch Konvergenzschwäche (Konvergenz = nach innen Stellen der Augen beim Nahsehen) oder auch durch nervöse Störungen.

Astigmatismus: Durch abnorme Wölbung der Hornhaut ist aus keiner Entfernung ein deutliches Sehen möglich.

Dioptrie: Maß für die Brechkraft eines optischen Systems; der reziproke Wert der in Metern gemessenen Linsenbrennweite. Eine Dioptrie (dpt) ist die Brechkraft einer Linse, die parallel einfallende Strahlen in 1 m Abstand vereinigt, d.h. der Brennpunkt liegt in 1 m Abstand. Eine Linse mit 4 dpt hat demzufolge eine Brennweite von 0,25 m.

Glaukom: Grüner Star; krankhafte Steigerung des Augeninnendrucks; **Achtung:** Besonders bei Engwinkelglaukom wird durch parasympatholytisch wirkende Arzneistoffe (z.B. Atropin) der Kammerwasserabfluss verlegt, durch den steigenden Druck können irreversible Sehschäden hervorgerufen werden! Die klassische Behandlung des Glaukoms erfolgt mit Pilocarpin (und Adrenalin).

Hyperopie: Weitsichtigkeit; parallel laufende Strahlen werden hinter der Retina vereinigt. Ursache ist zumeist Kurzbau des Auges, seltener Brechungshyperopie = zu geringe Brechkraft der Linse; Korrektur mit Konvexgläsern. Nicht zu verwechseln mit der altersbedingten Weitsichtigkeit (Presbyopie), die eine Erschwerung des Nahsehens durch Elastizitätsverlust der Linse und Nachlassen des Akkomodationsmuskels darstellt.

Katarakt: Grauer Star, Linsentrübung; symptomatische Behandlung durch iodidhaltige Augentropfen heute obsolet. Staroperation: Entfernung der Linse.

Miosis: Verengung der Pupille; künstlich erzeugt beispielsweise durch Pilocarpin oder Eserin.

Mydriasis: Pupillenerweiterung; künstlich erzeugt z.B. durch Atropin oder Cyclopentolat.

Myopie: Kurzsichtigkeit; die Strahlen treffen sich vor der Netzhaut, weil die Brechkraft der Linse zu stark oder der Augapfel zu lang ist; Korrektur mit Konkavgläsern.

Refraktion: Verhältnis der Gesamtbrechkraft des Auges zur Augenlänge.

Retina: Netzhaut. Retinopathie = Sammelbegriff für verschiedene Netzhauterkrankungen, z.B. diabetische Retinopathie (zunehmende punktartige Blutungen auf der Netzhaut bei länger bestehendem Diabetes mit ganz schlechter Prognose). Medikamentöse Behandlung von Erkrankungen des Augenhintergrundes ist im Allgemeinen nur auf systemischem Wege möglich.

Strabismus: Schielen; beim Blick in die Ferne weichen die normalerweise parallel gestellten Augen nach innen oder außen von der Parallele ab.

Visus: (der V); Ausdruck für die Sehschärfe.

Anatomie und Physiologie des Auges

11.2 Erkrankungen des Auges

Obgleich die Möglichkeiten einer das Auge betreffenden Selbstmedikation sehr begrenzt sind, werden hier auch wichtige schwere Krankheitsbilder kurz beschrieben. Die betreffenden Ausführungen sind als Hilfestellung für den beratenden Apotheker bei seiner Entscheidung gedacht, ob eine fachärztliche Behandlung erforderlich ist.

Augenverletzungen

Verletzungen des Auges gehören unabhängig von der Frage, ob sie durch physikalische Einwirkungen, Säuren, Laugen oder andere ätzende Chemikalien bedingt sind, in die Hand des Augenarztes. Da jedoch stets rasches Handeln erforderlich ist, sollten soweit möglich, Notfallmaßnahmen sofort eingeleitet werden (siehe 11.5.1 Notfallmaßnahmen).

Trockenes Auge

Störungen des Tränenfilms (Benetzungsstörungen) führen zum „trockenen Auge" (Keratokonjunktivitis sicca, Sicca-Syndrom, dry eye disease). Es betrifft bis zu 20 % der einen Augenarzt aufsuchenden Patienten, bis zu 10 % der Gesamtbevölkerung und zwar meist ältere Menschen. Nach einer neueren Definition handelt es sich bei dem trockenen Auge um eine Erkrankung des Tränenfilms, die durch Tränenmangel (Mangel an wässriger Phase durch eine Funktionsstörung der Tränendrüse und/oder der akzessorischen Tränendrüse), häufiger durch exzessive Verdunstung (Lipidmangel der äußeren Schicht des Tränenfilms) oder durch beides entsteht und mit Schäden der Augenoberfläche und Symptomen einhergeht. Im Falle eines Lipidmangels führt eine Dysfunktion der Meibom-Drüsen zu einem zu raschen Verdunsten der Tränenflüssigkeit (Hyper-Evaporation) und zum Aufreißen des Tränenfilms. Als dritte Komponente bei der Entstehung einer Keratokunjunktivitis sicca kann ein Verlust oder eine Funktionsstörung der Becherzellen, welche das zur Anheftung des Tränenfilms an die Augenfläche erforderliche Mucin der inneren Phase produzieren, beteiligt sein. In jedem Fall liegt eine behandlungsbedürftige pathologische Veränderung der Augenoberfläche vor.

Eine Funktionsstörung des Tränenfilms kann für das Auge zu Problemen führen bei

- der Reinigung und Befeuchtung
- dem Infektionsschutz der Augenoberfläche
- dem Schutz vor Fremdkörpern und Krankheitserregern
- der Nährstoff- und Sauerstoffversorgung der Hornhaut
- und hinsichtlich der Gleitfähigkeit der Augenlider.

Folgende Risikofaktoren begünstigen eine Hyposekretion der Tränenflüssigkeit und damit die Entstehung eines trockenen Auges:

- Niedrige Luftfeuchtigkeit (Aufenthalt in klimatisierten Räumen, Heizungsluft)
- Wind, Zugluft
- Kälte
- Rauchen
- Augen-Make-up
- Tragen von Kontaktlinsen
- Bildschirmarbeit
- Arzneimittel (wie β-Blocker, Anticholinergika, Antihistaminika, trizyklische Antidepressiva, Neuroleptika, Ovulationshemmer, Retinoide, Thiazid-Antidiuretika, in Augentropfen verwendete α-Sympathomimetika).

Ferner können Krankheiten wie Vitamin-A-Mangel, Diabetes mellitus, Schilddrüsenerkrankungen, rheumatoide Erkrankungen, Hauterkrankungen wie seborrhoische Dermatitis, Akne, Rosacea oder allergische Reaktionen, Tumoren und HIV oder Hormonumstellungen zur Entstehung eines trockenen Auges beitragen. Augenoperationen können die Beschwerden verstärken. Andererseits kann die operative Korrektur einer Fehlsichtigkeit vorteilhaft sein, wenn die Keratokonjunktivitis sicca durch Kontaktlinsen verursacht worden ist.

Mögliche Komplikationen eines trockenen Auges sind Entzündungen der Horn- und Bindehaut. Dauerhafte starke Beschwerden bedürfen daher einer Differentialdiagnose durch den Augenarzt und einer möglichst gezielten Behandlung.

Leitsymptom für eine Störung bei der Bildung der wässrigen Phase ist ein vom Patienten artikuliertes Fremdkörpergefühl. Durch vermehrte Durchblutung kann das Auge gerötet und die Oberfläche glanzlos sein. Die entstehende Entzündung der Bindehaut kann eine Behandlung mit Glucocorticoiden oder Immunsuppressiva erfordern.

Als Leitsymptom für eine durch Lipidmangel bedingte Benetzungsstörung gilt ein Brennen der Augen, welches durch ein Aufreißen des Tränenfilms und die Bildung trockener Stellen auf der Hornhaut zustande kommt. Beobachtet wird dieses Phänomen insbesondere bei Tätigkeiten, welche eine erhöhte Aufmerksamkeit erfordern (z.B. Lesen) und überwiegend morgens, da ein seltenerer Lidschlag erfolgt und somit die Verteilung des Tränenfilms auf der Augenoberfläche reduziert ist.

Die European Society teilt das trockene Auge in die in Tab. 11.12.-1 aufgeführten Schweregrade ein.

Tab. 11.2.1: Schweregrade des trockenen Auges

Stadium	Grad der Benetzungsstörung
Stadium I	Leicht, gelegentlich auftretend
Stadium II	Moderat
Stadium IIa	Deutlich, aber nicht dauerhaft
Stadium IIb	Stark und dauerhaft
Stadium III	Massiv

Bindehautentzündung

Die Bindehautentzündung (Konjunktivitis bzw. Keratokonjunktivitis, falls Hornhaut mitbetroffen) ist gekennzeichnet durch eine mehr oder weniger starke Rötung, Jucken, Brennen, Tränen des Auges und/oder ein Fremdkörpergefühl. Als häufigste Ursachen für eine Konjunktivitis kommen in Betracht

- Infektion durch Bakterien, Mykobakterien, Pilze oder Viren
- Allergene wie Pollen, Tierhaare, Bestandteile von Kosmetika
- Zugluft oder Wind
- Fremdkörper wie Staub oder Insekten
- UV-Strahlung
- Chloriertes Wasser in Schwimmbädern
- Mangel an Tränenflüssigkeit
- Zu langes Tragen von Kontaktlinsen, besonders Hartlinsen, seltener bestimmte Formen einer Fehlsichtigkeit, die den Betroffenen zu unwillkürlichem Reiben der Augen veranlassen.

Begleitsymptome einer allergisch bedingten Konjunktivitis sind meist Entzündungen der Nasenschleimhaut (wässrige Rhinitis) und häufiges Niesen. Im Gegensatz zu einer infektiösen sind bei der allergisch bedingten Konjunktivitis stets beide Augen betroffen.

Akutes rotes Auge

Eine dramatisch aussehende, meist aber eher harmlose Erscheinung ist das „akute rote Auge" (Hyposphagma), eine scharf umrissene schmerzfreie Unterblutung der Bindehaut.

Sie kann durch körperliche Überanstrengung (Pressen, Heben, Husten, Niesen) oder durch Kopfverletzungen ausgelöst werden. Die intensive Rotfärbung des Auges ist bei dieser subkonjunktivalen Blutung auf den Raum zwischen Lederhaut und Bindehaut beschränkt. Die Hornhaut ist nicht betroffen, die Sehschärfe nicht eingeschränkt. Das Hyposphagma verschwindet in der Regel auch unbehandelt innerhalb einer Woche.

Lidrandentzündung

Ursachen für eine, oft gemeinsam mit einer Konjunktivitis (Blepharokonjunktivitis) auftretende und häufig auch rezidivierende Lidrandentzündung (Blepharitis) können eine gestörte Funktion der Meibom-Drüsen (häufigste Ursache), Hauterkrankungen (Seborrhoiker), Rauchen, die regelmäßige Anwendung von Kosmetika, aber auch bakterielle (Staphylokokken) oder virale (Herpesviren) Infektionen sein. Eine effiziente Behandlung der Blepharitis setzt eine Abklärung der Ursache voraus. So sollte der Verdacht einer bakteriell bedingten Blepharitis, die eine antibiotische Behandlung erfordert, durch die mikrobiologische Untersuchung eines Abstrichs des entzündeten Augenlids erhärtet werden.

Typische, oft trotz bereits erfolgter Behandlung langanhaltende Symptome einer Lidrandentzündung sind geschwollene oder verklebte Lidränder, verklebte Wimpern, eine Rötung der Bindehaut, Juckreiz, Schmerzen, tränende Augen, Lichtempfindlichkeit und Sehbeschwerden.

Gerstenkorn

Das Gerstenkorn (Hordeolum) ist eine akute, meist durch Staphylococcus aureus verursachte bakterielle schmerzhafte Infektion der Lidranddrüsen. Es kann an der Innenseite (Hordeolum internum) und der Außenseite des Lids (Hordeolum externum) lokalisiert sein. Im „reifen" Zustand kann sich die Eiterstelle unmittelbar am Lidrand befinden. Durch die Infektion kommt es zunächst zu einer flächenhaften Schwellung des Lids, welche sich später auf eine Stelle konzentriert. Der Lidrand kann gerötet, die Bindehaut gereizt sein. Das Gerstenkorn verursacht meist einen starken Juckreiz und bildet einen typischen Eiterpickel, der sich innerhalb einer Woche von selbst öffnet.

Hagelkorn

Im Gegensatz zum Gerstenkorn ist das meist schmerzlose Hagelkorn (Chalazion) nicht infektiös, sondern durch eine Verstopfung des Ausgangs einer Meibom-Drüse bedingt. Die sich langsam entwickelnde granulomatöse Entzündung bleibt oft lange unbemerkt, entwickelt sich langsam bis zu einer erbsengroßen Schwellung und kann spontan abheilen. Durch Infektion kann aus dem Hagelkorn ein eiterndes Gerstenkorn entstehen, von dem es oft schwer abzugrenzen ist.

Grüner Star (Akutes Glaukom)

Bei Augen mit flacher Vorderkammer und engem Kammerwinkel kann eine plötzliche Verlegung des Kammerwinkels entstehen, sodass das Kammerwasser nicht mehr abfließen kann und es zu einem plötzlichen und sehr starken Anstieg des Augeninnendrucks kommt, der schon innerhalb kurzer Zeit zu schweren Schäden des Auges führen kann.

Typisch sind **starke Schmerzen** im Auge oder um das Auge herum, die bis zum Brechreiz führen können, in den meisten Fällen Einseitigkeit (nur ein Auge ist betroffen) und **starke Sehverschlechterung** des betroffenen Auges. Auch die Wahrnehmung von Lichthöfen um Lichtquellen herum kann Ausdruck eines akuten grünen Stars sein.

Außerdem deutet eine starke Mydriasis (Pupillenerweiterung) oder ein unterschiedlicher Glanz der Hornhaut im Vergleich zum anderen Auge auf einen Glaukomanfall hin. Der Patient selbst kann den Glaukomanfall daran erkennen, dass sich das erkrankte Auge – durch das Oberlid hindurch getastet – steinhart anfühlt, während das zweite

Auge deutlich weicher ist und sich leicht eindellen lässt. **Ein akuter Glaukomanfall erfordert unmittelbare fachärztliche Behandlung.**
Auch eine plötzliche Sehverschlechterung oder gar Erblindung muss vom Augenarzt unverzüglich behandelt werden. Es kann sich, besonders bei früher glaukomoperierten Patienten, um einen Infekt am Auge, um eine nicht infektiöse Entzündung oder um einen Gefäßverschluss der Netzhaut, eine Netzhautablösung oder eine Schädigung des Sehnervs handeln.

Grauer Star

Beim grauen Star (Katarakt) handelt es sich um eine Trübung der Augenlinse, welche im fortgeschrittenen Stadium an einer Graufärbung hinter der Pupille erkennbar ist. Symptome sind ein allmählicher Verlust der Sehschärfe (visus), verschwommenes Sehen, vermindertes Wahrnehmen von Kontrasten (die Umwelt wird „wie im Nebel wahrgenommen") und eine erhöhte Blendungsempfindlichkeit, welche auf der erhöhten Lichtbrechung durch die getrübte Linse beruht. Therapie der Wahl ist heute die Kataraktoperation, bei welcher die getrübte Linse durch ein künstliches Implantat ersetzt wird.

Makuladegeneration

Den gelben Fleck (Makula lutea, Ort des schärfsten Sehens auf der Netzhaut) betreffende Augenerkrankungen unterschiedlicher Genese und Ausprägung werden unter dem Begriff Makuladegeneration zusammengefasst. Am häufigsten kommt die altersbedingte (senile) Makuladegeneration (AMD) vor, bei der zwei Typen unterschieden werden.

Die häufigere trockene Form, welche etwa 85 % der Fälle ausmacht, schreitet langsam fort. Sie beginnt mit einer Ablagerung von aus Lipofuszin bestehenden Drusen und einer gestörten Durchblutung der Aderhaut. Typische Symptome sind verschlechterte Sehschärfe, verzerrtes Sehen und vermindertes Kontrastsehen.

Die seltenere feuchte (exsudative) Form (10–5 % der AMD), ist progredienter und führt rasch zu Leseblindheit. Bei der exsudativen Form der AMD bilden sich unter der Netzhaut flächige zu Blutungen neigende Gefäßmembranen aus. Durch den fortschreitenden Verlust des zentralen Sehens erscheinen Gegenstände verzerrt, Linien verbogen. Im fortgeschrittenen Stadium erscheint das zentrale Gesichtsfeld als dunkler Fleck, während das periphere Gesichtsfeld erhalten bleibt.

11.3 Galenik ophthalmologischer Präparate

Voraussetzung für die optimale Wirksamkeit, Verträglichkeit und mikrobiologische Sicherheit von Augenarzneien ist die Beachtung verschiedener galenischer Grundregeln bei ihrer Herstellung. Sie sollen der Anwendung der einzelnen Ophthalmika vorangestellt werden.

11.3.1 Tonizität

Die Tonizität einer Lösung wird üblicherweise durch die Osmolalität, gemessen in Milliosmol (mOsm), angegeben. 287 mOsm entsprechen einer Gefrierpunktserniedrigung von 0,534 °C, die durch eine 0,9%ige Natriumchloridlösung erreicht wird. Von diesem Wert von 287 mOsm, der die Tonizität des Blutserums darstellt, weicht die Tränenflüssigkeit nur unbedeutend ab. In breit angelegten Studien ist eine Tonizität der Tränenflüssigkeit zwischen 290 und 326 mOsm entsprechend dem Wert einer 0,91 bis 1,02%igen wässrigen Natriumchloridlösung gemessen worden.

Augentropfen sollten nach Möglichkeit isotonisch hergestellt werden. Dies gelingt naturgemäß nicht, wenn allein durch den Wirkstoffanteil eine Hypertonie gegeben ist. Seitens der physiologischen Verträglichkeit ist jedoch der osmotische Toleranzbereich nicht sehr eng.

So wurde beobachtet, dass Natriumchlorid-Konzentrationen von 0,7 bis 1,4% (222 bis 445 mOsm) von Versuchspersonen schmerzfrei vertragen werden. Die Menge des zur Erreichung der Isotonie erforderlichen Zusatzes an Isotonisierungsmittel, zumeist NaCl, kann aus der Gefrierpunktserniedrigung errechnet werden, wird aber gewöhnlich aus Tabellen bzw. Nomogrammen, die in guten Nachschlagewerken für alle gängigen Augenarzneistoffe ausgedruckt sind, abgelesen.

Im Falle einer Inkompatibilität des Natriumchlorids mit dem Arzneistoff, z.B. bei Silbernitrat, muss ein anderes Isotonisierungsmittel, beispielsweise Kaliumnitrat, gewählt werden.

Die Einstellung der Isotonie hängt oft mit der Einstellung der Euhydrie, der Angleichung des pH-Wertes an die der Tränenflüssigkeit, zusammen.

11.3.2 Euhydrie

Die Tränenflüssigkeit verfügt im Gegensatz zum Blut nur über die Puffersysteme Kohlensäure-Hydrogencarbonat, amphotere Plasmaproteine sowie primäres/sekundäres Phosphat, während das wirksamste System des Blutes (Hämoglobin/Oxyhämoglobin) entfällt. Dementsprechend ist die Pufferkapazität der Tränenflüssigkeit deutlich geringer.

Der durchschnittliche physiologische (= isohydrische) pH-Wert der Tränenflüssigkeit liegt bei 7,4 und ist damit mit demjenigen der Blutflüssigkeit identisch. Das gesunde Auge verträgt Abweichungen im Alkalischen bis zu pH 9, während im sauren Bereich schon pH-Werte von 6,5 bis 6,8 als schmerzhaft empfunden werden können.

Da ein Großteil der gebräuchlichen Augenarzneistoffe basischer Natur ist, und somit im isohydrischen pH-Bereich die **Löslichkeit** im wässrigen Medium oftmals nicht gegeben ist, kann eine Isohydrie nur im Ausnahmefall erreicht werden. Der Kompromiss zwischen Verträglichkeit und den physikalisch-chemischen Erfordernissen, die durch die Wirkstoffe vorgegeben sind, zwingt häufig dazu, sich mit einer Euhydrie, der bestmöglichen Angleichung des pH-Wertes, zu begnügen.

Neben dem Problem der Löslichkeit steht in vielen Fällen eine **unzureichende Haltbarkeit** der Wirkstoffe einer Einstellung des isohydrischen pH-Wertes im Wege. Besonders ausgeprägt ist dies beispielsweise bei **Pilocarpin**. Dieser früher sehr häufig genutzte Wirkstoff zersetzt sich bei pH-Werten über 6 durch Spaltung des Lactonringes zu Pilocarpinsäure. Die Wirkstoffzersetzung tritt nun solange ein, bis die freigesetzte Pilocarpinsäure einen pH-Wert von ca. 5,5 bedingt. Würde man zur Erreichung der optimalen Verträglichkeit Pilocarpin-Augentropfen auf pH 7 puffern, dann würde sich das Pilocarpin in kurzer Zeit vollständig zersetzen. Pilocarpin-Augentropfen sind deswegen immer potentiell unverträglich oder instabil.

> **Grundsätze:** Augentropfen sollen nur gepuffert werden, wenn die Wirkstofflösung als solche einen vom Toleranzbereich (ph 7 bis 9) abweichenden pH-Wert aufweist und wenn eine Pufferung im isohydrischen Bereich ohne chemisch-physikalische Störung durchgeführt werden kann.
> Lässt sich dieser pH-Bereich ohne Wirkungsminderung nicht einhalten, so ist eine pH-Korrektur nur dann durchzuführen, wenn eine unbedingte klinische Notwendigkeit besteht. In diesem Fall ist die pH-Einstellung bis zum euhydrischen Wert ohne Pufferung lediglich durch entsprechenden Basen- bzw. Säurezusatz durchzuführen.
> Bei Augenspüllösungen ist hingegen soweit wie möglich immer die Pufferung im isohydrischen Bereich anzustreben. In Betracht kommen vor allem Phosphatpuffer und Acetatpuffer.

11.3.3 Erhöhung der Viskosität

Die Erhöhung der Viskosität von flüssigen Augenarzneien kann verschiedene Gründe haben. Aus **medizinischer Sicht** besteht bei künstlicher Tränenflüssigkeit (Siccasyndrom) Anlass einer Viskositätserhöhung. Ferner lässt sich das durch Kontaktlinsen verursachte Fremdkörpergefühl durch die Anwendung viskoser Einsetzflüssigkeiten vermindern. **Biopharmazeutische Intentionen** bei einer Viskositätserhöhung können die Verzögerung der Sedimentation unlöslicher Arzneistoffe und vor allem die Verlängerung der Verweildauer der applizierten Augentropfen am Erfolgsorgan sein.

Eine in das Auge gegebene Arzneistofflösung bleibt normalerweise nur für sehr kurze Zeit an der Hornhautoberfläche und sammelt sich rasch im Bindehautsack an. Da dieser nur etwa 10 µl Flüssigkeit fassen kann, wandert der größte Teil der applizierten Lösung schon nach wenigen Sekunden vom potentiellen Wirkort ab. Durch Zusatz viskositätserhöhender Stoffe versucht man, die Verweildauer der Augentropfen an der Hornhaut zu verlängern. Ob der gewünschte Effekt am menschlichen Auge erreichbar ist, ist durch die Literatur bisher nicht eindeutig belegt. Besonders gerne werden Augentropfen, welche oft und über längere Zeit appliziert werden müssen, wie Miotika, Antiinfektiosa oder Antiphlogistika, mit viskositätserhöhenden Zusätzen versehen, um durch den erwarteten Retardierungseffekt die Applikationsintervalle zu verlängern.

Die viskositätserhöhenden Hilfsstoffe müssen eine **schwebstofffreie** und **transparente Lösung** ergeben; ihre **Brechzahl** muss nahe dem Refraktionswert der Tränenflüssigkeit liegen. Sie dürfen das menschliche Auge weder reizen noch in anderer Weise stören. Nach dem Verdunsten des Lösungsmittels sollen die Substanzen nicht kleben und sich mit einem feuchten Läppchen leicht vom Lidrand entfernen lassen.

Man verwendet heute fast ausschließlich halbsynthetische und synthetische Substanzen. Am häufigsten verwendet werden **Cellulosederivate** (Methyl-, Hydroxypropylmethyl-, Hydroxyethylcellulose), **Polyvinylalkohol** (PVA) oder **Polyvinylpyrrolidon** (Povidon, PVP).

11.3.4 Konservierung

Augenarzneimittel müssen nach den gesetzlichen Bestimmungen **steril** abgegeben werden. Augentropfen in **Mehrdosen-Behältnissen** müssen **konserviert** sein. Die letztgenannte Forderung war häufig Anlass zu Diskussionen, da das menschliche Auge, sofern es nicht frisch operiert oder verletzt ist, eine relativ hohe Resistenz gegenüber Mikroorganismen aufweist und die gebräuchlichen Konservierungsmittel sämtlich eine potentielle Schädigung der Hornhaut bei einem Dauergebrauch induzieren können. Da durch Infektionen aber der Verlust des Sehvermögens möglich ist – derartige Fälle sind beschrieben – ist die vorgenommene Nutzen-Risiko-Abwägung zugunsten der Konservierung sinnvoll.

Für das **verletzte Auge** sowie bei **chirurgischen Behandlungen** sollten keine antibakteriellen Stoffe verwendet werden, da sie das Gewebe der vorderen Augenkammer reizen können. Für solche Fälle muss die anzuwendende Arzneiform steril sein und sinnvollerweise als Einzel-Dosen-Medikament zur Anwendung kommen.

Eine neue Applikations-Form für sterile, konservierungsmittelfreie Augentropfen stellt das **Comod-System™** dar. Hierbei verhindert eine Airless-Pumpe, die mit einer komplizierten Ventiltechnik arbeitet, dass Luft oder Flüssigkeit in das Vorratsbehältnis zurückströmen und das Produkt damit verkeimen kann. Die Airless-Pumpe ist fest mit einem doppelwandigen Vorratsbehältnis verbunden, dessen innerer flexibler Innenbeutel sich mit der Entnahme der Lösung zusammenzieht.

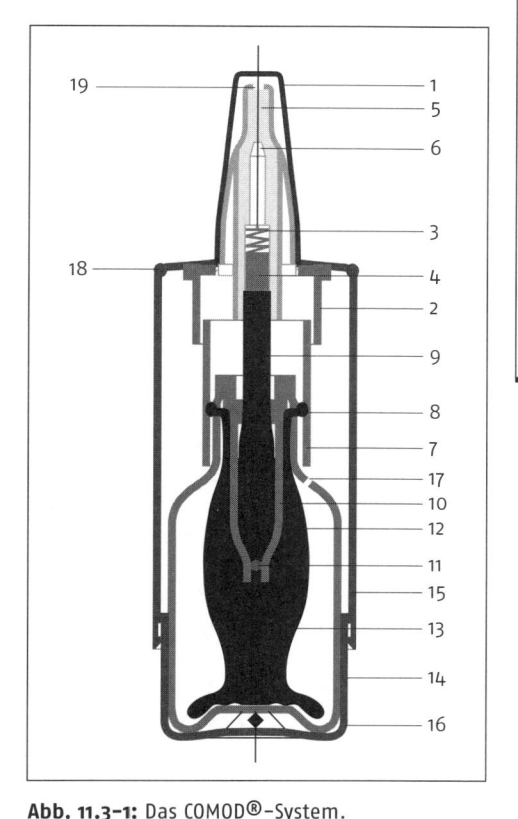

Abb. 11.3-1: Das COMOD®-System.
1 = Schutzkappe, 2 = Kopf – Basisteil, 3 = Feder, 4 = Kolben (Auslassventil), 5 = Silberspirale, 6 = Liner, 7 = Snap-on, 8 = Dichtung, 9 = Kegel, 10 = Feder, 11 = Kugel, 12 = Gehäuse, 13 = Innenbeutel, 14 = Außenbehälter, 15 = Außenkappe, 16 = Bodenkappe, 17 = offen, 18 = Ventil, 19 = Auslassöffnung

Der aus klinischer Sicht sinnvolle Einsatz von unkonservierten Augentropfen ist aber eher noch die Ausnahme. Aus galenischer Sicht muss angemerkt werden, dass die Herstellung derartiger Arzneimittel, sofern sie nicht im Endbehältnis sterilisiert werden können, immer mit geringen, aber vertretbaren Risiken behaftet sein wird.

Bei der **aseptischen Herstellung,** auch wenn sie eine Sterilfiltration beinhaltet, verbleibt ein Restrisiko, da nicht mit Sicherheit davon ausgegangen werden kann, dass sämtliche Behältnisse wirklich keimfrei sind. Das verbleibende Risiko ist aber bei sachgemäßer Herstellung so gering, dass der Nutzen eines Verzichts auf die Konservierung insbesondere dann überwiegen wird, wenn eine antibakterielle Komponente für das Behandlungsergebnis unnötig bzw. unerwünscht ist.

Die **Auswahl des richtigen Konservierungsmittels** ist für den Galeniker fast immer mit Problemen verbunden. Es muss dabei beachtet werden, dass eine Reihe von Faktoren, wie Adsorption oder Absorption durch das Verpackungsmaterial bzw. Wechselwirkungen mit Hilfsstoffen, besonders mit makromolekularen Verbindungen wie PVP, Methylcellulose oder oberflächenaktiven Stoffen, die Wirksamkeit der Konservierungsmittel deutlich herabsetzen können.

Weiter ist zu beachten, um nur einige der möglichen Problembereiche zu nennen, dass die Konservierungsmittel jeweils oft nur in einem recht begrenzten pH-Bereich optimal wirksam sind (grundsätzlich dürfen sie nicht ausschließlich dissoziiert vorliegen, da sie nur in der undissoziierten, lipoidlöslichen Form in die Bakterienwand eindringen können). Weiterhin sind häufig Wechselwirkungen der Konservierungsstoffe mit den wirksamen Bestandteilen der Augenarzneimittel möglich.

Die am **meisten gebräuchlichen Konservierungsmittel** für Augentropfen sind:

- organische Quecksilbersalze wie Thiomersal, Phenylquecksilbernitrat, -acetat und -borat;
- Benzalkoniumchlorid und andere quartäre Ammoniumverbindungen;
- Chlorhexidindiacetat, -digluconat;
- 2-Phenylethylalkohol;
- Sorbinsäure.

Es ist im Rahmen dieses Buches nicht möglich, die verschiedenen Einschränkungen der Anwendung der genannten Konservantien auch nur angenähert darzustellen.

Im Codex der Augenarzneistoffe (Kap. 11.8) sind die in der Ophthalmologie gebräuchlichen Konservierungsmittel mitaufgeführt. Es ist bei den Handelspräparaten nicht immer möglich, die Funktion der Konservantien von den Wirkstoffen zu trennen, da die antimikrobielle Wirkung auch am Auge selbst gewollt sein kann.

11.3.5 Anwendung von Augentropfen

Augentropfen müssen von den Patienten korrekt angewendet werden, um optimal zu wirken. Suspensions-Augentropfen müssen vor der Anwendung kräftig geschüttelt werden. Grundsätzlich sind Augentropfen vor Licht geschützt aufzubewahren. Auch sollten verständlicherweise Augenpräparate nur von einer Person angewendet werden. Nach Anbruch sind die Aufbrauchfristen der Präparate einzuhalten. Für langfristige Behandlungen sind konservierungsfreie Präparate, wenn möglich zu bevorzugen.

Für die Anwendung (s.a. Abb. 11.3-2) selbst gilt:

- Hände gründlich waschen.
- Kontaktlinsen entfernen und erst 15 Minuten später wieder einsetzen (Ausnahme: konservierungsfreie Benetzungsflüssigkeit).
- Den Kopf in den Nacken legen und beide Augen öffnen.
- Das untere Augenlid mit dem Zeigefinger der einen Hand leicht vom Auge wegziehen.
- Mit der anderen Hand wird aus dem frei über dem Auge gehaltenen Tropfer ein Tropfen in den Bindehautsack fallen gelassen.
- Für etwa 1–2 Minuten Augen schließen (nicht zukneifen), darunter den Augapfel bewegen.
- Soll die systemische Wirkung von Augentropfen vermieden werden und damit eventuelle Nebenwirkungen (z.B. bei Betablockern), werden durch sanften Druck mit der Fingerspitze auf den Nasenknochen

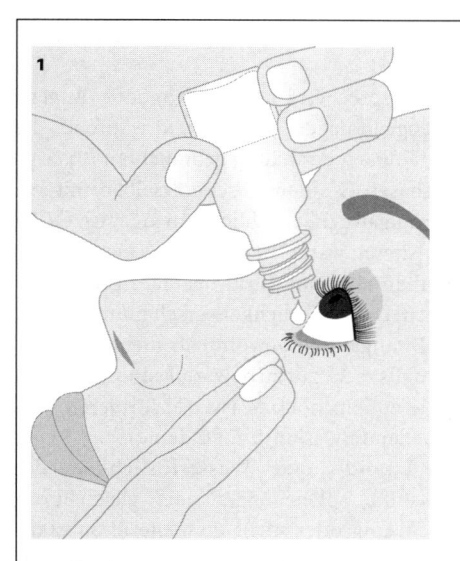

Kopf in den Nacken legen, beide Augen öffnen, mit einem Finger Unterlid herunterziehen, mit der anderen Hand das Behältnis senkrecht und möglichst dicht über dem Auge halten, einen Tropfen des Augenarzneimittels in den Bindehautsack träufeln, nahe am äußeren Augenwinkel.

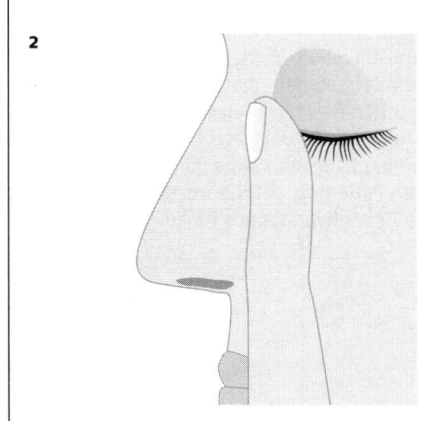

Augen schließen (nicht zukneifen), leicht mit den Augäpfeln rollen, mit der Fingerspitze sanft für ein bis fünf Minuten auf den Tränenkanal drücken.

Abb. 11.3-2: Korrekte Anwendung von Augentropfen.

am Augenwinkel die Tränenröhrchen verschlossen.
- Müssen mehrere Augentropfen appliziert werden, mindestens zehn Minuten zwischen den einzelnen Anwendungen warten. Augentropfen zum Befeuchten 15–30 Minuten nach den letzten wirkstoffhaltigen Augentropfen anwenden.

Grundsätzlich sollte stets nur 1 Tropfen der betreffenden Wirkstofflösung bzw. -suspension entsprechend einem Volumen von 25–50 µl in das zu behandelnde Auge eingebracht werden. Da das durchschnittliche Volumen der Tränenflüssigkeit pro Auge nur 7 µl beträgt und das maximale Flüssigkeitsvolumen, welches der vordere Augenabschnitt zusätzlich aufzunehmen vermag, nur 10–20 µl beträgt, würde jeder weitere applizierte Tropfen wieder ablaufen.

11.3.6 Augensalben

Diese Arzneiform soll hier nur kurz angesprochen werden, da Augensalben und Augengele im Rahmen der Selbstmedikation nur von untergeordneter Bedeutung sind.
Augensalben werden zumeist dann eingesetzt, wenn eine zeitlich verlängerte Verfügbarkeit des Wirkstoffes am Auge gewünscht ist. Da oft eine Einschränkung der Sehfähigkeit nicht zu vermeiden ist, werden Augensalben in der Regel nachts angewendet.
Grundsätzlich unterschieden wird zwischen der Einarbeitung der Wirksubstanzen in die Grundlage in Form einer wässrigen Lösung (**Emulsionssalbe**), der Lösung des Wirkstoffes in der Grundlage (selten; **Lösungssalbe**) und der Verteilung fester Wirkstoffpartikel (**Suspensionssalbe**).
Vergleiche an im Handel befindlichen Salben zeigen, dass überwiegend Suspensionssalben vorliegen. Nach den Vorschriften des Arzneibuchs müssen möglichst alle Wirkstoffteilchen unter 25 µm liegen; es dürfen keine Teilchen größer als 90 µm sein.

Augensalben müssen nicht grundsätzlich konserviert werden. Beispielsweise wird eine Konservierung bei wasserfreien Salbengrundlagen von den meisten Autoren für unnötig erachtet, da derartige Salbengrundlagen kein oder nur ein sehr eingeschränktes Keimwachstum von sich aus ermöglichen. Bei Emulsionssalben wird die Wasserphase konserviert.

Über die **Freisetzung von Wirkstoffen** aus Augensalben und die mögliche nachfolgende Resorption weiß man bisher ungefähr Folgendes: Eine wichtige Voraussetzung für die Wirkstoffliberation ist die Diffusion des Wirkstoffes durch die Grundlage. Ein Wirkstoff ist dann freigesetzt, wenn er am Applikationsort eine Wirkung hervorrufen oder durch die Cornea penetrieren kann.

Für die Diffusion ist es vorteilhaft, wenn der Wirkstoff in molekularer Verteilung, also in gelöster Form, vorliegt. Er sollte demnach in der Grundlage einer Suspensionssalbe etwas löslich sein. Assoziate zwischen der Grundlage, evtl. weiteren Hilfsstoffen und der Wirksubstanz hindern die Diffusion. Je kleiner die Wirkstoffteilchen sind, desto größer ist ihre gesamte Oberfläche und desto leichter können sie in Lösung gehen.

Von Vorteil ist, dass Augensalben gegenüber flüssigen Arzneiformen eine wesentlich verlängerte Verweildauer am Auge zeigen.

Für die **Resorption** ist eine ausreichende Haftfähigkeit der Salbe an der Horn- und Bindehaut wichtig. Im Zusammenhang damit steht die Notwendigkeit einer gewissen Hydrophilie der Grundlage, da das Auge ständig von einem wässrigen Tränenfilm benetzt wird.

Dementsprechend sind hydrophobe Augensalbengrundlagen ungeeignet, während die Haftfähigkeit der häufig gebrauchten Absorptionsbasen (Kohlenwasserstoffsalben mit W/O-Emulgatoren) erheblich günstiger ist. O/W-Emulsionen wären sicher noch geeigneter; sie kommen aber aufgrund der häufiger auftretenden Unverträglichkeitserscheinungen mit den Emulgatoren gewöhnlich nicht in Frage. Ebenfalls recht gut zu bewerten sind Hydrogele, die zudem noch Wasser absorbieren (abschwellende Wirkung auf Ödeme).

Die **Lipoid-** und **Wasserlöslichkeit** des Wirkstoffs sollen angenähert gleich groß sein. Wenig oder nicht dissoziierte Substanzen diffundieren schneller durch die Grundlage und werden besser resorbiert.

Weitere wichtige Parameter für die Resorptionsfähigkeit sind die Schichtdicke der Salbe und die Temperatur, die aber durch die physiologischen Verhältnisse am Auge vorgegeben sind.

Beratungstipp

Anwendung Augensalbe, Augengel

Es wird ein etwa ½ cm langer Salbenstrang in den Bindehautspalt platziert. Dabei sollte die Tubenspitze nicht das Auge berühren. Anschließend blickt man bei geschlossenem Lid in alle Richtungen, um die Salbe zu verteilen. Wichtig ist, den Patienten auf die mögliche Beeinträchtigung des Sehvermögens hinzuweisen.

11.4 Penetration von Wirkstoffen am Auge

Die Resorption topisch am Auge applizierter Wirkstoffe erfolgt hauptsächlich über die Cornea (Hornhaut), in geringerem Umfang auch über Sklera (Lederhaut) und Conjunctiva (Bindehaut).

Die Penetration über die Cornea in das Kammerwasser hängt von Verteilungskoeffizient und relativer Molekülmasse (M_r) sowie von der Konzentration des betreffenden Wirkstoffs ab. Sehr lipophile Wirkstoffe werden in den lipophilen Epithelzellen der Hornhaut gespeichert. Ihre intraokulare Bioverfügbarkeit ist daher gering. Kleine lipophile und auch hydrophile Wirkstoffe mit einer M_r unterhalb 300 vermögen allerdings die Hornhaut zu durchdringen. Größere Wirkstoffmoleküle mit einer $M_r > 1000$ gelangen dagegen kaum auf transzellulärem Wege in das Auge. Allerdings besteht für größere hydrophile Wirkstoffe eine Penetrationsmöglichkeit über Lederhaut und Bindehaut, welche über eine größere Oberfläche verfügen als die Hornhaut. Von hier aus gelangen die Wirkstoffe nicht nur über das Kammerwasser in intraokulares Gewebe, sondern über die im Gegensatz zur Cornea in Sklera und Conjunctiva zahlreich vorhandenen Blutgefäße auch in den systemischen Kreislauf. In geringerem Umfang können gelöste Wirkstoffe auch über Intrazellularlücken der Cornea ins Kammerwasser gelangen. Die Kontaktzeit topisch applizierter ophthalmologischer Wirkstoffe ist durch den Tränenfluss relativ kurz, kann aber durch Viskositätserhöhung flüssiger Zubereitungen erhöht werden. Normalerweise erfolgt die Resorption aus wässrigen Lösungen um den Faktor 1000 langsamer als der Abtransport über die lakrimale Drainage. Dies ist der Grund, dass die mit lokal am Auge applizierten Ophthalmika im Augapfel erreichbaren Wirkstoffkonzentrationen zur erfolgreichen Behandlung von Eerkrankungen des Inneren Auges nicht ausreichen.

Entzündliche Erkrankungen des Auges und Schädigung des Epithels können zu erhöhter Permeabilität der Hornhaut und hieraus resultierender transcornealer Wirkstoffpenetration führen.

Tensidzusätze begünstigen die Resorption von Arzneistoffen. Praktische Bedeutung hat dieses Verhalten vor allem bei dem Einsatz von Benzalkoniumchlorid, einer kationischen Seife, als Konservierungsmittel. Die häufig eingesetzte Konzentration von 0,01 % Benzalkoniumchlorid kann bei recht vielen gebräuchlichen Arzneistoffen die Resorptions-Geschwindigkeit deutlich erhöhen.

Die lokale Wirkung eines Arzneistoffs am äußeren Auge und seine Penetration in das Kammerwasser hängen auch von dessen Konzentration ab. Da sich auf der Oberfläche des Auges normalerweise weniger als 0,01 ml Tränenflüssigkeit befindet, ist der Verdünnungseffekt bei Applikation eines Tropfens (ca. 0,05 ml) nicht allzu groß. Noch sinnvoller wäre es, Applikatoren zu entwickeln, die deutlich kleinere Tropfengrößen an Augenarzneimitteln in das Auge bringen würden.

Der geschilderte Effekt der kaum eintretenden Verdünnung gilt natürlich dann nicht, wenn durch Unverträglichkeiten am Auge ein erhöhter Tränenfluss eintritt. Dies gilt besonders für Wasserstoffionenkonzentrationen unter pH 5, in geringerem Maße auch für stark hypertone Lösungen.

Permeation von Wirkstoffen durch die Hornhaut

11.5 Medikamentöse Maßnahmen

Die Selbstbehandlung von Augenerkrankungen ist neben der Ersthilfeleistung bei Unfällen auf wenige, aber häufig vorkommende Indikationen begrenzt. Zu ihnen gehören einfache **Bindehautentzündungen,** die fast immer mit einer leichten Rötung der Konjunktiva verbunden sind. Immer häufiger gefragt sind Präparate zur Behandlung des Sicca-Syndroms, des trockenen Auges. Das Krankheitsbild überschneidet sich häufig mit dem einer Konjunktivitis.
Auch leichte (nicht infektiöse) Entzündungen der Augenlider können dem Bereich der Selbstmedikation zugerechnet werden. Besonders in den Sommermonaten werden allergische Augenkrankheiten beobachtet, die sofern sie als solche erkannt werden, in den meisten Fällen auch für eine Selbstmedikation gut geeignet sind.

Beratungstipp

In die Selbstmedikation gehören nur die Behandlung einer akuten, nicht bakteriellen Konjuktivitis, das Sicca-Syndrom, allergische Augenkrankheiten oder leichte nicht infektiöse Entzündungen der Augenlider.
Bei all diesen Beschwerden muss die Diagnose möglichst von einem Arzt gesichert sein und ernsthafte Erkrankungen (wie z.B. Glaukomanfall, frische Augenverletzungen, bakterielle oder virale Erkrankungen) müssen ausgeschlossen sein. Zudem sollten sich die Beschwerden unter Selbstmedikation innerhalb 24 Stunden bessern.

Ebenfalls für die Selbstmedikation in Betracht kommen **vitaminhaltige Augenpräparate,** wobei den Vitaminen A und Panthenol besondere Bedeutung in der Augenheilkunde zukommt. Die Gabe von Vitaminen kann auch systemisch erfolgen.
Leider viel zu wenig vom Patienten angenommen wird das Angebot der Apotheker, bei der **Auswahl und Anwendung der Kontaktlinsenflüssigkeiten** mit ihrem Fachwissen beratend zu helfen. Diese Flüssigkeiten werden fast ausschließlich beim Optiker gehandelt, obwohl sie von der Zusammensetzung her meistens als Arzneimittel oder als Medizinprodukte anzusehen sind. Die Anwendung von Kontaktlinsenflüssigkeiten kann mit Risiken behaftet sein und die Empfehlung gehört in die Hände von Fachleuten.
Nicht in den **Selbstmedikationssektor** gehören dagegen Mittel gegen Linsentrübungen (Grauer Star), auch wenn sie teilweise nur apothekenpflichtig sind. Ihre Wirkung ist zumindest umstritten.
Ebenfalls zur Selbstmedikation und zur Empfehlung in der Offizin **ungeeignet** sind in der Regel Augenpräparate, die **Lokalanästhetika** enthalten. Die Gefahr ist zu groß, dass durch die schnell eintretende Schmerzfreiheit echte behandlungsbedürftige Schäden überdeckt werden. Ausnahmen sind allenfalls dort zulässig, wo es gilt, bei nicht infektiösen oder durch Verletzung bedingten Reiz- und damit Schmerzzuständen beim Patienten Linderung bis zur unmittelbar anzuschließenden ärztlichen Behandlung zu verschaffen. Im Zweifelsfall sollte stets der Rat des Facharztes hinzugezogen werden.
Die Möglichkeit eines diagnostischen Irrtums bei einem entzündlich geröteten Auge in der Offizin ist dabei größer, als es auf den ersten Blick erscheint. In keinem Fall darf

eine Selbstbehandlung erfolgen, wenn eine erhebliche Rötung vorliegt und über Schmerzen oder Funktionsstörungen geklagt wird. Ein gutes Anzeichen für eine schwerwiegende Erkrankung ist in einer unterschiedlichen Pupillenweite der beiden Augen zu sehen. Dies gilt ebenfalls für eine am Hornhautrand betonte Rötung (ziliare Injektion). Eine starke Miosis (Pupillenverengung) deutet auf eine **Irisentzündung** hin. Zum Schluss dieser – nur beispielhaften – Aufzählung typischer Augenbefunde, die auf jeden Fall in die Hand des Augenarztes gehören, sei noch erwähnt, dass Patienten, die **weiche Kontaktlinsen** tragen, größte Zurückhaltung bei der nicht unbedingt notwendigen Anwendung von Augentropfen angeraten werden sollte, da die meisten (kationischen) Arzneistoffe von diesen anionische Polymere enthaltenden Linsen ad- oder absorbiert werden können. Das Gleiche gilt für Konservierungsstoffe, die in Augentropfen eingesetzt werden und die teilweise für weiche Linsen völlig ungeeignet sind (z.B. Benzalkoniumchlorid).

Info

Bei jedem **entzündlich geröteten Auge** ist die Gefahr, eine schwerwiegende Krankheit zu übersehen, gegeben. Ein „rotes" Auge kann eine **harmlose Bindehautentzündung** sein, aber auch durch eine **entzündliche Erkrankung** der Hornhaut, der Regenbogenhaut, durch ein **akutes Glaukom** oder durch einen Tumor bedingt sein.

Alle **frischen Augenverletzungen** sollten sofort zum Facharzt weitergeleitet werden. Probleme kann es dann geben, wenn die Verletzung für den Nicht-Facharzt nicht ohne weiteres sichtbar ist.
Das Übersehen von schweren Verletzungen ist leicht möglich, wenn es sich um eine Perforation der Hornhaut durch einen schnellfliegenden Fremdkörper handelt; z.B. können nen bei der Arbeit mit Hammer und Meißel kleine Teile vom Meißel abspringen, die Ge-

schossgeschwindigkeit haben und von deren Eindringen in das Auge der Patient vielleicht nur einen Stich verspürt, ohne zunächst noch weitere Schmerzen zu haben.
Die Folgezustände perforierender Verletzungen können sehr schwer und vielfältig sein. So können Trübungen im Augeninnern, Verletzungen der Netzhaut mit nachfolgender Netzhautablösung, Infektionen mit Verlust des Auges oder ein Glaskörperabszess (besonders bei kupferhaltigen Fremdkörpern) Folgen unbemerkter Behandlung sein.
Auch ohne komplizierte Geräte kann man **Trübungen der Hornhaut** bei **Verätzung** oder **Geschwüren** erkennen. Besonders die Verätzungen durch Laugen sind außerordentlich gefährlich, weil die ätzende Substanz unter Erweichung des Gewebes in ganz kurzer Zeit in immer tiefere Gewebsschichten eindringt; in diesen Fällen ist eine sofortige Spülung, am einfachsten mit reichlich Wasser, notwendig, um die ätzende Substanz so schnell wie möglich aus dem Auge zu entfernen.
Laboratorien und andere Betriebe mit erhöhter Verletzungs- und Verätzungsgefahr sollten mit geeigneten Augenspülvorrichtungen für den Notfall ausgestattet sein. Entsprechende Hinweise und Informationen gehören zu den **Beratungspflichten der Apotheker.** Gut zu handhaben sind an gut zugänglichen Wasserhähnen fest installierte Augenspülvorrichtungen, mit deren Hilfe zwar nur mit keimarmem Leitungswasser gespült wird, die aber wegen des raschen und sicheren Zugriffs für den Notfall eher vorteilhafter sind als die früher üblichen, aber wegen der Gefahr einer mikrobiellen Kontamination nur für den Einmalgebrauch geeigneten sterilen Augenspülungen.

11.5.1 Notfallmaßnahmen

Akute Notfälle durch Verbrennungen oder lokale Schäden am Auge erfordern sofortiges Handeln und können somit zumindest bis zur ärztlichen Hilfeleistung von der Selbstmedikation nicht ausgeklammert werden.

Handelspräparate zur Sofortbehandlung von Augen-Verätzungen mit Pufferfunktion sind z.B. Isogutt® akut MP Augentropfen und Serag BBS Spüllösung. Das Auge sollte am besten mit einer Augenspülflasche mindestens fünf bis zehn Minuten bei geöffnetem Lid gespült werden (s. Abb. 11.5-1). Danach muss der Augenarzt aufgesucht werden. Für den Transport beide Augen verbinden, um Bewegungen der Augäpfel zu unterbinden. Das verletzte Auge steril abdecken.

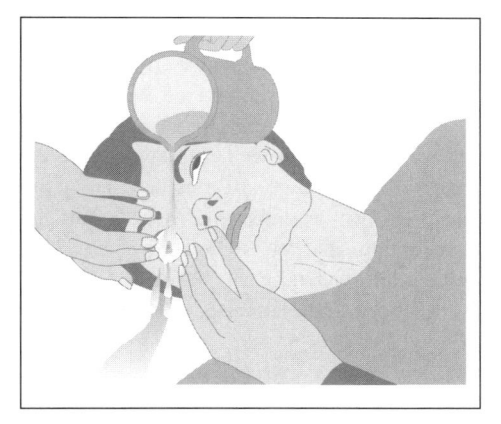

Abb. 11.5-1: Durchführung einer Augenspülung. Aus Gebler, Kindl 2005

11.5.2 Bindehautentzündungen

Mit dem Begriff **Konjunktivitis simplex** wird ein anhaltender bis chronischer Reiz- und Entzündungszustand der Konjunktiva bezeichnet, der relativ leicht verläuft, dem Patienten jedoch ständig Beschwerden bereitet.

Die Konjunktivitis simplex oder banale Bindehautentzündung ist die häufigste Augenkrankheit überhaupt. Von den vielfältigen Ursachen seien genannt: mechanisch oder chemisch-physikalische Reize wie Rauch (Wirtshausbesuch), Staub, Hitze, Kälte, Wind (Autofenster), ultraviolettes Licht (Schweißen, Solarium, Hochgebirge), Stellungsanomalien der Lider oder Wimpern, Koordinationsstörungen beider Augen (z.B. Konvergenzschwäche; – Konvergenz = sich in den Blicklinien überschneidende Augenstellung beim Nahsehen), falsch zentrierte Nahteile von Bifokalgläsern, Überanstrengungen (z.B. stundenlange Naharbeit ohne Unterbrechung), allgemeine Erschöpfung, Schlafmangel, Erkrankungen im HNO-Bereich, Altersveränderungen, Arzneimittelmedikationen (z.B. bei Miotika).

Es dürfte nicht immer gelingen, die Ursachen der Krankheit zu beseitigen, so dass vielfach eine **symptomatische Therapie** Mittel der Wahl ist. Hinzu kommt, dass die Umweltbelastung der Luft sich besonders an den Augen bemerkbar macht und rächt.

Der Patient empfindet eine Konjunktivitis als Sandkorngefühl, Reiben, Jucken, Stechen, Brennen oder Trockenheitsgefühl im Auge. Diesem subjektiven Empfinden muss nicht immer, wird aber gewöhnlich der objektive Befund des „roten Auges" durch vermehrte Füllung der Gefäße der Bindehaut entsprechen. Außerdem tritt eine **stärkere Sekretion** auf, die wässrig oder schleimig sein kann. **Lichtscheu** und **Tränen** sind in sehr wechselndem Ausmaß vorhanden. Falls das Hornhautepithel beteiligt ist (Keratokonjunktivitis), findet man regelmäßig einen **krampfhaften Lidschluss**. Dieses wäre aber schon ein deutlicher Hinweis, dass der Bereich der Selbstmedikation zu verlassen ist. Es soll an dieser Stelle darauf hingewiesen werden, dass es neben den **nicht infektiösen Konjunktividen** (Konjunktivitis simplex, allergische Konjunktivitis) eine große Anzahl **infektiöser Konjunktiva-Erkrankungen** gibt, die durch ganz verschiedenartige Mikroorganismen hervorgerufen werden und die teilweise sehr gefährliche und ernstzunehmende Krankheiten darstellen, teilweise sogar meldepflichtig sind. Diese infektiösen Konjunktiva-Erkrankungen sind naturgemäß nicht einer Selbstmedikation zugänglich.

Die **Behandlung** der Konjunktivitis simplex erfolgt – parallel zur möglichen Beseitigung der Ursachen – durch Augentropfen, die in der großen Mehrzahl apothekenpflichtig sind. Derartige Präparate enthalten als wirksame Bestandteile häufig adstringierende Mittel (Vasokonstringentia), entzündungshemmende Mittel, bakteriostatisch bzw. bakterizid wirkende Substanzen, die zum Teil gleichzeitig als Konservierungsmittel eingesetzt werden können, antiallergisch wirkende Substanzen und Vitamine.

Im Sinne der strengen Schulmedizin sind von den genannten Wirkstoffgruppen die sympathomimetisch wirkenden **Vasokonstringentia** am ehesten entbehrlich; die durch diese Mittel erfolgende Rückbildung der Rötung der Bindehaut wird von vielen Ophthalmologen lediglich als kosmetischer Effekt ohne erkennbaren therapeutischen Nutzen bewertet.

Außerdem können Vasokonstringentia bei der Tendenz zu einem trockenen Auge kontraindiziert sein, da die Benetzung des Auges noch schlechter wird. Darüber hinaus können diese Mittel mit einer Reihe von Arzneistoffen in Wechselwirkung treten. Trotzdem sind sie allgemein beliebt, da man „sieht, dass es wirkt" (Weißmachereffekt).

Die in den Augentropfen eingesetzten Sympathomimetika (z.B. Naphazolin, Phenylephrin, Tetryzolin, Tramazolin, Xylometazolin) sind aufgrund ihrer mehr oder weniger stark ausgeprägten mydriatischen Wirkung bei Disposition zum Engwinkelglaukom kontraindiziert. Bei einem Weitwinkelglaukom wirken sie eher drucksenkend. In seltenen Fällen kann bei zu häufiger Anwendung eine bestehende Hypertonie verstärkt werden.

Bei Säuglingen und Kleinkindern (unter 3 Jahren) sollten diese Mittel sehr vorsichtig angewendet werden, da unter Umständen Atemstörungen und komatöse Zustände infolge einer Resorption auftreten können.

Als **Nebenwirkung** wäre zu nennen, dass Sympathomimetika – durch überschießende Gegensteuerung des Körpers – zu einer **Reaktivhyperämie** der Bindehaut führen können. Weiterhin ist die Möglichkeit des Auftretens allergischer **Kontakt-Dermatitiden** im Lidbereich bekannt, die eine Erfordernis des Absetzens der Therapie bedingen. Zu erwähnen ist ferner, dass zu häufige und zu lang andauernde Anwendung der Sympathomimetika zu einer **Wirkungsumkehr** in Form einer Medikamenten-Konjunktivitis mit dem Effekt verschwommenen Sehens führen kann. Bei chronischem Gebrauch kann bei allen lokal wirksamen Sympathomimetika eine Schädigung der Epithelien und der Gefäße eintreten.

Im Falle vorliegender Läsionen der Binde- oder Hornhaut kann versucht werden, durch die Behandlung mit Dexpanthenol enthaltenden Ophtalmica (Bepanthen® Augensalbe) ein rascheres Abheilen zu erzielen.

Die raschere Auflösung eines Hämatoms bei einem zuvor vom Augenarzt diagnostizierten akuten roten Auge (Hyposphagma) kann durch die Anwendung einer heparinhaltigen Augensalbe (Parin® POS Augensalbe) beschleunigt werden.

Einige bekannte Handelspräparate siehe Tabelle 11.7-1.

11.5.3 Das trockene Auge

Die Behandlung sogenannter trockener Augen (Sicca-Krankheit), also Augen, die krankhaft zu wenig Tränenflüssigkeit haben, ist in den letzten Jahren immer bedeutungsvoller geworden. Einmal nimmt die Zahl daran Erkrankter zu, zum anderen gibt es **kein Medikament,** das die erloschene oder herabgesetzte Tränensekretion befriedigend anfacht. Man ist deshalb auf sogenannte **Substitutionspräparate** (künstliche Tränen) angewiesen, die aber jeweils nur vorübergehend das störende Trockenheitsgefühl lindern können.

Zum Verständnis des Sicca-Syndroms und der anzuwendenden Präparate gehört die Physiologie des Tränenapparates und die Benetzung der Cornea (s. Kap. 11.1.2).

Erkrankungen der Bindehaut sowie Stellungsanomalien, Lähmungen und Narbenbildungen der Lider, Verbrennungen und Verätzungen, primäre und sekundäre Schrumpfungen der Bindehaut, das Tragen von Kontaktlinsen, chronisch allergische Erkrankungen aber auch zahlreiche andere körperliche Erkrankungen sind Faktoren, die den Schutzmechanismus der Tränenflüssigkeitsbenetzung für das Auge negativ beeinflussen können. Die Folge ist häufig eine qualitative und/oder quantitative Schädigung des Tränenfilms, was zu dem Krankheitsbild des sogenannten trockenen Auges führt.

Auch Hormonumstellungen des weiblichen Körpers – bei Jugendlichen nach der ersten Pilleneinnahme, bei erwachsenen Frauen nach dem Klimakterium – führen eventuell zu **konjunktivitisähnlichen** Erscheinungen, die mit künstlichen Tränenflüssigkeiten (s.u.) gut zu behandeln sind. Zu Beginn des Winterhalbjahres tritt das Sicca-Syndrom infolge der trockenen Heizungsluft gehäuft auf. Auch Konjunktividen älterer Menschen lassen sich häufig gut mit Sicca-Mitteln behandeln.

Derartige **Substitutionspräparate**, die subjektiv (das lästige Fremdkörpergefühl im Auge hört auf) und objektiv geeignet sind, den verminderten Tränenfluss zu substituieren, müssen folgende **Schutzfunktionen** erfüllen:

- sie dürfen keinerlei zusätzlichen Reiz auf das Auge bewirken;
- sie müssen eine gute Gleitwirkung haben;
- sie müssen eine lange Haftwirkung haben;
- sie dürfen die Optik des Auges nicht beeinflussen;
- sie müssen neben der schützenden auch eine heilende Wirkung haben.

Die durch die Konservierung der betreffenden Präparate gegebene antimikrobielle Wirkung ist auch physiologisch erwünscht.

Die für das Sicca-Syndrom geeigneten Handelspräparate enthalten als Filmbildner Hyaluronsäure, Celluloseether (Carmellose, Hypromellose, Methylcellulose), Povidon, Polyvinylalkohol, Polyacrylsäure, Makrogole, pflanzliche Polysaccharide aus Tamarindensamen oder Guaroprolose, ein hydroxypropyliertes Guar aus dem Guargummi, ferner gelegentlich als Zusatzstoffe im natürlichen Tränenfilm vorkommende Mineralstoffe wie Calcium, Natrium, Kalium und Magnesium. Das dem Präparat Artelc® Rebalance zugesetzte Vitamin B_{12} soll durch die erzeugte Rosafärbung der Lösung das Eintropfen erleichtern. Als weiteres wirksames Agens wird **Dexpanthenol** aufgrund seiner heilenden Wirkung auf Reizungen und Läsionen der Hornhaut und Bindehaut eingesetzt.

Mittlerweile werden für künstliche Tränenflüssigkeiten wie für andere Augentropfen auch Mehrdosenbehältnisse verwendet, deren spezielle Konstruktion eine mikrobielle Kontamination des Inhalts während der Anwendung durch zurückströmende Flüssigkeit oder mikrobiell kontaminierte Luft verhindert. Vorteil dieser kontaminationssicheren Mehrdosenbehältnisse ist, dass die Lösungen keiner Konservierung bedürfen. Beispiele sind das Comod®-System (Abb. 11.3-1) für Hylo-Comod® oder das ABAK®-System für Hyabak® und Hyalodoz Duo®.

Um die genannten Schutzfunktionen zu erfüllen, sollten die künstlichen Tränenflüssigkeiten ein hohes Wasserbindungsvermögen und eine zwecks langer Haftung an der Augenoberfläche ausreichend hohe Viskosität besitzen. Außerdem sollten sie isoosmotisch und möglichst isohydrisch oder zumindest euhydrisch sein. Je nach Schweregrad der Konjunktivitis sicca werden Ersatzflüssigkeiten unterschiedlicher Viskosität empfohlen. Die Viskosität der Lösungen hängt von der chemischen Art des polymeren Filmbildners und natürlich seiner Konzentration ab. Innerhalb des jeweiligen Polymertyps werden seine physikalischen Eigenschaften aber auch von dessen Kettenlänge und im Falle der Cellulosederivate auch dessen Substitutionsgrad bestimmt, welche im Rahmen der Qualitätskontrolle der betreffenden Ausgangsstoffe mittels anspruchsvoller physikalisch-chemischer Methoden zu charakterisieren sind.

Medikamentöse Maßnahmen

Nach einem Vorschlag von Teping (C. Teping: Thieme Drug Report 4 (2010), 1–12) kann die Schutzwirkung verschiedener künstlicher Tränenflüssigkeiten unter Berücksichtigung mehrerer Einflussfaktoren aus deren physikalischen Kenndaten vergleichend berechnet werden. Die Wirkungsintensität ergibt sich hierbei als Kennzahl aus dem Produkt der relativen Molekülmasse des Filmbildners und der Konzentration und Viskosität der angewandten Lösung. Für Hyaluronsäure als Filmbildner enthaltende Lösungen wurden die in Tab. 11.5-1 aufgelisteten vergleichenden Werte ermittelt. Das Produkt aus den drei genannten Faktoren ist ein Maß für die Wirksamkeit des betreffenden Präparates. Für die Praxis bedeutet dies, dass Lösungen mit niedrigem Wert bei leichteren Beschwerden (Stadium I), mit höherem Wert in fortgeschritten Stadien (Stadium II und III) empfohlen werden.

Tab. 11.5-1: Vergleichende physikalische Kenndaten und als deren Produkt resultierende bewertende Kennzahl von Tränenersatzflüssigkeiten auf Hyaluronsäurebasis (aus E. Pfister, O. Rose, Pharmacon 5 (2015), 371–375))

Präparat	Konzentration [%]	Molekulargewicht [Da] × 10^6	Viskosität [mm²/s]	Produkt × 10^6
Hyabak® (Théa Pharma)	0,15	0,40	2,6	0,16
GenTeal™ HA (Novartis)	0,10	1,90	5,4	1,03
Artelac® Splash MDO® (Bausch + Lomb)	0,24	0,75	11	1,98
Hylo-Vision® Gel Multi (Omnivision)	0,30	0,80	44	10,56
Hylo®-Gel (Ursapharm)	0,20	2,10	50	21,00

Die im Handel befindlichen Tränenersatzflüssigkeiten unterscheiden sich hinsichtlich ihrer physikalischen Eigenschaften, sind aber diesbezüglich leider meist nur unzureichend deklariert. Neben Art und Konzentration des verwendeten Polymers wäre zumindest die Angabe der Viskosität der fertigen Lösung für die Empfehlung eines gezielten Einsatzes hilfreich. Generell gilt, dass bei leichteren Formen der Keratokonjunktivitis sicca niedriger viskose, bei schwereren Formen höher viskose Produkte vorzuziehen sind. Höherviskose Lösungen versprechen zwar durch ihre längere Verweilzeit eine länger anhaltende Wirkung, zugleich ist aber die Neigung zu einer Sehbeeinträchtigung eher größer. Letztere ist bei gelartigen Zubereitungen am stärksten ausgeprägt. Sie werden daher vorwiegend nachts angewandt. Eine relativ niedrige Viskosität weisen Zubereitungen mit den Filmbildnern Polyvinylalkohol (PVA) und Polyvidon (PVP) auf. Sie werden bevorzugt bei leichteren Formen des trockenen Auges eingesetzt. Höher viskos und damit etwas länger wirksam sind Produkte auf Basis von Cellulosederivaten wie Carbomellose und Hypromellose oder von Carbomeren (Polyacrylsäure). Polyacrylat enthaltende Produkte sollen durch ihre Ähnlichkeit mit dem Mucin der inneren Schicht der natürlichen Tränenflüssigkeit die Kontaktzeit auf der Augenoberfläche und damit die Tränenaufrisszeit verlängern.

Meist verwendeter Filmbildner in Lösungen und Gelen zur Behandlung des trockenen Auges ist heute Hyaluronsäure. Sie ist Bestandteil der extrazellulären Matrix des Bindegewebes, des Knorpels und der Synovialflüssigkeit, aber auch Bestandteil des Glaskörpers, der Horn- und Bindehaut. Da sie auch in der Zellhülle vieler Bakterien vorkommt, wird sie heute biotechnisch durch Fermentation hergestellt. Die langen Molekülketten der Hyaluronsäuren bilden eine große Hydrathülle. Ihr erwünschtes Wasserbindungsvermögen ist dadurch sehr hoch.

Aufgrund ihrer Strukturähnlichkeit mit dem natürlichen Mucin der Tränenflüssigkeit besitzt Hyaluronsäure mukoadhäsive Eigenschaften und haftet gut auf der Augenoberfläche. Außerdem soll sie aufgrund antioxidativer Eigenschaften einen protektiven Effekt auf das Oberflächenepithel ausüben und die Wundheilung der Hornhaut fördern. Der Polymerisationsgrad und damit die Viskosität variiert in Abhängigkeit von Provenienz und Herstellungsverfahren der Hyaluronsäure. Als besonderer Vorteil der Hyaluronsäure gilt ihr thixotropes Fließverhalten, d.h. die Abnahme der Viskosität bei Scherbeanspruchung. Für die Anwendung am Auge bedeutet dies, dass die Viskosität der applizierten Lösung bei mechanischer Belastung durch den Lidschlag abnimmt und somit deren Verteilung auf der Augenoberfläche begünstigt, ohne das Auge zu verkleben.

In neueren Produkten werden neben den bereits genannten auch weitere Filmbildner eingesetzt. So enthält das Kombinationspräparat Artelac® Rebalance neben Hyaluronsäure noch Macrogol 8000 und die im natürlichen Tränenfilm vorkommenden Mineralstoffe Calcium, Kalium, Natrium, Magnesium und Vitamin B_{12}. Systrane® Ultra enthält als Filmbildner Guaraprolose (Hydroxypropylguar) sowie Macrogol 400 und Propylenglycol.

Bewährt hat sich als Filmbildner aufgrund seiner strukturellen Ähnlichkeit mit dem Mucin in der Tränenflüssigkeit auch das im Tamarindensamen enthaltene Polysacharid (TSP) aus dem Tamarindenbaum (Tamarindus indica). Es handelt sich um ein verzweigtes, 1,4-D-Glucose mit den Substituenten Xylose und Galactoxylose bestehendes Polysaccarid, welches hinsichtlich seiner Stabilisierung des Tränenfilms und Verbesserung der Symptomatik des trockenen Auges dem „Goldstandard" Hyaluronsäure überlegen oder zumindest gleichwertig sein soll.

Zur Therapie bei Funktionsstörungen der Meibom-Drüsen und die durch mangelnde Lipidphase des Tränenfilms verursachte Benetzungsstörungen, eignen sich Lipide wie Triglyceride und Gelbildner wie das Polyacrylat, die in Augengel Liposic® enthalten sind. Als flüssige Form stehen Produkte wie Tears again®, Lipomyst® oder Omni Tears® Lidspray zur Verfügung, welche Phospholipide in Form einer Liposomen-Emulsion enthalten.

(Fortsetzung nächstes Blatt)

Medikamentöse Maßnahmen

Seit langer Zeit werden zur Behandlung von Benetzungsstörungen Retinolpalmitat enthaltende Augentropfen angewandt. Vitamin A trägt in Form der Retinolsäure als wichtiger Faktor zur Zelldifferenzierung, insbesondere von Becherzellen bei. Ein Vitamin A-Mangel – bei uns eventuell durch Resorptionsstörungen bedingt – führt zum Krankheitsbild der Xerophthalmie. Es ist geprägt durch veränderte Differenzierung des Epithels der Augenoberfläche mit einer reversiblen schuppenförmigen Gewebsveränderung (squamöse Metaplasie). Der klinische Nachweis der Wirksamkeit bei einer Störung der Lipidphase steht im Gegensatz zur Retinolsäure zwar noch aus, doch erscheint ein Therapieversuch gerechtfertigt.

Ein weiteres Augenmerk bei der Auswahl künstlicher Tränenflüssigkeiten sollte auf die Art verwendeter Puffersubstanzen gerichtet werden. Während früher vorwiegend Phosphate, die auch Bestandteil des physiologischen Puffersystems des Tränenfilms sind, eingesetzt wurden, werden Phosphatpuffer in Augentropfen heute eher kritisch beurteilt. Sie können bei längerfristiger Anwendung durch Ablagerung schwer löslichen Calciumphosphats zu einer Kalzifizierung der Hornhaut mit schwerwiegender Sehbeeinträchtigung führen. Aus diesem Grunde werden heute zur Pufferung von Augentropfen Citrate den Phosphaten vorgezogen.

Künstliche Tränenflüssigkeiten stellen ein breites und noch an Bedeutung gewinnendes Feld für die Selbstmedikation dar. Präparate dieser Gruppe **sind den Vasokonstringenshaltigen Augentropfen bei Bindehautentzündungen vorzuziehen,** da sie fast immer den gleichen Effekt bezüglich der erwünschten subjektiven Beschwerdefreiheit und nicht die unerwünschten Wirkungen der Sympathomimetika zeigen und fast immer geeignet sind, die subjektiven Beschwerden zu lindern oder zu beseitigen. Dies gilt vor allem dann, wenn die Bindehautreizung mit vermindertem Tränenfluss (Sandkorngefühl in den Augen) einhergeht.

Bei der Beratung sollte der Patient darauf hingewiesen werden, dass künstliche Tränenflüssigkeiten ohne Bedenken mehrfach täglich, wenn erforderlich sogar halbstündlich, zur Anwendung kommen können.

Hinweis: Eine künstliche Tränenflüssigkeit muss dem Patienten **sofort** eine subjektive Linderung verschaffen. Wenn das nicht der Fall sein sollte, dann liegt vielleicht kein Sicca-Syndrom oder keine banale Konjunktivitis vor.

Einige bekannte Handelspräparate siehe Tabelle 11.7-1.

Beratungstipp

Vermeidung von „trockenen" Augen

- Diagnose des trockenen Auges anfänglich durch Augenarzt abklären lassen.
- Augen nicht mit Wasser oder Kräutertees ausspülen, da Infektions- oder Allergiegefahr besteht.
- Mehrmals täglich die Zimmer gut lüften.
- Auf Zigaretten verzichten, Zigarettenrauch meiden.
- Die Luftfeuchtigkeit in Räumen erhöhen, z.B. durch Einsatz von Luftbefeuchtern.
- Ausreichend trinken, mindestens 2 Liter Flüssigkeit pro Tag.
- Bei der Bildschirmarbeit bewusstes häufigeres Blinzeln, dieses regt die Produktion von Tränenflüssigkeit an.

11.5.4 Allergische Augenerkrankungen

Die häufigste allergische Erkrankung des Menschen ist der **Heuschnupfen**. Man schätzt, dass etwa 1 % der Bevölkerung der Bundesrepublik – bei steigender Tendenz – an Heuschnupfen leidet, wobei diese Zahl nur die stark betroffenen Patienten umfasst. Nimmt man die nur gelegentlich erkrankten Patienten hinzu, wird eine Erkrankungshäufigkeit bis zu 10 % angenommen. In den meisten Fällen des Heuschnupfens ist nicht nur die Nasenschleimhaut, sondern auch die Bindehaut mitbetroffen.

Die **häufigste Ursache** für allergische Augenerkrankungen dürften **Blütenpollen** sein. Deswegen kommen derartige Krankheitsbilder in den Frühjahrs- und ersten Sommermonaten besonders oft vor.

Weitere in der Praxis häufig auftretende Faktoren, die eine Überempfindlichkeit mit allergischen Reaktionen auslösen, sind Kosmetika, Staub, Rauch, starke Bestrahlung, Medikamente, andere chemische Substanzen, Pestizide, aber auch bestimmte Nahrungsbestandteile.

Soweit es dem Apotheker auch nach gezielter Befragung des Patienten nicht möglich ist, die auslösenden Faktoren zu erkennen und durch entsprechendes Karenzverhalten zu beseitigen, kann eine symptomatische Behandlung im Rahmen der Selbstmedikation empfohlen werden. In vielen Fällen wird keine andere Wahl bleiben, als so zu verfahren.

Auch hier gilt natürlich die Einschränkung, dass starke Reaktionen am Auge in die Hände des Augenarztes gehören. Allergisch bedingte Entzündungen der Bindehaut werden durch Freisetzung präformierter (z.B. Histamin) oder neugebildeter (Leukotriene, bestimmte Prostaglandine oder Peptide) Entzündungsmediatoren ausgelöst. Die Freisetzung erfolgt entweder direkt aus primären Entzündungszellen (Mastzellen, Makrophagen und Thrombozyten) oder nach chemotaktischer Aktivierung aus sekundären Effektorzellen (Granulozyten, Thrombozyten, Monozyten, Lymphozyten). Hauptansatzpunkt für die symptomatische Behandlung einer allergisch bedingten Konjunktivitis ist daher die Hemmung der Freisetzung entsprechender Mediatoren bzw. Hemmung deren Aktivität. Hierzu eignen sich einerseits die klassischen Antihistaminika (H_1-Blocker), andererseits Wirkstoffe, deren Hemmung der Mediatorfreisetzung auf einer Stabilisierung der Membran der betreffenden Zellen beruht.

H_1-Blocker

Die antiallergische Wirkung der Antihistaminika (H_1-Blocker) kommt durch ihre antagonistische Wirkung an den Histamin H_1-Rezeptoren zustande. Die durch Histamin über eine Erregung der H_1-Rezeptoren bewirkte erhöhte Kapillarpermeabilität, vermehrte Schleimproduktion und der Juckreiz werden gehemmt. Zu den ophthalmologisch verwendeten Antihistaminika gehören das klassische Antazolin und die durch weniger sedierende Nebenwirkungen ausgezeichneten neueren Wirkstoffe Azelastin und Levocabastin. Seit 2015 steht auch das H_1-Antihistaminikum Ketotifen (Zaditen® ophta) in einer Konzentration bis zu 0.05 % verschreibungsfrei zur Verfügung. Die genannten H_1-Blocker eignen sich zur Prophylaxe und symptomatischen Behandlung allergischer Konjunktivitiden. Ihr Vorteil gegenüber den Membranstabilisatoren ist ihre rasch einsetzende Wirkung. Die Verträglichkeit der Antihistaminika ist sehr gut. Gelegentlich kann es bei lokaler Anwendung zu leichten Reizerscheinungen und selten zu allergischen Reaktionen kommen.

Membranstabilisatoren

Auch Membranstabilisatoren wirken bei allergischen Erkrankungen wie Heuschnupfen oder allergisch bedingter Bindehautentzündung rein symptomatisch. Zu den ophthalmologisch verwendeten Membranstabilisatoren zählen Cromoglicinsäure, Nedocromil und Lodoxamid. Ihre Wirkung beruht auf deren Hemmung der Freisetzung von Histamin und anderer Mediatoren aus primären, insbesondere Mastzellen, und sekundären Entzündungszellen durch Verminderung deren Membranpermeabilität. Im Gegensatz zu den Antihistaminika eignen sie sich auf Grund ihrer nur sehr langsam einsetzenden Wirkung nur zur Prophylaxe, nicht zur Behandlung akuter Erscheinungen. Eine Anwendung bei einer schon bestehenden Überempfindlichkeitsreaktion kann, wenn überhaupt, frühestens nach 10 bis 14 Tagen eine

Wirkung zeigen. Darauf sollte der Patient hingewiesen werden, um nicht falsche Erwartungen zu wecken. Die Verträglichkeit der Membranstabilisatoren ist ebenfalls sehr gut, sodass eine langfristige (saisonale) Anwendung möglich ist. Hinweise auf eine fruchtschädigende Wirkung gibt es nicht. Abgesehen von der grundsätzlich erforderlichen besonderen Risikoabwägung können die genannten Membranstabilisatoren daher auch während der Schwangerschaft angewandt werden. Als Nebenwirkungen bei lokaler Anwendung können leichte Reizerscheinungen wie leichtes Brennen der Augen, Fremdkörpergefühl, seltener Geschmacksstörungen vorkommen.

Sympathomimetika

Die im Kapitel Bindehautentzündungen bereits aufgeführten Sympathomimetika werden auch zur symptomatischen Behandlung allergisch bedingter Entzündungen eingesetzt. Durch ihre vasokonstriktorische Wirkung führen sie zu einer verminderten Durchblutung dilatierter Arteriolen und zum Verschwinden der Rötung des Auges („Weißereffekt"). Wenn überhaupt sollten sie jedoch nur kurzfristig (maximal 3 bis 5 Tage) angewandt werden, da sie bei längerfristiger Anwendung eine reaktive Vasodilatation (Rebound-Effekt) mit Verstärkung der Entzündung und zu einem trockenen Auge führen können.

Einige Handelspräparate zur Behandlung allergischer Augenerkrankungen finden sich in Tab. 11.7–2.

Levocabastin

Einige bekannte Handelspräparate siehe Tabelle 11.7-1.

Beratungstipps

Hilfe bei Pollenallergie

- Im Freien eine Sonnenbrille tragen, Gläser regelmäßig reinigen.
- Nach Aufenthalt im Freien Kleidung wechseln.
- Tagsüber getragene Kleidung nicht im Schlafzimmer ablegen.
- Vor dem Schlafen die Haare waschen.
- Pollenfilter in die Lüftung des Autos einbauen, Staubsauger mit Feinstaubfilter benutzen.
- In städtischen Gebieten in den Morgenstunden lüften, auf dem Land am Abend (unterschiedliche Pollendichte).
- Bei hoher Pollenbelastung im Haus bleiben bei geschlossenen Türen und Fenstern.

11.5.5 Entzündungen der Lider

Entzündungen im Bereich der Lider (Blepharitiden) können sehr unterschiedlich stark ausgeprägt sein. Sofern es sich um eine leichte Reizung und nicht etwa um eine starke Entzündung mit offensichtlich mikrobieller Beteiligung handelt, erscheint die Empfehlung einer **heilenden Salbe** (z.B. Bepanthen® Augensalbe) vertretbar.
Selbstverständlich wird man darauf hinweisen, dass bei Nichtbesserung der Augenarzt zu konsultieren ist.
Auch **bibrocatholhaltige** Augensalben können gut geeignet sein. Der Wirkstoff Tetrabrombrenzkatechinbismut (Posiformin®) wirkt adstringierend, mild desinfizierend und sekretionshemmend.
Da bei Lidrandentzündungen oft auch eine Verstopfung der Meibom-Drüsen vorliegt, ist eine lokale Wärmebehandlung, z.B. durch Rotlicht sinnvoll. Die Rotlicht-Anwendung bei geschlossenen Augen im Abstand von ca. 50 cm kann jeweils zweimal täglich für fünf bis 10 Minuten empfohlen werden. Da die Lipide des Sekrets der Meibom-Drüsen niedrige Schmelzpunkte aufweisen, wird die Viskosität des Sekrets durch die Wärme erniedrigt und somit der Sekretabfluss erleichtert. Im Anschluss an die Rotlicht-Behandlung ist

ein Ausstreichen des verflüssigten Sekrets durch Lidmassage sinnvoll. Dabei wird mit dem Finger mehrfach am Oberlid von oben nach unten und am Unterlid von unten nach oben, jeweils zum Lidspalt hin, sowie vom inneren zum äußeren Lidwinkel hin massiert. An Stelle von Rotlicht hat sich zur Wärmebehandlung vor dem eigentlichen Reinigungsprozess auch die Verwendung einer Wärme Gel Maske (Blepha Cura®) bewährt.

Abzuraten ist wegen der Infektionsgefahr von feucht-warmen Kompressen, einschließlich solcher mit Pflanzenauszügen wie Kamille, da letzteren auch ein allergisierendes Potential zukommt. Anzuraten ist hingegen, insbesondere bei chronischen Lidrandentzündungen eine ein- bis zweimal tägliche Reinigung und Pflege der Augenlider. Geeignete Präparate zur Reinigung von seborrhoischen Verkrustungen und zur Pflege der Augenlider und Wimpern sind Blephagel®, Blephacura® liposomale Suspension oder Lipo Nit® Lidpflege.

Weitere bekannte Handelspräparate siehe Tabelle 11.7-3.

11.5.6 Vitamine

Vitamine sind lebenswichtige organische Verbindungen, welche vom Körper nicht oder nicht vollständig synthetisiert werden können. Die therapeutische Anwendung der Vitamine beruht in erster Linie auf der Beseitigung von Vitaminmangelzuständen. Nur in seltenen Fällen ist – im Bereich der Augen – eine darüber hinausgehende Vitaminzufuhr zur Erzielung eines therapeutischen Zweckes als sinnvoll anzusehen, beispielsweise die Gabe von **Dexpanthenol** zur Epithelisierung der Hornhaut und der Konjunktiva, wie etwa bei Sicca-Mitteln.

Der Wert von Vitaminen in sog. Augentonika oder Produkten zur Behandlung von Linsentrübungen ist bei kritischer Betrachtung recht zweifelhaft. Wer derartige Mittel zur Selbstmedikation empfiehlt, sollte sich darüber klar werden, ob die Gabe eines vermutlich objektiv nicht wirksamen Arzneimittels sinnvoll ist.

Die zahlenmäßig größte Bedeutung haben von den Vitaminen in Augenarzneimitteln Dexpanthenol sowie Vitamin A (Retinol) bzw. Provitamin A (Betacarotin), Letzteres auch häufig systemisch gegeben.

Betacarotin hat gegenüber Vitamin A den Vorteil, dass es nicht überdosiert werden kann, da der Körper nur in der Menge Vitamin A durch Spaltung des Carotin-Moleküls bildet, wie es gebraucht wird.

Für Vitamin A ist eine direkte Beteiligung am Sehprozess erwiesen. Dabei liegt die Funktion in der Bildung von Rhodopsin (Lichtrezeptor bei geringen Lichtintensitäten) und der Beteiligung am Farbensehen in der Netzhaut.

Für Vitamin A, die B-Vitamine, Vitamin K und Vitamin C sind **Mangelsymptome** im ophthalmischen Bereich bei ungenügender Vitaminzufuhr bekannt. Die wichtigsten sind:

- Vitamin-A-Mangel: Störung der Dunkeladaptation und des Farbsehens, erhöhte Lichtempfindlichkeit; Xerophthalmie (Augenstarre), Einschmelzungen an der Hornhaut.
- Vitamin-B_1-Mangel: Bindehaut- und Hornhautveränderungen, zentral bedingte Gesichtsfeldstörungen, Augenmuskellähmungen bei Alkoholikern.
- Vitamin-B_2-Mangel: Lichtscheuheit (Photophobie), Entzündung des Sehnervs, Akkomodationsstörungen, Bindehaut- und Lidrandentzündungen, Hornhauttrübungen (durch Vaskularisation der Kornea), Irisverfärbungen.
- Vitamin-B_6-Mangel: Hyperkeratose der Lidränder, Verlust von Wimpern, Vaskularisation der Hornhaut.
- Nicotinsäureamid-Mangel: Bindehautentzündung, Beeinträchtigung der Dunkeladaptation.
- Pantothensäure-Mangel: Keratitis mit Vaskularisation der Hornhaut.

- Vitamin-C-Mangel: Bindehautblutungen, Störung des Gesichtsfeldes für Grün.
- Vitamin-K-Mangel: Netzhaut- und Glaskörperblutungen.

Aus den Vitaminmangelerscheinungen zu schließen, dass bei dem Auftreten entsprechender Symptome eine Therapie mit den genannten Vitaminen notwendig ist, ist nicht zwingend, da bei normaler Ernährung kein Vitamindefizit gegeben ist, aber eine **Nahrungsergänzung** mit guten Multivitamin-Präparaten ist sicher in vielfältiger Weise sinnvoll.

Zu **Vitamin D** (Calciferol), das am Auge keine therapeutische Bedeutung hat, ist es wichtig zu wissen, dass eine (systemische) Überdosierung zu Kalkablagerungen in der Bindehaut, Sklera und Hornhaut führen kann.

Die Substanz **Dexpanthenol** wird am häufigsten von allen Wirkstoffen in der Augenheilkunde eingesetzt (Bepanthen®, Dispatenol®).

Das Vitamin wird wegen seiner heilenden, epithelbildenden, granulationsfördernden, aber auch entzündungshemmenden und juckreizstillenden Eigenschaften weltweit eingesetzt. Unverträglichkeiten, allergische Reaktionen oder toxische Nebenwirkungen sind nicht zu befürchten.

Einige bekannte Handelspräparate zur lokalen Vitamintherapie am Auge enthält Tabelle 11.7-4.

Medikamentöse Maßnahmen

11.6 Patientengespräch

Vor jede Empfehlung bzw. Nichtempfehlung von therapeutischen Maßnahmen am Auge im Rahmen der Selbstmedikation gehört das Gespräch mit dem Patienten über die Ätiologie der Erkrankung. Die bejahende Antwort auf die Frage **„Hatten Sie diese Beschwerden schon öfter?"** bringt bei einer Konjunktivitis Sicherheit, eine verneinende Antwort erfordert weiteres Fragen nach den Ursachen. Deswegen ist das Mitgeben von Augentropfen für die Nachbarin nicht unproblematisch, es sei denn, der Patient hat beispielsweise ein chronisch trockenes Auge und der Apotheker weiß davon.

Auf jeden Fall sollte bei jeder Selbstmedikationsmaßnahme darauf hingewiesen werden, dass eine Besserung innerhalb eines Tages (spätestens mit deutlichem Erfolg in drei Tagen) eintreten, und dass sonst ein Augenarzt aufgesucht werden muss.

Es wäre sicher nicht erforderlich, jeden Patienten mit einem leicht geröteten Auge zum Facharzt zu schicken – die etwa 6 000 im Bundesgebiet niedergelassenen Ophthalmologen würden völlig mit Patienten überflutet werden.

Dem Apotheker kommt die Aufgabe zu, einen Teil der „Vorsortierung" zu übernehmen. Gerade Berufsanfängern wird es in den ersten Jahren nicht leicht fallen, den schmalen Grat zwischen Überängstlichkeit – ein akutes Glaukom kommt bei jungen Patienten nur sehr selten vor – und zu großer Leichtfertigkeit im Griff zu haben. Nur die Berufserfahrung bringt die Sicherheit und den „sechsten Sinn", besondere Vorkommnisse zu erahnen. Nur beispielhaft für derartige Gefährdung und nicht abschreckend für die Selbstmedikation in der Offizin gedacht ist die **Raupenhaarkonjunktivitis**.

Diese Krankheit wird auch in Deutschland ab und zu beschrieben: Die Haare von langhaarigen Raupen – spielende Kinder können damit in Kontakt kommen – wandern durch ihre Widerhaken bedingt in relativ kurzer Zeit ins Augeninnere. Trotz des trügerischen Erscheinungsbildes einer banalen Bindehautentzündung ist in diesem Fall **jede halbe Stunde kostbar**. Schon ein einzelnes Haar im Augeninneren führt mit ziemlicher Sicherheit zur Dauerschädigung des betroffenen Auges.

Ein ähnlich hohes Risiko besteht, wenn nach **Schweißarbeiten** neben der sehr schmerzhaften, aber im Prinzip harmlosen, „Verblitzung" der Augen kleine **Metallfremdkörper** in die Hornhaut eingedrungen sein könnten. Das Beispiel Raupenhaarkonjunktivitis zeigt uns die Wichtigkeit des Patientengesprächs – „hat das Kind mit Raupen zu tun gehabt?" – zur oft einfachen Ausschaltung von Risiken. Es sollte aber auch den Herstellern zu denken geben, die leider häufig unter weitgehender Missachtung der Grenzen der Anwendbarkeit ihrer Präparate Publikumswerbung betreiben.

Grundsätzlich ist Inanspruchnahme des Augenarztes anzuraten bei:
- Säuglingen und Kleinkindern
- Verletzung des Auges
- Schmerzen im Auge
- Eingeschränktem Sehvermögen
- Verengter oder erweiterter Pupillengröße
- Starkem Tränenfluss
- Starker Rötung des Auges
- Zähem gelbem Sekret
- Erfolgloser Selbstbehandlung nach 3 Tagen

Patientengespräch

Ein einfaches, aber wichtiges Indiz zur Unterscheidung einer Verletzung von einer allergischen oder durch ein trockenes Auge bedingten Reizung des Auges ist, dass in beiden letztgenannten Fällen stets beide Augen betroffen sind. Zu häufiger Bindehautreizung neigenden Patienten können folgende Maßnahmen zur Reizlinderung empfohlen werden:

- Genügend Schlaf zur Regeneration der Augen
- Vermeidung von Windzug, Staub und UV-Strahlung
- Vermeidung langer Bildschirm- und Naharbeit
- Ersatz von Kontaktlinsen zur Zeit der Bindehautreizung und während einer Behandlung mit wirkstoffhaltigen Ophthalmika durch Brille
- Kühle Auflagen für die Augen
- Anwendung von Dexpanthenol enthaltenden Ophthalmika zur Unterstützung der Heilung von Schleimhautschäden
- Die Anwendung Retinol enthaltender Augentropfen bei möglicherweise durch Vitamin A-Mangel bedingter hoher Lichtempfindlichkeit

Bei älteren Menschen ist eine häufige Ursache für Bindehautreizungen das trockene Auge, da im Alter neben einem allgemeinen Feuchtigkeitsverlust der Haut und der Schleimhäute auch ein verminderter Tränenfluss beobachtet wird. Letzterer kann aber auch als Nebenwirkung bestimmter Arzneimittel auftreten. Zu diesen gehören:

- α_2-Sympathomimetika (Clonidin, Moxonidin)
- Anticholinergika (Butylscopolaminiumbromid, Trospiumchlorid, Ipratropiumbromid, Biperidon)
- Zentral wirkende Muskelrelaxanzien (Baclofen)
- Trizyklische Antidepressiva (Amitriptylin, Doxepin, Imipramin, Opipramol)
- Phenothiazine (Levopromazin, Perazin, Promethazin)
- Lipidsenker (Statine)
- H_1-Blocker (Diphenhydramin, Clemastin, Dimetinden)
- Diuretika

Bei leichten Bindehautreizungen kann ein Behandlungsversuch mit künstlichen Tränenflüssigkeiten stets empfohlen werden. Kontaktlinsenträger sollten darauf hingewiesen werden, dass die Linsen vor der Anwendung zu entfernen sind und erst nach einer Wartezeit von 15 Minuten eingesetzt werden sollten.

Nicht vergessen werden sollte, den Patienten auf die korrekte Anwendung der Augenarzneimittel hinzuweisen. In diesem Zusammenhang wird auf die Ausführungen unter 11.3.5 verwiesen. Auch sollte der Patient auf die begrenzte Aufbrauchfrist von Augentropfen und die Gefahr mikrobiologischer Folgen im Falle deren Überschreitung hingewiesen werden.

Zum Patientengespräch gehört auch, dem Patienten die Angst vor Überdosierung zu nehmen, wenn aus Versehen statt eines Tropfens mehrere appliziert werden: Maximal ein Tropfen kann vom Bindehautsack aufgenommen werden, die weiteren laufen automatisch ab.

Von den möglichen Nebenwirkungen der in der Selbstmedikation lokal angewandten Ophthalmika seien an dieser Stelle nur die systemischen Wirkungen der das vegetative Nervensystem beeinflussenden Pharmaka genannt. Derartige unerwünschte Effekte sind bei den in der Selbsmedikation relevanten Arzneistoffen aber nur bei Kleinkindern, vor allem bei zu häufiger Anwendung, denkbar – und dann teilweise auch wirklich gefährdend. Mögliche Nebenwirkungen und Gegenanzeigen werden bei einzelnen Indikationsgruppen miterwähnt.

Wichtig ist außerdem eventuelle Träger von weichen Kontaktlinsen darauf hinzuweisen, dass die meisten Tropfen, insbesondere alle Konservierungsstoffe enthaltenden Augentropfen, die Kontaktlinsen schädigen.

11.7 Präparateliste

Vorbemerkung

In den Tabellen zu den einzelnen Wirkstoffgruppen und im begleitenden Text werden jeweils einige bekannte Handelspräparate, die für die Selbstmedikation relevant sein können, aufgeführt. Die Auswahl stellt auf keinen Fall eine Negativbewertung der nicht erwähnten Präparate dar.

Grundsätzlich nicht mit aufgeführt wurden homöopathische und anthroposophische Arzneimittel, da die Erklärung ihrer Wirkungsweise im Rahmen dieses Buches nicht möglich war. Derartige Präparate können aber bei entsprechender Erfahrung in der Selbstmedikation gut mit eingesetzt werden.

Tab. 11.7-1: Arzneimittel für die Indikationsgebiete banale Konjunktivitis und Sicca-Syndrom (Auswahl)

Handelsname	Zusammensetzung	Dosierung
Vasokonstringens-haltige Präparate		
Berberil® N Augentropfen	1 ml Lösung enth.: Tetryzolinhydrochlorid 0,50 mg Sonstige Bestandteile: Benzalkoniumchlorid; Sorbitol; Natriumdihydrogenphosphat × 2 H$_2$O; Natriummonohydrogenphosphat × 12 H$_2$O; Hypromellose; Wasser für Injektionszwecke	Anfänglich 4- bis 6-mal tgl. 1 Tr.; nach Besserung 2- bis 3-mal tgl.
Berberil® N EDO Augentropfen	Arzneilich wirksame Bestandteile: 1 ml Lösung enth.: Tetryzolinhydrochlorid 0,50 mg Sonstige Bestandteile: Sorbitol; Natriumdihydrogenphosphat × 2 H$_2$O; Natriummonohydrogenphosphat × 12 H$_2$O; Hypromellose; Wasser	Anfänglich 4- bis 6-mal tgl. 1 Tr.; nach Besserung 2- bis 3-mal tgl.
Biciron® Augentropfen	1 ml Lösung enth.: Tramazolin-HCl × H$_2$O 0,632 mg Sonstige Bestandteile: Benzalkoniumchlorid; Sorbitol-Lösung 70 %; Natriumchlorid; Citronensäure H$_2$O; gereinigtes Wasser	3-mal tgl. 1 Tr. in den unteren Bindehautsack einträufeln und durch Lid- u. Augenbewegungen verteilen. Eine häufigere Anw. (5-mal tgl. 1 Tr.) ist möglich
Visine® Yxin®	Arzneilich wirksame Bestandteile: 1 ml Augentropfen enth.: 0,5 mg Tetryzolinhydrochlorid Sonstige Bestandteile: Benzalkoniumchlorid; Natriumchlorid; Borsäure; Natriumtetraborat; Natriumedetat; Wasser für Injektionszwecke	1 Tr. 2- bis 3-mal in den Bindehautsack einträufeln

Tab. 11.7-1: Arzneimittel für die Indikationsgebiete banale Konjunktivitis und Sicca-Syndrom (Auswahl) (Fortsetzung)

Handelsname	Zusammensetzung	Dosierung
Künstliche Tränenflüssigkeiten		
Celluvisc® 1%	1 ml Lösung enth.: Arzneilich wirksamer Bestandteil: Carmellose-Natrium 10,0 mg Sonstige Bestandteile: Natriumchlorid; Natrium(RS)-lactat; Kaliumchlorid; Calciumchlorid × 2 H$_2$O; gereinigtes Wasser	Je nach Schwere der Reizung alle 3 bis 4 Std. 1 bis 2 Tr. in den Bindehautsack träufeln
Dispatenol®	1 ml Lösung enth.: Arzneilich wirksamer Bestandteil: Dexpanthenol 30 mg; Polyvinylalkohol 14 mg Sonstige Bestandteile: Benzalkoniumchlorid (Konservierungsmittel), Kaliumdihydrogenphosphat; Kaliummonohydrogenphosphat; Wasser für Injektionszwecke	Bis zu 6-mal tgl. 1 Tr. in den Bindehautsack träufeln
Liquifilm®	1 ml Lösung enth.: Arzneilich wirksamer Bestandteil: 14,0 mg Polyvinylalkohol Sonstige Bestandteile: Benzalkoniumchlorid; Natriummonohydrogenphosphat × 7 H$_2$O; Natriumchlorid; Natriumdihydrogenphosphat × H$_2$O; Edetinsäure Dinatriumsalz × 2 H$_2$O; Salzsäure oder Natriumhydroxid zur pH-Wert- Einstellung, gereinigtes Wasser Hilfst.: Benzalkoniumchlorid 0,1 mg	Nach Bedarf 1 bis 2 Tr. mehrmals täglich
Oculotect® Augentropfen	1 ml enth.: 1000 I.E. Retinolpalmitat (Vitamin-A-palmitat); 4 mg Methylhydroxypropylcellulose (Methocel); Sonstige Bestandteile: Chlorhexidinacetat (Konservierungsmittel); α-Tocopherolacetat; Borsäure; Natriumtetraborat × 10 H$_2$O; Natriumedetat; Wasser für Injektionszwecke	Stdl. bis 3-mal tgl. 1 Tr.
Oculotect® fluid sine	1 ml enth.: 50 mg Polyvidon K 25; Borsäure; Calciumchlorid; Magnesiumchlorid; Kaliumchlorid; Natriumchlorid; Natriumlactat. Ohne Konservierungsstoffe	Bis 5-mal tgl. oder häufiger 1 Tr.
Oculotect® fluid	1 ml enth.: 50 mg Polyvidon K 25; 50 µg Benzalkoniumchlorid (Konservierungsmittel); Borsäure; Calciumchlorid; Magnesiumchlorid; Kaliumchlorid; Natriumchlorid; Natriumlactat	Stdl. bis 3-mal tgl. 1 Tr.
Protagent®	Wirksamer Bestandteil: 1 ml Lösung enth.: 20 mg Polyvidon (K 25) Sonstige Bestandteile: Benzalkoniumchlorid; Borsäure; Natriumchlorid; Natriumhydroxid zur Einstellung des pH-Wertes; gereinigtes Wasser	4- bis 5-mal 1 Tr. ins Auge

Tab. 11.7-1: Arzneimittel für die Indikationsgebiete banale Konjunktivitis und Sicca-Syndrom (Auswahl) (Fortsetzung)

Handelsname	Zusammensetzung	Dosierung
Künstliche Tränenflüssigkeiten (Fortsetzung)		
Protagent® SE	Arzneilich wirksame Bestandteile: 1 ml Lösung enth.: 20 mg Povidon (K 25) Sonstige Bestandteile: Borsäure; Natriumchlorid; Natriumhydroxid zur Einstellung des pH-Wertes; gereinigtes Wasser	4- bis 5-mal 1 Tr. ins Auge
Vidisept® 2 %	Arzneilich wirksamer Bestandteil: 1 ml Lösung enth.: 20 mg Povidon Sonstige Bestandteile: Cetrimid; Natriumchlorid, Borsäure, Natriumhydroxid-Lsg (4 %); Wasser f. Injektionszwecke	3- bis 5-mal tgl. 1 Tr. einträufeln
Künstliche Tränenflüssigkeiten – Medizinprodukte		
Biolan® Augentropfen	0,15 % Hyaluronsäure; Natriumchlorid; Natriumhydrogenphosphat; Natriumdihydrogenphosphat; gereinigtes Wasser	1 bis 2 Tropfen ins Auge geben
Cellufresh®	Natriumcarboxymethylcellulose 0,5 %; PURITE® 0,005 %	Bei Bedarf mehrfach täglich 1–2 Tropfen ins Auge, auch für Kontaktlinsenträger
Comfort Shield® (Einmaldosenbehältnisse)	0,15 % ultrahochmolekulares Natriumhyaluronat, Natriumchlorid; Dinatriumhydrogenphosphat; Natriumdihydrogenphosphat; Wasser für Injektionszwecke	1 Tropfen ins Auge oder auf die Rückseite der Kontaktlinse geben
HYLOCOMOD® (mit COMOD®-Dosierungssystem)	1 ml enthält: 1 mg Hyaluronsäure; Natriumsalz; Natriumhydrogenphosphat × 2 H_2O; Natriummonohydrogenphosphat × 12 H_2O; Sorbitol; Wasser für Injektionszwecke	1 Tropfen ins Auge geben; Dauer der Anwendung nicht beschränkt
WET-COMOD® (mit COMOD®-Dosierungssystem)	Povidon 2 %	
Zinkhaltige Präparate (teilweise mit Vasokonstringens). Die Hauptindikation der Zinksalze in der Ophthalmologie ist eine spezielle – bakteriell infizierte – Konjunktivitis: Morax-Axenfeld. Dementsprechend gehören diese Präparate eigentlich nicht in die Selbstmedikation.		
Sonstige Präparate		
Sophtal POS® N	1 ml isotonische Lösung enth.: Arzneilich wirksamer Bestandteil Salicylsäure 1,0 mg Sonstige Bestandteile: Chlorhexidingluconat (Konservierungsmittel) 0,05 mg; Borsäure; Borax; Natriumchlorid; Natriumedetat; Wasser f. Injektionszwecke	4 × tgl. 1 Tr. in den Bindehautsack eintropfen

Präparateliste

Tab. 11.7-2: Ausgewählte Arzneimittel zur Behandlung allergischer Augenerkrankungen

Handelsname	Zusammensetzung	Dosierung
Antihistaminhaltige Präparate; teilweise mit Vasokonstringenszusatz		
Allergoconjunct® Augentropfen	1 ml Augentropfen enth.: Arzneilich wirksamer Bestandteil: Antazolinphosphat 0,15 mg; Tetryzolinhydrochlorid 0,5 mg Sonstige Bestandteile: Chlorhexidindigluconat (Konservierungsmittel) 0,05 mg Borsäure; Borax; Wasser für Injektionszwecke	Erw. u. Kdr. über 3 J. 3- bis 4-mal tgl. 1 Tr. i.d. Bindehautsack träufeln
Acular® Augentropfen	1 ml: Ketorolac-Trometamol 5 mg	
Tele-Stulln® N	1 ml Lösung enth.: Arzneilich wirksamer Bestandteil: Naphazolinnitrat 1 mg Sonstige Bestandteile: Phenylmercuriborat; Borsäure; Dinatriumtetraborat; Natriumhydrogencarbonat; Natriumtetraborat; Wasser	1 bis 2 Tr. ca. alle 1–2 Stunden
Televis-Stulln® UD Mono UD	1 ml Lösung enth.: Arzneilich wirksamer Bestandteil: Naphazolinhydrochlorid 1,0 mg, Sonstige Bestandteile: Polyvinylalkohol; Natriumchlorid; Wasser	2- bis 4-mal tgl. 1 bis 2 Tr.
Cromoglicinsäurehaltige Präparate		
Crom-Ophthal® Augentropfen	1 ml: Natriumcromoglicinat 20 mg, Benzalkoniumchlorid 0,1 mg, Natriumedetat, Polysorbat 80, Sorbitol, Natriumhydroxid zur pH-Einstellung, Wasser f. Injektionszecke	4-mal täglich 1 Tropfen in jedes Auge
Crom-Ophthal® sine Augentropfen	1 ml: Natriumcromoglicinat 20 mg, Hypromellose, Sorbitol, Salzsäure zur pH-Einstellung, Wasser f. Injektionszecke	4-mal täglich 1 Tropfen in jedes Auge
Vividrin® antiallergische Augentropfen	1 ml Lösung enth.: Arzneilich wirksame Bestandteile: 20 mg Cromoglicinsäure-Dinatriumsalz Sonstige Bestandteile: Benzalkoniumchlorid 0,1 mg (Konservierungsmittel) Weitere Bestandteile: Editinsäure-Dinatriumsalz × 2 H_2O; Polysorbat 80; Sorbitol; Natriumhydroxid-Lösung (zur pH-Wert-Einstellung); Wasser	Kdr. u. Erw. 4-mal tgl. 1 Tr. in jedes Auge

Tab. 11.7-2: Ausgewählte Arzneimittel zur Behandlung allergischer Augenerkrankungen (Fortsetzung)

Handelsname	Zusammensetzung	Dosierung
Weitere Wirkstoffe		
Livocab®	1 ml Suspension enth.: Arzneilich wirksame Bestandteile: 0,54 mg Levocabastinhydrochlorid, entspr. 0,5 mg Levocabastin Sonstige Bestandteile: Benzalkoniumchlorid 0,15 mg/ml; Editinsäure-Dinatriumsalz × 2 H$_2$O 0,15 mg; Propylenglykol; Dinatriumhydrogenphosphat; Natriumdihydrogenphosphat × 1 H$_2$O; Poly(0-2-hydroxypropyl, 0-methyl)cellulose; Polysorbat 80; Wasser für Injektionszwecke	Kdr. u. Erw. 2-mal tgl. 1 Tr. in jedes Auge
Vividrin® akut Azelastin	1 ml enth.: Azelastin-HCl 0,5 mg 1 Tr. (ca 30 µl) enth. 0,015 mg Azelastin-HCl. Weit. Bestandteile: Benzalkoniumchlorid (Konservierungsmittel), Natriumedetat, Hypromellose, Sorbitol-Lsg. 70 % (kristallisierend), Natriumhydroxid, Wasser f. Inj.-zwecke	Saisonale allerg. Konjunktivitis: Erw. u. Kdr. ab 4 J. 2-mal je 1 Tr., falls erforderlich 4-mal tgl. je 1 Tr. Nicht saisonale allerg. Konjunktivitis: Erw. u. Kdr. ab 12 J. 2-mal tgl. je 1 Tr., falls erforderl. 4-mal tgl. je 1 Tr.
Azelastin-POS 0,5 mg/ml	1 ml: Azelastinhydrochlorid 0,5 mg, Benzalkoniumchlorid, Natriumedetat, Hypromellose, Sorbitol, Wasser für Injektionszwecke	Saisonale allerg. Konjunktivitis: Erw. u. Kdr. ab 4 J. 2-mal je 1 Tr., falls erforderlich bis 4-mal. Nichtsaisonale Konjuktivitis. Erwachsene u. Kdr. ab 12. J. 2-mal je 1 Tropfen, falls erforderlich bis 4-mal
Allergo-Vision® sine 0,25 mg/ml Autentropfen im Einzeldosisbehältnis Lösung	0,4 ml: Ketotifenfumarat 0,138 mg (entspr. 0,1 mg Ketotifen), Glycerol, Wasser für Injektionszwecke	Erwachsene u. Kdr. ab 3 J. 2-mal 1 Tr.
Alomide®	1 ml Lösung enth.: 1,78 mg Lodoxamid-Trometamol, entspr. 1,00 mg Lodoxamid Weitere Bestandteile: Benzalkoniumchlorid; Editinsäure-Dinatriumsalz × 2 H$_2$O; Mannitol; Hypromellose; Natriumcitrat × 2 H$_2$O; Tyloxapol; Citronensäure-Monohydrat; gereinigtes Wasser	Erw. u. Kdr. (über 4 Jahre) 4-mal tgl. 1 Tr. in jedes Auge

Präparateliste

Tab. 11.7-2: Ausgewählte Arzneimittel zur Behandlung allergischer Augenerkrankungen (Fortsetzung)

Handelsname	Zusammensetzung	Dosierung
Weitere Wirkstoffe (Fortsetzung)		
Alomide SE®	1 ml Lösung enth.: 1,78 mg Lodoxamid-Trometamol, entspr. 1 mg Lodoxamid Sonstige Bestandteile: Natriumcitrat × 2 H$_2$O; Mannitol; Hypromellose; Tyloxapol; Citronensäure-Monohydrat; gereinigtes Wasser	Erw. u. Kdr. (über 4 Jahre) 4-mal tgl. 1 Tr. in jedes Auge

Tab. 11.7-3: Präparate zur Behandlung von Lidrandentzündungen (Auswahl)

Handelsname	Zusammensetzung	Dosierung
Bepanthen® Augen- und Nasensalbe	1 g enthält: Arzneilich wirksamer Bestandteil: 0,05 g Dexpanthenol Sonstige Bestandteile: (RS)-3-Hydroxy-4,4-dimethyl-2-tetrahydrofuranon; Wollwachs; dickflüssiges Paraffin; weißes Vaselin; Wasser für Injektionszwecke, Bepanthen Augen- und Nasensalbe enthält keine Konservierungs-, Farb- oder Duftstoffe	1- bis mehrmals tgl. einen 1 cm langen Salbenstrang in den Bindehautsack einstreichen
Posiformin® 2 % Augensalbe	1 g enthält: 20 mg Bibrocathol Hilfsstoffe: weißes Vaselin; dickflüssiges Paraffin und Wollwachs	3- bis 5-mal tgl. einen 5 mm langen Salbenstrang in den Bindehautsack einstreichen

Tab. 11.7-4: Präparate zur lokalen Vitamintherapie am Auge (Auswahl)

Handelsname	Zusammensetzung	Dosierung
Regepithel® Augensalbe	1 g enth.: Arzneilich wirksame Bestandteile: Retinolpalmitat 5,9 mg (entsprechend 10 000 I.E.); Thiaminchloridhydrochlorid 0,5 mg; Calciumpantothenat 5 mg Sonstige Bestandteile: Mittelkettige Triglyceride; Wollwachsalkoholsalbe; dickflüssiges Paraffin	2- bis 3-mal tgl. in den Bindehautsack einstreichen

11.8 Augenarzneistoffe

Die folgende Besprechung zur Selbstmedikation geeigneter Augenarzneistoffe beinhaltet neben **Wirkstoffen** in engerem Sinne auch einen Teil derjenigen **Hilfsstoffe,** denen physiologisch-ophthalmologische Wirkung zukommt bzw. die für die sachgerechte Herstellung ophthalmologischer Darreichungsformen wichtig sind (z.B. Filmbildner, Konservierungsmittel). Die Hilfsstoffe sind auch deshalb hier und nicht im Kapitel „Galenik der Augenarzneimittel" aufgeführt, da ihnen in einer Reihe von Augenarzneimitteln die Rolle wirksamer Bestandteile zukommt (Konservierungsmittel als antimikrobielle Agentien, Filmbildner in Ersatzfunktion physiologischer Tränenflüssigkeitsbestandteile).

Antazolinhydrochlorid

Wirkung und Anwendung
Antazolin wird als Antihistaminikum häufig mit Vasokonstringentien kombiniert. Die übliche Konzentration ist 0,5 %.

Antazolinhydrochlorid

Galenik
Eine 1 %ige wässrige Lösung zeigt den pH-Wert 5–6,5. Schwach saure Antazolin-Lösungen sind recht stabil und hitze-sterilisierbar. Inkompatibilitäten sind mit alkalisch reagierenden Stoffen, Iod, Quecksilber- und Silbersalzen zu erwarten.
Ophthalmologische Handelspräparate: Allergopos® N, Antistin-Privin®, Spersallerg®.

Azelastinhydrochlorid

Wirkung und Anwendung
Azelastinhydrochlorid wird angewendet zur Behandlung und Vorbeugung der allergischen Konjuktivitis. Das Antihistaminikum Azelastin besitzt anitentzündliche Wirkungen. Es stabilisiert Mastzellen und hemmt die Freisetzung und Synthese von Mediatoren der allergischen Reaktionskette.

Azelastinhydrochlorid

Nebenwirkungen und Kontraindikationen
Vorübergehend kann es zum Auftreten leichter Reizung führen. Während der Behandlung sollen keine Kontaktlinsen getragen werden.
Die Augentropfen dürfen bei Kindern ab 4 Jahren angewendet werden.

Handelspräparate
Allergodil®, Vividrin® akut

Benzalkoniumchlorid

$$\left[\underset{\text{Benzalkoniumchlorid}}{\bigcirc\!\!\!-\!CH_2-\underset{CH_3}{\overset{CH_3}{\underset{|}{\overset{|}{N}}}}-R} \right]^{\oplus} \quad Cl^{\ominus}$$

R = C$_8$H$_{17}$ bis C$_{18}$H$_{37}$

Wirkung und Anwendung
Benzalkoniumchlorid gehört zu den bevorzugten Konservierungsmitteln für Ophthalmika, zumeist in einer Konzentration von 0,01 %. Das Wirkungsspektrum umfasst die grampositiven und die weniger empfindlichen gramnegativen Keime, wobei einige Pseudomonas-Arten resistent sind, ferner werden einige pathogene Viren beeinflusst. Gegen Pilze und Sporen ist Benzalkoniumchlorid wenig wirksam. Der Wirkungsmechanismus beruht auf Anlagerung und Adsorption der Verbindung an die Oberfläche der Mikroorganismen, was zu einer Zerstörung des Aufbaus der Zytoplasmamembran führt. Benzalkoniumchlorid erhöht die Permeabilität der Hornhaut für schlecht penetrierende Wirkstoffe. Das kann, muss jedoch nicht von Vorteil sein!

Nebenwirkungen und Kontraindikationen
Konzentrationen von mehr als 0,02 % können starke Reizungen und reversible Veränderungen an Binde- und Hornhaut hervorrufen. Die Haftdauer des Tränenfilms wird nach Verabreichung von Augentropfen mit 0,01 % Benzalkoniumchlorid auf die Hälfte reduziert. In der Praxis enthalten sehr viele Handelspräparate Benzalkoniumchlorid als Konservierungsmittel.

Galenik
Die Substanz ist aufgrund ihrer amphiphilen Eigenschaften in fast allen Lösungsmitteln gut löslich. Auch erhöht sie aufgrund ihrer Tensideigenschaften die Resorbierbarkeit von Suspensionsaugentropfen. Eine 1 %ige wässrige Lösung zeigt einen pH-Wert von 6,0 bis 8,0. Eine Dampfsterilisation ist möglich. Mit einer Reihe von Substanzen bestehen Inkompatibilitäten, beispielsweise mit anionaktiven, mit Iodiden, Nitraten, Schwermetallen, fetten Ölen, Salicylaten, Citraten und Alginaten. Benzalkoniumchlorid gilt als chemisch stabil.

Benzylalkohol

Wirkung und Anwendung
Benzylalkohol dient als Konservierungsmittel und schwaches Lokalanästhetikum. Die antimikrobielle Wirkung ist optimal im sauren Bereich bis pH 6. Bei ophthalmischen Präparaten wird es vor allem in Augensalben in einer Konzentration von 0,5–1 % eingesetzt.

Galenik
Benzylalkohol ist eine klare farblose Flüssigkeit. Der pH-Wert einer wässrigen Lösung ist neutral bis schwach sauer. Wässrige Lösungen sind sterilisierbar, ölige Lösungen können bei 140 °C/3 Std. entkeimt werden. Benzylalkohol ist inkompatibel mit oxidierenden Substanzen.

$$\bigcirc\!\!\!-\!CH_2OH$$

Benzylalkohol

Bibrocathol

Wirkung und Anwendung
Bibrocathol wird in Augensalben als adstringierendes, mild desinfizierendes und sekretionshemmendes Agens bei Bindehautentzündungen und Hornhauterosionen eingesetzt, ferner bei Lidrandentzündungen und Gerstenkorn. Der Mechanismus der Wirkungen von Bibrocathol wird mit seinen Strukturkomponenten, dem Phenolderivat Tetrabrombrenzcatechin und Bismuthydroxid, erklärt.

Auf Schleimhäuten und Wunden kann Bibrocathol durch Eiweißfällung und Schrumpfung oberflächlicher Gewebsschichten eine schützende Membran gegen bakterielle Invasion bilden. Diese adstringierende Wirkung kann zu einer unspezifischen Hemmung der Entzündung und Sekretion führen.

Bibrocathol

Die auf das Auge bezogenen Anwendungsgebiete der Aufbereitungsmonographie vom März 1992 sind:
- Anwendung bei unspezifischen, nicht erregerbedingten Reizzuständen des äußeren Auges,
- Anwendung als Adstringens bei Blepharitis chronica,
- Anwendung bei nicht infizierten frischen Hornhautwunden.

Gegenanzeigen sind nicht bekannt.

Nebenwirkungen
In Einzelfällen sind allergische Reaktionen auf den Wirkstoff bzw. die Salbenbestandteile beschrieben worden.

Galenik
Bibrocathol ist in Wasser unlöslich, unverträglich mit Eisensalzen, Oxidationsmitteln, starken Säuren und Alkalien.
Üblich ist eine Konzentration von 1–5%.

Handelspräparate
Posiformin®.

Borsäure

Wirkung und Anwendungsweise
Borsäure ist ein schwaches Antiseptikum. Üblicherweise wird die Substanz in Augenarzneimitteln als Pufferkomponente eines Boratpuffers oder als euhydrierender Zusatz für andere Wirkstoffe eingesetzt. Die Anwendung von Borsäure als Wirkstoff ist nicht unumstritten; dies gilt nicht für Borsäure oder Boratzusätze als Hilfsstoff zu wässrigen Augenarzneimitteln.

Galenik
Eine 3%ige wässrige Lösung zeigt einen pH-Wert um 4. Wässrige Lösungen können sterilisiert werden. Unverträglichkeiten werden mit Alkalicarbonaten und -hydroxyden sowie mit Tannin beobachtet.

Carbomer
Bei Carbomer handelt es sich um ein quervernetztes Polymer aus Acrylsäure und Allylsaccharose.

Wirkung und Anwendung
Der Wirkstoff Carbomer bildet einen auf der Augenoberfläche haftenden hydrophilen Film, der Wasser bindet und den Tränenfilm stabilisiert. Aufgrund dieser Eigenschaften wird Carbomer zur symptomatischen Behandlung der Keratokonjunctivitis sicca eingesetzt.

Nebenwirkungen und Kontraindikationen
Bei der Anwendung treten sehr selten Unverträglichkeitsreaktionen wie Brennen, Rötungen und Fremdkörpergefühl auf. Sollen andere Augenpräparate angewendet werden, so muss zu Augentropfen ein Abstand von 5 Minuten und zu Augensalben von 15 Minuten eingehalten werden.
Kontaktlinsen dürfen nach 15 Minuten wieder eingesetzt werden.
Zu beachten ist, dass es zur Schlierenbildung kommt und somit das Sehvermögen kurzzeitig beeinträchtigt wird.

Handelspräparate
Arufil® Gel C, Lacrigel® C/sine, Liposic®/-EDO®/-Fluid, Liquigel, Siccapos® Gel, Thilo-Tears® Gel/-SE, Vidisic®/-EDO®, Visc-Ophtal®/-sine

Carmellose
Carmellose ist ein Synonym für Carboxymethylcellulose.

Wirkung und Anwendung
Carmellose dient der symptomatischen Behandlung des trockenen Auges. Einsatz findet Carmellose-Natrium. Aufgrund ihrer viskositätserhöhenden Eigenschaften erhöht die Carmellose die Verweildauer der Augentropfen am Auge. Durch ihre Wasserbindungsfähigkeiten dient sie der Befeuchtung des Auges, sie gehört zu den Filmbildnern.

Nebenwirkungen und Kontraindikationen
Es kann sehr selten zu Überempfindlichkeitsreaktionen (Brennen, Rötungen) kommen.
Die Anwendung kann zu vorübergehendem Schleiersehen führen. Bei der Anwendung von Kontaktlinsen sollte eine Tragepause von 15 Minuten eingehalten werden. Müssen andere Augenarzneimittel angewendet werden, so sollte dies im Abstand von 15 Minuten vor der Anwendung der Carmellose-haltigen Zubereitung geschehen.

Handelspräparate
Cellufresh®, Cellumed®, Celluvisc® 1%, Optive®

Chlorhexidindiacetat (und -digluconat)

Wirkung und Anwendung
Chlorhexidindiacetat ist eine antimikrobiell wirksame Substanz, die in Ophthalmika vorwiegend als Konservierungsmittel in einer Konzentration 0,01% Verwendung findet.
Das besser lösliche Gluconat wird häufig auch in der Konzentration 0,05% eingesetzt.

Galenik
Eine 0,2%ige wässrige Lösung hat einen pH von 6,5 bis 7,5. Chlorhexidinsalze sind mit Seifen und anionischen Tensiden chemisch unverträglich. Wichtige Inkompatibilitäten mit in Augentropfen vorkommenden Wirkstoffen bestehen mit Chloramphenicol, Fluorescein-Natrium, Kupfersulfat, Natriumcarboxymethylcellulose, Natriumalginat, Silbernitrat, Zinksulfat. Von den Anionen ganz allgemein führen bei der üblichen Konzentration von 0,01% Chlorhexidindiacetat nur Sulfate zu Ausfällungen.
Chlorhexidinlösungen können autoklaviert werden.

Handelspräparate
Chlorhexidindiacetat und -digluconat werden häufig in Augenarzneimitteln verwendet, zum Beispiel in: Antikataraktikum.

Chlorhexidindiacetat

Cromoglicinsäure, Dinatriumsalz

Chlorobutanol

Wirkung und Anwendungsweise

Chlorobutanol wird als antimikrobielles Konservierungsmittel in Augentropfen verwendet. Üblicherweise wird die Substanz in einer Konzentration von 0,5 % eingesetzt. Die etwas langsam einsetzende mikrobizide Wirkung scheint in Kombination mit Benzalkoniumchlorid und Thiomersal synergistisch verbessert zu werden.

Galenik

Chlorobutanol ist eine farblose kristalline Substanz von kampferähnlichem Geruch. Es ist in ophthalmisch verwendeten Lösungsmitteln ausreichend löslich.
Eine 0,5 %ige wässrige Lösung reagiert neutral bis schwach sauer. Chlorobutanol unterliegt einer hydroxidionenkatalysierten hydrolytischen Zersetzung in wässriger Lösung. Eine Hitzesterilisation ohne Zersetzung scheint nicht möglich zu sein. Durch die hydrolytische Chlorwasserstoffabspaltung beim Erhitzen oder der Lagerung sind pH-Verschiebungen der betreffenden Lösungen möglich. Inkompatibilitäten liegen mit alkalisch reagierenden Stoffen und Silbersalzen vor.

Chlorobutanol

Handelspräparate: Chlorobutanol ist beispielsweise in Dexagent®-Ophtal Rp!, Solan®-M enthalten.

Cromoglicinsäure, Dinatriumsalz (DNCG)

Wirkung und Anwendung

In 2 %iger Lösung ist Cromoglicinsäure laut Aufbereitungsmonographie vom September 1988 bei allergischer Konjunktivitis indiziert. Gegenanzeige besteht bei bekannter Hypersensitivität gegenüber dieser Substanz.
Nebenwirkungen von DNCG-Augentropfen sind selten Augenbrennen, Fremdkörpergefühl und Chemosis.
Unmittelbar nach Anwendung kann eine kurzzeitige Beeinträchtigung des Sehvermögens eintreten. Während der Behandlung sollen Kontaktlinsen nicht getragen werden.

Galenik

Wässrige Lösungen reagieren neutral oder fast neutral. Im sauren Bereich sind die Lösungen stabil. Inkompatibilitäten bestehen mit Alkalien (Zersetzung).

Handelspräparate

Z.B. Cromohexal®, Opticrom®, Vividrin® antiallergische Augentropfen

Dexpanthenol

Wirkung und Anwendung

Das B-Vitamin wird bei verschiedenartigen Verletzungen der Haut oder Schleimhaut einschließlich Verbrennungen als epithelisierendes Mittel in einer Konzentration von 2–5 % eingesetzt.

Galenik

Dexpanthenol (Synonym: Panthenol) ist eine farblose Flüssigkeit von honigartiger Konsistenz. Es ist in Wasser unter Erwärmen leicht löslich. Die wässrige Lösung reagiert neutral. Die Peptidbindung des Dexpanthenols kann bei der Hitzesterilisation zu (R)-β, β-dimethyl-α, γ-dihydroxybuttersäure und 3-Aminopropanol hydrolysiert werden, wobei Erstere zum entsprechenden Lacton, dem Pantolacton zyklisiert. Es wird deswegen Keimfiltration empfohlen.

$$HOH_2C-\underset{\underset{H_3C}{|}}{\overset{\overset{H_3C}{|}}{C}}-\underset{\underset{}{|}}{\overset{\overset{OH}{|}}{CH}}-CO-NH-CH_2-CH_2-CH_2OH$$

Dexpanthenol

Handelspräparate
Bepanthen®, Dispatenol®, Siccaprotect® enthalten Dexpanthenol

Hyaluronsäure

Wirkung und Anwendung
Hyaluronsäure, ein langkettiges Polysaccharid, besteht aus einem regelmäßigen Disaccharid aus N-Acetylglucosamin und Natriumglucuronat. In Augentropfen findet Hyaluronsäure und das Natriumhyaluronat aufgrund ihrer guten Wasserbindungskapazitäten Anwendung. Sie werden zur Behandlung beim trockenen Auge eingesetzt. Aufgrund seiner elastischen Fließeigenschaften verweilt das Natriumhyaluronat am Auge. Durch den Lidschlag verliert es an Viskosität und kann sich dadurch gut auf der Augenoberfläche verteilen.

Hyaluronsäure

Nebenwirkungen und Kontraindikationen
Gelegentlich kann es zu einem vorübergehenden Brennen kommen. Ebenso kann es kurze Zeit nach der Anwendung bis zur gleichmäßigen Verteilung zu einem verschwommenen Sehen kommen. Kontaktlinsen sollten je nach Präparat nach etwa 30 Minuten erst wieder eingesetzt werden. Außerdem ist zu anderen Augenarzneimitteln ein Abstand von ca. 5 Minuten einzuhalten.

Handelspräparate
Artelac® Advanced EDO®/-MDO®, Hylan®, Hylocomod®, Xidan® EDO uvm.

Hydroxypropylmethylcellulose

Wirkung und Anwendung
Hydroxypropylmethylcellulose (sowie ähnliche Celluloseether) werden zur Viskositätssteigerung und zur Verbesserung der Haftfähigkeit bzw. Verweildauer wässriger Augenpräparate, insbesondere künstlicher Tränen, angewendet. Üblich sind bei Kontaktlinsenlösungen Konzentrationen von 0,2–0,3 %.

Galenik
Eine 1 %ige wässrige Lösung zeigt einen pH von 6–8. Hydroxypropylmethylcellulose (HPMC) ist wie alle Cellulosederivate elektrolytempfindlich.
Eine Hitzesterilisation ist unter bestimmten Bedingungen möglich (bei Abkühlen wiederholt kräftig durchschütteln, um Ausflockungen wieder in Lösung zu bekommen).

Hypromellose

R = H, CH₃, —CH₂—CHOH—CH₃

Hypromellose
(Hydroxypropylmethylcellulose)

Wirkung und Anwendung

Hypromellose wird zur Behandlung von Austrocknungserscheinungen der Horn- und Bindehäute eingesetzt. In diesem Zusammenhang wird sie verwendet bei Keratokonjunktivits sicca, unvollständigem Lidschluss oder bei instabilem Tränenfilm.
Hypromellose gehört zur Gruppe der Filmbildner, sie ist eine partiell methylierte und hydroxypropylierte Cellulose. Diese Struktur bindet Feuchtigkeit im Molekülgerüst, dabei bildet sich ein Gel. Durch die Salze der Tränenflüssigkeit wird das Gelgerüst aufgelöst und die Feuchtigkeit an das Auge abgegeben.

Nebenwirkungen und Kontraindikationen

Hypromellose sollte bei Überempfindlichkeit gegen den Wirkstoff nicht angewendet werden. Bei weichen Kontaktlinsen wird eine Tragepause von 15 Minuten empfohlen. Auch sollte bei der Anwendung anderer Augenarzneimittel etwa 15 Minuten gewartet werden bis Hypromellose als Letztes angewendet wird.
Zudem muss nach der Anwendung mit einer vorübergehenden Sichtbehinderung gerechnet werden.

Handelspräparate

Artelac®/EDO®, Berberil® Dry Eye/-EDO®, Sicca-Stulln®, Sic-Optital® N, Sic-Ophtal® sine

Kaliumiodid

Wirkung und Anwendung

Kaliumiodid wird gelegentlich kombiniert mit Natriumiodid, in 1- bis 2%iger Lösung zur „Aufhellung" der Linse eingesetzt. Die Wirkung ist sehr umstritten.

Galenik

Eine wässrige Lösung reagiert neutral bis schwach alkalisch. Eine 2,5%ige Lösung ist isoosmotisch. Inkompatibilitäten bestehen mit Oxidationsmitteln, sauer reagierenden Stoffen, Eisen-, Wismut- und Quecksilbersalzen, Thiomersal sowie manchen Alkaloidsalzen, Lösungen sind frisch zu bereiten, bei längerer Lagerung kann eine Gelbfärbung durch Iodausscheidung auftreten. Eine Hitzesterilisation ist möglich.

Handelspräparate

Lento Nit® K Augentropfen

Ketotifen

Ketotifen

Wirkung und Anwendung

Ketotifen hemmt die Freisetzung von Histamin aus den Speichergranula der basophilen Blutkörperchen und der Mastzellen. Wie die anderen H_1-Antihistaminika wird es in der Ophthalmologie zur Prophylaxe und zur symptomatischen Behandlung allergischer Konjunktividen eingesetzt.

Levocabastin

Levocabastin

Wirkung und Anwendung

Levocabastin gehört zu den H_1-Antihistaminika. Als solches wird es verwendet zur Behandlung der allergischen Konjunktivitis. Die Augentropfen sollten bei den ersten Anzeichen einer allergischen Reizung angewendet werden.

Nebenwirkungen und Kontraindikationen

Die Augentropfen (z.B. Livocab®) können bei Kindern ab 1 Jahr verwendet werden. Angewendet werden sollten sie nicht bei bekannter Überempfindlichkeit gegen den Wirkstoff. Gelegentlich kann es zu vorübergehenden Reizerscheinungen am Auge kommen.

Handelspräparate
Livocab®

Lodoxamid

Lodoxamid

Wirkung und Anwendung
Lodoxamid wird eingesetzt bei nicht infektiöser allergischer Konjunktivitis.
Durch Lodoxamid wird die Mastzelldegeneration und die Migration der eosinophilen Granulozyten gehemmt. In klinischen Studien erwies es sich gegenüber der Cromoglicinsäure als stärker wirksam und zeigte einen schnelleren Wirkungseintritt.

Nebenwirkungen und Kontraindikationen
Unter der Anwendung von Lodoxamid kann es zu Irritationen am Auge kommen.
Weiche Kontaktlinsen können sich verfärben. Generell sollte während der Behandlung auf das Tragen von Kontaktlinsen verzichtet werden.

Handelspräparate
Alomide®/-SE (als Lodoxamid-Trometamol)

Methylcellulose

Wirkung und Anwendung
Methylcellulose wird zur Viskositätserhöhung und Verbesserung der Haftfähigkeit wässriger Augenpräparate in Konzentrationen bis zu 5% eingesetzt. Häufig ist es in Kontaktschalen- und künstlichen Tränenflüssigkeiten enthalten.

R = H, CH$_3$

Methylcellulose

Galenik
Methylcellulose ist in Wasser kolloidal löslich. Eine 1%ige wässrige Lösung zeigt einen pH-Wert von 6–8.
Inkompatibilitäten bestehen mit Ethanol (über 40%) sowie mit Elektrolyten in höherer Konzentration.
Eine Hitzesterilisation ist unter bestimmten Bedingungen möglich (s. HPMC).

Methyl-4-hydroxybenzoat

Wirkung und Anwendung
Methyl-4-hydroxybenzoat ist ein antimikrobielles Konservierungsmittel, das oft in Kombination mit anderen 4-Hydroxybenzoesäureestern (Parabenen) in einer Konzentration von zumeist 0,1% (selten, 0,2%) angewendet wird.

Methylparaben

Da die Wirksamkeit der Parabene in Konzentrationen, die am Auge noch verträglich sind, ungenügend ist, können sie nicht mehr zur Konservierung von Augentropfen empfohlen werden. Außerdem besteht eine deutliche Allergisierungsgefahr.

Naphazolinhydrochlorid

Wirkung und Anwendung
Die Substanz wird in Konzentrationen von 0,025–0,1% als Sympathomimetikum in Augentropfen zur Konjunktivitisbehandlung

sowie als mildes Mydriatikum eingesetzt. Bei länger dauernder Anwendung ist als **Nebenwirkung** Gewöhnung und Hyperämie am Auge zu beachten.

Naphazolinhydrochlorid

Galenik
Eine 1%ige wässrige Lösung zeigt einen pH von 5–6,5. Da die Stabilität der Lösungen eingeschränkt ist, ist eine Hitzesterilisation nicht zu empfehlen.
Mit Alkalien, Schwermetallionen, Silber- und Aluminiumsalzen bestehen Inkompatibilitäten.

Handelspräparate
Proculin® Augentropfen, Tele-stulln® Mono UD

Natriumchlorid

Wirkung und Anwendung
NaCl wird zur Isotonisierung wässriger Augentropfen und Kontaktlinsenflüssigkeiten verwendet. Die isoosmotische Konzentration liegt bei 0,9%; 0,7–1,4%ige Lösungen werden am Auge schmerzfrei vertragen.

Galenik
Wässrige Lösungen reagieren fast neutral (pH 6,3). Eine Hitzesterilisation ist möglich. Inkompatibilitäten bestehen mit Blei-, Silber- und Quecksilbersalzen.

Natriumedetat (EDTA-Na)

Wirkung und Anwendung
Edetinsäure wird therapeutisch gegen Kalkverätzung und zum Abbau endogener Kalkablagerungen eingesetzt, ferner zur Inaktivierung bakterieller Herde. Es wirkt mit Benzalkoniumchlorid synergistisch, dient als Hilfsstoff zur Komplexierung von Schwermetallionen zwecks Verhinderung der Oxidationskatalyse (z.B. bei Adrenalin und Physostigmin) sowie als Nebenwirkstoff zur Verstärkung der konservierenden Wirkung in einem Großteil der Kontaktlinsenflüssigkeiten.

Edetinsäure, Dinatriumsalz (Na-EDTA)

Galenik
Natriumedetat zeigt in 5%iger wässriger Lösung einen pH von 4–5,5. Die Lösungen sind autoklavierbar.
Mit schwermetallhaltigen Konservierungsmitteln bestehen naturgemäß Wechselwirkungen, da die Schwermetalle komplex gebunden werden.

Natriumtetraborat

$Na_2B_4O_7 \times 10\ H_2O$

Wirkung und Anwendung
Natriumtetraborat ist eine leicht alkalisierende Puffersubstanz (Borsäurepuffer).

Galenik
Eine 5%ige wässrige Boraxlösung zeigt einen pH von 9–9,6. Die isoosmotische Konzentration liegt bei 2,6%.
Inkompatibilitäten bestehen mit Alkaloiden, Quecksilberchlorid, Zinksulfat und anderen Metallsalzen sowie Säuren. Eine Hitzesterilisation ist möglich. Bezüglich des Einsatzes von Natriumtetraborat s. Borsäure.

Nedocromil

[Strukturformel Nedocromil]

Wirkung und Anwendung
Nedocromil gehört zur Klasse der Degranulationshemmer. Es wird verwendet bei saisonaler und perennialer allergischer Konjunktivitis.

Nebenwirkungen und Kontraindikationen
Bei Tragen von Kontaktlinsen sollte eine Tragepause von 15 Minuten eingehalten werden. Gelegentlich kommt es nach der Anwendung der Augentropfen zu vorübergehenden Reizerscheinungen. Der Eigengeschmack des Wirkstoffs wird von einigen Patienten als unangenehm beschrieben.
Die Augentropfen sollten ohne ärztlichen Rat nicht länger als 3 Monate angewendet werden.

Handelspräparate
Irtan® Augentropfen

Phenylephrinhydrochlorid

Wirkung und Anwendung
Die Substanz wird in Konzentrationen von 0,1–0,25 % als Sympathomimetikum eingesetzt (in Konzentrationen bis zu 10 % als pupillenerweiterndes Mittel für diagnostische Zwecke). Die Substanz ist bei Glaukom mit engem Kammerwinkel kontraindiziert.

[Strukturformel Phenylephrinhydrochlorid]

Nebenwirkungen
Bei Patienten, die mit Guanethidin oder Sympatholytika behandelt werden, kann sich der mydriatische Effekt umkehren. Vorsicht ist geboten bei Patienten mit Hyperthyreose, Hypertonie, Herz-Kreislauf-Beschwerden, Diabetes mellitus sowie unter Behandlung mit Betablockern. Diese genannten Nebenwirkungen dürften aber nur dann von praktischer Bedeutung sein, wenn höher dosierte phenylephrinhaltige Augentropfen im diagnostischen Indikationsbereich zur Anwendung kommen. Bei Epitheldefekten der Kornea zeigte sich ein zytotoxischer Effekt der Substanz auf das Endothel.

Galenik
Eine 10 %ige wässrige Lösung zeigt einen pH-Wert von 5. Die isoosmotische Konzentration ist 3 %. Inkompatibilitäten bestehen mit Alkalien, Eisensalzen und Oxidationsmitteln. Die Stabilität ist relativ gut; bei Zusatz von 0,05 % EDTA können Phenylephrinlösungen hitzesterilisiert werden.

Handelspräparate
Visadron®

2-Phenylethylalkohol

Wirkung und Anwendung
2-Phenylethylalkohol dient als antimikrobielles Konservierungsmittel in Augentropfen und Augensalben. Einsatz erfolgt zumeist in einer Konzentration von 0,4 % kombiniert mit Benzalkoniumchlorid, Chlorhexidin, Phenylquecksilbersalzen, Chlorobutanol und Parabenen. 2-Phenylethanol steigert die Permeabilität der Bakterienzellen und ermöglicht den anderen genannten Konservierungsstoffen, in höherer Konzentration die Zellmembranen zu penetrieren.

Galenik
2-Phenylethylalkohol ist eine klare, farblose Flüssigkeit. Die gesättigte, wässrige Lösung reagiert neutral bis schwach sauer. Inkompa-

[Struktur: 2-Phenylethanol — C₆H₅–CH₂–CH₂OH]

2-Phenylethanol

tibilitäten bestehen mit stärkeren Oxidationsmitteln, evtl. mit nicht ionogenen Tensiden. Eine Hitzesterilisation ist möglich.

Phenylquecksilberborat

Phenylquecksilberborat ist eine äquimolare Verbindung oder Mischung von Phenylquecksilberhydroxid und Phenylquecksilberorthoborat.

Wirkung und Anwendung

In Verdünnung von 0,001–0,002 % ist Phenylquecksilberborat wirksam gegen vegetative gramnegative und grampositive Keime sowie gegen Pilze und Hefen, wobei die mikrobizide Wirkung relativ langsam eintritt. Die kationischen Phenylquecksilberverbindungen sollen im alkalischen Bereich wirksamer sein als im sauren. Dies scheint aber nicht eindeutig geklärt zu sein. Allergien gegen organische Quecksilberverbindungen sind bekannt. Bei mehrjähriger Anwendung von mit Phenylquecksilberverbindungen konservierten Augentropfen kann eine Quecksilberablagerung in der Linse auftreten, so dass von einer **Daueranwendung abzuraten** ist.
Die genannten Angaben gelten sinngemäß auch für Phenylquecksilberchlorid und für Phenylquecksilbernitrat.

Galenik

Die Löslichkeit in Wasser ist für die zur Konservierung geforderten Konzentrationen ausreichend. Eine 0,6 %ige Lösung zeigt einen pH-Wert von 5,0–7,0. Bezüglich der Stabilität ist Lichtschutz notwendig.

Polyvidon

Wirkung und Anwendung

Polyvidon, Polyvinylpyrrolidon (PVP) wird in Konzentrationen von 2–10 % (je nach Molekülgröße des PVP) als viskositätserhöhender Zusatz bzw. zur Herstellung künstlicher Tränenflüssigkeiten eingesetzt. Die Reizwirkung mancher Arzneistoffe am Auge wird dabei herabgesetzt.

Polyvidon

Galenik

Eine 1 %ige wässrige Lösung zeigt einen pH von 3,5–5. Eine Hitzesterilisation bis 121 °C ist möglich. Inkompatibilitäten bestehen in wässriger Lösung durch Komplexbildung mit einer Reihe von Arzneistoffen. Die Konservierungsstoffe Benzylalkohol und Chlorobutanol werden durch PVP inaktiviert.

Handelspräparate

Z.B. Arufil®, Lacophtal®, Liquifilm®, O.K., Vidisept®

Polyvinylalkohol

Wirkung und Anwendung

Polyvinylalkohol (PVA) wird zur Viskositätssteigerung von Augentropfen und von künstlicher Tränenflüssigkeit in 1- bis 2 %iger Konzentration eingesetzt. Geeignete Konservierungsmittel sind Thiomersal, Phenylquecksilbersalze, Benzalkoniumchlorid, 2-Phenylethanol und Chlorbutanol. PVA hat gegenüber den Cellulosederivaten den Vorteil, in Lösung keine ungelösten Bestandteile aufzuweisen. Wässrige PVA-Lösungen geben einen signifikant protahierten Effekt des darin inkorporierten Pharmakons. Außerdem wirkt PVA in künstlicher Tränenflüssigkeit als Gleitmittel.

```
---CH—CH₂—CH—CH₂—CH—CH₂----
   |       |       |
   OH      OH      OH
            Polyvinylalkohol
```

Galenik
Die wässrige Lösung zeigt einen pH von 5–7. Das Stabilitätsoptimum soll bei ph 4,5 liegen. Inkompatibilitäten bestehen entweder in einer Viskositätserhöhung mit einer Reihe von Elektrolyten (die gewollt sein können) oder in Komplexbildung mit bestimmten Wirkstoffen wie beispielsweise Adrenalin, Oxytetracyclin, Atropin, Pilocarpin, Chloramphenicol.

Handelspräparate
Z.B. Dispatenol® (mit Dexpanthenol), Liquifilm®, Lacrinal® (mit Povidon)

Propyl-4-hydroxybenzoat
Wirkung und Anwendung
S. Methyl-4-hydroxybenzoat.

Galenik
Die Löslichkeit in Wasser reicht gerade aus, um die übliche Konzentration von 0,03 % zu halten. In siedendem Wasser ist die Substanz relativ gut löslich.
Inkompatibilitäten bestehen mit nicht ionogenen Emulgatoren, Alkalien und Eisensalzen. Eine Hitzesterilisation ist möglich.

```
HO—⟨◯⟩—COOCH₂—CH₂—CH₃
        Propyl-4-hydroxybenzoat
```

Retinol (Vitamin-A-Alkohol)
Wirkung und Anwendung
Retinol soll bei lokaler Anwendung eine heilungsfördernde Wirkung auf das Hornhaut- und Bindehautepithel ausüben. Es wird ferner zur Nachbehandlung von Verbrennungen und Verätzungen bei Hornhautgeschwüren und bei trockener Hornhaut eingesetzt.

Galenik
Ölige Vitamin-A-Lösungen enthalten hauptsächlich Vitamin-A-acetat oder -palmitat. Zur Herstellung wässriger Lösungen wird dem Palmitat ein nicht ionogenes Tensid als Lösungsvermittler zugesetzt.

```
                    Retinol
```

Eine I.E. entspricht 0,3 µg Vitamin A. Inkompatibilitäten bestehen mit Säuren, Basen, oxidierenden Stoffen und Schwermetallionen. Da die Stabilität unter Einfluss von Sauerstoff stark eingeschränkt ist, werden den galenischen Zubereitungen Antixodantien wie Tocopherol oder Butylhydroxyanisol zugesetzt.

Handelspräparate
Oculotect®, VitA-POS®, Solan®-M

Tetryzolinhydrochlorid
Wirkung und Anwendung
0,05–0,1 %ige Augentropfen werden – ähnlich dem Naphazolin – als Sympathomimetikum eingesetzt. Tetryzolin zeigt bei der Anwendung am Auge keine oder nur sehr geringe Mydriasis und keinen Anstieg des intraokularen Drucks. Trotzdem soll Tetryzolin bei Glaukompatienten nicht empfohlen werden. Wegen der Gefahr systemischer

adrenerger Reaktionen wird von der Verwendung bei Kindern unter 2 Jahren sowie bei Hyper- und Hypotonikern abgeraten.

Tetryzolinhydrochlorid

Galenik
Eine 1%ige wässrige Lösung zeigt einen pH von 6. Die isoosmotische Konzentration beträgt 3,75%.

Handelspräparate
Z.B. Allergopos® N, Berberil®, Spersallerg®, Vasopos® N, Visine Yxin®

Thiomersal
Wirkung und Anwendung
Thiomersal wird in Augentropfen als antimikrobielles Konservierungsmittel in Konzentrationen von 0,002–0,02% angewendet. Es zeigt ein breites Wirkungsspektrum gegen Bakterien, Pilze und Viren, jedoch nicht gegen Sporen. Die Wirkung ist stark pH-abhängig: bei neutralem und alkalischem pH wirkt Thiomersal nur bakteriostatisch, unter pH 6 jedoch bakterizid.
Mit Phenylethanol und Chlorobutanol besteht ein Synergismus; durch Natrium-edetat wird die Wirksamkeit vermindert. Thiomersal kann Allergien hervorrufen. Im Gegensatz zu den kationischen Phenylquecksilbersalzen soll bei Thiomersal bei Dauergebrauch keine Gefahr der Quecksilbereinlagerung in die Linse gegeben sein.

Galenik
Eine 1%ige wässrige Lösung zeigt einen pH zwischen 6,8 und 8. Thiomersal wird in wässriger Lösung durch Licht zersetzt. Diese

Thiomersal

Zersetzung wird durch Schwermetalle beschleunigt.
Inkompatibilitäten bestehen mit einer Reihe von Substanzen, z.B. Silbernitrat, Säuren, Schwermetallsalzen, quartären Ammoniumverbindungen. Thiomersal wird von Kunststoffen stark adsorbiert. Eine Hitzesterilisation ist möglich.

Tramazolin

Tramazolin

Wirkung und Anwendung
Tramazolin ein α-Sympathomimetikum, aktiviert α-Rezeptoren. Dadurch verengen sich die Blutgefäße und es kommt zur Schleimhautabschwellung.
Angewendet wird Tramazolin in Augentropfen bei nicht infektiösen Formen der Bindehautentzündung, z.B. bei allergischer Konjunktivitis.

Nebenwirkungen und Kontraindikationen
Die Anwendung von Tramazolin kann zu Bindehautreizung, Keratitis punctata superficialis, Augenschmerzen, Augentränen, verschwommenes Sehen und in seltenen Fällen zu einer Mydriasis führen. Zudem besteht die Möglichkeit, dass systemische Nebenwirkungen auftreten. Beispielsweise können Herzklopfen, Blutdruckanstieg, Kopfschmerzen usw. auftreten.

Angewendet werden dürfen Tramazolin-haltige Augentropfen nicht bei Engwinkelglaukom und bei Verletzungen des Auges. Patienten mit schweren Herz-Kreislauf-Erkrankungen, Phäochromozyten, Stoffwechselstörungen (z.B. Hyperthyreose, Diabetes mellitus), Rhinitis sicca, Keratokonjuktivitis sicca, sowie Patienten, die Monoaminooxidase-Hemmer und andere potentiell blutdrucksteigernde Medikamente einnehmen, dürfen Tramazolin-Augentropfen nur nach Nutzen-Risiko-Abwägung verwenden.
Zu beachten ist zudem, dass es zu Mydriasis und verschwommenem Sehen kommen kann.
Die Augentropfen sollten nicht länger als 5–7 Tage angewendet werden.

Handelspräparate
Biciron®

Troxerutin
Bei Troxerutin handelt es sich um 7,3´4´-Tris-IO-(2-hydroxyethyl)Irutin.

Wirkung und Anwendungshinweise
Troxerutin wird bei Augenerkrankungen eingesetzt, die mit einer erhöhten Durchlässigkeit der Blutgefäße einhergehen, z.B. subkonjunktivale Blutungen und Thrombosen, Retinopathia diabetica, Retina- und Glaskörperblutungen.

Nebenwirkungen und Kontraindikationen
Während der Behandlung sollten keine weichen Kontaktlinsen getragen werden. Bei harten Kontaktlinsen muss eine Tragepause von 15 Minuten eingehalten werden.

Handelspräparate
Posorutin®

Xylometazolinhydrochlorid

Wirkung und Anwendung
Xylometazolin ist ein lokal wirkendes α-Sympathomimetikum. Es aktiviert α-Rezeptoren, dadurch verengen sich die Gefäße und die Schleimhaut schwillt ab. So werden die Symptome der geschwollenen und tränenden Augen gelindert.
Eingesetzt wird Xylometazolin in Augentropfen bei nicht erregerbedingter Bindehautentzündung.

Nebenwirkungen und Kontraindikationen
In sehr seltenen Fällen kann es zu einer reaktiven Hyperämie und unmittelbar nach der Anwendung der Augentropfen zu Brennen im Auge kommen. Xylometazolin-Augentropfen dürfen nicht angewendet werden bei Engwinkelglaukom und Kindern unter 12 Jahren. Zudem sollten sie nicht bei schweren Herz-Kreislauf-Erkrankungen, Stoffwechselstörungen (z.B. Diabetes mellitus, Hyperthyreose), Glaukom, Rhinitis sicca, Keratokonjuktivitis sicca und bei Patienten, die MAO-Hemmer und andere potentiell den Blutdruck steigernde Medikamente einnehmen, verwendet werden. Besondere Vorsicht ist auch geboten bei Patienten mit Ischurie, die mit anderen sympathomimetischen Arzneimitteln behandelt werden. Bei Tragen von Kontaktlinsen sollte eine Tragepause von 15 Minuten eingehalten werden. Sehr selten kann es zu verschwommenem Sehen kommen.
Die Augentropfen sollten ohne ärztlichen Rat nicht länger als 5–7 Tage angewendet werden.

Handelspräparate
Otriven® Augentropfen

Zinksulfat

Wirkung und Anwendung
Zinksulfat ($ZnSO_4 \cdot 7H_2O$) wirkt aufgrund der Zinkionen adstringierend und schwach antimikrobiell. Es wird zur Behandlung der unspezifischen Konjunktivitis vor allem in Kombination mit Vasokonstringentien eingesetzt und ist im besonderen wirksam gegen die Morax-Axenfeld-Konjunktivitis, die durch Diplokokken hervorgerufen wird. Die übliche Konzentration ist 0,25 %.

Galenik
Eine 0,2 %ige Lösung zeigt einen pH von 5,5. Da Augentropfen bei diesem pH stark schmerzhaft sind, werden eine Reihe von komplizierten galenischen Möglichkeiten angewandt, den pH-Wert anzuheben, ohne eine Ausfällung des Zinksalzes herbeizuführen. Eine Hitzesterilisation euhydrisch eingestellter Lösungen ist nicht möglich.
Im NRF findet sich noch eine Rezeptur für Zinksulfat-Augentropfen 0,25 % (NRF 15.9). Ein Fertigpräparat ist nicht mehr im Handel.

11.9 Erstmaßnahmen bei Augenerkrankungen

Vorbemerkung: Eine Mindmap kann nur weitgehend schematisch sein (s. Tab. 11.9-1). Man kann aber keine absolut sichere Diagnose nach starren Regeln stellen, dazu ist die Ophthalmologie zu vielschichtig. Sie kann nur eine relativ grobe Hilfe sein, um die wahrscheinlichsten Diagnosen und die daraus resultierenden Erstmaßnahmen zu erkennen. Wissen und Erfahrung bleiben gefragt. Es muss daher dringend vor einer kritiklosen Übernahme gewarnt werden. Im Übrigen gilt das schon vorher gesagte: Bei ungenügender kurzzeitiger Besserung muss zum Facharzt überwiesen werden.
In Tabelle 11.9-1 sollen einige Hauptsymptome dargestellt werden.

Tab. 11.9-1: Augenerkrankungen und notwendige Maßnahmen

Ursache bzw. Beschwerdebild der Augenerkrankung	Möglicher Befund	Maßnahmen/Behandlung	Kapitel-Hinweis
Arbeitsanamnese: Schweißen, Schleifen, Stemmen, Bohren etc.	Mechanische Verletzung	Überweisung zum Facharzt	Kap. 11.5.1
Verätzung durch Säure und Lauge, Verbrennung	Schwere Schädigung des Auges	Erste Hilfe s. Tab. 11.5-1, Überweisung zum Facharzt	
Druck, Reiben, Fremdkörpergefühl, Blendung, Stechen. Rötung mäßig bis ausgeprägt	Konjunktivitis simplex	Vasokonstringentia nur kurzzeitig, Sicca-Präparate	Kap. 11.5.2
Trockenheitsgefühl Fremdkörpergefühl, Druck, Brennen, Tränenfluss, Jucken, Auge blass bis gerötet	Konjunktivitis sicca	Sicca-Präparate, evt. Antihistaminica	Kap. 11.5.3
Starkes Jucken, Bindehautschwellung bis massive Chemose, Rötung, Tränen	Konjunktivitis allergica	Antihistaminika, Cromoglicinsäure	Kap. 11.5.4
Rötung, eitriges Sekret	Bakterielle Konjunktivitis oder virale Konjunktivitis	Überweisung zum Facharzt, im Notfall Posiformin	Kap. 11.5.2
Starke tiefe Rötung, extreme Schmerzen, Übelkeit, weite lichtstarre Pupille, Hornhaut evtl. trüb	Glaukomanfall (akutes Glaukom)	Sofortige Überweisung zum Facharzt	Kap. 11.2
Starke tiefe Rötung, Schmerzen bei der Bewegung des Augapfels, Druckschmerz, enge Pupille	Iritis (Regenbogenhaut-Entzündung)	Sofortige Überweisung zum Facharzt	Kap. 11.2
Rötung und Schwellung der Lidränder, borkige Lidränder	Blepharitis	Posiformin, Bepanthensalbe, Blephagel	Kap. 11.5.5

12 Kontaktlinsen-Pflegesysteme

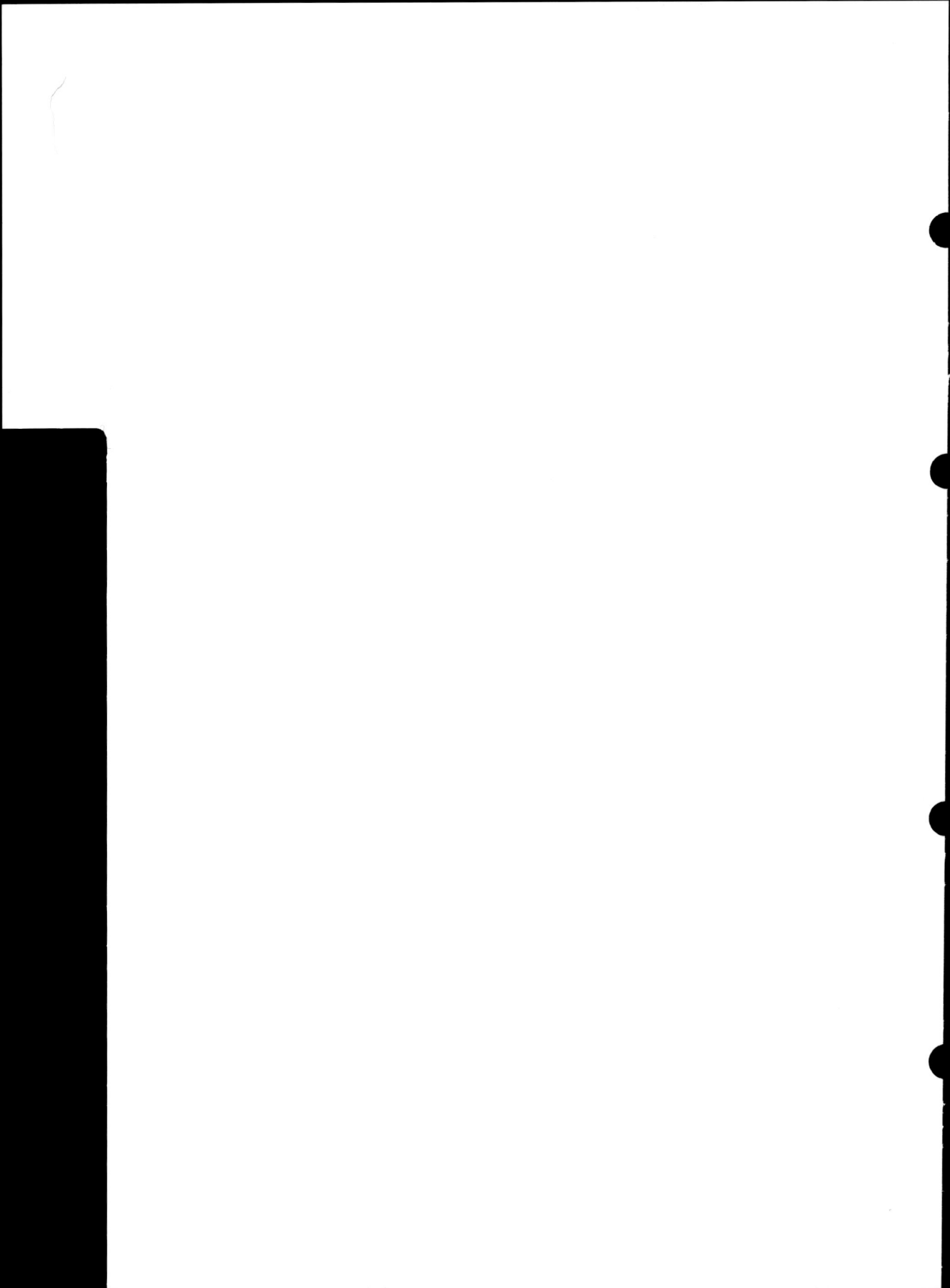

12 Kontaktlinsen-Pflegesysteme

Von G. Herberich

12.1 Die Linsen

In Deutschland tragen zurzeit mehr als 7 % der Menschen, die Sehhilfen benötigen, Kontaktlinsen – Tendenz steigend. Saubere Kontaktlinsen verringern die Möglichkeit von Augeninfektionen, erhöhen den Tragekomfort der Linsen und verlängern ihre Lebensdauer.

Die heutigen Linsen sind, bis auf einige therapeutisch indizierte, Korneallinsen, d. h. sie schwimmen auf der Hornhaut. Sie sind aus verschiedenartigen Kunststoffen, zumeist auf Acrylatbasis oder als Silikon-Hydrogele, gefertigt.

Man unterscheidet grundsätzlich zwischen weichen und harten (vermehrt auch als „formstabil" bezeichneten) Linsen. Vereinfacht kann man sagen, dass die harten Linsen einfacher zu pflegen sind, aber vom Auge eher als Fremdkörper empfunden werden, während weiche Linsen angenehmer zu tragen sind, aber deutlich größere Probleme bei der täglichen Pflege bringen.

Im letzten Jahrzehnt entwickelte neue Linsenmaterialien lassen den klassischen Unterschied zwischen hartem und weichem Material verwischen. Derartige halbharte, formstabile Linsen sind gasdurchlässig und flexibel, den Pflegeanforderungen nach aber bei den harten Linsen einzustufen. Sie kommen den Wunschvorstellungen einer modernen Kontaktlinse schon recht nahe:

- sehr gute Sauerstoffpermeabilität,
- volle Lichtdurchlässigkeit im sichtbaren Bereich
- möglichst große optische Stabilität,
- keine Aufnahme oder Abgabe von Stoffen,
- keine Auslösung von Überempfindlichkeitsreaktionen,
- keine Behinderung des Tränenflusses um und unter der Linse,
- mikrobielle Indifferenz,
- keine Neigung zu Lipid-/Proteinablagerungen
- und einfache Pflege der Kontaktlinsen.

Relativ neu hinzugekommen ist auch das Angebot von (weichen) Einmalkontaktlinsen (Austauschlinsen), die zum monatlichen oder sogar täglichen Austausch angeboten werden und die es auch in bifokaler Ausführung oder als torische Linsen (für astigmatische Hornhautoberflächen) gibt. Während derartige Austauschlinsen noch vor wenigen Jahren nur für Anwender interessant waren, die Kontaktlinsen nur relativ selten – z. B. nur beim Sport – tragen wollten, liegt ihr Marktanteil zurzeit bei etwa 80 % (davon 35 % 1-Tageslinsen, 10 % 14-Tageslinsen, 48 % 1-Monatslinsen und 7 % 3-Monatslinsen).

Der Marktanteil der Dauertragelinsen (wobei „Dauer" nicht bedeutet, dass die Linsen nachts nicht aus dem Auge genommen werden müssen), zumeist auch als „Jahreslinsen" bezeichnet, kann in ca. 15 % feste (formstabile) Linsen und ca. 5 % weiche Linsen aufgeteilt werden.

Ein großer Vorteil der Einmalkontaktlinsen für den Anwender sind die gegenüber weichen Jahreslinsen deutlich geringeren Anforderungen an die Kontaktlinsenpflege. Der Hauptgrund für den „Siegeszug" der Austauschlinsen dürfte aber vor allem darin liegen, dass die Preise für die Linsen in den letzten Jahren – bei gleicher oder noch verbesserter Qualität – drastisch nach unten gegangen sind.

Die Linsen

Für Menschen mit reduzierter Tränenqualität sind Austauschlinsen nicht geeignet.

Eine besondere Gruppe des Linsenmaterials stellen die (Fluor-)Silikon-Hydrogele dar. Linsen aus dieser Stoffgruppe sind besonders sauerstoffdurchlässig und enthalten wenig Wasser, wodurch die Bildung von Ablagerungen reduziert wird. Zudem scheint die Infektionsgefahr minimal zu sein. Aufgrund dieser hervorragenden Eigenschaften können Silikonlinsen bis zu 30 Tage lang ununterbrochen auf dem Auge verbleiben.

12.2 Verträglichkeit von Kontaktlinsen

Die Kontaktlinse muss rundum von Tränenflüssigkeit umgeben sein, damit sie auf der Hornhaut schwimmen kann. Nur so kann die Cornea mit Sauerstoff versorgt werden. Sauerstoffmangel kann unter anderem zu Hornhauttrübung führen. Über die Benetzung der an und für sich hydrophoben Hornhautoberfläche durch die Tränenflüssigkeit wird im Kapitel 11 (Auge) Näheres ausgeführt.

Alle modernen (weichen und formstabilen) Linsenmaterialien sind mit einer Oberflächenstruktur ausgestattet, die eine gute Benetzung der Linsen zumindest über einen Tag (ohne Nacht) erlaubt. Nur in besonderen Fällen, z.b. bei ausgeprägter Konjunktivitis sicca, ist die Anwendung von Benetzungsflüssigkeiten erforderlich. Eine Ausnahme bilden auch nur noch selten zum Einsatz kommende „klassische" Hartlinsen (z.B. aus Polymethylmethacrylat; PMMA); dieses Material ist hydrophob und die Linse muss um Hornhautschäden zu vermeiden, mittels „Einsetzflüssigkeiten" mit einem künstlichen Polymer beschichtet, d.h. hydrophilisiert werden.

Wichtigster Faktor zur Bewertung der Verträglichkeit (Vermeidung von Hornhautschäden) von Linsen ist die Sauerstoffpermeabilität. Hier zeigen die modernen formstabilen Linsen deutliche Vorteile gegenüber Weichlinsen, auch wenn sie im Auge eher als Fremdkörper empfunden werden und eine längere Eingewöhnungszeit erforderlich ist.

Bei den weichen Linsen liegen die **Risiken** vor allem in der möglichen mikrobiellen Kontamination, wobei das Bakterien- und Pilzwachstum durch in der Linse angereicherte Nährstoffe, wie körpereigene Mucopolysaccharide, Proteine und Lipide, noch gefördert werden kann.

Außerdem bedingt die erheblich größere Porenweite der weichen Linsen, dass eine Reihe von Substanzen, beispielsweise Arzneistoffe und Konservierungsmittel, sich in den Linsen anreichern können. Dementsprechend sind die Pflegeanforderungen an weiche Linsenmaterialien erheblich größer als bei harten Linsen und erfordern eine ständige – hygienisch bewusste – Mitarbeit des Trägers.

Besonders hinsichtlich der möglichen Bindung von Arzneistoffen an der Oberfläche oder in den Poren der Kontaktlinsen (nur PMMA verhält sich völlig inert) ist die Aufmerksamkeit des Apothekers gefordert. Dies gilt vorrangig für kationische Substanzen, also für den Großteil der gebräuchlichen ophthalmologischen Wirkstoffe. So ist ganz allgemein äußerste Vorsicht geboten, wenn Augentropfen gemeinsam mit (weichen) Kontaktlinsen verwendet werden.

Beratungstipp

Grundsätzlich sollte beim Vorliegen einer Augenerkrankung auf das Tragen von Kontaktlinsen verzichtet werden.
Wenn der Augenarzt in Ausnahmefällen das Tragen von Kontaktlinsen gestattet, dürfen diese nach dem vollständigen Abtransport des Arzneimittels vom äußeren Auge, z.B. bei wässrigen Lösungsaugentropfen nach ca. 15 Minuten, wieder eingesetzt werden.
Es sind die Informationen der einzelnen Zubereitung zu beachten, da je nach Zusammensetzung gerade bei weichen Kontaktlinsen die Gefahr der Einlagerung von Arzneistoffen oder Konservierungsmitteln besteht.

12.3 Typen von Kontaktlinsen-Pflegepräparaten

Unterschiedliche Linsenmaterialien, aber auch unterschiedliches individuelles Reagieren im Tränenfluss, im Verhalten zu dem Fremdkörper Linse oder der Neigung zu Protein- oder Lipidablagerungen erfordern differenzierte Pflegeflüssigkeiten.

Eine Übersicht zu Kontaktlinsen-Pflegesystem Typen wird in Tabelle 12.3-1 gegeben.

Die jahrelang gültige Regel, dass dabei die Anforderungen bei harten Linsen, die eventuell auch mit Leitungswasser gesäubert werden können, niedriger als bei den Weichlinsen-Pflegemittelsystemen liegen, kann heute so nicht mehr stehen bleiben. Für die „klassischen" harten Linsen mag das zwar nach wie vor gelten, nicht aber für die modernen formstabilen gasdurchlässigen Linsen, die ihre guten Trage- und Verträglichkeitseigenschaften nur bei einer dafür geeigneten, intensiven und regelmäßigen Pflege beibehalten können.

Durch die Einführung der Austausch-(Weich)linsen sind allerdings die Pflegeanforderungen gegenüber weichen „Jahres"-Linsen deutlich verringert, insbesondere deshalb, weil die mechanische Beanspruchung der Linsen bei der begrenzten Lebensdauer geringer ausfällt, und damit auch die Angriffsmöglichkeit von Keimen und die Anlagerungsfähigkeit von Lipiden und Proteinen vermindert gegeben ist.

Bei den angebotenen Pflegemitteln (in aktuell gebräuchlicher Nomenklatur: Pflegesystemen) ist zu unterscheiden zwischen Reinigungsflüssigkeiten, Aufbewahrungsflüssigkeiten, Spülflüssigkeiten, Einsetzflüssigkeiten, Intensiv-Reinigern, sowie Kombinationsflüssigkeiten (All-in-one-Lösungen), die zum Reinigen, Desinfizieren, Aufbewahren und Abspülen der Linsen geeignet sind.

Im Handelsverkehr kommt den Einzel-Lösungen nur eine untergeordnete Bedeutung zu, da den Kontaktlinsenträgern fast immer Pflegemittelsysteme von den anpassenden Optikern empfohlen werden.

Beispielhafte Lösungen zur **Desinfektion und Reinigung** bestehen aus 3%igem Wasserstoffperoxid. Überschüssiges Wasserstoffperoxid wird nachfolgend durch das Enzym Katalase oder katalytisch mittels Platin inaktiviert. Derartige Neutralisationslösungen können außerdem Dinatriumedetat als Chelatbildner und Thiomersal als Konservierungsmittel enthalten. Die Neutralisationsflüssigkeit ist teilweise auch gleichzeitig als Aufbewahrungslösung bestimmt.

Die Peroxid-Reinigungssysteme sind für weiche Linsen konzipiert, können aber auch bei formstabilen Linsen zur Anwendung kommen.

Ein anderes Prinzip zur **täglichen Reinigung von weichen Linsen** beinhaltet Polyhexamethylenbiguanid (PHMB) oder Polyaminopropylbiguanid (Dymed™) als desinfizierende Agenzien. Diese antimikrobiell wirkenden Substanzen werden erst seit wenigen Jahren für die Desinfektion und Reinigung weicher Kontaktlinsen verwendet; ein wesentlicher Grund liegt darin, dass sie wegen der relativ hohen Molekülgröße nicht in das Linsenmaterial eindringen können. Die Wirkung der Biguanide kann beispielsweise unterstützt werden durch das Tensid Poloxamin (Polyoxyethylen-Polyoxypropylen-Blockpolymere des Ethylendiamins).

Typen von Kontaklinsen-Pflegepräparaten

Tab. 12.3-1: Übersicht von Kontaktlinsen-Pflegesystemen für unterschiedliche Kontaktlinsen-Typen[1]

Pflegesysteme für harte (formstabile) Kontaktlinsen
All-in-one-Lösungen   Kombilösungen zur Reinigung, Desinfektion, Aufbewahrung und Abspülung der Linsen
(Oberflächen-)Reinigungs-Lösungen   zur (mechanischen) Entfernung von Schmutz und Fettstoffen von der Linsenoberfläche (nicht für Protein-Ablagerungen geeignet)
Kochsalzlösungen   zum Abspülen und kurzfristigen Aufbewahren der Linsen
Benetzungs-Lösungen   zur Anwendung bei trockener Raumluft, Staub, Rauch, Bildschirmarbeit
Enzym-Reiniger   Tabletten zur wöchentlichen Zusatzanwendung, da Proteinablagerungen (aus dem Tränenfilm) mit Oberflächenreinigungs-Lösungen nicht entfernt werden können.

Pflegesysteme für weiche Kontaktlinsen[3]
All-in-one-Lösungen   Kombilösungen zur Reinigung, Desinfektion, Aufbewahrung und Abspülung der Linsen
(Oberflächen-)Reinigungs-Lösungen   zur (mechanischen) Entfernung von Schmutz und Fettstoffen von der Linsenoberfläche (nicht für Protein-Ablagerungen geeignet)
2-Schritt-Reinigungs-Systeme[2]   – **2-Lösungs-Systeme**   a) Wasserstoffperoxid-Lösung zum Reinigen und Desinfizieren,   b) Neutralisationslösung zur Umsetzung überschüssigen Wasserstoffperoxids   – **Katalysatorsysteme**   a) Wasserstoffperoxid-Lösung zum Reinigen und Desinfizieren,   b) Behälter mit einer Platinscheibe zur Umsetzung überschüssigen Wasserstoffperoxids   – **Tablettensysteme**   a) Wasserstoffperoxid-Lösung zum Reinigen und Desinfizieren,   b) Tablette (mit Katalase) zur Umsetzung überschüssigen Wasserstoffperoxids
Natriumchloridlösungen   zum Abspülen und kurzfristigen Aufbewahren der Linsen
Benetzungs-Lösungen   zur Anwendung bei trockener Raumluft, Staub, Rauch, Bildschirmarbeit
Enzym-Reiniger   Tabletten zur wöchentlichen Zusatzanwendung, da Proteinablagerungen (aus dem Tränenfilm) mit Oberflächenreinigungs-Lösungen nicht entfernt werden können.

[1] Die Auflistung ist nicht vollständig, insbesondere auch weil eine Reihe von Pflegesystem-Sets ganz unterschiedlicher Zusammenstellung im Handel angeboten werden.
[2] Die peroxidhaltigen 2-Schritt-Reinigungssysteme sind grundsätzlich auch zur Anwendung bei harten (formstabilen) Linsen geeignet. Sie sind zumeist konservierungsmittelfrei (wichtig für Allergiker).
[3] **Grundsätzlich gilt: Pflegemittel nur für die Linsentypen empfehlen, für die sie laut Deklaration vorgesehen sind. Besonders gilt das für Weichlinsen!**

Von den Anpassern wird häufig auch empfohlen, die Linsen nach dem Herausnehmen aus dem Auge kurz zwischen den zuvor gereinigten Fingerbeeren mit einer Reinigungslösung sanft zu reiben und sie dabei von – zumeist körpereigenen – Protein- und Lipidablagerungen zu befreien. Bei starker individueller Neigung zu solchen Ablagerungen werden insbesondere die Peroxidreiniger nicht diesen täglichen mechanischen Reinigungsprozess nach der herkömmlichen Methode ersetzen können.

Eine beispielhafte **multifunktionelle Flüssigkeit** zum Reinigen, Desinfizieren, Aufbewahren, Abspülen, Benetzen und zur Proteinablösung weicher Linsen enthält PHMB, Natriumedetat, als Oberflächenreiniger Poloxamer (Polyoxyethylen-Polyoxypropylen-Blockpolymere), Hypromellose (Hydroxypropylmethylcellulose, HPMC), Phosphatpuffer, Elektrolyte.

Zur wöchentlichen **Intensivreinigung weicher Linsen** werden proteolytische Enzym-(-Tabletten), sinnvollerweise mit Zusatz von Natriumedetat, angeboten. Teilweise wird die Intensivreinigung auch nur bei Bedarf beim Anpasser durchgeführt, insbesondere dann, wenn anorganische Ablagerungen von den Linsen entfernt werden müssen. Problematisch bleibt die mögliche Auslösung von Überempfindlichkeits-Reaktionen durch an der Linse zurückbleibende Enzymmoleküle.

Einsetzflüssigkeiten, die die Linse über längere Zeit hydrophilisieren, also benetzbar machen und gleichzeitig als Gleitmittel dienen, sind für weiche Linsen im Normalfall nicht erforderlich.

Auch für die **Pflegemittel-Präparate für formstabile Linsen** gilt, dass die klassische Einteilung in Reinigungs-, Abspül-, Aufbewahrungs- und Einsetz-Lösungen nur noch eingeschränkt möglich ist, da sehr viele Multifunktions-Pflegemittelsysteme (All-in-one-Lösungen) angeboten werden.

Wichtig ist es darauf hinzuweisen, dass auch bei gasdurchlässigen formstabilen Linsen eine Nachbenetzung der Linsen durch eine Einsetzflüssigkeit sinnvoll bzw. erforderlich sein kann. Für diesen Zweck sind meistens auch künstliche Tränenflüssigkeiten geeignet. Die wesentliche Unterscheidung zwischen den Reinigungssystemen für weiche und formstabile Linsen liegt in den verwendeten antimikrobiell wirkenden Inhaltsstoffen.

Als „neuer" Wirkstoff wird in Kontaktlinsenflüssigkeiten **Hyaluronsäure** eingesetzt. Die Substanz sorgt aufgrund ihrer viskoelastischen Eigenschaft für einen stabilen und langanhaltenden Tränenfilm ohne Beeinträchtigung des Sehens und soll so das Auge auch bei längerem Tragen formstabiler und weicher Linsen vor dem Austrocknen bewahren und den Tragekomfort erhöhen.

Bei der enzymatischen Proteinentfernung wird – jetzt auch neu – **Subtilisin** eingesetzt, eine Substanzgruppe von Serinproteasen, die aus Bakterien der Gattung Bacillus isoliert werden.

Typen von Kontaklinsen-Pflegepräparaten

12.4 Antimikrobiell wirkende Inhaltsstoffe

Sofern die Kontaktlinsenpflegemittel (auch über die Linse) mit dem Auge in Kontakt kommen können, müssen die entsprechenden Lösungen schon von den gesetzlichen Vorgaben her keimfrei und (in Mehrdosenbehältnissen) konserviert sein. Das gilt für Arzneimittel genauso wie für Medizinprodukte.
Insbesondere bei den multifunktionellen Lösungen ist es dabei häufig nicht möglich, die eingesetzten Inhaltsstoffe danach zu klassifizieren, ob ihr Wirkpotenzial eher der Reinigung der Linsen oder der Konservierung der Lösung zuzuordnen ist.
Da das Thema **Keimbelastung** von ophthalmologischen Flüssigkeiten für den beratenden Apotheker besonders wichtig ist, werden nachfolgend die Inhaltsstoffe von Kontaktlinsenpräparaten, denen eine vorwiegend antimikrobielle Aktivität zuzuordnen ist, einzeln kurz beschrieben (s.a. Kap. 11).
Benzalkoniumchlorid ist als reinigendes und antimikrobielles Agens für **harte** (PMMA-)Linsen gut geeignet; für weiche Linsen und für Mischpolymerisate darf es wegen der zu starken Anreicherungen in den Kunststoffen nicht eingesetzt werden. Ebenso scheint Benzalkoniumchlorid für die Daueranwendung bei gasdurchlässigen formstabilen Linsen ungeeignet zu sein, da die Linsenoberfläche langfristig hydrophobisiert werden kann.

Beratungstipp

Weiche Kontaktlinsen dürfen bei mit Benzalkoniumchlorid konservierten Augentropfen nicht getragen werden, da es zur Verfärbung der Linsen kommen kann.

Chlorhexidin bzw. seine Salze werden als kationische Verbindung ebenfalls an Weichlinsenmaterialien gebunden. Die Menge an gebundenem Chlorhexidin ist allerdings um ein vielfaches kleiner als bei Benzalkoniumchlorid. Chlorhexidin zeigt ein starkes Bindungsvermögen an Proteine. Wird eine Kontaktlinse nicht sorgfältig gereinigt, so kann bei Anwendung von chlorhexidinhaltigen Aufbewahrungslösungen das Konservierungsmittel an die Proteinablagerungen adsorbiert werden. Derartige adsorptive Vorgänge werden eingeschränkt, wenn die Flüssigkeit einen die Linsenoberfläche „umhüllenden" Hilfsstoff, z.B. PVP, enthält.
Thiomersal in Kombination mit EDTA wird in Flüssigkeiten für weiche Linsen häufig eingesetzt. EDTA bildet mit den Metallkationen der Mikroorganismenmembran stabile Komplexe. Dies erleichtert einen Angriff des Konservierungsmittels, besonders bei gramnegativen Keimen. Die Kombination Thiomersal – EDTA ist nicht unumstritten, da das Quecksilber komplex gebunden werden kann und so eine Wirkungseinschränkung des Thiomersals wahrscheinlich ist.
Wasserstoffperoxid wird in zumeist 3%iger Lösung zur Desinfektion und Reinigung von (weichen) Linsen verwendet. Überschüssiges Peroxid wird mittels des Enzyms **Katalase** desaktiviert. Als Konservierungsmittel zur Aufbewahrung der Kontaktlinsen ist Wasserstoffperoxid nicht geeignet, da es sich zu schnell zersetzt.
Bei der Substanz **Sorbinsäure,** die wie eine körpereigene Fettsäure verstoffwechselt wird, besteht nicht die Gefahr einer Allergieentwicklung. Außerdem reichert sich Sorbin-

Antimikrobiell wirkende Inhaltsstoffe

säure nicht in den Linsenmaterialien an. Da Sorbinsäure vorrangig gegen Pilze und Hefen wirksam ist, wird bei Aufbewahrungslösungen teilweise Sorbinsäure mit Thiomersal und EDTA als konservierende Agenzien kombiniert. Neben der insgesamt schwächeren antimikrobiellen Wirkung ist ein relativer Nachteil von Sorbinsäure durch die nicht vorhandene oberflächenaktive (Reinigungs-)Wirkung gegeben.

Immer noch relativ neu werden die **Biguanid-Derivate** Polyaminopropylbiguanid (DYMED™) und Polyhexamethylenbiguanid (PHMB, Polyhexanid) eingesetzt. Von diesen antimikrobiell wirkenden Substanzen werden nur sehr geringe Mengen (teilweise liegen sie nur in einer Konzentration von 1 ppm vor) zur Wirkungsentfaltung benötigt. Außerdem scheint die relativ hohe Molekülgröße ein Eindringen in die Weichlinsen zu verhindern.

12.5 Beratung bei der Auswahl der Lösungen

In Tabelle 12.5-1 ist eine Auswahl von Kontaktlinsen-Pflegepräparaten dargestellt, die in der ABDA-Datenbank aufgeführt werden.
Bei der Vielzahl der angebotenen Lösungen erhebt sich die Frage, wie viele bzw. welche Art von Lösungen tatsächlich notwendig sind. Zu berücksichtigen sind auf jeden Fall die individuellen Gegebenheiten des Trägers, hier insbesondere die Neigung zu übermäßigen Lipid- und/oder Proteinablagerungen an den Linsen, die besondere Reinigungsmaßnahmen erforderlich machen können.
Im Normalfall sind bei **weichen Linsen** heute Kombisysteme (All-in-one-Lösungen) Mittel der Wahl, die bei den zahlenmäßig vorherrschenden Austauschlinsen die Erfordernisse der täglichen Reinigung und Aufbewahrung abdecken.
Spezielle Reiniger auf Peroxid- oder Biguanid-Basis kommen in erster Linie für länger zur Anwendung kommende Weichlinsen (Jahreslinsen) in Frage, es sei denn, eine erhöhte Neigung zu Protein- oder Lipidablagerungen ist bei dem Kontaktlinsenträger gegeben.
Formstabile Linsen werden am besten mit einer benetzenden Flüssigkeit mechanisch gereinigt und anschließend feucht aufbewahrt.
Ganz allgemein gilt, dass die modernen „intelligenten" Linsenmaterialien nicht mehr grundsätzlich jedes Pflegemittelsystem vertragen und dass der Apotheker bei einer unklaren Sachlage eher Zurückhaltung bei der Empfehlung eines Wechsels des Systems üben sollte. Zumindest sollte man in der „Benutzeranweisung", die jeder Linsenträger vom Anpasser erhalten hat, nachsehen, welche Flüssigkeiten dort empfohlen bzw. nicht empfohlen werden. Das gilt besonders für **Mischpolymerisat-Linsen,** die sich nicht ohne weiteres in das System weiche/harte Linsen einordnen lassen.
Im Zweifelsfall ist es sicher ratsam, ein Pflegemittelsystem für weiche Linsen zu empfehlen, um hinsichtlich der Verträglichkeitsanforderung auf die sichere Seite zu gehen.
Zu einer guten und umfassenden Beratung gehört auch der Hinweis auf mögliche Inkompatibilitäten bei der Anwendung von Kontaktlinsen und Pflegemitteln.
Die folgende Aufstellung gibt Hinweise auf bei der Beratung zu beachtende Punkte

- bei gleichzeitiger Einnahme von Medikamenten,
- bei Krankheitsbildern, bei denen vermehrt Probleme beim Tragen von Kontaktlinsen auftreten können, und
- zu auftretenden Symptomen, bei denen für Kontaktlinsenträger besondere Vorsicht angebracht ist.

12.5.1 Mögliche Inkompatibilitäten bei der Anwendung von Kontaktlinsen und Pflegemitteln

Bei gleichzeitiger Einnahme von Medikamenten ist zu beachten (Auswahl):

- Über längere Zeit können (auch systemisch) gegebene Arzneimittel eine Veränderung des Tränenfilms bewirken; die Verträglichkeit von Kontaktlinsen wird dadurch beeinflusst.

Beratung bei der Auswahl der Lösungen

- Schilddrüsenhormone können den Hornhautsauerstoffbedarf erhöhen; nur extrem sauerstoffdurchlässige Linsen verwenden.
- Tetracyclin-Antibiotika können die Epithelfragilität und den Tränenfluss verändern; starke Sonneneinstrahlung oder UV-Licht verstärken die Negativeinflüsse.
- Corticosteroide und NSARs erhöhen die Epithelfragilität und die Infektionsgefahr; das Tragen von Kontaktlinsen ist damit mit einem höheren Risiko verbunden. Außerdem können bei NSARs Benetzungsstörungen auftreten.
- Orale Kontrazeptiva älterer Generationen zeigen einen Negativeinfluss auf den Tränenfluss mit Abnahme des Muzinfaktors.
- Betarezeptorenblocker bewirken eine Abnahme des Tränenflusses und eine Veränderung der Tränenflüssigkeit; die Epithelfragilität wird erhöht.
- Beruhigungsmittel, Parasympatholytika erweitern zusätzlich die Pupille und die Akkommodation – und damit auch das Sehvermögen mittels der Kontaktlinsen.
- Durch ASS und gerinnungshemmende Arzneimittel können Mikroblutungen der Oberlid-Konjunktiva auftreten, die zu Ablagerungen auf hochhydrophilen Weich-Linsen führen können.
- Lokal anzuwendende Augenpräparate (Augentropfen, Augensalben) können bei Weich-Linsen grundsätzlich zu Problemen führen (Ad- bzw. Absorption der Wirkstoffe und/oder Konservierungsstoffe in die Linsen).

Bei folgenden Krankheitsbildern können vermehrt Probleme beim Tragen von Kontaktlinsen auftreten (Auswahl):

- allgemein bei Verletzungen, Entzündungen, Infektionen und Allergien im vorderen Augenbereich,
- Diabetes (Komplikationen können schneller und häufiger auftreten; es besteht erhöhte Infektionsgefahr): Größte Sorgfalt in der Kontaktlinsenpflege ist angezeigt; wenn Kontaktlinsen, dann nur Linsen mit einem hohen Sauerstoffdurchlässigkeitswert (DK-Wert) und keine Linsen mit verlängerter Tragezeit (vT-Linsen),
- Erkältungskrankheiten, grippale, fieberhafte Infekte (Möglichkeit der Sekundärinfektion durch Schnupfenviren, die sich an den Linsen festsetzen),
- allergische Disposition (konservierungsmittelhaltige Pflegepräparate sind zu meiden, ebenso Enzymreiniger oder eiweißhaltige Stoffe zur Neutralisation von H_2O_2),
- Disposition zu Mykosen (die antimykotische Potenz der Tränenflüssigkeit kann vermindert sein); besonders hochhydrophile (Weich-)Linsen können von Pilzen befallen werden,
- Akne und Seborrhoe (Neigung zu chronischen Lidrandentzündungen mit deutlich verschlechterter Kontaktlinsenverträglichkeit),
- ausgeprägte Konjunktivitis sicca (Begleittherapie mit Benetzungstropfen oder -gelen ist erforderlich; hochhydrophile (Weich-)Linsen sind vorrangig anzuwenden – auf geeignete Konservierungsmittel achten!).

Bei im Folgenden auftretenden Symptomen sollten Kontaktlinsenträger Vorsicht walten lassen:

- Fremdkörpergefühl,
- übermäßiger Tränenfluss,
- ungewöhnliche Augensekretionen,
- Rötung der Augen,
- Lichtempfindlichkeit,
- Reizerscheinungen (Stechen, Brennen, Jucken) beim Tragen,
- verschwommene Sicht, verminderte Sehschärfe, Farbfehlsichtigkeiten.

Kontaktlinsen-Pflegesysteme

Tab. 12.5-1: Auswahl von Kontaktlinsenpflege-Präparaten[1)]

Pflegesysteme für harte (formstabile) Kontaktlinsen

Handelsname (Darreichungsform)	Hersteller/ Inverkehrbringer	Zusammensetzung	Anwendung
Alvita physiologische Kochsalzlösung (Flüssigkeit, EDP)	The Boots Company	5 ml Lösung und 1 Pipette enthält: Natriumchlorid-Lösung, isotonische, pyrogenfreie, sterile	Abspülen
Aosept®plus (Flüssigkeit)	Alcon (Vision Care)	bezogen auf 1 ml Lösung: 1 ml Wasserstoffperoxid-Lösung 3 %; Phosphorsäure; Natriumchlorid; Phosphatpuffer m.w.A.; Poloxamer 188	Reinigen Desinfizieren Proteinentfernen Aufbewahren Neutralisieren
Aosept plus Hydraglyde (Flüssigkeit)	Alcon (Vision Care)	1 ml Lösung enthält: 1 ml Wasserstoffperoxid-Lösung 3 %; Phosphorsäure; Natriumchlorid; Phosphatpuffer m.w.A.; Poloxamer 188; PEG-polyoxybutylen-Copolymer	Reinigen Desinfizieren Proteinentfernen Aufbewahren Neutralisieren
Artelac® Splash EDO (Flüssigkeit, EDP)	Mann	bezogen auf 0,5 ml Lösung u. 1 Pipette: 1 mg Hyaluronsäure; Natriumchlorid; Kaliumchlorid; Dinatriumhydrogenphosphat-12-Wasser; Natriumdihydrogenphosphat-2-Wasser; Wasser für Injektionszwecke	Augenerfrischen Benetzen Nachbenetzen
Artelac Splash MDO (Flüssigkeit)	Mann	1 ml Tropfen enthält: Hyaluronsäure, Natriumsalz; Kaliumchlorid; Natriumchlorid; Dinatriumhydrogenphosphat-12-Wasser; Natriumdihydrogenphosphat-2-Wasser; Wasser für Injektionszwecke	Augenerfrischen Benetzen Nachbenetzen
Aywet® (Flüssigkeit)	Optosol	bezogen auf 1 ml Lösung: 2 mg Poloxamer; 2,9 mg Hyetellose; 1 mg Sorbinsäure; 1 mg Dinatriumedetat-2-Wasser; Natriumchloridlösung, isotonisch, pyrogenfrei, steril	Nachbenetzen
BAUSCH & LOMB Kochsalzlösung (Flüssigkeit)	BAUSCH & LOMB	1 ml enthält: 4,2 mg Natriumchlorid; 0,25 mg Dinatriumedetat-2-Wasser; 1 mg Sorbinsäure	Abspülen
Blink N Clean (Flüssigkeit)	AMO	bezogen auf 1 ml Lösung: 12 mg Trometamol; 1,5 mg Hypromellose; 0,25 mg Tyloxapol; 0,5 mg Dinatriumedetat; 0,001 mg Polihexanid; Wasser, gereinigtes	Nachbenetzen Reinigen

Beratung bei der Auswahl der Lösungen

Tab. 12.5-1: Auswahl von Kontaktlinsenpflege-Präparaten (Fortsetzung)[1)]

Pflegesysteme für harte (formstabile) Kontaktlinsen

Handelsname (Darreichungsform)	Hersteller/ Inverkehrbringer	Zusammensetzung	Anwendung
CL 11 (Flüssigkeit)	Optosol	1 ml enthält: 0,02 mg Thiomersal	Tägliche Reinigung
CL 22 (Flüssigkeit)	Optosol	1 ml enthält: 0,04 mg Thiomersal; 1 mg Dinatriumedetat	Aufbewahren
CL 55 (Flüssigkeit)	Optosol	1 ml enthält: 0,1 mg Thiomersal; 1 mg Dinatriumedetat	Tägliche Reinigung
CL 66 (Flüssigkeit)	Optosol	1 ml enthält: 0,04 mg Benzalkoniumchlorid; Tenside	Intensive Reinigung
CL KS (Flüssigkeit)	Optosol	bezogen auf 1 ml Lösung: 9 mg Natriumchlorid; 0,01 mg Thiomersal	Abspülen Einsetzen Auflösen von Enzymreiniger-tabletten
GenTeal HA (Flüssigkeit)	Alcon	1 ml Tropfen enthält: 1 mg Hyaluronsäure, Natriumsalz; Natriumchlorid; Natriumdihydrogenphosphat; Dinatriumhydrogenphosphat; 2,5,8-Tris(phosphonomethyl)-2,5,8-triazanonan-1,9-diphosphonsäure; Natriumperborat; Wasser für Injektionszwecke	Benetzen Nachbenetzen
Hya-Ophtal sine (Flüssigkeit, EDP)	Winzer	0,5 ml Lösung und 1 Pipette enthält: 1 mg Hyaluronsäure	Augenerfrischen Benetzen Nachbenetzen
Hya-Ophtal system (Flüssigkeit)	Winzer	1 ml Tropfen enthält: 2,4 mg Hyaluronsäure, Natriumsalz	Augenerfrischen Benetzen Nachbenetzen
IGel (Flüssigkeit)	Agepha	1 ml Tropfen enthält: 2 mg Hyaluronsäure, Natriumsalz; Natriumchlorid; Trometamol; Wasser für Injektionszwecke	Augenerfrischen Benetzen Nachbenetzen
Lenscare Drops Hyaluron (Flüssigkeit)	4CARE	1 ml Lösung enthält: 1 mg Hyaluronsäure, Natriumsalz; 1 mg Dinatriumedetat; 0,01 mg Polihexanid; Puffer; Wasser für Injektionszwecke	Nachbenetzen

Kontaktlinsen-Pflegesysteme

Tab. 12.5-1: Auswahl von Kontaktlinsenpflege-Präparaten (Fortsetzung)[1]

Pflegesysteme für harte (formstabile) Kontaktlinsen

Handelsname (Darreichungsform)	Hersteller/ Inverkehrbringer	Zusammensetzung	Anwendung
LENSCARE Drops Hyaluron Plus (Flüssigkeit, EDP)	4CARE	0,4 ml Lösung u. 1 Pipette enthält: Hyaluronsäure Natriumsalz 0,4 mg; Puffer; Natriumchlorid-Lösung, isotonisch, pyrogenfrei, steril; Wasser für Injektionszwecke	Nachbenetzung
LENSCARE Kochsalzlösung Aufbewahrungslösung (Flüssigkeit)	4CARE	1 ml Lösung enthält: 1,1 mg Dinatriumedetat; Natriumchlorid-Lösung, isotonisch, pyrogenfrei, steril	Abspülen kurzzeitiges Zwischenlagern
LENSCARE Kochsalzlösung Plus Abspüllösung (Flüssigkeit, EDP)	4CARE	5 ml Lösung u. 1 Pipette enthält: Natriumchlorid-Lösung, isotonisch, pyrogenfrei, steril; Puffer; Wasser für Injektionszwecke	Abspülen
LENSCARE Penta Zyme Proteinentfernung (Tabletten)	4CARE	1 Tabl. enthält: 2 mg Subtilisine A	Proteinentfernung
LENSILUX Cleaner (Flüssigkeit)	Baltic See	Tenside	Reinigen
LENSILUX Conditioner (Flüssigkeit)	Baltic See	1 g enthält: Hypromellose; Polyvinylalkohol; Polihexanid 0,01 mg; Wasser für Injektionszwecke	Abspülen Aufbewahren
LENSILUX Lens Refresher (Flüssigkeit)	Baltic See	1 ml enthält: 1 mg Hyaluronsäure, Natriumsalz; 1,5 µg PHMB; Wasser für Injektionszwecke	Augenerfrischen Nachbenetzen
LENSILUX Saline (Flüssigkeit)	Baltic See	1 g enthält: 7,5 mg NaCl; 0,002 mg PHMB; Wasser für Injektionszwecke	Abspülen Auflösen von Enzymreinigungstabletten
Lens Plus OcuPure® Kochsalzlösung (Flüssigkeit)	AMO	Natriumchlorid; Wasser, gereinigtes	Abspülen
Menicon SP-Care (Flüssigkeit)	Menicon	Wasser, gereinigtes; Natriumolefinsulfonat; Edetinsäure; 1,3-Bis(hydroxymethyl)-5,5-dimethylimidazolidin-2,4-dion	Aufbewahren Reinigen Desinfizieren
NebuVis Augen irritierte Augen Augenspray (Pumplösung)	ASAV	1 ml Lösung enthält: Augentrost-Extrakt, Dinatriumedetat, Natriumchlorid, Wasser für Injektionszwecke	Augenerfrischen

Beratung bei der Auswahl der Lösungen

Tab. 12.5-1: Auswahl von Kontaktlinsenpflege-Präparaten (Fortsetzung)[1]

Pflegesysteme für harte (formstabile) Kontaktlinsen

Handelsname (Darreichungsform)	Hersteller/ Inverkehrbringer	Zusammensetzung	Anwendung
NebuVis Augen Rehydrierend Augenspray (Pumplösung)	ASAV	1 ml Lösung enthält: Hyaluronsäure, Natriumsalz; Dinatriumedetat; Natriumchlorid; Wasser für Injektionszwecke	Augenerfrischen
NebuVis müde Augen Augenspray (Pumplösung)	ASAV	1 ml Lösung enthält: Heidelbeer-Extrakt, Dinatriumedetat, Natriumchlorid, Wasser für Injektionszwecke	Augenerfrischen
Polyclens mit polymeren Partikeln (Flüssigkeit)	Alcon	1 ml Lösung enthält: 1 mg Dinatriumedetat; Tenside; 0,04 mg Thiomersal; 8 mg Hyetellose	Reinigen
Total Care Aufbewahrungs- und Benetzungslösung (Flüssigkeit)	AMO	1 ml enthält: 0,005 mg PHMB; 0,1 mg Dinatriumedetat-2-Wasser	Aufbewahren Benetzen
Total Care Proteinentfernung (Tablette)	AMO	1 Tabl. enthält: Subtilisine A; Sorbitol; Natriumcarbonat	Proteinentfernung
Total Care Reiniger (Flüssigkeit)	AMO	1 ml enthält: 51 mg Miracare© 2MCA; 6,4 mg Trideceth sulfat natrium; 22 mg N,N-Bis(2-hydroxyethyl) cocosfettsäureamid; Natriumchorid	Reinigen
Total Care Twin Pack (Kombipackung: 2 Flüssigkeiten)	AMO	Komponente 1: bezogen auf 1 ml Lösung: 0,005 mg PHMB; 0,1 mg Dinatriumedetat-2-Wasser Komponente 2: bezogen auf 1 ml Lösung: 51 mg Miracare 2MCA; 6,4 mg Tridecethsulfatnatrium; 22 mg N,N-Bis(2-hydroxyethyl) cocosfettsäureamid; Natriumchlorid	Aufbewahren Spülen Benetzen Desinfizieren Reinigen
UNICARE All in One (harte Kontaktlinsen) (Flüssigkeit)	Melleson Optics	Cocamidopropyl PG-dimonium chlorid phosphat; Poloxamer 407; Borsäure; Natriumtetraborat; Edetinsäure; Hypromellose; Natriumchlorid; Wasser gereinigt	Abspülen Aufbewahren Desinfizieren Reinigen
UNICARE Kochsalzlösung (Flüssigkeit)	Melleson Optics	Natriumchlorid; Wasser, gereinigt	Abspülen

Kontaktlinsen-Pflegesysteme

Tab. 12.5-1: Auswahl von Kontaktlinsenpflege-Präparaten (Fortsetzung)[1)]

Pflegesysteme für harte (formstabile) Kontaktlinsen			
Handelsname (Darreichungsform)	**Hersteller/ Inverkehrbringer**	**Zusammensetzung**	**Anwendung**
UNICARE Vita+ Eye Care Drops (Flüssigkeit, EDP)	Melleson Optics	0,35 ml Lösung u. 1 Pipette enthält: 7 mg Dexpanthenol; 1,4 mg Hyprolose; Wasser für Injektionszwecke	Einsetzen Nachbenetzen
Pflegesysteme für weiche Kontaktlinsen			
0211 Soft Lösung (Flüssigkeit)	Steinburg	1 ml enthält: 1,1 mg Dinatriumedetat-2-Wasser; 0,004 mg Polihexanid; Natriumchlorid; Poloxamer 407	Aufbewahren Abspülen Benetzen Desinfizieren Reinigen
Alvita physiologische Kochsalzlösung (Flüssigkeit, EDP)	The Boots Company	5 ml Lösung und 1 Pipette enthält: Natriumchlorid-Lösung, isotonische, pyrogenfreie, sterile	Abspülen
Aosept®plus (Flüssigkeit)	Alcon (Vision Care)	bezogen auf 1 ml Lösung: 1 ml Wasserstoffperoxid-Lösung 3 %; Phosphorsäure; Natriumchlorid; Phosphatpuffer m.w.A.; Poloxamer 188	Reinigen Desinfizieren Neutralisieren Proteinentfernen Aufbewahren
Aosept plus Hydraglyde (Flüssigkeit)	Alcon (Vision Care)	1 ml Lösung enthält: 1 ml Wasserstoffperoxid-Lösung 3%; Phosphorsäure; Natriumchlorid; Phosphatpuffer m. w. A.; Poloxamer 188; PEG-polyoxybutylen-Copolymer	Reinigen Desinfizieren Proteinentfernen Aufbewahren Neutralisieren
Artelac MPS Kontaktlinsenlösung All-in-One (Flüssigkeit)	Mann	1 ml Lösung enthält: Hyaluronsäure, Natriumsalz; Lauryl sultain; Poloxamin; Borsäure; Dinatriumtetraborat; Natriumchlorid-Lösung; Dinatrium edetat; 1 µg Polyquaternium; 1,3 µg Polihexanid; Wasser für Injektionszwecke	Reinigen Proteinentfernen Desinfizieren Abspülen Aufbewahren
Artelac® Splash EDO (Flüssigkeit, EDP)	Mann	bezogen auf 0,5 ml Lösung u. 1 Pipette: 1 mg Hyaluronsäure; Natriumchlorid; Kaliumchlorid; Dinatriumhydrogenphosphat-12-Wasser; Natriumdihydrogenphosphat-2-Wasser; Wasser für Injektionszwecke	Augenerfrischen Benetzen Nachbenetzen

Beratung bei der Auswahl der Lösungen

3. Aktualisierungslieferung　　　　　　　　　　Selbstmedikation 09/2017

Beratung bei der Auswahl der Lösungen

Tab. 12.5-1: Auswahl von Kontaktlinsenpflege-Präparaten (Fortsetzung)[1]

Pflegesysteme für weiche Kontaktlinsen

Handelsname (Darreichungsform)	Hersteller/ Inverkehrbringer	Zusammensetzung	Anwendung
Artelac Splash MDO (Flüssigkeit)	Mann	1 ml Tropfen enthält: Hyaluronsäure, Natriumsalz; Kaliumchlorid; Natriumchlorid; Dinatriumhydrogenphosphat-12-Wasser; Natriumdihydrogenphosphat-2-Wasser; Wasser für Injektionszwecke	Augenerfrischen Benetzen Nachbenetzen
Aywet® (Flüssigkeit)	Optosol	bezogen auf 1 ml Lösung: 2 mg Poloxamer; 2,9 mg Hyetellose; 1 mg Sorbinsäure; 1 mg Dinatriumedetat-2-Wasser; Natriumchloridlösung, isotonisch, pyrogenfrei, steril	Nachbenetzen
BAUSCH & LOMB Kochsalzlösung (Flüssigkeit)	BAUSCH & LOMB	1 ml enthält: 4,2 mg Natriumchlorid; 0,25 mg Dinatriumedetat-2-Wasser; 1 mg Sorbinsäure	Abspülen
Blink N Clean® (Flüssigkeit)	AMO	bezogen auf 1 ml Lösung: 12 mg Trometamol; 1,5 mg Hypromellose; 0,25 mg Tyloxapol; 0,5 mg Dinatriumedetat; 0,001 mg Polihexanid; Wasser, gereinigtes	Nachbenetzen Reinigen
CL33 Lösung (Flüssigkeit)	Optosol	1 ml enthält: 0,04 mg Thiomersal; 1 mg Dinatriumedetat	Abspülen Aufbewahren Reinigen
CL 44 (Flüssigkeit)	Optosol	1 ml enthält: 6,7 mg Trometamol; 1 mg Dinatriumedetat; Tenside	Reinigen
CL KS (Flüssigkeit)	Optosol	bezogen auf 1 ml Lösung: 9 mg Natriumchlorid; 0,01 mg Thiomersal	Abspülen Einsetzen Auflösen von Enzymreinigertabletten
Complete Revita-Lens® MPDS (Flüssigkeit)	AMO	Alexidin; Polidroniumchlorid; Natriumtetraborat; Borsäure; Poloxamin; Dinatriumedetat; Natriumchlorid; Wasser für Injektionszwecke	Reinigen Spülen Desinfizieren Aufbewahren

Kontaktlinsen-Pflegesysteme

Tab. 12.5-1: Auswahl von Kontaktlinsenpflege-Präparaten (Fortsetzung)[1]

Pflegesysteme für weiche Kontaktlinsen

Handelsname (Darreichungsform)	Hersteller/ Inverkehrbringer	Zusammensetzung	Anwendung
ESO UNICA® Kombilösung (Flüssigkeit)	Osmed	bezogen auf 1 ml Lösung: 0,01 mg PHMB; 100 mg Dinatriumedetat; Tenside; Wasser für Injektionszwecke	Reinigen Spülen Desinfizieren Aufbewahren
GenTeal HA (Flüssigkeit)	Alcon	1 ml Tropfen enthält: 1 mg Hyaluronsäure, Natriumsalz; Natriumchlorid; Natriumdihydrogenphosphat; Dinatriumhydrogenphosphat; 2,5,8-Tris(phosphonomethyl)-2,5,8-triazanonan-1,9-diphosphonsäure; Natriumperborat; Wasser für Injektionszwecke	Benetzen Nachbenetzen
Hya-Ophtal sine (Flüssigkeit, EDP)	Winzer	0,5 ml Lösung und 1 Pipette enthält: 1 mg Hyaluronsäure	Augenerfrischen Benetzen Nachbenetzen
Hya-Ophtal system (Flüssigkeit)	Winzer	1 ml Tropfen enthält: 2,4 mg Hyaluronsäure, Natriumsalz	Augenerfrischen Benetzen Nachbenetzen
IGel (Flüssigkeit)	Agepha	1 ml Tropfen enthält: 2 mg Hyaluronsäure, Natriumsalz; Natriumchlorid; Trometamol; Wasser für Injektionszwecke	Augenerfrischen Benetzen Nachbenetzen
Good Morning® Kombilösung (Flüssigkeit)	Lightning Enterprise GmbH Lensspirit	bezogen auf 1 ml Lösung: 1 mg Dinatriumedetat; 0,0025 mg PHMB; Dinatriumtetraborat; Natriumchlorid; Puffer; Wasser für Injektionszwecke; Tenside	Aufbewahren Abspülen Reinigen Desinfizieren
LENSCARE Clearsept + Katalysatorbehälter (Flüssigkeit)	4CARE	1 ml Lösung enthält: 30 mg Wasserstoffperoxid; 0,6 mg Kaliumchlorid; Natriumchlorid-Lösung, isoton, pyrogenfrei, steril; Puffer	Reinigen
Lenscare Drops Hyaluron (Flüssigkeit)	4CARE	1 ml Lösung enthält: 1 mg Hyaluronsäure, Natriumsalz; 1 mg Dinatriumedetat; 0,01 mg Polihexanid; Puffer; Wasser für Injektionszwecke	Nachbenetzen
LENSCARE Drops Hyaluron Plus (Flüssigkeit, EDP)	4CARE	0,4 ml u. 1 Pipette: Hyaluronsäure Natriumsalz 0,4 mg; Puffer; Natriumchlorid-Lösung, isotonisch, pyrogenfrei, steril; Wasser für Injektionszwecke	Nachbenetzung

Beratung bei der Auswahl der Lösungen

3. Aktualisierungslieferung Selbstmedikation 09/2017

Beratung bei der Auswahl der Lösungen

Tab. 12.5-1: Auswahl von Kontaktlinsenpflege-Präparaten (Fortsetzung)[1]

Pflegesysteme für weiche Kontaktlinsen

Handelsname (Darreichungsform)	Hersteller/ Inverkehrbringer	Zusammensetzung	Anwendung
LENSCARE Kochsalzlösung Aufbewahrungslösung (Flüssigkeit)	4CARE	1 ml Lösung enthält: 1,1 mg Dinatriumedetat; Natriumchlorid-Lösung, isotonisch, pyrogenfrei, steril	Abspülen kurzzeitiges Zwischenlagern
LENSCARE Kochsalzlösung Plus Abspüllösung (Flüssigkeit, EDP)	4CARE	5 ml Lösung u. 1 Pipette enthält: Natriumchlorid-Lösung, isotonisch, pyrogenfrei, steril; Puffer; Wasser für Injektionszwecke	Abspülen
LENSCARE Kombi Gel System All-in-one (Flüssigkeit)	4CARE	1 g enthält: 1 mg Edetinsäure; 0,5 mg Povidon; 2,5 mg Poloxamer; 0,001 mg Polihexanid; Hyaluronsäure Natriumsalz; Puffer; Salzlösung, isotonisch	Abspülen Aufbewahren Desinfizieren Reinigen (speziell für Gel-Linsen)
LENSCARE Kombilösung All-in-one (Flüssigkeit)	4CARE	1 ml enthalten: 0,001 mg Polihexanid; 1 mg Edetinsäure; Natriumchlorid-Lösung, isotonisch, pyrogenfrei, steril; Puffer	Aufbewahren Abspülen Desinfizieren Reinigen
LENSCARE Kombi Multiaction (Flüssigkeit)	4CARE	1 ml enthält: 0,001 mg Poly(hexamethylenbiguanid); 1 mg Dinatriumedetat-2-Wasser; 10 mg Polypropylenglycol; 0,6 mg Polyquaternium-2; Natriumchlorid-Lösung, isotonisch, pyrogenfrei, steril; Puffer	Aufbewahren Desinfizieren Proteinentfernen Reinigen
Lenscare® Kombi Plus (Flüssigkeit)	4CARE	PHMB; Cocoylhydroxyethylimidazolin; Natrium-Ion; Natriumchlorid-Lösung, isotonisch, pyrogenfrei, steril; Puffer	Reinigen Desinfizieren Abspülen Aufbewahren Proteinentfernen
Lenscare® Kombi-SH-System All-in-one (Flüssigkeit)	4CARE	bezogen auf 1 g Lösung: 1 mg Edetinsäure; 0,5 mg Povidon K90; 2,5 mg Poloxamer; 0,002 mg Polihexanid; 6,2 mg Natriumchlorid; Puffer; Salzlösung, isotonisch	Reinigen Desinfizieren Aufbewahren Abspülen Benetzen Proteinentfernen
LENSCARE OptiSept (Kombipackung: Flüssigkeit + Tabletten)	4CARE	Desinfektionslösung: Wasserstoffperoxid-Lösung 3 %; Neutralisationstabletten: Chlorophyll	Reinigen

Kontaktlinsen-Pflegesysteme

Tab. 12.5-1: Auswahl von Kontaktlinsenpflege-Präparaten (Fortsetzung)[1]

Pflegesysteme für weiche Kontaktlinsen

Handelsname (Darreichungsform)	Hersteller/ Inverkehrbringer	Zusammensetzung	Anwendung
LENSCARE Penta Zyme Proteinentfernung (Tabletten)	4CARE	1 Tabl. enthält: 2 mg Subtilisine A	Proteinentfernen
LENSILUX All in One (Flüssigkeit)	Baltic See	1 ml enthält: 1,5 µg PHMB; Tenside; 0,1 mg Edetinsäure; Wasser für Injektionszwecke	Abspülen Aufbewahren Desinfizieren Reinigen
LENSILUX All in One Lösung Hyaluron (Flüssigkeit)	Baltic See	1 ml enthält: Hyaluronsäure, Natriumsalz; 1,5 µg PHMB Tenside; 0,1 mg Edetinsäure; Wasser für Injektionszwecke	Abspülen Aufbewahren Desinfizieren Reinigen
LENSILUX Lens Refresher (Flüssigkeit)	Baltic See	1 ml enthält: 1 mg Hyaluronsäure, Natriumsalz; 1,5 µg PHMB; Wasser für Injektionszwecke	Augenerfrischen Nachbenetzung
LENSILUX Saline (Flüssigkeit)	Baltic See	1 g enthält: 7,5 mg NaCl; 0,002 mg PHMB; Wasser für Injektionszwecke	Abspülen Auflösen von Enzymreinigungstabletten
Lens Plus OcuPure® Kochsalzlösung (Flüssigkeit)	AMO	Natriumchlorid; Wasser, gereinigtes	Abspülen
MeniCare® Soft (Flüssigkeit)	Menicon	bezogen auf 1 ml Lösung: 0,001 mg Polihexanid; Dinatriumedetat; Macrogol-60-glycerolhydroxystearat; Natriumchlorid-Lösung, isotonisch, pyrogenfrei, steril	Reinigen Desinfizieren Aufbewahren Abspülen
NebuVis Augen irritierte Augen Augenspray (Pumplösung)	ASAV	1 ml Lösung enthält: Augentrost-Extrakt, Dinatriumedetat, Natriumchlorid, Wasser für Injektionszwecke	Augenerfrischen
NebuVis Augen Rehydrierend Augenspray (Pumplösung)	ASAV	1 ml Lösung enthält: Hyaluronsäure, Natriumsalz; Dinatriumedetat; Natriumchlorid; Wasser für Injektionszwecke	Augenerfrischen
NebuVis müde Augen Augenspray (Pumplösung)	ASAV	1 ml Lösung enthält: Heidelbeer-Extrakt, Dinatriumedetat, Natriumchlorid, Wasser für Injektionszwecke	Augenerfrischen

Beratung bei der Auswahl der Lösungen

Tab. 12.5-1: Auswahl von Kontaktlinsenpflege-Präparaten (Fortsetzung)[1)]

Pflegesysteme für weiche Kontaktlinsen

Handelsname (Darreichungsform)	Hersteller/ Inverkehrbringer	Zusammensetzung	Anwendung
OPTI-FREE Pure moist Multifunktionsdesinfektionslösung (Flüssigkeit)	Alcon (Vision Care)	Tetronic 1304; PEG-polyoxybutylen-Copolymer; Dinatriumedetat; Natriumcitrat; Natriumchlorid; Borsäure; Propylenglycol; 2-Amino-2-methylpropan-1-ol; Sorbitol; Polidroniumchlorid; Tetradecansäure-(3-dimethylaminopropyl)amid	Reinigen Konditionieren Abspülen Desinfizieren Aufbewahren
OPTI-FREE Replenish Multifunktionsdesinfektionslösung (Flüssigkeit)	Alcon (Vision Care)	Tetronic 1304; Nonanoylethylendiamintriessigsäure; 0,001 % Polidroniumchlorid; 0,0005 % Tetradecansäure-(3-dimethylaminopropyl)amid; Natriumcitrat; Natriumchlorid; Dinatriumtetraborat; Propylenglycol	Reinigen Desinfizieren Benetzen
OPTOCARE Plus All-in-one (Flüssigkeit)	Optosol	1 ml enthält: 1,1 mg Dinatrium edetat-2-Wasser; 0,001 mg Polihexanid; 10 mg Dexpanthenol; Hymetellose; Natriumchlorid-Lösung, isotonisch, pyrogenfrei, steril	Abspülen Aufbewahren Desinfizieren Reinigen
Oxysept Comfort 90 Tage Premium Pack (Kombipackung: 3 Flüssigkeiten + Tabletten)	AMO	1 ml Desinfektionslösung enthält: 1 ml Wasserstoffperoxid-Lösung 3% 1 ml Kochsalzlösung enthält: 0,05 mg Natriumchlorid; Wasser für Injektionszwecke 1 ml Blink intensive tears Tropfen enthält: 2,5 mg Macrogol 400; 2 mg Hyaluronsäure, Natriumsalz; Natriumchlorit; Borsäure; Calciumchlorid-2-Wasser; Magnesiumchlorid; Kaliumchlorid; Natriumchlorid-Lösung; Natriumtetraborat; Wasser für Injektionszwecke 1 Neutralisationstablette enthält: 0,1 mg Catalase; Cyanocobalamin	Reinigen Desinfizieren Neutralisieren Abspülen Benetzen Nachbenetzen
OXYSEPT Comfort B12 (Kombipackung: Flüssigkeit + Tabletten)	AMO	1 ml Lösung enthält: Wasserstoffperoxid-Lösung 3% 1 Tablette enthält: 0,1 mg Catalase; Cyanocobalamin	Reinigen Desinfizieren Neutralisieren Aufbewahren

Tab. 12.5-1: Auswahl von Kontaktlinsenpflege-Präparaten (Fortsetzung)[1]

Pflegesysteme für weiche Kontaktlinsen

Handelsname (Darreichungsform)	Hersteller/ Inverkehrbringer	Zusammensetzung	Anwendung
Oxysept Comfort Economy Pack (Kombipackung: Flüssigkeit + Tabletten)	AMO	1 ml Desinfektionslösung enthält: 1 ml Wasserstoffperoxid-Lösung 3% 1 Neutralisationstablette enthält: 0,1 mg Catalase; Cyanocobalamin	Reinigen Desinfizieren Neutralisieren
Polyclens mit polymeren Partikeln (Flüssigkeit)	Alcon	1 ml Lösung enthält: 1 mg Dinatriumedetat; Tenside; 0,04 mg Thiomersal; 8 mg Hyetellose	Reinigen
ReNu MPS (Flüssigkeit)	Bausch & Lomb	bezogen auf 1 g Lösung: 10 mg Poloxamin; Borsäure; Dinatriumedetat; Natriumtetraborat; Natriumchlorid; 0,5 µg Polihexanid	Reinigen Abspülen Desinfizieren
RENU Multiplus (Flüssigkeit)	Bausch & Lomb	1 g enthält: 0,3 mg Hydroxyalkylphosphonat; 10 mg Poloxamin; Borsäure; Dinatriumedetat; Natriumtetraborat; Natriumchlorid; 0,001 mg Polihexanid	Abspülen Aufbewahren Desinfizieren Reinigen
Supraclens (Flüssigkeit)	Alcon	Pankreaspulver	Reinigen
Systane Hydration Benetzungstropfen (Flüssigkeit)	Alcon	1 ml Tropfen enthält: Macrogol 400; Hyaluronsäure, Natriumsalz; Guaraprolose; Propylenglycol; Sorbitol; 2-Amino-2-methylpropan-1-ol; Borsäure; Kaliumchlorid; Natriumchlorid; Natriumtetraborat; Dinatriumedetat; Natriumcitrat; 0,01 mg Polidroniumchlorid; Wasser für Injektionszwecke	Benetzen Nachbenetzen
Systane Hydration UD Benetzungstropfen (Flüssigkeit, EDP)	Alcon	0,7 ml Lösung und 1 Pipette enthält: Macrogol 400; Hyaluronsäure, Natriumsalz; Guaraprolose; Propylenglycol; Sorbitol; 2-Amino-2-methylpropan-1-ol; Borsäure; Kaliumchlorid; Natriumchlorid; Natriumtetraborat; Wasser für Injektionszwecke	Benetzen Nachbenetzen
ULTRAZYME Protein Entferner (Tabletten)	AMO	1 Tabl. enthält: Proteasen; 0,3 mg Acetylcystein; 0,06 mg Macrogol; Natriumcarbonat	Intensivreinigen

Beratung bei der Auswahl der Lösungen

Tab. 12.5-1: Auswahl von Kontaktlinsenpflege-Präparaten (Fortsetzung)[1]

Pflegesysteme für weiche Kontaktlinsen

Handelsname (Darreichungsform)	Hersteller/ Inverkehrbringer	Zusammensetzung	Anwendung
UNICARE All in One (weiche Kontaktlinsen) (Flüssigkeit)	Melleson Optics	Cocamidopropyl PG-dimoniumchlorid phosphat; Poloxamer 407; Borsäure; Natriumtetraborat; Edetinsäure; Natriumchlorid; Wasser, gereinigtes	Abspülen Aufbewahren Desinfizieren Reinigen
UNICARE Kochsalzlösung (Flüssigkeit)	Melleson Optics	Natriumchlorid; Wasser, gereinigtes	Abspülen
UNICARE Vita+ Eye Care Drops (Flüssigkeit, EDP)	Melleson Optics	0,35 ml u. 1 Pipette enthält: 7 mg Dexpanthenol; 1,4 mg Hyprolose; Wasser für Injektionszwecke	Einsetzen Nachbenetzen
UNICARE Vita+ All in One (Flüssigkeit)	Melleson Optics	1 µg PHMB; Poloxamin; Vitamine; Wasser für Injektionszwecke	Abspülen Aufbewahren Desinfizieren Reinigen
Unisoft Kombilösung (Flüssigkeit)	Osmed	bezogen auf 1 ml Lösung: 0,1 mg PHMB; 100 mg Dinatriumedetat; Tenside; Wasser für Injektionszwecke	Reinigen Proteinentfernen Desinfizieren Aufbewahren

[1] Aufgrund der Vielzahl der angebotenen Pflegepräparate für Kontaktlinsen ist eine Übersichtlichkeit nur begrenzt möglich. Das liegt insbesondere auch daran, dass es sich bei den Präparaten zumeist um Medizinprodukte handelt, für die es keine klaren Deklarationsvorschriften gibt und dass nur ein Teil der Präparate für Apotheken zugänglich ist. In die vorliegende Aufstellung über Pflegepräparate für harte bzw. weiche Kontaktlinsen wurden nur Präparate aufgenommen, die in der ABDA-Datenbank als Kontaktlinsenpflegepräparate aufgelistet sind. Die angegebenen Daten zur Zusammensetzung und zum Anwendungsbereich sind der ABDA-Datenbank bzw. entsprechenden Firmenveröffentlichungen entnommen.

12.6 Mindmap

Zusammenfassend gilt für Kontaktlinsen und ihre Pflege Folgendes:

- Harte Linsen sind einfacher zu pflegen, werden aber vom Auge eher als Fremdkörper empfunden; weiche Linsen sind angenehmer zu tragen, bedingen aber deutlich größere Probleme bei der täglichen Pflege. Moderne formstabile Linsen sind gasdurchlässig und flexibel. Weiche Linsen sind zu 80 % Austauschlinsen.
- Zur optimalen Sauerstoffversorgung der Hornhaut muss die Kontaktlinse von Tränenflüssigkeit umgeben sein. Nur bei ausgeprägter Konjunktivitis sicca ist die Anwendung von Benetzungsflüssigkeiten erforderlich. Moderne formstabile Linsen zeigen bezüglich der Sauerstoffpermeabilität deutliche Vorteile gegenüber Weichlinsen.
- Pflegeanforderungen an weiche Linsenmaterialien sind erheblich größer als bei harten Linsen. Es bestehen Risiken durch mikrobielle Kontamination, gefördert durch in der Linse angereicherte Mucopolysaccharide, Proteine und Lipide.
- Auch Arzneistoffe und Konservierungsmittel können sich in den Linsen anreichern. Vorsicht ist geboten, wenn Augentropfen gemeinsam mit Kontaktlinsen verwendet werden.
- Sämtliche Linsen – auch formstabile – müssen immer feucht aufbewahrt werden. Bei Pflegeempfehlungen unbedingt die Vorgaben beachten, die vom Anpasser gegeben sind. Im Zweifelsfall ist es sicher ratsam, ein Pflegemittelsystem für weiche Linsen zu empfehlen, um hinsichtlich der Verträglichkeitsanforderung auf die sichere Seite zu gehen.
- Typen von Kontaktlinsen-Pflegepräparaten sind in Tabelle 12.3-1 dargestellt.
- Tabelle 12.5-1 gibt eine Auswahl von Kontaktlinsen-Pflegepräparaten, die in der ABDA-Datenbank aufgeführt werden.
- In Kapitel 12.5.1 werden Hinweise auf mögliche Inkompatibilitäten bei der Anwendung von Kontaktlinsen und Pflegemitteln gegeben.

Mindmap

13 0hr

13 0hr

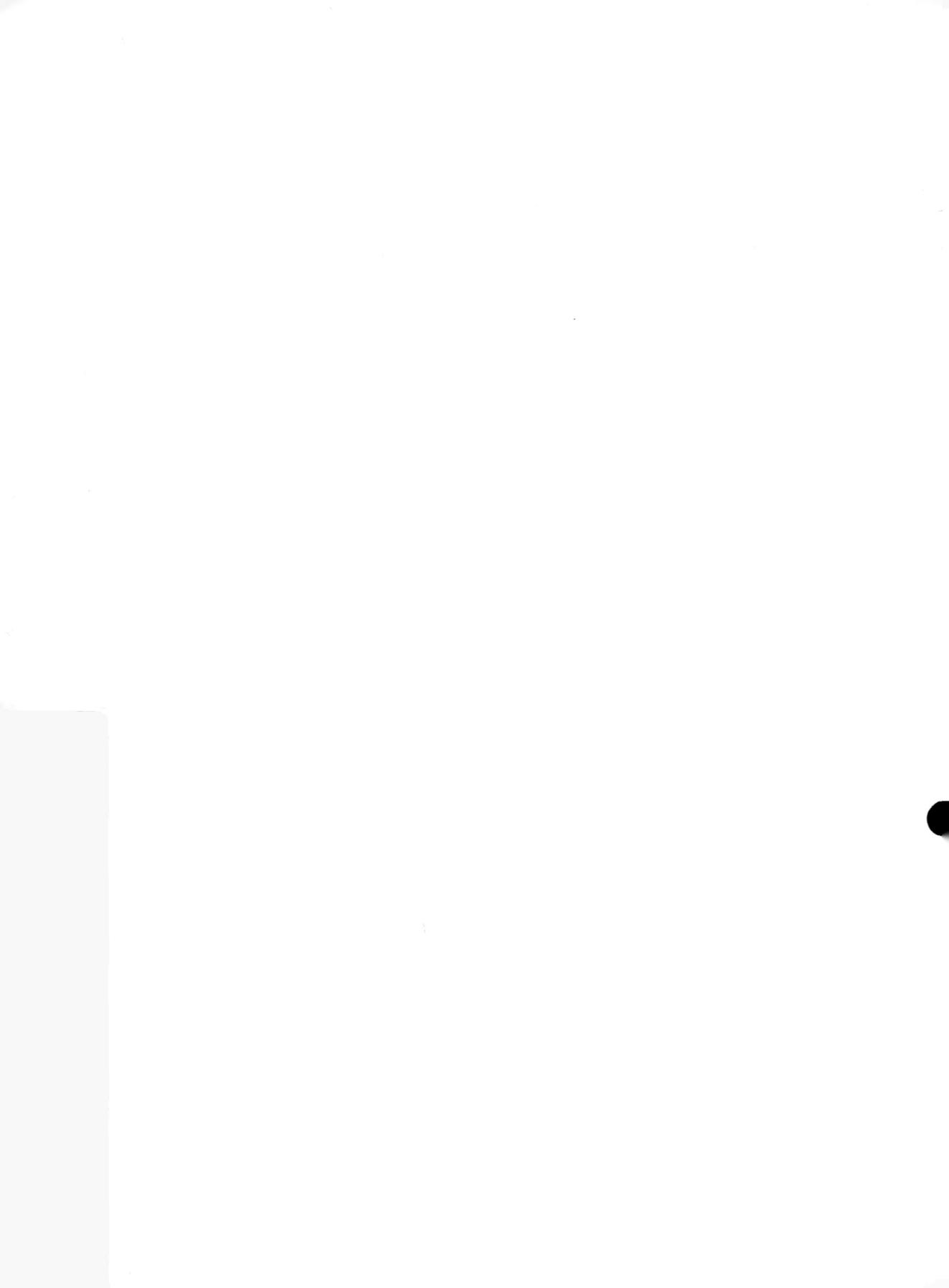

13 Ohr

Von M. Hamacher

Die Selbstmedikation von Erkrankungen des Ohres ist wegen der meist erforderlichen ärztlichen Diagnose und Behandlung auf wenige symptomatische Maßnahmen beschränkt.

13.1 Anatomie und Physiologie

Das Gehör- und Gleichgewichtsorgan (s. Abb. 13.1-1) wird in drei Abschnitte unterteilt:

- äußeres Ohr,
- Mittelohr,
- Innenohr.

13.1.1 Äußeres Ohr

Zum äußeren Ohr zählen die **Ohrmuschel** (Auricula), der sich anschließende, etwa 3–4 cm lange, leicht s-förmig gebogene **Gehörgang** (Meatus acusticus externus) und das **Trommelfell** (Membrana tympani). Bis auf das Ohrläppchen bestehen die Ohrmuschel und die äußeren zwei Drittel des Gehörganges aus Knorpel, während das innere Drittel knöchern ist. Form und Größe der Ohrmuschel werden durch die Ausbildung des elastischen Knorpelanteils bestimmt. Die untere Wand des Gehörganges liegt nahe an der Gelenkpfanne des Kiefergelenkes. Das Außenohr wird mit einer feinen dünnen Haut überzogen. Im äußeren Gehörgang befinden sich in dieser Haut Haare, Talgdrüsen und die Knäueldrüsen (Zeruminaldrüsen), die das Ohrschmalz (Zerumen) produzieren. Das **Zerumen** hat durch seine antimikrobielle Wirkung, seinen bittern Geschmack und den leicht sauren pH-Wert eine wichtige Schutzfunktion. Die Härchen sind nach außen gerichtet und schützen vor äußeren Einflüssen wie Kälte und dem Eindringen von

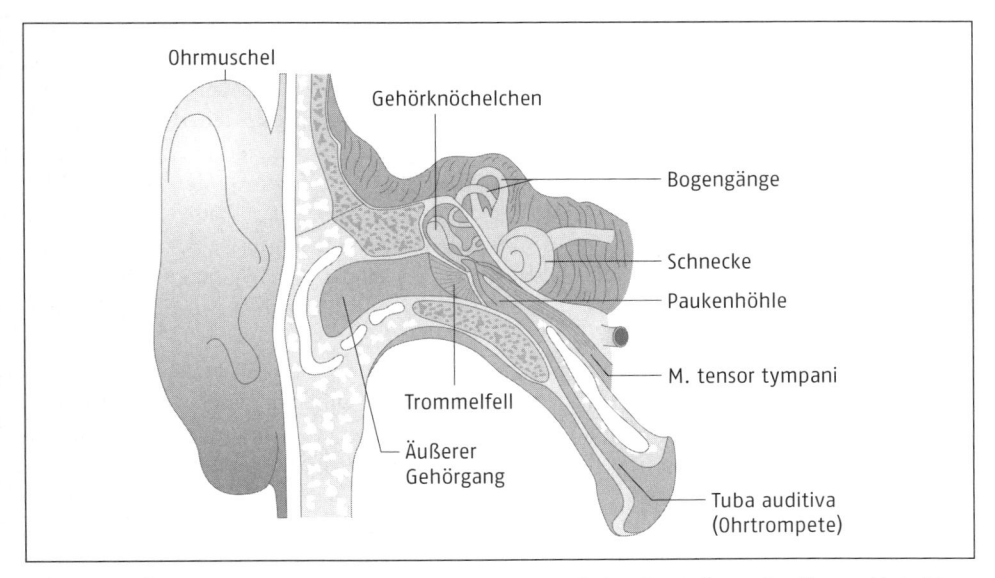

Abb. 13.1-1: Äußeres Ohr, Mittel- und Innenohr in schematischer Darstellung. Aus Thews, Mutschler, Vaupel 2007

Schmutz und Insekten. Vom Zentrum des Trommelfells aus erneuert sich die feine Hautschicht und schiebt sich langsam den Gehörgang entlang nach außen. So werden Staub, Verunreinigungen und abgestorbene Hautschüppchen nach außen transportiert. Sie vermischen sich im äußeren Teil mit dem gebildeten Ohrschmalz und gelangen durch die Bewegungen, die beim Kauen auf den knorpeligen Teil übertragen werden, nach außen.

Die Ohrmuschel dient zum Auffangen des Schalles. Dieser wird durch den Gehörgang auf das Trommelfell weitergeleitet.

13.1.2 Mittelohr

Zwischen Trommelfell und Innenohr liegt ein luftgefüllter Hohlraum, die Paukenhöhle. Die Gehörknöchelchen Hammer, Amboss und Steigbügel übertragen die Schwingungen des Trommelfells auf die Perilymphe des Innenohres. Da die Fläche der Steigbügel-Fußplatte viel kleiner ist als die Fläche des Trommelfells und der Hammergriff einen längeren Hebelarm als der Ambossfortsatz hat, kommt es zur Druckverstärkung. Um zu starke Auslenkungen sowie Nachschwingungen zu vermeiden, setzen zwei Muskeln am Hammer und am Steigbügel an, die bei einer bestimmten Schallaktivität aktiviert werden.

Über die **Ohrtrompete** (Tuba auditiva eustachii) ist die **Paukenhöhle** mit dem Nasen-Rachen-Raum verbunden. Sie dient dem Druckausgleich, der Belüftung und dem Luftaustausch des Mittelohres. Durch die Kopplung mit dem Gaumensegel wird die Ohrtrompete bei jedem Schluckvorgang und Gähnen aktiv geöffnet. Gegenüber dem Trommelfell liegt eine knöcherne, durch zwei Fenster durchbrochene Wand, die die Paukenhöhle zum Innenohr begrenzt.

13.1.3 Innenohr

Das Innenohr liegt von einer Kapsel umgeben im Felsenbein. Es besteht aus der **Schnecke** (Cochlea), dem **Vorhof** (Vestibulum) und drei halbkreisförmigen Bogengängen. Dieses Gebilde nennt man **Labyrinth**. Dem knöchernen Labyrinth ist das häutige Labyrinth eingelagert. Es schwimmt in einer Na^+-reichen und K^+-armen Flüssigkeit, der **Perilymphe**, die mit dem Flüssigkeitssystem des Gehirns kommuniziert. Das häutige Labyrinth ist mit K^+-reicher **Endolymphe** angefüllt. Über das ovale Fenster werden die Schwingungen der Gehörknöchelchen im Mittelohr auf die Perilymphe übertragen. Das eigentliche Hörorgan, das **Cortische Organ**, befindet sich in der **Schnecke**, wo akustische Signale in elektrische Aktionspotenziale umgewandelt werden. Die Schnecke ist ein knöcherner, mit K+reicher Endolymphe angefüllter Kanal, der sich zweieinhalbmal um die Schneckenspindel windet. Das Cortische Organ besteht aus etwa 20000 Sinneszellen, die an ihrer Oberfläche feine Härchen tragen. Die Härchen wiederum ragen in eine gallertartige Schicht, die Tektorialmembran. Werden die Haarzellen durch ankommende Schallwellen aus ihrer Ruhelage ausgelenkt, lösen sie durch dieses Scheren ein Aktionspotenzial aus, welches über die zugehörige Nervenfaser des Nervus acusticus zum Hirnstamm weitergeleitet wird. Die Haarzellen haben einen hohen Sauerstoffverbrauch und sind sehr empfindlich gegenüber Schädigungen wie ototoxischen Medikamenten, Lärm oder Alterseinflüssen.

Die Lautstärke ist von der Anzahl der Nervenimpulse anhängig, während die Tonhöhe davon abhängt, welche Region in der Schnecke erregt wird, also wo das Amplitudenmaximum der Schallwelle auftritt. Bei hohen Frequenzen liegt es nahe beim Steigbügel, bei niedrigen in der Schneckenspitze.

Der Vorhof und die drei Bogengänge bilden das **Gleichgewichtsorgan**. Der Vorhof enthält zwei kleine Erweiterungen des Labyrinths (Utriculus und Sacculus), in denen sich die Rezeptoren für die **lineare Beschleunigung** befinden. Sie sind aus Sinneszellen mit feinen Sinneshaaren (Zilien) aufgebaut, auf denen auf einer Gallertschicht (Otolithenmembran) Calciumcarbonatkristalle ruhen. Bei einer Beschleunigung, z.B. bei einer Geschwindigkeitsänderung im Auto oder im Fahrstuhl, kommt es aufgrund unterschiedlicher Dichten der Endolymphe und Otolithenmembran zur Auslenkung der Zilien und somit zur Erregung der Sinneszellen.

Auch in den in jeder Ebene des dreidimensionalen Raumes senkrecht zueinander stehenden Bogengängen befinden sich Sinneszellen, deren Haare in eine Gallertmasse ragen. Durch die dreidimensionale Anordnung reagieren die Bogengänge auf **Drehbeschleunigung**, jeder Bogengang auf Bewegung in seiner Ebene. Durch Zurückbleiben der Endolymphe bei einer Drehbewegung werden die Zilien geschert, wodurch in den Sinneszellen eine Erregung ausgelöst wird. Der Körper ist also ständig über seine Lage im Raum informiert. Zusammen mit den Informationen aus den Erregungen der Muskel-, Gelenk- und Hautrezeptoren, die im Zentralnervensystem verarbeitet werden, dienen sie u.a. der Aufrechterhaltung des Gleichgewichtes und der Tonuseinstellung bei einer bestimmten Körperhaltung.

13.2 Erkrankungen des Ohres

13.2.1 Erkrankungen des äußeren Ohres

13.2.1.1 Otitis externa

Die **Gehörgangsentzündung** ist die häufigste Erkrankung des äußeren Ohres. Die feine, dem Gehörgang aufliegende Haut ist reich an sensiblen Nerven. Bei einer Entzündung entstehen große sehr schmerzhafte Spannungen, da die Schwellungen nicht in die Tiefe ausweichen können. Erkennen lässt sich die Gehörgangsentzündung durch eine einfache Probe: durch Ziehen an der Ohrmuschel oder durch Druck auf den Tragus, die Region direkt über dem Gehörgang, verstärkt sich der Schmerz. Andere Ohrenschmerzen werden dadurch meist nicht beeinflusst. In der ersten Phase der Entzündung kommt es zur schmerzhaften Schwellung, Juckreiz, Rötung und wässrig-eitriger Sekretion. Auch die Lymphknoten können geschwollen sein. Beim Übergang in die Heilungsphase treten Juckreiz und Hautschuppung auf. Bei Ausbreitung der Entzündung werden Kaubewegungen extrem schmerzhaft.
Es werden zwei Formen unterschieden: die **Otitis externa circumscripta** und die **Otitis externe diffusa**.
Die häufigste Form der Otitis externa circumscripta ist das meist durch Streptokokken und Staphylokokken hervorgerufene **Gehörgangsfurunkel**. Ohrfurunkel sind sehr schmerzhaft und treten häufig bei Diabetikern auf. Typisch ist der Spontanschmerz beim Kauen.
Die Otitis externa diffusa kann allergisch, bakteriell oder mykotisch bedingt sein. Sie ist geprägt durch starken Juckreiz und kann sich auf die Ohrmuschel ausbreiten. Ein samtiger Belag im Gehörgang oder Hautschüppchen deuten auf eine Pilzinfektion hin. Hier hilft die Behandlung mit einer antimykotischen Salbe.
Einen gefährlichen Sonderfall stellt die **Otitis externa maligna** dar. Hierbei greift die Infektion mit *Pseudomonas aeruginosa* auf Knorpel- und Knochenstrukturen über. Meist tritt diese nekrotisierende Entzündung bei älteren Diabetikern oder Patienten mit gestörter Immunabwehr auf. Sie ist geprägt von starken Schmerzen und kann über die Entzündung von Hirnhäuten und Hirnnerven zum Tod führen.

Ursachen der Gehörgangsentzündung sind:
– kleine Verletzungen durch unsachgemäße Reinigung, z.B. durch Wattestäbchen, Streichhölzer, Haarnadeln oder ähnliche Gegenstände,
– Allergien, z.B. durch Schmuck, Ohrringe und Piercings, Hörgeräte oder Haarpflegeprodukte,
– Einwirkungen von Wasser, Seife oder Chlor beim Baden und Tauchen. Kann das Wasser, besonders bei Verengungen des Gehörganges, nicht abfließen, erweicht die Haut und bietet günstige Bedingungen für die Besiedlung mit Bakterien und Pilzen, auch **Badeotitis**, **Taucher-** oder **Surferohr** genannt. Sand-, Salz- und Schmutzpartikel können Mikroverletzungen begünstigen.

Info

Ein feuchter Gehörgang bietet Bakterien und Pilzen hervorragende Wachstumsbedingungen. Daher sollte er nach jedem Baden mit dem Fön getrocknet werden.

Info für Taucher

Eine im Urlaub auftretende Gehörgangsentzündung ist besonders lästig. Sie ist sehr schmerzhaft und verbietet weitere Tauchgänge. Da eindringendes Salzwasser mit Sandkörnchen und Planktonteilchen mit dem Ohrenschmalz zu einem juckenden infektiösen Brei quellen kann, und somit die antibakterielle und antimykotische Schutzfunktion des Ceruminalfilmes zerstört, haben Bakterien und Pilze ein leichtes Spiel. Wichtig ist daher das Ausspülen der Ohren mit warmem sauberem Süßwasser und anschließendem Abtrocknen und Trockenföhnen nach jedem Tauchgang. Außerdem sollte man auf keinen Fall Wattestäbchen zur Ohrreinigung benutzen und zum Schutz gegen Wind und Kälte eine Mütze oder Ohrstöpsel tragen. Es gibt Spezialohrstöpsel, die Restfeuchtigkeit aus dem Gehörgang ziehen sollen, z.B. Clear Ears CLEAR. In Taucherkreisen kursieren einige Rezepturen für vorbeugend anzuwendende Ohrentropfen. Ob die Anwendung sinnvoll ist, wird kontrovers diskutiert und eher skeptisch bewertet. Da die Gehörgangshaut von Mensch zu Mensch unterschiedlich zusammengesetzt ist, sollte man sich von einem HNO-Arzt beraten lassen, ob eine Prophylaxe sinnvoll ist. Trockene und schuppige Haut, z.B. bei Psoriatikern, profitiert eher von einer abendlichen Instillation von **2 Tropfen gereinigtem Mandel- bzw. Rizinusöl** oder Vaxol® Ohrenspray. Bei feuchter, fettiger Haut, könnten saure, alkoholische Ohrentropfen wie die Ehm'sche Lösung (Eisessig/Wasser/Alkoholgemisch) helfen. **Zur Prophylaxe stehen Essigsäure-Ohrentropfen 0,7 % NRF 16.2** oder Normison Ohrentropfen zur Verfügung, die nach Wasserkontakt körperwarm in den Gehörgang geträufelt werden. Sie wirken entquellend, bakterizid und fungistatisch. Alternativ sind Otodolor Ohrentropfen empfehlenswert. Glycerol wirkt abschwellend und schmerzlindernd.

13.2.1.2 Hörstörungen durch Fremdkörper im Gehörgang

Durch eine Verstopfung des Gehörganges können die Schallwellen nicht mehr auf das Trommelfell treffen. Hörstörungen und Schwerhörigkeit sind die Folge. Ursache können Ohrschmalzpfröpfe sein, die sich durch falsche Reinigung bilden, verdichten und verhärten. Durch Wassereinwirkung quillt das Cerumen und bildet einen festsitzenden Pfropf. Bei Kindern sind es oft Fremdkörper, wie Erbsen oder Glasperlen, die unbemerkt im Gehörgang stecken bleiben. Die Entfernung sollte in jedem Fall wegen der Verletzungsgefahr dem Arzt vorbehalten sein. Längerfristige Hörbeeinträchtigungen können bei Kindern zu einer verzögerten Sprachentwicklung führen.

13.2.1.3 Erfrierungen der Ohrmuschel

Die Ohrmuschel ist häufig Opfer von Kälteeinwirkung. Erfrierungen 1. Grades sind durch Blässe, Abkühlung, Gefühllosigkeit und Hyperämisierung nach dem Erwärmen geprägt. Bei Erfrierungen 2. Grades kommt es zur Blasenbildung. Die langsame Wiederaufwärmung mit feuchtwarmen Umschlägen bis 35 °C, das Warmhalten der Ohrmuschel und die Anregung der Durchblutung sind die wichtigsten Maßnahmen.

13.2.1.4 Herpes Zoster oticus

Bläschenbildung im Bereich der Ohrmuschel und des äußeren Gehörganges, Juckreiz, Fieber und Schmerzen sind Symptome einer Infektion mit dem Varicella-Zoster-Virus. Eine sofortige antivirale Therapie ist nötig, da schon in den ersten Krankheitstagen Fasziallähmungen, Gleichgewichtsstörungen und Schwerhörigkeit als Komplikationen auftreten können. Bei Nichtbehandlung kann Übertritt auf die Hirnhäute oder das Lymphsystem erfolgen.

13.2.1.5 Perichondritis und Erysipel der Ohrmuschel

Beide Erkrankungen sind schwere Entzündungen der Ohrmuschel, meist aus der Superinfektion einer Otitis externa oder als Folge von Insektenstichen entstanden. Perichondritis wird häufig durch Staphylokokken oder *Pseudomonas aeruginosa*, das Erisypel meist durch Streptokokken ausgelöst. Die gesamte Ohrmuschel ist gerötet, geschwollen, entzündet und stark schmerzend. Häufig tritt Fieber auf. Eine systemische Antibiotikagabe ist geboten.

13.2.2 Erkrankungen des Mittelohres

13.2.2.1 Otitis media acuta

Die akute Mittelohrentzündung ist die häufigste Mittelohrerkrankung und wird meist durch Viren (Parainfluenza-, Adeno-, Enteroviren) oder Bakterien (*Staphylococcus aureus, Streptococcus pneumoniae, Haemophilus influenzae*) verursacht. Pilzinfektionen als Ursache sind selten. Die Infektion ist sehr schmerzhaft und tritt häufig mit Fieber und Schwerhörigkeit auf. Bei fehlender Behandlung besteht die Gefahr, dass die Entzündung auf Knochen und Hirnhäute übergreift. Durch die Bildung von Sekret und die Behinderung des Abflusses steigt der Druck in den Mittelohrräumen. Das Trommelfell wölbt sich nach außen und kann einreißen. Eine Perforation des Trommelfells kann durch herauslaufenden Eiter erkannt werden. Reißt es während des Schlafes, finden sich auf dem Kopfkissen häufig krustige getrocknete Sekretstückchen. Durch die Druckentlastung lassen die Schmerzen deutlich nach. In der Regel verschließt sich der Riss nach wenigen Tagen von selbst wieder, sollte aber vom Arzt beobachtet werden.

Mittelohrentzündung bei Säuglingen und Kleinkindern

Zwei Drittel aller Kinder bis zum dritten Lebensjahr erkranken mindestens einmal als Folge einer Erkältung daran. Der Altersgipfel liegt zwischen dem sechsten und dem 15. Lebensmonat. Da in diesem Alter die Verbindung zwischen Mittelohr und Rachen, die Eustachische Röhre, noch sehr kurz und weit ist, können Keime aus dem Nasen-Rachen-Raum sehr leicht aufsteigen und eine Entzündung hervorrufen. Schlaflosigkeit, Trinkunlust, wechselnde Wangenröte, Übelkeit, Erbrechen, Durchfälle, Kopfschütteln, Schlagen und Greifen an das erkrankte Ohr sind wichtige Hinweise auf eine Mittelohrentzündung. Starke Schmerzen sind zwar typisch, treten aber nicht bei allen Kindern auf. Auch wenn heute nicht mehr generell Antibiotika verordnet werden und es bei ca. 80 Prozent der Kleinkinder zur Spontanheilung kommt, sollte auf jeden Fall der Arzt konsultiert werden. Bei langwierigen Verläufen kann es durch die Hörstörungen zu einer verzögerten Sprachentwicklung kommen. Heute werden Kinder mit einer akuten Mittelohrentzündung meistens nach dem **Prinzip des vorsichtigen Abwartens** (watchful waiting) therapiert. Der Patient wird täglich vom Arzt begutachtet. Die starken Schmerzen müssen mit ausreichenden Schmerzmitteln, wie z.B. Paracetamol oder Ibuprofen, falls nötig im Wechsel gelindert werden.

Info

Zum Arzt mit Ohrenschmerzen
wenn:
- Fieber über 39 °C.
- Sie länger als 24 Stunden anhalten.
- Kinder unter 2 Jahren betroffen sind.
- Der Ohrfluss zunimmt.
- Kein Grund für Ohrenschmerzen erkennbar ist.
- Schmerzhafte Schwellungen hinter dem Ohr vorhanden sind.
- Das Druckgefühl im Ohr zunimmt.
- Schwindel, Erbrechen, Nackensteifigkeit auftritt. Plötzliche Schwerhörigkeit oder Ohrgeräusche

Beratungstipp

Um eine Belüftung des Mittelohres und damit nachlassenden Druck auf das Trommelfell zu erreichen und den Abfluss des Sekretes zu ermöglichen, sollten regelmäßig, 3 × täglich, abschwellende Nasentropfen gegeben werden. Sinupret® oder Gelomyrtol® können ergänzend empfohlen werden, auch wenn der Nutzen nicht eindeutig belegt werden kann.

Als homöopathische Begleitmedikation steht z.B. das Komplexmittel Otovowen® zur Verfügung.

Beratungstipp

Hilfreich bei Ohrenschmerzen ist ein altes Hausmittel, **der Zwiebelwickel**
Benötigt werden: eine Zwiebel, ein Tuch (Geschirrtuch), Schnur, Wärme, Mütze oder Stirnband.
Die Zwiebel würfeln, kurz in der Pfanne erwärmen, in das Mull- oder Geschirrtuch geben und zubinden. Befestigt wird der Zwiebelwickel am besten mit einem Stirnband oder einer Mütze. Wenn Wärme nicht toleriert wird, geht das ganze auch mit einer rohen Zwiebel. Achtung: Augenbrennen!

13.2.2.2 Chronische Mittelohrentzündung

Die chronische Mittelohrentzündung ist eine eigenständige Erkrankung, die sich nicht unbedingt aus einer akuten entwickelt. Die Erkrankung kann auch durch Verletzungen des Mittelohres verursacht werden. Zunächst bleibt sie auf den Schleimhautbezirk beschränkt, sie kann aber auch zum Abbau der Gehörknöchelchen führen. Fast immer findet man eine Trommelfellperforation mit Schwerhörigkeit. Ist nach Ausheilung die Gehörknöchelchenkette noch intakt, stellt sich das natürliche Hörvermögen wieder ein. Die chronische Mittelohrentzündung ist meist nicht schmerzhaft. Eine Behandlung ist aber sehr wichtig.

13.2.2.3 Tubenmittelohrkatarrh

Nasen- und Racheninfektionen können sich auf die Schleimhäute der Ohrtrompete ausweiten und Entzündungen hervorrufen. Die Schleimhäute schwellen an. Kommt es zum Verschluss, findet keine Belüftung des Mittelohres mehr statt. Die eingeschlossene Luft wird resorbiert, es entsteht ein Unterdruck und als Folge ein Hämatom im Mittelohr. Dadurch kommt es zu Hörstörungen und starken Schmerzen. Bis sich der Bluterguss zurückgebildet hat und die normale Funktion wiederhergestellt ist, vergehen oft Monate. Häufig sind Kleinkinder davon betroffen, bei denen durch die Schwerhörigkeit eine sprachliche Fehlentwicklung folgen kann. Um die Belüftung des Mittelohres wiederherzustellen, kann, bis die Entzündung ausgeheilt ist, ein kleines Röhrchen (Paukenröhrchen) ins Trommelfell eingesetzt werden. Zu Tubenventilationsstörungen kann es auch durch schnelle Luftdruckänderungen wie z.B. beim Fliegen kommen. Das Hören ist dumpf und es kommt zu einem Druck- und Völlegefühl im Ohr. Wie „Wasser im Ohr".

Beratungstipp

Die Belüftung des Mittelohres kann auch durch die Benutzung von Nasenballons, z.B. Otovent® wieder hergestellt werden. Das Aufblasen eines Ballons durch ein Nasenloch ist nicht ganz einfach und sollte mindestens über 2 Wochen geübt werden.

13.2.3 Erkrankungen des Innenohres

13.2.3.1 Hörsturz

Beim Hörsturz tritt ein akuter, meistens einseitiger **Hörverlust** ohne erkennbare Ursache ein. Die plötzliche Schwerhörigkeit kann alle Grade, vom leichten Hörverlust bis hin zur völligen Ertaubung haben. Etwa 90 % der Patienten leiden gleichzeitig unter Ohrgeräuschen, jeder Zweite hat ein Druckgefühl im Ohr und etwa bei jedem Dritten kommt Schwindel dazu. Der Hörsturz wird vermutlich durch Mikrozirkulationsstörungen im Innenohr verursacht, kann aber auch durch Infektionen mit Bakterien (z.B. Scharlach) oder Viren (z.B. Herpes, Windpocken, Mumps) ausgelöst werden. Über die genaue Ursache des Hörsturzes herrscht noch Unklarheit. Begünstigt wird er durch Stresssituationen, Durchblutungsstörungen der Halswirbelsäule oder Stoffwechselerkrankungen wie Diabetes.

13.2.3.2 Innenohrschädigung durch akustisches Trauma

Knall, Explosionen oder Lautstärke können zur Innenohrschädigung führen, die sich durch Ohrensausen oder Taubheitsgefühle äußert. Die Schmerzschwelle bei Schallereignissen liegt bei 130 dB. Schäden durch kurzfristige Schalleinwirkungen sind meist reversibel. Bei Dauerlärm, kommt es zur irreversiblen Lärmschwerhörigkeit, die in den hohen Frequenzen beginnt.

13.2.3.3 Toxische Schädigung des Innenohres

Die Schädigung der Sinneszellen im Innenohr führt zu Hörverlust oder Gleichgewichtsstörungen. **Ototoxische Substanzen** wirken schädigend auf das Innenohr oder den 8. Hirnnerv (Nervus vestibulocochlearis). Der Mechanismus der Schädigung ist noch nicht ganz geklärt. Diskutiert werden die Degeneration von Zellen in der Schnecke durch Störungen der Proteinsynthese durch einige Aminoglykosidantibiotika, z.B. Gentamycin, Neomycin, Tobramycin, und die Veränderung der Zusammensetzung der Endolymphe und dadurch der Untergang von Haarzellen. Neben den Aminoglykosiden gehören die Makrolide, z.B. Erythromycin, Azithromycin, Glucopeptidantibiotika, z.B. Vancomycin, Chemotherapeutika, z.B. Cisplatin, Bleomycin, Salicylsäure, und Schleifendiuretika, z.B. Bumetamid, Etacrynsäure und Furosemid, deren Hemmung der Na^+/K^+-Pumpe zu Veränderungen der Zusammensetzung der Perilymphe führt, zu den ototoxischen Substanzen.

13.2.3.4 Meniere-Krankheit

Bei dieser Erkrankung treten in unregelmäßigen Abständen Anfälle auf, die sich durch starken Drehschwindel, Übelkeit und Erbrechen und Hörstörungen mit Ohrensausen, die Meniere'sche Trias äußern. Als Ursache werden Störungen in der Produktion und Resorption von Endolymphe angenommen. Durch die Überproduktion von Perilymphe reißt das häutige Labyrinth zwischen Endolymphe und Perilymphe. Es mischt sich kaliumreiche Endolymphe mit natriumreicher Perilymphe. So kommt es zu einer falschen Signalübertragung ins Gehirn wodurch der Anfall bedingt wird. Die Erkrankung tritt im Alter zwischen 40 und 60 Jahren auf und betrifft Männer häufiger als Frauen.

13.2.3.5 Otosklerose

Es handelt sich um eine **Schallleitungsstörung**, wobei es durch sklerotische Herde im ovalen Fenster zur Fixierung des Steigbügels kommt. Die Übertragung der Schwingungen des Trommelfells auf das Innenohr wird gestört und führt zur Schwerhörigkeit. Als Ursache wird eine Störung im Knochenstoffwechsel vermutet. Die Otosklerose tritt im Alter von 20–40 Jahren auf. Besonders betroffen sind Frauen.

13.2.3.6 Tinnitus oder Ohrgeräusche

Cirka jeder dritte Erwachsene hatte schon einmal Ohrgeräusche. Dieses Pfeifen, Rauschen, Klingeln oder Sägen hört nur der Betroffene. Die Geräusche bedeuten für den Patienten oft eine extreme Belastung, so dass Schlafstörungen, Depressionen, Angstzustände bis hin zum Suizid die Folge sein können.

Ohrengeräusche zählen zu den Symptomen von verschiedenen Innenohr- oder Mittelohrerkrankungen, wie Otosklerose, Hörsturz oder Meniere'schen Erkrankung.

13.3 Therapie der Ohrenerkrankungen

Zur Selbstmedikation im Bereich des Ohres sind nur wenige Erkrankungen der Ohrmuschel und des Gehörganges geeignet!
Die folgenden Ausführungen beschränken sich auf topische Arzneimittel zur Selbstbehandlung. Zur systemischen analgetischen Behandlung wird auf Kapitel 1 verwiesen.
Zur Behandlung von **Ohrenschmerzen** werden häufig Ohrentropfen verlangt, obwohl in vielen Fällen, den Mittelohrerkrankungen, eigentlich abschwellende Nasentropfen benötigt werden. Ohrentropfen dürfen nur bei unversehrtem Trommelfell angewendet werden.

Beratungstipp

Ohrentropfen sollten immer körperwarm angewendet werden, um Schwindel oder unangenehmem Empfinden vorzubeugen. Dazu empfiehlt es sich, die Ohrentropfen vor dem Eintropfen in der Hosentasche zu erwärmen. Auch empfiehlt sich eine Applikation bei seitlich geneigtem Kopf oder noch besser in Seitenlage.

13.3.1 Analgetika, Antiphlogistika, Lokalanästhetika

Viele Ohrenerkrankungen sind sehr schmerzhaft. Auch wenn die systemische Schmerzbekämpfung im und am Ohr relativ hohe Dosen an Analgetika benötigt, gehört sie bei vielen Ohrenerkrankungen auf jeden Fall zu einer sinnvollen Begleittherapie. Antiphlogistisch und analgetisch wirkende Arzneistoffe aus der Gruppe der Prostaglandinsynthese-Hemmer können auch topisch eingesetzt werden. Der heftige Schmerz bei der **Mittelohrentzündung** wird v.a. vom Trommelfell ausgelöst. Durch den Druckanstieg im Mittelohr wölbt es sich in den Gehörgang und verursacht durch seine reiche Ausstattung an sensiblen Nerven Schmerzen. Obwohl hier ein positiver Effekt auf die Entzündung zu erwarten wäre, hat sich der Einsatz von analgetisch wirksamen Ohrentropfen, auch wegen der Gefahr des Trommelfellrisses, bei der Mittelohrentzündung nicht bewährt. Ziel ist heute, die Drucklinderung im Mittelohr durch das Abschwellen der Ohrtrompete zu erreichen.

Tab 13.3-1: Ohrentropfen zur Behandlung von Entzündungen im Gehörgang und Otalgien

Handelspräparat	Zusammensetzung in 1 g	Dosierung und Anwendung nach Herstellerangaben
Otalgan®	Phenazon 50 mg, Procainhydrochlorid 10 mg, Glycerol, Butylhydroxyanisol	3–4-mal täglich Erwachsene 5 Tropfen, Kleinkinder und Kinder 2–3 Tropfen bei seitlicher Ruhelage in den Gehörgang träufeln, locker mit Watte verschließen. Die Seitenlage ist mind. 15 min einzuhalten. Bei Bedarf stündlich wiederholen.
Otodolor® direkt	Glycerol 1 g	Kinder und Erwachsene je nach Bedarf 2–3 Tropfen körperwarm bei seitlicher Ruhelage in den Gehörgang träufeln und anschließend mit Watte verschließen.

Otalgan® (Tab. 13.3-1) als Handelsprodukt wird hauptsächlich bei **Entzündungen am äußeren Gehörgang** eingesetzt, obwohl auch die akute Mittelohrentzündung als Indikation zugelassen ist. Der Prostaglandinsynthese-Hemmer Phenazon ist hier mit dem Lokalanästhetikum Procain kombiniert. Leichte Schmerzen und vor allem der Juckreiz im Endstadium einer Infektion während des Abheilens lässt sich gut mit dieser Kombination lindern.

13.3.2 Antiseptika, Antibiotika

Der Einsatz antibakteriell wirkender Stoffe beschränkt sich auf die Behandlung des äußeren Ohres, da bei intaktem Trommelfell der Infektionsherd im Mittelohr gar nicht erreicht wird. Wegen der möglichen Hörnerv-Schädigung dürfen die Ohrentropfen nur bei intaktem Trommelfell benutzt werden. Bei **leichten Gehörgangsentzündungen** kann auf eine einfache Therapie zurückgegriffen werden: zuerst erfolgt zur Reinigung des Gehörganges eine Spülung mit lauwarmem Wasser mit Hilfe einer Ohrenspritze. Nun wird ein mit 70%igen Ethanol getränkter Gazestreifen in den geschwollenen Gehörgang eingelegt und mehrmals täglich mit Alkohol nachbefeuchtet. Schwere Fälle von Otitis externa bedürfen einer antibiotischen Therapie und gehören in die Hand des Arztes.

Im Apothekenalltag treten häufig **Entzündungen von Ohrringlöchern oder Ohrpiercings** auf. Ursachen hierfür sind meistens Allergien (z.B. auf Nickel), aber auch unsachgemäßes Ohrlochstechen oder zu schwerer Schmuck können zu Entzündungen führen. Zur Behandlung genügt meist das regelmäßige Betupfen mit 70%igem Ethanol. Wird ein Fertigpräparat gewünscht, kann auf Forasept® mit alkoholischen Auszügen aus Arnika und Kamille, oder Tyrosur® als Gel mit Tyrothricin zurückgegriffen werden. Vorsicht vor der Ausweitung zur Perichondritis ist geboten!

13.3.3 Osmotisch entquellend wirkende Substanzen

Topisch angewandte Polyolverbindungen, wie Glycerol, Propylenglykol oder 1,4-Butandiol, vermögen aufgrund ihres hohen osmotischen Druckes und ihrer Hygroskopizität das mazerierte Trommelfell und die Gehörgangshaut durch Wasserentzug zu entquellen. Durch das hiermit verbundene Abschwellen wird der **Schmerz gelindert**. Glycerol hat auch schützende und pflegende Eigenschaften. Es haftet gut auf der Haut und kann vor bzw. nach dem Baden oder Tauchen als **vorbeugender Schutz vor Reizungen** eingesetzt werden. Als Glycerolmonopräparat ist das konservierungsmittelfreie Otodolor® auf dem Markt. Aufgrund seiner sehr guten Verträglichkeit bildet Glycerol bei Handelspräparaten häufig die Grundlage, in welcher die weiteren Arzneistoffe gelöst sind, z.B. Otalgan®.

13.3.4 Ohrenschmalzlösende Stoffe

Cerumen ist das Exkret der Ohrenschmalzdrüsen, das im äußeren Drittel des Gehörgangs ausgeschieden wird. Physiologisch wird so das Ohr vor Wassereinwirkung, pathogenen Keimen und Insekten geschützt. Das Ohrenschmalz hat einen leicht sauren pH-Wert (4–5) und enthält leicht antimykotisch und antibakteriell wirksame Bestandteile. Normalerweise schiebt sich die Haut des Gehörganges vom Trommelfell in Richtung Ohrmuschel durch Zellteilung langsam nach außen und nimmt so abgestorbene Hautschüppchen und Schmalz mit nach außen. Durch falsche Reinigung v.a. mit Wattestäbchen, kann sich allmählich ein schwerlöslicher **Pfropf** bilden, der oft nur durch den

Tab. 13.3-2: Ohrentropfen zum Reinigen des Gehörganges und zum Lösen von Ceruminalpfröpfen.

Handelspräparat	Zusammensetzung	Dosierung und Anwendung nach Herstellerangaben
Otitex®	1 ml enthält: Docusat-Natrium 50 mg, Ethanol 150 mg, Glycerol	10–15 Tropfen körperwarm bei seitlicher Ruhelage in den Gehörgang einbringen, mit Watte verschließen, nach 5–10 min mit körperwarmen Wasser gut ausspülen
Otowaxol® mit/ohne Ohrenspritze	1 ml enthält: Docusat-Natrium 50 mg, Ethanol 96 % 150 mg, Glycerol 85 % 100 mg	10–15 Tropfen körperwarm bei seitlicher Ruhelage in den Gehörgang einbringen, mit Watte verschließen, nach ca. 5–10 min mit körperwarmem Wasser ausspülen
Audilyse	Dioctylnatriumsulfosuccinat, Ethoxydiglycol, Phenoxyethanol + Caprylylglykol, ger. Wasser	2 x tägl. 2 Sprühstöße in den äußeren Gehörgang für max. 5 Tage
Audispray®	1 g enthält: Meerwasser 1 ml, hyperton	2–3-mal wöchentlich anwenden, Sprühkopf ans Ohr ansetzen, eine Sekunde gedrückt lassen, Ohransatz 5 Sekunden massieren, Kopf zur Seite neigen, damit Flüssigkeit herauslaufen kann
Vaxol®	Olivenöl	zum Vorbeugen von Cerumenbildung 1–2 x pro Woche 1–2 Sprühstöße einmassieren, nicht Ausspülen

Arzt entfernt werden kann. Zum Lösen stehen mehrere Präparate zur Verfügung, die das Cerumen emulgieren und erweichen. Es lässt sich dann bei einer nachfolgenden Spülung leicht entfernen. Auch hier darf das Trommelfell nicht beschädigt sein. Als Hilfsmittel zum Lösen von Ohrenschmalz haben sich Lösungen des Tensids Natriumdocusat in Ethanol und Glycerol, Otitex®, Otowaxol®, sowie das Medizinprodukt Audilyse bewährt. Obwohl diese eine gewisse Einwirkzeit benötigen, dürfen sie nicht über längere Zeit im Ohr behalten werden, da sonst lokale Reizerscheinungen auftreten können. Eine 3%ige Wasserstoffperoxidlösung erfüllt den gleichen Zweck. Bei sämtlichen Lösungen soll das Ohr nach der Anwendung am besten mit einer Ohrenspritze gründlich gespült werden, um Ohrenschmalz und Reste des Präparates vollständig zu entfernen.

Zur **Ohrreinigung und Vorbeugung vor Ohrschmalzpfröpfen** v.a. bei Personen die Hörgeräte tragen oder zu vermehrten Cerumenbildung neigen, ist ein hypertones Meerwasserspray im Handel (Audispray®). Es wird in das Ohr gesprüht, kurz einmassiert und läuft durch das zur Seite Neigen des Kopfes wieder heraus. Vaxol®, Olivenöl, wird zur Pflege, zum Schutz vor Entzündungen und vermehrter Cerumenbildung eingesetzt.

Beratungstipp

Ohrenreinigung

Von Wattestäbchen zur Ohrenreinigung wird dringend abgeraten! Immer wieder kommt es zu Verletzungen und schmerzhaften Entzündungen. Außerdem wird vorhandenes Ohrenschmalz regelrecht vor das Trommelfell zu einem festsitzenden Pfropf gestopft. Wenn nötig, können beim Duschen die Ohren mit einem lauwarmen leichten Wasserstrahl vorsichtig ausgespült werden. Größere Ohrenschmalzstückchen oder Krusten können mit einem Waschlappen entfernt werden. Die Reinigung der Ohrmuschel und dem äußeren Gehörgang reicht aus, da sonst die Selbstreinigungs- und Schutzfunktion des feinen Ceruminalfilmes zerstört wird. Falls das Bedürfnis nach Reinigung so nicht gestillt werden kann, NIEMALS Stricknadeln od. sonstige spitze Gegenstände verwenden! Notfalls kann ein Ohrreiniger, eine gebogene Metallöse vorsichtig benutzt werden.

13.3.5 Nasale Vasokonstriktion

Als schmerzlindernde, unterstützende Behandlung der **Mittelohrentzündung** ist eine Anwendung von abschwellenden Nasentropfen unerlässlich. Sie sollten besonders in das Nasenloch auf der Seite des erkrankten Ohres eingeträufelt werden. Wichtig ist die regelmäßige und konsequente Anwendung über den Zeitraum der schmerzenden Entzündung. Sie helfen die Mündung der Ohrtrompete im Nasen-Rachen-Raum abzuschwellen und erleichtern damit den Abfluss des Sekretes. Außerdem wird so ein Druckausgleich in der Paukenhöhle möglich, so dass sich das Trommelfell entspannen kann und der Schmerz nachlässt. Bei der Empfehlung ist auch hier auf die begrenzte Anwendungsdauer der Nasentropfen oder -sprays hinzuweisen. Eingesetzt werden beispielsweise Otriven®, Olynth® oder Nasivin® (Präparatetabelle s. Kap. 7.1.3.1).

13.4 Anwendung von Ohrentropfen

Als wichtigste Regel bei der Anwendung von Ohrentropfen gilt, auf die Unversehrtheit des Trommelfells zu achten. Gelangen Arznei- oder Hilfsstoffe ins Mittelohr, kann es zu ernsthaften Schädigungen des Mittel- und Innenohres bzw. des Hörnervs kommen.

Beratungstipp

Hinweis auf ein perforiertes Trommelfell kann ein einfacher **Test** geben: Nase und Mund werden geschlossen und wie beim Schnäuzen wird Druck aufgebaut. Ist das Trommelfell geschädigt nimmt der Patient zischende Geräusche wahr.

Um Schwindel oder Reizungen zu vermeiden, müssen Ohrentropfen körperwarm angewendet werden. Dazu kann das Fläschen kurz in der Hosentasche erwärmt werden.

Damit die Ohrentropfen ihren Zielort, den Gehörgang und das Trommelfell erreichen können, muss die natürliche Krümmung im Gehörgang ausgeglichen werden. Dazu zieht man die Ohrmuschel beim Säugling und Kleinkind sachte nach hinten und unten, beim Erwachsenen nach hinten und oben. Danach erfolgt eine kurze Tragusmassage, um die Verteilung der Tropfen zu verbessern. Die Seitlage erleichtert das Benetzen des gesamten Gehörgangs bis zum Trommelfell. Obwohl die Hersteller einen Verschluss des Gehörganges mit Watte empfehlen, sollte dieser nur ganz locker sein, um die Bildung einer feuchten Kammer und somit die Mazeration der Haut zu vermeiden.

Anwendung von Ohrentropfen

13.5 Gehörschutz

In vielen Situationen sollten Ohr und Gehör geschützt werden. Lärmbelastung tritt z.B. am Arbeitsplatz, in der Freizeit, beim Heimwerken oder beim Sport auf. Verkehrslärm oder Schnarchen stört beim Schlafen. Jede Lärmart benötigt einen anderen Lärmschutz. Auf dem Markt befindet sich eine große Auswahl an Gehörschutzarten. In der Apotheke stehen verschiedene Modelle zur Verfügung mit denen der Freizeitbedarf gut abgedeckt werden kann, bevor auf den Fachmann verwiesen werden sollte. Je nach Lautstärke und Frequenz werden unterschiedliche Schutzarten eingesetzt.

Man unterscheidet in die im Folgenden beschriebenen Arten von Gehörschutz.

Stöpselform
Der klassische Gehörschutz besteht aus **Baumwollwatte,** getränkt mit einer Mischung aus **Vaseline** und **Paraffinwachs,** z.B. Ohropax Classic. Er ist gut hautverträglich. Vor der Anwendung wird die Watte entfernt, weich geknetet und anschließend geformt und in den Gehörgang eingeführt. Da Wachs frei von Rückstellkräften ist, entsteht im Ohr kein Druckgefühl. Er bietet eine hohe Schalldämmung und Wasserschutz. Aus weichem, reizfreien **PU-Dehnschaumstoff** gibt es Ohropax soft, Ohropax color, Lärmstop. Der Schaum wird zwischen den Fingern schmal gerollt und in die Ohren gesetzt. Er dehnt sich im Gehörgang aus, sitzt gut und bietet eine effektive Dämmung. Eigentlich sind sie zum Einmalgebrauch gedacht, können bei guter Reinigung aber bis zu viermal wiederverwendet werden. Um wirksam gegen Wind, Wasser und Lärm abzudichten gibt es Stöpsel aus **medizinischem Silikon,** z.B. Wellnoise, Ohropax Silikon. Sie schmiegen sich der Ohrform an und dringen nicht ganz so tief ein. Dadurch sind sie für Personen mit empfindlichem Gehörgang besonders gut geeignet. Die glatte Oberfläche bietet Pilzkulturen keine Grundlage. Silikonstöpsel können gut gereinigt öfters benutzt werden.

Tab. 13.5-1: Gehörschutz in d. Apotheke

Stöpselform	
Ohropax classic	Baumwollwatte, Parafinwachs-Vaseline-Mischung
Ohropax Soft, Lärmstop	PU-Dehnschaumstoff
Wellnoise, Ohropax Silikon	Medizinisches Silikon
Lamellenform	
Aquafit für Erwachsene + Kinder	Spritzwasser- u. Schwimmschutz, Lärmschutz
Ear Planes für Erwachsene + Kinder	Druckausgleich b. Fliegen
Ohropax multi	Lärmschutz für die Freizeit

Lamellenform

Bei der Lamellenform sorgen luftgepolsterte Lamellen aus Kunststoff für ein angenehmes Tragegefühl. Als **Spritzwasser- und Schwimmschutz** stehen z.B. Aquafit für Kinder und Erwachsene zur Verfügung. Sie werden einfach ins Ohr gesteckt und nach Benutzung am Griff wieder herausgezogen. Dieser Schutz kann auch als Lärmschutz benutzt werden. Um beim **Fliegen** die extremen Druckunterschiede auszugleichen gibt es Ear Planes. Sie sind mit einem speziellen Filtersystem ausgestattet, das für einen langsamen und kontinuierlichen Druckausgleich sorgt. Da hier besonders Kinder betroffen sind, gibt es auch eine Kindergröße. Speziell für die Wiederverwendung ist Ohropax multi gedacht. Der hautfreundliche Weichkunststoff Kraton und ein Luftpolster sorgen für besonders komfortablen Sitz. Die Reinigung erfolgt mit milder Seifenlauge. Durch das praktische Halteband gehen diese Stöpsel nicht so schnell verloren.

Kapselgehörschutz

Der Kapselgehörschutz, der v.a. am Arbeitsplatz getragen wird, besteht aus zwei gepolsterten Ohrschutzkapseln, die mit einem Bügel verbunden sind.

13.6 Patientengespräch

Häufigstes Symptom bei Erkrankungen des Ohres, welches den Ratsuchenden in die Apotheke führt, sind die Ohrenschmerzen. Es gilt zu unterscheiden, ob es sich um eine Gehörgangs- oder Mittelohrentzündung handelt. Ein einfacher Test erleichtert diese Entscheidung: Verstärkt sich der Schmerz durch Zug am Ohrläppchen oder Druck direkt am Eingang des Gehörganges, so ist dies ein Hinweis auf eine Gehörgangsentzündung. Der Ohrenschmerz einer Mittelohrentzündung ändert sich durch diese äußere Belastung nicht. Weitere Unterscheidungsmerkmale sind Fieber und Schwerhörigkeit, die für die Mittelohrentzündung typisch sind. Bei Säuglingen und Kleinkindern ist die akute Mittelohrentzündung besonders häufig und sollte vom Arzt überwacht werden. Für leichte Otalgien können topische schmerzlindernde Ohrentropfen empfohlen werden. Nicht vergessen werden sollte die Behandlung mit Vasokonstriktiva enthaltenden und hierdurch abschwellend wirkenden Nasentropfen. **Der Patient sollte darauf hingewiesen werden, dass die Applikation nasal erfolgen muss!**

Die Behandlung von Pilzerkrankungen des äußeren Ohres, die sich durch Juckreiz und samtigen Belag erkennen lassen, sollte dem Arzt vorbehalten sein. Grundsätzlich ist bei Verdacht auf eine Trommelfellverletzung der Arzt hinzuzuziehen.

Häufige Ursache von Ohrenentzündungen sind Baden und Wassersport. Eine vorbeugende Behandlung des Gehörganges mit Ohrentropfen, wie sie von Wassersportlern gerne angewendet wird, kann nicht uneingeschränkt empfohlen werden. Zum Einsatz kommen Mandel- oder Rizinusöl, Paraffin, Glycerol, Gerbstofflösungen, Essigsäure-Ohrentropfen NRF und Fertigarzneimittel wie Otalgan. Mechanischen Schutz gegen Wassereinwirkungen können wasserabweisende Ohrverschlüsse wie z.B. Akustika wasserfest oder Ohropax Silico Aqua bieten. Zum Tauchen dürfen sie allerdings nicht verwendet werden.

Der Erfolg einer topischen Behandlung des Gehörganges hängt in hohem Maße von der sachgerechten Applikation des Arzneimittels ab. Flüssige Zubereitungen sollten, um temperaturbedingte Reizungen zu vermeiden, möglichst körperwarm zur Anwendung kommen. Bei Kleinkindern empfiehlt es sich, durch vorsichtiges Hochstreichen vom Kiefer aus, vor dem Einträufeln Luft aus dem Gehörgang zu entfernen. Der Verschluss des Ohreinganges mit einem lockeren (!) Wattepfropf verhindert das Auslaufen der applizierten Lösung und erhöht damit die Kontaktzeit der Wirkstoffe mit dem Epithel des Gehörganges. Dies lässt sich auch durch seitliche Lage des Kopfes 15 min lang nach der Applikation erreichen. Ohrensalben werden mit einem geeigneten Applikator in den Handel gebracht. Alternativ können mit ihnen Gazestreifen imprägniert werden und als Tampon locker in den Gehörgang eingeführt werden.

Schwindel, Ohrgeräusche, Gleichgewichtsstörungen und plötzliche Schwerhörigkeit deuten auf eine Innenohrschädigung hin und müssen sofort ärztlich behandelt werden. Der Heilerfolg ist auch von einem raschen Therapiebeginn abhängig.

Info

Tritt bei der Selbstmedikation der Beschwerden innerhalb von zwei Tagen keine Besserung auf, soll der Arzt konsultiert werden.

Patientengespräch

14 Raucherentwöhnung

14 Raucherentwöhnung

Von M. Wahl

Der Entwöhnung von Rauchern kommt eine immer größere Bedeutung zu. Nachdem der Gesetzgeber auch die Gefahren des Passivrauchens erkannt hat – in Deutschland sterben pro Jahr ca. 3300 Personen nachweislich durch das Passivrauchen! – geraten Raucher gesellschaftlich immer mehr unter Druck. Rauchverbote in der Gastronomie, in Gebäuden und öffentlichen Einrichtungen zwingen viele Raucher, diesem Laster an zugigen Ecken im Freien nachzugehen. Heute werden zwei Drittel der Raucher als aufhörwillig eingeschätzt. Betrachtet man das Rauchen als Suchtkrankheit, so wird schnell klar, dass eine (medikamentöse) Unterstützung für den Patienten notwendig ist. Dementsprechend hoch ist der Erfolg einer medikamentösen Therapie in Verbindung mit Selbstkontrollmethoden, wobei therapeutische Anleitung den Erfolg noch verbessert. Leitlinien für die Raucherentwöhnung wurden von der Arbeitsgemeinschaft der wissenschaftlichen medizinischen Fachgesellschaften (AWMF) unter der Nummer 076-006 (www.uni-duesseldorf.de/awmf/ll/076-006.htm) veröffentlicht.

14.1 Gesundheitsschäden durch Rauchen

Rauchen spielt in der Gesellschaft immer noch eine große Rolle. Trotz des mittlerweile in vielen öffentlichen Bereichen geltenden Rauchverbots und der damit verbundenen Notwendigkeit, sich zum Rauchen auf die Straße oder in dezidierte Raucherzimmer zu begeben, hat die Zahl der Raucherinnen und Raucher in Deutschland sich in den letzten 10 Jahren lediglich um etwa 10 % vermindert. Nach den Ergebnissen der Studie zur Gesundheit Erwachsener (DEGS 1) des Robert-Koch-Institutes von 2013 (DOI 10.1007/s00103-013-1698-1) müssen derzeit rund ein Drittel der Bevölkerung als Raucher angesehen werden. Dabei ist der Anteil der Raucherinnen mit ca. 27 % kleiner als der der männlichen Raucher (ca. 32 %). Um etwa 10 % vermindert hat sich als Konsequenz in den vergangenen 10 Jahren die Zahl der auf das Rauchen zurückführbaren Todesfälle, die in der DEGS 1 mit zwischen 100 000 und 120 000 angegeben sind. Hierin ist jedoch auch eine große Zahl an Rauch-induzierten Todesfällen von Passivrauchern enthalten.

Insgesamt haben deutsche Raucherinnen und Raucher 2013 rund 80 Mrd. Fertigzigaretten und 25 Mrd. Stück selbstgedrehte Zigaretten verbraucht. Der jährliche Pro-Kopf-Verbrauch an Fertigzigaretten ist jedoch in den vergangenen 10 Jahren von etwa 1 700 auf 1 000 Stück pro Kopf und Jahr zurückgegangen. Allerdings hat sich der Verbrauch an Tabakfeinschnitt, wie er zum Selberdrehen von Zigaretten verwendet wird, im selben Zeitraum von 18 600 Tonnen auf 25 700 Tonnen erhöht (DESTATIS, aus Tabaksteuerdaten 2013, Stand 12/2014). Hier scheint durch die fünfstufige Erhöhung der Tabaksteuer und der Zigarettenpreise eine Umschichtung im Markt stattgefunden zu haben. Die Tabaksteuer bleibt dabei nach der Energiesteuer (früher Mineralölsteuer) die ertragreichste Verbrauchersteuer. Ihr Gesamtvolumen mit rund 13,8 Mrd. Euro in 2013 liegt jedoch praktisch auf derselben Höhe wie 2008 (13,6 Mrd. Euro), die Steuererhöhung speziell auf Zigaretten hat also insgesamt die durch den Absatzrückgang verursachten

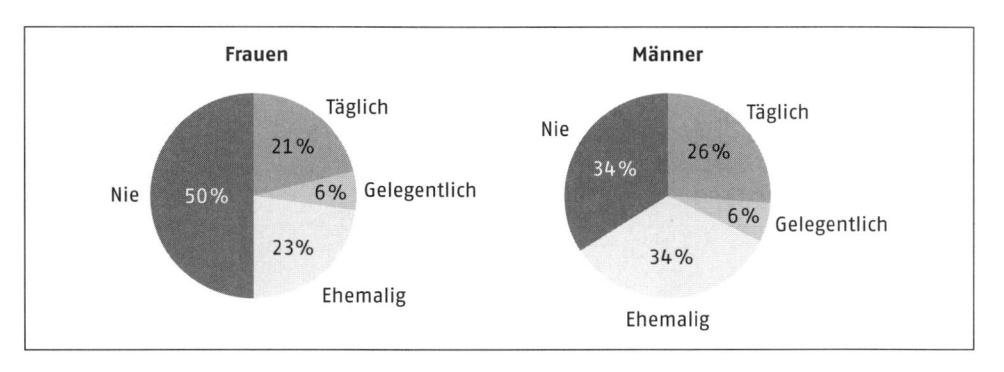

Abb. 14.1: Rauchverhalten der 18–79-jährigen Bevölkerung in Deutschland. Daten aus der DEGS 1 des RKI.

Mindereinnahmen ausgeglichen. Auch aus diesem Grund muss davon ausgegangen werden, dass sich am Tabakkonsum der Bevölkerung und den dadurch induzierten Gesundheitsrisiken keine wesentliche Veränderung im letzten Jahrzehnt ergeben hat und dies trotz hoher politischer Anstrengungen, den Tabakkonsum unattraktiv zu machen. Hier scheinen sowohl die teils drastischen Warnhinweise auf den Packungen als auch Rauchverbote und steuerbedingte, künstliche Preissteigerungen weitgehend wirkungslos zu verpuffen.

Bei einer großen Zahl von Erkrankungen wird das Rauchen als Auslöser angesehen (s. Kasten). Hier sind in erster Linie Erkrankungen des Herz-Kreislauf-Systems und der Lunge zu nennen, die unter Umständen tödlich verlaufen. Daneben sind auch postmenopausale Osteoporose bei Frauen oder verminderte Geburtsgewichte bei den Neugeborenen rauchender Mütter zu beobachten. Auch wird heute die Ansicht vertreten, dass das Rauchen in der Schwangerschaft zu einer erhöhten Kohlenmonoxidbelastung des heranwachsenden Kindes führt. Dies gilt in etwa 20–30 % der Fälle als die Ursache des plötzlichen Kindstodes. Auch das Rauchen nach der Geburt birgt hier Gefahr für das Kind. So wurden in Untersuchungen bei Opfern des plötzlichen Kindstotes häufiger erhöhte Werte an Cotinin, einem Abbauprodukt des Nicotins, gefunden als bei Gesunden. Offensichtlich scheint das Mortalitätsrisiko für Säuglinge pro Stunde, in der sich das Kind in einem Raum aufhält, in dem viel geraucht wird, um das Hundertfache anzusteigen. Ebenso können Fertilitätsstörungen und das Fehlgeburtsrisiko mit dem Rauchen korreliert werden.

Neben den durch Erkrankungen direkt betroffenen Rauchern sind jedoch auch Nichtraucher betroffen. Dies gilt vor allem dann, wenn sie häufig direkt dem von den glimmenden Zigaretten freigesetzten Nebenstrom und dem von Rauchern wieder ausgeatmeten Hauptstrom ausgesetzt sind und diesen wieder einatmen müssen (sogenannte Passivraucher). Dabei unterscheiden sich zwar Haupt- und Nebenstrom in ihrem Inhaltsstoffspektrum (Nicotin, Kohlenmonoxid, Teer, Teerkondensate, Nitrosamine, Schwermetalle, Insektizide) nicht wesentlich, die Teilchengrößen im Nebenstrom sowie im ausgeatmeten Hauptstrom sind jedoch kleiner, damit können diese im tiefere Lungenbereiche eindringen als der eigentliche Hauptstrom, den Raucher inhalieren.

Erkrankungen, die direkt oder indirekt durch Rauchen induziert oder verstärkt werden
- Chronisch obstruktive Lungenerkrankungen (COPD), wie chronisch obstruktive Bronchitis und Lungenemphysem
- Bronchialkarzinom
- Andere Karzinome (vor allem Kehlkopf, Mundhöhle, Speiseröhre, Bauchspeicheldrüse, Harnblase, Niere)
- Kardiovaskuläre Erkrankungen, besonders Arteriosklerose, Schlaganfall, Herzinfarkt, periphere arterielle Verschlusskrankheit
- Impotenz, Unfruchtbarkeit
- Postmenopausale Osteoporose.

14.2 Medikamentöse Raucherentwöhnung

Der – möglichst endgültige – Rauchverzicht verbessert in jedem Alter die mit dem Rauchen assoziierten Funktionsstörungen und Erkrankungen. Die nach dem Rauchstopp subjektiv relativ schnell spürbaren Verbesserungen (s. Kasten) wirken bei vielen Rauchern zugleich als Motivationshilfe. Die Aussichten, nach einem Rauchstopp dauerhaft „clean" zu bleiben, sind allerdings besonders bei starken Rauchern eher schlecht. Ohne medikamentöse oder therapeutische Unterstützung verzichten nur etwa 5 % der Raucher vollständig und langfristig, das heißt mindestens 12 Monate lang, auf die gewohnten Zigaretten.

Deutlich höher sind die Erfolgsraten bei der medikamentösen und/oder verhaltenstherapeutischen Raucherentwöhnung. Dabei dürfte es in vielen Fällen sinnvoll sein, zunächst einmal das Ausmaß der Nicotinabhängigkeit mit dem Rauchertest nach Fagerström (Tab. 14.2-1) zu bestimmen.

Gelegenheitsraucher (1 oder 2 Punkte auf der Fagerströmskala) können normalerweise ohne verhaltenstherapeutische oder medikamentöse Unterstützung mit dem Rauchen aufhören. Raucher mit leichter Nicotinabhängigkeit (3 oder 4 Punkte) sowie mittelstark oder stark nicotinabhängige Raucher (> 4 Punkte auf der Fagerströmskala) profitieren von einer Behandlung mit Nicotinkaugummis oder Nicotinpflastern (s. Abb. 14.3-1). Gegebenenfalls kommt auch eine Therapie mit einem Nicotinspray in Frage, der vor allem das akute Verlangen bekämpft, oder einem Nikotininhalator. Alternativ kann ein verschreibungspflichtiges Antidepressivum mit Indikation Raucherentwöhnung verwendet werden, z. B. Bupropion (Zyban®) oder der speziell für die Raucherentwöhnung entwickelte, nicotinartige Acetylcholinrezeptoragonist Vareniclin (Champix®).

Die Ergebnisse einer amerikanischen Studie mit mehr als 13 000 Rauchern zeigen, dass die plötzliche Beendigung des Tabakkonsums (Schlusspunkt-Methode) bei den meisten Rauchern erfolgreicher ist als die stufenweise Verringerung der Zigarettenmenge. Starke Raucher profitieren allerdings auch häufig von einer Kombination beider Methoden: Nach der schrittweisen Reduktion des Zigarettenkonsums bis zu einer bestimmten, vorher festgelegten Zigarettenmenge wird das Rauchen plötzlich beendet.

Abnahme der Funktionsstörungen und des Erkrankungsrisikos bei dauerhafter Zigaretten-Abstinenz

- Verbesserung der Durchblutung (zwei Wochen bis drei Monate nach dem Rauchstopp)
- Erhöhung der Lungenkapazität um bis zu 30 % (zwei Wochen bis drei Monate nach der letzten Zigarette)
- Abnahme von Raucherhusten, Infektionsgefahr, Müdigkeit und Kurzatmigkeit (ein bis neun Monate nach Beendigung des Zigarettenkonsums)
- Verringerung des Risikos einer koronaren Herzkrankheit (ein Jahr nach dem Rauchstopp)
- Abnahme des Schlaganfallrisikos (fünf Jahre nach der letzten Zigarette)
- Abnahme des Risikos für Bronchialkarzinome und andere maligne Tumoren (zehn Jahre nach Beendigung des Zigarettenrauchens).

Medikamentöse Raucherentwöhnung

Tab. 14.2-1: Rauchertest nach Dr. Fagerström (Copyright: FMH/BAG)

Beantworten Sie bitte die folgenden Fragen	2 Punkte	1 Punkt	0 Punkte	Ihre Punkte
1. Wie viele Zigaretten rauchen Sie pro Tag?	über 25	16–25	bis 15	
2. Wie hoch ist der Nicotingehalt „Ihrer" Zigarette?	über 0,9 mg	0,5–0,9 mg	bis 0,4 mg	
3. Inhalieren Sie?	immer	gelegentlich	nie	
4. Wann rauchen Sie Ihre erste Zigarette nach dem Aufstehen?		innerhalb 30 Min.	später	
5. Fällt es Ihnen schwer, ein Rauchverbot einzuhalten?		ja	nein	
6. Auf welche Zigarette möchten Sie am wenigsten verzichten?		die erste nach dem Aufstehen	eine andere	
7. Rauchen Sie gelegentlich auch, wenn Sie wegen Grippe oder Erkältung im Bett liegen?		ja	nein	
			Total:	

Auswertung:
Übertragen Sie Ihre Punktezahl auf die Skala (bitte ankreuzen). Nun sehen Sie, wie stark Sie von Nicotin abhängig sind.

O – O – O – O – O – O – O – O – O – O – O
0   1   2   3   4   5   6   7   8   9   10

geringe Abhängigkeit   starke Abhängigkeit

Besprechen Sie den Test mit Ihrem Arzt/Ihrer Ärztin!

Für die Entwicklung medikamentöser Raucherentwöhnung hat die Europäische Kommission eine Guideline erstellt, die das Erreichen einer 1-jährigen, rückfallfreien Abstinenzperiode als Hauptendpunkt festsetzt (CHMP/EWP/369963/05, sog. Nicotin Dependence Guideline). Dazu lässt die Guideline Behandlungsperioden von 6–12 Wochen zu, während denen Rückfälle zulässig sind, gefolgt von der rückfallfreien Abstinenzperiode. Diese Kriterien sollten auch für die Raucherentwöhnung in der Selbstmedikation Berücksichtigung finden.

14.2.1 Probleme bei der Raucherentwöhnung

Viele Raucher lehnen eine konsequente Raucherentwöhnung ab, weil sie die damit verbundene **Gewichtszunahme** fürchten. Tatsächlich nehmen die meisten Raucher im Zusammenhang mit der Entwöhnung etwa 2 bis 4 kg zu; in etwa 10% der Fälle werden sogar Gewichtszunahmen von mehr als 10 kg beobachtet. Gefährdet sind vor allem starke Raucher und Menschen, die sich nur wenig bewegen. Durch entsprechende körperliche Aktivitäten sowie eine kalorienarme, ballaststoffreiche Ernährung kann die unerwünschte Gewichtszunahme aber meist begrenzt oder nach erfolgreichem Abschluss der Raucherentwöhnung wieder rückgängig gemacht werden.

Die **Entzugssymptome** (s. Kasten) erklären ebenfalls, warum viele Raucher auf den Zigarettenkonsum nicht verzichten wollen oder eine entsprechende Entwöhnungstherapie

> **Häufige Nicotin-Entzugssymptome**
> - Nervosität
> - Konzentrationsstörungen
> - Gereiztheit
> - Schlafstörungen
> - Appetitzunahme
> - Obstipation
> - Schwitzen
> - Schwindel

nach kurzer Zeit abbrechen. Die Patienten sollten daher zunächst darüber aufgeklärt werden, dass die Symptome zwar häufig vorkommen, aber meistens nur wenige Tage andauern. Mit Nicotin-Ersatztherapeutika können die Entzugssymptome gelindert und die Erfolgsaussichten verbessert werden.

Das größte Problem bei der Raucherentwöhnung ist aber sicher die hohe **Rückfallrate**. Während die Erfolgsraten unmittelbar nach der medikamentösen Raucherentwöhnung und auch nach sechs Monaten meist recht vielversprechend sind, sind die Abstinenzraten nach zwölf Monaten oft eher enttäuschend: Für die Behandlung mit Nicotinpflastern werden 12-Monats-Abstinenzraten von durchschnittlich etwa 15 % angegeben.

Die Effizienz der verschiedenen, medikamentösen Entwöhnungsmittel vergleicht eine 2013 veröffentlichte Metaanalyse der Cochrane Tobacco Addiction Group (DOI: 10.1002/14651858.CD009329.pub2). Hier zeigt Vareniclin eine gegenüber Placebo um fast das 3-fache, gegenüber einem Nicotinpflaster oder Bupropion jedoch nur um den Faktor 1,5 erhöhte Erfolgsquote (Studienziel Rauchabstinenz). Eine ebenso gute Wirkung wie bei Vareniclin konnte jedoch auch durch eine kombinierte Nicotinersatztherapie erreicht werden. Hier wird durch z.B. ein Nicotinpflaster ein basaler Spiegel aufrechterhalten, während dann durch die Einnahme eines schnell freisetzenden Präparats der erwünschte Plasmaspiegelanstieg initiiert werden kann. Da die Studie lediglich einen Vergleich der Wirkstärke der verschiedenen Therapeutika durchgeführt hat, macht sie keine Aussage über die absolute Erfolgsquote dieser Therapieformen. Hier müssen daher die in den Zulassungsstudien postulierten 40-Wochen-Abstinenzraten nach einer 12-wöchigen Therapie von 16 % bei Zyban®, 23 % bei Champix®, ca. 15 % bei Pflastern und 9 % bei Placebo als immer noch gültig angesehen werden.

Die Metaanalyse hat sich auch mit der Frage des Auftretens von neuropsychiatrischen Nebenwirkungen auseinander gesetzt. Diese waren vor allem für Vareniclin immer wieder behauptet worden. Sie konnte jedoch in den untersuchten Studien ein verstärktes Auftreten solcher Erkrankungen nicht nachweisen. Dabei muss auch beachtet werden, dass solche Erkrankungen möglicherweise auch durch den Nicotinentzug als solches ausgelöst werden könnten und daher auch in der Placebogruppe auftreten können.

14.2.2 Raucherentwöhnung mit Nicotin-Ersatztherapeutika

Zur Unterstützung der Raucherentwöhnung sind medikamentöse Zubereitungen wie Nicotinpflaster (Transdermal-Pflaster), Nicotinkaugummi, Sublingual- und Lutschtabletten im Handel. Neuere Entwicklungen sind dabei ein oral anzuwendendes Nicotinspray sowie ein Nicotininhalator, bei dessen Anwendung die typischen Inhalationsbewegungen nachgeahmt werden. Nicht im Handel befindet sich ein (zugelassenes) Nicotinnasenspray. Sie lindern die Entzugssymptome und erhöhen zugleich die Chance, dass der Patient wenigstens zwölf Monate mit dem Rauchen aufhört. Am wirksamsten sind Nicotin-Ersatztherapeutika im Rahmen von multimodalen Raucherentwöhnungsprogrammen, die neben einer regelmäßigen, intensiven Beratung und Betreuung durch den Arzt oder Therapeuten auch verhaltenstherapeutische Maßnahmen vorsehen.

Die verschiedenen Nicotin-Ersatztherapeutika unterscheiden sich vor allem in der **An-**

flutgeschwindigkeit von Nicotin. Maximale Plasmaspiegel werden bei Nicotinkaugummis nach 20 bis 30 Minuten und bei erstmaliger Applikation eines Nicotinpflasters nach 8 bis 10 Stunden gemessen. Die Anwendung von Nicotin als Nasenspray führt zu ähnlichen Plasmaspiegeln wie beim Zigarettenrauchen schon nach 5 bis 10 Minuten. Beim Kauen von Nicotinkaugummis sind die Plasmaspitzen nicht so stark ausgeprägt wie beim Rauchen, Lutsch- und Sublingualtabletten scheinen für einen schnelleren und somit höheren Spiegelanstieg vorteilhafter zu sein. Die tägliche Applikation eines Nicotinpflasters führt zu konstanten Nicotinplasmaspiegeln und beugt damit nicht nur Entzugssymptomen vor, sondern ändert möglicherweise auch das gewohnte Verhalten des Rauchers, bei Abnahme der Nicotinkonzentration beziehungsweise bei Auftreten von Entzugssymptomen oder in schwierigen Situationen zur Zigarette zu greifen. Allerdings entgeht dem Raucher auch der durch den Blutspiegelanstieg ausgelöste „Nicotinkick". Daher wird, vor allem für starke Raucher, eine Kombination aus zwei Nicotinpräparaten empfohlen, wobei eines für den andauernden, basalen Spiegel sorgt und das zweite für eventuell gewünschte, schnelle Spiegelanstiege. Das basale Nicotin soll dabei das Verlangen nach der Zigarette unterdrücken und die schnellfreisetzende Form im Bedarfsfall für den erwünschten „Belohnungseffekt" sorgen. Auch bei dieser Therapieform muss jedoch die maximal zulässige, verschreibungsfreie Tagesdosis beachtet werden, die für eine Kombination aus transdermaler und oral-inhalativer Arzneiform derzeit wie bei der rein oralen oder inhalativen Anwendung 64 mg beträgt, bei der rein transdermalen jedoch nur 35 mg in 24 Stunden.

14.2.2.1 Nicotinkaugummi

Nicotinkaugummis unterstützen die Raucherentwöhnung, indem sie die Nicotinentzugssymptome lindern. Während des Kauens wird Nicotin im Mund freigesetzt und größtenteils über die Mundschleimhaut resorbiert. Ein Teil des Nicotins gelangt mit dem Speichel in den Gastrointestinaltrakt, wo es inaktiviert wird.

Nicotinkaugummis (Tab. 14.2-2) können regelmäßig über den Tag verteilt (8 bis 12 Stück pro Tag, höchstens 16 Stück) angewendet werden oder nach Bedarf bei besonders starkem Rauchverlangen bzw. bei Entzugserscheinungen gekaut werden. Starken Rauchern (> 20 Zigaretten/Tag) wird zunächst das 4-mg-Kaugummi empfohlen, nach vier bis sechs Wochen sollte auf das 2-mg-Kaugummi umgestellt werden, das generell auch bei weniger starken Rauchern indiziert ist. Nach etwa drei Monaten sollte die Zahl der täglich gekauten Kaugummis sukzessive reduziert und das Nicotinkaugummi schließlich ganz abgesetzt werden.

Bei der Abgabe von Nicotinkaugummis sollte der Patient nicht nur darauf hingewiesen werden, dass das **Rauchen unter der Therapie einzustellen** ist, wichtig ist auch der Hinweis auf die spezielle Kautechnik. So heißt es beispielsweise in der Gebrauchsinformation zu Nicorette®: „Kauen Sie langsam und nicht zu fest. Machen Sie Kaupausen, wenn Sie einen leicht pfeffrigen Geschmack im Mund haben. Das ist ein speziell entwickelter Indikator, um Ihnen zu zeigen, dass genügend Nicotin freigesetzt ist. Parken Sie das Kaugummi in der Backentasche. Sobald der Geschmack nachlässt, beginnen Sie erneut mit dem Kauen. Nach ca. 30 Minuten können Sie das Kaugummi aus dem Mund nehmen. Der Nicotinvorrat ist dann erschöpft."

Tab. 14.2-2: Nicotinersatz

Präparatename	Darreichungsform	Inhaltsstoffe
Nicotinkaugummis		
Nicorette® Kaugummi 2 mg; 4 mg • freshfruit • freshmint • whitemint	Kaugummi	Nicotin-Polacrilin (1:4) 10 mg/20 mg (entspr. 2 mg/4 mg Nicotin), verschiedene Geschmacksstoffe
Nicotin-Lutsch- oder Sublingualtabletten		
Nicorette® freshmint	Sublingualtablette	Nicotin-β-Cyclodextrin 17,1 mg (entspr. 2 mg Nicotin)
NiQuitin® mini 1,5 mg; 4 mg	Lutschtablette	Nicotin 1,5 mg/4 mg (als Nicotin-resinat)
Nicotinpflaster		
Nicorette® TX Pflaster 10 mg; 15 mg; 25 mg	Therapeutisches Pflaster	Nicotin 10 mg/15 mg/25 mg; je 1,75 mg/cm². Durchschnittl. Wirkstoff-Freigabe auf d. Haut: 10 mg/15 mg/25 mg auf 16 Std
Nikofrenon® 10; 20; 30	Therapeutisches Pflaster	Nicotin 17,5 mg/35 mg/52,5 mg Wirkstoff-Freigabe: 7 mg/24 h, 14 mg/24 h, 21 mg/24 h
NiQuitin® clear 7; 14; 21	Therapeutisches Pflaster	1 transdermales Pflaster (Fläche 7 cm²/15 cm²/22 cm²) enth.: Nicotin 36 mg/78 mg/114 mg u. gibt 7 mg/14 mg/21 mg über 24 Std.
Nicotininhaler		
Nicorette® Inhaler 15 mg	Inhaler	1 Patrone enth.: Nicotin 15 mg (entspr. eine Wirkstoffaufnahme v. max. 1 mg Nicotin pro Anwendung)
Nicorette® Spray	Spray zur Anwendung in der Mundhöhle	13,2 ml Lösung (13,6 mg/ml) im Dosierspender, 1 Sprühstoß setzt 1 mg Nicotin in 0,07 ml frei

Gegenanzeigen und Vorsichtsmaßnahmen bei der Anwendung

Nicotinkaugummis dürfen von Nichtrauchern sowie Kindern und Jugendlichen unter 18 Jahren nicht angewendet werden. Kontraindikationen sind: Schwangerschaft und Stillzeit, akuter Myokardinfarkt, instabile oder sich verschlechternde Angina pectoris, schwere Arrhythmien und kürzlich aufgetretener Schlaganfall.

Geschlucktes Nicotin kann die Symptomatik bei aktiver Ösophagitis, Entzündungen im Mund- und Rachenraum, Gastritis und Magen-Darm-Ulzera verstärken. Besondere Vorsicht ist geboten bei Patienten mit Hypertonie, stabiler Angina pectoris, zerebrovaskulärer Erkrankung, peripherer arterieller Verschlusskrankheit, Schilddrüsenüberfunktion, Diabetes mellitus sowie Leber- und Nierenfunktionsstörungen.

Bei Kleinkindern können Nicotinpräparate schwere, sogar letal verlaufende Vergiftungen verursachen! Bei Verdacht auf eine Vergiftung muss daher sofort ein Arzt hinzugezogen werden.

14.2.2.2 Nicotinsublingual- und -lutschtabletten

Eine Arzneiform, die ein relativ schnelles Anfluten des Nicotinspiegels im Plasma zeigt und die damit wohl am ehesten mit dem Effekt des Rauchens verglichen werden kann, sind Sublingualtabletten und Lutschtabletten. Die im Markt befindlichen Präparate zeigen dabei neben der schnelleren Freisetzung im Vergleich zu Kaugummis auch einen höheren Plasmaspitzenspiegel, der durch das schnellere Anfluten erreicht wird. Verfügbar sind Lutschtabletten mit einer Dosis von 1,5 und 4 mg.

Dosierung und Anwendung
Nicotin-Lutschtabletten und Sublingualtabletten dürfen auf keinen Fall zerkaut werden, sie sollen entweder im Mund hin- und herbewegt werden (Lutschtabletten) oder unter die Zunge gelegt werden (Sublingualtabletten), bis die Tabletten komplett zerfallen sind. Für eine effektive Therapie hängt die Startdosis von den bisherigen Rauchgewohnheiten ab. So werden zum Beispiel für NiQuitin® bei einem täglichen Bedarf von bis zu 20 Zigaretten 1,5 mg, bei einem Bedarf über 20 Zigaretten 4 mg als Einzeldosis empfohlen. Diese wird immer dann genommen, wenn der Bedarf nach einer Zigarette entsteht. Auch hier gilt eine Tageshöchstdosis von 64 mg. Dies soll zu einer Verminderung des Nicotinbedarfs und somit zu einer Reduktion der Einnahmehäufigkeit führen. Als körperliches Entwöhnungsziel wird hier eine Resteinnahmehäufigkeit von 1–2 Tabletten pro Tag angesehen.

Gegenanzeigen und Anwendungsbeschränkungen und Nebenwirkungen
Da vor allem Lutschtabletten signifikante Mengen an Natrium enthalten, muss dies bei Diätpatienten berücksichtigt werden. Für die übrigen Nebenwirkungen gilt das bei Nicotinkaugummi gesagte, auch hier muss jedoch eine Intoxikationsgefahr für Kinder unbedingt beachtet werden.

14.2.2.3 Nicotinpflaster

Die in Tabelle 14.2-2 aufgeführten Nicotinpflaster erfüllen bereits seit Mitte 1994 die Anforderungen an die Freistellung von der Verschreibungspflicht: Maximal 52,5 mg Nicotin je Pflaster, entsprechend einer Wirkstofffreigabe von im Mittel höchstens 35 mg pro 24 Stunden. Seit 1. Juli 2000 fallen aber auch höher dosierte transdermale therapeutische Systeme (TTS) unter die Ausnahme-Verordnung, sofern nicht mehr als 35 mg Nicotin/24 h freigesetzt werden.

Dosierung und Anwendung
Die Nicotinpflaster der verschiedenen pharmazeutischen Unternehmer unterscheiden sich sowohl in der täglich vorgesehenen Applikationsdauer (16 oder 24 Stunden) als auch in der vorgesehenen Dosierung und Therapiedauer. Prinzipiell wird mit einem stärker dosierten Pflaster begonnen, die Behandlung mit einem niedriger dosierten Pflaster fortgeführt und schließlich beendet. Während der maximal 3- bis 4-monatigen Behandlung mit Nicotinpflastern darf der Patient nicht rauchen und soll auch keine anderen Nicotinzubereitungen anwenden. Andernfalls kann die Nicotinabhängigkeit verstärkt werden bzw. es können vermehrt unerwünschte Wirkungen, vor allem schwere Herz-Kreislauf-Störungen auftreten.

Gegenanzeigen und Anwendungsbeschränkungen
Für Nicotinpflaster gelten die selben Gegenanzeigen und Anwendungsbeschränkungen wie für Nicotinkaugummis.

Nebenwirkungen
Die häufigsten unerwünschten Wirkungen von Nicotinpflastern sind Hautreaktionen an

der Applikationsstelle. Erytheme, Ödeme und Pruritus können besonders in den ersten Behandlungswochen auftreten. In den meisten Fällen handelt es sich um leichte Nebenwirkungen, die nach Entfernen des Pflasters auch ohne Behandlung reversibel sind.

14.2.2.4 Nicotininhalator und -spray

Das aus Kunststoff bestehende Gerät (Nicorette® Inhaler) dient der Inhalation von Nicotin in einem dem Rauchen ähnlichen Vorgang. Dabei kann sowohl durch ein Ziehen, ähnlich dem Zigarettenrauchen als auch durch eine Art Paffen, ähnlich dem Pfeife- oder Zigarrerauchen, das Nicotin in den Mund- und Rachenraum aufgenommen werden. Dort wird es resorbiert und bildet innerhalb von ca. 30 Minuten einen maximalen Plasmaspiegel aus – vergleichbar zu den Kaugummis. Kernstück des Gerätes sind Filterpatronen mit Nicotin, aus denen dieses durch den Luftstrom freigesetzt werden kann. Vergleichbar zum Inhalator ist das Nicotinspray. Hier wird die Dosis durch ein Dosierventil mit einem Sprühstoß in die Mundhöhle appliziert.

Seit 2009 gilt auch für diese Produkte, die Ausnahme von der Verschreibungspflicht analog der oralen Anwendung von Nicotin bei Präparaten mit einer Einzeldosis von maximal 10 mg und einer maximalen Tagesdosis von 64 mg Nicotin, mit der Begründung einer oral-inhalativen Anwendung.

Dosierung und Anwendung

Bei sofortigem Rauchstopp wird eine dem Zigarettenkonsum entsprechende Anzahl an Patronen verwendet, wobei eine Patrone in etwa 4 Zigaretten entspricht. So werden bei einem vorherigen Rauchkonsum von bis zu 30 Zigaretten/Tag 6–10 Patronen empfohlen. Die empfohlene Behandlungsdauer liegt bei ca. 3 Monaten, danach sollte durch eine Verringerung der täglichen Dosis während der nächsten 6–8 Wochen ein völliges Absetzen erfolgen.

Eine weitere Möglichkeit ist die Rauchreduktion mit anschließendem Rauchstopp. Der Inhaler wird in den Phasen zwischen dem Rauchen von Zigaretten angewendet, um ein möglichst langes rauchfreies Intervall zu erzielen. Nach spätestens 6 Monaten sollte ein völliger Rauchstopp erfolgen. Bei jedem Zug am Inhaler wird Nicotin freigesetzt, allerdings zumeist weniger als bei einer Zigarette. So muss doppelt so oft am Inhaler gezogen werden im Vergleich zu einer Zigarette. Eine Anwendung sollte etwa 20 Minuten betragen.

Zu beachten gilt, dass angebrochene Patronen nach 12 Stunden ihre Wirksamkeit verlieren. Die Anwendung des Sprays entspricht im Wesentlichen dem Inhaler. Dabei werden typischerweise bei Rauchverlangen 1–2 Sprühstöße appliziert, die in der Anfangsphase im 30–60 Minutenabstand benötigt werden. 6 Wochen nach Beginn der Therapie wird die Dosis halbiert, ab der 10. Woche dann sukzessive vollständige Reduktion.

Gegenanzeigen und Vorsichtsmaßnahmen für die Anwendung

Es gelten für den Inhaler und den Spray die selben Gegenanzeigen und Anwendungsbeschränkungen wie für Nicotinkaugummis.

Nebenwirkungen

Spezielle Nebenwirkungen bedingt durch die Darreichungsform des Inhalers oder Sprays sind lokale Nebenwirkungen wie Husten und Reizerscheinungen in Mund oder Hals.

Beratungstipp

Entsorgung von Nicotinprodukten

Nicotinpflaster, Nicotinkaugummis und auch die Patronen des Nicotininhalers sind sorgfältig aufzubewahren und zu entsorgen. Sie enthalten auch nach der Anwendung noch Nicotin und sollten deshalb nicht in die Hände von Kindern gelangen.

Bekleben sich Kinder mit Nicotinpflastern besteht unter Umständen Lebensgefahr! Die Pflaster sollten zur Entsorgung so aneinander geklebt werden, dass Kinder nicht damit in Berührung kommen.

Diese Nebenwirkungen klingen zumeist nach der ersten Behandlungswoche ab.

14.2.2.5 Elektrische Zigarette

Ein weiterer Versuch, Raucher durch das Angebot von inhaliertem Nicotin vom Rauchen abzubringen, ist die elektrische Zigarette. Dieses rauchfreie System, das teilweise auch als E-Zigarette oder fälschlich als *elektronische* Zigarette bezeichnet wird, wurde ursprünglich bereits 1963 erstmals patentiert. Durch die Entwicklung verbesserter, leistungsfähiger, kleiner Akkus wird derzeit eine Vielzahl solcher Systeme am Markt angeboten, die während eines Tages ohne elektrische Auflading benutzt werden können. In der elektrischen Zigarette wird eine Nicotinlösung über ein Heizelement verdampft. Dabei wird in der eingeschalteten Zigarette diese Nicotinlösung durch den Atemzug über ein Kapillarsystem über das Heizelement gesaugt und der entstehende Dampf inhaliert. Die Inhalationslösung besteht im Wesentlichen aus Glycerin, Propylenglykol und Geschmacksstoffen (z.B. Tabak, Lagerfeuer, Fruchtaromen, Kräuter, Whisky), sie enthält ferner pro Füllung (ca. 2 ml) des Zigarettentanks 7–24 mg Nicotin, es sind allerdings auch nicotinfreie Lösungen im Handel erhältlich. Unklar ist eine mögliche Gesundheitsgefährdung durch den Dampf, dabei sind auch Risiken durch das Einatmen von Propylenglykoldämpfen (die auch in Nebelmaschinen entstehen) wenig untersucht, aber bei intensiver Anwendung nicht ausgeschlossen (DKFZ: www.tabakkontrolle.de).

Unklar ist derzeit, ob Unbeteiligte im Sinne des Passivrauchens gefährdet werden und welchen rechtlichen Stellenwert die elektrischen Zigaretten besitzen. Dennoch verbieten die meisten Fluggesellschaften wegen des entstehenden Dampfes mittlerweile die Benutzung an Bord. Dort können jedoch alternativ Nicotininhalatoren verwendet werden. Zulassungsrechtlich werden elektrische Zigaretten und die dazu gehörigen Liquide derzeit von der EU als Genussmittel gesehen, sie unterliegen daher weder dem Arzneimittel- noch dem Medizinproduktegesetz. Dies gilt auch für elektrische Shishas und ähnliche Geräte.

14.3 Patientengespräch

In verschiedenen Studien wurde nachgewiesen, dass selbst nur 3-minütige Kurzinterventionen durch Fachpersonal der Heilberufe im Sinne einer Ausstiegsberatung einen signifikanten Effekt auf die Abstinenzquote zeigen. Daher kommt dieser Ausstiegsberatung – und damit dem Patientengespräch – eine wichtige Rolle zu.

Eine Kurzberatung sollte nach den Regeln der 5 A's erfolgen: Ask, Advice, Assess, Assist, Arrange.

Punkt 1: Abfragen des Raucherstatus (Ask)

Ziel: Feststellen der Rauchergewohnheiten
Der Einstieg sollte eine offene Frage im Sinne von „Haben Sie je versucht, aufzuhören" sein. Die Rauchergewohnheiten sollten nach den Kriterien:
– Anzahl Zigaretten pro Tag,
– wann wird die erste Zigarette des Tages geraucht (Kriterium: erste 30 min des Tages oder später),
erfasst werden.
Ideal wäre hier eine regelmäßige Dokumentation, um Veränderungen feststellen zu können.

Punkt 2: Anraten des Rauchverzichts (Advise)

Ziel ist die Empfehlung eines Rauchstopps. Hier sollten die gesundheitlichen Nachteile des Rauchens dargestellt werden, die Ratschläge sollten unmissverständlich, nachdrücklich und auf die Person bezogen sein.

Punkt 3: Ansprechen der Aufhörmotivation (Assess)

Ziel ist, die Bereitschaft zu einem Rauchstopp zu erkennen.

Raucherentwöhnung

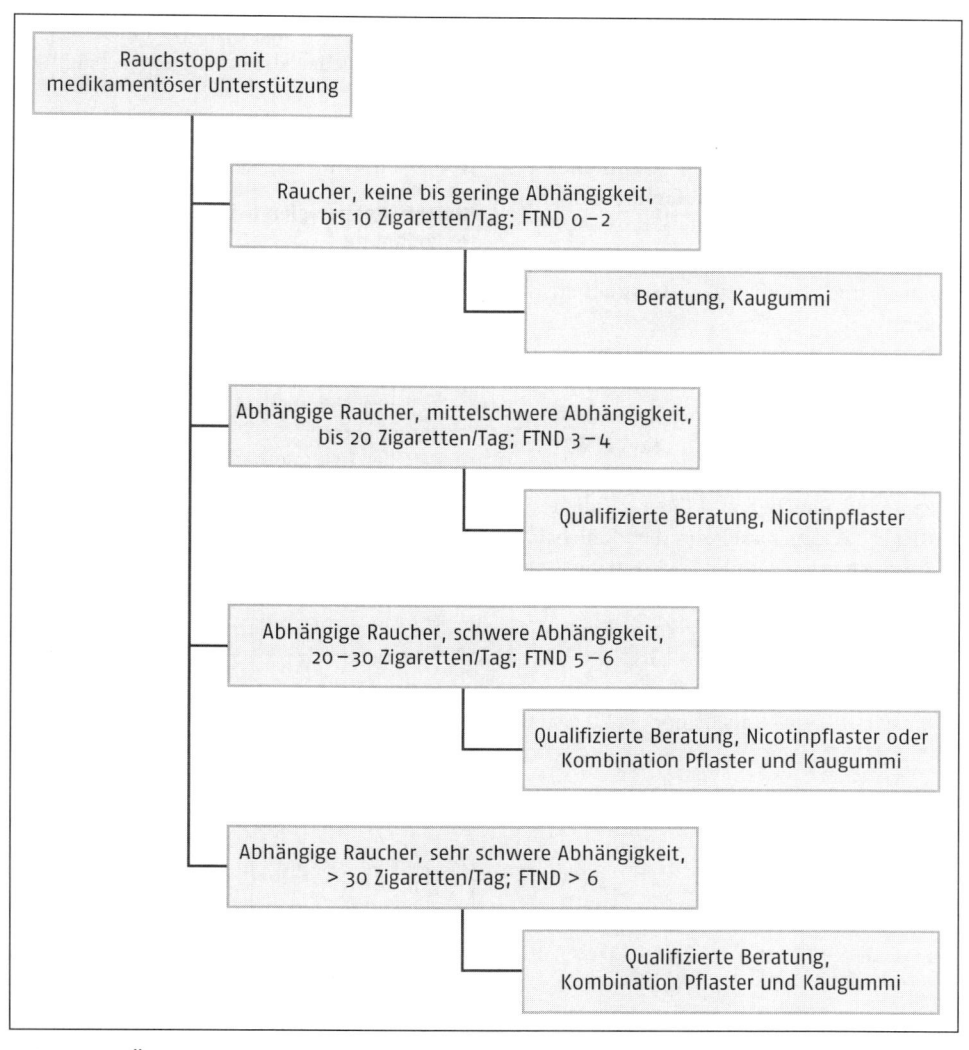

```
Rauchstopp mit
medikamentöser Unterstützung
    ├── Raucher, keine bis geringe Abhängigkeit,
    │   bis 10 Zigaretten/Tag; FTND 0–2
    │       └── Beratung, Kaugummi
    │
    ├── Abhängige Raucher, mittelschwere Abhängigkeit,
    │   bis 20 Zigaretten/Tag; FTND 3–4
    │       └── Qualifizierte Beratung, Nicotinpflaster
    │
    ├── Abhängige Raucher, schwere Abhängigkeit,
    │   20–30 Zigaretten/Tag; FTND 5–6
    │       └── Qualifizierte Beratung, Nicotinpflaster oder
    │           Kombination Pflaster und Kaugummi
    │
    └── Abhängige Raucher, sehr schwere Abhängigkeit,
        > 30 Zigaretten/Tag; FTND > 6
            └── Qualifizierte Beratung,
                Kombination Pflaster und Kaugummi
```

Abb. 14.3-1: Übersicht der Arzneimittelauswahl zur Raucherentwöhnung. FTND – Fragerström Test für Nicotine Dependence, s. Tab. 14.2-1

Falls diese vorhanden ist, sollte passende Hilfe angeboten werden. Wenn nicht, sollten motivierende Strategien angewandt werden (5 R's, siehe unten). Letztlich sollte ein Termin für einen Rauchstopp vereinbart werden können.

Punkt 4: Assistieren beim Rauchverzicht (Assist)
Ziel ist die aktive Unterstützung des Rauchstoppversuchs.

Hier sind alle denkbaren Mittel einsetzbar, wie Aufklärungsbroschüren, Selbsthilfegruppen oder Arzneimittelunterstützung. Auch das Erstellen eines Ausstiegsplaners wäre sinnvoll.

Punkt 5: Arrangieren der Nachbetreuung (Arrange)
Zur Vorbeugung eines Rückfalls sollten regelmäßig Beratungsgespräche stattfinden.

Medikamentöse Raucherentwöhnung

Da häufig eine Stärkung der Motivation zum Aufhören notwendig ist, kann diese durch die 5 R's erreicht werden:

- Relevanz aufzeigen (relevance): Anknüpfen der Motivation an Gesundheitszustand, Alter, Geschlecht, familiäre oder soziale Situation.
- Risiken benennen (risk): Aufzeigen der kurz- und langfristigen Gesundheitsrisiken.
- Reize und Vorteile des Rauchstopps verdeutlichen (rewards): Erfassen der für den Patienten relevanten Vorteile, insbesondere solcher mit hoher Emotionalität (wirtschaftliche Vorteile, gesellschaftliche Akzeptanz – Raucherecke! Oder Ähnliches).
- Riegel (Hindernisse) für den Rauchstopp ansprechen (roadblocks): Entzugssymptome, Gewichtszunahme etc. Wichtig ist hier das Aufzeigen von Vermeidungsstrategien.
- Repetition (repetition): Raucher ohne Bereitschaft zum Rauchstopp sollten unter Verwendung der Motivationsstrategien immer wieder darauf angesprochen werden.

Beratungstipp

Durchhaltestrategien bei der Raucherentwöhnung

- Freunde und Kollegen über den Umstieg zum Nichtraucher informieren.
- Raucher-Utensilien beseitigen.
- Raucherecken, Kneipen, in denen noch geraucht werden darf, meiden.
- Zuckerfreie Bonbons oder Kaugummis in den Mund nehmen.
- Statt der Zigarette nach dem Essen zu einem Spaziergang aufbrechen.
- Alkohol meiden, denn er schwächt den Durchhalte-Willen.
- Für das Durchhalten sich selbst belohnen, z.B. Sparschwein für das gesparte Zigarettengeld.

15 Zahn- und Mundhygiene

15 Zahn- und Mundhygiene

Von K. Lorenz

15.1 Anatomie und Physiologie

Die Mundhöhle besteht aus dem Vestibulum oris (Mundvorhof) sowie dem Cavum oris proprium (Mundhöhle). Der Mundvorhof wird von der Muskulatur der Wangen und den Lippen begrenzt. In ihm münden die Ausführungsgänge der großen Ohrspeicheldrüse sowie die Wangen- und Lippendrüsen. An der Mukogingivallinie geht die Mundschleimhaut in das Zahnfleisch über. Besonders in den Lippen sind zahlreiche Nervenendigungen vorhanden, die für das Tast- und Schmerzempfinden notwendig sind. Die eigentliche Mundhöhle ist seitlich von den Alveolarfortsätzen und Zähnen des Ober- und Unterkiefers begrenzt. Die obere Begrenzung bilden der harte und weiche Gaumen. Der vordere Gaumenbogen beschließt die Mundhöhle zum Rachen. Die untere Begrenzung ist der Mundboden, der vom Musculus mylohyoideus gebildet wird. Hier befindet sich die Unterzungendrüse mit ihrem Ausführungsgang. Auf dem Mundboden liegt die Zunge, ein von Schleimhaut überzogener Muskel, dessen vorderer Teil mit den Zungenpapillen und Geschmacksknospen besetzt ist. Die Zungendrüsen sind für das ständige Ausspülen der Geschmacksstoffe und feinen Speiseteilchen verantwortlich. Außer der Geschmacksempfindung sind die Endigungen der verschiedenen, die Zunge innervierenden Nerven für die Tast-, Schmerz- und Temperaturempfindung verantwortlich.

Aufgrund ihrer unterschiedlichen Strukturen besitzt die Mundhöhle vielfältige Funktionen. Als oberster Teil des Verdauungstraktes dient sie hauptsächlich der Zerkleinerung

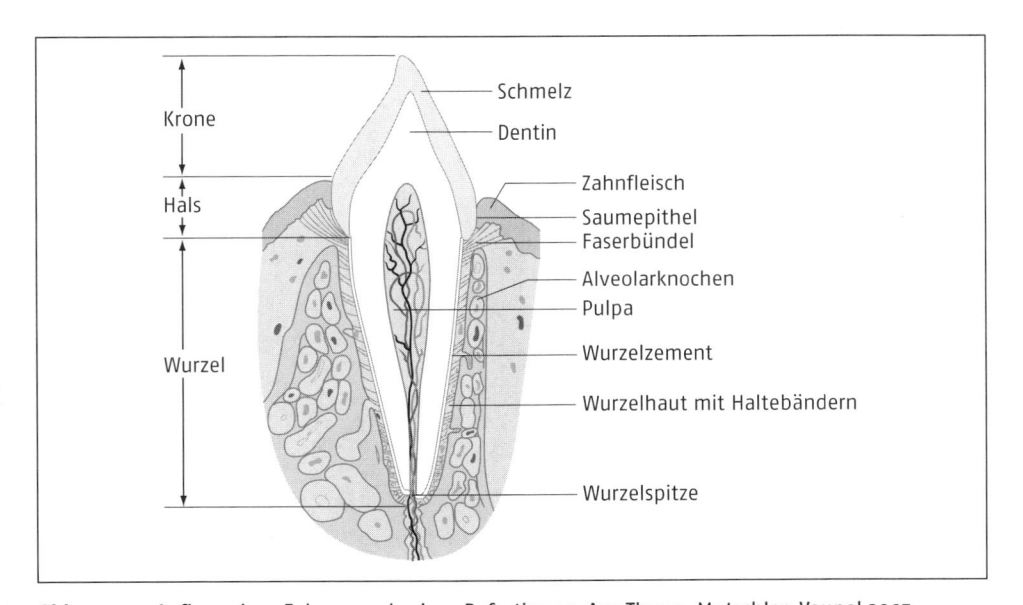

Abb. 15.1-1: Aufbau eines Zahnes und seiner Befestigung. Aus Thews, Mutschler, Vaupel 2007.

und Einspeichelung der Speisen, um sie für das Verschlucken vorzubereiten. Über ein Enzym des Speichels (Ptyalin) setzt bereits hier die Verdauung mit der Aufspaltung der Kohlenhydrate ein. Eine weitere wichtige Funktion der Mundhöhle besteht in der Geschmacksempfindung, die über die Geschmacksrezeptoren der Zunge realisiert wird. Reflektorisch kommt es zur Sekretion von Speichel. Die Mundhöhle ist außerdem Bestandteil der oberen Atemwege. Sie dient schließlich der Artikulation der Sprache und der Beeinflussung der Klangfarbe der gebildeten Töne. Und nicht zuletzt tragen die anatomischen Strukturen, insbesondere die Zähne in ihrer Form, Stellung und Farbe entscheidend zum ästhetischen Erscheinungsbild eines Individuums bei.

Die Zähne des Ober- und Unterkiefers sind in verschiedene Zahntypen eingeteilt, die sich in ihrer Form und Funktion wesentlich voneinander unterscheiden. Der strukturelle Aufbau der Zähne ist jedoch immer gleich (Abb. 15.1-1). Die in die Mundhöhle ragende Zahnkrone wird von Zahnschmelz umschlossen, während die im knöchernen Alveolarfortsatz verankerte Zahnwurzel von Zement bedeckt wird. An der Grenze zwischen Schmelz und Zement befindet sich der sogenannte Zahnhals. Das Innere des Zahnes wird von Dentin gebildet und umschließt die Pulpahöhle und die Wurzelkanäle, die der Blut- und Nervenversorgung des Zahnes dienen. Die Zähne sind beweglich im knöchernen Zahnfach verankert. Dieser Zahnhalteapparat (Parodontium) setzt sich aus dem Wurzelzement, den parodontalen Fasern, dem Alveolarknochen, dem Zahnfleisch und Saumepithel zusammen. Das Saumepithel stellt die Verbindung vom Weichgewebe der Gingiva zum Hartgewebe des Zahnes dar und nimmt damit bedeutende Funktion bei der Erhaltung der körperlichen Integrität ein.

15.2 Allgemeine Aussagen

Die Mundpflege ist seit Jahrtausenden eine persönliche Hygienemaßnahme. Es versteht sich deshalb von selbst, dass mechanische und chemisch-pharmazeutische Mundpflegemittel einen prinzipiellen Bestandteil der Selbstmedikation darstellen.
Der bakterielle Zahnbelag ist die Ursache sowohl für die Zerstörung der Zahnhartsubstanzen (Karies) als auch für die Entzündung und Destruktion des Zahnhalteapparates (Gingivitis, Parodontitis). Ein erheblicher Teil der immensen zahnmedizinischen Kosten geht auf die Plaquekrankheiten Karies und Parodontitis und deren Konsequenzen (Zahnverlust, prothetische und Implantatversorgung) zurück.

15.2.1 Pathogenese von Karies und Parodontopathien

Die orale Mikroflora besteht aus mehr als 700 verschiedenen Arten von Bakterien, Hefen und einigen Protozoen. Von diesen Spezies besiedeln ca. 300 dauerhaft alle Oberflächen der Mundhöhle. Für die zellulären Oberflächen der Weichgewebe stellt dies kein Problem dar, da sie konstanter Abschilferung unterliegen und somit pro Tag mehrere Gramm Bakterien durch Verschlucken eliminiert werden. Im gesunden Organismus existiert ein mikrobielles Gleichgewicht, das vor von außen eindringenden Keimen und vor dem Überhandnehmen der Hefen schützt. Aber nicht nur die Weichgewebe sondern auch alle festen Oberflächen im Mund, wie Zähne, Füllungen, Zahnersatz, kieferorthopädische Geräte und Implantate, werden von den Keimen der oralen Mikroflora besiedelt. Eine natürliche Abschilferung gibt es auf diesen Strukturen jedoch nicht. Innerhalb von Sekunden nach gründlichem Zähneputzen bildet sich auf den Zähnen das sogenannte Pellikel (aus Proteinen und Mucopolysacchariden des Speichels), das die Anheftung der ersten Bakterien (*Streptococcus spp., Actinomyces spp.*) ermöglicht. In deren Folge vermehren sich die Bakterien. Durch die Bildung einer Polysaccharidmatrix können sich neue Bakterien ansiedeln, die Plaquedicke nimmt zu. In 1 mm^3 Plaque befinden sich mehr als 10^8 Mikroorganismen. Die Pathogenität steigt nach ca. 48 bis 72 Stunden ungestörten Wachstums deutlich an. Einem spezifischen Muster folgend entsteht ein Biofilm, der durch die Heterogenität der in ihm existierenden Mikroorganismengemeinschaft und spezifische Interaktionen dieser gekennzeichnet ist. Im Biofilm kommt es zu Wechselwirkungen bezüglich des Nahrungsangebotes, der Genexpression, des Gentransfers aber auch zur kompetetiven Verdrängung von unerwünschten Mikroben. Der Biofilm schützt dadurch die in ihm lebenden Mikroorganismen vor äußeren Einflüssen wie zum Beispiel vor antibakteriellen Substanzen. Werden im Biofilm Mineralsalze aus dem Speichel eingelagert, entsteht Zahnstein. Erste Mineralisationszeichen sind bereits nach wenigen Tagen erkennbar, die Reifung dauert jedoch Monate und Jahre.
Dentale Biofilme kommen besonders an Stellen vor, die der natürlichen Selbstreinigung weniger zugänglich sind. Sie bilden sich vorrangig zwischen den Zähnen, gefolgt von den Bukkal- und Lingualflächen der Molaren.

Allgemeine Aussagen

Weitere sogenannte Prädilektionsstellen sind die Fissuren und Grübchen der Kauflächen, Füllungs- und Kronenränder sowie der gingivale Sulkus. Durch Stoffwechselprodukte (Zuckerabbau und Säureproduktion) der Mikroorganismen im Biofilm können Karies (vgl. Kap. 15.4.1), Gingivitis und möglicherweise Parodontitis (vgl. Kap. 15.6.1) entstehen.

15.2.2 Ziele und Strategien der Mund- und Zahnpflege

Das Ziel der Mund- und Zahnpflege besteht in der regelmäßigen und gründlichen Entfernung von Zahnbelägen und Speiseresten, um so die Entstehung von **Karies, Gingivitis und Parodontitis zu verhindern.** Nach wie vor gilt: „Ein sauberer Zahn wird nicht kariös, ein sauberer Zahnhals ist die beste Prophylaxe gegen Zahnbetterkrankungen." (Kantorowicz 1953). Darüber hinaus hat die Mund- und Zahnpflege Bedeutung für Aufrechterhaltung der **allgemeinen Gesundheit.** Aufgrund ihrer ökologischen Bedeutung kann es nicht das Ziel sein, die Mundflora vollständig zu eliminieren oder auf Dauer zu supprimieren. Vielmehr muss das Hauptaugenmerk auf die tägliche Plaquekontrolle auf Zähnen, Restaurationen und Implantaten gerichtet sein. Strategien dafür sind:

- mechanische Zahnreinigung,
- chemische Plaquekontrolle.

Im Rahmen der Mundpflege sei hier außerdem auf die **Zungenreinigung** verwiesen, die erheblich zur Bekämpfung von Mundgeruch beitragen kann.
Der Begriff „Zähneputzen" sollte durch den Terminus **Plaqueentfernung** ersetzt werden. Denn während die Beseitigung von Speiseresten durch Ausspülen oder Anwendung von Mundduschen möglich ist, haftet die dentale Plaque (Biofilm) so fest an der Zahnoberfläche, dass sie nur mittels Zahnbürsten oder anderen Hilfsmitteln zur mechanischen Reinigung zu entfernen ist (vgl. Kap. 15.3.1; 15.3.2; 15.3.4). Zahnpasten können diesen Prozess unterstützen. Neben der mechanischen Plaqueentfernung trägt die regelmäßige lokale Applikation von Fluoriden über die Zahnpaste maßgeblich zur Kariesprophylaxe bei.

Beratungstipp

Verhalten bei Zahnunfall

- Bei starker Blutung vorsichtig auf ein Stofftaschentuch beißen, Mund von außen kühlen.
- Gelockerte oder verlagerte Zähne nicht bewegen, umgehend Zahnarzt aufsuchen.
- Zahnteile oder fehlende Zähne suchen (Mundhöhle oder Umgebung des Unfallortes).
- Schmutzige Zähne 10 s unter fließendem Wasser abspülen.
- Ausgefallene Zähne nur an der Zahnkrone anfassen.
- Versuch des Wiedereinsetzens in die leere Alveole, anschließend auf Stofftaschentuch beißen und sofort Zahnarzt aufsuchen.
- Ist ein Wiedereinsetzen nicht möglich, Zahnteile oder fehlende Zähne optimalerweise in Dentosafe oder SOS Zahnrettungsbox lagern (alternativ: H-Milch, Kochsalzlösung).
- Völlig ungeeignet ist die trockene Lagerung bzw. Aufbewahrung in Wasser.

15.2.3 Die Rolle des Speichels

Im oralen System kommt dem Speichel eine wesentliche Rolle als prophylaktisches Agens zu. Der Speichel hält die Integrität der oralen Weichgewebsoberflächen aufrecht, puffert bakterielle Säuren ab, dient der Remineralisation des Zahnschmelzes (Calcium, Phosphat, Fluorid) und enthält antimikrobielle Substanzen (Antikörper, Chelatbildner, Enzyme, Thiocyanat etc.) zur lokalen Entzündungsabwehr. Damit hat er einen entscheidenden Einfluss auf die Gesunderhaltung der Zähne. Folge von fehlendem oder eingeschränktem Speichelfluss sind verstärkte Plaquebildung, Karies und Gingivitis.

15.3 Mechanische Zahnpflege

Die mechanische Zahnpflege wird durchgeführt mit

- Zahnbürsten auf allen zugänglichen Zahnoberflächen,
- Interdentalraumbürstchen, Zahnseide, Zahnhölzern in den Zahnzwischenräumen.

Die mechanische Reinigung kann durch die Verwendung von Zahnpasta intensiviert werden. Wichtig für den Erfolg der Plaqueentfernung sind vor allem jedoch die richtige Putztechnik und die Häufigkeit des Putzens. Prinzipiell kann die sachgemäße Verwendung von Zahnbürsten und Hilfsmitteln professionell nur von Zahnärzten und Fachpersonal vermittelt werden. Optimale Zahnreinigung ist nur individuell und durch Putztraining in der zahnärztlichen Praxis erlernbar.

Unter optimaler Zahnreinigung ist die konsequente Entfernung aller weichen Zahnbeläge zu verstehen. Das schließt schwer zugängliche Regionen wie die Zahnzwischenräume, den Bereich des gingivalen Sulkus, die distalen Flächen der letzten Molaren, bukkale und linguale Molarenflächen ein. Erschwerte Bedingungen entstehen an Füllungs- und Kronenrändern, unter Brücken, an Implantaten, bei Zahnstellungsanomalien und im parodontal geschädigten Gebiss. Zähneputzen nach jeder Mahlzeit dient dem Entfernen von lästigen Speiseresten und einem kontinuierlichen Fluoridangebot, geht jedoch nicht immer mit einer optimalen Reinigung einher. Eine komplette Plaqueentfernung mindestens einmal pro Tag, z.B. am Abend, unter Anwendung aller Hilfsmittel einschließlich fluoridierter Zahnpasta ist dringend anzuraten. Es besteht Konsens darüber, dass die Zähne 2-mal pro Tag geputzt werden sollten, wobei der Zeitpunkt den individuellen Bedürfnissen angepasst werden kann.

15.3.1 Zahnbürsten

Generell sind Zahnbürsten mit Kunststoffborsten zu empfehlen. Bürsten mit Naturborsten sind schon allein aus hygienischen Gründen obsolet. Des Weiteren sollten Bürsten mit kurzem, kleinen Bürstenkopf verwendet werden. Auf die Anordnung der Borsten (gerade, v- oder x-förmig) und die Länge der einzelnen Büschel (gleich oder unterschiedlich lang) kommt es dabei weniger an als auf die saubere Verrundung der einzelnen Borsten bei herkömmlichen Bürstenfeldern, da spitze Borstenenden zu Verletzungen der Gingiva führen. Die gleich bleibende Qualität der Verrundung ist vom Hersteller zu fordern. Zunehmend setzen sich Filamentzahnbürsten mit konischen, mikrofeinen („multi-tufted") Borsten durch, die vor allem interdental und am Zahnfleischrand effizient reinigen, ohne die Zahnhartsubstanz oder die Gingiva zu verletzen. Aus der Vielfalt der verfügbaren Modelle sind in Tab. 15.3-1 einige Fabrikate ausgewählt.

In der Regel können Zahnbürsten mittlerer Borstenhärte verwendet werden. Bei freiliegenden Zahnhälsen und der Tendenz zu Zahnfleischrückgang sollte jedoch eine weiche Bürste benutzt werden, um Putzschäden vorzubeugen. Auch hier eignen sich die Filamentbürsten (multi-tufted), da sie generell weiche Borsten besitzen. Harte Bürsten sind prinzipiell nicht zu empfehlen, da sie Weich- und Hartgewebe traumatisieren können. Zahnbürsten sollten ersetzt werden, wenn sich ihre Borsten zu verbiegen beginnen. Dieser Zeitpunkt kann sehr variieren. Die durchschnittliche Gebrauchszeit liegt bei ca. 8 bis 12 Wochen. Bei Zahnbürsten mit Indikator kann die Bürste ausgetauscht werden, wenn der Indikator entfärbt ist. Auch nach Infektionen der oberen Atemwege und des Magen-Darm-Traktes ist die Bürste zu erneuern, um Reinfektionen vorzubeugen. Die Bürsten sollten nach jeder Benutzung unter fließendem Wasser abgespült und danach trocken aufbewahrt werden.

Kinder benötigen aus motorischen Gründen eine Bürste mit dickem, rutschfestem Griff. Das Borstenfeld sollte entsprechend der geringeren Größe der Milchzähne und des Mundes klein sein und mit vielen eng angeordneten Borstenbüscheln ausgestattet sein. Jeder Hersteller bietet inzwischen spezielle Kinderzahnbürsten für verschiedene Altersgruppen an, die diese Vorgaben weitestgehend berücksichtigen. Unterschieden werden Bürsten für die ersten Milchzähne, für das Milchgebiss und für das Wechselgebiss (Tab. 15.3-1). Ebenso gibt es Bürsten, die speziell für Kinder und Jugendliche mit festsitzenden kieferorthopädischen Apparaturen konstruiert sind (nicht aufgelistet).

15.3.2 Elektrische Zahnbürsten

Während noch vor wenigen Jahren die elektrischen Zahnbürsten der 1. Generation keine oder kaum bessere Reinigungsleistungen als normale Handzahnbürsten erbrachten, sind diejenigen der **2. Generation** (oszillierend/rotierend) den Handzahnbürsten überlegen. Eine höhere Traumatisierungsgefahr besteht nicht. Hier sind an erster Stelle Geräte des Marktführers Braun Oral-B zu nennen, die inzwischen über das Prinzip des oszillierend/rotierenden Bürstenkopfes hinaus dreidimensional (zusätzlich Vor- und Rückbewegung) arbeiten. Die individuelle Putztechnik sollte durch Fachpersonal erlernt werden, um die erwartete Putzeffizienz zu erreichen. Neue Modelle sind zusätzlich mit Andruckkontrolle und Timer ausgerüstet, um einerseits Putzschäden durch zu starkes Andrücken zu vermeiden und andererseits eine gewisse Kontrolle über die absolvierte Putzzeit zu erhalten. Über Bürstendisplay und Entfärbung des Borstenindikators wird das Auswechseln des Bürstenkopfes angezeigt.

Beratungstipp

Zahnbürsten

Zahnbürsten sollten nach einer Gebrauchsperiode von ca. 3 Monaten durch eine neue Bürste bzw. einen neuen Bürstenkopf ersetzt werden. Sind die Borsten schon vor dieser Zeit verbogen oder hatte der Anwender eine Infektion (grippaler Infekt, Infektion der Atemwege, HNO- oder auch Magen-Darm-Infektion), sollte die Bürste nach Abklingen der Symptome erneuert werden.
Bei der Anschaffung einer elektrischen Zahnbürste ist auf die Kosten für die Ersatz-Bürstenköpfe und die richtige Handhabung der Akkuladestation hinzuweisen.

Bürsten der **3. Generation** sind Geräte, die durch Einsatz von Schallwellen und Ultraschall auch kontaktlos Plaque entfernen, wie das in schwer zugänglichen Zahnzwischenräumen erwünscht ist. Neben der eigentlichen Reinigungswirkung durch die Borsten, entsteht durch die Borstenschwingungen eine dynamische Flüssigkeitsströmung, die die Reinigungswirkung noch intensivieren soll. Die Bürstenköpfe mit weichen Borsten sind wie z.B. bei der Sonicare FlexCare (Philips) in zwei Größen erhältlich. Außerdem bietet dieser Hersteller ein UV-Desinfektionsgerät für die Bürstenköpfe an (Tab. 15.3-2). Wie für die Handzahnbürsten wird auch für die elektrischen Bürsten die Erneuerung des

Tab. 15.3-1: Auswahl handelsüblicher Zahnbürsten für Erwachsene und Kinder

Bürste	Borstenfelddesign	Borstenhärte	Kopfgröße
Colgate 360 Zahnbürste	Hoch-Tief-Borsten Polierlamellen (Zungenreiniger)	mittel weich	normal
Dr. Best Interdent	Hoch-Tief-Borsten	mittel weich hart	normal kurz
Dr. Best X Sensorkopf	X-Borsten	mittel weich	normal
elmex InterX Zahnbürste	X-Borsten	mittel weich	kurz normal
elmex Sensitive Zahnbürste	X-Borsten	weich extra weich	kurz
meridol Zahnbürste	Planes, dichtes Borstenfeld, multi-tufted	weich	kurz
Oral B Advantage Refresh	Hoch-Tief-Borsten Indikatorborsten (Zungenreiniger)	mittel weich	kurz
Oral B Cross Action	Hoch-Tief-Borsten Criss-Cross-Borsten Indikatorborsten	mittel weich	kurz normal
Sensodyne Zahnbürste	Planes, dichtes Borstenfeld, multi-tufted	mittel weich	kurz
TePe Supreme	Duales multi-tufted Borstenfeld	weich	kurz
Kinderzahnbürsten (4 Monate bis 12 Jahre)			
Colgate Smiles 0-2, 2-5, 5+	Dichtes Borstenfeld, Hoch-Tief-Borsten, dicker Griff	weich	kurz
Dr. Best Flexolino (4-24 Monate)	Planes Borstenfeld, anatomisch geformter Griff	weich	kurz
Dr. Best Junior (ab 6 Jahren)	Hoch-Tief-Borsten	weich	kurz
elmex Lernzahnbürste (4-24 Monate)	Planes Borstenfeld dicker Griff	weich	kurz
elmex Kinder-Zahnbürste (3-6 Jahre)	Dicker Griff	weich	kurz
elmex InterX Junior (5-7 Jahre)	Hoch-Tief-Borsten	weich	kurz
Oral B Stages (1 bis 4 = 4 Monate bis 12 Jahre)	Altersentsprechend planes/Wellen-/Hoch-Tief-Borstenprofil	ultraweich weich	kurz
TePe Select Kids	Planes Borstenfeld	mittel weich	kurz

Bürstenkopfes ca. alle 3 Monate empfohlen. Der Patient sollte auf die relativ hohen Kosten beim Kauf von neuen Bürstenköpfen sowie die richtige Handhabung der Akkuladestationen, die in der Regel nicht austauschbar sind, hingewiesen werden.

Die Erlernung der Putztechnik und die Handhabung der Bürsten erscheint für viele Menschen einfacher zu sein. Wenn die elektrische Zahnbürste die Einstellung zur und die Durchführung der Mundhygiene fördert, ist dies durchaus (und nicht nur bei Kindern!) ein positives Argument für den Kaufentscheid.

Trotz aller genannten Vorteile der elektrischen Bürsten kann eine vergleichbare Plaqueentfernung auch mit Handzahnbürsten erreicht werden. Deshalb werden auch zukünftig beide Bürstenformen gleichermaßen nachgefragt werden und ihre Bedeutung auf dem Markt behalten.

15.3.3 Mundduschen

Die Bedeutung der Mundduschen wird allgemein überschätzt. Mundduschen können lose Speisereste entfernen aber keine Plaque. Sie können adjuvant zur mechanischen Zahnpflege eingesetzt werden, ein zusätzlicher Reinigungseffekt wird jedoch nicht erzielt.

15.3.4 Interdentalreinigung

Der wesentliche Nachteil der Zahnbürsten ist deren mangelnde Effizienz im Interdental- bzw. Approximalraum. Da gerade in diesem Bereich die Plaque bevorzugt verbleibt und ihre negative Wirkung auf Zähne und Zahnfleisch entfaltet, müssen in Abhängigkeit von der anatomischen Situation andere Hilfsmittel zum Einsatz kommen.

15.3.4.1 Zahnzwischenraumbürsten

Mittel der Wahl zur Zwischenraumpflege stellen die **Interdentalraumbürsten** dar. Sie sind in ihrer Reinigungsleistung allen anderen Hilfsmitteln wesentlich überlegen. Anatomische Gegebenheiten wie Oberflächeneinziehungen im Zahnhals- und Wurzelbereich sind für Zahnseiden nicht zugänglich. Hier kann allein mit Zwischenraumbürsten eine optimale Belagsentfernung erreicht werden. Im Vergleich zur Zahnseide kommen die meisten Anwender mit Zwischenraumbürstchen besser zurecht.

Tab. 15.3-2: Klassifizierung elektrischer Zahnbürsten. Nach: Zimmer 2000

Generation	Beschreibung	Beispiele
1. Generation	Länglicher Kopf, schwenkende Bewegungen um die Längsachse des Bürstenkopfes	Blend-a-dent master Blend-a-dent medic
2. Generation	Runder Kopf, rotierend-oszillierende Bewegungen unterschiedlicher Geschwindigkeit	Oral-B Triumph und Professional Care Dr. Best Duo clean/Power clean Krups Biocare Philips-Jordan Sensiflex Rowenta Dentalcontrol Duo
3. Generation	Länglicher oder runder Kopf, Oszillationen von 250 Hz (schallaktive Zahnbürsten)	Oral-B Sonic Complete Philips Sonicare Rowenta Dentsonic Ultra Sonex Phaser[1] Water Pik Sensonic

[1] zusätzlich Ultraschall

Zahn- und Mundhygiene

Tab. 15.3-3: Interdentalraumbürsten. Auswahl aus: Das Dental Vedemekum 2009/2010

Interdentalraumbürste	Haltersystem
Curaprox CPS	Auswechselbar
Dr. Best Interdental	Auswechselbar
Gum Proxabrush	Auswechselbar
Oral-B Interdental Professional Kit	Auswechselbar
TePe Interdentalbürsten	Auswechselbar

Interdentalraumbürsten besitzen einen Drahtkern, um den in einem Winkel von ca. 90 Grad Nylonborsten angeordnet sind. Zunehmend stehen Bürsten mit dünnem Draht und sehr kleinem Durchmesser zur Verfügung, die bereits bei engen Zwischenräumen zum Einsatz kommen können und damit die Verwendung sowohl im parodontal gesunden Gebiss des Jugendlichen/Erwachsenen als auch im parodontal geschädigten Gebiss des eher älteren Patienten gestatten. Bei der großen Vielfalt der zur Verfügung stehenden Produkte, sollten Form und Größe den individuellen Erfordernissen angepasst werden (s. Tab. 15.3-3). Die Anwendung mehrerer Bürstengrößen in einem Mund ist nicht selten. Für die Reinigung von Implantaten werden Bürsten mit Kunststoff-ummantelten Drahtkernen angeboten. Deshalb sollte individuelle Beratung beim zahnmedizinischen Fachpersonal ersucht werden. Interdentalraumbürsten verbiegen leicht und unterliegen einer hohen Erneuerungsrate.

15.3.4.2 Weitere Hilfsmittel

Zahnseiden dienen der Reinigung enger Zahnzwischenräume, wie sie im gesunden Gebiss regulär anzutreffen sind. Sie sind auch bei Zahnengstand das Mittel der Wahl. Die

Tab. 15.3-4: Zahnseiden. Auswahl aus: Das Dental Vademekum 2009/2010

Zahnseide	Material	Qualität	Zusätze
elmex Zahnseide gewachst bzw. ungewachst	Polyethylen bzw. Polyamid	Gewachst bzw. ungewachst	Fluorid
elmex multi-floss	Polyamid	Superfloss 3-Phasen-Zahnseide	Fluorid
Gum Easy Floss PTFE-Zahnseide 2000	Polytetrafluorethylen	Tape, gewachst	–
Magic-Floss „Mintgeschmack & Chlorhexidin"	Polyamid	Ungewachst, superfloss	Chlorhexidin
Odol-med 3 Zahnseide	Polyamid	Gewachst	Fluorid
Oral-B Satinfloss Mint	Polyamid Polyetherblockamide Monofilament	Extrem hohe Reißfestigkeit	Mint
Paro Glide-Tape	Polytetrafluorethylen	Tape	–
Sensodyne Zahnseide Extra-Sanft	Polyamid	Gewachst	Fluorid

Akzeptanz der Verwendung von Zahnseide in der Bevölkerung ist eher gering, da die sachgemäße Handhabung schwierig ist und vom Fachpersonal vermittelt und vom Anwender trainiert werden muss.

Zahnseiden gibt es in den unterschiedlichsten Formen: gewachst, ungewachst, Superfloss, Tape, mit Halterung (vgl. Tab. 15.3-4). Manche Seiden sind mit Fluorid und Aromatika imprägniert. Der Verbraucher kann auch hier das Produkt wählen, dass ihm persönlich am besten zusagt. Bei Engstand und Zähnen mit approximalen Füllungen sollte reißfeste und gut gleitende Zahnseide empfohlen werden. Zahnseiden mit Halterung können die Handhabung erleichtern.

Zahnhölzer bestehen aus weichen, meist dreieckig geformten Spezialhölzern mit abgestumpfter Spitze. Sie können alternativ zu Zahnseide oder Zwischenraumbürstchen verwendet werden, so es die anatomische Situation des Zwischenraumes zulässt. Manchen Patienten fällt die Anwendung leichter. Zahnstocher (oft auch aus Kunststoff) dagegen sind aufgrund ihres Verletzungspotentials nicht zu empfehlen.

Einbüschelbürsten sind eine sinnvolle Ergänzung der Mundhygiene bei Patienten mit festsitzenden kieferorthopädischen Apparaturen oder auch bei freigelegten Furkationseingängen im parodontal geschädigten Gebiss. Das kleine Borstenfeld ist entweder zugespitzt oder kuppelförmig gestaltet.

15.3.5 Plaquefärbemittel

Plaquefärbemittel (**Revelatoren**) dienen dem Anfärben des Zahnbelags und können bei der Kontrolle der häuslichen Mundhygiene hilfreich sein. Sie werden sowohl in der zahnärztlichen Praxis als auch vom Patienten zu Hause angewendet. Färbemittel liegen als Flüssigkeiten und als Kautabletten vor (s. Tab. 15.3-5). Die eingesetzten Farbstoffe müssen als Arzneimittel zugelassen sein.

Für erythrosinhaltige Färbetabletten gilt (BfArM 1994), dass sie nicht mehr als 6 mg Erythrosin pro Tablette enthalten dürfen und nicht häufiger als 1 × pro Tag innerhalb von 14 Tagen angewendet werden sollten. Damit verbietet sich der häusliche Dauergebrauch zumal die Anwendung aus zahnmedizinischer Sicht im Rahmen der Individualprophylaxe und als Motivationshilfe ohnehin in die Hände von Fachpersonal gehört.

Neben den erythrosinhaltigen Einphasen-Färbemitteln stehen auch Zweifarbindikatoren zum Sichtbarmachen „alter" und „neuer" Plaque sowie Fluoreszenzfarbstoffe zur Verfügung (vgl. Tab. 15.3-5).

Tab. 15.3-5: Plaquefärbemittel (Revelatoren). Auswahl aus: Das Dental Vademekum 2009/2010

Produkt	Typ	Farbstoff	Farbe der Plaque	
			jung	alt
Mira-2-Ton	Kautablette Lösung	Blue No. 1 Acid Red[1]	rosa-rot	blau
Plaque-Test	Lösung	Fluorescein[3]	gelb	gelb
Speikoplaque Duo[2]	Lösung	Patentblau E 131, Phloxin B	rot	blau

[1] Phloxin B, E 133
[2] Nicht bei Jodallergie anwendbar
[3] Gelbe Fluoreszenz

15.4 Kariesprophylaxe

15.4.1 Kariesätiologie

Die Entstehung von Karies ist ein multifaktorielles Geschehen, bei dem die mikrobielle Plaque den zentralen ätiologischen Faktor darstellt. Innerhalb der Plaque sind es in erster Linie die **Mutans-Streptokokken** (*Streptococcus mutans* und *Streptococcus sobrinus*), die Leitkeime für die Auslösung von Karies darstellen. Sie zeichnen sich durch folgende kariesrelevante Faktoren aus:

- Schneller Abbau von Zuckern zu Milchsäure, die aus der Bakterienzelle ausgeschleust wird und zur Schmelzdemineralisation führt. Frühe Demineralisationsstadien sind durch Remineralisation reversibel, die kariöse Läsion ist es nicht mehr.
- Bildung intrazellulärer Polysaccharide, die als Reserve bei fehlendem Zuckerangebot dienen.
- Bildung extrazellulärer Polysaccharide aus Nahrungszucker (vorrangig Saccharose), die die Plaquestruktur und die Anheftung der Bakterien auf der Zahnoberfläche sichern.
- Säuretoleranz: Es ist von entscheidender ökologischer Bedeutung, dass die gebildeten Säurewerte (bis zu pH 4,5) von den Mutans-Streptokokken toleriert werden, von anderen (konkurrierenden) Bakterienarten jedoch nicht in gleichem Maße.

Während Mutans-Streptokokken insbesondere während der Initialphase der Karies ätiologisch bedeutsam sind, sind in klinisch manifesten kariösen Läsionen vor allem **Lactobazillen** anzutreffen, die eine ähnlich hohe Säuretoleranz aufweisen. Es ist nicht die **Säurereproduktion** per se, sondern ihre Bildung **in der Plaque** und ihr Verbleib auf der **Zahnoberfläche** bei gleichzeitig durch den Biofilm eingeschränkter Speichel-Pufferfunktion, die die Hauptursache der Karies darstellen. Weitere Faktoren sind die Zahnanatomie, Speichelfließrate und -pufferkapazität sowie die Zufuhr kariogener Nahrungsmittel (Saccharose) und deren Frequenz.

Aufgrund der multifaktoriellen Genese basieren **Anti-Karies-Strategien** auf sehr verschiedenen Ansätzen:

- mechanische Elimination der Plaque (Kap. 15.3),
- Eliminierung, Reduktion oder Ersatz von Zucker als auslösendem Substrat (Kap. 15.7.1),
- Einsatz von Fluoriden (antiglykolytische Wirkung und Remineralisationswirkung; Kap. 15.4.2),
- spezifische Hemmung von Mutans-Streptokokken mit Chlorhexidin (Kap. 15.6.4.4),
- Stimulierung der Speichelsekretion (Kap. 15.7.2).

15.4.2 Fluoride in der Kariesprophylaxe

Wirkungsmechanismus

Fluor ist ein essenzielles Spurenelement, das in der Natur aufgrund seiner hohen Reaktionsfähigkeit nur in Verbindung mit anderen Elementen als Fluorid vorkommt. Fluoride sind für die Mineralisation des Skelettes und der Zähne unabdingbar. Die folgenden simultan ablaufenden Wirkmechanismen sind Grundlage ihres Einsatzes in der Kariesprophylaxe.

Antiglykolytische Wirkung

Fluoride dringen insbesondere im sauren Milieu als HF in die Bakterienzelle ein und blockieren dort den Abbau von niedermolekularen Kohlenhydraten durch Hemmung glykolytischer Enzyme. Die Entstehung organischer Säuren, die den Schmelz demineralisieren und damit zu kariösen Läsionen führen können, wird dadurch reduziert. Das Fluoridion selbst wirkt bakteriostatisch. Die mit dem Fluorid-Anion vergesellschafteten Kationen (z.B. Amin-Kation, Sn^{++}) können jedoch eine eigenständige bakterizide Wirkung entfalten.

Förderung der Remineralisation

Auf der Schmelzoberfläche laufen ständig De- und Remineralisationsprozesse ab. Sinkt der pH-Wert im Speichel unter 5,7, kommt es zur Demineralisation. Durch Anwesenheit geringer Konzentrationen von Fluoridionen wird die Demineralisation gehemmt und das dynamische Gleichgewicht zu Gunsten der Remineralisation verschoben. Fluorid wird in das Kristallgitter des Schmelzes eingebaut. Die damit verbundene Umwandlung von Hydroxylapatit zu Fluorapatit **verringert die Säurelöslichkeit** des Schmelzes.

Um kariesprophylaktisch wirksam zu sein, sollte ein kontinuierliches Fluoridangebot in der Mundhöhle vorhanden sein, das bereits durch geringe Mengen bei lokaler Applikation im direkten Kontakt zur Zahnhartsubstanz erreicht werden kann.

Zusätzlich führt die Applikation von hoch konzentrierten Präparaten sogar zur Ausheilung bestehender initialer kariöser Läsionen und somit zum Kariesrückgang.

Fluoridproblematik

Der nachgewiesenen positiven Wirkung von Fluoriden in der Kariesprophylaxe stehen Fragen der Kanzerogenität, der akuten und chronischen Toxizität sowie Folgen der Überdosierung gegenüber, die beim Einsatz von Fluoriden beachtet werden müssen.

Kanzerogenität

Aussagen zur Kanzerogenität von Fluoriden sind auf eine einzige Publikation zur Auswirkung der Trinkwasserfluoridierung in den USA (Yiamouannis & Burk, Fluoride 10, 102 [1977]) zurückzuführen. Die Resultate beruhen jedoch auf einer inzwischen als falsch analysierten Statistik. Zudem gibt es in zahlreichen voneinander unabhängigen Studien zu natürlicher und künstlich erhöhter Fluoridkonzentration im Trinkwasser keine Anhaltspunkte für eine mögliche kanzerogene Wirkung der Fluoride.

Akute Toxizität

Unter akuter Toxizität versteht man Vergiftungserscheinungen, die bei einmaliger Gabe des betreffenden Präparates auftreten. Vergiftungen und Todesfälle durch Fluoride gehen auf Vorfälle in den 1930er bis 60er Jahren zurück, bei denen es zu Verwechslungen von hoch konzentrierten Fluoridpulvern (Pestiziden) mit Stärke, Milch- oder Backpulver im Haushalt gekommen ist. Die **„wahrscheinlich toxische Dosis" (PTD) von Fluorid liegt bei 5 mg/kg Körpergewicht**. Mit Vergiftungserscheinungen muss gerechnet werden, wenn ein Kind mit 20 kg Körpergewicht eine ganze Tube Erwachsenenzahnpasta (ca. 75 ml, 1 400 ppm F^-) oder eine Packung Fluoridtabletten (100 Stück, à 1 mg) verschluckt hat. Wird von 2-maligem Zähneputzen pro Tag ausgegangen, gelangen beim Erwachsenen ca. 3 mg, beim Kind ca. 0,25 mg Fluorid in die Mundhöhle. Um eine toxische Wirkung hervorzurufen, muss das Fluorid jedoch verschluckt werden. Selbst wenn ein Kind bei jedem Putzvorgang die Gesamtmenge Zahnpasta verschlucken sollte, liegt diese Dosis immer noch weit (200fach) unter dem Wert, der erste Vergiftungserscheinungen auslösen könnte. Die

therapeutische Sicherheit von Zahnpasten ist somit sehr hoch.
Neben dem Fluorid ist das zugehörige Kation von Bedeutung. Aminfluoride (Olaflur) zeigen eine LD_{50} von 470 mg/kg Körpergewicht, Natriumfluorid (NaF) 22 mg/kg. Natriummonofluorophosphat ist weniger toxisch als Natriumfluorid, Zinnpräparate stärker.
Um versehentliches Verschlucken von Fluoridtabletten vornehmlich durch Kinder zu verhindern, sollten diese außerhalb der Reichweite von Kindern gelagert werden.

Chronische Toxizität

Eine Gefährdung durch chronisch überhöhte Fluoridaufnahme ist in Deutschland nicht bekannt. Der Grenzwert wird mit lebenslanger Aufnahme von Trinkwasser von mehr als 4 ppm Fluorid angegeben. Fallbeschreibungen beziehen sich auf Gegenden in Indien und in der Türkei mit einem natürlichen Fluoridgehalt im Trinkwasser von 5 bis 8 ppm bei gleichzeitig erhöhter Flüssigkeitsaufnahme pro Tag. Untersuchungen in der Bundesrepublik weisen keine Gesundheitsgefährdung von Kindern aus Gebieten mit 2 bis 4 ppm Fluorid im Trinkwasser (Rhön, Eifel) nach. Chronisch überhöhte Fluoridzufuhr kann ab 1 ppm Fluorid im Trinkwasser zu Fluorose an Knochen und Zähnen führen. Während die Knochenfluorose erst ab täglichen Dosen von 20 bis 80 mg über 10 bis 20 Jahre relevant wird, können fluorotische Veränderungen im Zahnschmelz und Dentin (kreidige Flecken) bereits bei niedrigeren Dosen auftreten, so lange die Entwicklung der Zähne im Kiefer noch nicht abgeschlossen ist (bei Frontzähnen ca. bis zum 6. Lebensjahr). Außer ästhetischen Beeinträchtigungen haben diese Veränderungen keinen Krankheitswert. Bei allen systemischen Fluoridgaben soll deshalb ein **Grenzwert von 1 ppm** im Trinkwasser/Mineralwasser/Getränke bzw. **1 mg Fluorid/Tag** eingehalten werden. Nach dem 6. Lebensjahr spielen diese Überlegungen aufgrund der abgeschlossenen Mineralisation und Schmelzreifung keine Rolle mehr.

Konsequenzen für die Kariesprophylaxe

Die Fluoridaufnahme im Rahmen der Kariesprophylaxe liegt, sowohl auf die akute wie chronische Toxizität bezogen, bezüglich der jeweiligen Einzelpräparate (Tabletten, Zahnpasten, Mundspüllösungen) bei sachgemäßer Handhabung weit unterhalb bedenklicher Werte. Wie jedoch der PTD-Wert von 5 mg/kg Körpergewicht deutlich macht, ist eine akzidentielle Aufnahme toxischer Dosen nicht vollständig ausgeschlossen.
Auf der Basis aktueller wissenschaftlicher Daten wird heute der lokalen Fluoridierung der Vorzug gegeben. Oftmals kommt es jedoch zu Überschneidungen aus systemischer und lokaler Fluoridierung. Eine Fluoridanamnese kann in diesen Fällen Auskunft geben, ob die aufgenommene Fluoridmenge pro Tag zu einer akuten oder chronischen Gefährdung führen kann.

Fluoridpräparate mit systemischer Wirkweise

Fluoridierungsmaßnahmen werden dann als systemisch bezeichnet, wenn die Aufnahme und Verteilung des Wirkstoffes durch den Blutkreislauf erfolgt. Hierzu zählen Trinkwasserfluoridierung, fluoridhaltige Mineralwässer, Tabletten- und Kochsalzfluoridierung. Prinzipiell kommt es bei der Anwendung dieser Maßnahmen immer auch zu lokalen Wirkungen bei der Aufnahme und durch die Wirkung des Speichels auf die Zähne. Eine quantitative Trennung von lokaler und systemischer Fluoridwirkung ist somit rein praktisch nicht zu erreichen.

Trinkwasserfluoridierung

Obwohl Trinkwasserfluoridierung (TWF) in anderen Ländern wie z.B. der Schweiz oder den USA erfolgreich im Sinne der Kariesprophylaxe durchgeführt wird, gibt es in Deutschland keine TWF. TWF wird als Zwangsmedikamentierung abgelehnt. Bedenken bestehen vor allem hinsichtlich einer

Kariesprophylaxe

chronischen Überdosierung, da die Ernährungsgewohnheiten regional und kulturell bedingt sehr unterschiedlich sein können und die Gesamtdosis des aufgenommenen Fluorides somit in gesundheitsgefährdende Bereiche gelangen könnte. Die natürliche Fluoridkonzentration im Trinkwasser kann schwanken und sollte vom örtlichen Wasserversorger erfragt werden, um entsprechende Fluoridsupplementierungen errechnen zu können. Die Mehrzahl der in der Bundesrepublik genutzten Quellen weist eine Fluoridkonzentration von weniger als 0,3 ppm auf und liegt damit unter der kariesprophylaktisch notwendigen Konzentration.

Mineralwasser

Natürliche Mineralwässer können nicht unerheblich zur Fluoridaufnahme von Säuglingen und Kindern beitragen. Der Fluoridgehalt von Mineralwässern ist jedoch sehr unterschiedlich und kann in Abhängigkeit der genutzten Quelle von 0,15 bis 3,0 ppm variieren. Laut Mineral- und Tafelwasserverordnung (2003) dürfen Mineralwässer, die mit der Aufschrift „für die Zubereitung von Säuglingsnahrung geeignet" versehen sind, nicht mehr als 0,7 mg Fluorid pro Liter enthalten. Ab einem Fluoridgehalt von 1 mg/l besteht in Deutschland eine freiwillige Kennzeichnung des Wassers als „fluoridhaltig", ab 1,5 mg/l besteht Kennzeichnungspflicht. Der EG-Richtlinie von 2003 zufolge müssen Mineralwässer, die mehr als 1,5 mg/l Fluorid enthalten, mit der Aufschrift „Für Säuglinge und Kinder unter 7 Jahren nicht zum regelmäßigen Verzehr geeignet" versehen werden. Diese Richtlinie wurde jedoch in Deutschland bisher nicht umgesetzt. Der Verzehr dieser Mineralwässer (Kategorie IV) birgt in Kombination mit Tablettenfluoridierung, des Verzehrs von fluoridiertem Kochsalz und

Tab. 15.4-1: Fluoridgehalt ausgewählter Mineralwässer. Nach Landesarbeitsgemeinschaft Jugendzahnpflege in Hessen (LAGH) 2004

Mineralwasser	Quelle	Fluorid (mg/l)
Altmühltaler	Altmühltaler Heilquellen	0,50
Apollinaris	Apollinaris und Schweppes	0,68
Bad Brambacher Mineralquelle	Bad Brambach	0,54
Bad Liebenwerdaer	Mineralquellen Bad Liebenwerda	0,12
Bad Liebenzeller natürliches Mineralwasser	Bad Liebenzeller Mineralbrunnen	2,20
Elisabethen-Quelle	Bad Vilbel	0,90
Evian	Euromarken Getränke	0,02
Gerolsteiner Sprudel	Gerolsteiner Brunnen	0,21
Hassia Sprudel	Bad Vilbel	0,87
Kimi	Biberacher Mineralbrunnen	1,62
Lüttertaler	Mineralbrunnen Rhön Sprudel	1,21
Perrier	Eckes	0,12
San Pellegrino	San Pellegrino	0,65
Staatlich Fachingen Heilwasser	Staatlich Fachingen	0,31
Überkinger	Mineralbrunnen Überkingen-Teinach	2,90
Volvic	FM Französische Mineralquellen	0,20

evt. Verschlucken von Zahnpasta das Risiko der Dentalfluorose. In Tabelle 15.4-1 sind einige Mineralwässer aufgelistet, auch solche mit hohem Fluoridgehalt. Dabei sollte jedoch nicht vergessen werden, dass mehr als 90 % der in Deutschland verfügbaren Mineralwässer weniger als 0,3 mg/l Fluorid enthalten.

Fluoridtabletten

Bis vor kurzem stellte die Gabe von Fluoridtabletten die einzige medikamentöse Möglichkeit der systemischen Fluoridierung bei Kindern dar. Inzwischen wurden die Angaben der Fachgesellschaften den neuesten wissenschaftlichen Erkenntnissen angepasst. Die Deutsche Gesellschaft für Zahn-, Mund- und Kieferheilkunde (DGZMK) empfiehlt, die Tablettensupplementierung auf den Fluoridgehalt des örtlichen Trinkwassers bzw. verwendeten Mineralwassers und auf das Lebensalter abzustimmen. Zusätzlich ist die häusliche Anwendung fluoridierten Speisesalzes und von Fluoridzahnpasta bei der Verordnung von Fluoridtabletten zu beachten (Tab. 15.4-2, Abb. 15.4-1).

Auf der Grundlage ausreichender evidenzbasierter Studien besteht heute kein Zweifel mehr, dass im Sinne der erfolgreichen Kariesprophylaxe der direkte Kontakt des Fluorids mit dem durchgebrochenen Zahn über einen ausreichend langen Zeitraum notwendig ist. Die Gabe von Fluoridtabletten während der Schwangerschaft zur Beeinflussung der präeruptiven Zahnreifung beim Feten sowie bei Säuglingen bis zum Durchbruch des ersten Zahnes (ca. 6. Lebensmonat) ist somit wirkungslos. Aus diesen Gründen sprechen sich die Empfehlungen der DGZMK zur Fluoridanwendung im Kindesalter für den Vorrang lokaler Fluoridierungsmaßnahmen mittels Zahnpasten gegenüber der systemischen Tablettenfluoridierung aus. Auch die einst propagierte Kombination von Fluoridtabletten mit Vitamin D scheint unter diesem Aspekt nicht mehr sinnvoll. Die Rachitisprophylaxe verliert gerade dann ihre Bedeutung, wenn die Fluoridversorgung mit zunehmendem Alter immer wichtiger wird.

Bei der Gabe von Tablettenpräparaten zur systemischen Fluoridierung steht die lokale Wirkung im Vordergrund. Das heißt, dass Kinder im entsprechenden Alter diese Tabletten lutschen sollten, um eine möglichst lange Kontaktzeit mit den Zahnoberflächen zu erreichen. In Tabelle 15.4-3 sind nicht verschreibungspflichtige Präparate zur Mono- und Kombinationstherapie aufgeführt. Der Wirkstoff ist in jedem Falle Natriumfluorid. Auf Lactose- oder Galactoseintoleranz bzw. Gegenanzeigen für Vitamin D sollte geachtet werden.

Tab. 15.4-2: Tablettenfluoridierung in Bezug zu Alter und Fluoridgehalt im Trinkwasser. Aus der Stellungnahme der DGZMK, 2002

Alter	Tägliche additive Fluoridsupplementierung bei einem Fluoridgehalt des Trinkwassers[1] von	
	< 0,3 mg/l	0,3–0,7 mg/l
Säuglinge und Kinder		
0 bis 6 Monate	–	–
6 bis 12 Monate	0,25	–
1 bis 3 Jahre	0,25	–
3 bis 6 Jahre	0,50	0,25
Kinder, Jugendliche, Erwachsene, ab 6 Jahre	1,0	0,5

[1] bzw. Mineralwasser; über 0,7 mg/l: keine Tablettenfluoridierung; ebenso keine Tablettensupplemente, wenn fluoridiertes Kochsalz verwendet wird (vgl. auch Abb. 15.4-1).

Kariesprophylaxe

Fluoridanwendung
– Basispropylaxe –

Fluoridzahnpaste		0,05 % F	0,10 – 0,15 % F
Fluoridiertes Speisesalz		250 mg F/kg Salz	
oder:			
Fluoridzahnpaste	–	0,05 % F	0,10 – 0,15 % F
Fluoridtabletten	0,25	0,50 mg	1,0 mg F

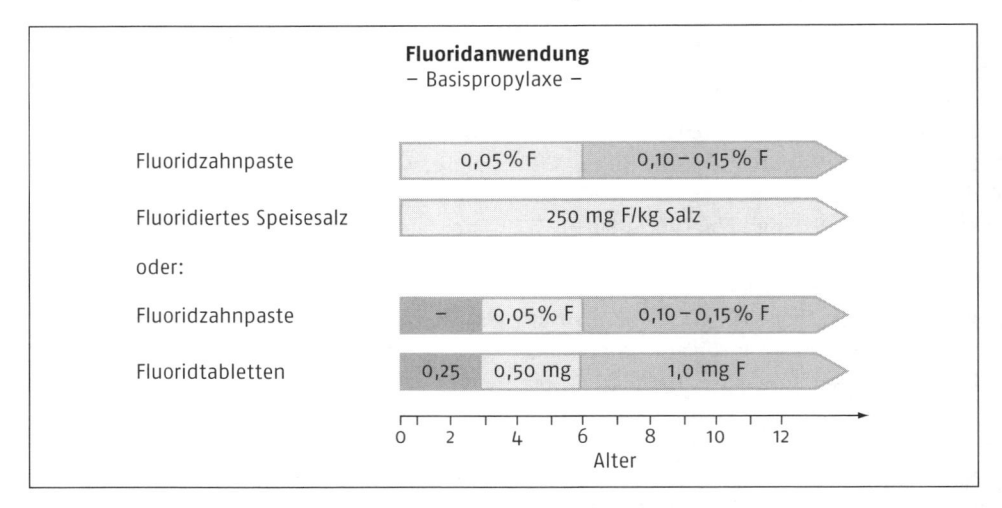

Alter: 0 2 4 6 8 10 12

Abb. 15.4-1: Empfehlungen zur Anwendung von Fluoriden zur Kariesprophylaxe. Schema auf Basis der Empfehlungen der DGZMK. Deutsche Gesellschaft für Zahn-, Mund- und Kieferheilkunde; Dtsch. Zahnärztl. Z. 55, 523 [2000], freundlicherweise von G. Hetzer, Dresden, zur Verfügung gestellt

Tab. 15.4-3: Tablettenpräparate zur Karies- und Karies-Rachitis-Prophylaxe[1]

Handelsname	Einzeldosis pro Tablette	
	Fluorid (mg)	Vitamin D3 (I.E.)
Fluorid-Monopräparate		
Fluoretten 0,25/0,5/1,0 mg	0,25/0,5/1,0	
Zymafluor 0,25/0,5/1,0 mg	0,25/0,5/1,0	
Fluorid-Vitamin-D-Präparate		
D-Fluoretten 500/1000	0,25	500/1 000
Zymafluor D 500/1000	0,25	500/1 000
[1] Gegenanzeigen vgl. Text		

Fluoridiertes Speisesalz

Nach Einführung fluoridierten Speisesalzes in der Schweiz und in Frankreich konnten dort entscheidende Reduktionen der Kariesprävalenz dokumentiert werden. Auch auf dem deutschen Markt sind seit 1992 verschiedene Produkte erhältlich. Der Marktanteil von fluoridierten und jodierten Speisesalzen beträgt inzwischen 70 bis 80 %, was von einer hohen Akzeptanz in der Bevölkerung zeugt. Einige Produkte sind in Tabelle 15.4-4 zusammengefasst.

Bei einem Fluoridgehalt von 250 mg/kg (Abweichung ± 15 %) und einem für Erwachsene geschätzten täglichen Zusalzen von bis zu 4 g wird 1 mg Fluorid aufgenommen. Das entspricht dem Idealwert für die Kariesprophylaxe. Da generell gilt, dass bei der Ernährung von Säuglingen kein und bei Kleinkindern nur wenig Kochsalz verwendet werden sollte, bestehen auch keine toxikologischen Bedenken. Selbstverständlich ist eine Etikettenbeschriftung „... mit Fluor" falsch. Chemisch richtig muss es heißen „... mit Fluorid".

Zahn- und Mundhygiene

Tab. 15.4-4: Jodiertes und fluoridiertes Speisesalz in der Bundesrepublik Deutschland

Handelsname	Nach Herstellerangaben Gehalt an	
	Jodid	Fluorid
Bad Reichenhaller Marken JodSalz	15 bis 25 mg/kg	–
Bad Reichenhaller Marken JodSalz + Fluorid	15 bis 25 mg/kg	190 bis 250 mg/kg
SEL mit Meersalz, Jod und Fluorid	Mind. 0,0025 %	0,058 bis 0,076 %
Timbu Jodsalz mit Fluor	25 bis 42 mg/kg	580 bis 760 mg/kg

Lokale Fluoridierungsmaßnahmen

Die Definition der lokalen Fluoridierung beinhaltet die orale Aufnahme und das Wieder-Entfernen (Ausspucken) des jeweiligen Fluoridpräparates. In der Regel sind damit Zahnpasten, Gele und Mundspüllösungen gemeint. Höher konzentrierte Fluids und Lacke verbleiben dagegen im Mund. Auf der Grundlage evidenzbasierter wissenschaftlicher Erkenntnisse gilt heute, dass lokale Fluoridierungsmaßnahmen eine höhere Wertigkeit bei der Kariesprophylaxe einnehmen als systemische Maßnahmen. Jedoch bietet erst die Kombination beider Applikationsformen in den empfohlenen Dosierungen und Kombinationsvarianten den optimalen Kariesschutz.

Fluoridverbindungen

Seit ihrer Einführung vor einigen Jahrzehnten haben fluoridhaltige Zahnpasten einen Marktanteil von über 90 % erreicht. Das Angebot ist vielfältig. Stellvertretend sind in Tabelle 15.4-5 einige von über 100 im Dental Vademekum (2009/2010) gelisteten Produkten aufgeführt.

Neunzig Prozent der Menschen in den Industriestaaten putzen täglich ihre Zähne. Damit ist die Voraussetzung für den Einsatz von Zahnpasten bei der Mehrheit der Bevölkerung gegeben. Das Prinzip eines kontinuierlichen Fluoridangebotes kann somit idealerweise über das Vehikel der fluoridierten Zahnpasta realisiert werden. Zahnpasten enthalten verschiedene Fluoridverbindungen:

- Natrium-Monofluorophosphat (NaMFP),
- Natriumfluorid (NaF),
- Zinnfluorid (SnF_2),
- Aminfluorid (AmF).

Diese Fluoridverbindungen lassen sich wie im Folgenden beschrieben einteilen.

Anorganische Fluoride

Aus Monofluorphosphat (MFP) wird Fluorid erst im Mundraum durch enzymatische Prozesse freigesetzt – es steht also nicht sofort reaktiv zur Verfügung. Demzufolge ist sowohl seine Toxizität als auch seine Wirkung etwas geringer als die der folgenden Fluoridverbindungen. Andererseits ist es stabil und reagiert nicht mit anderen Inhaltsstoffen von Zahnpastenformulierungen. Zurzeit ist es vor allem in Kinderzahnpasten noch weit verbreitet.

NaF ist gut wasserlöslich (deshalb auch sein Einsatz in Fluoridtabletten). Es stellt zurzeit den einfachsten generellen Standard dar.

Das Zinn-Ion wirkt selbst antibakteriell und antientzündlich. Zinnfluorid ist jedoch in wässriger Umgebung nicht stabil (Oxidation von Sn^{2+} zu Sn^{4+}). Deshalb stehen bisher nur wenige zinnfluoridhaltige Zahnpasten zur Verfügung.

Organische Fluoride

Die Aminfluoride stellen eine eigenständige Präparategruppe dar, deren sehr gute Wirkung in zahlreichen In-vitro- und In-vivo-Studien dokumentiert ist. In den Elmex-Produkten findet eine in der Fachliteratur kurz „Aminfluorid" genannte Verbindung

Kariesprophylaxe

Verwendung. Das hydrophobe und hydrophile Molekülanteile enthaltende, tertiäre Amin vereint Detergenseigenschaften mit antibakterieller Wirkung und dient als Kation für das Fluor-Anion (Nomenklatur nach Kosmetik-Verordnung 1985: Bis-(hydroxyethyl)-aminopropyl-N-hydroxy-ethyl-octadecyl-amin-dihydro-fluorid; Kurzbezeichnung: Olaflur).

Kombinationspräparat

Die Meridol-Präparate stellen Weiterentwicklungen der Aminfluoride dar, die zusätzlich noch Zinnfluorid (SnF_2) enthalten. Das Zinn-Ion wird hier durch die Aminkomponente stabilisiert und im Mundraum durch Kontakt mit den Calcium-Ionen des Speichels sehr schnell in aktiver Form freigesetzt.

Tab. 15.4-5: Fluoridhaltige Zahnpasten zur Kariesprophylaxe. Auswahl aus: Das Dental Vademekum 2009/2010

Produktname	Fluoridverbindung[1]	pH-Wert	Abrasivität (RDA-Wert)[2]
aronal forte Zahnpasta	1000 ppm NaMFP	6,9	mittel
Blend-a-med complete plus	1450 ppm NaF	6,75	mittel
Blendax Anti-Belag 3-fach Schutz	1450 ppm NaF	6,3	mittel
Colgate Total	1450 ppm NaF	7,2	51
Dentagard	1450 ppm NaF	7,0	41
el-ce med Kräuter Plus	1450 ppm NaF	7,3	mittel
elmex Zahnpasta	1400 ppm AmF	4,6	mittel
meridol Zahnpasta	1400 ppm AmF/SnF_2	5,0	75
Odol-med3 original	1450 ppm NaF	6,0	60–70
Parodontax F Classic	1450 ppm NaF	8,5	50–60
Pearls & Dents	1200 ppm AmF, NaF	5,0	45
Sensodyne Proschmelz	1450 ppm NaF	7,0	30–40
Theramed-original	1450 ppm NaF	7,1	40–50
Kinderzahnpasten			
Blend-a-med Blendi Gel	500 ppm NaF	6,3	niedrig
elmex Kinderzahnpasta	500 ppm AmF	4,8	mittel
Odol-med3 Milchzahn	500 ppm NaF	7,0	40–50
Putzi neu Erdbeere	500 ppm NaMFP	7,3	gering-mittel
Theramed Junior	500 ppm NaF	7,2	35–45

[1] AmF: Aminfluorid (Olaflur), NaF: Natriumfluorid, NaMFP: Natriummonofluorophosphat, SnF_2: Zinnfluorid
[2] RDA-Wert: Radioactive Dentin Abrasion; vgl. Kapitel 15.5.2

Fluoridzahnpasten

Fluoridierte Zahnpasten stellen die einfachste, alltägliche und gebräuchlichste Form der Fluoridapplikation dar, hierdurch aber auch die effizienteste.

Auf der Basis der Kosmetikverordnung ist der Fluoridgehalt von Zahnpasten auf 1500 ppm begrenzt (Deklarationspflicht laut INCI: International Nomenclature Cosmetic Ingredients; 6. Änderungsrichtlinie 1998). Herkömmliche Präparate (s. Tab. 15.4-5) nutzen den vorgegebenen Rahmen zwischen 1000 und 1500 ppm aus. Der Fluoridgehalt liegt damit im Bereich einer zweifelsfrei nachgewiesenen kariesprohylaktischen Wirkung. Es muss nochmals betont werden, dass Kinder bis zum 6. Lebensjahr keine Erwachsenenzahnpasten, sondern Kinderzahnpasten mit reduziertem Fluoridgehalt ($\leq$ 500 ppm) benutzen sollten. Erst ab einem Alter von 6 Jahren sind Erwachsenenzahnpasten zu empfehlen.

Der antibakterielle Effekt wie auch die remineralisierende Wirkung der Fluoride kommen am besten im sauren Milieu zur Wirkung. Deshalb ist in der Tabelle neben der Fluoridkonzentration, der Art der Fluoridverbindung und dem Abrasionswert auch der pH-Wert des Produktes aufgeführt. Auf weitere Inhaltsstoffe von Zahnpasten wie Detergentien, Anti-Plaque-Wirkstoffe, Wirkstoffe gegen empfindliche Zahnhälse wird im weiteren Text eingegangen (vgl. Kap. 15.5.4, 15.6.4.2).

Wenn hierdurch individuell kein vollständiger Schutz vor Karies erreicht wird, können und sollen weitere lokale Fluoridierungsmaßnahmen mit einbezogen werden. Unter Beachtung der Fluoridanamnese gilt das z.B. für Kinder mit hohem Kariesrisiko, Trägern von kieferorthopädischen Apparaturen, Patienten mit freiliegenden Zahnhälsen.

Gelees, Lacke, Fluids

Fluoridhaltige **Gelees** enthalten in der Regel wesentlich höhere Fluoridkonzentrationen als das in Zahnpasten der Fall ist. Sie sollten auch nicht mit Zahnpasten in Gelform verwechselt werden. Von der Verschreibungspflicht ausgenommen sind Fluoride „in Zubereitungen als Gel zur lokalen Anwendung an den Zähnen in Packungsgrößen bis zu 25 g, sofern ... angegeben ist, dass die Anwendung auf Erwachsene und Kinder ab dem vollendeten 6. Lebensjahr sowie auf eine einmalige Dosis pro Woche, die einem Fluoridgehalt bis zu 7 mg entspricht, beschränkt ist" (Verordnung über verschreibungspflichtige Arzneimittel, BR IV 3). Da sie oft zusätzlich zur systemischen Fluoridierung und/ oder mit fluoridhaltiger Zahnpasta als Selbstmedikation angewendet werden, sollte dies nur auf Anraten und Einweisung durch Fachpersonal geschehen.

Bleiben somit aufgrund der Packungsgröße verschreibungspflichtige Präparate (z.B. Elmex Gelée 38 g/215 g) unberücksichtigt, umfasst das Angebot im Wesentlichen folgende Produkte:

- Mirafluor Gel (K) (Hager & Werken), 12300 (6150) ppm Natriumfluorid, pH 5,5 (1 × wöchentlich),
- elmex gelée (GABA) 12500 ppm Aminfluorid und Natriumfluorid, pH 4,8 (1 × wöchentlich),
- Sensodyne ProschmelzFluorid Gelée (GlaxoSmithKline) 12500 ppm Natriumfluorid, pH 5,8 (1 × wöchentlich).

Lacke und Fluids sind noch höher konzentrierte Fluoridpräparate (bis 56000 ppm) als die Gele. Die Anwendung bleibt dem Zahnarzt im Rahmen der Gruppen- und Individualprophylaxe vorbehalten. Für die Selbstmedikation sind sie nicht geeignet.

Fluoridhaltige Mundspüllösungen

Der kariesreduzierende Effekt fluoridhaltiger Mundspüllösungen, der zusätzlich zur Anwendung fluoridhaltiger Zahnpasten erreicht wird, beträgt 10–20 %. Fluoridhaltige Mundspüllösungen stellen demnach eine weitere Fluoridquelle dar, sollten aber die angesprochenen Zahnpasten und ihre Fluoridwirkung nicht ersetzen. Deshalb sollte der Einsatz die-

Kariesprophylaxe

Tab. 15.4-6: Fluoridhaltige Mundspüllösungen. Auswahl aus: Das Dental Vademekum 2009/2010

Produktname	Fluorid-verbindung[1]	pH-Wert	Alkohol	Sonstige Wirkstoffe
elmex Kariesschutz Zahnspülung	250 ppm AmF, NaF	4,3	–	–
elmex Sensitive Zahnspülung	250 ppm AmF, KF	4,7	–	Filmbildendes Polymer zur Desensibilisierung
meridol Mund-spüllösung	250 ppm AmF/SnF$_2$	4,2	–	–
Odol-med 3 Extreme Mund-spüllösung	250 ppm NaF	7,0	+	CPC[2]
Sensodyne Zahnspül-Lösung	250 ppm NaF	7,0	–	CPC[2]

[1] AmF: Aminfluorid (Olaflur), NaF: Natriumfluorid, NaMFP: Natriummonofluorophosphat, SnF$_2$: Zinnfluorid
[2] CPC: Cetylpiridiniumchlorid

ser Spüllösungen wiederum nur bei Kindern und Jugendlichen mit erhöhtem Kariesrisiko erfolgen (z.B. während der kieferorthopädischen Behandlung mit festsitzenden Apparaturen). Bei Erwachsenen können zusätzliche Spülungen bei freiliegenden Zahnhälsen und Wurzeloberflächen indiziert sein (vgl. Kap. 15.9.6, 15.9.7). Die tägliche Anwendung geringer konzentrierter Lösungen (bis 500 ppm) ist der wöchentlichen Anwendung höher konzentrierter Lösungen vorzuziehen. Kontraindikationen bestehen bei Kindern unter 6 Jahren und behinderten Menschen aufgrund fehlender Kontrolle über den Schluckreflex.

Positiv zu vermerken ist, dass viele Lösungen keinen Alkohol mehr enthalten. Für die Anwendung bei Kindern sind alkoholhaltige Lösungen generell kontraindiziert.

Fluoride besitzen keine langen Retentionszeiten im Mundraum (Ausnahme: Aminfluoride). Das Ausspülen des Mundes mit Wasser nach dem Zähneputzen setzt die Fluoridwirkung zusätzlich herab; das „Nach"spülen mit fluoridhaltigen Lösungen bringt entsprechende Vorteile.

Einige ausgewählte fluoridhaltige Spüllösungen sind in Tabelle 15.4-6 aufgelistet.

Zusammenfassende Bewertung

Für eine Gesamtbewertung der **systemisch** applizierten Fluoride gelten folgende Kernaussagen:

- Die Angaben zur Dentalfluorose betreffen nur Kinder bis zum 6. Lebensjahr, die toxikologischen Daten sind letztlich nur für Kleinkinder relevant. Für Jugendliche und Erwachsene sind entsprechende Angaben und die folgenden Überlegungen faktisch bedeutungslos.
- Kleinkindernahrung sollte nur dann mit Mineralwasser zubereitet werden, wenn dessen Fluoridgehalt bekannt ist und rechnerisch in die Gesamtfluoridzufuhr mit einbezogen werden kann (für den Laien schwierig).
- Um eine Überfluoridierung im Kindesalter auszuschließen gilt, dass nur jeweils **eine Form der systemischen Fluoridierung** (Trinkwasser- oder Mineralwasser- bzw. Tabletten- oder Salzfluoridierung) durchgeführt werden darf.

Für die **lokale** Fluoridierung gilt:

- Es ist zu beachten, ob das Kind seine Schluckreflexe bereits kontrollieren kann. Deshalb kann der Einsatz von Erwachse-

nenzahnpasten sowie Mundspüllösungen erst ab einem Alter von 6 Jahren an empfohlen werden.
- Es muss dem Zahnarzt überlassen bleiben, inwieweit über eine – prinzipiell zu empfehlende – lokale Fluoridierungsmaßnahme hinaus eine weitere Applikationsform notwendig ist.

In Abbildung 15.3-2 sind die empfohlenen Arten der systemischen und lokalen Fluoridierung zusammengefasst. Hierzu wurden folgende Kernpunkte formuliert (Stellungnahme der DGZMK, 2002):

- Einsatz von lokal anzuwendenden Fluoridpräparaten verdient Vorrang gegenüber der systemischen Zufuhr.
- Vor dem 6. Lebensmonat ist die Gabe von Fluoriden nicht angezeigt.
- Beginnend mit dem Durchbruch der ersten Milchzähne sollen diese einmal am Tag – nach einer Mahlzeit – mit einer etwa erbsengroßen Menge Kinderzahnpaste mit 500 ppm Fluorid von den Eltern gereinigt werden.
- Ab dem 2. Geburtstag soll zweimal am Tag geputzt werden (erbsengroße Menge Kinderzahnpaste, 500 ppm Fluorid). Ab jetzt profitiert ein Kind bei leicht steigendem Salzkonsum von systemischem Fluorid, wenn fluoridhaltiges Speisesalz verwendet wird.
- Fluoridsupplementierung über diese Maßnahmen hinaus sollte in der Regel nicht stattfinden. Ausnahmen können bei erhöhtem Kariesrisiko erwogen werden, wenn zahnärztliche oder kinderärztliche Erhebungen der Vorgeschichte, besonders der Fluoridaufnahme aus der Nahrung, dazu Anlass geben.

15.4.3 Nano-Produkte

In jüngster Zeit werden vermehrt Produkte angeboten, die wirksame Substanzen in Nanometer-Größe enthalten und deren Wirksamkeit von diesen größenspezifischen Effekten abhängt. Die Produkte sollen Schutz vor Karies und Erosionen bieten sowie antibakterielle Wirkungen aufweisen. Dazu sind auf dem deutschen Markt drei Zahnpasten erhältlich, die Hydroxylapatit-Nanopartikel allein (Biorepair®, Dr. Wolff GmbH & Co. KG, Bielefeld, Deutschland; ApaCare, Cumdente GmbH, Tübingen, Deutschland), oder eine Kombination aus Casein-Phosphopeptid stabilisiertem amorphen Kalziumphosphat enthalten (GC Tooth Mousse, GC Europe, Leuven, Belgien). Für das Produkt Tooth Mousse liegen sowohl Labor-, Tier- und klinische Studien vor, in denen die Prävention von Demineralisationen des Zahnschmelzes, die Remineralisation initialer Schmelzläsionen (Initialkaries; d.h. von demineralisierten aber makroskopisch intakten Zahnoberflächen) und die Reduktion der Anheftung von Bakterien an den Zahn mit verzögerter Biofilmbildung wissenschaftlich nachgewiesen wurde. Für das Produkt ApaCare liegen dagegen keine klinischen Studien vor. Die Zahnpaste Biorepair wurde im Wesentlichen in vitro getestet, Publikationen erschienen bisher nicht in den renommierten zahnärztlichen Zeitschriften. Bei der Behandlung von säurebedingten Erosionen mit Nanohydroxylapatit ist ebenfalls kein Schutzeffekt dieser Oberflächen zu erwarten. Zusammenfassend kann eingeschätzt werden, dass diese neuen Herangehensweisen für die Kariesprävention vielversprechend sind, jedoch noch weitere Forschungsleistungen erbracht werden müssen, um vorhersagbare präventive und therapeutische Ergebnisse zu erbringen. Die Produkte besitzen die Fähigkeit Schmelz im Submikrometerbereich zu remineralisieren. Eine Reparatur sichtbarer kariöser Läsionen ist jedoch bisher nicht möglich.

Kariesprophylaxe

15.5 Problemkreis Dentin

Durch chronisch physikalische und chemische Traumata vor allem im jugendlichen Alter aber auch infolge von Parodontalerkrankungen bei Erwachsenen und älteren Menschen kann es zur Freilegung des Dentins im Zahnhalsbereich kommen. In Folge dieser Dentinfreilegung resultiert ein hohes Kariesrisiko sowie erhöhte Empfindlichkeit in diesem Bereich gegenüber äußeren Reizen („sensible" Zähne). Der „Problemkreis Dentin" enthält die verschiedensten Aspekte, auf die im weiteren ausführlicher eingegangen wird: mechanische Putztechnik, Abrasivität von Zahnbürsten und -pasten, erhöhtes Kariesrisiko, sensible Zahnhälse.

15.5.1 Allgemeine Angaben

Wie in Abschnitt 15.1 und Abbildung 15.1-1 bereits vermerkt, befindet sich die Zahnhalsregion am Übergang Zahnkrone/Schmelz zur Zahnwurzel/Zement. Diese Region ist üblicherweise vom Zahnfleisch bedeckt und somit vor äußeren Einflüssen geschützt. Zur Freilegung dieser Region am Zahn kann es jedoch durch verschiedene, im Folgenden beschriebene Prozesse kommen.
Mechanisches Trauma (falsche Putztechnik): In der Bevölkerung ist ein horizontales Schrubben auf den Zähnen und am Zahnfleischrand entlang als gängige Putzform weit verbreitet. Werden Zähne über Jahre mit dieser falschen Technik geputzt, zieht sich die Gingiva aufgrund dieses Dauerreizes zurück. Das unterhalb des Schmelzes liegende Dentin wird freigelegt. Prinzipiell können Schäden durch falsche Putztechnik in allen Altersgruppen auftreten. Oft sind jedoch jüngere Menschen betroffen, die besonders hohen Putzdruck anwenden sowie harte Bürsten und abrasive Zahnpasten.
Infolge von Parodontalerkrankungen (Parodontitis) per se aber auch als Resultat der Therapie (parodontalchirurgische Maßnahmen) kann es zum Zahnfleischrückgang kommen. Auch hierbei kommt es zur Freilegung dieser problematischen Zahnhalsregion. Die Zunahme der Parodontalerkrankungen in Deutschland durch steigendes Lebensalter und längeren Verbleib der eigenen Zähne in der Mundhöhle (Deutsche Mundgesundheitsstudie IV, 2006) wird auch hier zu einer Zunahme der Dentinproblematik in den folgenden Jahren führen.
Die selbe Problematik wie für das Dentin gilt auch für den Wurzelzement, der sich der Zahnhalsregion anschließt. Er ist empfindlicher gegen Abrieb als Zahnschmelz. Über die Abrasionsempfindlichkeit hinaus ist freiliegendes Dentin stärker kariesgefährdet. Putztechnik, Zahnpasten- und Zahnbürstenauswahl und zusätzliche Prophylaxemaßnahmen in Form von lokaler Fluoridierung müssen hier entsprechend angepasst werden.

15.5.2 Abrasivität von Zahnpasten

Die abrasive Wirkung von Zahnpasten entsteht durch das Hinzufügen von Schleifkörpern. Diese sollen die Reinigungsleistung einer Paste erhöhen. Die Abrasivität von Zahnpasten wird gegenüber Schmelz (REA: Radioactive Enamel Abrasion) und gegenüber Dentin (RDA: Radioactive Dentine

Abrasion) angegeben. Diese Werte geben den Schmelz- bzw. Dentinabrieb an, der bei standardisiertem Putzen entsteht (EN ISO 11609). Je höher der zahlenmäßige Wert ist, umso höher ist die Abrasivität.

Die Bestimmung der RDA-Werte ist jedoch sehr methoden- und techniksensitiv und unterliegt daher großen Schwankungen. So können Werte zwischen verschiedenen Laboren erheblich differieren. Aus diesem Grund besteht inzwischen Konsens, Zahnpasten mit Werten, die unter 250 (Sicherheitsgrenzwert) liegen als sicher im Sinne unerwünschter Zahnhartsubstanzschädigung einzustufen. Die Mehrzahl der im Handel verfügbaren Zahnpasten entspricht diesem Standard.

Im täglichen Gebrauch wird die Abrasivität einer Paste nicht ausschließlich über ihren Putzkörperanteil bestimmt, sondern auch vom Putzverhalten, vom Ausmaß der bestehenden Dentinexposition (freiliegende Zahnhälse), dem Fluoridgehalt der Zahnhartsubstanz und vom Ernährungsverhalten (Verzehr säurehaltiger Getränke und Nahrungsmittel). Diese Faktoren haben einen weitaus größeren Einfluss auf die Entstehung von Substanzverlusten als die Abrasivität der Paste.

Die Empfehlung einer Zahnpaste sollte (insbesondere für Patienten mit hypersensiblen freiliegenden Zahnhälsen) daher vom zahnmedizinischen Fachpersonal unter Berücksichtigung der individuellen Situation des Patienten vorgenommen werden.

15.5.3 Weißmacher-Zahnpasten

„Whitening"-Zahnpasten werden speziell für die Reinigung stärker verfärbter Zähne, z.B. bei Rauchern, angeboten. Für den Wirknachweis dieser Produkte liegen wenig objektive Literaturangaben vor. Aus den von den Herstellern aufgeführten Inhaltsstoffen lässt sich kein generelles Wirkprinzip (Enzyme? Bleichmittel? Abrasion?) ableiten. Im Allgemeinen wird auf hohe Abrasivität gesetzt, um die Putzwirkung zu erhöhen. Auch wenn die Hersteller in vielen Fällen die tägliche Anwendung empfehlen, sollten Pasten mit RDA-Werten über 250 keinesfalls täglich angewendet werden (s. Kap. 15.5.2).

15.5.4 Sensible Zahnhälse

Freiliegendes Dentin durch die in Kapitel 15.5.1 angeführten Gründen kann zu einer erhöhten Sensibilität der Zähne auf äußere Reize führen, die sich als Schmerzreaktion äußert. Es handelt sich hierbei um ein zunehmendes Phänomen in der erwachsenen Bevölkerung. Ca. 30% der Menschen sind betroffen und haben dadurch Einschränkungen in ihrer Lebensqualität.

Die Details der Schmerzentstehung werden seit Jahrzehnten diskutiert. Am wahrscheinlichsten ist, dass durch osmotische und thermische Reize entweder direkt oder über Flüssigkeitsverschiebungen in den Dentinkanälchen Schmerzrezeptoren in der Pulpa gereizt werden. Die therapeutischen Ansätze basieren auf verschiedenen empirischen Überlegungen:

- Keine erhöhte **Abrasivität** (RDA-Wert < 250) der zu verwendenden Zahnpaste.
- Beeinflussung der Reizweiterleitung mittels **Kalium**nitrat, Kaliumphosphat, Kaliumchlorid. Den Kaliumionen wird eine desensibilisierende Wirkung zugeschrieben.
- Durch Reaktion von **Fluoriden** mit dem Speichel entstehen Deckschichten aus Calciumfluorid, die zur Obliteration der Dentinkanälchen führen. Eine analoge Wirkung ist von **Strontium**chlorid bekannt, das zu unlöslichem Strontiumphosphat reagiert.

Die Pro-Argin™ Technologie beruht auf einer Kombination der Aminosäure **Arginin** mit **Calciumcarbonat,** welche in die offenen Dentintubuli eindringt und diese verschließt. Dabei entsteht eine kalziumreiche, säureunempfindliche Schicht, die über längere Zeit bestehen bleibt und somit eine mittelfristige Wirksamkeit gegen äußere Reize gewährleistet.

Zinksalze, Pyrophosphate, Vitamin E oder Vitamin B_5 haben kein desensibilisierendes Potenzial.

Die therapeutischen Möglichkeiten sind begrenzt und resultieren oftmals nur in einer geringfügigen Besserung der Beschwerden. Idealerweise sollten die Zahnpasten einen RDA-Wert < 250 aufweisen sowie einen Wirkstoff zur Desensibilisierung enthalten. Die Auswahl der entsprechenden Zahnpasta sollte immer mit einer Umstellung der Putzgewohnheiten und Wahl einer weichen Zahnbürste/Filamentzahnbürste kombiniert werden. Eine Ernährungsanamnese und -beratung ergänzt das Spektrum. Wegen der erhöhten Kariesgefährdung sollte auf ausreichende Fluoridversorgung geachtet werden, entweder über die Paste selbst oder durch zusätzliche Nutzung fluoridhaltiger Mundspüllösungen oder den Einsatz fluoridhaltiger Gelees (Kap. 15.4.2.4). Einige Firmen bieten inzwischen aufeinander abgestimmte Systeme an, in denen sich Zahnbürste, Zahnpaste und Mundspüllösung vorteilhaft ergänzen (u.a. elmex sensitive, GABA; Oral-B Sensitive System, Procter & Gamble).

Tab. 15.5-3: Zahnpasten und Mundspüllösungen mit desensibilisierenden Wirkstoffen. Auswahl aus: Das Dental Vademekum 2007/2008, 2009/2010

Produktname	Fluorid[2]	Desensibilisierende Wirkstoffe
Elmex Sensitive	1400 ppm AmF	Aminfluorid
Elmex Sensitive professional™ Zahnpasta	1450 ppm NaF	Arginin, Calciumcarbonat
Oral-B Sensitive Zahncreme	1000 ppm NaF	Kaliumnitrat
Sensodyne ProSchmelz	1450 ppm NaF	Kaliumnitrat
Sensodyne Zahnfleisch-Komplex	1450 ppm NaF	Kaliumchlorid
Elmex Sensitive Zahnspülung	250 ppm AmF, KF	Aminfluorid, Kaliumfluorid, filmbildendes Polymer
Oral-B sensitive Zahnspülung	227 ppm NaF	Kaliumnitrat
Sensodyne Zahnspül-Lösung	250 ppm NaF	Kaliumchlorid

[1] RDA: Radioactive Dentine Abrasion
[2] AmF: Aminfluorid (Olaflur), KF: Kaliumfluorid, NaF: Natriumfluorid

Problemkreis Dentin

15.6 Parodontitisprophylaxe

15.6.1 Ätiologie der Gingivitis/Parodontitis

Während für die Karies die streng definierte Gruppe der Mutans-Streptokokken als ätiologisches Agens feststeht, gilt für die Auslösung einer Zahnfleischentzündung (Gingivitis) das Gegenteil: Hier macht es die Masse – sprich: Die am Zahnfleischrand auf dem Zahnschmelz etablierte, supragingivale Plaque ruft per se durch eine Vielzahl irritativer Faktoren die Entzündung hervor.

Der ständigen Konfrontation mit Mikroorganismen in der Mundhöhle wird durch verschiedene Abwehrmechanismen begegnet. Wird die Menge der Bakterien durch eine optimale Mundhygiene gering gehalten, kann eine klinisch (nicht histologisch!) gesunde Gingiva erreicht werden. Nimmt die Menge der Plaque jedoch an einigen (für die Bürste unzugänglichen) oder allen Stellen durch schlechte Plaquekontrolle zu, entwickelt sich in diesen Bereichen eine gingivale Entzündung. Diese Entzündung kann durch Hormone (Pubertät, Schwangerschaft, Kontrazeptiva) oder durch Medikamente (Phenytoin, Cyclosporin, Nifedipine) verstärkt werden.

Es ist von prinzipieller Bedeutung, dass sich mit der Quantität der supragingivalen Plaque auch deren Qualität ändert. Anfänglich wird sie vorrangig von fakultativ anaeroben grampositiven Kokken gebildet, die das Pellikel kurz nach der mechanischen Reinigung wieder besiedeln. Einen Tag alte Plaque besteht mehrheitlich aus Streptokokken. Im weiteren Verlauf lagern sich neben grampositiven Stäbchen vor allem gramnegative Bakterien, Filamente und Spirochäten an. Das Dickenwachstum nimmt zu, und die unteren Plaqueschichten werden anaerob. Es entsteht ein heterogener komplexer Biofilm auf der Zahnoberfläche. Die Virulenzfaktoren der im Biofilm organisierten Bakterien (Endotoxine, Enzyme) attackieren den Zahnfleischsaum und bedingen eine klinisch sichtbare Entzündung, die sich in Rötung, Schwellung, Blutung des Zahnfleisches äußert.

Die Mehrheit der Menschen in den Industrieländern führt eine unzureichende Mundhygiene durch. Plaqueakkumulationen in Zahnzwischenräumen und anderen Problemzonen (insuffiziente Füllungsränder, Distalflächen der letzten Molaren, Engstand, Weisheitszähne etc.) sind die Regel. Wenn sich durch den Dauerreiz supragingivaler, anaerober Plaque das Saumepithel weiter zurückzieht, entsteht ab ca. 4 mm eine Zahnfleischtasche. Die sich dort etablierende subgingivale Plaque stellt ein eigenständiges ökologisches System dar, welches durch Maßnahmen der supragingivalen Plaquekontrolle nicht mehr zu beeinflussen ist.

Dieser Übergang Gingivitis – Parodontitis (entzündliche Erkrankung des gesamten Zahnhalteapparates) geschieht nicht zwangsläufig. Gingivitiden können über Jahre und Jahrzehnte unverändert als solche bestehen bleiben, ohne jemals in eine Parodontitis überzugehen. Jedoch entsteht eine Parodontitis immer auf der Grundlage einer Gingivitis. Oftmals ist der Verlauf schmerzlos. Der Grad der Entzündung geht mit erhöhter Blutungsneigung einher. Das allgemein bekannte Zahnfleischbluten stellt tatsächlich ein wesentliches Krankheitskriterium und Alarmsignal dar, welches allerdings in der Bevölkerung häufig als Lappalie abgetan wird.

Für die Parodontitisgenese werden neben der bakteriellen Ätiologie weitere Risikofaktoren (genetische, erworbene, Umweltfaktoren) diskutiert. Die entzündliche, immunologische Wirtsantwort sowie Faktoren des Bindegewebs- und Knochenstoffwechsels haben wesentlichen Einfluss auf den Krankheitsverlauf.

Parodontitiden sind in Deutschland weit verbreitet. Das Risiko, an einer Parodontitis zu erkranken, steigt mit zunehmendem Lebensalter. Ergebnisse der IV. Deutschen Mundgesundheitsstudie (2005) zeigen einen deutliche Zunahme der Erkrankung bei Erwachsenen im Vergleich zu den Erhebungen von 1997. So sind bei den 35–44-Jährigen 53% an einer mittelschweren Parodontitis erkrankt, 20% an einer schweren. Bei den 65–74-Jährigen leiden 48% an mittelschwerer und 40% an schwerer Parodontitis. Die Erkrankungszunahme erklärt sich aus der Tatsache, dass immer mehr Zähne im Munde verbleiben, die gleichzeitig damit aber ein größeres Parodontitisrisiko haben.

Die Erkrankung verläuft in Schüben. Im Laufe der Zeit kommt es zum Abbau der parodontalen Stützgewebe, zur Instabilität der betroffenen Zähne und schließlich zum Zahnverlust. Für den Patienten leidvoll, ist es die einfachste biologische Lösung zur Wiederherstellung der Schleimhautintegrität.

15.6.2 Behandlungsstrategien und Grenzen der Selbstmedikation

Plaquebedingte Gingivitiden sind prinzipiell **reversibel**. Anti-Gingivitis-Strategien beruhen deshalb allein auf dem Konzept der regelmäßigen **Plaqueentfernung**: mechanisch mit Zahnbürste, Zwischenraumbürstchen, Zahnseide oder chemoprophylaktisch durch Mundspüllösungen oder durch Kopplung beider Möglichkeiten.

Demgegenüber ist die Parodontitis **irreversibel** und durch den Patienten allein nicht mehr beherrschbar. Die notwendigen Maßnahmen – professionelle Herstellung hygienischer Verhältnisse, subgingivale Zahnsteinentfernung und Wurzelglättung sowie chirurgische Maßnahmen können nur vom parodontologisch tätigen Zahnarzt oder **Spezialisten** korrekt eingeschätzt und durchgeführt werden. Ziel jeglicher Therapie ist die Beseitigung der Entzündung und das Verhindern weiteren Stützgewebeverlustes. Regenerative Therapien können an einzelnen Stellen oder Zähnen im günstigsten Falle zur Neubildung von Knochen und Parodont führen.

Selbst nach erfolgreicher Therapie besteht jedoch immer die Gefahr der Reinfektion der Zahnfleischtaschen. Sie erfolgt über Bakterien der supragingivalen Plaque und von anderen Stellen der Mundhöhle. Deshalb ist das Aufrechterhalten einer guten Mundhygiene auch in „Ruhephasen" unabdingbar.

Durch Calcifizierung der supragingivalen Plaque entsteht **Zahnstein**. Kariesätiologisch stellt der Zahnstein einerseits eine ideale Gegenstrategie unseres Organismus dar, aus parodontologischer Sicht ist er jedoch keineswegs harmlos. Seine raue Oberfläche dient als Basis für erneute Plaquebildung. Zahnstein kann sowohl supragingival als auch subgingival entstehen. Die Entfernung sollte immer durch Fachpersonal erfolgen.

15.6.3 Chemoprophylaktika

15.6.3.1 Wortwahl, Werbung, Wirklichkeit

Die Namensgebung „Chemotherapeutika" hat sich zwar in der Plaqueforschung und präventiven Zahnheilkunde etabliert, ist aber zumindest unglücklich gewählt und sollte aus mehreren Gründen geändert werden:

- Der Begriff kollidiert mit der medizinischen Chemotherapie, wie sie z.B. bei der Tumorbehandlung angewendet wird.
- Es ist äußerst schwierig, den therapeutischen Effekt (z.B. Anti-Gingivitis-Wir-

kung) eines oralen Präparates von seiner prophylaktischen Wirkung (z.B. Verhinderung der Entstehung einer Gingivitis) zu trennen. Zudem dürfen entsprechende Präparate generell nicht als therapeutisch wirksam ausgelobt werden.
- Ihre Zielsetzung ist – trotz obiger Schwierigkeit der Definition – grundsätzlich prophylaktisch. Dies sollte auch dem Verbraucher so offeriert werden.

Deshalb wird im Folgenden der Begriff „Chemotherapeutika" bewusst verlassen und durch den Terminus orale **Chemoprophylaktika** ersetzt. Hiermit sind Wirkstoffe gemeint, die aufgrund ihrer antibakteriellen Wirkung einen chemopräventiven Zugriff auf die bakterielle Plaque ermöglichen oder zumindest erwarten lassen.

Unglücklicherweise ist bis heute der Begriff „**Parodontose-Vorsorge**" fest im Sprachgebrauch der Verbraucher und Patienten verankert. Dies geht auf die längst überholte Nomenklatur der 1950er und 1960er Jahre zurück, als Parodontitis fälschlicherweise als Parodontose bezeichnet wurde. Ein aufmerksamer Blick auf die Werbestrategien verschiedener Anbieter macht deutlich, dass seriöse Firmen inzwischen von der „Parodontose-Werbung" aus Großmutters Zeiten Abstand genommen haben.

Gelegentlich werben Firmen auf Zahnpflegemitteln mit Aufdrucken „**klinisch getestet**". Dieser Terminus ist nicht mit der für Arzneimittel erforderlichen klinischen Prüfung zu verwechseln. Es wird lediglich ausgesagt, dass das entsprechende Produkt in einer Klinik oder Praxis getestet wurde. Definierte Rahmenbedingungen für die Testung sind im Gegensatz zu klinischen Prüfungen nicht vorgegeben. Es handelt sich dabei also nicht um ein Qualitätsurteil, wie auf den ersten Blick möglicherweise suggeriert wird.

Bei der Bewerbung neuer Produkte in Werbebroschüren und Anzeigen werden zunehmend **Studienergebnisse** zitiert, die die Wirksamkeit der Agenzien belegen sollen.

Untersuchungen haben jedoch ergeben, dass nur bei ca. 45% der Anzeigen die Werbeaussagen mit den zitierten Studienergebnissen übereinstimmen.

15.6.3.2 Wirkprinzipien und Einordnung der Chemoprophylaktika

Die im Folgenden angesprochenen Substanzen und Präparate (wie auch z.T. die in Kap. 15.4.2 bereits aufgeführten Fluoride) wirken vorrangig durch ihre antibakteriellen Effekte. Prinzipielle Anforderungen an Chemoprophylaktika sind:

- Breites Wirkungsspektrum mit Spezifität gegenüber oralen Mikroorganismen.
- Effizienz in ihrer antibakteriellen Wirkung ohne Störung des ökologischen Gleichgewichtes in der Mundhöhle.
- Substantivität, das heißt eine ausreichend lange Retention an der Zahnhartsubstanz und an oralen Weichgeweben.
- Sicherheit im Sinne einer möglichst geringen toxischen und allergisierenden Wirkung.
- Stabilität während der Lagerzeit wie auch in situ.

Die Stabilität sollte bei Markenpräparaten vorausgesetzt werden. Ebenso bestehen keine toxikologischen Bedenken, auf Nebenwirkungen wird unter Kapitel 15.6.3.3 eingegangen.

Eine antibakterielle (auch in relativ geringen Konzentrationen noch ausreichend bakterizide) Wirkung ist für alle Mittel in vitro erwiesen. Spezifität und Effizienz sind also gegeben.

Einen wesentlichen Parameter stellt die **Substantivität** dar. Im Allgemeinen werden die antibakteriellen Wirkstoffe relativ schnell durch den Speichel aus der Mundhöhle ausgewaschen, ihre Substantivität ist somit gering. Nur wenige Stoffgruppen (z.B. Aminfluorid/Zinnfluorid, Chlorhexidin, Triclosan/Copolymer) besitzen eine ausreichend hohe Substantivität, um im oralen Milieu über

längere Zeit in antibakteriell wirksamen Konzentrationen zu verbleiben.
Unter diesem Aspekt werden im Sinne einer Hierarchie zwei Generationen von Mundspüllösungen unterschieden:

- Chemoprophylaktika der 1. Generation: Spezifität und Effizienz, begrenzte bzw. mangelhafte Substantivität,
- Chemoprophylaktika der 2. Generation: Spezifität und Effizienz, ausgeprägte Substantivität.

Diese insbesondere unter pharmakokinetischen Aspekten getroffene Definition wurde durch Aussagen zur klinischen Wirkungsweise ergänzt (2nd European Workshop on Periodontology, 1996):

- Antimikrobielle Wirkstoffe:
  Stoffe mit bakteriostatischer oder bakterizider Wirkung in vitro. Daraus kann keine Aussage zum tatsächlichen Effekt gegenüber Plaque in vivo abgeleitet werden.
- Plaquereduzierende/-inhibierende Wirkstoffe:
  Reduzieren die Menge und/oder beeinflussen die Qualität der Plaque. Diese Wirkung kann, muss aber nicht ausreichend sein, um Gingivitis und/oder Karies zu beeinflussen.
- Anti-Plaque-Wirkstoffe:
  Beeinflussen die Plaque in so starkem Ausmaß, dass auch Gingivitis und/oder Karies positiv beeinflusst werden.
- Anti-Gingivitis-Wirkstoffe:
  Reduzieren die gingivale Entzündung ohne notwendigerweise auch die bakterielle Plaque zu beeinflussen. Hierzu zählen auch antientzündliche Wirkstoffe.

Chlorhexidin

Chlorhexidin (s. auch Bundesanzeiger Nr. 159 vom 24. 8. 1994) ist ein kationisches Bisbiguanid (1,6-di-4-chlorphanyldiguanidohexan). Es bindet an alle anionischen Anteile in der Mundhöhle wie Pellikel, Glykoproteine des Speichels, Zunge und Schleimhäute. Daraus resultiert seine sehr hohe Substantivität, die bis zu 12 Stunden in anfänglich bakterizider, in geringerer Konzentration bakteriostatischer Wirkung anhält. Es wirkt der Anheftung von Bakterien und Proteinen auf der Zahnoberfläche entgegen und hemmt dadurch die Plaquebildung.

Der ausgezeichneten klinischen Wirksamkeit stehen jedoch zahlreiche sich oral manifestierende Nebenwirkungen gegenüber: Geschmacksirritationen, Braunfärbung von Zähnen, zahnfarbenen Füllungen, Zunge, in Einzelfällen Desquamation der Mundschleimhaut. Diese Nebenwirkungen sind reversibel, die Verfärbungen müssen durch professionelle Reinigung wieder entfernt werden. Langzeitstudien haben gezeigt, dass der Einfluss des Chlorhexidins auf die normale orale Flora gering ist. Die Toxizität ist gering, wenige Fallberichte beschreiben anaphylaktische Reaktionen.

Klinische Wirksamkeit sowie Nebenwirkungen sind dosisabhängig. Nur bei den am höchsten konzentrierten Präparaten und bei entsprechend hohem Spülvolumen wird eine annähernd komplette Anti-Plaque-Wirkung erreicht (z.B. 2 × 10 ml 0,2 % = 40 mg Tagesdosis oder 2 × 15 ml 0,12 % = 36 mg Chlorhexidin/Tag). In diesen Dosierungen kann Chlorhexidin als „chemische Zahnbürste" wirken und die normale mechanische Zahnreinigung ersetzen. Aufgrund der dann auch entsprechend starken Nebenwirkungen sollten die Produkte nur kurz- bis mittelfristig (max. 30 Tage) angewendet werden.

Einsatzgebiete sind:

- Präoperative Keimzahlsenkung.
- Reduktion der Bakterien und Plaquehemmung nach chirurgischen Eingriffen.
- Patienten, die keine mechanische Mundhygiene durchführen können (Kieferfixation nach Trauma, Behinderte).
- Kariesrisikopatienten (s. Kap. 15.6.4.4).

In geringeren Konzentrationen (< 0,1 %) wirken Chlorhexidin-Mundspülungen plaque**reduzierend** und sind dann eine wertvolle Unterstützung der täglichen mechanischen Zahnpflege. Die Nebenwirkungen sind ebenfalls geringer ausgeprägt.

Bei der Verwendung Chlorhexidin-haltiger Mundspüllösungen sollte beachtet werden, dass es zu Wechselwirkungen mit dem in Zahnpasten enthaltenem anionischen Natriumlaurylsulfat kommen kann. Deshalb sollte erst ½–2 Stunden (Angaben variieren) nach dem Zähneputzen mit Chlorhexidin gespült werden oder mit einer Zahnpasta ohne Natriumlaurylsulfat geputzt werden. Aufgrund dieser Wechselwirkungen ist bisher auch nur eine Chlorhexidin-haltige Zahnpasta auf dem Markt.

Aminfluorid/Zinnfluorid

Auf Fluorid bezogen, sind 1 ppm des Amin-Zinn-Komplexes in der Lage, Mutans-Streptokokken in vitro innerhalb von 30 Minuten zu 90% abzutöten. Das Aminmolekül, Zinn- und Fluoridionen wirken synergistisch. Die ausgeprägte antibakterielle Wirkung ist im Vergleich zu Chlorhexidin mit einer geringeren Substantivität verknüpft: Aminpräparate bleiben für 3 bis 4 Stunden im Mund wirksam.

Hieraus resultiert eine stark plaquereduzierende Wirkung bei vertretbarer Ausprägung von Nebenwirkungen. Es werden gelbliche oder bräunliche Zahnverfärbungen beschrieben. Bakteriologische Untersuchungen wiesen Veränderungen in Richtung einer weniger pathogenen Flora nach (mehr grampositive Kokken, weniger gramnegative Anaerobier). Daher ist es möglich, Amin-Zinn-Fluorid als Additivum zur mechanischen Zahnreinigung auch längerfristig einzusetzen. Der Wirkstoffkomplex kann in Zahnpasten und Mundspüllösungen inkorporiert werden und wird als solche auch angeboten und verwendet (s. Tab. 15.4-5, 15.4-6, 15.5-3, 15.6-1, 15.6-3).

Triclosan

Triclosan (2,2,4'-trichlor-2'-hydroxydiphenylether) als nicht ionischer antibakterieller Wirkstoff wird seit 40 Jahren als Zusatz in Kosmetika und seit ca. 20 Jahren auch in Substantivität. In Kombination mit einem

Tab. 15.6-1: Mundspüllösungen mit Wirksubstanzen der 2. Generation. Auswahl aus: Das Dental Vademekum 2009/2010

Präparat	Wirkstoff	Konzentration	Dosis	Einordung	Alkohol-haltig
Chlorhexamed alkoholfrei	CHX[1]	0,2 %	2 × 10 ml	Anti-Plaque	–
Chlorhexamed Zahnfleisch-Schutz Mundspül-Lösung	CHX	0,06 %	2 × 10 ml	Plaque-reduzierend	+
Gum Paroex Mundspülung ohne Alkohol	CHX	0,12 %	2 × 10–15 ml	Anti-Plaque	–
meridol Mundspül-Lösung	AmF/SnF$_2$	–	1 × 10 ml	Plaque-reduzierend	–
Nur 1 Tropfen Chlorhexidin	CHX	0,1 %	3 × 10 ml	Plaque-reduzierend	–

[1] CHX: Chlorhexidindigluconat

Parodontitisprophylaxe

Tab. 15.6-2: Mundspüllösungen mit Wirksubstanzen der 1. Generation[1]. Auswahl aus: Das Dental Vademekum 2007/2008

Präparat	Wirkstoff	Konzentration	Sonstige Wirkstoffe	Alkoholhaltig
Dentagard Mundspülung	CPC[2]	0,05 %	500 ppm NaF[3]	+
Hexoral	Hexetidin	0,1 %	–	+
Listerine	Ätherische Öle	–	–	+
Odol-med 3 Antibakteriell Mundspüllösung	CPC	0,05 %	NaF	+
PerioGard Plus	CPC	0,05 %		+

[1] generell nur mittlere Plaque-reduzierende Eigenschaften, vgl. Text
[2] CPC: Cetylpiridiniumchlorid
[3] NaF: Natriumfluorid

Mundhygieneprodukten eingesetzt. Triclosan allein wird in der Mundhöhle sehr schnell ausgewaschen und besitzt somit eine geringe Substantivität. In Kombination mit einem Copolymer (PVM/MA, Polyvinylmethylether/Maleinsäure) ist die Substantivität jedoch erhöht, und die Verweildauer im Mund beträgt bis zu 12 Stunden. Hierdurch darf das Gesamtprodukt den Chemoprophylaktika der 2. Generation zugeordnet werden. Bei zweimaliger Anwendung pro Tag sollte eine ausreichend gute klinische Wirkung zu erwarten sein.

Der antimikrobielle Effekt von Triclosan ist vor allem durch In-vitro-Untersuchungen belegt. Die für eine effektive klinische Anti-Plaque- und Anti-Gingivitis-Wirkung notwendige Konzentration wird jedoch nur in Zahnpasten erreicht (0,3 %; s. Tab. 15.6-3). Für die niedriger konzentrierten Mundspüllösungen (0,03 bis 0,05 %) ist nur ein plaquereduzierender Effekt nachgewiesen.

Die Einschätzung erschwerend kommt noch hinzu, dass sich Präparate mit weiteren Zusätzen wie Zinkcitrat und Pyrophosphat auf dem Markt befinden, denen ebenfalls ein verstärkender oder eigenständiger Effekt zugeschrieben wird. Aufgrund ökologischer Bedenken in der Laienpresse, die jedoch auf seriösen Befunden zur bakteriellen Resistenz gegen Triclosan beruhen (Heath & Rock, Nature 406, 145, 2000), verschwanden Triclosan-haltige Produkte in den USA und in Schweden zum Teil aus den Regalen. Alle diese Aspekte sollten bei der Anwendung dieser Präparate geprüft und beachtet werden.

Cetylpyridiniumchlorid

Cetylpyridiniumchlorid gehört zu den quarternären Ammoniumverbindungen und wirkt bakterizid gegen grampositive und -negative Bakterien. Die Wirkung resultiert weiterhin aus der Oberflächenaktivität, ist jedoch hinsichtlich der Plaque- und Gingivitisreduktion aufgrund mangelnder Substantivität deutlich geringer als beim Chlorhexidin. Es besitzt aktuell wenig Bedeutung, ist aber in einigen Spüllösungen als zusätzlicher Wirkstoff zu finden (s. Tab. 15.4-6).

Hexetidin

Hexetidin 1,3-bis(2-ethylhexyl)-hexahydro-5-methyl-5-pyrimidinamin ist ebenfalls eine typische Substanz der 1. Generation. Während in Kurzzeitstudien (max. 7 Tage Dauer) ein Plaque-reduzierender Effekt zumindest nachgewiesen ist, liegen keinerlei Aussagen zu einer (nicht zu erwartenden) Anti-Gingivitis-Wirkung vor. In Kombination mit

Zink kann die Wirksamkeit erhöht werden. Sie liegt aber immer noch weit unter der von Chlorhexidin.
Aufgrund der Ähnlichkeit der Namen wird Hexetidin oft mit Chlorhexidin verwechselt und somit fälschlicherweise dann verordnet, wenn eine klinisch relevante Anti-Plaque- oder zumindest stark Plaque-reduzierende Wirkung erwünscht ist. Als Nebenwirkungen sind Geschmacksirritationen, vermehrte Zahnsteinbildung und Allergien beschrieben.

Listerine®
Listerine® wurde vor über 100 Jahren vom Hautarzt Lister zum Einsatz in der Dermatologie entwickelt und hat inzwischen auch als Mundspüllösung ein breites Publikum weltweit gefunden. Es besteht aus verschiedenen ätherischen Ölen (Thymol, Menthol, Eucalyptol) sowie Methylsalicylat und Benzoesäure. Zudem enthält Listerine® einen hohen Anteil an Alkohol (variiert zwischen 21 % und 27 %). Es werden keine anwendungsbezogenen Nebenwirkungen (lediglich Hinweis auf initiales Mundbrennen, schlechten Geschmack, gelegentlich Erosionen) beschrieben. Aufgrund des Alkoholgehaltes kann es jedoch zu Intoxikationen insbesondere bei Kindern kommen. Ein niedriger pH-Wert von ca. 4 bei in den meisten Lösungen fehlendem Fluoridgehalt stellt die langfristige Verwendung aus kariesprophylaktischer Sicht in Frage.
Zahlreiche Kurz- und Langzeitstudien amerikanischer Autoren bescheinigen dem Präparat antibakterielle Eigenschaften mit breitem Spektrum sowie Plaque- und Gingivitis-reduzierende Eigenschaften. Im Vergleich zu Chlorhexidin schneidet Listerine® als typisches Chemoprophylaktikum der 1. Generation schlechter ab.
In den letzten Jahren sind vom Hersteller diverse Varianten entwickelt worden (mit Zusatz von Zinkchlorid, Fluorid, reduziertem Alkoholgehalt; Zahnpasten), die zum größten Teil auch auf dem deutschen Markt erhältlich sind. Eine unabhängige Prüfung dieser Produkte steht jedoch noch aus.

15.6.4 Präparateauswahl

15.6.4.1 Antibakterielle Mundspüllösungen

Auf Basis der unter Kap. 15.6.3.1 gegebenen Definitionen wurden antibakteriell wirksame Mundspüllösungen wie folgt zusammengestellt:

- Tabelle 15.6-1: Spüllösungen mit Substanzen der 2. Generation, die eine relevante klinische Wirkung erwarten lassen (Anti-Plaque-Effekt oder stark Plaque-reduzierende Wirkung).
- Tabelle 15.6-2: Spüllösungen mit Substanzen der 1. Generation, die eine geringere klinische Wirkung besitzen (Plaque-reduzierend).

Nicht aufgenommen wurden Mundwässer-Konzentrate, die aufgrund ihrer Inhaltsstoffe und/oder der durch die Verdünnung gegebenen unbekannten Konzentrationen dieser Stoffe in der Gebrauchsform keine reelle Wirkung erwarten lassen und die somit mehr desodorierenden oder erfrischenden Charakter besitzen.
Demgegenüber wurden aber auch höher konzentrierte professionelle Produkte vernachlässigt, die nach Einschätzung des Autors nicht zum allgemeinen Gebrauch im Rahmen der Selbstmedikation konzipiert sind.
Noch vor einigen Jahren enthielten fast alle Mundspüllösungen **Alkohol** als Lösungsvermittler oder Stabilisator. Inzwischen haben zahlreiche große Firmen auch Produkte ohne Alkoholzusatz im Angebot. Um eine bakterizide und Plaque-hemmende Wirkung von Alkohol auf dentale Biofilme zu erreichen, müsste die Konzentration in Spüllösungen ca. 40 % betragen. Die höchste in Mundspüllösungen vorliegende Alkoholkon-

Parodontitisprophylaxe

zentration beträgt jedoch nur 27% (Listerine®), so dass ein zusätzlicher antibakterieller Effekt auch hier nicht zu erwarten ist. Insbesondere bei bestimmten Patientengruppen („trockene" Alkoholiker, Kinder, Alkoholverbot für Muslime) sollte darauf geachtet werden, alkoholfreie Produkte zu empfehlen. Die Gefahr der Entstehung von Karzinomen im Mund- und Rachenraum wird kontrovers diskutiert.

15.6.4.2 Zahnpasten mit spezifischen Wirkkomponenten

Zahnpasten sind vor allem Träger und Vermittler der Wirkung von Fluoriden (Tab. 15.4-5) – eine kariesprophylaktische Wirkung kann und muss von den heutigen Produkten als substantielle Eigenschaft erwartet werden.

Darüber hinaus hat sich der positive Trend verstärkt, Zahnpasten auch als Trägersysteme für andere, sehr unterschiedliche Wirkstoffkomponenten einzusetzen. Die Auflistung in Tabelle 15.6-3 zeigt, wie vielfältig Zahnpasten für die unterschiedlichsten Einsatzgebiete ausgestattet sein können.

Zahnpasten enthalten folgende **Gruppen von Inhaltsstoffen:**

- Wirkstoffe,
- Putzkörper (Abrasionsmittel),
- Binde- und Feuchthaltemittel,
- Tenside,
- Geschmacks-, Aroma-, Süß-, Farbstoffe,
- Konservierungsstoffe.

Binde- und Feuchthaltemittel dienen der Aufrechterhaltung der Konsistenz, in dem sie die Inhaltsstoffe miteinander in Pastenform verbinden (Hydrokolloide) und vor Aus-

Tab. 15.6-3: Zahnpasten mit spezifischen Eigenschaften. Auswahl aus: Das Dental Vademekum 2009/2010

Eigenschaft	Wirkstoff	Produkt	Fluorid-konz.[1]	RDA-Wert[2]
Zahnstein-hemmend	Kaliumnitrat	Sensodyne Dental Weiss	1400 ppm NaF	80
	Pentanatrium-triphosphat	Odol-med 3 Samtweiss	1400 ppm NaF	90–100
	Kalium- u. Natrium-Pyrophosphat	Blend-a-med complete plus	1450 ppm NaF	mittel
Anti-Plaque/ Anti-Gingivitis	Aminfluorid/Zinnfluorid	meridol	1400 ppm AmF/SnF$_2$	75
	Triclosan/ Copolymer	Colgate Total	1450 ppm NaF	51
Vitamin-haltig	Retinylpalmitat	aronal forte	1000 ppm NaMFP	60
	Tocopherol	Elkadent Kräuter 3	1450 ppm NaF	mittel
	Panthenol	Pearls & Dents	1200 ppm Olaflur	45
Homöopathieverträglich	Ohne ätherische Öle	elmex mentholfrei Zahnpasta	1250 ppm AmF	mittel

[1] NaF: Natriumfluorid, AmF: Aminfluorid, NaMFP: Natriummonofluorophosphat
[2] Angabe zur Abrasivität

trocknung bei längerer Lagerung schützen (Glycerol, Sorbitol). **Konservierungsstoffe** sind für die Haltbarkeit der Produkte verantwortlich (z.B. Methyl-, Propylparaben, Natriumbenzoat). **Geschmacks- und Farbstoffe** stellen eine bunte Mischung gustatorischer und optischer „Appetit-Happen" dar. Ätherische Öle, Aspartam, Xylit sowie Titandioxid sind hier einzuordnen.

Tenside

Als oberflächenaktive Stoffe unterstützen Tenside die Reinigungswirkung und die Verteilung der Wirkstoffe, z.B. der Fluoride, auch an weniger zugänglichen Stellen. Ein ausreichender Detergentiengehalt von 0,5% bis 2% ist deshalb prinzipiell angebracht. Bei der Verwendung von Natriumlaurylsulfat sollten aufgrund toxikologischer Bedenken Konzentrationen von 2% nicht überschritten werden. Bei anderen Tensiden können die Konzentrationen höher sein. Eine Ausnahme bildet das Produkt Ajona mit einem Natriumlaurylsulfat-Gehalt von 1–5%. Werden die Firmenangaben, geringe Pastenmengen zu verwenden, nicht befolgt, treten Zahnfleischirritationen auf (sog. Ajona-Gingivitis).

Im Allgemeinen wird das anionische Natriumlaurylsulfat eingesetzt (NLS oder SLS bzw. Sodium Dodecyl Sulphate; nicht extra aufgeführt). In Präparaten, die Olaflur enthalten, besitzt das Aminmolekül selbst Detergenseigenschaften. Einzelne Produkte enthalten das ungeladene Tensid Cocamidopropylbetaine.

Putzkörper

Putzkörper erhöhen die Reinigungsleistung einer Zahnpasta. Im Schmelzbereich treten auch bei stark abrasiven Pasten in Verbindung mit der richtigen Putztechnik keine Schäden auf. Sobald jedoch Zahnhälse freiliegen oder exponierte Wurzeloberflächen vorliegen, sollten nur gering abrasive Zahnpasten zur Anwendung kommen (s. Kap. 15.5).

Wirkstoffe

Je nach Zielstellung/Zielgruppe wie auch Wirkungsprinzip sind die Wirkstoffe sehr vielfältig:

- antikariogene Wirkstoffe wie Fluoride (Tab. 15.4-5),
- Zahnweiß-Produkte und Produkte gegen Raucherbeläge (Tab. 15.5-2),
- desensibilisierende Substanzen (Tab. 15.5-3),
- zahnsteinhemmende Zusätze,
- säurepuffernde Komponenten (Harnstoff, Bicarbonat),
- antibakterielle/Anti-Plaque-Wirkstoffe,
- entzündungshemmende Substanzen,
- Vitamine.

In Tabelle 15.6-3 sind Beispiele für Zahnpasten mit unterschiedlichen Wirkstoffen zusammengetragen.

Hemmung der Zahnsteinbildung

Aufgrund der Rolle des Zahnsteines als negativer Co-Faktor bei der Gingivitis-/Parodontitis-Entstehung wird versucht, dessen Bildung durch Zahnsteininhibitoren zu mindern. Als Stoffgruppen werden vorrangig Pyrophosphate und Zinkverbindungen eingesetzt. Sie wirken als „Kristallisationsinhibitoren", können aber die Zahnsteinbildung nicht vollständig blockieren. Allerdings wurde mit obigen Verbindungen eine Verringerung der Zahnsteinbildung bis zu 50% erzielt. Die ausgelobte Eigenschaft ist somit im Allgemeinen nachgewiesen.

Gingivitis-/Parodontitisprophylaxe

Da Zahnpasten prinzipiell im Rahmen der mechanischen Zahnpflege eingesetzt werden, wirken sie allein schon dadurch der Gingivitisentstehung entgegen und sind somit auch prophylaktisch gegen Parodontitis wirksam. Die Auslobung dieser Wirkung stellt also nicht unbedingt ein positives Charakteristikum der Zahnpasta selbst dar.

Allerdings stehen mit den Kombinationspräparaten meridol (Aminfluorid/Zinnfluorid) und Colgate total (Triclosan/Copolymer) Systeme zur Verfügung, die über den mechanischen Effekt hinaus eine nachgewiesene Anti-Gingivitis-Wirkung besitzen.

Für das Triclosan/Copolymer wird zudem eine Anti-Parodontitis-Wirkung reklamiert; diese beruht allerdings auf Befunden in einem sehr spezifischen Probandenkollektiv (therapierefraktäre Erwachsenenparodontitis und jugendliche Risikogruppen). Zur Stützung dieser Aussage sind jedoch noch weitere Daten notwendig.

Vitamine

Einige Produkte enthalten verschiedene Vitamine und Vitaminkombinationen, die das Zahnfleisch straffen und schützen sollen. Publizierte Studien bezüglich der tatsächlichen klinischen Wirkung stehen aber noch aus.

Entzündungshemmende Substanzen

Zahlreiche Zahnpasten enthalten Pflanzenextrakte und/oder entzündungshemmende Substanzen. Zu dieser heterogenen Gruppe zählen:

- Gerbstoffe mit adstringierenden Eigenschaften,
- ätherische Öle mit desinfizierenden aber auch geschmacklichen Komponenten,
- Saponine, denen wegen ihrer Tensideigenschaften eine reinigende Wirkung zugeschrieben wird,
- Allantoin, welches keratolytisch wirkt,
- allgemein entzündungshemmende Substanzen, wie z.B. Bisabolol.

Innerhalb der Zahnmedizin werden diese Präparate aus folgenden Gründen sehr verhalten beurteilt:

- Die Konzentrationen sind für eine zu erwartende Wirkung zu gering (ca. um Faktor 100).
- Es werden zum Teil antagonistisch wirkende Substanzen gleichzeitig eingesetzt (Gerbstoffe und ätherische Öle).

- Generell findet eine Symptombehandlung statt, das Krankheitsbild wird maskiert und dessen Ursache – der bakterielle Zahnbelag – durch den Wirkstoff nicht beseitigt.

Einen Ausnahme stellt das Präparat „elmex mentholfrei" dar. Diese Zahnpasta wurde für Patienten in homöopathischer Behandlung entwickelt. Sie hat sich ebenso hilfreich für Patienten erwiesen, die auf ätherische Öle allergisch reagieren.

15.6.4.3 Kombinationen und Interferenzen

Entscheidend für den sinnvollen Einsatz von Zahnpasten sind vor allem zwei Faktoren: Erstens die Fluoridsupplementierung, die für ein kontinuierliches Fluoridangebot sorgt; Zweitens der Putzkörpergehalt, der die Reinigungsleistung der Paste erhöht. Von einem ausschließlichen Dauergebrauch fluoridfreier Zahnpasten ist aus kariesprophylaktischer Sicht abzuraten. Entzündungsreduzierende Wirkstoffe sind eine wertvolle Ergänzung, ihr Effekt sollte aber nicht überbewertet werden. Die regelmäßige Plaqueentfernung (Zähneputzen) steht bezüglich der Entzündungsprophylaxe in jedem Falle im Vordergrund.

Eine antibakterielle Wirkung der Mundspüllösungen und Zahnpasten (Tab. 15.6-1 bis 15.6-3) ist fast ausnahmslos gegeben. Nur bei vorhandener Substantivität kann jedoch auch eine Anti-Plaque-Wirkung erreicht werden. Eine positive Wirkung ist allerdings meist mit entsprechenden Nebenwirkungen verbunden (vgl. Tab. 15.6-1).

Wie bereits am Beispiel des Chlorhexidins beschrieben, sind manche Komponenten von Zahnpasten (anionische Inhaltsstoffe wie Natriumlaurylsulfat; NLS) und Mundspüllösungen (kationische Wirkstoffe wie Chlorhexidin oder Cetylpyridiniumchlorid) nicht kompatibel. Es wird deshalb geraten, Chlorhexidin-haltige Mundspüllösungen erst 30 Minuten bis zu 2 Stunden (Angaben variieren) nach dem Gebrauch NLS-haltiger Zahnpasten anzuwenden. Alternativ kann eine NLS-freie Zahnpaste benutzt werden. Zahnpasten und Mundspüllösungen mit dem ebenfalls kationischen Aminfluorid inaktivieren die klinische Wirkung des Chlorhexidins nicht. Interferenzen entfallen ebenfalls, wenn Paste und Spüllösung dieselben Wirkstoffkomponenten enthalten (z.B. innerhalb des Triclosan/Copolymer- oder Aminfluorid/Zinnfluorid-Wirksystems).

15.6.4.4 Chlorhexidin als antikariogener Wirkstoff

Chlorhexidin besitzt ein antikariogenes Potential, indem es Mutans-Streptokokken maßgeblich reduziert. Aus diesem Grunde kann bei Patienten mit erhöhtem Kariesrisiko Chlorhexidin kurzfristig (ca. 14 Tage) und intermittierend zur Suppression dieser kariogenen Bakterien eingesetzt werden. Es werden Spülungen (0,1 bis 0,2%) oder auch Gele (1%) zum Einbürsten oder über Schienenapplikation vom Zahnarzt empfohlen bzw. durchgeführt (Kinder!).

Parodontitisprophylaxe

15.7 Zuckerersatzstoffe und Kaugummis

15.7.1 Zuckerersatzstoffe

Kohlenhydrate, und hierbei insbesondere die niedrigmolekularen Mono- und Disaccharide, werden durch Stoffwechselvorgänge in der Mundhöhle zu Säuren umgewandelt und besitzen dadurch ein kariesauslösendes Potenzial. Aus diesem Grunde wurde versucht, Zucker in der Nahrung partiell durch Zuckerersatzstoffe zu ersetzen. Es besteht folgende Abstufung der Zucker und Süßungsmittel (Gehring, Oralprophylaxe 8, 139 [1986]):

- Mit Energiewert (kalorisch):
  - Zucker: Saccharose, Glucose, Fructose, Maltose, Lactose u.a.
  - Zuckeraustauschstoffe: Isomalt/Maltitol, Lycasin, Mannitol, Palatinit, Sorbitol, Xylitol u.a.
- Ohne Energiewert (nicht kalorisch):
  - synthetische Süßstoffe: Aspartam, Acesulfam, Aspartam-Acesulfam-Salz, Cyclamat, Saccharin u.a.
  - natürliche Süßstoffe: Dihydrochalcone, Miraculin, Monellin, Thaumatin u.a.

Süßstoffe haben einen von den Zuckern und Zuckeraustauschstoffen abweichenden chemischen Aufbau. Ihre Süßkraft kann 10- bis 3000-fach größer als die von Zucker (Saccharose) sein. Süßstoffe werden von den Bakterien im Mund nicht verstoffwechselt.

Die Definition Zucker laut deutschem Lebensmittelrecht ist heikel und gefährlich, da nur Saccharose als Zucker bezeichnet bzw. ausgezeichnet werden muss. Verheerende Folgen wurden durch das Auftreten von Zuckerteekaries deutlich: Selbst nachdem die Problematik aufgetaucht und erkannt worden war, wurden trotzdem Teemischungen auf den Markt gebracht, die als „Ersatz" für Saccharose zum Beispiel Fructose oder Lactose enthielten. Als „zuckerfrei" oder „zuckerreduziert" deklariert, zeigten sie trotzdem ein hohes kariogenes Potenzial. Es muss mit Nachdruck darauf hingewiesen werden, dass alle Zucker kariogen sind, wenn auch in abgestufter Reihenfolge. Die etwas geringere Kariogenität der Fructose im Vergleich zu Saccharose rechtfertigt keinesfalls ihren bedenkenlosen Einsatz an deren Stelle.

Als **Zuckeraustauschstoffe** dienen Substanzen mit nachweislich geringem Säurebildungsvermögen. Auf eine Initiative von Schweizer Universitäten wurde 1982 bereits das Markenzeichen „Zahnmännchen" eingeführt, das generell und inzwischen in zahlreichen Ländern für zahnfreundliches Verhalten wirbt. Als Aufdruck auf Süßigkeiten steht es für „zahnfreundliche" oder „zahnschonende" Produkte, die Zuckeraustauschstoffe enthalten und damit eine geringeres kariogenes Potenzial besitzen. Diese Süßwaren müssen folgende Kriterien erfüllen:

- Die Produkte dürfen während und 30 Minuten nach ihrem Verzehr in den Plaques keinen pH-Abfall unter 5,7 verursachen. Der pH-Wert der interdentalen Plaque wird unter physiologischen Bedingungen durch Telemetrie im Munde des Probanden nach Aufnahme des zu testenden Präparates gemessen.
- Den Geschmackswünschen der Verbraucher entsprechend werden zurzeit vor allem Fruchtbonbons verstärkt mit Fruchtsäuren angereichert. Um bei übermäßigem Verzehr Schmelzerosionen auszuschließen,

Zuckerersatzstoffe und Kaugummis

wird außerdem der pH-Wert an der Plaque-freien Zahnoberfläche bestimmt. Der pH-Wert von 5,0 darf nicht länger als 4 Minuten auftreten, andernfalls wird das Signet nicht verliehen.

Beratungstipp

Gerade Mütter von kleinen Kindern darauf hinweisen, dass auch andere Zucker, wie z.B. Fructose, Lactose usw. ein kariogenes Potenzial besitzen.
Es muss genau auf die Inhaltsstoffe von z.B. Getränken geachtet werden, denn „zuckerfrei" verweist nur auf das Fehlen von Saccharose.
Andere Zucker, die eine zahnschädigende Wirkung haben, können trotzdem enthalten sein.
Ein Dauergebrauch solcher Getränke kann zur „Nuckelflaschenkaries" führen.

Die so ausgezeichneten Produkte enthalten meist Zuckeralkohole, wie z.B. Lycasin, Mannitol, Sorbitol, Xylitol. Mannitol und Sorbitol können von Mutans-Streptokokken (vgl. Kap. 15.4.1) in geringem Maße abgebaut werden. Der „Klassiker" Xylitol wird demgegenüber überhaupt nicht verstoffwechselt und erweist sich als am geringsten kariogen. Darüber hinaus besitzt Xylitol weitergehende anti-kariogene Eigenschaften.

Zuckeraustauschstoffe besitzen einen Energiewert und eine Süßkraft, die nur halb so groß wie die von Saccharose ist (Ausnahme: Xylit). Obwohl manche Zuckeralkohole in Naturprodukten vorkommen, ist unser Darm nicht auf die Aufnahme größerer Mengen eingerichtet. Daher können sie laxierend wirken, wenn mehr als 40 g pro Tag aufgenommen werden. Alle Süßungsmittel sind nach der Zusatzstoff-Zulassungsverordnung oder im Rahmen einer Ausnahmegenehmigung des Bundesministeriums für Gesundheit zugelassen.

Aufgrund der relativ teuren Herstellung, technologischen Verarbeitung sowie der angesprochenen Nebenwirkung dieser Stoffe, werden Nahrungszucker nicht generell durch Austauschstoffe ersetzt. Dies ist zahnmedizinisch auch nicht gefordert. Wesentlich ist der Zuckerersatz insbesondere bei Zwischenmahlzeiten, damit nicht ein über den ganzen Tag verteiltes kontinuierliches Zuckerangebot aufgebaut wird.

Das Engagement der „Aktion zahnfreundlich e.V." hat zu einem sich ständig erweiternden Angebot an zahnfreundlichen Süßwaren geführt. Weit über 100 Produkte befinden sich derzeit im Handel (vgl. www.zahnmaennchen.de).

Tab. 15.7-1: Zahnfreundliche Kaugummis. Auswahl aus: www.zahnmaennchen.de, www.odol.de

Produkt	Spezifizierung	Inhaltsstoffe[1]
Jet Gum	Kaugummi	Sorbit, Isomalt, Maltit, Xylit, Mannit, Aspartam, Acesulfam
Jetties	Kaugummi	Sorbit, Xylit, Saccharin
Mentos	Kaugummi PURE	Maltit, Mannit, Sorbit
Odol-med 3	Zahnpflege-Kaugummi	Sorbit, Isomalt, Xylit, Mannit, Aspartam, Acesulfam
Putzi	Kaugummi Zahnpflege für Kinder	Sorbit, Xylit, Saccharin
Smint	Frische & Zahnpflege Pastillen	Sorbit, Xylit, Aspartam
Wrigley's Extra	Professional Kaugummi	Xylit, Sorbit, Mannit, Aspartam
Xylismile	Zahnpflegekaugummi	Xylit

[1] Angabe nur der Zuckeraustauschstoffe bzw. Süßstoffe

Je nach Hersteller/Produkt beruht der Geschmack auf Einzelstoffen oder auf der Mischung diverser Süßungsmittel. Oft werden kalorische Zuckeraustauschstoffe mit nicht kalorischen Süßstoffen kombiniert, z.B. Isomalt mit Aspartam. Beispielhaft wurden anhand der durch die „Aktion zahnfreundlich e.V." gegebenen kurzen Auflistung von Kaugummis und Pastillen in Tabelle 15.7-1 deren Zuckerersatz/Zuckeraustauschstoffe etwas genauer aufgelistet.

15.7.2 Kaugummis

Kaugummis nehmen im Spektrum zahnfreundlicher Süßwaren eine immer größere Rolle ein. Sie besitzen selbst kariesprotektive Eigenschaften, die über die Anregung des Speichelflusses zusätzlich noch positiv unterstützt werden. Besonders die Xylit-haltigen Kaugummis hemmen Mutans-Streptokokken. Indem diese kariesauslösenden Bakterien Xylit nicht verstoffwechseln können, wird ihnen die Nahrungsgrundlage entzogen und ihre Zahl nimmt ab. Über die Stimulation des **Speichel**flusses (bis zu 10fach erhöht) beim Kauen des Kaugummis kommen folgende Mechanismen zum Tragen:

- Stimulation der „oral clearance", das Verschwinden von im Mundraum befindlichen Substanzen, wie z.B. Nahrungszucker;
- Pufferung von Nahrungssäuren (in Getränken, Süßigkeiten) und bakteriell in den Zahnbelägen produzierten Säuren;
- Bereitstellung remineralisierender Substanzen wie Calcium, Phosphat und Fluorid;
- Versorgung mit antibakteriellen Schutzstoffen (vgl. Kap. 15.2.3).

In diesem Sinne kann die positive prophylaktische und therapeutische Wirkung des Kaugummikauens und des Produktes Kaugummi nicht hoch genug eingeschätzt werden (vgl. a. Kap. 15.8.2). Kaugummikauen kann nach dem Essen oder Trinken die Remineralisation fördern. Es ersetzt jedoch nicht das Zähneputzen, da es nicht in der Lage ist, die Plaque zu entfernen.

15.7.3 Sonstige Produkte und Probleme

Die Zuckerproblematik und die als Konsequenz beschriebene Strategie der Zuckerersatzstoffe ist weit komplexer als bisher beschrieben. Hierzu zählt z.B. auch der Problemkreis „**versteckte Zucker**". Dieser umfasst vor allem Nahrungs- und Genussmittel, deren Hauptgeschmacksrichtung nicht vorrangig süß ist (z.B. Ketchup, Salatdressing, Fruchtjoghurt). Zunehmend findet auch das kariogene Potenzial von **Stärke-Produkten** Beachtung. Dabei handelt es sich um salzige Snacks, Cornflakes, Chips oder Cracker. Auch wenn die Datenlage hierfür nicht so umfangreich ist wie für die Zucker, sollte die wenig informierte Öffentlichkeit auf die mögliche Gefährdung der Zähne auch durch diese Produkte hingewiesen werden.

Auf die **laxierende Wirkung** von manchen zahnschonenden Produkten wurde bereits hingewiesen. Unter diesem Aspekt ist die Kombination mehrerer Zuckerersatzstoffe in einem Produkt positiv zu interpretieren. Die Aufnahmemenge des jeweiligen Einzelstoffes und damit eventuelle Nebenwirkungen werden reduziert.

Auch sogenannte „**Light**"-**Getränke** sollten im Sinne der Zahngesundheit nicht bedenkenlos konsumiert werden. Zwar enthalten sie keinen Zucker, haben aber durch **zugesetzte Säuren** einen so geringen pH-Wert (Cola ca. 3), dass bei übermäßigem Verzehr (das heißt sowohl in großen Mengen als auch in kleinen Mengen über einen langen Tageszeitraum) Säureerosionen an den Zähnen auftreten können.

Schließlich muss noch auf den Stärke- und/oder **Zuckergehalt pharmazeutischer Präparate** hingewiesen werden. Dieser mag aus galenischen Gründen nicht immer zu vermeiden sein. Spezielle Produkte für den Mundraum wie z.B. Mittel gegen Zahnungsbeschwerden sollten selbstverständlich zuckerfrei sein. Jedoch enthalten manche Arzneimittel, besonders auch solche für Kinder, nach wie vor einen hohen Zuckeranteil. Dazu zählen Lutschpastillen, Hustensäfte und Antibiotikasäfte. Deren Verweildauer im Munde ist oftmals sehr lang und die Kariesgefährdung damit nicht unerheblich. Positiv zu vermerken ist, dass es auch in diesem Bereich zunehmend „zahnfreundliche" Präparate gibt, so z.B. Hustagil Thymian-Hustensaft, Lymphozil Lutschtabletten, tetesept Bronchial-aktiv Hustentropfen, Nurofen Fiebersaft.

Generell ist auch noch folgender Aspekt zu bedenken. Es gilt als gesichert, dass eine Präferenz für Süßes angeboren ist. Des Weiteren haben Studien gezeigt, dass frühe Erfahrungen mit süßen Substanzen in den ersten Lebensmonaten diese Präferenzen untermauern, während eine von süßen Substanzen freie Ernährung zum Rückgang der Süß-Präferenz führt. Auch der Einsatz von Süßigkeiten als Belohnung bei Kleinkindern hat eher einen Verstärkungseffekt dieser Vorlieben zur Folge. Aus diesen Gründen sollte bei der Verabreichung von Baby- und Kindernahrung darauf geachtet werden, **Zuckerzusätze** (Zucker aber auch Zuckerersatzstoffe) zu vermeiden bzw. zu reduzieren.

In diesem Zusammenhang sollte auch auf die **Nuckelflaschenkaries** verwiesen werden, die trotz umfassender Aufklärung in den vergangenen Jahren nach wie vor einen breiten Raum bei Kleinkindern (1.–3. Lebensjahr; 10 bis 15 % aller Kinder) einnimmt. Die ständige Zufuhr süßer Getränke durch Nuckelflaschen aber auch Schnabeltassen über den ganzen Tag oder die Nacht verteilt, führt zur kariösen Zerstörung der Milchzähne. Tees aus Granulat werden zwar von den Herstellern mit der Aufschrift „ohne Zuckerzusatz" angeboten, haben aber durch den Kohlenhydratgehalt generell ein kariogenes Potenzial und sind genauso wie Fruchtsäfte (auch verdünnt!), die Fructose enthalten, schädlich für die Zähne.

Beratungstipp

Hinweise zur Ernährung
- Auf versteckte Zucker achten (z.B. in Ketchup).
- Auch Stärkeprodukte sind kariogen (z.B. salzige Snacks, Chips).
- Light-Getränke sind durch fehlenden Zuckergehalt nicht kariogen, können aber durch geringen pH-Wert Erosionen verursachen.
- Bei Säuglingen und Kleinkindern auf das Süßen von Speisen verzichten, um die Präferenz für Süßes abzuschwächen.

15.8 Altersbezogene Probleme

15.8.1 Verschiedene Altersgruppen

Auf die prinzipiell erhöhte Gesundheitsgefährdung von **Kindern** wurde mehrfach unter den Stichpunkten Fluorid, Alkoholgehalt von Mundspüllösungen und Einsatz von Zuckerersatzstoffen hingewiesen. Gerade bei Kindern ist einerseits auf eine ausreichende Fluoridaufnahme zu achten, andererseits sollte eine erhöhte Aufnahme vermieden werden.

Sobald bei Kindern eine Zahnregulierung durch kieferorthopädische Maßnahmen ansteht, sind sie prinzipiell stärker kariesgefährdet. Die kieferorthopädischen Geräte, ob festsitzend oder herausnehmbar, bieten ideale Nischen für Mutans-Streptokokken und Plaque-Retentionsstellen. Festsitzende Apparaturen erschweren zusätzlich die mechanische Zahnreinigung. Es ist nachgewiesen, dass bei mangelnder Pflege die Mutanszahlen pro Milliliter Speichel ansteigen mit der möglichen Folge von Schmelzentkalkung oder sogar Kariesentstehung. In diesen Fällen ist neben optimaler Plaquekontrolle eine ausreichende, langfristige und konstante Fluoridversorgung anzustreben, sowohl professionell durch den Zahnarzt als auch durch häuslichen Gebrauch.

Jugendliche sind insofern mehr Karies- und Gingivitis-gefährdet, da während der Pubertät das Interesse an der Zahnpflege zugunsten anderer Prioritäten zurückgeht. Hier gelten die gleichen Empfehlungen: Motivation zur Zahnpflege in Kombination mit häuslicher und professioneller Fluoridapplikation. Zusätzlich können ab diesem Lebensabschnitt Säureerosionen auftreten, die durch säurehaltige Lebensmittel (isotonische Sportgetränke, Säfte, Softdrinks etc.) oder auch durch häufiges Erbrechen (Magensäure) bei Essstörungen, verursacht werden. Neben dem Abstellen der Ursachen sind umfangreiche Fluoridierungsmaßnahmen notwendig, um weiteren Verlust von Zahnhartsubstanz zu verhindern.

Bei den **Erwachsenen** tritt mit zunehmendem Lebensalter die Parodontitisentstehung in den Vordergrund. Bei diesem Krankheitsbild erfolgen Maßnahmen im Rahmen der Selbstmedikation, wie mechanische und chemische Plaquereduktion, immer parallel zur professionellen Behandlung durch das zahnärztliche Fachpersonal.

Im Zusammenhang mit der Parodontitis kommt es oft zum Zahnfleischrückgang und damit verbundener Freilegung von Zahnhälsen und Wurzeloberflächen. Wurzelzement und Dentin sind stärker kariesgefährdet als Schmelz. Damit werden die älteren Patienten wiederum zu einer Kariesrisikogruppe. Da hier außerdem die im Folgenden angesprochene Speichelproblematik hinzukommt, die ebenfalls das Kariesrisiko erhöht, ist wiederum eine ausreichende Fluoridversorgung von entscheidender Bedeutung.

15.8.2 Speichelproblematik

Die für die orale Gesundheit so wesentliche, kontinuierliche Speichelproduktion ist zahlreichen äußeren Faktoren unterworfen: Tag/Nacht- bzw. Wach/Schlaf-Rhythmus, jahreszeitlichen Schwankungen, Abhängigkeit von der Nahrungsaufnahme sowie von der

Kauaktivität, Stress. Eine Vielzahl von Medikamenten kann die Speichelproduktion beeinflussen. Von bis zu 400 Medikamenten ist ein solcher Einfluss bekannt (s. Beispiele in Tab. 15.8-1). Aber auch Frauen nach der Menopause, Patienten mit Autoimmunerkrankungen (Sjögren-Syndrom), HIV, Diabetes, Patienten nach Bestrahlung im Kopf-Hals-Bereich haben häufiger eine verminderte Speichelproduktion. Mundtrockenheit kann selbst nach Rauchen, Kaffee- oder Alkoholgenuss auftreten (auch alkoholhaltige Mundspüllösungen!). Aufgrund der Vielfalt möglicher Einflüsse, ist es wichtig, differentialdiagnostisch abzuklären, ob:

- Hyper- oder Hyposalivation vorliegt; bei vermindertem Speichelfluss wird weiterhin zwischen Oligosialie und Xerostomie (fast bis gänzlich fehlende Speichelproduktion) unterschieden. Anhaltspunkt hierfür ist die Speichelsekretionsrate nach Stimulation: normal mindestens 1 ml/min, Oligosialie 0,7 ml/min, Xerostomie 0,1 ml/min;
- Die entsprechende Ausprägung auf eine Grunderkrankung oder weitere, nicht medikamentöse Ursachen zurückgeht (z.B. Radiatio);
- Der Einfluss auf ein oder mehrere Medikamente zurückzuführen ist.

In Bezug auf den Einfluss des Alterns wurde argumentiert, dass der Speichelfluss mit diesem abnehme. Eine Studie an **gesunden Probanden** ohne Medikation konnte nachweisen, dass bereits in der Gruppe der 40–60-Jährigen eine signifikante Abnahme der Fließrate von **unstimuliertem** Gesamtspeichel im Vergleich zu 20–39-Jährigen vorliegt. Mit zunehmendem Alter gehen diese Werte noch weiter zurück. Die Menge des **stimulierten** Speichels dagegen nahm in den höheren Altersgruppen (bis 80 +) nicht ab. Eine einfache (karies)-prophylaktische Maßnahme bei älteren Menschen ist es daher, die Speichelsekretion anzuregen.

Nehmen ältere Menschen jedoch Medikamente zu sich, wie das in großen Bevölkerungsteilen der Fall ist, ändert sich diese Situation. So wurde beispielsweise in einer Untersuchung von mehr als 3200 über 65-jährigen US-Bürgern berichtet, dass 51 % Medikamente zu sich nahmen, von denen bekannt war, dass sie Xerostomie hervorrufen. Von ähnlich hohen Medikationsraten sollte auch in der Bundesrepublik ausgegangen werden. In Tabelle 15.8-1 sind eine Vielzahl an Medikamenten aufgelistet. Sie gehören einerseits Kategorien an, bei denen die Auslösung der Mundtrockenheit mit der therapeutisch gewünschten Hauptwirkung untrennbar verbunden ist. Es gibt jedoch auch Arzneimittelgruppen, bei denen ein unmittelbarer Zusammenhang zwischen erwünschtem Effekt und unerwünschten Nebenwirkungen nicht erkennbar ist. Bei der Verschreibung von Medikamenten durch Haus- und Fachärzte sollte deshalb der Aspekt einer negativen Beeinflussung der Speichelproduktion bedacht werden und möglichst alternative Medikamente ohne diese Wirkungen/Nebenwirkungen verordnet werden. Weiterhin ist zu beachten, dass verminderter Speichelfluss vice versa die Akzeptanz einer gewünschten Pharmakotherapie zu verändern vermag (Compliance).

Mit steigendem Alter steigt auch die Zahl der verordneten Medikamente. Erschwerend kommt hinzu, dass oftmals unabhängig voneinander mehrere Ärzte aufgesucht werden, die wiederum zusätzlich Medikamente verordnen. Schließlich werden die Mehrfach-Medikationen noch durch Selbstmedikation ergänzt. Mit der Anzahl der Medikationen steigt die Zahl der Patienten, die über Mundtrockenheit klagen.

Da Xerostomie auch mit anderen, nicht oralen Symptomen assoziiert sein kann (Brennen der Augen, trockene Nase etc.) lohnt sich eine anamnestische Erfassung der qualitativen und quantitativen Medikamentenaufnahme, um therapeutisch gegensteuern zu können.

Welche therapeutischen Strategien in Betracht gezogen werden sollten, ist strittig.

Tab. 15.8-1: Arzneimittel, die die Speichelproduktion hemmen – Substanzklassen und generische Bezeichnungen. Auswahl nach: Screebny, Schwartz 1997

Analgetika	Nicht steroidale Antirheumatika	Diclofenac; Ibuprofen; Piroxicam;
	andere	Carbamazapin
	Betäubungsmittel	Fentanyl; Methadon; Morphinsulfat; Opium, Belladonna
Appetitzügler	Amphetamine	Amphetamin, Dextroamphetamin; Benzphetamin; Biphetamin
Anti-Akne-Präparate		Isoretinoin
Antiarrhytmika		Flecainid; Propafenon
Anticholinergika	Gastrointestinaltrakt	Atropinsulfat, Hyoscyaminsulfat, Phenobarbital; Belladonna-Alkaloide
	Harnwege	Flavoxat; Oxybutynin
Antihistaminika		Diphenhydramin; Loratadin; Promethazin; Terfenadin
Antihyperlipämika		Atorvastatin; Lovastatin
Antihypertensiva	ACE-Hemmer	Captopril; Enalapril; Lisinopril; Quinapril; Ramipril
	Angiotensin-II-Rezeptor-Blocker	Losartan
	Alpha-Blocker	Diazoxid; Prazosin
	Adrenerge Alpha-Rezeptor-Agonisten	Clonidin; Methyldopa
	Beta-Blocker	Bisoprolol; Metoprolol
	Calciumkanalblocker	Amlodipin; Diltiazem; Nifedipin; Verapamil-HCL

Altersbezogene Probleme

Tab. 15.8-1: Arzneimittel, die die Speichelproduktion hemmen – Substanzklassen und generische Bezeichnungen. Auswahl nach: Screebny, Schwartz 1997 (Fortsetzung)

Diuretika	Thiazide	Hydrochlorothiazid
	Schleifendiuretika	Furosemid; Torasemid
Chemotherapeutika	Antibiotika	Ciprofloxazin; Metronidazol; Norfloxacin; Ofloxacin
	Antimykotika	Flucytosin
	Virostatika	Foscarnet; Ganciclovir
Antazida	Protonenpumpenhemmer	Omeprazol
Bronchodilatatoren		Ipratropiumbromid; Terbutalinsulfat
Antidiarrhoeika		Loperamid
Hämorheologika		Pentoxyphyllin
Migränemedikamente		Sumatriptansuccinat
Multiple-Sklerose-Medikamente		Interferon-beta
Muskelrelaxantien		Baclofen
Antiemetika		Dimenhydrinat; Diphenhydramin; Scopolamin
Anti-Parkinson-Medikamente		Bromocriptin; Hyoscyaminsulfat; Procyclidin
Psychopharmaka	Anxiolytika	Alprazolam; Clonazepam; Diazepam; Lorazepam
	Antidepressiva	MAO-Inhibitoren
	Serotoninaufnahme-Inhibitoren	Venlafaxin; Paroxetin; Fluoxetin; Sertralin
	Trizyklika	Amitryptylin; Doxepin; Imipramin
Mittel gegen manische Erkrankungen		Lithium
Antipsychotika		Clozapin; Fluphenazin-Decanoat; Haloperidol
Antiepileptika		Lamotrigin
Mittel zur Raucherentwöhnung		Nicotinpflaster

Synthetische Speichelpräparate wirken zwangsläufig nur symptomatisch. Citronensäure wird als probates Mittel bezeichnet, ihr Dauergebrauch ist wegen der Karies- und Erosionsgefahr gerade bei geringem Speichelfluss kontraindiziert. Einige Medikamente stehen zur Verfügung.

Aus den obigen Ausführungen wird klar, dass die Speichelproblematik nicht mehr in den Bereich der Selbstmedikation gehören sollte. Allein die physiologische Stimulierung der Speichelsekretion stellt eine Ausnahme dar (z.B. Kaugummi). Aufgrund der negativen Auswirkungen verminderten Speichelflusses auf die Kariesentstehung wird wiederum auf häusliche und professionelle Fluoridprophylaxe verwiesen.

15.8.3 Speichelersatzmittel

Die wichtige Rolle einer ausreichenden Speichelproduktion wird u.a. bei Xerostomie-Patienten deutlich, bei denen nach bestrahlungsbedingter Zerstörung der Speicheldrüsen eine fulminante und progrediente Kariesentwicklung auftritt. Der Speichel ist der wesentlichste Lieferant für das zur Remineralisation des Zahnschmelzes notwendige Calcium und Phosphat. Speichelersatzmittel sollten deshalb diese beiden Komponenten enthalten (Tab. 15.8-2). Zugleich ist ein neutraler pH sowie ein Gehalt an Fluorid zu fordern. Nur dann sind Speichelersatzlösungen als wertvolles, zusätzlich einsetzbares Mittel anzusehen. Sie können aber keinesfalls fluoridhaltige Präparate ersetzen.

15.8.4 Reinigungsmittel für herausnehmbaren Zahnersatz und kieferorthopädische Geräte

Kieferorthopädische Apparaturen und herausnehmbarer Zahnersatz sind über längere Zeit dem oralen Milieu ausgesetzt und müssen demzufolge gepflegt und gereinigt werden. Ungepflegte Prothesen begünstigen die Vermehrung von Keimen in der Mundhöhle, die wiederum Schleimhautentzündung, Plaqueansammlung und Karies an Restzähnen hervorrufen können. Die tägliche Prothesenpflege sollte mit Wasser und Bürste (Handbürste oder spezielle Prothesenbürste) erfolgen. Auf die Verwendung von Zahnpasta sollte verzichtet werden, weil diese zu Aufrauungen der Kunststoffanteile führt. Statt dessen sollte besser Flüssigseife zum Einsatz kommen. Als Ergänzung und zur Desinfektion sind spezielle Prothesenreiniger im An-

Tab. 15.8-2: Speichelersatzmittel. Nach: Meyer-Lückel, Kielbassa 2003

Produkt	Calcium	Phosphat	Fluorid	Basis	pH
Artisial	+	+	−	Na-CMC[1]	6,7
VA-Oralube	+	+	+	Na-CMC	7,0
Glandosane	+	+	−	Na-CMC	5,1
Biotène Oralbalance	−	−	−	HEC[2] Gel	−
Saliva medac	−	−	−	Muzin	5,4
Saliva Orthana	+	+	+	Muzin	6,7
Oralube	+	+	+	Sorbitol	6,9
Salinum	−	+	−	Leinsamenöl	−

[1] CMC: Carboxymethylcellulose
[2] HEC: Hydroxyethylcellulose

Altersbezogene Probleme

gebot, die ohne mechanische Unterstützung wirksam sind. Diese Produkte (Granulat, Tabletten, Pulver) lösen sich sprudelnd in Wasser auf und setzen dabei aktiven Sauerstoff frei, der die Keimabtötung bewirkt. Reinigung und Desinfektion erfolgen bei den Phasenpräparaten gleichzeitig, bei den Schichtenpräparaten nacheinander. Schnellreiniger entfalten ihre Wirksamkeit nach 15 Minuten, Langzeitreiniger wirken über Nacht. Qualitätsanforderungen sind neben Desinfektion und Reinigung, dass die Produkte rückstandslos abgespült werden können und die Oberflächen nicht verändert werden. Beispiele sind in Tabelle 15.8-3 aufgeführt.

Tab. 15.8-3: Reinigungsmittel für herausnehmbaren Zahnersatz und KfO-Geräte. Auswahl aus: Das Dental Vademekum 2009/2010

Produkt	Reinigungswirkstoffe	Desinfektionswirkstoffe
A: Schnellreiniger		
Blend-a-dent 2-Phasen Ultra	Kaliummonopersulfat, Natriumperborat, Natriumlaurylsulfonacetat	Kaliummonopersulfat, Natriumperborat
Corega Tabs	Citronensäure, Natriumbicarbonat, Natriumlaurylsulfonacetat	Kaliumcarbonat, Natriumcarbonat
Dentipur Schnellreinigungs-Tabletten	Kaliumperoxomonosulfat, Natriumperborat, Citronensäure	Kaliumperoxomonosulfat, Natriumperborat, Aktivsauerstoff
B: Langzeitreiniger		
Lysoform d	Natriumlaurylethersulfat, Natriumtripolysulfat	Formaldehyd
BDC weekly	Meersalz, Citronensäure	

15.9 Generelle Aspekte/Patientengespräch

In zunehmendem Maße stellt die Prophylaxe einen festen Bestandteil im Behandlungsspektrum der Zahnarztpraxen dar. Jährlich werden zahnmedizinische Prophylaxeassistentinnen und Fachassistentinnen sowie Dental Hygienists ausgebildet. Da jedoch noch nicht alle Praxen in vollem Umfang prophylaktische Maßnahmen durchführen und über entsprechend qualifiziertes Personal verfügen, spielt die Beratung in der Apotheke eine große Rolle. Mehr denn je findet der Zusammenhang zwischen oralen und allgemeinen Erkrankungen Beachtung. Hier besteht vor allem in der Bevölkerung ein großes Wissensdefizit. Wichtige Beratungsschwerpunkte lassen sich entsprechend der Gliederung dieses Kapitels wie folgt unterteilen: (1) Mechanische Zahnpflege, (2) Karies und Fluorideinsatz, (3) Parodontopathien, (4) Speichelproblematik. Wegen der immer wieder zu berücksichtigenden Altersabhängigkeit zahnmedizinischer prophylaktischer Maßnahmen werden im Folgenden einige Kernaussagen auf verschiedene Altersgruppen bezogen zusammengefasst.

riesprophylaktischer Effekt ohne gefährliche Nebenwirkungen zu erwarten.
Das Verhältnis zwischen systemischer und lokaler Fluoridapplikation hat sich in den vergangenen Jahren zugunsten der lokalen Fluoridierung etwas verschoben. Richtlinien werden ständig überarbeitet, um die optimale kariesprophylaktische Wirkung zu erzielen.
Die Vierte Deutsche Mundgesundheitsstudie (DMS) stellte im Vergleich zur DMS III (1997) einen weiteren Kariesrückgang bei Kindern fest. Jedoch hat sich die Polarisation innerhalb dieser Altersgruppe weiter verstärkt. Zehn Prozent der Kinder vereinigen mehr als 60 % der Karieserfahrung auf sich. Bei Jugendlichen konzentrieren sich 80 % der Karieserfahrung auf ca. 27 % der Untersuchten. Das bedeutet, dass dieser nach wie vor bestehenden Gruppe der Kariesrisikopatienten besondere Beachtung geschenkt werden muss. Der verstärkte Einsatz lokaler Fluoridierungsmaßnahmen wird für diese Gruppe als besonders erfolgversprechend beurteilt.

15.9.1 Fluorideinsatz bei Kindern

Toxikologische Bedenken bestehen im Rahmen des kariesprophylaktischen Fluorideinsatzes nicht. Eine leichte Erhöhung des Dentalfluoroserisikos ist bei übertriebener Fluoridanwendung (Applikation mehrerer systemisch und lokal wirksamer Fluoridpräparate) möglich. Bei sachgemäßer Anwendung von fluoridhaltigen Produkten unter Beachtung der Fluoridanamnese ist ein ka-

15.9.2 Säuglinge und Kleinkinder (0 bis 2 Jahre)

Von gesüßten Nahrungsmitteln ist wegen einer möglichen damit verbundenen Geschmackslenkung besonders in dieser Altersgruppe abzuraten.
Die ständige Gabe zuckerhaltiger Getränke (Tee, Säfte) aus Saugerflaschen sollte aufgrund der Gefahr der Entstehung einer „Sauger-/Nuckelflaschenkaries" unbedingt vermieden werden. Stattdessen sind Geträn-

ke wie selbst gekochter Tee aus Teebeuteln oder Wasser zu empfehlen. Frühzeitig (ca. 1. Lebensjahr) sollte zum Trinken aus der Tasse übergegangen werden. Die Folgen der umfassenden kariösen Zerstörung des Milchgebisses können bis zum Zahnwechsel (10.–12. Lebensjahr!) anhalten sowie Schäden der bleibenden Zähne hervorrufen.

Wenn Mineralwasser zur Herstellung der Säuglings- und Kleinkindernahrung verwendet wird, sollte dessen Fluoridgehalt bekannt sein und in die Gesamtfluoridbilanz mit einbezogen werden.

Nach dem Durchtritt der ersten Milchzähne (ca. 6. Lebensmonat) sollten die Eltern die Zähne 1 × täglich mit weicher Zahnbürste und einer max. erbsengroßen Menge Kinderzahnpaste (500 ppm Fluorid) reinigen. Alternativ sollte auf die Verwendung von fluoridierter Zahnpasta und fluoridiertem Salz verzichtet werden, wenn die tägliche Gabe von Fluoridtabletten gewährleistet ist. Mit dem Beginn der Aufnahme fester Nahrung kann diese mit fluoridiertem Speisesalz zubereitet werden.

15.9.3 Kleinkinder vor dem Schuleintritt (2 bis 6 Jahre)

Die Zähne sollten 2 × täglich mit fluoridierter Kinderzahnpasta geputzt werden. Auch wenn die Kinder nach und nach an selbständige Zahnpflege herangeführt werden, ist aufgrund der eingeschränkten manuellen Fertigkeiten ein Nachputzen durch die Eltern unbedingt erforderlich.

Die Verwendung von fluoridiertem Speisesalz bei der Nahrungszubereitung ist anzuraten; allerdings ist die Salzzugabe zu Nahrungsmitteln aus allgemeinen Gesundheitsgründen so gering wie möglich zu halten. Auch in dieser Altersgruppe ist die Gesamtfluoridaufnahme zu kontrollieren.

Getränke sollten aus der Tasse und nicht mehr aus Saugerflaschen verabreicht werden. Die Gefahr einer Saugerflaschenkaries besteht sonst weiter. Generell sollte auf eine gesunde, zuckerarme Ernährung geachtet werden.

Die Verabreichung von Mundspüllösungen ist in dieser Altersgruppe aufgrund des nur unvollständig kontrollierbaren Schluckreflexes kontraindiziert.

15.9.4 Schulkinder (6 bis 14 Jahre)

Ab dem 6. Lebensjahr sollten die Kinder „Erwachsenenzahnpaste" (Fluoridgehalt 1 000 bis 1 500 ppm) verwenden. Die Putztechnik wird nun auf die „Rot-Weiß-Technik" umgestellt.

Kinder, die sich in kieferorthopädischer Behandlung befinden, können zusätzlich fluoridhaltige, alkoholfreie Mundspüllösungen erhalten.

Spätestens wenn alle bleibenden Zähne durchgebrochen sind, sollte mit der zusätzlichen Anwendung von Zahnseide zur Zahnzwischenraumpflege begonnen werden.

15.9.5 Generelle Aussagen zur mechanischen und chemoprophylaktischen Mundhygiene

Die mechanische Mundhygiene mittels Zahnbürste/Zahnpasta sowie Zahnseide/Zahnzwischenraumbürstchen ist die tragende Säule der Plaqueentfernung. Sie sollte durch Fachpersonal (Zahnarzt, Prophylaxehelferin) vermittelt werden.

Für die Reinigung der Zahnzwischenräume sollte im gesunden Gebiss Zahnseide verwendet werden. Sind dagegen die Zwischenräume eröffnet und breit, eignen sich Zahnzwischenraumbürstchen besser. Im Sortiment einiger Anbieter sind mittlerweile auch sehr kleine dünne Bürstchen zu finden, die auch bei sehr engen Zwischenräumen eingesetzt werden können.

Mehrfaches Zähneputzen am Tag ist für die Mehrzahl der Patienten nicht durchführbar.

Es wird daher empfohlen, 2 × täglich die Zähne zu putzen und darauf Wert zu legen, dass davon mindestens 1 × eine vollständige Plaqueentfernung durch Anwendung der Zahnbürste und der Hilfsmittel zur Zwischenraumreinigung erreicht wird (meistens abends). In dieser Kombination wird ein kontinuierliches Fluoridangebot gewährleistet und die kariogene bakterielle Plaque entfernt.

Mundspüllösungen können zusätzlich zur mechanischen Plaqueentfernung verwendet werden, ersetzen diese aber nicht. Chlorhexidin als derzeit wirksamstes Anti-Plaque-Mittel hat zwar eine ausreichende Wirksamkeit, ist aber aufgrund seiner Nebenwirkungen langfristig nicht einsetzbar. Spüllösungen (Anti-Plaque und Fluorid-haltige) sollten nach dem Zähneputzen zur Anwendung kommen. So können sie auf der plaquefreien Zahnoberfläche eine maximale Wirkung entfalten. Enthalten die Lösungen kationische Wirkstoffe, die nicht mit den anionischen Detergentien in den Zahnpasten kompatibel sind, sollte ausreichend Zeit zwischen dem Putzen und dem Spülen gelassen werden.

15.9.6 Erwachsene

Die Kariesprävalenz ist in den letzten Jahren insgesamt zurückgegangen. Jedoch ist bei den von Karies befallenen Zähnen der Anteil an Wurzelkaries gestiegen. Jeder zweite Erwachsene (35-44-Jährige) ist von mittelschwerer Parodontitis betroffen, 20 % haben sogar eine schwere Parodontitis (DMS IV).

Während eine Gingivitis reversibel und durch simple Mundhygienemaßnahmen zu therapieren ist, ist eine einmal vorhandene Parodontitis mit der Bildung von Zahnfleischtaschen und Knochenverlust nicht mehr reversibel. Ihre Behandlung gehört in die Hand des Fachpersonals (Zahnarzt, Parodontologe). Zur Unterstützung der Therapie können Hilfsmittel zur mechanischen Mundhygiene sowie Chemoprophylaktika im Rahmen der Selbstmedikation empfohlen werden. Ein ausreichendes Fluoridangebot ist für die Prophylaxe der Wurzelkaries wichtig.

15.9.7 Ältere Menschen

Immer mehr ältere Menschen haben noch ihre eigenen Zähne. Wie bei den „Erwachsenen" ist der Kariesindex rückläufig aber mit erhöhtem Vorkommen von Wurzelkaries verbunden. Vierzig Prozent der Senioren haben eine schwere Form der Parodontitis. Zudem spielt in dieser Altersgruppe die Speichelproblematik eine große Rolle, die sich vor allem aus den Lebensverhältnissen sowie der zunehmenden Medikamenteneinnahme ergibt. Die Kariesgefährdung einerseits durch Parodontitis, andererseits durch verminderten Speichelfluss kann durch Fluoridierungsmaßnahmen vermindert werden. Die Pflege von Zahnersatz (festsitzend und herausnehmbar) sowie die Pflege der eigenen Zähne unter besonderer Beachtung der Zahnhalsproblematik stehen im Mittelpunkt der Selbstmedikation.

15.10 Mindmap

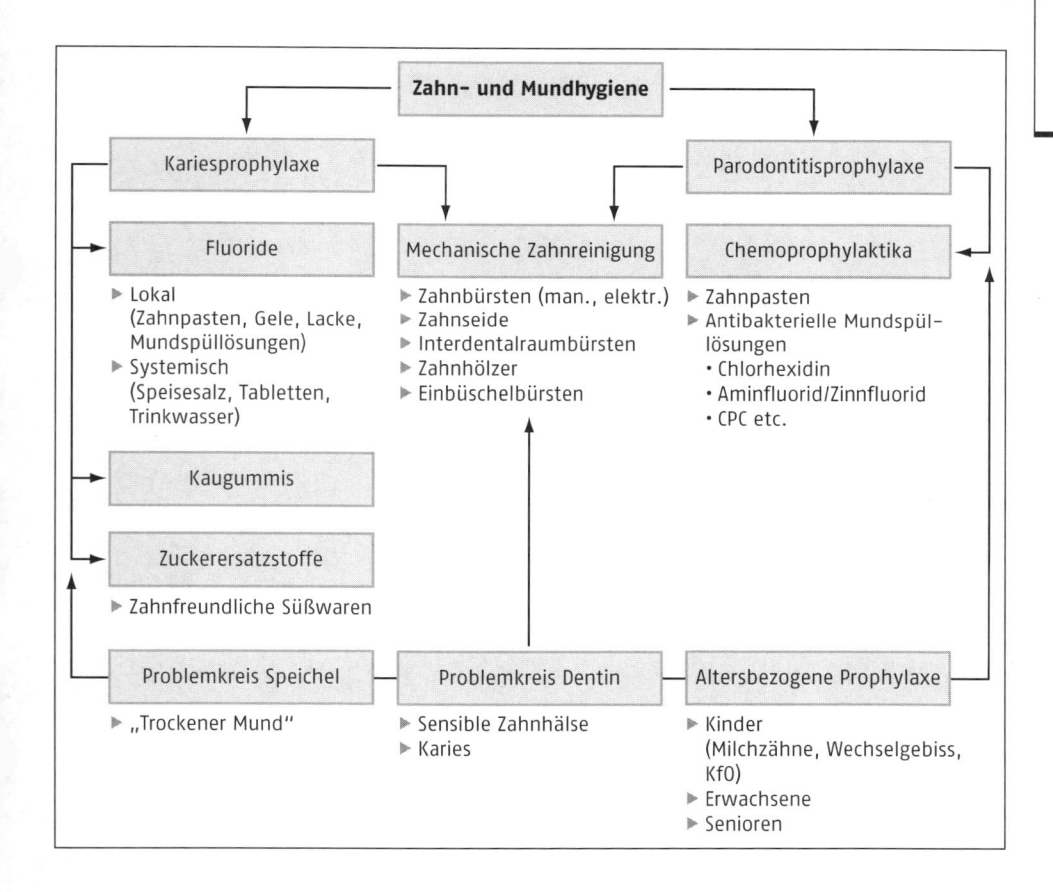

Zahn- und Mundhygiene

Kariesprophylaxe

Fluoride
- Lokal (Zahnpasten, Gele, Lacke, Mundspüllösungen)
- Systemisch (Speisesalz, Tabletten, Trinkwasser)

Kaugummis

Zuckerersatzstoffe
- Zahnfreundliche Süßwaren

Problemkreis Speichel
- „Trockener Mund"

Mechanische Zahnreinigung
- Zahnbürsten (man., elektr.)
- Zahnseide
- Interdentalraumbürsten
- Zahnhölzer
- Einbüschelbürsten

Problemkreis Dentin
- Sensible Zahnhälse
- Karies

Parodontitisprophylaxe

Chemoprophylaktika
- Zahnpasten
- Antibakterielle Mundspüllösungen
  - Chlorhexidin
  - Aminfluorid/Zinnfluorid
  - CPC etc.

Altersbezogene Prophylaxe
- Kinder (Milchzähne, Wechselgebiss, KfO)
- Erwachsene
- Senioren

Mindmap

16 Arzneimittelähnliche Medizinprodukte

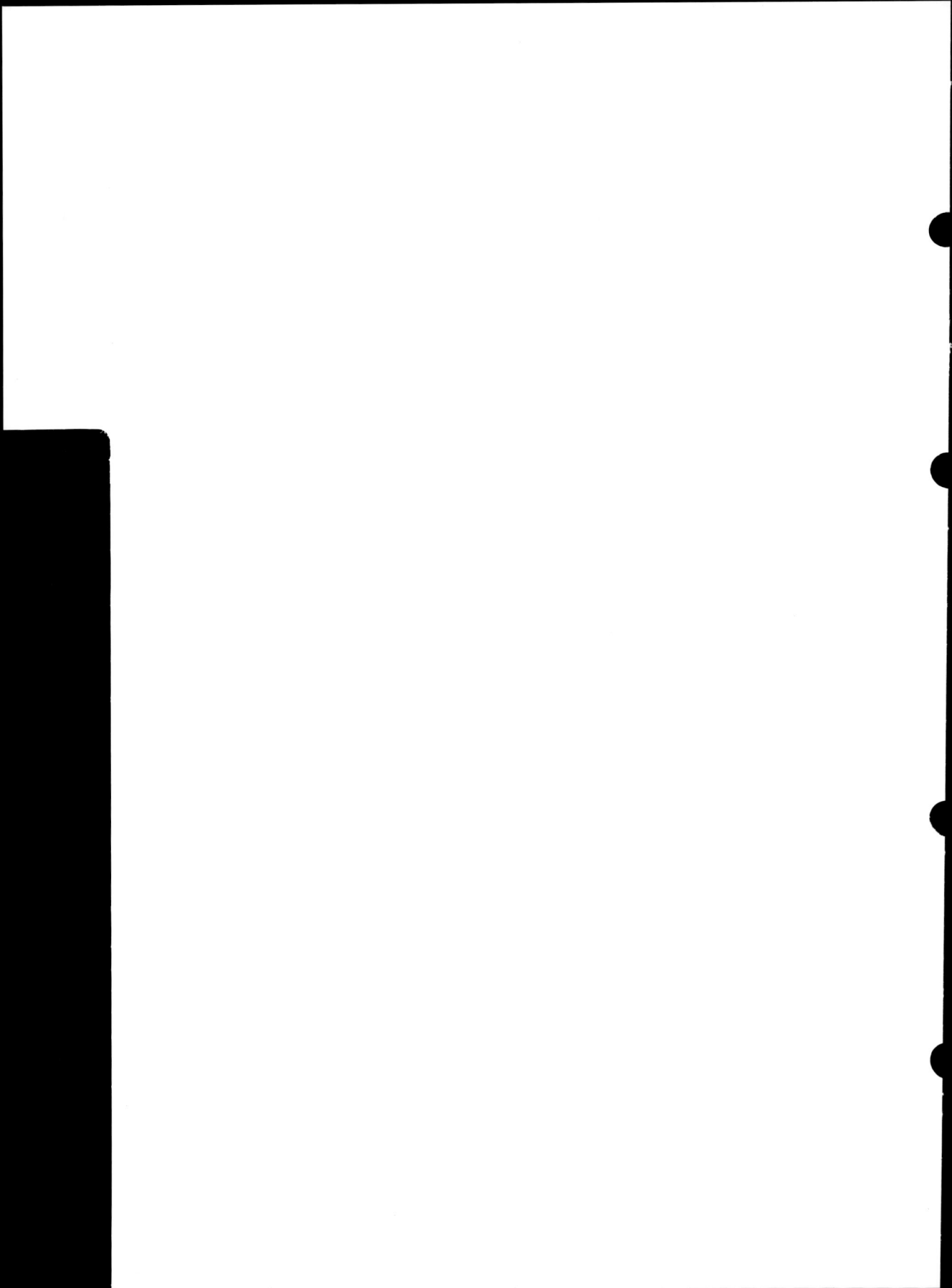

16 Stoffliche Medizinprodukte

Von W. Aye

An dem CE-Zeichen auf der Verpackung kann man es immer häufiger feststellen: zahlreiche pharmazeutisch handelsübliche Produkte werden in arzneimitteltypischen Aufmachungen und Darreichungsformen in den Verkehr gebracht, sind jedoch keine Arzneimittel, denn sie besitzen weder eine pharmakologische noch immunologische Wirkungsweise noch wirken sie durch Metabolismus.

Beispiele sind Stoffe mit starker Wasserbindung (z.B. Hyaluronsäure, Macrogol, Carbomer), Fettbindung (z.B. Chitosan), Quelleigenschaft (z.B. Natriumalginat, Glucomannan, Guarmehl, Indische Flohsamen), Schleime (z.B. Isländisch Moos), isotone oder hypertone Salzlösungen mit osmotischen Effekten (z.B. meerwasserhaltige Nasen- oder Rachensprays), adsorbierende und adstringierende anorganische Substanzen (z.B. Heilerde, Alaun) und Stoffe, welche die Oberflächenspannung herabsetzen (z.B. Dimeticon, Simeticon).

Typische dieser „stofflichen" oder, wie früher auch genannt, „arzneimittelähnlichen" Medizinprodukte werden, nach Hauptinhaltsstoffen und Indikationsgebieten geordnet, in diesem Kapitel vorgestellt. Verschreibungspflichtige Medizinprodukte, z.B. Intrauterinpessare oder antibiotikahaltiger Knochenzement sind nicht aufgeführt, da sie für die Selbstmedikation nicht zur Verfügung stehen.

16.1 Rechtliche Grundlagen

Medizinprodukte gibt es in Deutschland seit der Umsetzung der europäischen Richtlinien, insbesondere der RL 93/42/EWG, in nationales Recht und Inkrafttreten des Medizinproduktegesetzes (MPG) zum 1. 1. 1995. Daneben regeln zahlreiche Verordnungen das Inverkehrbringen und die Anwendung von Medizinprodukten.

Das weit umfassende Sortiment an Medizinprodukten setzt sich im Wesentlichen zusammen aus den ehemaligen Medizingeräten, die in der Medizingeräteverordnung (MedGV) geregelt waren und den sog. Geltungsarzneimitteln nach § 2 Abs. 2 AMG a.F.

Von Arzneimitteln unterscheidbar sind Medizinprodukte durch das CE-Zeichen, mit dem allerdings auch viele andere Produktgruppen gekennzeichnet sind, wie z.B. Elektrogeräte, Spielzeug oder persönliche Schutzausrüstungen. Das CE-Zeichen bedeutet so viel wie „Übereinstimmung mit einer EU-Richtlinie" und sorgt für den freien Warenverkehr innerhalb des Europäischen Binnenmarktes.

Medizinprodukte nach der RL 93/42/EWG werden in die Klassen I, I steril, I mit Messfunktion, IIa, IIb und III eingeteilt, je nach dem Risiko, das von ihnen ausgehen kann.

Nationales Recht (Auszug)
- Gesetz über Medizinprodukte (Medizinproduktegesetz – MPG)
- Verordnung über Medizinprodukte (Medizinprodukte-Verordnung – MPV)
- Verordnung über die Erfassung, Bewertung und Abwehr von Risiken bei Medizinprodukten (Medizinprodukte-Sicherheitsplanverordnung – MPSV)
- Verordnung über das Errichten, Betreiben und Anwenden von Medizinprodukten (Medizinprodukte-Betreiberverordnung – MPBetreibV)
- Verordnung über das datenbankgestützte Informationssystem über Medizinprodukte des Deutschen Instituts für Medizinische Dokumentation und Information (DIMDI-Verordnung – DIMDIV)
- Verordnung zur Regelung der Abgabe von Medizinprodukten (Medizinprodukte-Abgabeverordnung – MPAV)
- Verordnung über klinische Prüfungen von Medizinprodukten (MPKPV)

Europäisches Recht und Leitlinien (Auszug)
- Richtlinie 93/42/EWG des Rates vom 14. 6. 1993 über Medizinprodukte
- Richtlinie 98/79/EG des Europäischen Parlaments und des Rates vom 27. 10. 1998 über In-vitro-Diagnostika
- Richtlinie 2007/47/EG des Rates vom 5. 9. 2007 zur Änderung der Richtlinien 90/385/EWG und 93/42/EWG sowie 98/8/EG
- Guidelines relating to the demarcation between Directive 90/385/EEC on active implantable medical devices, Directive 93/42/EEC on medical devices and Directive 65/65/EEC relating to medicinal products and related directives (MEDDEV 2.1/3)

Im Mai 2017 wurde die Verordnung (EU) 2017/745 (Medical Device Regulation – MDR) im EU-Amtsblatt veröffentlicht. Sie trat am 25. 5. 2017 in Kraft und gilt ab dem 26. 5. 2020. Als Folge werden zahlreiche Neuregelungen in den nächsten Jahren erwartet.

Rechtliche Grundlagen

> **Definition eines Medizinproduktes nach § 3 Nr. 1 MPG**
>
> Medizinprodukte sind alle einzeln oder miteinander verbunden verwendete Instrumente, Apparate, Vorrichtungen, Software, Stoffe und Zubereitungen aus Stoffen oder andere Gegenstände einschließlich der vom Hersteller speziell zur Anwendung für diagnostische oder therapeutische Zwecke bestimmten und für ein einwandfreies Funktionieren des Medizinproduktes eingesetzten Software, die vom Hersteller zur Anwendung für Menschen mittels ihrer Funktion zum Zwecke
>
> a) der Erkennung, Verhütung, Überwachung, Behandlung oder Linderung von Krankheiten,
> b) der Erkennung, Überwachung, Behandlung, Linderung oder Kompensierung von Verletzungen oder Behinderungen,
> c) der Untersuchung, der Ersetzung oder der Veränderung des anatomischen Aufbaus oder eines physiologischen Vorgangs oder
> d) der Empfängnisregelung
>
> zu dienen bestimmt sind und deren bestimmungsgemäße Hauptwirkung im oder am menschlichen Körper weder durch pharmakologische oder immunologisch wirkende Mittel noch durch Metabolismus erreicht wird, deren Wirkungsweise aber durch solche Mittel unterstützt werden kann.

Produkte der Klasse III besitzen das größte Risiko. Produkte der Klasse I steril und I mit Messfunktion haben im Zusammenhang mit stofflichen Medizinprodukten keine Bedeutung.

Außer bei Medizinprodukten der Klasse I sind alle übrigen Medizinprodukte der RL 93/42/EWG hinter dem CE-Zeichen mit der vierstelligen Kennzahl der Benannten Stelle, die an dem Konformitätsbewertungsverfahren beteiligt war, versehen.

Besondere Risikoeinteilungen besitzen die In-vitro-Diagnostika, die in der Richtlinie 98/79/EG erfasst sind, auf die hier aber nicht weiter eingegangen wird.

Medizinprodukte müssen die Grundlegenden Anforderungen nach § 7 MPG erfüllen und das für das jeweilige Medizinprodukt vorgesehene Konformitätsbewertungsverfahren durchlaufen haben. Bei Medizinprodukten der Klasse I ist alleine der Hersteller hierfür verantwortlich, denn eine Benannte Stelle ist in diesem Fall nicht beteiligt. Eine behördliche Zulassung wie für Fertigarzneimittel gibt es für Medizinprodukte nicht. Trotzdem ist bei Arzneimitteln und Medizinprodukten grundsätzlich das gleiche Sicherheitsniveau zu fordern.

Bei Medizinprodukten mit Arzneimittelanteil nach § 3 Nr. 2 MPG, z.B. antibiotikahaltiger Knochenzement oder heparinbeschichtete Katheter, bei denen der Arzneimittelanteil lediglich eine unterstützende Funktion gegenüber der physikalischen Hauptfunktion des Gesamtproduktes hat, müssen die Arzneimittelkomponenten einem Konsultationsverfahren des BfArM unterworfen und das gesamte Produkt einer Konformitätsbewertung unterzogen werden.

Andererseits gibt es Arzneimittel, die fest mit einem Medizinprodukt verbunden sind, z.B. Rheumapflaster oder mit Arzneimittel gefüllte Fertigspritzen, und das Medizinprodukt hat lediglich die Funktion, das Arzneimittel zu verabreichen. Bei diesen Kombinationsprodukten handelt es sich um zulassungspflichtige Arzneimittel. Das MPG gilt gem. § 2 Abs. 3 nur insoweit, dass für den Medizinprodukteanteil die Grundlegenden Anforderungen nach § 7 erfüllt sein müssen.

Oft gibt es Unstimmigkeiten bei der Abgrenzung von Medizinprodukten zu anderen Produktgruppen, wie Arzneimitteln, kosmetischen Mitteln, Bedarfsgegenständen, Bioziden oder Lebensmitteln.

Sind Laxantien mit osmotischer Wirkung, z.B. Macrogole, Medizinprodukte oder Arzneimittel? Ist ein Zahnbleichmittel mit Wasserstoffperoxid oder ein Läuseshampoo Kosmetikum oder Medizinprodukt? Ist ein

Arzneimittelähnliche Medizinprodukte

Nissenkamm Medizinprodukt oder Bedarfsgegenstand? Wann sind Reinigungs- und Desinfektionsmittel Arzneimittel, wann Zubehör zu Medizinprodukten und wann Biozide? Sind Quellmittel zur Gewichtsreduktion Medizinprodukte oder Lebensmittel?

Die Ansichten einzelner Überwachungsbehörden und Gerichte sind oft sehr unterschiedlich und das Apothekenpersonal hat es schwer, die aktuelle Lage noch zu überblicken.

Aus juristischer Sicht gilt es, bei der Abgrenzung zwischen Medizinprodukten und Arzneimitteln zu beurteilen, ob die Wirkungsweise des Produktes pharmakologisch oder immunologisch bedingt ist oder durch Metabolismus erreicht wird. Dazu hat die AGMP auf der Grundlage der MEDDEV-Leitlinie 2.1/3 eine Definition erarbeitet (s. Kasten).

Zu beachten in diesem Zusammenhang ist, dass nach § 2 Abs. 4 AMG ein Mittel als Arzneimittel gilt, solange es als Arzneimittel zugelassen oder registriert oder von der Zulassung oder Registrierung freigestellt ist, auch wenn es sich nach der o.a. Definition um ein Medizinprodukt handeln würde.

Definitionen der Wirkungsweisen

Pharmakologisch: Eine pharmakologische Wirkungsweise im Sinne des MPG wird verstanden als eine Wechselbeziehung zwischen den Molekülen des betreffenden Stoffs und einem gewöhnlich als Rezeptor bezeichneten Zellbestandteil, die entweder zu einer direkten Wirkung führt oder die Reaktion auf einen anderen Liganden (Agens) blockiert (Agonist oder Antagonist). Das Vorhandensein einer Dosis-Wirkung-Korrelation ist ein Indikator für eine pharmakologische Wirkungsweise, jedoch ist dies kein unbedingt verlässliches Kriterium.

Immunologisch: Eine immunologische Wirkungsweise im Sinne des MPG wird verstanden als Wirkungsweise im oder am Körper durch Stimulierung, Mobilisierung und/oder den Zusatz von Zellen und/oder Produkten, die an einer spezifischen Immunreaktion beteiligt sind.

Metabolisch: Eine metabolische Wirkungsweise im Sinne des MPG wird verstanden als eine Wirkungsweise, die auf einer Veränderung (Stoppen, Starten, Geschwindigkeit) normaler biochemischer Prozesse beruht, die an der normalen Körperfunktion beteiligt sind oder deren Verfügbarkeit für diese von Bedeutung sind. Die Tatsache, dass ein Produkt selbst verstoffwechselt wird, bedeutet nicht, dass eine bestimmungsgemäße Hauptwirkung auf metabolische Art und Weise erzielt wird.

16.2 Stoffliche Medizinprodukte, nach Hauptinhaltsstoffen und Indikationsgebieten

16.2.1 Carminativa, Antazida

16.2.1.1 Dimeticon

Bezeichnungen
Dimeticon (Ph. Eur.), Dimeticonum, Dimethicon, Polydimethylsiloxan.

Definition
Dimeticon ist eine langkettige organische Siliciumverbindung, die durch Hydrolyse und Kondensation von Dichlordimethylsilan und Chlortrimethylsilan erhalten wird. Die Ziffer nach dem Namen der Substanz gibt die nominale Viskosität in Centipoise (cP) [mm^2/sec.] an.

$$H_3C-\underset{\underset{CH_3}{|}}{\overset{\overset{CH_3}{|}}{Si}}-O\left[\underset{\underset{CH_3}{|}}{\overset{\overset{CH_3}{|}}{Si}}-O\right]_n\underset{\underset{CH_3}{|}}{\overset{\overset{CH_3}{|}}{Si}}-CH_3$$

Dimeticon

Wirkung
Dimeticon senkt im Magen-Darm-Kanal die Oberflächenspannung von eingeschlossenen Gasblasen und löst diese damit auf. Die Gase können danach entweder resorbiert oder auf natürlichem Wege entweichen. Dimeticon wird nicht resorbiert und wirkt rein physikalisch als Carminativum bei Meteorismus und Flatulenz. Es wird auch eingesetzt zur Reduzierung störender Gasansammlungen bei Röntgen-, Endoskopie und Ultraschalluntersuchungen und als Antidot bei Tensidvergiftungen.

Präparate
Ceolat® LF Kautabletten
Dimeticon CT Kautabletten
Ilio-Funkton® Kautabletten
Sab-simplex® Kautabletten
Zu Dimeticon gegen **Kopfläuse** siehe Kapitel 16.2.10.

16.2.1.2 Simeticon

Bezeichnungen
Simeticon (Ph. Eur.), Simeticonum

Definition
Simeticon ist ein Produkt, das durch Einbau von 4 bis 7% Siliciumdioxid in Polydimethylsiloxan (s. Dimeticon) erhalten wird. Es enthält 90,5 bis 99% Polydimethylsiloxan.

Wirkung
Simeticon senkt ähnlich wie Dimeticon im Magen-Darm-Kanal die Oberflächenspannung von eingeschlossenen Gasblasen und löst diese damit auf. Die Gase können danach entweder resorbiert oder auf natürlichem Wege entweichen. Simeticon wird nicht resorbiert und wirkt rein physikalisch als Carminativum bei Meteorismus und Flatulenz sowie als Antidot bei Tensidvergiftungen.
Präparate mit dem Inhaltsbestandteil Simeticon werden als Antischaummittel zur Behandlung von Tensid-Intoxikationen in vie-

len Apotheken gemäß Anlage 3 der Apo-BetrVO vorrätig gehalten.

Präparate
Elugan® Tropfen
Elugan® N Kautabletten
Imogas Weichkapseln
Lefax® extra Kautabletten
Lefax® Kautabletten
Lefax® Pump-Liquid
Sab-simplex® Suspension

16.2.1.3 Heilerde zur innerlichen Anwendung

Bezeichnungen
Heilerde, Mineralerde, Tonheilerde

Definition
Heilerde besteht aus einem Gemisch verschiedener Mineralien in definierter Zusammensetzung aus natürlichem Vorkommen.
Tonheilerde enthält hauptsächlich wasserhaltiges Aluminiumsilikat (Weißer Ton (Ph. Eur.), Syn.: Kaolinum ponderosum, Bolus alba).

Wirkung
Innerlich wird Heilerde und Tonheilerde traditionell gegen Sodbrennen, zur allgemeinen Linderung bei Magen-Darm-Beschwerden, zur Unterstützung des Heilfastens und zum Entschlacken in Tabletten oder Pulverform bei Völlegefühl, säurebedingtem Magendruck oder allgemeinen Verdauungsstörungen eingesetzt. Sie bindet überschüssige Magen- und Gallensäure ebenso wie die mit der Nahrung zugeführten Säuren, ferner Fette, Cholesterin und andere Schadstoffe aus der Nahrung in Magen und Darm und scheidet sie aus, so dass sie nicht verstoffwechselt werden.
Einige Heilerden zur innerlichen Anwendung besitzen eine arzneimittelrechtliche Zulassung und sind gem. § 2 Abs. 4 AMG weiterhin als zugelassene Arzneimittel im Handel.

Präparate
Bullrich's Heilerde Kapseln
Bullrich's Heilerde Pulver
Zu Heilerde zur äußerlichen Anwendung siehe Kapitel 16.2.8 **Balneotherapie**.

16.2.2 Laxantien

16.2.2.1 Macrogol

Bezeichnungen
Macrogole (Ph. Eur.), Macrogola, Polethylenglykol, PEG

Definition
Macrogole sind Polyethylenglykole, wobei die Zahl hinter dem Namen das Molekulargewicht bezeichnet.

$$H{-}\left[O{-}CH_2{-}CH_2\right]_n{-}O{-}H$$

Macrogol-Grundstruktur

Wirkung
Macrogol 3350 wird u.a. zur Darmspülung vor diagnostischen und therapeutischen Eingriffen eingesetzt. Der hochmolekulare Wirkstoff hat eine hohe Wasserbindungskapazität, ähnlich einem Schwamm. Diese Eigenschaft macht man sich therapeutisch zunutze. Macrogol wird in Wasser gelöst und getrunken. Dadurch wird eine definierte Wassermenge, zusammen mit Elektrolyten, in das Kolon transportiert. Dort wird der Stuhl aufgeweicht und das Stuhlgewicht erhöht. Dies führt zur Auslösung der natürlichen Darmbewegung und schließlich zur Stuhlausscheidung. Macrogol 3350 wird dabei mit ausgeschieden.
Da es sich um eine isomolare, isotonische Lösung handelt, sind Elektrolytverluste, anders als bei herkömmlichen osmotisch wirksamen Laxantien, nicht zu befürchten. Macrogol ist chemisch weitgehend inert und wird nur in Spuren resorbiert. Es wird nicht von

Darmbakterien zersetzt und verursacht demnach kaum Blähungen und Bauchkrämpfe, wie sie bei anderen Laxantien beschrieben werden.
Die Wirkungsweise von Macrogol ist nicht pharmakologisch, so dass es als Medizinprodukt eingestuft werden kann. Es gibt jedoch auch die Rechtsauffassung, Macrogol als Arzneimittel zu klassifizieren, so dass hier die letzte Entscheidung noch nicht getroffen ist.

Präparate
Macrogol Hexal
Macrogol Stada
Zu Macrogol als **Mund- und Rachentherapeutikum** s. Kapitel 16.2.6.4

16.2.3 Mittel gegen Übergewicht

16.2.3.1 Chitosan

Bezeichnungen
Chitosan, Polyglucosamin, Poliglusam, β-1,4-D-Glucosamin-2-acetamido-2-desoxy-β-D-glucopyranose-Polymer, Chitosanhydrochlorid (Ph. Eur.)

Definition
Chitosan ist ein unverzweigtes, binäres Heteropolysaccharid, das aus N-Acetyl-D-glucosamin und D-Glucosamin besteht und durch partielle Desacetylierung von Chitin gewonnen wird. Üblicherweise wird ein Desacetylierungsgrad von 70 bis 95 % erreicht. Chitin wird aus den Panzern und Gerüstsubstanzen hauptsächlich von Krebsen und Garnelen gewonnen.
Der Grad der Desacetylierung variiert je nach Herstellungstechnik. Es kann eine Verteilung stärker desacetylierter neben weniger stark desacetylierten Bereichen oder eine homogene Verteilung erfolgen. Daraus resultieren verschiedene Molekülkonfigurationen, die sich in Viskosität, Löslichkeit und Fettbindungsvermögen unterscheiden.

Chitosan-Grundstruktur

Wirkung
Chitosan ist ein Lipidbinder zur Unterstützung der Behandlung von Übergewicht, zur Gewichtskontrolle und zur Verminderung des Cholesterolwertes. Es vermindert die Kalorienaufnahme aus den Nahrungsfetten. Die Fettmoleküle und Cholesterol werden an das Chitosan gebunden und mit diesem unverdaut ausgeschieden.
Eine übermäßige Zufuhr von tierischen Fetten, in deren Folge der Cholesterolspiegel erhöht ist, kann das zugeführte Chitosan allein aber häufig nicht kompensieren. Die Einhaltung einer fett- und cholesterolarmen Ernährung bleibt unbedingt erforderlich, wobei gleichzeitig Rauchen und Alkohol gemieden und auf vermehrte körperliche Bewegung geachtet werden sollte.
Chitosanpräparate müssen mit ausreichender Menge Flüssigkeit eingenommen werden. Außerdem ist darauf zu achten, dass der Bedarf an den fettlöslichen Vitaminen A, D, E und K sowie der essenziellen Fettsäuren gesichert ist, etwa durch ausreichend geeignete Nahrung oder zusätzliche Gabe von Vitaminpräparaten. Die Einnahmebeschränkungen sind den Herstellerangaben zu entnehmen und zu beachten.

Präparate
Formoline® L112 Tabletten
Biovital® Cholesterin Balance Kapseln

16.2.3.2 Natriumalginat

Bezeichnungen
Natriumalginat (Ph. Eur.), Natrii alginas, E 401

Alginsäure

Definition
Natriumalginat ist das Natriumsalz der Alginsäure (E 400), die hauptsächlich aus Braunalgen der Familie Phaeophyceae gewonnen wird.
Technisch wird Natriumalginat mittels Sodalösung aus den Zellwänden von Braunalgen herausgelöst. Natriumalginat kann auch gentechnisch hergestellt werden.

Wirkung
Natriumalginat wird bei zahlreichen Lebensmitteln als Gelier- und Verdickungsmittel eingesetzt und ist als Zusatzstoff E 401 nach der Zusatzstoffzulassungsverordnung zugelassen. Er wird auch als Haftmittel für Zahnprothesen verwendet.
Nach der Auflösung der Kapseln im Magen entfaltet sich Natriumalginat zu einem weichen gelartigen Körper, der bis zu 6 bis 8 Stunden im Magen verweilt und dort ein länger anhaltendes Sättigungsgefühl vermittelt. Anschließend gelangt der Gelkörper in den Dünndarm, wo er sich im basischen Milieu vollständig auflöst.

Präparate
CM3 Alginat Kapseln

16.2.3.3 Glucomannan und Konjak-Extrakt

Bezeichnungen
Glucomannan, Konjak-Mannan, Konjak-Glucomannan

Definition
Glucomannan ist ein Bezeichnung für Hemicellulosen, die aus Glucose und Mannose zusammengesetzt sind und sich in vielen Pflanzen finden, besonders in Liliaceae, Araceae und in Nadelhölzern, und die sich in der Polymerstruktur, in der relativen Molekülmasse, im Glucose-/Mannoseverhältnis und der Reihenfolge der Glucose- und Mannoseeinheiten unterscheiden.

Glucomannan-Grundstruktur

Arzneimittelähnliche Medizinprodukte

Oft wird die glucomannanhaltige Knolle der Konjakpflanze (Teufelszunge, *Amorphophallus konjac*) als wasserlöslicher Ballaststoff verwendet. Die Knolle wird auch Konjakwurzel genannt. Die überwiegend in Japan kultivierte Konjakpflanze besteht zu etwa 70% aus Glucomannan. Die sehr langen Glucomannan-Molekülketten bestehen aus Mannose- und Glucosemolekülen im Verhältnis 1,6:1,0. Das Molekulargewicht beträgt zwischen 200 000 und 2 000 000.

Wirkung
Glucomannan und glucomannanhaltige Extrakte fördern das Sättigungsgefühl, senken den Cholesterolwert und unterstützen die Normalisierung des Blutzuckerspiegels.

Präparate
Lorex® Kapseln
Bionorm® Sättigungskapseln

16.2.3.4 Guarmehl
Bezeichnungen
Guar, Guargummi, Guaran, Guarbohne

Definition
Guar ist ein Galactomannan aus den getrockneten Samen der Guarbohne, *Cyamopsis tetragonolobus*, Fam. Fabaceae. Die Hauptanbaugebiete liegen in Indien und Pakistan. Hauptinhaltsstoff ist Guaran, der zu Guarkernmehl weiterverarbeitet wird. Guarkernmehl und das ähnlich aufgebaute Johannisbrotkernmehl sind wichtige gebräuchliche Verdickungsmittel in der Lebensmittelindustrie. Guaran ist ein Galactomannan aus 64–67% D-Mannose und 33–36% D-Galactose.

Wirkung
Guarmehl wird zur Körpergewichtsreduktion bei ernährungsbedingtem Übergewicht, zur Verringerung des Hungergefühls und zur Gewichtskontrolle verwendet.

Präparate
Figur-Verlan® Granulat

16.2.3.5 Indische Flohsamenschalen
Siehe auch Kapitel 17.2.10.3.

Bezeichnungen
Indische Flohsamenschalen (Ph. Eur.), Plantaginis ovatae seminis tegumentum

Definition
Indische Flohsamenschalen bestehen aus den Schalen der getrockneten, reifen Samen von *Plantago ovata* Forssk (Syn.: *Plantago ispaghula* Roxb.), Familie Plantaginaceae.
Indische Flohsamenschalen sind von folgenden Drogen aus Plantagosamen zu unterscheiden:

- Indische Flohsamen (Ph. Eur.), Plantaginis ovatae Semen
- Flohsamen (Ph. Eur.), Semen Psylli, Stammpflanzen: *Plantago afra* L. (Syn.: *Plantago psyllium* L.) oder *Plantago indica* L. (Syn.: *Plantago arenaria* Waldstein et Kitaibel).

Inhaltsbestandteile
In der Epidermis der Samenschale von indischen Flohsamen befinden sich Quell- und Schleimstoffe.

Wirkung
Die Indischen Flohsamenschalen führen aufgrund ihres hohen Quellvermögens zur Erhöhung des Sättigungsgefühls. Sie tragen damit zur Appetitreduktion bei und werden zur unterstützenden Behandlung von Übergewicht eingesetzt.
Das Aufquellen ermöglicht den enthaltenen Ballaststoffen, cholesterolhaltige Gallensäuren einzulagern und der Wiederaufnahme ins Blut zu entziehen. So verliert der Körper auf diese Weise Cholesterol.
Wegen der großen Quellfähigkeit der indischen Flohsamenschalen sollte bei der Einnahme auf eine ausreichende Flüssigkeitszufuhr geachtet werden.

Arzneimittelähnliche Medizinprodukte

Präparate
Indische Flohsamenschalen, Kademann Flohsamenschalen Aurica

16.2.4 Gynaekologika

16.2.4.1 Gleitmittel

Viele Paare verwenden Gleitmittel, z.B. bei einem Feuchtigkeitsmangel in der Vagina während der Regelblutung, Stillzeit oder in den Wechseljahren. Solche Gleitmittel sind Medizinprodukte, da sie in der Regel auch eine medizinische Zweckbestimmung haben, z.B. Vorbeugung vor Schmerzen, Heilung bei leichten Verletzungen usw.

Bei Verwendung von Kondomen muss darauf geachtet werden, dass Gleitmittel auf Wachs- oder Fettbasis Latex und Kautschuk angreifen können und so eventuell mikroskopisch kleine Risse in einem Latex-Kondom entstehen, durch die Spermien und Krankheitserreger eindringen können. Deshalb sollten in diesem Fall nur wasserlösliche Gleitgele verwendet werden. Diese enthalten in der Regel Wasser, Glycerol, Propylenglykol, Xanthan gum, zum Teil auch Hydroxyethylcellulose, Hyaluronsäure, Aloe vera u.a.

Präparate
Ky Femilind Gleitgel
Gleitgelen Wolff

16.2.5 Rhinologika

16.2.5.1 Isotonische Natriumchloridlösungen

Bezeichnungen
Isotonische Natriumchloridlösung, isotonische Kochsalzlösung, isotonisierte Meersalzlösung, Meerwasser Schnupfenspray, Meerwasser Nasenspray

Wirkung
Isotonische Natriumchloridlösungen oder isotonisiertes Meerwasser werden zur Befeuchtung der Nasenschleimhaut, z.B. beim Aufenthalt in trockenen klimatisierten Räumen mit geringer Luftfeuchtigkeit, zur Reinigung der Nasenschleimhaut, z.B. bei Hausstaub oder Pollen, und zum Lösen von Verkrustungen sowie unterstützend bei Schnupfen eingesetzt. Sie verflüssigen in der Nase den Schleim und begünstigen den Sekretabtransport. Sie fördern das Abschwellen der Nasenschleimhaut.

Da sie praktisch nebenwirkungsfrei sind, werden sie häufig von Kinderärzten verordnet und können in vielen Fällen auch schon bei Kleinkindern oder teilweise bei Säuglingen angewendet werden.

In einigen Präparaten sind zusätzlich pflegende Stoffe, wie Dexpanthenol, Kamillenextrakt oder Aloe enthalten. In Präparaten speziell für Schnupfen sind Zusätze von Kamille, Thymian, Menthol, Eukalyptus, Salbei u.a. enthalten.

Präparate
Tetesept® Meerwasser Nasenspray
Tetesept® Hydrogel Nasenspray
Olynth® salin Tropfen
Rhinomer® Lösung
Rhinomer® Nasenspray
Rhinospray® Atlantik Lösung
Tetrisal® E Dosierspray
Tetrisal® S Nasentropfen

16.2.5.2 Hypertonische Natriumchloridlösungen

Bezeichnungen
Kochsalzlösung, Meersalzlösung, Meerwasser, Quellsalzlösung

Wirkung
Hypertonische Salzlösungen und Meerwasserlösungen werden zur unterstützenden Behandlung bei banalen akuten Infektionen der oberen Atemwege und chronischen Rhinosinusitiden verwendet.

In einigen Präparaten sind zusätzlich pflegende Stoffe, wie Dexpanthenol, Kamillenextrakt oder Aloe enthalten.

Präparate
Rinupret® Pflege Nasenspray
Emser® Nasentropfen
Emser® Nasenspray
Emser® Nasensalbe
Emser® Nasenspülsalz

16.2.5.3 Natriumhyaluronat

Bezeichnungen
Natriumhyaluronat (Ph. Eur.), Natrii hyaluronas, Hyaluronate sodium

Definition
Natriumhyaluronat ist das Natriumsalz der Hyaluronsäure, einem Glucosaminglucan, bestehend aus Disaccharid-Einheiten aus D-Glucuronsäure und N-Acetyl-D-glucosamin.

Wirkung
Natriumhyaluronat besitzt ein hohes Wasserbindungsvermögen. Es wird u.a. auch in Nasentropfen und -spray zur langanhaltenden Befeuchtung und verbesserten Reinigung der Nasenschleimhaut eingesetzt. Dadurch erreicht man eine verbesserte Nasenatmung.

Präparate
Hysan Nasenspray
Hysan-Baby Nasentropfen
Zu Hyaluronsäure als **Antineuralgikum/Chondroprotektivum** siehe Kapitel 16.2.7.

16.2.5.4 Sesamöl

Bezeichnungen
Raffiniertes Sesamöl (Ph. Eur.), Sesami oleum raffinatum

Definition
Raffiniertes Sesamöl (Ph. Eur.) ist das aus den reifen Samen von *Sesamum indicum* L. durch Pressung oder durch Extraktion und anschließende Raffination erhaltene fette Öl. Sesamöl kann ein geeignetes Antioxidans enthalten.

Wirkung
Sesamöl, teilweise mit Zusatz von Vitamin E, wird u.a. als Nasenpflegeöl in den Verkehr gebracht.
Sesamöl findet sowohl als Lebensmittel als auch bei der Hautpflege als Grundstoff für Kosmetika und als Massageöl traditionell große Bedeutung. Vitamin E (alpha-Tocopherol) kommt in vielen fettreichen Lebensmitteln vor, besonders große Mengen finden sich in Pflanzenölen, Nüssen und Getreide, z.B. in Weizenkeimöl, Leinsamen, Sonnenblumenöl, Maiskeimöl, Haselnüssen, Keimen, Olivenöl. Das fettlösliche Vitamin E wirkt als Oxidationsschutzstoff im lipophilen Milieu. Es wird als Schutzstoff für die ungesättigten Fettsäuren und andere Bestandteile von Zellmembranen benötigt.
Durch das Nasenpflegeöl werden die durch geheizte und klimatisierte Räume schnell ausgetrockneten, rissigen und spröden Nasenschleimhäute befeuchtet, gepflegt und gereinigt.

Präparate
GeloSitin® Nasenpflege

16.2.6 Mund- und Rachentherapeutika/Antitussiva

16.2.6.1 Aluminium-Kaliumsulfat

Bezeichnungen
Aluminiumkaliumsulfat, Alumen, Alaun

Definition
Aluminiumkaliumsulfat enthält mindestens 99,0% $KAl(SO_4)_2 \times 12\, H_2O$

Wirkung
Innerlich wird Alaun bei Entzündungen der Mund- und Rachenschleimhaut als Adstringens eingesetzt. Dabei werden schädliche Stoffe auf der Schleimhaut abgestoßen und Krankheitserreger in ihrer Vermehrung gehemmt.

Präparate
Mallebrin® Halstabletten

16.2.6.2 Sonstige Mineralsalze

Bezeichnungen
Quellsalz, Mineralsalz, Meersalz

Wirkung
Mineralsalzmischungen bewirken die Befeuchtung der Rachenschleimhaut, wirken schleimlösend und werden, teilweise in Kombination mit Isländisch Moos, Dexpanthenol und ätherischen Ölen, gegen Heiserkeit, Hustenreiz und Halsschmerzen eingesetzt.

Präparate
Emser Pastillen®
Tetesept® Hals-activ Rachenspray

16.2.6.3 Isländisch Moos

Bezeichnungen
Isländisch Moos, Lichen islandicus

Definition
Isländisch Moos ist, botanisch betrachtet, kein Moos, sondern der bekannteste pharmazeutische Vertreter der Flechten, einer Lebensgemeinschaft von Algen und Pilzen. Es besteht aus dem getrockneten Thallus von *Cetraria islandica,* einer Flechte, die in den Gebirgswäldern der gesamten nördlichen Zone vorkommt. Ihr Geschmack ist schleimig und bitter. Die Droge enthält etwa 50% wasserlösliche Polysaccharide, vor allem die Flechtenstärken Lichenin und Isolichenin, die sich in siedendem Wasser lösen und beim Erkalten gallertartig erstarren, sowie etwa 2% bitter schmeckende Flechtensäuren.

Wirkung
Isländisch Moos wird als wässriger Extrakt bei Erkrankungen der oberen Atemwege verwendet und ist Bestandteil vieler Lutschtabletten, Erkältungstees und Hustensäfte. Die enthaltenen Schleimstoffe von Isländisch Moos senken die Hypersensibilität der Hustenrezeptoren und überziehen die Mund- und Rachenschleimhaut mit einer Schutzschicht. Dadurch wird der lokale Hustenreiz gemildert. Da keine Resorption und systemische Wirkung stattfindet, sondern überwiegend ein mechanischer Effekt eintritt, erfüllt Isländisch Moos die Voraussetzungen für ein Medizinprodukt.

Präparate
Broncholind® Isländisch Moos Lutschtabletten
Tetesept® Hals-activ Lutschpastillen
Tetesept® Hals-activ Minipastillen

16.2.6.4 Macrogol (s.a. Kap. 16.2.2)

Wirkung
Eine Mischung von Macrogol 300 und Macrogol 1500 wird zur schonenden, milden und gründlichen Reinigung der Mundschleimhaut, des Zahnfleisches und der Zähne verwendet, insbesondere bei oraler Mucositis jeder Genese.
Macrogole sind sehr gut verträgliche Polymere, welche durch Herabsetzen der Oberflächenspannung eine bessere Benetzung der Mundschleimhaut bewirken und Fette und Gerbstoffe lösen. Regelmäßiges und intensives Spülen mit Macrogol verringert die Plaquebildung und beugt Infektionen im Mund vor.

Präparate
Glandomed® medizinische Mundspüllösung

16.2.7 Antineuralgica/Chondroprotektiva

16.2.7.1 Hyaluronsäure/Natriumhyaluronat

Bezeichnungen
- Hyaluronsäure, Hyaluronic acid, Poly[D-glucuronsäure, *N*-acetyl-D-glucosamin (β 1,3)];
- Natriumhyaluronat (Ph. Eur.), Natrii hyaluronas, Hyaluronate sodium

Definition

Hyaluronsäure ist ein Glucosaminglucan, bestehend aus Disaccharid-Einheiten aus D-Glucuronsäure und N-Acetyl-D-glucosamin. Die Glucuronsäure ist β-1,3 an das N-Acetyl-D-glucosamin geknüpft und dies wiederum mit der nächsten Glucuronsäure β-1,4-glykosidisch verbunden. Ein Molekül besteht aus 250 bis 50 000 Disaccharideinheiten. Hyaluronsäure ist wesentlicher Bestandteil der Grundsubstanz des Bindegewebes. Sie kommt u.a. in Gelenkflüssigkeiten, im Glaskörper des Auges und in der Haut vor, meistens zusammen mit Proteinen.

Die Gewinnung der Hyaluronsäure erfolgt durch Extraktion aus Hahnenkämmen oder durch Fermentation.

Hyaluronsäure-Grundstruktur

Wirkung

Hyaluronsäure wird häufig als das klassische „arzneimittelähnliche" Medizinprodukt angesehen. Sie wird aufgrund ihrer viskoelastischen Eigenschaften bei verschiedenen Indikationen verwendet und besitzt bedeutende Effekte durch ihr hohes Wasserbindungsvermögen, die Druckbeständigkeit und ihr thixotropes Verhalten. Durch die Thixotropie nimmt die Viskosität reversibel ab, je stärker die Scherkräfte werden. Nach Aussetzen der Scherkräfte nimmt die Viskosität wieder zu. Alle Wirkungen beruhen auf mechanischen Effekten.

Wässrige Lösungen der Hyaluronsäure werden aufgrund der hohen Viskosität und ihrer Funktion als interzelluläre Kittsubstanz bei Arthrose in die entsprechenden Gelenke gespritzt. Sie wirkt dort wie ein Stoßdämpfer und schmiert die Gelenke. Der Effekt ist bei vielen Patienten unterschiedlich. Häufig sind mehrere Injektionen notwendig.

Präparate

Fermathron® Injektionslösung
Go-on® Injektionslösung
Hya-ject® Injektionslösung
Hyalart® Injektionslösung
Hyalubrix® Injektionslösung
Orthovisc® Injektionslösung
Ostenil® Injektionslösung
Suplasyn® Injektionslösung
Synvisc® Injektionslösung
Viscoseal® Lösung

Hyaluronsäure hat ein sehr großes Wirkungsspektrum. Sie wird auch zu folgenden Zwecken eingesetzt:

- Zur Faltenunterspritzung, Modellierung der Lippen und der Gesichtskonturen in der ästhetischen Medizin. Dadurch können häufig operative Methoden wie Lifting oder Straffung umgangen werden.
- Äußerlich in Antifaltencremes als kosmetisches Mittel. Die Hyaluronsäure dringt dabei in die oberen Schichten der Hautmatrix ein und bewirkt durch ihr hohes Wasserbindungsvermögen eine Aufquellung der Haut, wodurch für eine gewisse Zeit die Tiefe der Gesichtsfalten reduziert werden kann.
- Gegen die Austrocknung der Nasenschleimhaut.
- Als künstlicher Tränenfilm zur Behandlung des „trockenen Auges".
- Als Zinkhyaluronat zur Wundheilung.

16.2.8 Balneotherapeutika

16.2.8.1 Heil-, Salz- und Meerwasser

Wirkungen

Die Hauptwirkungen bei der äußerlichen Anwendung beruhen auf physikalischen Me-

Arzneimittelähnliche Medizinprodukte

> **1. Einstufung als Medizinprodukte**
> - Heil-, Salz- und Meerwasser äußerlich
> - Heil-, Salz- und Meerwasser zur Inhalation
> - Kohlensäure- und natriumchloridhaltiges Wasser einschließlich Meerwasser zum Trinken
> - Natriumhydrogencarbonat- und sulfathaltiges Wasser zum Trinken mit der Indikation gegen Sodbrennen und als Laxans.
>
> **2. Einstufung als Arzneimittel**
> - Natriumhydrogencarbonat- und -sulfathaltiges Wasser zum Trinken im Anwendungsbereich der Harnwege und der Leber-, Gallen- und Pankreassekretion
> - Fluor-, eisen-, magnesium- und calciumhaltige Wässer zum Trinken.

chanismen wie Osmose, Auftrieb, Elution von Hautinhaltsstoffen, der Anlagerung von Salzen an der Haut sowie thermischen Effekten.

Zur **allgemeinen Abgrenzung** von Heil-, Salz-, Meerwasser gibt die AGMP folgende Empfehlung (s. Kasten).

16.2.8.2 Peloide

Definition
Peloide sind Schlämme, Fango, Schlick, Torf, Moor u.Ä.

Wirkungen
Die Hauptwirkungen werden durch thermische Effekte erzielt.

Präparate
Fangotherm® Wärmepackung

16.2.8.3 Heilerde äußerlich

Definitionen: Heilerde besteht aus einem natürlichen Gemisch verschiedener Mineralien in konstanter Zusammensetzung aus natürlichem Vorkommen.

Wirkungen
Heilerden werden äußerlich gegen Haut-, Muskel- und Gelenkbeschwerden, Akne und Entzündungen eingesetzt.
In den meisten Fällen werden Präparate zur äußerlichen, aber zum Teil auch solche zur innerlichen Anwendung, als Medizinprodukte in den Verkehr gebracht.

Präparate
Luvos® Heilerde 2 äußerlich
Bullrich Heilerde Pulver zum Auftragen
Bullrich Heilerde Paste
Zu Heilerde zur **innerlichen Anwendung** siehe Kapitel. 16.2.1.

16.2.9 Kälte-/Vereisungsmittel

16.2.9.1 Dimethylether und Propangas

Eigenschaften
Dimethylether und n-Propan sind bei Raumtemperatur bei normalem Druck farblose Gase. Die Siedepunkte betragen von Dimethylether $-25\,°C$ und von n-Propan $-42\,°C$.

Wirkung
Das Flüssiggasgemisch von Dimethylether und Propan erreicht beim Verdampfen auf der Haut eine Temperatur von $-57\,°C$, wodurch Patienten zu Hause selbst gewöhnliche Warzen und Fußwarzen vereisen können. Die Methode basiert auf derselben herkömmlichen Methode, bei der Warzen von Ärzten mit Flüssigstickstoff bei $-196\,°C$ vereist werden.
Für die Selbstmedikation standen vor Einführung von Präparaten mit dieser Wirkungsweise im Wesentlichen nur Präparate mit keratolytischen Eigenschaften zur Verfügung.

Präparate
Wartner® gegen Warzen
Wartner® gegen Fusswarzen

16.2.9.2 n-Pentan

Eigenschaften
n-Pentan ist ein Kohlenwasserstoff mit einem Schmelzpunkt von −130 °C und einem Siedepunkt von 36 °C. Es wird technisch u.a. als Kältemittel in Kühlschränken und Klimaanlagen verwendet.

Wirkung
n-Pentan bewirkt eine Schmerzlinderung durch Kühlung bei Zerrungen, Prellungen und Verstauchungen. Es wird bei Sportverletzungen sehr häufig angewendet und ist für Erwachsene und Kinder ab 12 Jahren geeignet.

Präparate
Olbas Kältespray

16.2.10 Mittel gegen Kopfläuse

16.2.10.1 Dimeticon (s.a. Kap. 16.2.1.1)

Wirkung
Dimeticon verklebt die Atmungsöffnungen von Läusen und Nissen. Bisher sind keine Reizwirkungen auf die Haut oder eine Resistenzentwicklung beschrieben worden. Es kann ohne Altersbeschränkung auch bei kleinen Kindern angewendet werden.

Warnhinweis
Bestimmte Antiläusemittel mit Dimeticon und Cyclomethicon sind leicht entflammbar. Bei Patienten sind dadurch schwere Verbrennungen der Haut und Haare aufgetreten. Patienten sollten darauf hingewiesen werden, sich während der Anwendung der Mittel von Zündquellen wie offenen Flammen, Zigaretten oder Fönen fernzuhalten und die Gebrauchsanweisung zu beachten.

Präparate
Etopril® Lösung
Nyda® L Pumpspray
Jacutin® Pedicul Fluid

16.2.10.2 Ylang-Ylang-Öl, Kokosöl, Anisöl

Definition
Ylang-Ylang-Öl ist das ätherische Öl, das aus den Blüten des Ylang-Ylang-Baumes (*Cananga odorata*, Familie Annonaceae) gewonnen wird.
Kokosöl (raffiniertes Kokosfett (Ph. Eur.), Cocois oleum raffinatum) wird aus der Kokospalme, *Cocos nucifera*, Familie Palmae, gewonnen und wird vielfältig, z.B. für Lebensmittel und Kosmetika, verwendet.
Anisöl (Ph. Eur.), Anisi aetheroleum, ist das ätherische Öl der Früchte von *Pimpinella anisum*, Familie Apiaceae, oder *Illicium verum*, Familie Schisandraceae.

Wirkung
Präparate mit diesen Ölen, meist im Gemisch, wirken rein physikalisch, indem sie die Atmungsöffnungen bei Läusen und Nissen verkleben. Reizwirkungen auf die Haut oder eine Resistenzentwicklung sind nicht bekannt. Sie können auch bei kleinen Kindern angewendet werden.

Präparate
Paranix® Spray
Mosquito® Läuseshampoo
Aesculo® Gel L

16.2.11 Wundbehandlung

16.2.11.1 Zinkhyaluronat

Definition
Zinkhyaluronat ist das Zinksalz der Hyaluronsäure, einem Glucosaminglucan, bestehend aus Disaccharid-Einheiten aus D-Glucuronsäure und *N*-Acetyl-D-glucosamin.

Wirkung
Zinkhyaluronat wird zur Wundversorgung und zur Heilungsbeschleunigung eingesetzt. Es verhindert ein Austrocknen der verletzten Haut und besitzt keimmindernde und entzündungshemmende Eigenschaften. Indikatio-

Arzneimittelähnliche Medizinprodukte

nen sind Abschürfungen, Schnittverletzungen, Schrammen, leichte Verbrennungen, Akne, Wundliegen.

16.2.11.2 Carbomer

Bezeichnungen
Carbomer, Carbomere, Carbomera

Definition
Carbomer ist ein Polymer mit großer relativer Molekülmasse von Acrylsäure, quer vernetzt mit Polyalkanethern von Zuckern oder Polyalkoholen.

Wirkung
Carbomer wird als Emulsionsstabilisator, als Verdickungsmittel in Kosmetika, als Filmbildner zur Behandlung des trockenen Auges und in Hydrogelen zur Wundbehandlung angewendet.
Hydrogele zur Behandlung von Wunden mit Infektionsrisiko enthalten z.B. Carbomer zusammen mit Povidon-Iod, einem wasserlöslichen und antiseptisch wirkenden Komplex aus Polyvidon (Syn.: Polyvinylpyrrolidon, Povidon, PVP) und Iod.

Präparate
Repithel® Hydrogel

16.2.11.3 Verschiedene Wundheilgele

In neuerer Zeit sind verschiedene Kolloidgele im Handel, die physikalisch wirken (feuchtigkeitsregulierend, mechanischer Schutz, kühlender Effekt usw.) und somit unter das MPG fallen. Näheres s. Kap. 9 Wundbehandlung.

Präparate
Fenistil Wundheilgel, Brand- u. Wundgel Medice

16.2.12 Ophthalmika und Kontaktlinsenflüssigkeiten

Augentropfen zur Befeuchtung und Benetzung der Augenoberfläche und Kontaktlinsenflüssigkeiten sind in der Regel Medizinprodukte bzw. Zubehör für Medizinprodukte. Informationen siehe Kapitel 12.

16.2.13 Otologika

16.2.13.1 Glycerol

Wirkung
Glycerol bewirkt durch den hohen osmotischen Effekt eine Entquellung des Trommelfells und des Gehörganges und wird bei Reizungen und unspezifischen Beschwerden des äußeren Gehörganges eingesetzt. Zum Teil wird Glycerol in Kombination mit 1,3-Butandiol, Dimethylsulfoxid und Dexpanthenol verwendet (GeloBacin® Ohrentropfen).

Präparate
Otodolor® soft Ohrentropfen
GeloBacin® Ohrentropfen

16.2.13.2 Ölsäure-Polypeptid-Kondensat

Definition
Ölsäure-Polypeptid-Kondensat ist ein Lipoprotein-Gemisch, das dem natürlichen Cerumen gleicht.

Wirkung
Entzündungen am Ohr bzw. Erkrankungen, die auf das Ohr ausstrahlen, können sehr schmerzhaft verlaufen. Je nach Ursache können auch Hörminderung, Druckschmerz, Schwindel und Ohrgeräusche als Symptome auftreten. Die Ursachen dafür sind vielfältig. Bei Kindern zählen Mittelohrentzündungen, bei Erwachsenen Gehörgangentzündungen zu den häufigsten Auslösern. Manchmal entstehen die Schmerzen auch durch einen Gehörgangverschluss. Ein Pfropfen aus Ohrenschmalz oder ein Fremdkörper im Ohr (häufig bei Kindern) können dafür verantwortlich sein.
Ölsäure-Polypeptid-Kondensat ist oberflächenaktiv. Zusammen mit dem Lösungsmit-

tel Propylenglykol und dem Puffer Tris(hydroxymethyl)-aminomethan (Trometamol) wird es zum Lösen eines sich im Gehörgang gebildeten Ceruminalpfropfes (Ohrenschmalz) verwendet. Es darf nicht bei einer Perforation des Trommelfells angewendet werden.
Das Ohr ist ein sehr empfindliches Organ. Wenn Ohrenschmerzen auftreten, sollte möglichst ein Arzt aufgesucht werden, um die Ursache abzuklären. Bei falscher oder fehlender Behandlung können auch harmlose Ursachen zu bleibenden Schäden führen. Das gilt nicht nur für bakterielle Entzündungen, sondern auch dann, wenn ein Fremdkörper im Ohr steckt. Ist die Diagnose sicher und die Ursache der Ohrenschmerzen bekannt, kann man nach Rücksprache mit dem Arzt ggf. selbst behandeln.

Präparate
Cerumenex® N Tropfen

16.2.13.3 Docusat-Natrium

Bezeichnungen
Docusat-Natrium (Ph. Eur.), Natrii docusas, Natriumdioctylsulfosuccinat, Dioctylnatriumsulfosuccinat

Definition
Docusat-Natrium ist das Natriumsalz des Sulfobernsteinsäure-bis-(2-ethylhexyl)-esters

Wirkung
Docusat-Natrium besitzt Tensideigenschaften. In Kombination mit Glycerol und Ethanol wird es zum Lösen von festgesetztem Cerumen (Ohrenschmalz) verwendet.

Präparate
Otitex® Lösung
Otowaxol® Lösung

17 Nahrungsergänzungsmittel und ergänzende bilanzierte Diäten

17 Nahrungsergänzungsmittel und bilanzierte Diäten

Von W. Aye

Wer selbst schon einmal im Drogerie- oder Verbrauchermarkt, Naturkostgeschäft oder Reformhaus das riesige Sortiment an Vitaminen, Mineralstoffen, Fitness- und Sportlerpräparaten, Schlankheitsmitteln, Gelenkkapseln, Phytohormonen und Fischölkapseln gesehen und im Internet die fast unbegrenzte Auswahl an Wellness- und Gesundheitsprodukten angeklickt hat, dem ist schnell klar geworden: Das übermäßige Angebot an Nahrungsergänzungsmitteln und ergänzenden bilanzierten Diäten ist für den Einzelnen kaum noch überschaubar.

Mit Inkrafttreten des Gesundheitssystem-Modernisierungsgesetzes (GMG) zum 1.1.2004 sind nicht verschreibungspflichtige Arzneimittel in der Regel nicht mehr erstattungsfähig. Apotheken und Industrie haben einen bedeutenden Teil ihres früheren Umsatzes verloren. Dagegen gewinnen Nahrungsergänzungsmittel und ergänzende bilanzierte Diäten immer weiter an Bedeutung.

Manche Verbraucherschützer behaupten, ein normaler gesunder Mensch brauche, bis auf wenige Ausnahmen wie Folsäure oder Iod keine Nahrungsergänzung. Ein herkömmliches gesundes Essen reiche völlig aus. Dieser Meinung sollte man so pauschal nicht zustimmen. Nahrungsergänzungsmittel können durchaus helfen, Defizite bei der Ernährung auszugleichen.

Aus Zeitmangel und Gewohnheit stimmen viele Menschen ihre tägliche Ernährung nicht so ab, dass der Körper ausreichend mit allen lebensnotwendigen Nährstoffen versorgt wird. Die Zubereitung von Speisen mit frischen Zutaten ist bei uns schon lange keine Selbstverständlichkeit mehr. Gerne wird auf Fertigprodukte zurückgegriffen, die mit exotischen Namen und fragwürdigen Gesundheitsversprechen zum Kauf animieren.

Manche Lebenssituation kann außerdem dazu führen, dass ein Mehrbedarf an bestimmten Nährstoffen entsteht, wie z.B. bei Schwangerschaft und Stillzeit, bei Hochleistungssportlern, während und nach einer Erkrankung oder im Alter. So reichen bei einem gesunden Menschen 100 mg Vitamin C für den täglichen Bedarf vollauf, während ein Diabetiker womöglich eine viel höhere Menge benötigt. Jeder Mensch bringt also unterschiedliche Voraussetzungen und Bedürfnisse hinsichtlich seiner Lebens- und Ernährungsgewohnheiten mit.

Viele Verbraucher sind verunsichert, was das Richtige für sie ist. Da wäre es hilfreich, wenn zunächst einmal unter fachlich versierter Beratung festgestellt wurde, ob die Vitalstoffversorgung überhaupt Lücken aufweist und welche. Auf keinen Fall darf die Gefahr entstehen, dass Verbraucher ihre unzureichende Ernährungsweise beibehalten und ihr

Gewissen mit der zusätzlichen Einnahme von Nahrungsergänzungsmitteln beruhigen. Da weder Nahrungsergänzungsmittel noch bilanzierte Diäten behördlich zugelassen sein müssen, ist es schon deswegen notwendig, die Verkehrsfähigkeit mancher Präparate kritisch zu hinterfragen. Die Apotheken können sich nicht darauf verlassen, dass ihnen Hersteller und Großhändler nur verkehrsfähige Ware liefern. Als Inverkehrbringer tragen sie einen wesentlichen Teil der Verantwortung gegenüber dem Endverbraucher.

17.1 Rechtliche Grundlagen

17.1.1 Übersicht

Nahrungsergänzungsmittel und bilanzierte Diäten sind zunächst einmal Lebensmittel i.S.d. Artikel 2 der Verordnung (EG) 178/2002 (Lebensmittel-BasisVO) und müssen die entsprechenden einschlägigen lebensmittelrechtlichen Vorschriften einhalten. Dabei handelt es sich zunehmend um europäische Verordnungen (Regulations), die nicht mehr in nationales Recht umgewandelt werden müssen, sondern direkt in den einzelnen Mitgliedsstaaten wirksam sind.

- Richtlinie 2002/46/EG vom 10.6.2002
- Nahrungsergänzungsmittelverordnung (NemV) vom 24.5.2004
- VO (EU) 609/2013 über Lebensmittel für Säuglinge und Kleinkinder, Lebensmittel für besondere medizinische Zwecke und Tagesrationen für gewichtskontrollierende Ernährung vom 12.6.2013
- VO (EG) 1924/2006 über nährwert- und gesundheitsbezogene Angaben über Lebensmittel (Health-Claims-Verordnung – HCVO) vom 20.12.2006
- VO (EU) 432/2012 zur Festlegung einer Liste zulässiger gesundheitsbezogener Angaben über Lebensmittel

17.1.2 Nahrungsergänzungsmittel (NEM)

Nahrungsergänzungsmittel dienen der Ergänzung der Ernährung mit Nährstoffen oder sonstigen Stoffen mit ernährungsspezifischer oder physiologischer Wirkung. Sie sind weder zur Vorbeugung noch zur Heilung oder Linderung von Krankheiten bestimmt. Da sie nicht pharmakologisch, sondern ernährungsphysiologisch wirken, dürfen auch keine krankheitsbezogenen Angaben in Kennzeichnung und Werbung gemacht werden.

Ein Nahrungsergänzungsmittel wird in dosierter Form, insbesondere in Form von Kapseln, Pastillen, Tabletten, Pillen und anderen ähnlichen Darreichungsformen, Pulverbeuteln, Flüssigampullen, Flaschen mit Tropfeinsätzen und ähnlichen Darreichungsformen von Flüssigkeiten und Pulvern zur Aufnahme in abgemessenen kleinen Mengen, in den Verkehr gebracht (§ 1 Abs. 1 NemV).

Nahrungsergänzungsmittel dürfen nur in Fertigpackungen in den Verkehr gebracht werden.

Bei der Nahrungsergänzungsmittelverordnung – NemV vom 24.5.2004 handelt es sich um eine nationale Verordnung. Sie setzt die RL 2002/46/EG in nationales Recht um.

Bei der Herstellung von NEM dürfen nur die in Anhang 1 der RL 2002/46/EG aufgeführten Nährstoffe (Vitamine und Mineralstoffe einschl. Spurenelemente) in den in Anhang II der RL 2002/46/EG aufgeführten Formen verwendet werden.

Die Kennzeichnung von Nahrungsergänzungsmitteln muss folgende Hinweise enthalten:

1. Warnhinweis
„die angegebene empfohlene tägliche Verzehrsmenge sollte nicht überschritten werden"

2. Abschreckungshinweis:
„Nahrungsergänzungsmittel dürfen nicht als Ersatz für eine abwechslungsreiche Ernährung verwendet werden"

3. Lagerhinweis
„Nahrungsergänzungsmittel müssen außerhalb der Reichweite von kleinen Kindern aufbewahrt werden".

Viele Hersteller wollen Nahrungsergänzungsmittel mit vielen Gesundheitsangaben ausstatten, um Umsatz und Preis in die Höhe zu treiben und die aufwendigen und teuren Vorschriften einer arzneimittelrechtlichen Zulassung zu umgehen.

Claims, wie „stärkt die Abwehrkräfte", „unterstützt die Gelenkfunktionen" oder „cholesterinsenkend", sind nur zulässig, wenn sie der VO (EG) 1924/2006 (Health-Claims-Verordnung) und der VO (EU) 432/2012 entsprechen. Während für Vitamine und Mineralstoffe die Claims festgelegt sind, fehlen sie noch weitgehend für die sonstigen Stoffe mit ernährungsspezifischer oder physiologischer Wirkung, den sog. „Botanicals".

NEM müssen vor dem ersten Inverkehrbringen vom Hersteller beim Bundesamt für Verbraucherschutz und Lebensmittelsicherheit (BVL) angezeigt werden. Mit der Anzeige ist noch keine behördliche Bewertung oder Erlaubnis verbunden. Die Verantwortung für das Inverkehrbringen liegt, vor allem bei verdächtigen oder zweifelhaften Produkten, auch beim Apotheker als dem Inverkehrbringer an den Endverbraucher.

Zielgruppen für NEM sind denkbar für:

- Senioren
- Chronisch Kranke
- Personen mit Nahrungsmittelunverträglichkeiten
- Personen mit geringer Nahrungsaufnahme
- Personen mit einseitigen Ernährungsgewohnheiten, z.B. Vegetarier, Veganer, Personen, die keinen Fisch oder keine Milchprodukte verzehren
- Personen mit erhöhtem Nährstoffbedarf
- Schwangere und Stillende
- Leistungssportler

17.1.3 Bilanzierte Diäten
(Foods for Special Medical Purposes – FSMP)

Die VO (EU) 609/2013 hat die Diätrahmenrichtlinie sowie die Diätverordnung (DiätV) am 20.7.2016 abgelöst und durch Vorschriften für spezielle Verbrauchergruppen ersetzt. In den Geltungsbereich der neuen Verordnung fallen ausschließlich die folgenden Lebensmittelkategorien:

1. Säuglingsanfangsnahrung und Folgenahrung
2. Getreidebeikost und andere Beikost
3. Lebensmittel für besondere medizinische Zwecke (bilanzierte Diäten)
4. Tagesrationen für eine gewichtskontrollierende Ernährung.

Lebensmittel, die bis zum 20.7.2016 der DiätV unterfielen und jetzt nicht mehr vom Anwendungsbereich der VO (EU) 609/2013 erfasst sind, wie z.B. Lebensmittel für Schwangere und Stillende oder Mahlzeitenersatzprodukte, sind ab diesem Zeitpunkt als Lebensmittel des allgemeinen Verzehrs anzusehen und unterliegen den allgemeinen lebensmittelrechtlichen Bestimmungen.

Während Säuglingsnahrung, Beikost und Tagesrationen für eine gewichtskontrollierende Ernährung im Apothekenalltag keine Rolle spielen, müssen Kenntnisse über Zweck, Eigenschaften und rechtliche Grundlagen von bilanzierten Diäten in der Apotheke vorhanden sein.

Bilanzierte Diäten müssen unter ärztlicher Aufsicht verwendet werden. Sie sind nicht apothekenpflichtig, denn diese Regelung gibt es nur für Arzneimittel und Medizinprodukte. Manche Präparate werden jedoch apothekenexclusiv vertrieben. Dies ist also eine Frage der Verkaufsstrategie und des Marketings des Herstellers.

Potentielle Einsatzgebiete für bilanzierte Diäten:

- Erhöhte Homocysteinspiegel
- Erhöhte Cholesterolspiegel

Nahrungsergänzungsmittel und ergänzende bilanzierte Diäten

- Herz-Kreislauferkrankungen
- Erkrankungen des rheumatischen Formenkreises
- Osteoporose
- Wechseljahresbeschwerden
- Konsumierende Erkrankungen mit Hypermetabolismus (Krebs, AIDS)
- Nierenfunktionsstörungen und Dialyse
- Malabsorptopions- und Maldigestionsstörungen
- Malnutrition und Kachexie
- Lebererkrankungen
- Makuladegeneration

Bilanzierte Diäten müssen den Hinweis enthalten: „Zum Diätmanagement bei ergänzt durch die Krankheit, die Störung oder die Beschwerden, für die das Erzeugnis bestimmt ist, sowie den Vermerk „Verwendung nur unter ärztlicher Aufsicht".

Das Diätmanagement muss vom Hersteller erarbeitet werden. Das erstmalige Inverkehrbringen muss der Hersteller dem BVL anzeigen. Anders, als die Anzeigen von Nahrungsergänzungsmitteln, werden diese nicht an die örtlichen Überwachungsbehörden weitergeleitet, sondern verbleiben beim BVL, das zeitnah das Diätmanagement vorn Hersteller anfordert und überprüft.

Zur Zeit sind noch überwiegend bilanzierte Diäten nach DiätV im Verkehr. Die sich bereits in der Handelskette befindlichen Verkaufspackungen dürfen in der Regel noch bis zum Ende des Mindesthaltbarkeitsdatum (MHD) in den Verkehr gebracht werden.

Tab. 17.1-1: Beispiele für im Handel befindliche ergänzende bilanzierte Diäten

Hauptinhaltsbestandteile	Beschwerden, Krankheit, Störung	Handelsname
Kalium, Magnesium, Folsäure, Vit. B12, Niacin, Coenzym Q10	Herzerkrankungen	Tromcardin® complex
Arginin, Folsäure	Allgemeine Atherosklerose und erhöhter Homocysteinspiegel	Telcor® Arginin plus
Vitamin B_6, B_{12}, Folsäure	Erhöhter Homocysteinspiegel	Synervit®
Vitamin B_1, B_2, B_6, B_{12}, Folsäure	Erhöhter Homocysteinspiegel	Vaso-loges® Protect
Lutein, Omega-3-Fettsäuren u. a.	Altersbedingte Makuladegeneration (AMD)	Vitalux® Plus
Vitamin E, C, Zink, Lutein, Zeaxanthin	Altersbedingte Makuladegeneration (AMD)	Nomoadult® Amd
Vitamine, Mineralstoffe, sekundäre Pflanzenstoffe	Häufig wiederkehrende Infektionskrankheiten, wie z. B. Mittelohrentzündungen	Orthomol Immun junior®
Carnitin, Vitamin C, Vitamin-B-Komplex	Nierenversagen (Dialysepatienten)	Vitacarnitin®
Omega-3-Fettsäuren, Omega-6-Fettsäuren, Vitamin E	Aufmerksamkeitsdefizit- und Hyperaktivitätssyndrom (ADHS)	Efalex®
Diaminoxidase	Histaminbedingte Lebensmittelunverträglichkeiten	Daosin®
Guaranaextrakt, Polyphenole aus Citrusfrüchten	Übergewicht	Reducelle® Fatburner Kapseln

(Seiten 17-5 bis 17-8 freibleibend, Fortsetzung nächstes Blatt)

Rechtliche Grundlagen

17.2 Hauptinhaltsbestandteile von Nahrungsergänzungsmitteln und ergänzenden bilanzierten Diäten

Das Sortiment vor allem der Nahrungsergänzungsmittel ist so riesig und unterliegt einer ständigen Fluktuation, dass im Folgenden auf eine Aufzählung gängiger Handelspräparate verzichtet wird. Es wird empfohlen, hierfür auf entsprechende Nachschlagewerke, z.B. auf die Nahrungsergänzungsmittelliste, herausgegeben von der Wissenschaftlichen Verlagsgesellschaft Stuttgart, zurückzugreifen.

Für weitergehende Informationen zu einzelnen Inhaltsbestandteilen werden die wissenschaftlichen Stellungnahmen des Bundesinstituts für Risikobewertung (BfR) unter www.bfr.bund.de und der Deutschen Gesellschaft für Ernährung unter www.dge.de im Internet empfohlen, auf die auch bei einzelnen Inhaltsstoffen zusätzlich hingewiesen wird.

17.2.1 Vitamine

Der Mensch benötigt Vitamine zum Leben. Das bedeutet nicht, dass er umso gesünder lebt, je mehr er davon aufnimmt. Bei manchen Vitaminen kann eine Überversorgung mit gesundheitlichen Risiken verbunden sein. So kann zu viel Vitamin A im ersten Drittel der Schwangerschaft fruchtschädigend wirken. Bekannt sind auch die schädlichen Wirkungen von hochdosiertem Vitamin E oder das Risiko besonders für Raucher bei der Einnahme des Provitamins Beta-Carotin.

Aber auch Vitaminmangelzustände sind bei uns bekannt. Die Folsäureversorgung ist in Deutschland nicht zufriedenstellend. So besteht z.B. bei unzureichender Folsäureversorgung in der Frühschwangerschaft für Embryonen ein erhöhtes Risiko für Spina-bifida-Erkrankungen (Spaltbildung der Wirbelsäule) und Anenzephalie. Auch Vitamin D wird von manchen Bevölkerungsgruppen nicht genügend aufgenommen.

Einteilung der Vitamine

- B_1 (Thiamin, Aneurin)
- B_2 (Riboflavin, Lactoflavin)
- B_6 (Pyridoxin)
- B_{12} (Cobalamine)
- Nicotinamid/Nicotinsäure („Niacin", „Vitamin B_3")
- Folsäure/Folat
- Biotin („Vitamin H")
- Pantothensäure
- Vitamin C (Ascorbinsäure)
- Vitamin A (Retinol)
- Vitamin D (Calciferol)
- Vitamin E (Tocopherole und Tocopherolester)
- Vitamin K (Phyllochinon)

Die Vitamine werden bereits in **Kapitel 3.1** hinsichtlich chemischer Eigenschaften, Vorkommen, Physiologie, Versorgungssituation und Pharmakologie ausführlich vorgestellt, so dass hier nur einige ergänzende Hinweise aufgenommen werden.

17.2.1.1 Rechtliche Einstufung

Vitamine werden, je nach Zweckbestimmung, als Arzneimittel, Nahrungsergänzungsmittel oder als ergänzende bilanzierte Diäten in den Verkehr gebracht, z.B. Vitamin C. Zur Unterscheidung, ob ein Vitaminpräparat als Arzneimittel oder als Nahrungsergänzungsmittel einzustufen ist, gilt nicht mehr die früher oft zitierte „Dreifachregel". Danach lag bei einer Dosierung bis zum Dreifachen des von der Deutschen Gesellschaft für Ernährung (DGE) empfohlenen Tagesbedarfs in der Regel ein Lebensmittel, darüber hinaus ein Arzneimittel vor. Die Unterscheidungskriterien sind jedoch differenzierter. Ein maßgebliches Kriterium ist die Präsentation des Produktes und die Frage einer pharmakologischen Wirkung.

Für den Handverkauf spielen Multivitaminpräparate, meist in Kombination mit Mineralstoffmischungen, eine wichtige Rolle. Sie werden häufig als Nahrungsergänzungsmittel vertrieben. Immer wieder wird die Sinnhaftigkeit dieser Kombinationspräparate diskutiert. Ob solche Mittel empfohlen werden sollten oder ein Monovitaminpräparat sinnvoller ist, kommt auf den Einzelfall an. Zu bedenken ist, dass es sich bei Vitaminen sowohl hinsichtlich der chemischen Eigenschaften als auch der Wirkungsweise um völlig verschiedene Substanzen handelt, die lediglich den essenziellen Charakter als Gemeinsamkeit besitzen. Eine undifferenzierte gemeinsame Einnahme verschiedenster Stoffe ohne medizinische Notwendigkeit ist in der Regel wenig sinnvoll. Besser ist eine differenzierte Substitution einzelner Vitamine aufgrund der spezifischen Situation des einzelnen Verbrauchers. Eine Gefahr besteht bei der pauschalen Verabreichung von Multivitaminpräparaten auch deswegen, da einige Vitamine für den Einzelnen unterdosiert, andere aber überdosiert sein könnten.

Multivitaminpräparate werden auch als ergänzende bilanzierte Diäten zur Verwendung bei bestimmten Krankheiten angeboten, z.B. zur diätetischen Behandlung von Erkältungen.

17.2.2 Vitaminähnliche Substanzen – Pseudovitamine, Vitaminoide

17.2.2.1 Ubichinon-50

Bezeichnungen
Ubichinon-50, Coenzym Q_{10}

Coenzym Q10, Ubichinon-50

Chemische Struktur, Vorkommen
Ubichinone sind 1,4-Benzochinonderivate mit lipophiler Isoprenoid-Seitenkette und gehören zu den vitaminähnlichen Substanzen (Vitaminoide, Pseudo-Vitamine). Die Zahl hinter der Bezeichnung Ubichinon gibt die Anzahl der C-Atome in der Seitenkette an, z.B. Ubichinon-50.

Die für Ubichinon-50 alternative Bezeichnung Coenzym Q_{10} bedeutet, dass die Seitenkette 10 Isoprenreste enthält.

Ubichinon-50 ist eine körpereigene essenzielle Substanz, die über die Nahrung aufgenommen, aber auch im Körper selbst produziert wird, also kein Vitamin. Über die Nahrung nehmen wir täglich etwa 5 mg auf. Hauptquellen sind Innereien, z.B. Leber, Muskelfleisch, öliger Fisch, Eier, während in pflanzlichen Lebensmitteln (Nüsse, Sonnenblumenkerne, Hülsenfrüchte, pflanzliche Öle, Kartoffeln, verschiedene Gemüsesorten usw.) geringere Mengen vorhanden sind. Ein Mangel kann z.B. durch Alter, Stress, Alkohol- und Nicotinkonsum entstehen.

Physiologische Funktionen, Versorgungssituation, Supplementierung
Ubichinon-50 wirkt als Antioxidans und besitzt eine wichtige Funktion in der Atmungskette. In der Regel reicht die Zufuhr durch

die Nahrung und die körpereigene Synthese für den Bedarf aus.
In zahlreichen Nahrungsergänzungsmitteln wird Ubichinon-50 vor allem unter der Bezeichnung Coenzym Q_{10} in den Verkehr gebracht. Bekannt geworden ist es vor allem durch eine intensive Bewerbung als „Herzwunder". Es soll sich günstig bei Herzschwäche, Bluthochdruck und Morbus Parkinson auswirken und radikalassoziierte Ereignisse sowie Alterung und Wohlempfinden positiv beeinflussen. Die Frage bleibt, inwieweit diese Wirkungen auch bei der relativ niedrigen Dosierung als Nahrungsergänzungsmittel eintreten.
Sinnvoll scheint die Supplementierung bei der Therapie der Hypercholesterolämie mit Statinen zu sein, da diese auch die Synthese von Ubichinon-50 hemmen.

17.2.2.2 Inositol

Bezeichnungen
Inositol, Inosit, myo-Inositol, Hexahydroxycyclohexan

Inositol

Chemische Struktur, Vorkommen
Inositol ist ein sechswertiger zyklischer Alkohol. Abhängig von der Stellung der Hydroxylgruppen sind theoretisch neun Stereoisomere möglich. Ein Isomer kommt in zahlreichen tierischen und pflanzlichen Geweben vor und wird als myo-Inositol oder „Muskelzucker" bezeichnet, obwohl es sich aufgrund der fehlenden Carbonylgruppe chemisch betrachtet um keinen Zucker handelt. Im Sprachgebrauch wird unter Inositol in der Regel myo-Inositol verstanden.
Tierische Lebensmittel enthalten myo-Inositol in freier Form und als Bestandteil von Phospholipiden. Dort liegt es als Phosphatidylinositol vor. Es unterscheidet sich von Lecithin (Phosphatidylcholin) im Ersatz des Cholins durch Inositol.

Physiologische Funktionen, Versorgungssituation, Supplementierung
Inositol kann im menschlichen Organismus aus Glucose synthetisiert werden, ist nicht zufuhressenziell und hat daher keinen Vitaminstatus. Für den Menschen besteht kein nutritiver Bedarf.
Aufgrund seines Vorkommens in Muskeln wird Inositol in Nahrungsergänzungsmitteln zum Muskelaufbau in der Fitness- und Bodybuilderszene angepriesen.

17.2.2.3 Alpha-Liponsäure

Bezeichnungen
Alpha-Liponsäure, α-Liponsäure, ALA

α-Liponsäure

Chemische Struktur, Vorkommen
Alpha-Liponsäure ist eine schwefelhaltige Fettsäure, die der menschliche Organismus endogen selbst synthetisieren kann.

Physiologische Funktionen, Versorgungssituation, Supplementierung
α-Liponsäure tritt bei vielen enzymatischen Reaktionen als wasserstoffübertragendes Coenzym auf und wirkt als Antioxidans und Radikalfänger.
Die physiologisch für den gesunden menschlichen Organismus erforderlichen Mengen werden durch Eigensynthese sichergestellt. Alpha-Liponsäure findet jedoch bei der Behandlung diabetischer Polyneuropathien Verwendung. Sie wird als Arzneimittel und als ergänzende bilanzierte Diät vertrieben.

Hauptinhaltsbestandteile

17.2.2.4 Sonstige vitaminähnliche Substanzen

Früher wurden noch einige weitere Substanzen als Vitamin bezeichnet, die jedoch nach heutiger Kenntnis nicht essenziell sind und als vitaminähnliche Substanzen eingeordnet werden könnten:

- Vitamin P, veraltete Bezeichnung für Flavonoide, wie Hesperidin, Quercetin, Rutosid (s.u. 17.2.7: Polyphenole),
- Vitamin F, veraltete Bezeichnung für Omega-3-Fettsäuren und Omega-6-Fettsäuren (s.u. 17.2.8: Mehrfach ungesättigte Fettsäuren),
- Vitamin B_{15}, veraltete Bezeichnung für Pangamsäure, die jedoch nach heutiger Erkenntnis keine Vitaminwirksamkeit besitzt.

Pangamsäure

17.2.3 Mineralstoffe

Mineralstoffe werden sowohl als Arzneimittel als auch als Nahrungsergänzungsmittel, je nach Aufmachung und Präsentation des Präparates und ihrer Dosierung, vertrieben. Man unterscheidet Mengenelemente und Spurenelemente.

Nur wenige Mineralstoffe wie Calcium und Iod werden in Deutschland von einigen Bevölkerungsgruppen mit der Nahrung unzureichend aufgenommen, z.B. Calcium von Personen, die Milch und Milchprodukte meiden. Um die Iodversorgung auf breiter Basis zu verbessern, wird schon seit einiger Zeit Speisesalz mit Iod angereichert.

Mineralstoffe, die als Nahrungsergänzungsmittel Bedeutung haben sind im Folgenden aufgelistet.

1. **Mengenelemente:**
- Kalium,
- Calcium,
- Magnesium.

2. **Spurenelemente:**
- Eisen,
- Zink,
- Kupfer,
- Iod,
- Selen,
- Fluor,
- Mangan,
- Molybdän,
- Chrom,
- Silicium.

Die einzelnen Mineralstoffe werden bereits in **Kapitel 3.2** besprochen.

Hier soll noch auf Chrom und Silicium eingegangen werden, die in zahlreichen Nahrungsergänzungsmitteln in den Verkehr gebracht werden.

17.2.3.1 Spurenelemente

Chrom

Chemische Eigenschaften, Vorkommen

Chrom ist mit Molybdän und Wolfram ein Element der 6. Nebengruppe. Es kommt in den Oxidationsstufen +II, +III und +VI vor. Chrom ist technisch von großer Bedeutung. Von den 3 Oxidationsstufen besitzt dreiwertiges Chrom biologische Bedeutung für den Menschen. Cr(VI)-Verbindungen dagegen sind äußerst giftig. Sie sind mutagen und schädigen die DNA. Sie gelangen über die Atemwege in den Körper und schädigen das Lungengewebe.

Chrom kommt sowohl in pflanzlichen als auch tierischen Lebensmitteln vor (Vollkornprodukte, Fleisch, Käse).

Physiologische Funktionen, Versorgungssituation, Supplementierung

Die Rolle von Cr(III) im menschlichen Körper wird zurzeit kontrovers diskutiert. Es gibt

Hinweise darauf, dass Cr(III) eine Bedeutung im Kohlenhydrat- und Fettstoffwechsel von Säugetieren haben könnte. Chrom(III) wird bisweilen als Nahrungsergänzung für Diabetiker beworben. Chrom-Mangelzustände sind beim Menschen in der Regel nicht vorhanden.
Bedeutung haben Präparate mit Chrom(III) in der Sportler- und Fitnessszene bekommen. Sie sollen nach Aussage der Anbieter Muskelaufbau und Kraftzuwachs bewirken.

Silicium

Chemische Struktur, Vorkommen

Silicium ist ein Element der 4. Hauptgruppe und kommt als Siliciumdioxid oder Silikat vor. Die gesamte Erde besteht zu etwa 15 Gewichtsprozent aus Silicium; damit ist es nach Sauerstoff das zweithäufigste chemische Element. Sand und Quarz sind reines Siliciumdioxid. Kieselsäure ist in allen Ozeanen in beträchtlichen Mengen gelöst.
Pflanzliche Lebensmittel, z.B. ballaststoffhaltige Getreidesorten wie Gerste und Hafer, enthalten mehr Silicium als tierische Lebensmittel. Geringe Mengen werden auch über das Trinkwasser aufgenommen.

Physiologische Funktionen, Versorgungssituation, Supplementierung

Man geht davon aus, dass Silicium essenziell ist. Es steigert die Knochendichte, ist notwendig für das Knochenwachstum und Bestandteil der für Knorpel und Bindegewebe notwendigen Glucosaminoglucane. Es wird auch eine Prävention der Hautalterung angenommen. Nahrungsergänzungsmittel mit Silicium werden in Form von Siliciumsalzen und als Kieselerde angeboten. Kieselerde besteht aus amorphem Siliciumdioxid sowie wechselnden Mengen der Oxide von Eisen, Phosphor, Aluminium, Calcium, Magnesium u.a.

17.2.4 Aminosäuren, Aminosäurederivate und Proteine

17.2.4.1 Arginin

Bezeichnungen

Arginin, L-Arginin, Argininum, (S)-2-Amino-5-guanidinopentansäure

Arginin

Chemische Struktur, Vorkommen

Arginin ist eine Diaminocarbonsäure und stark basisch. Sie ist mit 4 N-Atomen die stickstoffreichste Aminosäure. Arginin ist ubiquitär in zahlreichen Pflanzen enthalten.

Physiologische Funktionen, Versorgungssituation, Supplementierung

Arginin ist eine semiessenzielle Aminosäure, da die körpereigene Synthese für den Bedarf nicht ausreicht. Arginin ist an wichtigen biochemischen Vorgängen im Körper beteiligt, z.B. an der Harnstoffsynthese in der Leber und an der Biosynthese von Kollagen. Zahlreiche Nahrungsergänzungsmittel mit Arginin werden als Schlankheitsmittel und zur Leistungssteigerung, vor allem in der Sportler- und Fitnessszene, angepriesen. Arginin soll eine verstärkte Sekretion von Wachstumshormonen bewirken und so Fettabbau und Muskelwachstum verstärken.

17.2.4.2 L-Carnitin

Bezeichnungen

L-Carnitin, L-(−)-Carnitin, Carnitin, (R)-(3-Carboxy-2-hydroxypropyl)-N,N,N-trimethylammoniumhydroxid

L-Carnitin

Chemische Struktur, Vorkommen

Carnitin kommt vor allem in rotem Fleisch vor (Schaf, Lamm, Rind usw.) und ist in weit geringerem Umfang in Pflanzen enthalten. Der menschliche Körper kann jedoch Carnitin aus Methionin und Lysin selbst bilden. Es ist somit kein Vitamin, wie manchmal angepriesen.

Physiologische Funktionen, Versorgungssituation, Supplementierung

Carnitin hat die Funktion eines Biocarriers für den Transport langkettiger Fettsäuren in die Mitochondrien und ist Bestandteil einiger in der Mitochondrienmembran lokalisierter Enzyme.

Carnitin wird angepriesen als Mittel zur Gewichtsreduktion durch die Ankurbelung der Fettverbrennung (fatburner) und dadurch Verhinderung des Aufbaus von Fettdepots sowie als Mittel zur Leistungssteigerung, vor allem bei Ausdauersportarten.

Die Bevölkerung ist normalerweise ausreichend mit Carnitin versorgt. Selbst für Vegetarier kommt es aufgrund hoher Eigensynthese und kontrollierter Ausscheidung über die Nieren im Allgemeinen zu keinem Mangel.

Carnitin wird in zunehmenden Maß als Nahrungsergänzungsmittel und in vielen Lebensmitteln wie Energiedrinks, Proteinshakes, Fitness- und Powerriegeln usw. vermarktet. Die Wirkung von Carnitin wird in Verbindung mit aeroben Ausdauerbelastungen, etwa im Sport, diskutiert. Es wird von Fachleuten darauf hingewiesen, dass bei Gesunden genügend Carnitin in den Muskelzellen vorhanden sei, da es für den Transport nicht verbraucht, sondern immer wieder bedarfsgerecht zur Verfügung stände. Der Verbrauch von Carnitin sei bei der Lipolyse nicht der geschwindigkeitsbestimmende und damit der entscheidende Faktor, so dass eine Zufuhr von Carnitin keine Steigerung des Fettstoffwechsels und der Ausdauerleistungsfähigkeit bewirke.

17.2.4.3 Creatin

Bezeichnungen

Creatin, Kreatin, N-(Aminoiminomethyl)-N-methylglycin, Methylguanidinoessigsäure

Creatin

Chemische Struktur, Vorkommen

Hauptquellen für Creatin sind Fisch und Fleisch. Der menschliche Körper kann jedoch Creatin auch aus den Aminosäuren Arginin, Glycin und Methionin selber synthetisieren. Creatin wirkt in Form von Creatinphosphat in den Muskeln bei der Synthese von ATP aus ADP mit.

Physiologische Funktionen, Versorgungssituation, Supplementierung

Der Bedarf an Creatin liegt etwa bei 2 g, wobei etwa die Hälfte durch Eigensynthese erreicht wird. Eine Supplementierung ist in der Regel nicht nötig. Zahlreiche Präparate für Sportler enthalten Creatin als Energielieferant. Vor allem für kurze Belastungen mit hoher Intensität sind Leistungssteigerungen zu erwarten. Bei Ausdauersportarten hingegen werden kaum Effekte beobachtet. Bei Dosierungen von etwa 2 g/d sind in der Regel keine bedenklichen Nebenwirkungen zu erwarten.

17.2.4.4 Gelatine

Definition, Vorkommen

Gelatine ist ein tierisches Eiweiß mit einem hohen Anteil an Hydroxyprolin und Arginin, das alle essenziellen Aminosäuren außer Tryptophan enthält. Es wird durch Denaturieren von Kollagen gewonnen. Kollagen kommt in tierischem Bindegewebe, vorwiegend in Knochen und Häuten, vor. Speisegelatine wird überwiegend aus Schweineschwarten hergestellt.

Physiologische Funktionen, Versorgungssituation, Supplementierung
Gelatine ist ein biologisch minderwertiges Protein. Es wird vielfältig, z.B. in der Lebensmitteltechnologie als nicht pflanzliches Verdickungsmittel, eingesetzt.
In zahlreichen Nahrungsergänzungsmitteln wird Gelatine als „Gelenksupplement" bei degenerativen Gelenkerkrankungen angepriesen. Außerdem soll es Wachstum und Stabilität von Haut, Haaren und Nägeln positiv beeinflussen.
Ernste negative Folgen bei oraler Zufuhr sind nicht zu erwarten.

17.2.5 Glykosaminoglykane

17.2.5.1 D-Glucosamin

D-Glucosamin wird aus dem Chitin von Krustentieren und Insekten gewonnen.

Physiologische Funktionen, Versorgungssituation, Supplementierung
Die Vermarktung von D-Glucosamin erfolgt vorwiegend in Bezug auf die Wirkung in den Gelenken, z.B. bei Arthrose. D-Glucosamin wird zusammen mit Chondroitinsulfat in zahlreichen Nahrungsergänzungsmitteln für Personen mit Gelenkarthrose in den Verkehr gebracht. Zu Wirkungen und möglichen Nebenwirkungen gibt es widersprüchliche Aussagen.

Nähere Informationen zur „Verwendung von Glucosamin und dessen Verbindungen in Nahrungsergänzungsmitteln" siehe Stellungnahme des BfR Nr. 032/2007[1].

17.2.5.2 Chondroitinsulfat

Chemische Struktur, Vorkommen
D-Glucosamin ist ein Derivat der Glucose und unterscheidet sich nur durch die Substitution der Hydroxylgruppe am zweiten Kohlenstoffatom durch eine Aminogruppe. Vielfach liegt die Substanz als Sulfat vor. Das an der Aminogruppe acetylierte N-Acetyl-D-Glucosamin ist Teil der Polysaccharidkette der Hyaluronsäure (Bei Hyaluronsäure handelt es sich um ein Medizinprodukt, s. Kap. 16.2.7: Arzneimittelähnliche Medizinprodukte).
D-Glucosamin ist Bestandteil des menschlichen Knorpels und befindet sich auch in der Synovialflüssigkeit (Gelenkflüssigkeit).

Chemische Struktur, Vorkommen
Chondroitinsulfat ist ein Mucopolysaccharid, bestehend aus N-Acetyl-Galactosamin und Glucuronsäure. Es ist keine chemisch einheitliche Substanz und liegt in der Natur in einer Vielfalt von Formen vor.

Physiologische Funktionen, Versorgungssituation, Supplementierung
Chondroitinsulfat ist Bestandteil des menschlichen Knorpels. Es wird in zahlreichen Nahrungsergänzungsmitteln zusammen mit Glucosamin für Personen mit Gelenkarthrose in den Verkehr gebracht.

---
[1] http://www.bfr.bund.de

Nähere Informationen zur „Verwendung von Chondroitinsulfat in Nahrungsergänzungsmitteln" siehe Stellungnahme des BfR Nr. 031/2007[1]).

17.2.5.3 Grünlippmuscheln

Bezeichnungen
Grünlippmuscheln, Grünschalmuscheln, Neuseelandmuscheln

Herkunft, Vorkommen
Grünlippmuscheln werden überwiegend an den Küsten Neuseelands geerntet. Das zermahlene und gefriergetrocknete Pulver wird in alle Welt exportiert. Grünlippmuscheln sind reich an Mineralstoffen und Glykosaminoglykanen.

Physiologische Funktionen, Versorgungssituation, Supplementierung
Die Eiweißstrukturen der Glykosaminoglykane sind Gerüstsubstanzen von Bindegewebe und Knorpeln und somit von Bedeutung für die Funktion der Gelenke. Die in Kapseln oder Tabletten mit Grünlippmuscheln häufig zugesetzten Spurenelemente Selen und Zink sowie die Vitamine C und E wirken antioxidativ.
Grünlippmuscheln werden häufig zusammen mit Glucosamin und Chondroitinsulfat angeboten bei erhöhten körperlichen Anforderungen im Beruf oder beim Sport.

17.2.6 Carotinoide

Carotinoide sind eine weit verbreitete Gruppe von Pflanzenfarbstoffen, die eine gelbe bis rötliche Färbung aufweisen und zu den sekundären Pflanzenstoffen gehören. Carotinoide besitzen eine Terpenstruktur und sind formal aus 8 Isopreneinheiten aufgebaut. Sie zeichnen sich insgesamt durch ihre antioxidativen Eigenschaften aus. Damit sollen sie Krankheiten wie Krebs, Arteriosklerose, Alzheimer u.a. vorbeugen.

Man unterscheidet zwischen sauerstofffreien (Carotine) und sauerstoffhaltigen (Xantophylle) Carotinoiden. Zu den Carotinen gehören u.a. Alpha-Carotin, Beta-Carotin und Lycopin, zu den Xantophyllen Lutein, Zeaxanthin sowie Beta-Cryptoxanthin. Insgesamt sind mittlerweile etwa 800 verschiedene Carotinoide bekannt.

17.2.6.1 Beta-Carotin

Bezeichnungen
Betacarotin, Betacarotenum, β-Carotin, Provitamin A

Chemische Struktur, Vorkommen
Betacarotin zählt zu den sekundären Pflanzeninhaltsstoffen. Vom chemischen Aufbau her gesehen handelt es sich um ein Tetraterpen mit der Summenformel C 40, bei denen 2 Iononringe durch eine Kohlenstoffkette verbunden sind. Betacarotin ist fettlöslich und wird als Vorstufe von Retinol (Vitamin A) auch als Provitamin A bezeichnet. Es kommt vor allem in farbigen Früchten und Blättern vor. Als Lebensmittelfarbstoff ist es vielen Lebensmitteln (z.B. Margarine, Milchprodukten, Getränken) zugesetzt. Außerdem spielt die antioxidative Eigenschaft eine übergeordnete Rolle.

β-Carotin

Nahrungsergänzungsmittel und ergänzende bilanzierte Diäten

Lycopin

Physiologische Funktionen, Versorgungssituation, Supplementierung

Betacarotin ist in zahlreichen Präparaten als Nahrungsergänzungsmittel handelsüblich. Es steht unter dem Verdacht, bei Rauchern in höheren Dosierungen ab etwa 20 mg/d krebserregend zu sein.

Nähere Informationen zu „Beta-Carotin in Nahrungsergänzungsmitteln" siehe Stellungnahme des BfR Nr. 019/2005[1)].

17.2.6.2 Lycopin

Chemische Struktur, Vorkommen

Lycopin gehört zu den sauerstofffreien Carotinoiden. Es ist in hohen Konzentrationen vor allem in Tomaten, Hagebutten, Guaven, Wassermelonen und roter Grapefruit enthalten, wobei der Gehalt mit dem Reifegrad steigt.

Lycopin ist auch als Lebensmittelzusatzstoff zugelassen.

Physiologische Funktionen, Versorgungssituation, Supplementierung

Lycopinhaltige Lebensmittel und Nahrungsergänzungsmittel sollen u.a. zur Prävention von Arteriosklerose und Krebs verwendet werden. Zur Prävention von Krebserkrankungen, besonders Prostatakarzinom, liegen aus verschiedenen Studien widersprüchliche Ergebnisse vor.

17.2.6.3 Lutein

Chemische Struktur, Vorkommen

Lutein gehört zu den sauerstoffhaltigen Xantophyllen. Die pflanzliche Biosynthese erfolgt aus Alpha-Carotin durch Hydroxylierung beider Iononringe.

Lutein kommt in dunklen Blattgemüsen, z.B. Grünkohl, Spinat, Brokkoli sowie in tierischen Organismen als Farbstoff des Eidotters vor.

Lutein ist als Lebensmittelfarbstoff zugelassen.

Physiologische Funktionen, Versorgungssituation, Supplementierung

Beim Menschen spielt Lutein im Zusammenspiel mit Zeaxanthin eine bedeutende Rolle für die Augen. Epidemiologische Daten weisen auf eine positive Wirkung hinsichtlich der altersabhängigen Makuladegeneration (AMD) hin. Es wird daher, häufig zusammen mit Omega-3-Fettsäuren, in ergänzenden bilanzierten Diäten zur nutritiven Behandlung der AMD angeboten.

Lutein

[1)] http://www.bfr.bund.de

Hauptinhaltsbestandteile

Zeaxanthin

17.2.6.4 Zeaxanthin

Chemische Struktur, Vorkommen
Zeaxanthin gehört wie Lutein zu den sauerstoffhaltigen Xantophyllen. Es kommt in dunklen Blattgemüsen, z.B. Spinat, sowie im Eidotter vor.
Zeaxanthin ist als Lebensmittelfarbstoff zugelassen.

Genistein (4',5,7-Trihydroxyisoflavon)

Physiologische Funktionen, Versorgungssituation, Supplementierung
Beim Menschen spielt Zeaxanthin eine bedeutende Rolle für die Prävention von Augenerkrankungen (s.u. Lutein).

17.2.7 Polyphenole

Polyphenole gehören wie die Carotinoide zu den sekundären Pflanzenstoffen. Unter der Bezeichnung Polyphenole werden verschiedene Substanzen mit Phenol als Grundstruktur zusammengefasst, z.B. Phenolsäuren, Hydroxybenzoesäuren, Hydroxyzimtsäuren, Hydroxycumarine, Lignane sowie die Gruppe der Flavonoide, zu denen die Isoflavone, Catechine, Anthocyane und Anthocyanidine gehören. In den Anthocyanen sind die Flavonoide glykosidisch an Zucker gebunden, während die Anthocyanidine kohlenhydratfrei sind.

17.2.7.1 Isoflavone – Phytohormone

Chemische Struktur, Vorkommen
Isoflavone gehören zu den Flavonoiden. Der Grundkörper Isoflavon selbst besitzt keine Hydroxylgruppen. Isoflavon kommt in verschiedenen Kleearten vor. Die verschiedenen Derivate des Isoflavons unterscheiden sich durch die Stellungen der verschiedenen phenolischen Hydroxylgruppen. Handelsüblich sind Isoflavone aus Rotklee und Soja. Rotklee, auch Wiesenklee genannt, *Trifolium pratense L.*, gehört wie die Sojabohne, *Glycine max L.*, zu den Hülsenfrüchtlern (Fabaceae).

Physiologische Funktionen, Versorgungssituation, Supplementierung
Isoflavone haben chemisch-strukturelle Ähnlichkeit zu den 17-Ketosteroiden der Östrogene und Androgene und werden daher auch Phytohormone oder Phytoöstrogene genannt. So kommt z.B. 4',5,7-Trihydroxyisoflavon (Genistein) in Rotklee und Sojabohnen vor. Zahlreiche Präparate mit Rotklee- und Sojaextrakt werden als Nahrungsergänzungsmittel für Frauen mit Wechseljahresbeschwerden und Osteoporose und als Schutz vor Krebs oder Arteriosklerose in den Verkehr gebracht. Die Zufuhr isolierter Isoflavone ist nicht unumstritten. Das Bundesinstitut für Risikobewertung (BfR) hat sich in einer ausführlichen Stellungnahme dazu geäußert.

Nähere Informationen des BfR zum Thema „Isolierte Isoflavone sind nicht ohne Risiko" siehe aktualisierte Stellungnahme Nr. 39/ 2007[1]

17.2.7.2 Oligomere Proanthocyanidine – OPC

Bezeichnungen

Oligomere Proanthocyanidine, oligomere Procyanidins, OPC

Epicatechin

Herkunft, Vorkommen

Zahlreiche Präparate mit Traubenkern- und Traubenschalenextrakten werden unter der Bezeichnung „OPC" angeboten. Inhaltsstoff ist z.B. Epicatechin. Es kommt vor allem in Kernen, den Schalen und dem Laub roter Trauben und im Rotwein vor.

Stammpflanze ist die Weinrebe, *Vitis vinifera*, Weinrebengewächse (Vitaceae), deren Blütenstände die Weintrauben (aus botanischer Sicht Rispen und keine Trauben!) sind. Daraus entstehen als Früchte die Weinbeeren (Weintrauben).

Physiologische Funktionen, Versorgungssituation, Supplementierung

Die Hauptwirkung der oligomeren Proanthocyanidine liegt in ihrer antioxidativen Wirkung.

Oligomere Proanthocyanidine können möglicherweise die positiven Wirkungen der Vitamine A, C und E verstärken. Auch eine Senkung des LDL-Cholesterols, Blutdrucksenkung, Gefäßerweiterung und entzündungshemmende Wirkung werden diskutiert.

Traubenkern- und Traubenschalenextrakt sind außer in Nahrungsergänzungsmitteln auch in ergänzenden bilanzierten Diäten zu finden.

Alpha-Linolensäure

Eicosapentaensäure

Docosahexaensäure

---

[1] http://www.bfr.bund.de

17.2.8 Mehrfach ungesättigte Fettsäuren – MUFS

17.2.8.1 Omega-3-Fettsäuren

Chemische Struktur, Vorkommen

Omega-3-Fettsäuren (ω-3-Fettsäuren) verfügen über die erste Doppelbindung, vom endständigen C-Atom aus gesehen, zwischen dem dritten und vierten C-Atom. Bekannte Omega-3-Fettsäuren sind die nicht konjugierten, mehrfach ungesättigten Fettsäuren α-Linolensäure (C18:3 ω-3), Eicosapentaensäure (EPA, C20:5 ω-3) und Docosahexaensäure (DHA, C22:6 ω-3).

Alpha-Linolensäure (Syn.: ALA) ist eine essenzielle Fettsäure und muss mit der Nahrung aufgenommen werden. Hauptquellen sind pflanzliche Öle, z.B. Leinöl und Rapsöl. Eicosapentaensäure und Docosahexaensäure sind in nennenswerten Mengen nur in einigen fettreichen Meeresfischen vorhanden (Lachs, Thunfisch, Hering, Makrele), in einzelligen Algen und in Wild, während andere Landtiere und Süßwasserfische nur Spuren enthalten.

Physiologische Funktionen, Versorgungssituation, Supplementierung

Die Omega-3-Fettsäuren werden in die Phospholipide der Zellmembranen eingebaut und sind Ausgangsstoffe der Eicosanoide (Prostaglandine, Leukotriene, Prostacycline und Thromboxane) als spezifische Mittlerstoffe. Die Eicosanoide besitzen vielfältige physiologische Funktionen im Hinblick auf Blutdruck, Entzündungsprozesse, Blutgerinnung und Lipoproteinstoffwechsel.

Der menschliche Organismus kann DHA und EPA aus Alpha-Linolensäure selbst synthetisieren, jedoch verläuft die Umwandlung sehr langsam und wird zudem durch eine sehr hohe Zufuhr von Omega-6-Fettsäuren beeinträchtigt, so dass die Supplementierung von Omega-3-Fettsäuren in Form von Fischölen sinnvoll ist. Sie enthalten ca. 30–35 % DHA + EPA.

Aufgrund ihres essenziellen Charakters wurden die Omega-3-Fettsäuren früher als Vitamin F bezeichnet.

Für die Zufuhr von Omega-3-Fettsäuren sind z.B. Fischölkapseln zahlreicher Hersteller als Nahrungsergänzungsmittel im Verkehr.

Omega-3-Fettsäuren werden aber auch als Bestandteile ergänzender bilanzierter Diäten angeboten. Zur diätetischen Behandlung entzündlich-rheumatischer Beschwerden werden Omega-3-Fettsäuren zusammen mit den Antioxidantien Vitamin A, Vitamin E, Kupfer und Selen angeboten. Zur diätetischen Behandlung altersbedingter Makuladegeneration werden Omega-3-Fettsäuren zusammen mit Lutein in den Verkehr gebracht.

17.2.8.2 Omega-6-Fettsäuren

Chemische Struktur, Vorkommen

Omega-6-Fettsäuren (ω-6-Fettsäuren) verfügen über die erste Doppelbindung, vom endständigen C-Atom aus gesehen, zwischen dem sechsten und siebten C-Atom. Bekannte

Linolsäure

Gamma-Linolensäure

Omega-6-Fettsäuren sind die nicht konjugierten, mehrfach ungesättigten Fettsäuren Linolsäure (LA, C18:2 ω-6) und Gamma-Linolensäure (γ-Linolensäure, GLA, C18:3 ω-6).
Hauptquellen für Linolsäure sind pflanzliche Öle (z.B. Sonnenblumen-, Distel-, Maiskeim- und Sojaöl).
Gamma-Linolensäure findet sich in Borretsch-, Nachtkerzen- und Schwarzkümmelöl.

Physiologische Funktionen, Versorgungssituation, Supplementierung

Der menschliche Organismus kann aus Linolsäure Gamma-Linolensäure selbst synthetisieren. Daraus werden Arachidonsäure und verschiedene Prostaglandine gebildet.
Eine Nahrungsergänzung mit Linolsäure ist in der Regel nicht notwendig. Eine Ergänzung mit Gamma-Linolensäure wird z.B. bei Neurodermitis empfohlen.
Die Nahrung sollte so gewählt werden, dass ein Verhältnis der Omega-6- und Omega-3-Fettsäuren von etwa 5:1 erreicht wird.

17.2.8.3 Lachsöl

Herkunft, Vorkommen

Lachse sind verschiedene mittelgroße Fische der Gattungen *Salmo*, *Salmothymus* und *Oncorhynchus* aus der Familie der Forellenfische (Salmonidae) innerhalb der Ordnung der Lachsartigen. Neben Makrelen, Hering u.a. sind Tiefseelachse besonders geeignet als Nahrungsquelle für Omega-3-Fettsäuren. Weniger geeignet sind dagegen Lachse aus norwegischen Zuchtstationen, da diese nicht mit Algen, sondern meist mit tierischen Abfällen gefüttert werden und damit weniger Omega-3-Fettsäuren und vermehrt Omega-6-Fettsäuren in ihrem Fett enthalten.

Physiologische Funktionen, Versorgungssituation, Supplementierung

Lachsölkapseln ergänzen die Nahrung z.B. für Personen, die keinen Fisch essen, und können daher als sinnvolle Nahrungsergänzungsmittel aufgefasst werden. Sie besitzen eine positive Wirkung auf das Herz-Kreislauf-System, auf eine ischämische Schlaganfallgefährdung, kognitive Einschränkungen, Depressionen u.a.

Zur Frage, ob Fischverzehrer ihre Nahrung durch Fischöl-Kapseln ergänzen müssen, siehe auch Information des BfR Nr. 34/2006[1]

17.2.8.4 Perillaöl

Herkunft, Vorkommen

Perillaöl wird aus den Samen der Perillapflanze, *Perilla frutescens* (L.) Britt., Lippenblütler (Lamiaceae) gewonnen. Andere Bezeichnungen sind Shiso, Sesamblatt, Schwarznessel. Die Pflanze ist vorwiegend in Ost- und Südasien beheimatet, ist jedoch auch verbreitet in Mitteleuropa, in Gärten kultiviert und wächst wild auf Brachland.

Physiologische Funktionen, Versorgungssituation, Supplementierung

Der Samen hat einen hohen Gehalt an α-Linolensäure, woraus der Organismus Eicosapentaensäure und Docosahexaensäure bilden kann.

17.2.8.5 Nachtkerzenöl

Herkunft, Vorkommen

Nachtkerzenöl wird aus den reifen Samen der vorwiegend in Amerika verbreiteten Nachtkerze, *Oenothera biennis* L., Nachtkerzengewächse (Oenotheraceae) gewonnen.

Physiologische Funktionen, Versorgungssituation, Supplementierung

Nachtkerzenöl enthält eine sehr hohe Konzentration von essenziellen Fettsäuren, wobei der Gehalt der Omega-6-Fettsäure Gamma-Linolensäure bis zu 22% ausmachen kann. Dadurch ermöglicht das Nachtkerzenöl, die Nachfuhr und körpereigene Umwandlung

---

[1] http://www.bfr.bund.de

von Linolsäure in Gamma-Linolensäure zu umgehen.
Durch diese besondere Zusammensetzung werden entzündliche Vorgänge im Körper günstig beeinflusst. Die Symptome von Neurodermitis wie Juckreiz, Schuppung oder Rötung können durch die Einnahme oder das Auftragen auf die Haut gebessert werden.
Es wird zudem zur Milderung von Menstruationsbeschwerden eingesetzt.
Präparate mit Nachtkerzenöl werden als Nahrungsergänzungsmittel und als ergänzende bilanzierte Diät verwendet.

17.2.8.6 Schwarzkümmelöl

Herkunft, Vorkommen
Schwarzkümmelöl wird aus den reifen Samen des Echten Schwarzkümmels, *Nigella sativa* L., Hahnenfußgewächse (Ranunculaceae) gewonnen.
Die Pflanze ist im Nahen Osten heimisch und wird in Mitteleuropa als Gewürz- und Ölpflanze kultiviert.
Mit dem Echten Schwarzkümmel verwandt ist der Damaszener Schwarzkümmel (*Nigella damascena* L.), eine hierzulande unter dem Namen „Jungfer im Grünen" bekannte Zierpflanze.

Physiologische Funktionen, Versorgungssituation, Supplementierung
Die Samen des Echten Schwarzkümmels werden in der Türkei und in Ländern des Nahen Ostens als Gewürz verwendet. Dem aus den Samen gewonnen Öl werden vielfältige Wirkungen nachgesagt. Schwarzkümmelöl ist reich an der Omega-6-Fettsäure Gamma-Linolensäure und wird als Nahrungsergänzungsmittel in den Verkehr gebracht.

17.2.8.7 Konjugierte Linolsäure – CLA

Bezeichnungen
Konjugierte Linolsäure, CLA, Conjugated Linoleic Acid

Chemische Struktur, Vorkommen
Während mehrfach ungesättigte Fettsäuren in der Regel isolierte cis-Doppelbindungen besitzen, handelt es sich bei konjugierter Linolsaure um verschiedene Derivate der Linolsäure mit zwei konjugierten Doppelbindungen in cis-cis-, trans-trans- oder cis-trans-Konfiguration. Beispiel für eine konjugierte Linolsäure mit cis-trans-Konfiguration ist die Octadeca-9c,11t-diensäure.

Konjugierte Linolsäure kommt natürlicherweise ausschließlich in Milch und Fleisch von Wiederkäuern vor, z.B. in Kuhmilch und Käse.

Physiologische Funktionen, Versorgungssituation, Supplementierung
Studien an Menschen weisen darauf hin, dass konjugierte Linolsäure den Körperfettanteil reduziert und den Muskelanteil erhöht. Gleichzeitig wird der Cholesterolwert gemindert.
Konjugierte Linolsäure ist nicht essenziell für den Menschen. Dennoch sind zahlreiche Präparate mit konjugierter Linolsäure als Nahrungsergänzungsmittel im Handel. Sie sollen sich günstig bei Atherosklerose, auf den Insulinhaushalt, zur Stärkung des Immunsystems und vor allem beim vermehrten Fettabbau auswirken.

CLA (Octadeca-9c,11t-diensäure)

17.2.9 Phospholipide

17.2.9.1 Phoshatidylcholin – Lecithin

Chemische Struktur, Vorkommen

Lecithin ist der bekannteste Vertreter der Phosholipide. Deren Grundstruktur besteht aus Glycerol, das an einer endständigen und an der mittelständigen Hydroxylgruppe mit langkettigen Fettsäuren, an der anderen endständigen Hydroxylgruppe mit Phosphorsäure verestert ist. Diese ist mit einem weiteren Alkohol, dem Cholin, verknüpft. Ist Cholin durch andere Alkohole, z.B. Inosit oder Serin ersetzt, spricht man von Inositphosphatiden bzw. Kephalinen. Lecithin kommt vor allem in Leber, Hühnerei und Soja vor. Je nach Herkunft spricht man von Ei- oder Sojalecithin. Der Einsatz von Lecithin in der Nahrungs- und Futtermittelproduktion, in der Pharmazie und Medizin sowie in kosmetischen Erzeugnissen ist sehr vielfältig. Lecithin hat aufgrund der ausgeprägten Emulgatoreigenschaften eine sehr große Bedeutung in der Technologie und Zubereitung von Lebensmitteln, z.B. Brot- und Backwaren, Margarine, Schokolade und Instant-Getränken, und ist als Lebensmittelzusatzstoff zugelassen.

Physiologische Funktionen, Versorgungssituation, Supplementierung

Unter den Phospholipiden hat Lecithin aufgrund der Cholinkomponente eine besondere Bedeutung in verschiedenen physiologischen Prozessen, z.B. Beteiligung an der Reizübertragung im Nervensystem, Synthese von Membrankomponenten, Einfluss auf Entzündungsreaktionen, Thrombozytenaggregation und Blutdruck.

In der Regel reicht die Zufuhr von Lecithin bei Gesunden über die Nahrung aus. Bei Senioren und Sportlern könnte ein Mangel entstehen. Seit langer Zeit werden pharmazeutische Präparate mit Lecithin angeboten. Auch zahlreiche Nahrungsergänzungsmittel enthalten Sojalecithin. Es wird mit einem positiven Einfluss auf neurodegenerative Erkrankungen, Lern- und Gedächtnisleistungen und Leberfunktionsstörungen des im Lecithin enthaltenen Cholins geworben. Bei Langzeitbelastungen im Sport soll ein nachgewiesener Abfall der Cholinkonzentration im Plasma ausgeglichen werden.

17.2.9.2 Phosphatidylserin

Chemische Struktur, Vorkommen

Phosphatidylserin (PS) ist neben Lecithin ein bekannter Vertreter der Phosholipide. Gegenüber Lecithin ist Cholin durch Serin ersetzt. Es gehört damit zu der Untergruppe der Kephaline.

Phospatidylserin kommt vor allen in Leber und Hühnereiern vor. Es wird in geringen Mengen auch vom Körper produziert.

Physiologische Funktionen, Versorgungssituation, Supplementierung

Phosphatidylserin ist Bestandteil der Zellmembran und beteiligt an der Freisetzung von Neurotransmittern und synaptischen Aktivitäten.

Niedrige Konzentrationen von Phosphatidylserin im Gehirn werden mit verschlechterter

Phosphatidylcholin

mentaler Funktion und Depressionen in Zusammenhang gebracht. Bei älteren Menschen findet man diese Symptome häufiger. Dies ist einerseits auf die schon zuvor erwähnten Alterungsprozesse im Gehirn als auch auf eine unzureichende Zufuhr an Nährstoffen zurückzuführen. Einige Untersuchungen ergaben, dass Phosphatidylserin altersabhängige Antriebsstörungen, Gedächtnisleistung, Konzentrationsfähigkeit deutlich verbessern kann. Meist wurde in diesen Studien 300 mg/d PS verabreicht. Alterungsprozesse, die mit strukturellen und biochemischen Veränderungen im Gehirn verbunden sind, können durch Phosphatidylserin verzögert werden. So kann Phosphatidylserin Änderungen in der Zusammensetzung der Nervenzellmembran und einem Anstieg der Membranviskosität entgegenwirken. Dadurch kann eine Reduktion enzymatischer Aktivitäten verhindert werden. Diese sind auf eine optimale Membranfluidität, welche nur durch ausreichend vorhandenes Phosphatidylserin gegeben ist, angewiesen.

Phosphatidylserin hat Einfluss auf die Freisetzung von Cortison in Stresssituationen. Die antidepressive Wirkung von Phosphatidylserin erscheint auch deshalb als ziemlich sicher, da bei depressiven Personen häufig ein Hypercortisolismus beobachtet werden kann. Da Phosphatidylserin den Cortisonspiegel senken kann, wird es auch im Kraftsport vermehrt eingesetzt. Cortison hat einen negativen Einfluss auf den Proteinstoffwechsel. Die katabole Wirkung des Cortison kommt dadurch zustande, dass es den Blutzuckerspiegel erhöht, wozu vermehrt Aminosäuren gebraucht werden, die wiederum dem Proteinstoffwechsel entstammen. Außerdem wird der Neueinbau von Protein in die Muskelzelle verhindert. Das Ausmaß des Aufbaus von Muskelmasse hängt vom Testosteron-/Cortison-Verhältnis ab. Je höher der Testosteronwert im Verhältnis zum Cortisonwert ist, desto mehr Muskelgewebe kann aufgebaut werden. Phosphatidylserin kann sich bei Kraftsportlern günstig auswirken, da es nicht den normalen, sondern ausschließlich einen stressbedingten Cortisonanstieg, wie z.B. bei intensivem Gewichtstraining, verhindert. Phosphatidylserin entfaltet seine cortisonunterdrückende Wirkung nur bei unnatürlich hohen Cortisonspiegeln und verschiebt das Testosteron-/Cortison-Verhältnis zu Gunsten von Testosteron.

17.2.10 Ballaststoffe

17.2.10.1 Wasserunlösliche Ballaststoffe – Cellulose und Hemicellulose

Cellulose

Chemische Struktur, Vorkommen

Cellulose gehört zusammen mit den Hemicellulosen und Lignin zu den wasserunlöslichen Ballaststoffen.

Cellulose besteht aus Glucoseeinheiten, die 1,4β-glykosidisch verbunden sind. Sie ist der Hauptbestandteil der pflanzlichen Zellwände und die am häufigsten vorkommende organische Verbindung auf der Erde. Hemicellulosen sind eine heterogene Gruppe von β-glykosidisch verbundenen Polysacchariden, die aus Hexosen, Pentosen, Glucuronsäure usw. aufgebaut sind.

Cellulose wird vielfältig, z.B. zu technologischen Zwecken als Trennmittel und Trägerstoff für Lebensmittel und Arzneimittel, verwendet.

Physiologische Funktionen, Versorgungssituation, Supplementierung

Der Mensch besitzt keine Verdauungsenzyme für den Abbau von Cellulose und Hemicellulosen. Cellulose und Hemicellulose können daher nicht vom menschlichen Organismus enzymatisch abgebaut werden. Im Colon nehmen wasserunlösliche Ballaststoffe, z.B. Weizenkleie, vor allem Einfluss auf Stuhlmenge und Stuhlbeschaffenheit. Der Druck auf die Dickdarmwand erhöht die Peristaltik des Darms, so dass dadurch einer Obstipation entgegengewirkt wird.

Auf eine ausreichende Flüssigkeitsaufnahme von mindestens 2 l/d sollte geachtet werden, da sonst die Gefahr eines Ileus besteht.

17.2.10.2 Wasserlösliche Ballaststoffe

Siehe auch Kapitel 2.3.3 und 16.2.2.

Chemische Struktur, Vorkommen
Hierzu gehören Pektine aus Apfeltrestern, Citrusschalen, Quitten u.a., Pflanzengummis (Gummi arabicum, Traganth), Samenschleime (Leinsamen, Johannisbrotkernmehl, Guarkernmehl), Cellulosederivate (Methylcellulose, Carboxymethylcellulose) usw. Einige wasserlösliche Ballaststoffe sind lebensmitteltechnologisch als Verdickungsmittel und zugelassene Zusatzstoffe von großer Bedeutung.

Physiologische Funktionen, Versorgungssituation, Supplementierung
Wasserlösliche Ballaststoffe haben eine ausgeprägte Wasserbindungskapazität. Sie werden im Magen und Dünndarm nicht aufgespalten und resorbiert. Dagegen werden sie im Colon durch Darmbakterien enzymatisch abgebaut und verstoffwechselt, so dass die Einnahme der Mittel energetisch zu berücksichtigen ist. Durch den Einfluss auf Stuhlmenge und Peristaltik des Darms haben sie einen günstigen Einfluss auf die Verdauung.

17.2.10.3 Indische Flohsamen

Bezeichnungen
Indische Flohsamenschalen (Ph.Eur.), Plantaginis ovatae seminis tegumentum

Herkunft, Vorkommen
Indische Flohsamenschalen bestehen aus den Schalen der getrockneten, reifen Samen von *Plantago ovata* Forssk (Syn.: *Plantago ispaghula* Roxb.), Familie Plantaginaceae. In der Epidermis der Samenschale von indischen Flohsamen befinden sich Quell- und Schleimstoffe.

Physiologische Funktionen, Versorgungssituation, Supplementierung
Indische Flohsamenschalen führen aufgrund ihres hohen Quellvermögens zur Erhöhung des Sättigungsgefühls. Sie tragen damit zur Appetitreduktion bei und werden bei Übergewicht eingesetzt.

Das Aufquellen ermöglicht den enthaltenen Ballaststoffen, cholesterolhaltige Gallensäuren einzulagern und der Wiederaufnahme ins Blut zu entziehen.

Wegen der großen Quellfähigkeit der indischen Flohsamenschalen sollte bei der Einnahme auf eine ausreichende Flüssigkeitszufuhr geachtet werden.

Manche Präparate mit indischen Flohsamenschalen sind als Medizinprodukte, andere als Nahrungsergänzungsmittel und wieder andere als Arzneimittel (Standardzulassung) im Handel. Es kommt hier besonders auf die Zweckbestimmung an, die sich aus der Kennzeichnung, Gebrauchsinformation und der begleitenden Werbung ergibt.

17.2.11 Weitere Pflanzen und -extrakte

17.2.11.1 Meeresalgen

Herkunft, Vorkommen
Getrocknete Algen handelsüblicher Nahrungsergänzungsmittel erstrecken sich auf weit über 100 Algenspezies. Die meisten gehören den Gattungen Grün-, Rot- und Blaualgen an. Die häufigsten Arten sind Spirulina-, Chlorella- und AFA-Algen.

Physiologische Funktionen, Versorgungssituation, Supplementierung

Algen sind aufgrund ihrer Herkunft im Meer reich an Spurenelementen und Iod. Algenpräparate mit zu hohem Iodgehalt oder leberschädigenden Toxinen sind nicht verkehrsfähig.

Weitere Informationen zu „Gesundheitliche Risiken durch zu hohen Iodgehalt in getrockneten Algen" siehe aktualisierte Stellungnahme des BfR Nr. 26/2007[1].

17.2.11.2 Apfelessig

Herkunft, Vorkommen

Apfelessig ist ein Speiseessig aus Apfelwein. Durch Fermentation dieser alkoholhaltigen Basis entsteht Essig. Apfelessig werden viele heilsame Eigenschaften nachgesagt. Er soll erhöhte Blutfettwerte senken, entwässern, bei Gewichts-, Verdauungs- und Magenproblemen helfen, Hautausschläge bekämpfen und vieles anderes mehr. Seine Inhaltsstoffe werden für diese positiven Effekte verantwortlich gemacht. Wissenschaftliche Beweise für den gesundheitlichen Nutzen von Apfelessig fehlen.

Präparate mit dem Inhaltsbestandteil Apfelessig waren Ende der 90er Jahre besonders im Trend, meistens in Kapselform. Dabei waren in der Regel schon durch das Trocknen des Essigs während der Zubereitung fast alle Bestandteile verflüchtigt, so dass keine Wirkung mehr erzielt werden konnte.

Physiologische Funktionen, Versorgungssituation, Supplementierung

Ein Bedarf an Apfelessig ist nicht vorhanden, so dass entsprechende Präparate nicht die Anforderungen eines Nahrungsergänzungsmittels an sich erfüllen können. Bedenkliche Nebenwirkungen sind nicht zu erwarten.

---

[1] http://www.bfr.bund.de

17.2.11.3 Ananas-Fruchtpulver

Herkunft, Vorkommen

Ananas ist aus botanischer Sicht die Scheinfrucht von *Ananas comosus* (L.) Merr., Bromeliengewächse (Bromeliacae). Ursprünglich im tropischen Amerika heimisch wird Ananas heute z.B. auf Hawaii, den Philippinen, Australien, Südafrika, Kenia und Mexico in beträchtlicher Menge angebaut. Aus der Ananasfrucht und der Ananaspflanze selbst wird das proteolytische Enzym Bromelain gewonnen.

Physiologische Funktionen, Versorgungssituation, Supplementierung

Bromelain bewirkt, ähnlich wie Papain aus der Papayafrucht oder wie die tierischen Proteasen Trypsin und Chymotrpysin, eine Verbesserung der Proteinverdauung. Es wird in einigen Nahrungsergänzungsmitteln, oft in Verbindung mit Papaya-Fruchtpulver und Artischockenpresssaftpulver, zur natürlichen Unterstützung der Verdauung beworben.

17.2.11.4 Papaya-Fruchtpulver

Herkunft, Vorkommen

Papaya sind die Früchte des Melonenbaums, auch Papayabaum genannt, *Carica papaya* L., Melonenbaumgewächse (Caricaceae).
Die Papaya stammt ursprünglich aus dem tropischen Amerika. Heute wird sie weltweit in den Tropen und Subtropen kultiviert. Aus den Schalen und Kernen der Papayafrucht wird das proteolytische Enzym Papain gewonnen.

Physiologische Funktionen, Versorgungssituation, Supplementierung

Papain bewirkt eine Verbesserung der Proteinverdauung. Es wird in Nahrungsergänzungsmitteln, häufig zusammen mit Ananas-Fruchtpulver und Artischockenpresssaftpulver, zur Unterstützung der Verdauung in den Verkehr gebracht.

17.2.11.5 Artischocken

Herkunft, Vorkommen
Die Artischocke ist die distelartige Pflanze *Cynara cardunculus*, Korbblütler (Asteraceae).
Die Artischocke war ursprünglich im östlichen Mittelmeer, Nordafrika und Spanien beheimatet.

Physiologische Funktionen, Versorgungssituation, Supplementierung
Artischocken enthalten den Bitterstoff Cynarin. Dadurch werden Leber und Galle angeregt und es kommt zu der verdauungsfördernden und cholesterolsenkenden Wirkung. Artischockenpresssaftpulver wird in Nahrungsergänzungsmitteln zur Unterstützung der Verdauung in den Verkehr gebracht.

17.2.11.6 Guarana

Herkunft, Vorkommen
Guarana ist die vorwiegend im Amazonasbecken heimische, strauchartige, immergrüne Kletterpflanze *Paullinia cupana* Kunth., Seifenbaumgewächse (Sapindaceae). Als Lebensmittel werden die Samen verwendet.

Physiologische Funktionen, Versorgungssituation
Die Samen zeichnen sich durch einen sehr hohen Coffeingehalt von ca. 4–8 % in der Trockenmasse aus, der damit höher ist als in Kaffee.

Coffein

Das Coffein ist an Gerbstoffe gebunden und wird erst allmählich freigesetzt.

Guaranaextrakt ist seit einigen Jahren in zahlreichen Getränken, z.B. koffeinhaltigen Limonaden und Energiedrinks, enthalten. Er wird auch in Schokoladen, Kaugummis usw. sowie in Nahrungsergänzungsmitteln in den Verkehr gebracht. In der Fitnessszene und in Bodybuilderkreisen gilt Guarana als leistungsfördernd. Guarana dämpft Hunger und Durst, so dass vor allem bei Sportlern die Gefahr einer Dehydratisierung besteht.

17.2.11.7 Maca

Bezeichnungen
Maca, peruanischer Ginseng

Herkunft, Vorkommen
Bei Maca handelt es sich um die in den peruanischen Anden ursprünglich in einer Höhe von ca. 4000–5000 m Höhe wachsenden Pflanze *Lepidium peruvianum*, Familie Kreuzblütler (Brassicaceae). Die oberirdischen Teile werden als Gemüse verzehrt, die Knollen getrocknet und zu Pulver zermahlen.

Physiologische Funktionen, Versorgungssituation, Supplementierung
Die Macawurzel ist Eiweiß- und mineralstoffreich und enthält angeblich Östrogen- und Testosteronbildung beeinflussende, hormonähnliche Substanzen. Seit einigen Jahren sind zahlreiche Nahrungsergänzungsmittel mit Macapulver, auch unter dem Namen „peruanischer Ginseng" oder „natürliches Viagra", im Handel. Maca soll sich positiv auf die körperliche Leistungsfähigkeit sowie die psychische Belastbarkeit erweisen und die Libido und Potenz steigern.

Weitere Informationen zur „Risikobewertung macahaltiger Nahrungsergänzungsmittel" siehe Stellungnahme des BfR Nr. 24/2007[1].

---

[1] http://www.bfr.bund.de

17.2.11.8 Zimt

Herkunft, Vorkommen
Man unterscheidet den hochwertigeren Ceylon-Zimt (*Cinnamomum zeylanicum* Blume. Syn.: *Cinnamomum verum* J. S. Presl., Lorbeergewächse (Lauraceae) vom chinesischen Zimt (Cassia-Zimt, *Cinnamomum chinensis*, Lauraceae).
Zimt spielt seit langer Zeit als Gewürz und Lebensmittel eine wichtige Rolle. In den letzten Jahren wurde vor der Zufuhr großer Mengen Zimt wegen des Gehaltes an Cumarin gewarnt. Darauf wurde die Produktion zimthaltiger Lebensmittel angepasst, so dass dieses Problem weitgehend gelöst wurde.

Physiologische Funktionen, Versorgungssituation, Supplementierung
Zimt besitzt eine blutzuckersenkende Wirkung in frühen Stadien des Diabetes mellitus Typ 2. In einer Pilotstudie konnte eine mögliche Senkung des Blutzuckers, der Triglyceride, des Gesamt- und des LDL-Cholesterins beobachtet werden. In einer weiteren Studie stellte man eine Senkung des Blutzuckerspiegels, aber nicht des als „Langzeitblutzuckerspiegel" geltenden HbA1c-Werts und der Blutfettwerte fest. Für die insulinmimetischen Eigenschaften von Zimt und wässrigem Zimtextrakt werden Methylhydroxychalconpolymere (MHCP) verantwortlich gemacht, die in bestimmten Zellen die Glucoseaufnahme und die Glykogensynthese in ähnlicher Weise wie Insulin stimulieren.
Seit etwa 2004 werden zahlreiche Präparate mit wässrigem Zimtextrakt als diätetische Lebensmittel nach § 3 Abs. 2 Nr. 4 c DiätV zur besonderen Ernährung bei Diabetes mellitus im Rahmen eines Diätplans für Typ-II-Diabetiker zur Senkung des Blutzuckers in den Verkehr gebracht. Da es sich um wässrige Auszüge handelt, ist Cumarin kaum enthalten.

Rechtliche Beurteilung
Das Bundesinstitut für Risikobewertung (BfR) und das BfArM stufen Zimtkapseln für Diabetiker als Arzneimittel ein. Die Senkung des Blutzuckerspiegels bei Typ-II-Diabetikern kommt danach durch eine pharmakologische, nicht hingegen durch eine ernährungsphysiologische Wirkung zustande. Zahlreiche Gerichte beschäftigten sich bisher mit der Einstufung und kamen zu kontroversen Urteilen.
Weitere Informationen zu Zimtkapseln siehe gesundheitliche Bewertung des BfR Nr. 44/2006[1].

17.2.12 Sonstige

17.2.12.1 Pyruvat

Bezeichnungen
Pyruvat, Natriumpyruvat, Brenztraubensäure

Pyruvat

Vorkommen, Physiologische Funktionen, Supplementierung
Pyruvat ist das Endprodukt bei der Glykolyse und ein zentraler intermediärer Metabolit im Kohlenhydratstoffwechsel. Eine Supplementierung ist nicht notwendig. Präparate mit Pyruvat werden als Nahrungsergänzungsmittel mit schlankheitsfördernden Eigenschaften vor allem in der Fitness- und Sportlerszene angepriesen.

17.2.12.2 Hydroxycitronensäure

Bezeichnungen
Hydroxycitronensäure, Hydroxycitrat, HCA

Chemische Struktur, Vorkommen
Hydroxycitronensäure ist Bestandteil der Früchte von *Garcinia cambogia* L., Johannis-

---
[1] http://www.bfr.bund.de

krautgewächse (Guttiferae), einer tropischen Pflanze, die vor allem in Indien und Indonesien verbreitet ist. Extrakte aus *Garcinia cambogia* wurden in den letzten Jahren verstärkt vor allem in den USA und Japan als Schlankheitsmittel vermarktet.

Hydroxycitronensäure

Physiologische Funktionen, Versorgungssituation, Supplementierung

HCA hemmt die Umwandlung von Kohlenhydraten in Fett dadurch, dass es den Nachschub von Acetyl-Coenzym A blockiert. Acetyl-Coenzym A ist ein Baustein, aus dem die Fettsäuremoleküle aufgebaut werden. HCA kann jedoch nur die Neubildung von Fettdepots reduzieren, jedoch nicht die Lipolyse fördern. Präparate mit HCA werden vor allem in der Sport- und Fitnessszene als Nahrungsergänzungsmittel angepriesen.

Hauptinhaltsbestandteile

17.3 Bevölkerungsgruppen mit speziellen Ernährungsanforderungen

17.3.1 Senioren

Bei Senioren handelt es sich um eine sehr heterogene Gruppe von Personen. Eine unzureichende Ernährung ist insbesondere bei hochbetagten Menschen anzutreffen, bei denen häufig noch eine oder mehrere chronische Krankheiten vorliegen. Die Ursache einer unzureichenden Nährstoffversorgung im Alter beruht in der Regel auf dem Missverhältnis zwischen Energiebedarf, der im Alter sinkt, und dem Bedarf an Mikronährstoffen, der fast unverändert ist gegenüber jüngeren Menschen. Statt frischem Obst und Gemüse werden ballaststoff- und mikronährstoffarme Kohlenhydrate verzehrt. Hinzu kommen Appetitlosigkeit, Kau- und Schluckbeschwerden aufgrund von Zahnproblemen, Verdauungs- und Resorptionsstörungen, körperliche Behinderung, soziale Isolation, psychische Störungen und Armut. Eine aufgetretene Demenz kann dazu führen, dass ein geregeltes Essen einfach vergessen wird.
Unter den Vitaminen kommt dem Cobalaminmangel eine besondere Bedeutung zu. Auch die Versorgung mit den Vitamin B_1, B_6, Niacin, Folsäure, Vitamin A, C und D ist kritisch. Die körpereigene Synthese von Vitamin D in der Haut kann bei älteren Personen eine Unterversorgung nicht mehr ausgleichen.
Unter den Mineralstoffen sind vor allem Eisen und Zink zu erwähnen, ferner Calcium, Magnesium, Kalium, Iod und Selen.

17.3.2 Schwangere und Stillende

In der Schwangerschaft und Stillzeit ist der Bedarf an den meisten Vitaminen deutlich erhöht. So ist die Supplementierung mit Folsäure besonders hervorzuheben, auch die Versorgung mit anderen Vitaminen ist kritisch. Hierzu siehe Kapitel 3.1.
Unter den Mineralstoffen ist in der Schwangerschaft und Stillzeit insbesondere der Bedarf an Calcium, Magnesium, Eisen, Zink und Iod erhöht, siehe Kapitel 3.2.

17.3.3 Leistungssportler

Der Begriff des Sportlers reicht vom gelegentlichen Breiten- und Gesundheitssportler bis zum Hochleistungssportler, der täglich trainiert und an Wettkämpfen teilnimmt. Unterschiede ergeben sich auch dadurch, ob jemand eine Ausdauersportart oder eine Kraftsportart betreibt.
Der gelegentliche Breitensportler kann in der Regel seinen erhöhten Mehrbedarf an Nährstoffen durch vollwertige Kost decken. Die Ernährung des Breitensportlers unterscheidet sich nicht von einer gesunden ausgewogenen Ernährung, wie sie jedem Menschen empfohlen wird. Die aufgenommene Kalorienmenge sollte dem Verbrauch angepasst sein. Darüber hinaus muss das Verhältnis von Kohlenhydraten, Fetten und Eiweißen stimmen.
Leistungssportliche Belastungen können dagegen wegen des erhöhten Energieumsatzes

zu einem gesteigerten Nährstoffbedarf führen, der nicht immer über die übliche Ernährung ausgeglichen werden kann. So weisen Leistungssportler einen erhöhten Bedarf an einigen Vitaminen auf, vor allem B_1, B_2, B_6, Niacin und C.

Mit dem Schweiß gehen auch erhebliche Mengen an Mineralstoffen verloren, vor allem an Natrium, Kalium, Magnesium und Calcium und den Spurenelementen Eisen, Zink, Iod, Kupfer, Selen und Chrom.

Magnesium ist für die Erregbarkeit von Muskel- und Nervenzellen erforderlich und an der Biosynthese von ADP beteiligt. Calcium ist notwendig für die Reizübermittlung zur Kontraktion der Muskelfasern und für die Freisetzung von Glucose aus Glykogen.

Kommt es zu einer Unterversorgung mit Magnesium oder Calcium, sind oft Muskelkrämpfe die Folge.

Seit einigen Jahren werden vermehrt zahlreiche leistungsfördernde Nährstoffe oder Spurenelemente, sogenannte Supplemente oder ergogene Substanzen, intensiv beworben. Ein riesiges und unüberschaubares Angebot wird im Internet, in Drogeriemärkten, in der Sportler- und Fitnessszene und im Sportfachhandel in den Verkehr gebracht. Zuweilen sind ergogene Substanzen (s. Kasten), vor allem solche aus dem Internet, mit illegalen Dopingmitteln oder sonstigen Verunreinigungen versetzt.

Sie werden mit den Aussagen beworben, die Energiereserven zu vergrößern, die Energieproduktionsrate zu erhöhen, den Testosteronspiegel zu steigern, das Muskelgewebe zu vermehren und sportbedingte Zellschäden zu reparieren. Einige dieser Substanzen sind in Kapitel 17.2 beschrieben.

Um eine arzneimittelrechtliche Zulassung zu umgehen, werden viele dieser Produkte als Nahrungsergänzungsmittel angeboten, obwohl sie aufgrund der pharmakologischen Wirkung häufig als Arzneimittel einzustufen wären.

Ergogene Substanzen sollen, wenn überhaupt, nicht über längere Zeit und ohne Beratung durch eine Fachperson eingenommen werden. Eine Einnahme von ergogenen Substanzen kann in keinem Fall eine falsche oder unausgewogene Ernährung ausgleichen.

17.3.4 Personen mit alternativen Ernährungsformen

Ob aus gesundheitlichen, ethischen oder sonstigen Gründen: Immer dann, wenn die Ernährung von der üblichen Kost erheblich abweicht, kann eine Unterversorgung auftreten.

Vegetarier: Eine Ovo-lakto-vegetarische Ernährung ist allgemein mit geringem Risiko hinsichtlich einer Unterversorgung mit Nährstoffen verbunden. Auf eine genügende Zufuhr von Zink und Eisen sollte vor allem bei Frauen geachtet werden.

Veganer: Personen, die sich ausschließlich mit pflanzlichen Lebensmitteln ernähren und auf Fleisch, Fisch, Eier und Milch verzichten, müssen ihre Kost besonders sorgfältig zusammenstellen. Kritisch ist die Zufuhr von Calcium, Eisen, Zink und Iod und den Vitaminen B_2, B_6, B_{12} und D. Problematisch ist vor allem die vegane Ernährung bei Kleinkindern.

Rohköstler: Es gibt verschiedene Rohkostvarianten. Die Ernährung mit reiner Rohkost

---

Ergogene Substanzen (Auswahl)
- Chrom
- L-Arginin
- L-Glutamin
- L-Carnitin
- Creatin
- Phosphatidylserin
- Guarana
- Maca
- Pyruvat
- Hydroxycitrat (HCA)
- Hydroxymethylbutyrat (HMB)
- Tribulus terrestris
- Vanadylsulfat

kann vegan oder vegetarisch sein oder nur darauf bedacht sein, rohe unbehandelte Lebensmittel zu essen; in letzterem Fall werden auch tierische Produkte verzehrt.
Entscheidend ist, dass die Nahrung nicht hitzebehandelt wurde.
Rohköstler verzichten häufig ganz auf Getreide und Getreideprodukte, wodurch eine ausreichende Mineralstoffversorgung in Frage gestellt ist. Je nach der angewendeten Variante der Rohkost ist die ausreichende Zufuhr verschiedener Nährstoffe als kritisch zu betrachten.

Personen mit makrobiotischer Ernährung:
Zur makrobiotischen Weltanschauung, die in Japan begründet wurde, gehört vor allem die besondere Ernährung. Diese Ernährungsform führt zu einer deutlichen Unterversorgung an Fett, Proteinen, den Vitaminen B_{12}, B_2, D und den Mineralstoffen Calcium und Eisen.

Vorsicht ist geboten bei **Schlankheitskuren**. Wer für längere Zeit seine Nahrungsportionen stark verkleinert, senkt häufig die Zufuhr von Vitaminen und Mineralstoffen. Eine Unterversorgung oder gar ein Mangel kann die Folge sein. Bei einer durchschnittlichen Energieaufnahme von 1000 bis 1500 Kilokalorien pro Tag kann eine ausreichende Nährstoffbedarfsdeckung nur durch eine sehr gezielte Lebensmittelauswahl oder den Einsatz von Nahrungsergänzungsmitteln erreicht werden (s.a. Kap. 3.3).

Bevölkerungsgruppen mit speziellen Ernährungsanforderungen

Literaturverzeichnis

Es handelt sich um die meist verwendete Literatur. Weiterführende Literatur ist bei den Verfassern erhältlich.

Achten, G.: Handbuch der Haut- und Geschlechtskrankheiten. Bd. 1/1. Springer, Berlin, Heidelberg, New York 1968

Astheimer, W., Riemann, J.F.: Erbrechen – Ursachen und Therapie. In: Med. Mo. Pharm. 12 (1989), 54–59

Bender, S.: Körperpflegekunde. 2. Aufl., Wissenschaftl. Verlagsges. Stuttgart 2004

Blank, I.: Herzinfarkt – Die aktuelle Therapie. In: PTAheute 23 (2008), 42–47

Braun, R., Schulz, M.: Selbstbehandlung. 1. Aufl. einschließl. 8. Akt-Lfg. Govi, Eschborn 2007

Braun-Falco, O., Plewig, G., Wolff, H.H.: Dermatologie und Venerologie. 4. Aufl., Springer, Berlin, Heidelberg, New York 1997

Brune, K., Geißlinger, G.: Ibuprofen. In: DAZ (1989), Suppl. 12, 3–15

Buhl, R. et al.: Leitlinien zur Diagnostik und Therapie. In: Pneumologie 60 (2006), 160

Bundesapothekerkammer (Hrsg.): Kommentar zur Leitlinie – Information und Beratung des Patienten bei der Abgabe von Arzneimitten – Selbstmedikation. Stand: 6. 5. 2008

Bundeszahnärztekammer und Kassenärztliche Bundesvereinigung (Hrsg.): Das Dental Vademekum. Deutscher Zahnärzteverlag, Köln 2009

Daniels, R.: Vortrag anlässlich der Jahrestagung der Gesellschaft für Dermopharmazie. Düsseldorf, März 2007

Daunderer, M.: Klinische Toxikologie. 86. Erg.Lfg. Ecomed Landsberg, 1994

Deutsche Gesellschaft für Ernährung (Hrsg.): Referenzwerte für die Nährstoffzufuhr. 2000/2009, www.dge.de

Deutsche Hochdruckliga: Leitlinien für die Behandlung der arteriellen Hypertonie der deutschen Liga zur Bekämpfung des hohen Blutdrucks. 2008

Diehm, C.: Arterielle Durchblutung der Beine. In: GefäßReport 1 (2006), 6–26

Fricke, U.: Placebo – ein Aspekt der Pharmakotherapie. In: Med. Mo. Pharm. 12 (1983), 356–369

Friese, K., Mörike, K., Neumann, G., Windorfer, A.: Arzneimittel in der Schwangerschaft und Stillzeit. 6. Aufl., Wissenschaftl. Verlagsges., Stuttgart 2006

Gesenhues, S., Ziesché, R.: Praxisleitfaden Allgemeinmedizin. 5. Aufl., Elsevier, München 2006

Literaturverzeichnis

Goriup, U. et al: Therapie akuter Durchfallerkrankungen bei Kindern. In: DAZ 50 (1993), 29–35

Greger, Schmidt: Obstruktive Atemwegserkrankungen. Bd. 53. Med. pharm. Verlag, Frankfurt 1990

Gröber, U.: Magnesium und das Herz-Kreislauf-System. In: DAZ 30 (2008), 64–67

Hänsel, R., Wohlfahrt, R., Coper, A.: Versuche, sedativ-hypnotische Wirkstoffe in Hopfen nachzuweisen. In: Z. Naturforschung (1980) 35c, 1096–1097

Hänsel, R.: Phytopharmaka. 2. Aufl., Springer, Berlin 1999

Health Care Monitoring 2005. www.psychonomics.de

Hinneburg, I.: Mit Hochdruck gegen den Hochdruck. Beratung bei Antihypertonika. In: PTAheute 9 (2009), 24–28

Hölzl, J.: Inhaltsstoffe von Ginkgo biloba. In: Pharmazie in unserer Zeit 21 (1992), Nr. 5, 215–223

Hornstein, O., Nürnberg, E. (Hrsg.): Externe Therapie von Hautkrankheiten. Pharmazeutische und medizinische Praxis. Georg Thieme, Stuttgart, New York 1985

Hötzel, D., Kling-Steines B., Zittermann, A.: Vitamine – eine Übersicht. In: DAZ (1994), 2027–2041

Klippel, K.F. u. Pfeifer, B.L.: Gutartige Prostatavergrößerung. In: Biologische Medizin (2003) 3, 119–112

Landearbeitsgemeinschaft Jugendzahnpflege in Hessen (2004), http://www.agz-rnk.de/agz/content/2/aktuelles/akt_00143.php

Leitlinien der Deutschen Dermatologischen Gesellschaft. 07/2007

Leitzmann, et al. 2003: Zitiert in: Schuchardt, J-P., Hahn, A.: Essenzielle Fettsäuren und Hirnfunktion bei Kindern. In: DAZ 10 (2008), 972–980

Lemli, J.: Metabolism of sennosides – an overview. Pharmacology (1988), 36, Suppl 1, 126–128

Lennecke, K., Hagel, K., Przondziono, K.: Selbstmedikation für die Kitteltasche. 3. Aufl. Deutscher Apotheker Verlag, Stuttgart 2007

Lennecke, K.: Aktuelle Evidenz-basierte Migränetherapie. In: DAZ 14 (2006), 40–48

Levene, G.M., Colnan, C.D.: Farbatlas der Dermatologie. Ferd. Enke-Verlag, Stuttgart 1985 ((inzwischen 3. Aufl. 1991))

Levy, D., Larson, M.G., Vasan, R.S., Kannel, W.B., Ho, K.K.: The progeression from hypertension to congestive heart failure. In: JAMA 275 (1996), 20: 1557–1562

Martin, J., Lehle, P., Ilg, W.: Fertigarzneimittelkunde. 7. Aufl. Wissenschaftl. Verlagsges. Stuttgart 2005

Meisenbacher, K.: Empfängnisverhütung. Wissenschaftl. Verlagsges. Stuttgart 2006

Meyer-Lückel, H., Kielbassa, A.: Speichelersatzmittel zur Behandlung der Hyposalivation. zm (2003), 17, 35–38.

Morgenroth, K.: Das Surfactantsystem der Lunge. W. de Gruyter, Berlin, New York 1986

Mutschler, E., Geisslinger, G., Kroemer, H. K., Ruth, P., Schäfer-Korting, M.: Arzneimittelwirkungen. 9. Aufl. Wissenschaftl. Verlagsges., Stuttgart 2008

Nasemann, Th., Sauerbrey, W.: Lehrbuch der Hautkrankheiten und venerischen Infektionen für Studierende und Ärzte. Springer, Berlin, Heidelberg, New York 1981 ((1987 gab es noch eine neue Ausgabe)).

Norgren, L., Hiatt, W. R., Dormandy J. A., Harris K. A., Fowkes G. G.: On behalf of the TASC II Working Group, Inter-Socity Consensus for the Management of Periphal Arterial Disease (TASC II). In: Eur J Vasc Endovasc Surg 33 (2007), Suppl. 1, 1–75

Piekarski, G.: Medizinische Parasitologie in Tafeln. 3. Aufl. Springer, Berlin, Heidelberg, New York 1987

Platt, D., Mutschler, E.: Pharmakotherapie im Alter. Wissenschaftl. Verlagsges. Stuttgart 1999

Probst, W., Vasel-Biergans, A.: Wundmanagement. Wissenschaftl. Verlagsges., Stuttgart 2004

Raab, W., Kindl, U.: Pflegekosmetik. 4. Aufl. Wissenschaftl. Verlagsges. Stuttgart 2004

Ring, J. u. H. H. Fröhlich: Wirkstoffe in der dermatologischen Therapie. 2. Aufl. Springer, Berlin, Heidelberg, New York 1985

Robert Koch Institut (Hrsg.): Allergische Erkrankungen. www.rki.de, 2006

Röthel, H., Vanscheidt, W.: Basisinformationen zum Wundmanagement (I): Die Reinigung der Wunde, Wundforum 1 (1997), 24–28

Schilcher, H., Kammerer, S., Wegener, T.: Leitfaden Phytotherapie. 3. Aufl. Urban & Fischer, München 2007

Schröpl, F.: Moderne Psoriasis-Therapie. In: Fortschr. Med. 101 (1983), 924–930

Schulze, J., Sonnenborn, U., Ölschläger, T., Kruis, W.: Probiotika. Hippokrates, Stuttgart 2008

Screenbny, L. M:, Schwartz, S. S.: A reference guide to drugs and dry mouth – 2nd edition. Gerodontology (1997), 14, 33–47.

Seifart, Carola: Banale Atemwegsinfekte symptomatisch behandeln. In: PZ (2007) 42, 16–21

Spegg, H.: Ernährungslehre und Diätetik. 8. Aufl. Deutscher Apotheker Verlag, Stuttgart 2004

Stüttgen, G., Schäfer, H.: Funktionelle Dermatologie. Springer, Berlin, Heidelberg, New York 1974 ((zumindest 1985 weitere Auflage))

Surber, Christian: Vortrag anlässlich des 37. Internationalen Fortbildungskongresses der Bundesapothekerkammer, Davos 2007

Thews, G., Mutschler, E., Vaupel, P., Schaible, H. G.: Anatomie, Physiologie, Pathophysiologie des Menschen. 6. Aufl. Wissenschaftl. Verlagsges. Stuttgart 2007

Tronnier, H.: In: F. Klaschka (Hrsg.): Stratum Corneum. Grosse-Verlag, Berlin 1981

Wächtershäuser, A., Stein, J.: Lipid- und Lipoproteinstoffwechsel. In: Pharmazie in unserer Zeit2 (2007), 98–107

Wagner, H., Vollmar, A., Bechthold, A.: Pharmazeutische Biologie 2. 7. Aufl. Wissenschaftl. Verlagsges. Stuttgart 2007

Literaturverzeichnis

Weil, J., Schunkert, H.: Pathophysiologie der chronischen Herzinsuffizienz. In: Clin. Res. Cardiol. 2006; 95 Suppl. 4:1–15

Werdelmann, B.: Berufsdermatosen. 6 (1958), 250

Werning, C.: Medizin für Apotheker. Wissenschaftl. Verlagsges. Stuttgart 2008

Wichtl, M.: Teedrogen und Phytopharmaka. 5. Aufl. Wissenschaftl. Verlagsges. Stuttgart 2008

Wilson, F., Kohm, B.: Verbandmittel, Krankenpflegeartikel, Medizinprodukte. 9. Aufl. Deutscher Apotheker Verlag, Stuttgart 2008

Wolf, E.: Zystitis – Brennpunkt Blase. In: PZ (2007) 35, 14–20

Wunderer, H., Weis, G.: Reizhusten – Entstehung und Therapie. In: DAZ (2009), 8. 1. 2009, Suppl. Beitrag Wissenschaft

Ziegelmeier, M., Goller, C.: Beratungshinweise zur Abgabe von Orlistat 60 mg. In: DAZ 16 (2009), 60–65

Zimmer, S.: Kariesprophylaxe als multifaktorielle Präventionsstrategie. Berlin 2000, http://edoc.hu-berlin.de

Zortea-Caflisch, C.: Pathogenese und Diagnostik des Haarausfalls. In: Swiss Med. 7 (1985), 5b, 7

C.

Medizinische Grundlagen

C.
Medizinische Grundlagen

C. 1 Nervensystem

Von H. Hamacher

C. 1.1 Aufbau des Nervensystems

Das Nervensystem vermittelt auf dem Wege elektrischer Reizleitung in und chemischer Reizübertragung zwischen den Nervenzellen Informationen zwischen verschiedenen Körperregionen. Es reguliert auf diese Weise zusammen mit dem endokrinen System die Funktionen der einzelnen Organe und deren Wechselwirkung.

Nervenzellen. Die anatomischen Grundeinheiten des Nervensystems bilden die *Neuronen* (Nervenzellen), welche mit ihren Fortsätzen beträchtliche Längen erreichen können. Die typische Nervenzelle besteht aus dem *Soma* (Zelleib, Perikaryon) und mehreren, meist kurzen baumartig verzweigten Fortsätzen, den *Dendriten*, welche der Reizaufnahme dienen und den *Neuriten*, welche die *Axone* der Nervenfaser bilden und den Reiz auf andere Nerven- oder Empfängerzellen im Erfolgsorgan weiterleiten (Abb. C.1.1). Das Axon (Achsenzylinder) der Nervenfaser ist von einer *Gliahülle* umgeben, welche in peripheren Nerven aus Schwannschen Zellen besteht. Bei den dikken markhaltigen Fasern bilden die Schwannschen Zellen eine stark ausgeprägte myelinhaltige Hülle, die *Markscheide*.

Nerven. Einzelne Nervenfasern werden durch Bindegewebe (Perineurium) zu Nervenbündeln zusammengefaßt, von denen mehrere, getrennt durch das Epineurium, den Nerven bilden.

Synapsen. Die Reizübertragung von Neuritenende auf eine andere Nerven-, Muskel- oder Drüsenzelle erfolgt auf chemischem Wege in Synapsen. Sie bestehen aus der keulenartigen Verdickung mit die Überträgersubstanz enthaltenden *Vesikeln* am Ende einer Nervenzelle, dem *synaptischen Spalt* und einer der Reizaufnahme dienenden *subsynaptischen Membran* der Empfängerzelle (Abb. C.1.2). Die neuromuskulären Synapsen im Muskel werden als *motorische Endplatte* bezeichnet.

Ganglien. Ganglien sind Ansammlungen von Nervenzellen in den peripheren Nerven. Sie enthalten die Synapsen, in denen die *präganglionären* (vom Zentralnervensystem bis zum Ganglion) Fasern eines Nerven von den *postganglionären* (vom Ganglion bis zum Erfolgsorgan) getrennt werden.

Seite C. 1/2   **Aufbau**

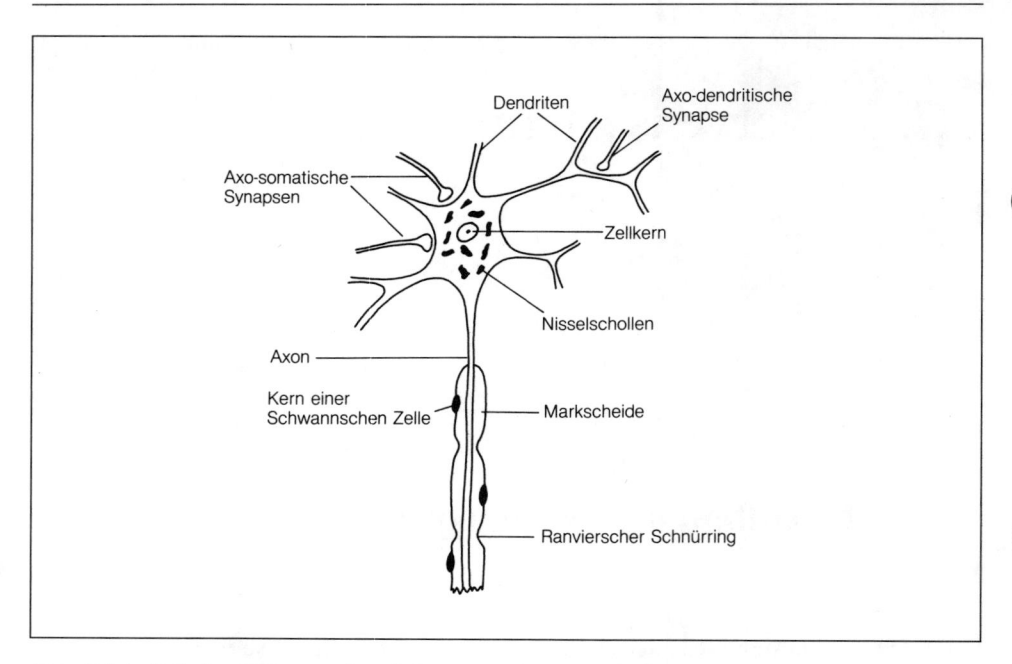

Abb. C.1.1: Teil einer Nervenzelle mit Synapsen (schematisch).

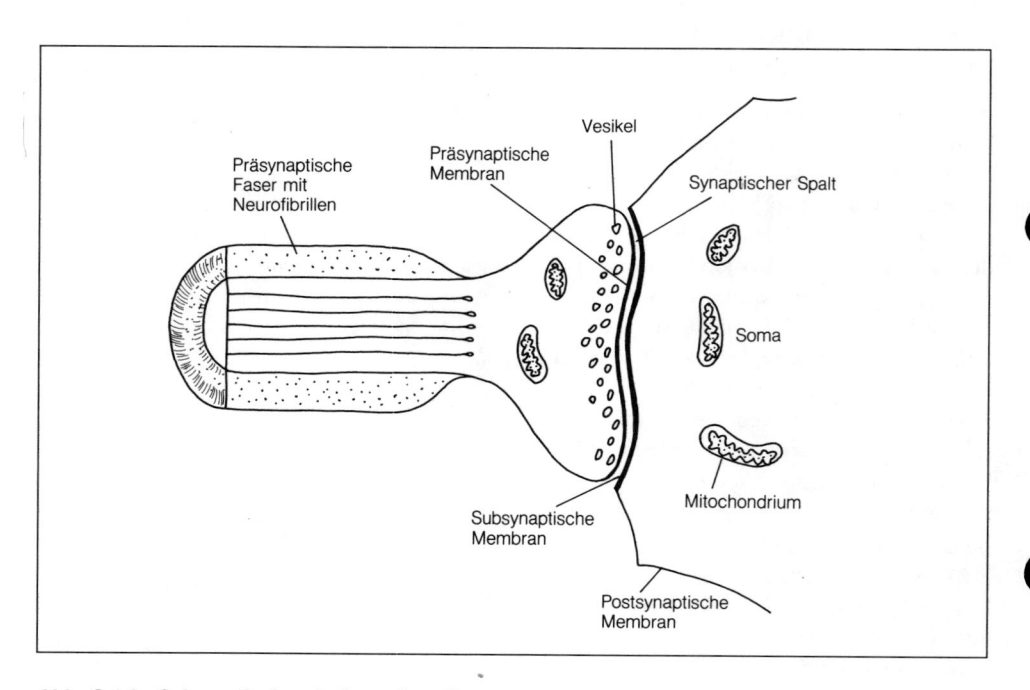

Abb. C.1.2: Schematischer Aufbau einer Synapse.

Selbstmedikation V/1987

C. 1.2 Gliederung des Nervensystems

Das Nervensystem wird topographisch in das **Zentralnervensystem (ZNS)** und das **periphere** Nervensystem unterteilt (Abb. C.1.3). Ersterem gehören Gehirn (Cerebrum, Enzephalon) und Rückenmark (Medulla spinalis), letzterem die außerhalb des Zentralnervensystems verlaufenden peripheren Nerven an. Im peripheren System gibt es je nach Richtung der Reizleitung *afferente, sensible, zentripetale, aufsteigende* Bahnen einerseits, welche Informationen von der Peripherie in Richtung Zentralnervensystem vermitteln und *efferente, motorische, zentrifugale, absteigende* andererseits, welche Reize in umgekehrter Richtung weiterleiten. Funktionell läßt sich das **autonome (vegetative)** von dem **somatischen (willkürlichen)** Nervensystem unterscheiden. Das vegetative Nervensystem reguliert und koordiniert die Funktionen der inneren Organe. Im Gegensatz zum somatischen Nervensystem ist es dem Willen nicht unterworfen. Der efferente Teil des vegetativen Nervensystems besteht aus *sympathischen* und *parasympathischen* Fasern, die sich hinsichtlich Ursprung, Wirkung am Erfolgsorgan und zum Teil hinsichtlich Art der Reizübertragung an den Synapsen unterscheiden. Beiden gemeinsam ist, daß sie jeweils aus zwei Neuronen, dem prä- und postganglionären, bestehen, welche durch die Ganglien voneinander getrennt sind. Im Gegensatz zu den sympathischen Ganglien, die sich in der Nähe des Rückenmarks befinden, liegen die parasympathischen Ganglien weiter in der Peripherie, teils in den Erfolgsorganen selbst. Die Somata der präganglionären sympathischen Nervenfasern liegen im *Thorakalmark* (Brustmark) und im oberen Teil des *Lumbalmarks* (Lendenmark) der Wirbelsäule. Ursprung der parasympathischen präganglionären Fasern sind das *Sakralmark* in der Kreuzbeingegend und das Stammhirn.

Nach der Art der Reizübertragung in den Synapsen (vgl. C.1.3.2) wird ferner ein **adrenerges** von dem **cholinergen** Nervensystem unterschieden. Nerven des somatischen Systems und des Parasympathikus haben stets cholinerge Synapsen, bei sympathischen Nerven gibt es neben adrenergen auch cholinerge Synapsen (z. B. in den Ganglien).

Im **somatischen Nervensystem** werden mit Hilfe *sensorischer Nerven* Reize in den Sinnesorganen aufgenommen, afferent über das Rückenmark höheren Zentren des Zentralnervensystems zugeleitet, dort nach bewußter Empfindung und Wahrnehmung über das **motorische Nervensystem** zur Peripherie geleitet und hier nach Reizaufnahme in der motorischen Endplatte zu willkürlichen Muskelbewegungen verarbeitet.

Gliederung

		Somatisches Nervensystem	Vegetatives Nervensystem	
			Sympathisches Nervensystem	Parasympathisches Nervensystem
Zentralnervensystem (ZNS)				
Peripheres Nervensystem	Präganglionär			
	Ganglion		ACh	ACh
	Postganglionär	ACh	NA	ACh

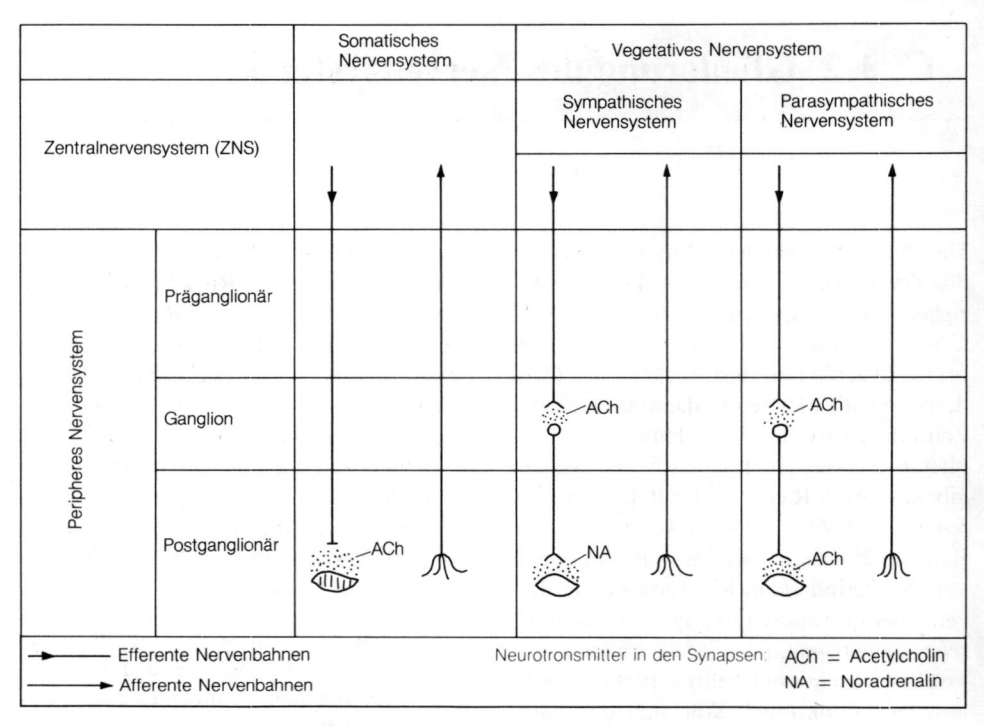

→ Efferente Nervenbahnen
← Afferente Nervenbahnen

Neurotransmitter in den Synapsen: ACh = Acetylcholin
NA = Noradrenalin

Abb. C.1.3: Gliederung des Nervensystems.

Neurale Informationsübermittlung Seite C. 1/5

C. 1.3 Mechanismus der neuralen Informationsübermittlung

C. 1.3.1 Reizleitung

Die Reizleitung innerhalb der Nervenzellen erfolgt auf elektrischem Wege durch aufgrund von Ionenverschiebungen entstehende und wieder aufgehobene Ladungen an der Zellmembran, während für die Reizübertragung von Zelle zu Zelle spezielle chemische Übertragersubstanzen verantwortlich sind.

Alle erregbaren Zellen eines lebenden Organismus weisen im Ruhezustand innerhalb der Zellmembran eine negative, an der Membranaußenfläche hingegen eine positive Ladung auf. Man nennt diesen Zustand **Ruhepotential**. Das Ruhepotential kommt dadurch zustande, daß im Innenraum der sich in Ruhe befindlichen Zelle Kaliumionen kumulieren (Abb. C.1.4.[A]). Aufgrund des Konzentrationsgefälles zwischen Intra- und Extrazellularraum tendieren Kaliumionen bei im Ruhezustand gleichzeitig bestehender Undurchlässigkeit der Zellmembran für Natriumionen zur Diffusion aus dem Zellinnern in den Extrazellularraum. Die Kompensation der positiven Ladung der sich intrazellulär befindenden Kaliumionen erfolgt jedoch durch negativ geladene Proteinionen, welche die Zelle nicht verlassen können. Die Kalium-

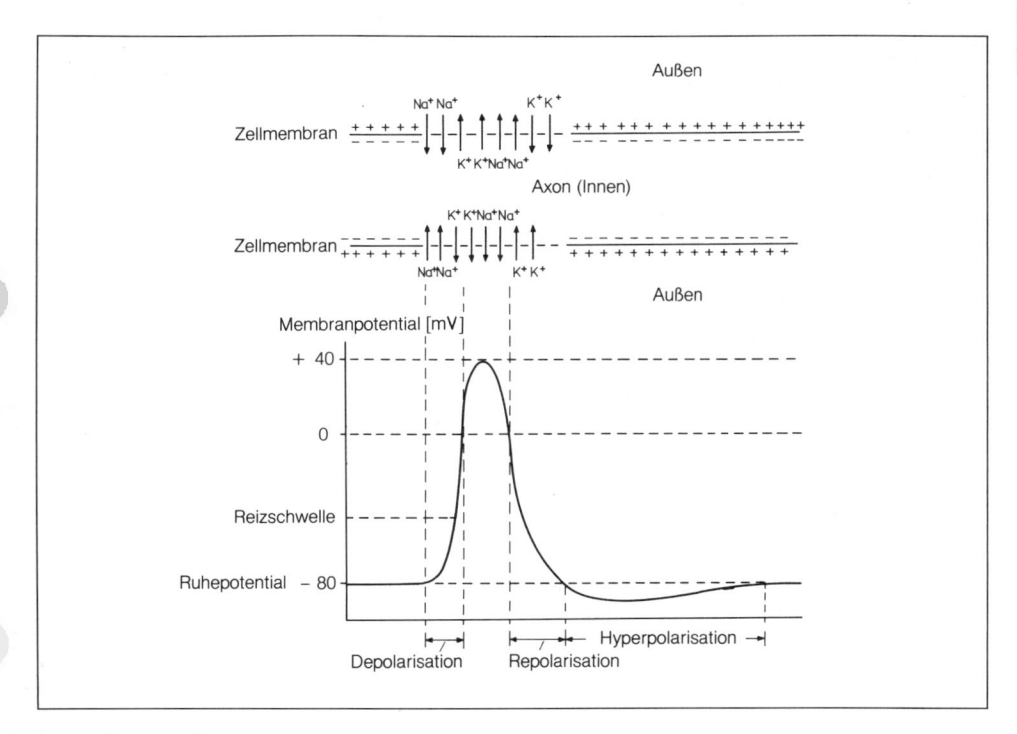

Abb. C.1.4: Zeitlicher Ablauf des Ionenstroms bei der Erregung der Nervenzelle (A) und zugehörige Aktionspotentialkurve (B).

Selbstmedikation V/1987

ionendiffusion aus dem Intrazellularraum ist somit im Ruhezustand begrenzt und strebt einem Gleichgewichtszustand zu, aus welchem das negative Ruhepotential im Zellinnern resultiert.

Durch elektrische, physikalische oder chemische Reize wird, sofern ein bestimmter Schwellenwert überschritten wird, das Ruhepotential gestört. Infolge eines plötzlichen Anstiegs der Permeierbarkeit der Zellmembran für Natriumionen strömen letztere, bedingt durch das Konzentrationsgefälle zwischen Intra- und Extrazellularraum und die überschüssige negative Ladung in ersterem, spontan in die Zelle ein. Dies führt zu einem Ladungsausgleich und somit zur weiteren *Depolarisation* des Ruhepotentials. Vorübergehend wird das Zellinnere während des Erregungsablaufs sogar positiv, bis in der *Repolarisationsphase* durch gegensinnigen Transport der Natrium- und Kaliumionen der ursprüngliche Ruhezustand wieder hergestellt ist. In dieser Phase werden Natriumionen gegen das Konzentrationsgefälle in einem aktiven, d.h. Energie verbrauchenden Transportvorgang in den Extrazellularraum befördert. Der gesamte geschilderte, durch äußere Reize verursachte Erregungsablauf an der Nervenzelle, der nach Überschreiten des Schwellenpotentials selbsttätig nach dem Alles- und Nichtsgesetz abläuft, wird als **Aktionspotential** bezeichnet (Abb. C.1.4.[B]). Durch Weitergabe des Aktionspotentials von Zelle zu Zelle kommt die Informationsübertragung im Nervensystem zustande.

Das Natriumionentransportsystem ist von der Anwesenheit von Calciumionen abhängig. Bei Erniedrigung der Calciumionenkonzentration ist der Schwellenwert für das Aktionspotential zu negativen Werten hin, d.h. in Richtung Ruhepotential verschoben. Calciummangel führt somit zu erhöhter Erregbarkeit und damit zur Krampfneigung. Dieser Zustand liegt beim Krankheitsbild der *Tetanie* vor. Umgekehrt wird durch erhöhte Calciumionenkonzentration wie auch durch Lokalanästhetika (vgl. S. B.2.1.4) die Erregbarkeit der Neuronen vermindert.

C. 1.3.2 Synaptische Reizübertragung

Ein in der Synapse am Endkölbchen, dem meist keulenartig verdickten Ende des Neuriten ankommender Reiz setzt aus den dort in synaptischen Bläschen, den *Vesikeln*, gespeicherten chemischen Überträgerstoff, den **Neurotransmitter**, frei. Der Transmitter diffundiert durch den synaptischen Spalt zur *subsynaptischen Membran* der Reizempfängerzelle und bewirkt dort je nach Membraneigenschaft eine Verminderung (Depolarisation) oder eine Erhöhung (Hyperpolarisation) des Membranpotentials. Die Depolarisation beruht auf einer kurzzeitigen Permeabilitätserhöhung der subsynaptischen Membran für Kaliumionen und Natriumionen und hat bei genügend hoher Anzahl von subsynaptischen Erregungen

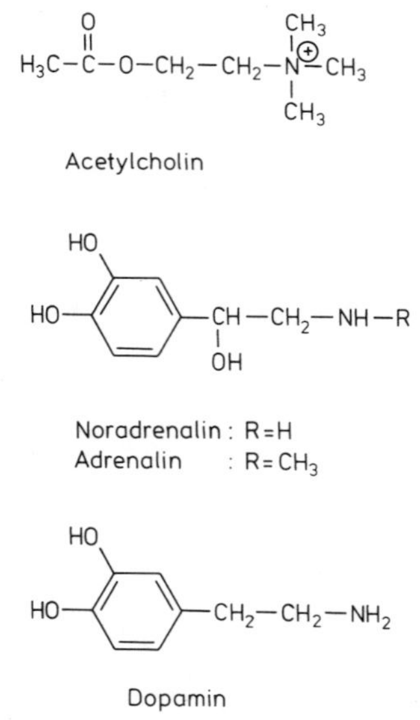

Abb.C.1.5: Neurotransmitter.

Neurale Informationsübermittlung

Tab. C.1.1: Physiologische Neurotransmitter und synthetische Wirkstoffe mit Angriff an adrenergen subsynaptischen Membranen.

$$HO-C_6H_3(OH)-CH(OH)-CH_2-NH-R$$

	R	α	β$_1$	β$_2$
Noradrenalin	H	+	+	−
Adrenalin	CH$_3$	+	+	+
Isoprenalin	CH(CH$_3$)$_2$	−	+	+
Terbutalin	C(CH$_3$)$_3$	−	−	+

Relative Wirkungsstärke an adrenergen Rezeptoren

eine Erregungsübertragung zu den folgenden Nervenzellen bzw. Rezeptorzellen im Endorgan zur Folge. Hyperpolarisation beruht auf einem vermehrten Kaliumionenausstrom aus dem Intrazellularraum und bedeutet eine Hemmung der betreffenden Synapse, d.h. eine verminderte Erregbarkeit der Zellen. Durch speziell an der synaptischen Neuritenmembran angreifende Pharmaka kann die Reizübertragung von Zelle zu Zelle **präsynaptisch**, durch Angriff an der subsynaptischen Membran **postsynaptisch** gehemmt werden.

Neurotransmitter. Die bekanntesten sympathischen chemischen Überträgerstoffe sind *Acetylcholin* und *Noradrenalin* (Abb. C.1.5). Je nach Art des Überträgerstoffs werden die betreffenden Synapsen als *cholinerg* bzw. *adrenerg* bezeichnet. Daneben spielen als Neurotransmitter *Adrenalin, Dopamin* (dopaminerge Synapsen) und vermutlich noch Serotonin, Gammaaminobuttersäure (GABA), Glycin, Glutaminsäure, Histamin, die polypeptidartige Substanz P sowie die wichtige Gruppe der Prostaglandine eine Rolle.

Die Abhängigkeit der Erregbarkeit der subsynaptischen Membran von Strukturänderungen in der Überträgersubstanz kommt in den sympathischen adrenergen Synapsen deutlich zum Ausdruck (Tab. C.1.1). Je nach molekularer Struktur der subsynaptischen Membran an den adrenergen sympathischen Synapsen im Endorgan werden die α-, β$_1$- und β$_2$-Rezeptoren unterschieden. Während Noradrenalin nur an α- und β$_1$-Rezeptoren angreift, reagiert das N-methylierte Adrenalin mit allen drei adrenergen Rezeptoren. Vergrößert man den Substituenten am Stickstoff zu einem Isopropylrest, so resultiert das Isoprenalin, welches nur noch mit β$_1$- und β$_2$-Rezeptoren, nicht jedoch mit α-Rezeptoren reagiert. *Terbutalin* mit einem tertiären Butylrest am Stickstoff wirkt hingegen nur noch mit β$_2$-Rezeptoren und ist somit wegen des Vorkommens von β$_2$-Rezeptoren in der Lunge ein selektiv wirkendes Broncholytikum ohne kardiale Nebenwirkungen.

Eine **Übersicht** über die regionale Verteilung cholinerger, adrenerger und dopaminerger Synapsen und die strukturabhängigen Wirkungsqualitäten adrenerger Synapsen gibt Tab. C.1.2.

Die kurzzeitige Befristung der subsynaptischen Erregung resultiert aus dem raschen enzymatischen Abbau der Neurotransmitter, deren Wiederaufnahme in die Nervenendigung bzw. Abdiffusion. So wird Acetylcholin durch die Cholinesterase zu Essigsäure und Cholin gespalten. Der Hauptanteil des Noradrenalins wird durch Wiederaufnahme in das Axon und Abdiffusion entfernt. Der Rest wird im synaptischen Spalt mittels Catechol-O-methyltransferase (COMT) zu unwirksamem Normethanephrin methyliert und anschließend durch Monoaminooxidase (MAO) zu 3-O-Methoxi-4-hydroximandelsäure oxidiert.

Tab. C.1.2: Vorkommen cholinerger, adrenerger und dopaminerger Synapsen und Wirkungsqualitäten von α-, β₁- und β₂-Rezeptoren (letztere nach Forth, Henschler, Rummel)

	Cholinerg	α-Rezeptoren	Adrenerg β₁-Rezeptoren	β₂-Rezeptoren	Dopaminerg
Parasympathische und sympathische Ganglien	+				
Endigungen aller postganglionären parasympathischen Fasern	+				
Motorische Endplatte	+				
Endigungen der zu Schweißdrüsen führenden sympathischen Fasern	+				
Glatte Muskulatur					
Gefäße		Kontraktion (Haut, Schleimhaut)		Erschlaffung (Muskulatur)	
Uterus		Kontraktion		Erschlaffung	
Bronchien				Erschlaffung	
Magen-Darmtrakt					
Längsmuskulatur		Erschlaffung	Erschlaffung		
Sphinkteren		Kontraktion		Erschlaffung	
Musculus dilatator pupillae		Kontraktion (→ Mydriasis)			
Herz			Positive Inotropie, Chronotropie und Dromotropie		
Leber		Glykogenolyse (→ Hyperglykämie)		Glykogenolyse (→ Hyperglykämie)	
Skelettmuskulatur				Glykogenolyse (→ Hyperlactacidämie)	
Fettgewebe			Lipolyse (→ Anstieg freier Fettsäuren im Blut)		
Basalganglien des Endhirns (Substantia nigra)					+

C. 1.4 Schmerz, Entzündung, Fieber

Schmerz, Entzündung und Fieber sind als Abwehrreaktionen des Organismus zu verstehen, welche exogen oder endogen verursacht werden und die sowohl aus ätiologischer als auch aus pharmakologischer Sicht eng korreliert sind. **Exogene Noxen** für die genannten, oft gleichzeitig beobachteten Symptome können physikalische (mechanische, thermische, elektrische) oder auf chemischem Wege verursachte Zellschäden sein. Sie können infektiös oder nicht infektiös bedingt sein. Über die ursächlichen **endogenen Noxen** bei einer Vielzahl von Erkrankungen (z. B. Autoimmunerkrankungen) ist erst wenig bekannt. Schmerz, Entzündung und Fieber treten nicht nur oft gemeinsam auf, sie werden durch bestimmte Wirkstoffe gerade aus der Reihe der nicht verschreibungspflichtigen Analgetika auch gleichzeitig beseitigt oder abgeschwächt, wobei es sich stets um eine symptomatische, niemals um eine kausale Behandlung handelt.

C. 1.4.1 Schmerz

In der Peripherie aufgenommene Reize, welche Zellschäden verursachen oder möglich machen, führen reflektorisch auf direktem Wege über das Rückenmark (z. B. Fluchtreaktion) oder von dort über höher gelegene Zentren zu bewußten oder unbewußten Abwehrreaktionen des Organismus. Sie werden im Gehirn als Schmerz wahrgenommen. Der Schmerz übernimmt somit eine wichtige protektive Funktion für das betreffende Individium.

C. 1.4.1.1 Ablauf der Schmerzreaktion

Physikalische oder chemische Reize werden an bestimmten, exakt lokalisierbaren, peripheren Nervenendigungen, den *Nocizeptoren (Schmerzrezeptoren)*, aufgenommen. Nach neueren Erkenntnissen gibt es differenzierte Nocizeptoren für unterschiedliche schmerzauslösende (mechanische, thermische, chemische) Reize. Die unmittelbare Erregung der Schmerzrezeptoren erfolgt auf chemischem Wege (adäquater Reiz) durch bei der Zellschädigung freigesetzte Schmerzstoffe. Das durch Erregung der Nocizeptoren entstandene Aktionspotential wird über spezielle sensorische Nervenfasern des peripheren Nervensystems zunächst über die Hinterhörner dem Rückenmark zugeleitet. Dort werden einerseits nach Umschaltung des Schmerzreizes auf motorische Bahnen über die Vorderhörner Schutzreflexe ausgelöst (z. B. Zurückzucken von Gliedmaßen bei Nadelstich). Andererseits wird der im Rückenmark ankommende Reiz nach Umschaltung auf die seitlich gegenüberliegenden aufsteigenden Spinalbahnen zunächst zum Hirnstamm geleitet. Hier werden in der zwischen verlängertem Rückenmark (Medulla oblongata) und Zwischenhirn (Dienzephalon) gelegenen Formatio reticularis die ankommenden Reize koordiniert und efferent (vom Zentrum in Richtung Peripherie) zu viszeralen (die Eingeweide betreffenden) Reaktionen oder ebenfalls zu reflektorischen Bewegungsabläufen verarbeitet. Im Thalamusgebiet des Zwischenhirns werden die Reize dem limbischen System, welches für die emotionale Schmerzverarbeitung verantwortlich ist, sowie der Großhirnrinde zugeleitet, in welcher der Schmerz qualitativ wie auch hinsichtlich seiner topographischen Lage charakterisiert wird. Der Ablauf der Schmerzreaktion ist somit ein äußerst komplexes Zusammenspiel somatischer, vegetativer und psychischer Vorgänge. Dies erklärt auch die enge psychischsomatische Korrelation bei einer Vielzahl von Erkrankungen.

C. 1.4.1.2 Schmerzarten

Nach dem Ort ihrer Auslösung lassen sich **somatische** und **viszerale** Schmerzen unterscheiden. Ursprung somatischer Schmerzen ist die Haut, der Muskel oder das Skelett. In der Haut lokalisierter Schmerz wird als **Oberflächenschmerz**, der aus dem Muskel-Skelettsystem stammende als **Tiefenschmerz** bezeichnet. Der viszerale Schmerz wird in den Eingeweiden des Thorax (Brustraum) oder des Abdomens (Bauchraum) ausgelöst. Seine Beseitigung erfordert in der Regel verschreibungspflichtige, d.h. stärker wirksame Arzneimittel.

Außer in ihrem topographischen Ursprung unterscheiden sich die genannten Schmerztypen auch hinsichtlich ihrer qualitativen Empfindung sowie der Geschwindigkeit der Erregungsleitung. Die Leitungsgeschwindigkeit hängt vom Durchmesser der betreffenden Nervenfaser ab. So werden Reize des ersten Oberflächenschmerzes durch die dicken und markhaltigen Aδ-Fasern von der Haut zum Rückenmark geleitet und können dort spontan Schutzreflexreaktionen an peripheren Skelettmuskeln auslösen. Der erste Oberflächenschmerz ist gut lokalisierbar und klingt rasch ab. Ihm folgt ein zweiter, der länger anhält und in seinem Charakter dem dumpfen, schwer lokalisierbaren Tiefenschmerz gleicht. Ähnlich wird auch der viszerale Schmerz empfunden, dessen Auslösung stets die Erregung mehrerer, in einem größeren Areal zerstreuter Nozizeptoren erfordert. Auch er tritt eher diffus auf, kann aber wegen seiner Projektion auf regional entsprechende Hautareale zumindest grob lokalisiert werden, was für die Diagnostik des viszeralen Bereichs von praktischem Wert ist.

C. 1.4.1.3 Schmerzstoffe

Die bei der Zellschädigung freigesetzten endogenen Stoffe, welche die adäquate Reizbildung an den Schmerzrezeptoren bewirken, werden als Schmerzstoffe bezeichnet. Neben den Schmerzstoffen, die erst in höherer Konzentration Schmerz verursachen, wie Wasserstoffionen (pH < 6), Kaliumionen und Acetylcholin, ist vor allem die Gruppe der **Mediatoren** für die Bildung adäquater Reize an den Nozizeptoren bedeutsam. Zu ihnen gehören die Neurotransmitter, Histamin und Serotonin, ferner die Prostaglandine und Kinine.

Histamin wird durch Decarboxylierung der Aminosäure Histidin gebildet

und zusammen mit Heparin an ein basisches Protein gebunden in den Mastzellen und in basischen Leukozyten gespeichert. Es wird aus den Speicherzellen außer bei Schmerzreizen auch bei Überempfindlichkeitsreaktionen freigesetzt und spielt wegen seiner die Gefäßpermeabilität fördernden Wirkung bei verschiedenen allergischen Erkrankungen eine entscheidende Rolle.

Serotonin wird durch Hydroxylierung und Decarboxylierung aus der Aminosäure Tryptophan gebildet und kommt in höherer Konzentration in enterochromaffinen Zellen der Dünndarmschleimhaut, in Thrombozyten und im Hypothalamus vor. Es hat von allen Neurotransmittern die stärkste schmerzerzeugende Wirkung. Ferner wirkt

Schmerz, Entzündung, Fieber

es außer als Neurotransmitter des Zentralnervensystems kontrahierend auf glatte Muskeln, u.a. der Gefäße und fördert deshalb die Blutstillung.

Kinine werden mit Hilfe der Kallikreine aus einem in der α_2-Globulinfraktion enthaltenen Plasmaprotein, dem Kininogen gebildet. Über ein Oligopeptid aus elf Aminosäuren wird zunächst das Dekapeptid Kallidin, aus diesem durch Abspaltung eines Lysinrestes das Nonapeptid Bradykinin gebildet.

```
H—Lys—Arg—Pro—Pro—Gly—Phe—Ser—Pro—Phe—Arg—OH
                      Kallidin

H—Arg—Pro—Pro—Gly—Phe—Ser—Pro—Phe—Arg—OH
                      Bradykinin
```

Kinine sind außerordentlich potente Schmerzstoffe. Außerdem erhöhen sie neben ihrer Wirkung auf die glatte Muskulatur (z.B. Vasodilatation, Bronchokonstriktion) die Gefäßpermeabilität und sollen daher für die Hyperämisierung und Ödembildung entzündeter Gewebe mitverantwortlich sein.

Die Gruppe der **Prostaglandine** hat sowohl wegen ihrer vielseitigen pathophysiologischen Mediatorfunktionen als auch ihrer pharmakologischen Bedeutung in den vergangenen Jahren ein ungewöhnliches Interesse, nicht zuletzt bei Arzneimittelchemikern, gefunden. Trotz intensiver Forschung werden jedoch weder die physiologischen Funktionen der Prostaglandine vollständig verstanden, noch sind die pharmakotherapeutischen Möglichkeiten dieser Mediatorstoffe vollständig ausgeschöpft.

Prostaglandine werden in allen Organen, besonders in entzündeten Geweben, aus höheren ungesättigten Fettsäuren gebildet, kommen wie alle Gewebshormone am Entstehungsort oder in dessen unmittelbarer Umgebung zur Wirkung und werden weitgehend bereits dort, spätestens jedoch nach Abgabe an das Blut bei der ersten Lungenpassage abgebaut. Ihre Halbwertszeit liegt unterhalb einer Minute.

Ausgangsverbindungen für die **endogene Prostaglandinsynthese** sind höhere ungesättigte Fettsäuren, insbesondere Arachidonsäure (5,8,11,14-Eikosatetraensäure) und Dihomo-γ-linolensäure (8,11,14-Eikosatriensäure), welche zunächst in dem für die

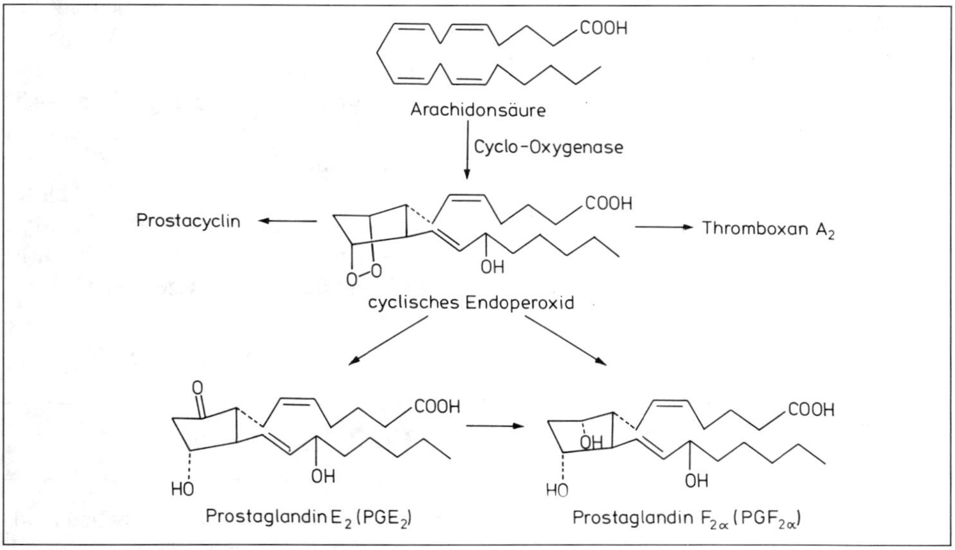

Abb. C.1.6: Synthese von Prostaglandinen und verwandten Mediatoren.

Prostaglandinsynthese geschwindigkeitsbestimmenden Schritt mittels Phospholipase A aus vorwiegend in der Zellmembran vorkommenden Phospholipiden gebildet werden müssen. Die Prostaglandinsynthese (Abb. C.1.6) erfolgt mit Hilfe eines mikrosomalen Enzymsystems der Prostaglandinsynthetase. Ihr aus pharmakologischer Sicht wichtigstes Einzelenzym ist eine *Cyclooxygenase*, welche die kettenförmige ungesättigte Arachidonsäure zunächst in ein äußerst wirksames, aber labiles zyklisches Endoperoxid überführt. Dieser Reaktionsschritt ist pharmakologisch insofern bedeutsam, als die Hemmung der Cyclooxygenase eine wesentliche Ursache für die Wirkung der nicht narkotisierenden Analgetika (Prostaglandinsynthesehemmer) ist. Aus den zyklischen Peroxiden werden das thrombozytenaggregierende Thromboxan, das thrombozytenaggregationshemmende Prostacyclin und ferner die Prostaglandine gebildet.

Die verschiedenen Prostaglandintypen, deren Wirkungen an den einzelnen Organen zum Teil unterschiedlich sind, werden durch bestimmte Großbuchstaben und Zahlenindices gekennzeichnet. Die *E-Prostaglandine* enthalten eine Ketogruppe am C9 innerhalb des Fünfringes, *F-Prostaglandine* an deren Stelle eine Hydroxylgruppe. Die Konfiguration der Hydroxylgruppe an C9 wird durch den Index 9α bzw. β gekennzeichnet. Der Zahlenindex 1, 2, oder 3 gibt die Anzahl der im jeweiligen Prostaglandin enthaltenen Doppelbindungen an, deren Position durch die betreffende, als Ausgangsprodukt dienende, essentielle Fettsäure festgelegt ist.

Neben ihrer Schmerz und Entzündungen auslösenden Wirkung weisen Prostaglandine eine Vielzahl biologischer Effekte auf, über deren physiologische Bedeutung allerdings noch wenig bekannt ist.

C. 1.4.1.4 Zentralnervöse Schmerzhemmung

Von besonderer Bedeutung für die Wirkung der allerdings ausnahmslos verschreibungspflichtigen stark wirksamen morphinartigen Analgetika ist ein zentralnervöses System der Schmerzhemmung, welches erst in den letzten 20 Jahren erforscht worden ist. So finden sich im Rückenmark, im Hirnstamm und im Zwischenhirn Nervenzellverbände, welche durch unterschiedlich hohe Einstellung der Schmerzschwelle die nociceptiven Signale zu hemmen vermögen. Diese Schmerzhemmneurone bilden Überträgerstoffe, welche an deren Nervenendigungen freigesetzt und durch Bindung an postsynaptische Rezeptoren die Hemmwirkung auslösen. Überträgersubstanzen dieser Schmerzhemmneurone sind Serotonin (in den Raphekernen des Hirnstamms) und Noradrenalin (im locus coeruleus), welche möglicherweise für die Wirkung der zentralangreifenden Serotonin- und Noradrenalinantagonisten verantwortlich sind.

Die bedeutendste Gruppe der schmerzhemmenden Überträgersubstanzen sind die Endorphine und Enkephaline, welche die körpereigenen Liganden der Morphinrezeptoren darstellen. Sie kommen in bestimmten Nervenzellen des Rückenmarks, des Hirnstamms, des Hypothalamus und des Thalamus vor. Zu ihnen gehören das β-Endorphin, die Enkephaline und das besonders potente Dynorphin.

In den letzten Jahren gelang eine Differenzierung der Opiatrezeptoren in My-, Kappa- uind Delta-Rezeptoren. Natürlicher Ligand der Kappa-Rezeptoren scheint Dynorphin zu sein, natürliche Liganden der Delta-Rezeptoren sind die Enkephaline.

C. 1.4.2 Entzündung

Die Entzündung kann wie der Schmerz als eine Abwehrreaktion des Organismus auf exogene oder endogene physikalische oder chemische Reize aufgefaßt werden. Die zellulären und biochemischen, eine Entzündungsreaktion auslösenden Mechanismen sind mit denen der Schmerzreaktion weitgehend identisch. Die jeweilige Noxe verursacht eine primäre Zellschädigung und damit Freisetzung der beschriebenen Mediatorstoffe, welche die weiteren entzündlichen Abläufe bestimmen.

Die Mediatoren führen zu einer peripheren Gefäßerweiterung und hierdurch bedingt zu einer Mehrdurchblutung, Rötung und einem Wärmegefühl in den betroffenen Geweben. Zugleich bewirken sie eine erhöhte Kapillarpermeabilität und somit den Austritt von Plasma aus den Blutgefäßen, die **Exsudation**, bei stärkerer Schädigung auch eine **Emigration**, d.h. einen Austritt von weißen Blutzellen in den interstitiellen Raum. Die hieraus resultierende Flüssigkeitsansammlung führt zu einer Schwellung der betroffenen Gewebe. Die Emigration von Blutzellen, insbesondere neutrophilen, eosinophilen und basophilen Leukozyten (Mastzellen), Makrophagen (Monozyten und Histiozyten) sowie Lymphozyten dient der Entfernung chemischer und korpuskulärer (letzterer durch Phagozytose) Noxen. Von der Leistungsfähigkeit emigrierter Zellen hängen Dauer und Intensität des weiteren Entzündungsverlaufs ab. Ferner wird bei stärkeren Entzündungen eine Vermehrung von Fibroblasten (unreife, fixierte Bindegewebszellen) und Histiozyten (zur Gruppe der Makrophagen gehörige bewegliche Bindegewebszellen) beobachtet. Diese **Zellproliferation** bewirkt ebenfalls die Beseitigung der Entzündungsschäden.

Entzündungen können im Prinzip jedes Organ betreffen. Je nach örtlicher Verbreitung der verursachenden Reize können sie eng lokalisiert sein oder in größeren bzw. verschiedenen Gewebsbezirken auftreten. Phänomenologisch betrachtet ergeben sich aus den geschilderten zellulären und biochemischen Abläufen **fünf Leitsymptome** für den Entzündungsvorgang: *Rötung (Rubor), Hitzegefühl (Calor), Schwellung (Tumor), Schmerz (Dolor)* und aus den genannten Erscheinungen resultierend eine gestörte Funktion (Functio laesa) entzündeter Gewebe.

C. 1.4.3 Fieber

Normaltemperatur und Folgen einer Abweichung. Die normale Kerntemperatur (Temperatur des Innenraums von Rumpf und Kopf) des Menschen liegt bei 37 °C mit tagesrhythmischen Schwankungen um ca. 1 °C. Die Temperaturmessung erfolgt zweckmäßig in Mundhöhle oder Rektum. Die axillare Messung ist weniger geeignet. Rektal gemessen ergibt sich in der Regel ein um etwa 0,5 °C höherer Wert als normal.

Große Abweichungen vom Normalwert führen zu Gewebsschädigungen und schließlich zum Tod. Bei **passiver** Unterkühlung des Organismus werden erste Funktionsstörungen unterhalb 34 °C beobachtet. Sie betreffen vor allem die Muskulatur, aber auch bereits das Gehirn. Bei 29–30 °C tritt *Paralyse* (Bewußtlosigkeit) ein, Temperaturen unterhalb 25 °C sind letal.

Eine Erhöhung der Kerntemperatur des Körpers aufgrund endogener Prozesse bezeichnet man als **Fieber**. Während von Erwachsenen kurzfristige Temperaturen von 40–41 °C meist ohne sichtbare Schäden toleriert werden, reagiert der kindliche Organismus empfindlicher und kann bei gleicher Temperaturerhöhung bereits konvulsive Symptome zeigen. Die Kontrolle des Fiebers und gegebenenfalls seine Senkung sind bei Kindern wichtiger als bei Erwachsenen. Neben der medikamentösen Behandlung sind hier besonders physikalische Maßnahmen wie das Anbringen kalter, feuchter Umschläge (Wadenwickel) geeignet. Eine länger andauernde Temperaturerhöhung auf 40–41 °C führt durch Erweiterung der Hautgefäße zu einem vaskulär bedingten Kreislaufkollaps. Als **letale Obergrenze** gilt eine längerfristige Kerntemperatur von 42–43 °C.

Wärmeregulation. Regelgröße für die Wärmeregulation des Organismus ist seine Kerntemperatur, deren Istwert mit Hilfe von im Hypothalamus und oberen Rückenmark gelegenen *Thermorezeptoren* ermittelt wird. Den Regler stellt das ebenfalls im Hypothalamus befindliche *Thermoregulationszentrum* dar, welches den Temperatursollwert vorgibt. Es empfängt Informationen von den zentralen Thermorezeptoren und ferner von den *Warm*- und *Kaltrezeptoren* der Haut, bei denen es sich wahrscheinlich um freie, sensible Nervenendigungen handelt. Nach Vergleich der Kerntemperatur mit dem Sollwert sendet das Thermoregulationszentrum neurale Impulse in die Peripherie und löst dort korrigierende Reaktionen aus. So führt Temperaturerniedrigung zu vermehrter Aktivität der Skelettmuskulatur, verbunden mit einem subjektiv empfundenen Kältegefühl und gleichzeitig zu besserer Wärmespeicherung durch Verengung der Hautgefäße und Hemmung der Schweißsekretion. Umgekehrt führt Wärmebelastung durch Vasodilatation zu vermehrter Durchblutung und erhöhter Schweißsekretion.

Ursachen, Mechanismus und Gegenregulation bei der Fieberreaktion. Fieber wird durch **endogene Pyrogene** (körpereigene Fieberstoffe) ausgelöst, welche wahrscheinlich in Phagozyten gebildet werden. Man nimmt an, daß **exogene Pyrogene**, zu denen Bakterien bzw. deren Stoffwechselprodukte, Viren oder andere Infektionserreger, aber auch Pharmaka gehören, ebenfalls über eine Bildung und Freisetzung endogener Fieberstoffe zu einer Temperaturerhöhung führen. Die bekannteste Gruppe exogener Pyrogene sind die *Endotoxine*, vor allem gramnegativer Bakterien. Es sind Lipopolysaccharide aus deren Zellmembran. Sie stellen ein großes Problem bei der hygienisch unsachgemäßen Herstellung von Parenteralia, insbesondere großvolumigen, dar.

Der Temperaturerhöhung beim Fieber geht eine Sollwertverstellung der Kerntemperatur im Regulationszentrum des Hypothalamus voraus. Der experimentelle Befund, daß durch zirkulierende endogene Pyrogene die *Prostaglandin-E-Konzentration* in der Zerebrospinalflüssigkeit erhöht ist, deutet darauf hin, daß diese Mediatorstoffe bei der Sollwertverstellung im Thermoregulationszentrum beteiligt sind.

Die **Symptomatik der Fieberreaktion** verläuft zweiphasisch. Die Sollwerterhöhung der Kerntemperatur wird hinsichtlich der hierdurch ausgelösten Reaktionen wie eine Temperaturerniedrigung empfunden. Es kommt daher in der ersten Phase zu den gleichen Symptomen wie bei einer tatsächlichen Hypothermie, d.h. zu vermehrter Muskelarbeit *(„Schüttelfrost")*, zur Konstriktion der Hautgefäße mit verminderter Durchblutung *(„Gänsehaut")* und verminderter Schweißsekretion. Hierdurch steigt die Kerntemperatur (Fieber). Wird nun der Sollwert im Regulationszentrum auf den Normalwert zurückgestellt, so reagiert der Körper in der zweiten Phase im Sinne einer Gegenregulation mit *Erweiterung der Hautgefäße, Schweißausbrüchen* und einem subjektiv empfundenen *Wärmegefühl*.

C. 1.5 Schlaf-Wach-Rhythmus

Die **Bewußtseinshelligkeit** (Grad der Aufmerksamkeit, Vigilanz) ist in der Regel einem **zirkadianen Rhythmus** unterworfen, d.h. sie ist dem normalen 24stündigen Tagesablauf synchronisiert.

Von den Sinnesorganen aufgenommene optische, akustische, mechanische, thermische, chemische und andere Reize werden über afferente Bahnen über ein spezifisches System gezielt einzelnen Arealen der Großhirnrinde, den Projektionsfeldern für bestimmte Funktionen zugeleitet. Daneben werden über ein unspezifisches sensorisches System das **aufsteigende retikuläre Aktivierungssystem (ARAS),** dessen wichtige Schaltstelle in der Formatio reticularis liegt, die verschiedenen Regionen der Hirnrinde mehr oder weniger diffus gereizt und somit aktiviert (Abb. C.1.7). Andererseits bewirken von der Großhirnrinde kommende Reize eine zusätzliche Stimulierung der Formatio reticularis und damit eine Erhöhung der Vigilanz. Der Formatio reticularis kommt somit für den Schlaf-Wach-Rhythmus wie auch bei der Selektion von Reizen eine besondere Bedeutung zu. An der physiologischen Regulation scheinen ferner zwei Kerngebiete der Brücke (pons) beteiligt zu sein. Stimulation der *Raphe-Kerne* führt im Tierversuch zu **orthodoxem,** Reizung der *Loci coerulei* zu **paradoxem Schlaf** (vgl. C.1.5.1.2). Aufgrund experimenteller Befunde wird angenommen, daß der hemmende Einfluß auf das ARAS und damit der Schlaf durch zwei verschiedene Neurotransmitter ausgelöst wird. Serotonin scheint Übertragersubstanz der Synapsen der Raphe-Kerne, Noradrenalin die der Loci coerulei zu sein.

C. 1.5.1 Schlaf

Gegen Abend wird die Reizschwelle des aufsteigenden retikulären Aktivierungssystem erhöht. Hieraus resultiert Müdigkeit und schließlich Schlaf. Im Schlaf laufen in den einzelnen Organen wichtige Regenerationsprozesse ab. Entgegen einer verbreiteten Annahme handelt es sich somit nicht um einen Zustand allgemeiner Dämpfung des Zentralnervensystems wie bei der Narkose, sondern vielmehr um einen aktiven Prozeß. Dies ergibt sich deutlich aus einem psychosomatischen Vergleich des Wachzustandes, des Schlafes und des Toleranzstadiums einer Narkose (Tab. C.1.3).

C. 1.5.1.1 Schlafdauer

Der Mensch verschläft rund ein Drittel seiner gesamten Lebenszeit. Die physiologische Schlafdauer ist jedoch stark altersabhängig. Eine Übersicht über die durch-

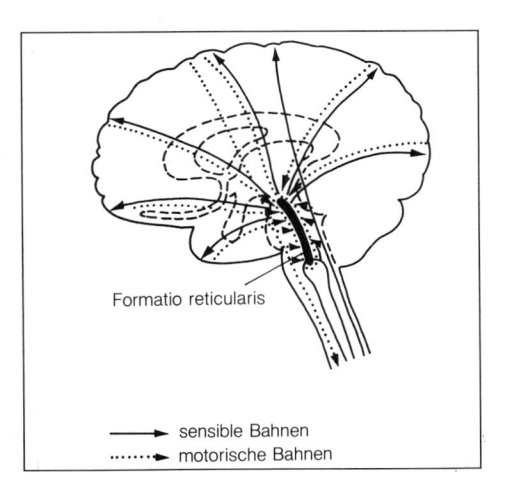

Abb. C.1.7: Aufsteigendes retikuläres Aktivierungssystem (ARAS), schematisch.

Formatio reticularis

→ sensible Bahnen
⋯▸ motorische Bahnen

Tab. C.1.3: Wachzustand, Schlaf, Narkose, psychosomatischer Vergleich.

	Wachzustand	Schlaf orthodox	Schlaf paradox	Narkose (Toleranzstadium)
Bewußtsein	+	−	−	−
Weckbarkeit	+	+	+	−
Schutzreflexe	+	+	+	−
Träume		(−)	+	−
Augenbewegungen	+	−	+	−
Tonus der Skelettmuskulatur	↑	↓	↓↓	★
Blutdruck	↑	↓	↑	★
Herzfrequenz	↑	↓	↑	★
Hirndurchblutung	↑	↓	↑	★

+	= Vorhanden, bzw. gegeben
−	= Nicht vorhanden bzw. nicht gegeben
(−)	= Selten
↑	= Erhöht
↓	= Vermindert
↓↓	= Stark vermindert
★	= Abhängig von Narkotikum und Ebene des Toleranzstadiums.

schnittlich benötigten Schlafzeiten Gesunder innerhalb eines 24-Stundentags in Abhängigkeit vom Lebensalter gibt Tab. C. 1.4.

C. 1.5.1.2 Physiologischer Schlafablauf

Während die neuronalen Regulationsmechanismen des Schlaf-Wach-Rhythmus noch wenig bekannt sind, ist der Schlafablauf des Gesunden wie auch an Schlafstörungen leidender Menschen gut charakterisiert. Der physiologische Schlafablauf ist jedoch wie auch die Schlafdauer abhängig vom Lebensalter. Allen Altersstufen gemeinsam ist, daß sich der natürliche Nachtschlaf in mehreren Phasen mit jeweils zunehmender und wieder abnehmender Schlaftiefe vollzieht. Die Schlaftiefe läßt sich experimentell durch die für eine Weckreaktion erforderliche Reizintensität oder besser durch elektroenzephalographische Aufzeichnungen verfolgen. Beim jungen Erwachsenen lassen sich 4 bis 5 solcher Schlafstadien des *orthodoxen Schlafs* unterscheiden, wobei die maximale Schlaftiefe in den einzelnen Stadien gegen Morgen abnimmt (Abb. C.1.8). Die einzelnen, jeweils 1 bis 1½ Stunden dauernden orthodoxen Schlafstadien werden von kürzeren **paradoxen Schlafstadien** unterbrochen, welche durch besonders auffallende rasche Augenbewegungen charakterisiert sind. Letzteren verdanken die paradoxen Schlafstadien auch die Bezeichnung **REM-Schlaf** (rapid eye movements). Die etwa 20 Minuten dauernden REM-Phasen sind ferner durch starke hirnelektrische Aktivität (hohe Frequenz bei kleiner Amplitude) und durch minimale Aktivität der Skelettmuskulatur

Tab. C.1.4: Durchschnittliche physiologische Schlafdauer in Abhängigkeit vom Lebensalter.

Alter	Durchschnittliche tägliche Schlafdauer
Neugeborene	16 h
2–3 Jahre	12 h
10–14 Jahre	10 h
14–18 Jahre	8 1/2 h
Erwachsene bis 70 Jahre	6–9 h
über 70 Jahre	5 1/2–6h

Schlaf-Wach-Rhythmus

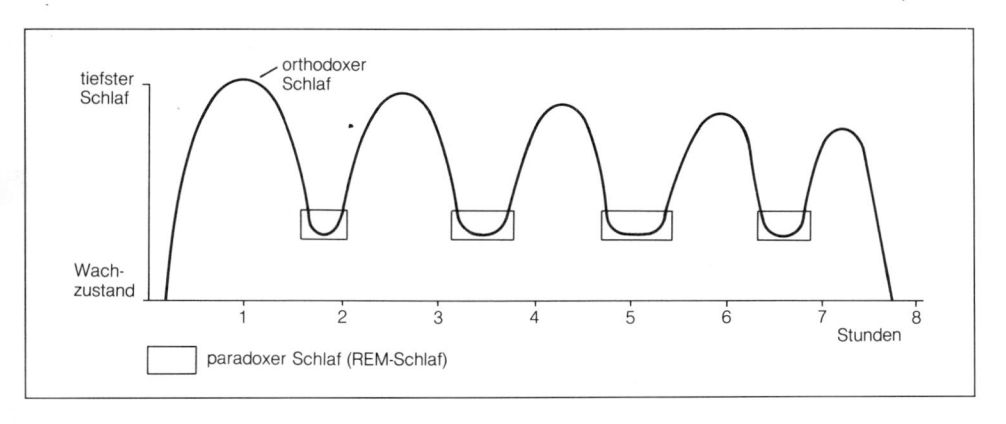

Abb. C.1.8: Normaler Verlauf des Nachtschlafs eines jungen Erwachsenen (stark schematisiert).

charakterisiert. Mit dem Tiefschlaf der orthodoxen Phase hat der REM-Schlaf eine hohe Weckschwelle gemeinsam. *Träume* treten vorwiegend während des paradoxen, seltener während des orthodoxen (Non-REM = NREM) Schlafes auf. Auch das Schlafmuster des Menschen ändert sich mit seinem Lebensalter. So nimmt die Schlaftiefe mit dem Alter ab, die Anzahl der orthodoxen Schlafphasen und die Häufigkeit des Erwachens besonders gegen Morgen zu.

C. 1.5.1.3 Schlafstörungen

Aufgrund der Symptomatik lassen sich drei Typen von Schlafstörungen unterscheiden
- **Hypersomnie** (pathologisch erhöhtes Schlafbedürfnis, z.B. bei Fettsucht)
- **Dyssomnien** (abnormes Schlafverhalten, Angstträume mit furchtsamem Erwachen, Schlafwandeln oder Bettnässen)
- **Asomnien oder Insomnien** (subjektiv empfundenes Schlafdefizit oder Schlaflosigkeit).

Asomnien kommen am häufigsten vor. Sie sind entweder auf eine erniedrigte Reizschwelle der Neuronen des aufsteigenden retikulären Aktivierungssystems oder aber auf eine Überschreitung der normal zirkadian erhöhten Reizschwelle gegen Abend durch verstärkte kortikale (aus der Hirnrinde stammende), aszendierende (aufsteigende), exogene bzw. endogene Reize zurückzuführen. Die Bewertung von Asomnien ist stark subjektiv geprägt. Das objektiv erfaßbare Schlafdefizit wird individuell und selbst beim gleichen Individuum je nach seelischer Verfassung unterschiedlich bewertet. Objektiv lassen sich hinsichtlich der pharmakotherapeutischen Strategie bedeutsame Typen unterscheiden:
- Einschlafstörungen
- Durchschlafstörungen mit zu häufigem oder zu frühem Erwachen.

Die genannten Störungen können verschiedene psychische oder somatische Ursachen haben oder durch ungünstige Umweltbedingungen, d.h. vermehrte exogene Reize bedingt sein. Unmittelbare Folgen eines nicht tolerierten Schlafdefizits sind Müdigkeit, Unlust, Unausgeglichenheit am folgenden Tage. Längerfristig führen sie zu Verminderung der Leistungsbereitschaft und -fähigkeit sowie der psychischen Belastbarkeit und sind somit behandlungsbedürftig im weitesten Sinne. Der Beseitigung der Ursachen von Schlafstörungen kommt hierbei die größte Bedeutung zu.

C. 1.6 Übelkeit, Erbrechen

Im Zentralnervensystem sind zwei Areale der Medulla oblongata, das in der Formatio reticularis gelegene **Brechzentrum** und das **Chemorezeptorenfeld** (Triggerzone) der Area postrema für den Brechvorgang verantwortlich, wobei die Chemorezeptoren durch Impulse aus dem Brechzentrum stimuliert werden. Dem **Vomitus (Brechvorgang)** selbst geht meist ein Zustand der **Nausea (Übelkeit)** voraus.

Die Auslösung des Vomitus kann zentral oder reflektorisch in der Peripherie erfolgen. Ursache für den zentral ausgelösten Brechreiz ist ein erhöhter Hirndruck, der durch Hirntumoren oder infektiös bedingte Ödeme entstehen kann. Bei peripher ausgelöstem Vomitus werden Reize aus Verdauungsorganen dem Brechzentrum zugeleitet, das die weiteren Abläufe des Brechvorgangs steuert. Auf diese Weise können in den Verdauungstrakt gelangte Giftstoffe über eine chemische Reizung der Magenschleimhaut rasch wieder eliminiert werden. In diesem Sinne ist Erbrechen als ein Schutzreflex des Organismus aufzufassen.

Der Zustand der **Kinetose (Bewegungs- oder Reisekrankheit)** geht nach raschen wiederholten passiven Gleichgewichtsveränderungen des Körpers vom Gleichgewichtsorgan des Labyrinths im Innenohr aus. Von hier werden neurale Impulse zum Brechzentrum geleitet, dessen Stimulation die mit der Kinetose verbundenen Leitsymptome Nausea und Vomitus bewirkt.

Eine weitere Form von Nausea und Vomitus, die häufig in der dritten und vierten Woche des Menstruationszyklus der Frau vorkommt, wird mit einem erhöhten *Choriongonadotropin-Blutspiegel* in Zusammenhang gebracht. Ferner klagt etwa die Hälfte aller Schwangeren im frühen Stadium über Übelkeit, besonders am Morgen. Bei einem Drittel der Betroffenen kommt es zu Erbrechen, dessen schwerste Form die **Hyperemesis gravidarum (übermäßiges Erbrechen)**, trotz des grundsätzlich erhöhten Arzneimittelrisikos in der Frühschwangerschaft, einer medikamentösen Behandlung bedarf. Als Ursachen des Schwangerschaftserbrechens werden eine Unterfunktion der Nebennierenrinde und eine damit verbundene Störung des Mineralhaushaltes, ferner ein erhöhter Tonus des Parasympathikus mit verminderter Reizschwelle des Brechzentrums, nicht zuletzt aber psychische Faktoren wie Angst, Partnerkonflikte und eine Ablehnung der Schwangerschaft angenommen.

Der **Ablauf des Brechvorgangs** wird nach einem Stadium der Übelkeit bei gleichzeitig vermehrter Speichel- und Schweißsekretion mit einer tiefen Inspiration eingeleitet. Gleichzeitig wird der Kehlkopfeingang verschlossen. Durch Kontraktion des Zwerchfells und der Bauchmuskulatur und den hierdurch bedingten erhöhten Druck im Bauch- und Brustraum wird bei erschlaffter Muskulatur des Magens und der Speiseröhre der Mageninhalt ruckartig durch den Mund entleert. Normalerweise bleibt der Kehlkopfeingang während der Magenentleerung verschlossen. Dennoch besteht, besonders bei Patienten mit gedämpftem Zentralnervensystem, die Gefahr einer Aspiration des erbrochenen Mageninhalts. Tod durch Erstickung kann die Folge sein.

Die Mehrzahl der früher bei Vergiftungen verwendeten **Emetika (Brechmittel)** wie Kupfer(II)-sulfat, Zinksulfat, Senföl Zubereitungen aus Ipecacuanhawurzel bzw. das aus dieser Droge isolierte Emetin wirken peripher. Diese *reflektorischen Emetika* führen durch Reizung der Magenschleimhaut zum Erbrechen. Im Gegensatz zu ihnen ist Apomorphin ein zentral wirkendes Emetikum, welches die Chemorezeptoren in der Area postrema stimuliert.

C. 2 Verdauungstrakt

Von H. Hamacher

Der Verdauungsapparat besteht aus der Gesamtheit des Verdauungskanals, d.h. der Mundhöhle, dem mittleren und unteren Rachenraum, der Speiseröhre, dem Magen, dem Dünn-, Dick- und Enddarm mit Analkanal, ferner aus verschiedenen Anhangsorganen wie Speicheldrüsen, Leber, Gallenblase und Bauchspeicheldrüse. Die wichtigsten Funktionen der Verdauungsorgane sind:

- Sensorische Prüfung der Nahrung (Geruch, Geschmack, Konsistenz) und reflektorische Auslösung hieraus resultierender Reaktionen.
- Mechanische Zerkleinerung der Nahrung
- Transport des Speisebreis
- Biochemischer Abbau der Nahrung zu resorbierbaren Bestandteilen.
- Resorption der Abbauprodukte
- Ausscheidung unverdaulicher bzw. nicht resorbierbarer Nahrungsanteile.

C. 2.1 Anatomie und Physiologie des Verdauungstrakts

C. 2.1.1 Mundhöhle

Die Mundhöhle wird vorn durch die Lippen, seitlich durch die Wangen, unten durch den Mundboden und oben durch den weichen und harten Gaumen begrenzt. Hinten geht sie in den mittleren Rachenraum über. Das Innere der Mundhöhle ist von einer Schleimhaut ausgekleidet. In der Mundhöhle wird die aufgenommene Nahrung zunächst sensorisch geprüft, die geschmackliche Prüfung erfolgt mit Hilfe der vorwiegend auf dem Zungenrücken befindlichen Geschmacksknospen. Die Berührung der Sinneszellen bedingt ebenso wie die Reizung der geruchsempfindlichen Sinneszellen in der Nase auf reflektorischem Wege eine vermehrte Speichel- und Magensaftsekretion (kephalische Sekretionsphase). Ebenfalls auf dem Zungenrücken befinden sich die für die Tastempfindung verantwortlichen Fadenpapillen, welche die mechanische Beschaffenheit der zugeführten Nahrung erkunden und zweckmäßige Bewegungen der am Kau- und Transportvorgang beteiligten Muskeln bewirken. Der biochemische Abbau der Nahrung beginnt bereits in der Mundhöhle.

C. 2.1.2 Speicheldrüsen

Die Gesamtmenge von 1 bis 1,5 Liter Mundspeichel pro Tag wird von den kleinen, im wesentlichen aber den dreipaarig angelegten Speicheldrüsen, der *Ohrspeicheldrüse (Glandula parotis)*, der *Unterkieferspeicheldrüse (Glandula submandibularis)* und der *Unterzungenspeicheldrüse (Glandula sublingualis)* gebildet. Deren Ausführungsgänge enden in Öffnungen der Mundschleimhaut. Der Mundspeichel, dessen Viskosität von der Konsistenz der Nahrung abhängig ist, enthält neben Wasser im wesentlichen einen aus Glykoproteiden bestehenden Schleim, das Mucin, und ein Kohlenhydrate spaltendes Enzym, das Ptyalin. Ptyalin ist eine 1,4-α-Amylase, welche aus Amylose, dem ausschließlich aus 1,4-verknüpften Glucoseeinheiten bestehenden und damit linear aufgebauten Amyloseanteil der Stärke zunächst Oligosaccharide aus 6-7 Glucoseeinheiten herausspaltet (Endoamylase). Bei längerer Enzymeinwirkung werden letztere bis zum Disaccharid Maltose abgebaut. Darüber hinaus vermag die α-Amylase als Endoenzym auch verzweigtkettige Kohlenhydrate, nämlich den Amylopektinanteil der Stärke und das ähnlich aufgebaute tierische Glykogen unter Aussparung der durch zusätzliche 1,6-Verknüpfung zustandegekommenen Verzweigungsstellen im Polysaccharid zu zerlegen.

C. 2.1.3 Rachen

Der *Rachen* oder *Schlund (Pharynx)* ist in 3 Etagen angeordnet, deren obere der hinter der Nasenhöhle befindliche *Nasopharynx* oder *Epipharynx* den Atemwegen zugerechnet wird. Im mittleren Rachenraum, dem *Oropharynx* oder *Mesopharynx* kreuzen sich Atem- und Speiseweg. Beim Schluckvorgang wird durch Anheben des Gaumensegels die Verbindung zum Epipharynx, ferner durch Verschieben des *Kehlkopfes (Larynx)* und des Kehldeckels der Kehlkopfeingang geschlossen und so ein Eindringen von Nahrung in die Atemwege verhindert. Über den hinter dem Kehlkopf befindlichen *Hypopharynx* oder *Laryngopharynx* gelangt der Nahrungsbrei während des Schluckvorgangs in die Speiseröhre.

C. 2.1.4 Speiseröhre

Die *Speiseröhre (Ösophagus)* ist ein etwa 25 cm langer, zwischen Luftröhre und Wirbelsäule gelegener muskulomembranöser Schlauch mit 3 Verengungen in Höhe des Ringknorpels im Kehlkopfbereich, des Aortenbogens bzw. der Luftröhrengabelung sowie in Höhe des Zwerchfelldurchtritts.

Der Transport der geschluckten Nahrung von der Speiseröhre bis zum Enddarm erfolgt durch *vorwärtstreibende (propulsive) peristaltische* Bewegungen. Dieser Bewegungsablauf des Verdauungskanals kommt durch eine rhythmische in Transportrichtung fortschreitende Kontraktion der vorher erschlafften Ringmuskulatur des jeweiligen Hohlorgans zustande.

C. 2.1.5 Magen

Die Speiseröhre mündet am *Magenmund (Kardia)* in den Magen. Der *Magen (Ventriculus, Gaster)* befindet sich oberhalb der Bauchspeicheldrüse zwischen Leber und Milz und liegt oben der linken Zwerchfellkuppel an. Außen ist der Magen vom *Bauchfell (Peritoneum)* überzogen. Der obere, sich an die Kardia anschließende Teil wird als *Magengrund (Fundus)*, der mittlere Teil als *Magenkörper (Corpus)*, der untere sich verjüngende Teil vor dem *Magenausgang* als *Antrum* und der Schließmuskel am Übergang zum Zwölffingerdarm als *Pförtner (Pylorus)* bezeichnet. Die Magenwand wird außen durch drei jeweils quer, längs und schräg verlaufende und sich in Richtung Pförtner verstärkende glatte Muskelschichten gebildet. Sie verleihen dem Magen seine hohe Elastizität und großes Dehnungsvermögen. Die Motilität des Magens kommt durch peristaltische Kontraktionen dieser Muskelschichten zustande. Hierdurch wird die schluckweise aufgenommene Nahrung mit dem Magensaft durchmischt, homogenisiert und in den *Speisebrei (Chymus)* umgewandelt. Die den Magen auskleidende *Schleimhaut (Mukosa)* bildet ein Drüsenepithel. Der Magensaft wird in durch Epitheleinbuchtungen zustandekommenden Drüsen des Fundus und Corpusbereichs der Magenschleimhaut gebildet. Seine wesentlichen Bestandteile sind ein zäher Schleim, das *Mucin* aus den Nebenzellen, *Salzsäure* aus den Belegzellen, *Pepsinogen* – die Vorstufe proteolytischer Enzyme – aus den Hauptzellen sowie der *intrinsic factor* und verschiedene Formen des Peptidhormons *Gastrin*.

Aufgrund seines hohen Chlorwasserstoffgehalts weist der Magensaft einen stark sauren pH-Wert von 0,8 bis 1,5 auf und ist infolgedessen antimikrobiell wirksam. Die **Salzsäuresekretion** wird wie folgt erklärt:

In einem aktiven Transportprozeß wird der Wasserstoff in gebundener Form aus der neutralen Belegzelle über intrazelluläre Kanälchen in das Magenlumen geschleust und an der lumenständigen Zellmembran in ein Hydroxoniumion überführt. Das für jedes H^+-Ion in der Zelle verbleibende Hydroxidion wird durch Kohlensäure, welche mit Hilfe der Carboanhydratase aus Kohlendioxid und Wasser gebildet wird, kompensiert.

Außer Chlorwasserstoff produzieren die Belegzellen ein für die Resorption des Vitamin B_{12} unentbehrliches Glykoprotein, den *intrinsic factor*. Sein Fehlen führt zu einem schweren Erkrankungsbild des blutbildenden Systems, der **perniziösen Anämie.**

Die **proteolytischen Enzyme** des Magensafts werden in Form einer inaktiven Vorstufe des Pepsinogens in den Hauptzellen gebildet, dort in den Zymogengranula gespeichert und bei Bedarf an das Lumen abgegeben. Das inaktive Pepsinogen, ein Ge-

Selbstmedikation V/1987

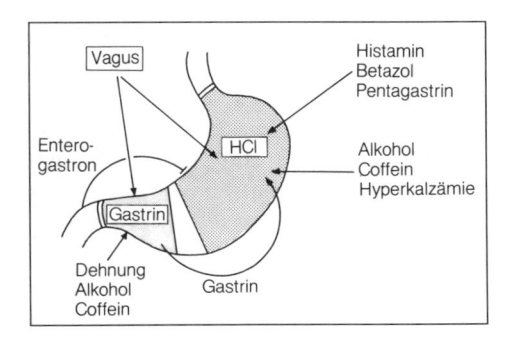

Abb. C.2.1: Funktionelle Anatomie des Magens [nach H. Hotz in: Magaldrat. Experimentelle und klinische Erfahrungen. Hrsg. R. Arnold und W. H. Häcki, Verlag C. M. Silinsky, Nürnberg, 1985.]

misch verschiedener Proteasen, wird unter dem Einfluß der Wasserstoffionen in aktives Pepsin überführt. Nach Einleitung durch H$^+$-Ionen setzt sich dieser Aktivierungsprozeß autokatalytisch fort. Pepsin ist ein Endopeptidasegemisch mit einem pH-Optimum von 1,5–2,5. Durch Spaltung der Peptidbindung zwischen einem Glutaminsäure- und Tyrosin- bzw. Phenylalaninrest bzw. einem Cystein- und Tyrosinrest innerhalb der Peptidkette vermag es hochmolekulare Proteine in Polypeptide zu zerlegen. Die Eiweißstoffe der Nahrung werden auf diese Weise im Magen partiell verdaut.

In Anwesenheit von Nahrung wird in der **gastrischen Sekretionsphase** die Magensaftsekretion durch den auf die Magenwand ausgeübten Dehnungsreiz über lokale Reflexe, ferner auf humoralem Wege über die Freisetzung der in den G-Zellen der Antrumschleimhaut gebildeten Gastrine hervorgerufen. Ein weiterer Stimulus erfolgt in der **intestinalen Sekretionsphase** über eine Gastrinausschüttung aus den G-Zellen des Dünndarms, wenn nichtsaurer Chymus den Magen verläßt. Abb. C.2.1 zeigt schematisch die funktionelle Anatomie des Magens sowie einige physiologische und pharmakologische Angriffspunkte.

Motilität, Entleerung und Sekretion des Magens werden durch parasympathische Impulse über den Nervus vagus, ferner hormonell gesteuert. Parasympatholytika haben somit eine Hemmung der Motilität und Drüsenfunktion zur Folge. Die Entleerung des Magens erfolgt periodisch. Die Verweildauer des Mageninhalts schwankt außerordentlich und ist, abgesehen von vegetativen und hormonellen Faktoren, vom pH-Wert des Speisebreis sowie seiner Viskosität und chemischen Zusammensetzung abhängig. Die unterschiedliche Verweildauer kann zu erheblichen Schwankungen im pharmakokinetischen Verhalten von Arzneimitteln, vor allem von Magensaft-resistenten Darreichungsformen und Retardpräparaten führen.

C. 2.1.6 Dünndarm

Der sich an den Magen anschließende *Dünndarm (Intestinum tenue)* erreicht eine Gesamtlänge von 3 bis 4 m. Der erste Teil, der etwa 30 cm lange *Zwölffingerdarm (Duodenum)* ist mit der Rückwand der Bauchhöhle verwachsen und umschließt in Form eines nach links geöffneten U den Kopf der Bauchspeicheldrüse. Der Ausführungsgang letzterer und der Gallengang münden in einem mit gemeinsamem *Schließmuskel (Sphinkter oddi)* versehenen Ausgang im Duodenum.

An den Zwölffingerdarm schließt sich der etwa 1,2 m lange *Leerdarm (Jejunum)* und der *Krummdarm (Ileum)* mit einer Länge von etwa 1,8 m an. Die Dünndarmschlingen sind an einer *Bauchfellduplikatur (Mesenterium)* fixiert, welche die zu- und abführenden Blutgefäße und Nerven sowie die von der Darmwand kommenden Lymphgefäße enthält. Im Dünndarm wird der im Magen gebildete Speisebrei mit Hilfe der aus der Bauspeicheldrüse der Leber und der Darmwand selbst stammenden enzymhaltigen Verdauungssäfte in resorbierbare Bestandteile zerlegt. Nicht nur wegen seiner Länge, sondern auch aufgrund seiner durch mehrfache Faltung bedingten großen Oberfläche von insgesamt 200 m^2 ist der Dünndarm die dominierende Resorptionsfläche für Nahrungsbestandteile und auch peroral verabreichter Arzneimittel. Die großen zirkulären Schleimhautfalten der Dünndarmschleimhaut werden als *Kerckringsche Falten* bezeichnet. Die zweite Stufe der Oberflächenvergrößerung wird durch die *Zotten (Villi)* gebildet, welche die Primärfaltung überlagern. Das gesamte Zottenepithel wird von Saumzellen mit feiner Ausstülpung an der lumenständigen Membran, den sogenannten *Mikrovilli* und aus schleimproduzierenden Becherzellen gebildet.

Die **Drüsen des Dünndarms** produzieren einen teils dünnflüssigen, teils hochviskösen, stark schleimhaltigen Darmsaft, insgesamt täglich etwa 1,5 Liter. Außerdem werden von bestimmten Dünndarmzellen verschiedene Peptidhormone gebildet, von denen das vornehmlich im Duodenum sezernierte *Cholezystokinin-Pankreozymin* und das im oberen Dünndarm gebildete *Sekretin* die bekanntesten sind. Ersteres bewirkt eine vermehrte Enzymsekretion in der Bauchspeicheldrüse sowie eine Entleerung der Gallenblase, letzteres stimuliert die Wasser- und Hydrogencarbonatsekretion des exokrinen Pankreas und hemmt die gastrininduzierte Säuresekretion des Magens.

C. 2.1.7 Dickdarm

Der von verdaulichen Nahrungskomponenten weitgehend befreite Speisebrei wird vom Dünndarm über die seitlich im aufsteigenden Teil des Grimmdarms befindliche *Ileozökalklappe (Valva ileocaecalis)* diskontinuierlich in den Dickdarm überführt. Der insgesamt 1,5 m lange Dickdarm besteht aus drei Abschnitten, dem *Blinddarm (Caecum)* mit dem **Wurmfortsatz (Appendix)**, dem *Grimmdarm (Kolon)* und dem *Mastdarm* oder *Enddarm (Rektum)* mit *After (Anus)*.

Der Name Blinddarm rührt daher, daß der Speisebrei aus dem Dünndarm etwas oberhalb des proximalen Endes in den Dickdarm eintritt. Dem Wurmfortsatz des Blinddarms, der nach akuten Entzündungen häufig operativ entfernt wird, kommt eine immunologische Funktion zu. Der *Grimmdarm (Kolon)* mit der Form eines umgekehrten U gliedert sich in einen *aufsteigenden (Colon ascendens)*, einen *querverlaufenden (Colon transversum)*, einen *absteigenden (Colon descendens)* und einen *S-förmigen (Colon sigmoideum)* Teil. Die Dickdarmschleimhaut ist im Gegensatz zu der des Dünndarms zottenlos und weist damit eine wesentlich kleinere Oberfläche auf. Beim Transport durch den Dickdarm wird der Speisebrei unter Rückresorption von Wasser zum *Kot (Faeces)* eingedickt, der sich im Rektum ansammelt.

Unter dem Einfluß von Dehnungsreizen bei ausreichender Füllung des Enddarms werden afferente Nervenimpulse dem im Sakralmark gelegenen *Centrum anospinale* zugeleitet. Über parasympathische efferente Bahnen kommt es daraufhin zu einer Erschlaffung des *inneren Muskelrings des Anus (Musculus sphincter ani internus)*. Die Defäkation erfolgt erst, wenn gleichzeitig der dem Willen unterworfene quergestreifte *äußere Muskelring (Musculus sphincter ani externus)* erschlafft, die Bauchmuskulatur kontrahiert und das Zwerchfell gesenkt wird *(Bauchpresse)*.

C. 2.1.8 Bauchspeicheldrüse

Die *Bauchspeicheldrüse (Pankreas)* erstreckt sich hinter dem Magen liegend, mit dem Pankreasschwanz beginnend, vom Hilus der Milz über die Wirbelsäule bis zur Schleife des Zwölffingerdarms, von der der Pankreaskopf umschlossen wird. Hier mündet auch der den Pankreas in Längsrichtung durchquerende Ausführungsgang nach Vereinigung mit dem Gallengang ins Duodenum. Der gemeinsame Ausfüh-

Anatomie und Physiologie

Tab. C.2.1: Verdauungsenzyme des Pankreas.

Aktives Enzym	Sezernierte inaktive Vorstufe	Aktivierung durch	Substrat	Katalysierte Reaktion	Endprodukt
α-Amylase			Kohlenhydrate (Amylose, Amylopektin, Glykogen)	Hydrolyse 1,4-glykosidischer Bindungen	Hexa-, Tri-, Disaccharide
Trypsin	Trypsinogen	Enteropeptidase der Darmschleimhaut, dann Autokatalyse	Eiweiß (vorwiegend denaturiertes), Polypeptide	Hydrolyse innerer Peptidbindungen an Lysyl- und Arginylresten (Endopeptidase)	Poly- und Oligopeptide
Chymotrypsin	Chymotrypsinogen	Trypsin	wie Trypsin	Hydrolyse innerer Peptidbindungen bevorzugt aromatischer Aminosäuren (Endopeptidase)	Wie Trypsin
Carboxypeptidase			Peptide	Abspaltung einer C-terminalen Aminosäure (Exopeptidase)	Aminosäuren
Lipase		Wirkung in Gegenwart von Gallensäuren	Lipide	Hydrolyse von Glycerolestern	Glycerol, Fettsäuren, Di- und Monoglyceride
Phospholipase			Phosphatide wie Lecithin	Hydrolyse von Glycerolesterbindungen der Phosphatide	Glycerol, Fettsäuren, Phosphorylcholin
Ribonuklease			Ribonukleinsäuren	Hydrolyse von 5'-Phosphoesterbindungen	Uridin-3'-phosphat, Cytidin-3'-phosphat, Oligonucleotide
Desoxiribonuklease			Desoxiribonukleinsäuren	3'-Phosphoesterbindungen	Oligonucleotide

rungsgang wird durch einen aus glatter Muskulatur bestehenden *Schließmuskel (Sphincter oddi)* zum Zwölffingerdarm hin verschlossen.

Der Pankreas hat sowohl **endokrine** (Produktion der Peptidhormone Glukagon und Insulin in den A- bzw. B-Zellen der Langerhansschen Inseln) als auch **exokrine** Funktionen. Der exokrine Teil des Pankreas ist maßgeblich an der Verdauungsleistung des Gastrointestinaltrakts beteiligt. Teils unter parasympathischem Einfluß, teils hormonell gesteuert werden in den Acinuszellen des Pankreas täglich etwa 2 l eines schwach alkalisch reagierenden Verdauungssekrets, der Bauchspeichel, produziert. Der pH-Wert von 8,0–8,4 beruht auf dem hohen Hydrogencarbonatgehalt des Pankreassekrets. Zusammen mit der ebenfalls schwach basisch reagierenden Gallenflüssigkeit neutralisiert der Bauchspeichel den vom Magen kommenden sauren Speisebrei und schafft somit einen für den weiteren enzymatischen Abbau optimalen pH-Wert von 7 bis 8.

Die **Enzyme des Pankreas** werden in den Acinuszellen gebildet, in deren Zymogengranula gespeichert und auf humoralem Wege durch das im Duodenum gebildete Hormon Cholecystokinin-Pankreozymin freigesetzt. Das im oberen Dünndarmabschnitt produzierte Secretin hingegen ist für die Sekretion von Hydrogencarbonat und Wasser verantwortlich.

Die im Pankreassaft enthaltenen Verdauungsenzyme werden teils in aktiver Form, teils als inaktive Vorstufen sezerniert. Letzteres gilt beispielsweise für die proteolytischen Enzyme, so daß das Drüsengewebe vor Selbstverdauungsprozessen geschützt ist.

Eine **Übersicht** über die im Bauchspeichel enthaltenen Verdauungsenzyme und deren Funktionen zeigt Tab. C.2.1.

Mit Hilfe der im Pankreas sowie von der Dünndarmschleimhaut produzierter Enzyme wird der durch Speichel und Magensaft vorverdaute Speisebrei in resorbierbare niedermolekulare Abbauprodukte zerlegt.

C. 2.1.9 Abbau und Resorption der Nahrungsbestandteile

Kohlenhydrate

Die α-*Amalysen* des Speichels und Bauspeichels spalten ausschließlich 1,4-α-glukosidische Bindungen der Kohlenhydrate. Die linear aufgebauten Amylosemoleküle der Stärke werden hierbei zu Hexa-, Tri- und Disacchariden abgebaut. Die 1,6-α-glukosidischen Verzweigungsstellen des Amylopektins und des tierischen Glykogens werden durch α-Amylasen nicht angegriffen. Sie werden durch *1,6-α-Glukosidasen*, welche vom Bürstensaum der Enterozyten in der Darmschleimhaut gebildet werden, gespalten. Ebenso werden Lactose, Maltose und Saccharose durch von der Darmschleimhaut sezernierte Disaccharidasen in die entsprechenden resorbierbaren Monosaccharide zerlegt. Die Monosaccharide gelangen nach Resorption durch die Darmschleimhaut über die Pfortader zur Leber. Für die Resorption der *Glucose* existiert ein aktiver Transportmechanismus, durch den wahrscheinlich auch Galaktose resorbiert wird, während die Aufnahme *anderer Hexosen und Pentosen* durch passive Diffusion durch die Darmwand ins Blut gelangen.

Eiweiße

Eiweiße werden zunächst durch *Endopeptidasen* des Magensaftes (Pepsin) und der Bauchspeicheldrüse (Trypsin, Chymotrypsin) zu kleineren Peptidbruchstücken und letztere durch die *Exopeptidasen* des Pankreas und der Darmschleimhaut in die resorbierbaren Aminosäuren zerlegt. Für die Resorption der Aminosäuren sind vier verschiedene stereospezifische Transportmechanismen bekannt.

Fette

Im Gegensatz zu den Kohlenhydraten und Eiweißen beginnt der Abbau der Fette erst unter Einwirkung der Galle und des Bauchspeichels im Duodenum. Die in der Nahrung vorliegenden Triglyceride werden zunächst mit Hilfe der oberflächenaktiven Gallensäuren emulgiert und in dieser fein dispergierten Form durch die Pankreaslipase im wesentlichen in freie Fettsäuren und Glycerin gespalten. Die gebildeten Fettsäuren aggregieren mit den nicht vollständig hydrolysierten Glyceriden und Gallensäuren zu kugelförmigen Gebilden mit einem Durchmesser von etwa 5 µm, den *Mizellen*, welche in die Enterozyten der Darmschleimhaut aufgenommen werden. Dort werden die langkettigen Fettsäuren mit mehr als 12 C-Atomen zu Triglyceriden verestert. Letztere umgeben sich mit einer Proteinhülle und bilden die *Chylomikronen*. In Form dieser Chylomikronen werden sie auf dem Lymphwege weitertransportiert. Die kurzkettigen Fettsäuren gelangen in freier Form über die Pfortader auf dem Blutwege zur Leber.

Nukleinsäuren

Ribonukleinsäuren und Desoxyribonukleinsäuren werden durch Ribonuklease bzw. Desoxyribonuklease des Pankreas zu Oligonukleotiden zerlegt. Während die Desoxyribonuklease die 3'-Phosphoesterbindung der Desoxyribonukleinsäuren hydrolysiert, spaltet die Ribonuklease ausschließlich 5'-Phosphodiestergruppen, die von Pyrimidin-3'-nukleotiden ausgehen. Die durch Ribonuklease und Desoxyribonukleasen entstehenden Oligonukleotide werden durch Phosphomonoesterasen, z. B. die alkalische Phosphatase des Dünndarms, weiter zerlegt.

C. 2.1.10 Leber, Gallengänge, Gallenblase

Die *Leber (Hepar)* ist mit einem durchschnittlichen Gewicht von 1500 g die größte Drüse des menschlichen Körpers. Sie liegt im oberen Bauchraum und besteht aus einem großen rechten und einem kleineren linken Lappen. Die Oberfläche der Leber liegt dem *Bauchfell (Peritoneum)* an und ist mit diesem teilweise verwachsen. Eine Besonderheit im Vergleich zu anderen Organen ist die Versorgung der Leber durch zwei getrennte Gefäßsysteme. Das sauerstoffreiche Blut gelangt über die *Leberarterie (Arterie hepatica)* in die Leber. Außerdem wird venöses und mit Nährstoffen beladenes Blut aus den unpaaren Bauchorganen Magen, Dünn- und Dickdarm, Bauchspeicheldrüse und Milz über das *Pfortadersystem (Vena portae)* zur Leber transportiert. Das zugeführte Blut wird über das Gefäßnetz bis zu den kleinsten funktionellen Einheiten, den *Leberläppchen (Lobuli hepatis)*, unregelmäßig aus radiär stehenden Zellplatten aufgebauten zylindrischen Gebilden von 1–2 mm Größe transportiert. Das Blut strömt von außen zum Inneren der Leberläppchen, wo es in einer kleinen *Zentralvene* gesammelt und über die *Lebervenen (Venae hepaticae)* und die unter Hohlvene *(Vena cava inferior)* zum Herzen geleitet wird. Das Exkretionsprodukt der *Leberzellen (Hepatozyten)*, die Galle, wird *Gallenkanälchen (Canaliculi)* zugeführt, deren Ursprung wie das der kleinen Zentralvene im Zentrum der Leberläppchen liegt. Von dort aus strömt die Galle stets dem Blutstrom entgegengerichtet, über das Gallenkapillarsystem dem rechten und linken *Abführungsgang (Ductus hepaticus)* zu.

Die *Gallenblase (Vesica fellea)* ist über den *Gallenblasengang (Ductus cysticus)* mit dem von der Leber kommenden Gallengang verbunden und dient als Speicherorgan für die Galle. Auf dem Wege von den Gallenkapillaren zur und in der Gallenblase wird die Galle unter Rückresorption von Wasser und Elektrolyten eingedickt und enthält dann als gelöste Hauptbestandteile Gallensäuren, Phospholipide, Cholesterin und Gallenfarbstoffe. Unter dem Einfluß von Cholezystokinin-Pankreozymin wird die Galle durch Kontraktion der Gallenblase aus ihrem Speicherorgan entleert und über den Gallenblasengang und den *Galle führenden Gang (Ductus choledochus)*, in welche Ductus cysticus und Ductus hepaticus gemeinsam münden, durch den Sphincter oddi dem Duodenum zugeleitet.

C. 2.2 Pathophysiologie des Verdauungstrakts

C. 2.2.1 Erkrankungen der Lippen und Mundhöhle

Herpes labialis

Zu den verbreitetsten Viruserkrankungen gehören die durch das Virus Herpes simplex Typ 1 ausgelösten Infektionen des Haut- und Schleimhautbereichs. Herpes-simplex-Typ-1-Infektionen sind weltweit außerordentlich verbreitet, in der Bundesrepublik Deutschland wird der Durchseuchungsgrad der erwachsenen Bevölkerung mit 80–90% angegeben, wobei klinische Symptome allerdings nicht bei allen Infizierten in Erscheinung treten. Bevorzugter Ort für die klinische Manifestation der Infektion sind die Lippen (Herpes labialis, Lippenbläschen). Da die Rezidive häufig in Verbindung mit anderen fieberhaften Erkrankungen einhergehen, hat der Volksmund auch den Begriff der „Fieberbläschen" geprägt.

Herpes simplex Virus Typ 1 (HSV 1) gehört innerhalb der DNA-Viren zur Subfamilie der Alphaherpesviridae, welche neben HSV 1 und HSV 2 auch Varicell-Zoster-Virus, den Erreger der Windpocken und der Gürtelrose beinhaltet.

Herpes simplex Typ 1-Virus wird in Form einer Schmier- und Tröpfcheninfektion übertragen, wobei der Erstkontakt meist bereits im Säuglings- oder frühen Kindesalter erfolgt. Die Erstmanifestation kann inapparent verlaufen, sie kann aber auch mit schwerer Allgemeinsymptomatik wie Fieber, Virämie, regionaler Lymphknotenschwellung verbunden mit einem starken Krankheitsgefühl einhergehen. Ein typisches Bild der Erstmanifestation ist die Gingivostomatitis herpetica (synonym Gingivostomatitis aphthosa) mit multiplen schmerzhaften Aphthen an der Wangen- und Rachenschleimhaut, die nach einer Inkubationszeit von zwei bis zwölf Tagen auftreten. Seltener tritt die Erstinfektion erst im Erwachsenenalter auf.

Die Viren gelangen über Läsionen der Lippen oder über die Schleimhäute der Mundhöhle, z.B. nach einem Kuß in den Organismus und wandern über die Axone der Nervenzellen zum Ganglion gasseri des Nervus trigeminus, wo sie wie auch in den betroffenen Hautarealen persistieren. Bei einer Überlastung des Immunsystems können die persistierenden Viren reaktiviert werden, wobei sie aus ihrem Verweilort in umgekehrter Richtung in die assoziierten Hautareale wandern und dort die typischen gruppiert angeordneten, zunächst klaren, später gelblichen Bläschen verursachen. Die Bläschen heilen unter Krustenbildung innerhalb von drei bis zehn Tagen wieder ab. In der akuten Phase der Vesikelbildung ist die Infektionsgefahr am größten, da sich die Viren in den Vesikeln explosionsartig vermehren. Rezidive werden meist durch eine Schwächung des Immunsystems ausgelöst. Auslösende Faktoren können sein:
- intensive Sonneneinstrahlung (Höhenluft, Schnee, Strand)
- körperliche Überanstrengung
- Fieber
- Ekel
- hormonelle Einflüsse (Menstruation, Schwangerschaft).

Anzeichen eines sich ankündigenden Rezidivs sind Juckreiz, Schmerz, Rötung und Schwellung der betroffenen Areale. Je früher in diesem Prodromalstadium mit einer antiviralen Therapie begonnen wird, um so größer ist die Erfolgsaussicht.

Schrunden oder Rhagaden sind kleine, aber oft schmerzhafte Risse in der Haut, insbesondere in der Umgebung von Körperöffnungen wie beispielsweise an den Lippen.

Entzündliche Veränderungen der Schleimhäute im Bereich der Mundhöhle

Entzündungen im Bereich der Mundhöhle können lokal begrenzt oder großflächig auftreten. Je nach Lokalisation lassen sich eine Mundschleimhautentzündung (**Stomatitis**), eine Zahnfleischentzündung (**Gingivitis**), eine **Gingivostomatitis**, bei der beide Schleimhäute betroffen sind, und eine Zungenschleimhautentzündung (**Glossitis**) unterscheiden. Die Ätiologie der genannten Erkrankungen kann sehr unterschiedlich sein. So kommen mangelhafte Mundhygiene, Nikotin- bzw. Alkoholmißbrauch, mechanische Reize (etwa durch schlecht sitzende Prothesen), chemische und allergische Reaktionen, mangelhafte Ernährung (Hypovitaminosen) oder Infektionen als Ursache in Betracht. Die stets anzustrebenden kausalen Therapieansätze sind somit sehr verschieden, während eine Beseitigung bzw. Linderung der Symptome stets durch eine Lokalbehandlung mit Antiphlogistika, Adstringentien oder Lokalanästhetika erreicht wird.

Aphthen

Aphthen sind runde oder ovale bis linsengroße isoliert (nicht rezidivierend) oder vermehrt (mit Rezidivbildung) auftretende, nicht ansteckende Erosionen der Schleimhaut mit gelblichem Belag und rotem Randsaum. Aphthen können traumatisch, infektiös oder durch gastrointestinale Störungen bedingt sein.

Mundsoor

Soor ist eine durch zur Gruppe der Hefepilze gehörende Candidaart hervorgerufene Pilzinfektion, welche die Haut und Schleimhäute befällt. Der *Mundsoor (Schwämmchen, Soor-Stomatitis)* tritt vor allem im Säuglingsalter, bei Diabetikern sowie bei kachektischen (ausgezehrten) oder immunsuppressiv behandelten Patienten auf und bildet weißliche, stippchen- bis flächenförmige Beläge auf der geröteten Schleimhaut von Zunge, Gaumen und Zahnfleisch.

Inappetenz

Appetitlosigkeit (Inappetenz, Anorexie) ist zwar keine Erkrankung des Verdauungsapparates, kann aber durch solche bedingt sein. Daneben gibt es eine Vielzahl weiterer Ursachen, zu denen bestimmte Pharmaka (zentral wirksame Sympathomimetika, Opiate, Herzglykoside, Antibiotika und hohe Dosen von Vitamin D), Infektions- und Tumorerkrankungen sowie psychische Faktoren gehören. Schwerere Formen der Inappetenz bedürfen daher stets einer gründlicheren Diagnose. Dies gilt in besonderem Maße für die besonders bei pubertierenden Mädchen sich häufende psychisch bedingte **Anorexia nervosa**, die wegen der Nahrungsverweigerung zu bedrohlichen Situationen führen kann.

C. 2.2.2 Erkrankungen des Gastrointestinaltrakts

Refluxerkrankungen der Speiseröhre

Von Refluxerkrankungen spricht man, wenn der Rückfluß von Magen- oder Darminhalt in die Speiseröhre das normale physiologische Maß überschreitet und damit Beschwerden verursacht.

Refluxerscheinungen treten vorwiegend innerhalb der ersten drei Stunden nach einer Mahlzeit auf. Als pathologisch werden Refluxerscheinungen dann angenommen, wenn der pH-Wert des *Regurgitats* (zurückfließender Magen- oder Darminhalt) unter 4 sinkt, die Gesamtrefluxdauer 100 Minu-

Pathophysiologie

ten innerhalb 24 Stunden überschreitet und der Reflux auch tagsüber in der Nüchternphase sowie in der zweiten Nachthälfte nachweisbar ist.

Häufig werden Refluxbeschwerden bei **Hiatushernien (Zwerchfellbrüchen)** und in der **Gravidität** beobachtet. Weitere wichtige Ursachen bzw. pathogenetische Faktoren sind eine Schwäche des *Ösophagussphinkters* (Schließmuskel der Speiseröhre am Mageneingang), Störungen der Magenentleerung, eine verminderte Selbstreinigung der Speiseröhre sowie eine unzureichende Schutzfunktion der Ösophagusschleimhaut. Von einer alkalischen Refluxösophagitis spricht man, wenn die Beschwerden nicht durch sauren Magensaft, sondern durch den bereits neutralisierten galle- und lysolecithinhaltigen Dünndarminhalt verursacht werden. Letzteres wird häufig nach Magenresektionen beobachtet.

Für die Beratung des Patienten ist wichtig zu wissen, daß Nikotin- und Alkoholabusus, fettreiche Kost, Übergewicht und psychische Belastung Refluxerkrankungen fördern.

Die Symptomatik der Refluxerkrankungen reicht von leichten Beschwerden wie Sodbrennen („saures" Aufstoßen) über eine Reizung oder ausgeprägte Entzündung der Speiseröhre (Ösophagitis) bis zu ulzerösen (geschwürartigen) Veränderungen und möglicherweise malignen Entartungen.

Reizmagen

Eine funktionelle nervös bedingte Erkrankung des Magens ohne nachweisbare organische Veränderungen wird als *Reizmagen (Gastropathia nervosa, Dyspepsie)* bezeichnet. Die Erkrankung äußert sich in einem Druckgefühl oder Schmerz in der Magengegend, Völlegefühl, Übelkeit, Appetitlosigkeit und Meteorismus (s. unten). Der Reizmagen kann außer durch Erkrankungen anderer viszeraler Organe durch schlechte Eßgewohnheiten wie zu hastiges Essen, ungenügendes Kauen der Nahrung, durch zu reichliche oder fette Nahrung, durch Mißbrauch von Nicotin, Alkohol oder Kaffee oder psychisch bedingt sein. Der Beseitigung der Ursachen kommt bei der Therapie des Reizmagens somit eine besondere Bedeutung zu.

Magenschleimhautentzündung

Entzündungen der Magenschleimhaut (Gastritiden) können akut und chronisch verlaufen. Die **akute Gastritis** tritt beispielsweise nach übermäßigem Alkoholgenuß oder der Einwirkung anderer exogener Noxen wie Säuren, Alkalien (Ätzgastritis) oder nach die Schleimhaut irritierenden Pharmaka wie Acetylsalicylsäure auf. Bei der hämorrhagisch-erosiven Form treten punktförmige Blutungen auf. Ferner kommt es zu Erweiterungen der die Magenschleimhaut versorgenden Blutgefäße. Die beobachteten Gewebsschädigungen werden möglicherweise durch eine Schädigung der Schleimhautbarriere für Hydroxoniumionen verursacht. Normalerweise heilt die akute Gastritis nach Entfernung der irritierenden Noxe innerhalb kurzer Zeit rezidivfrei aus.

Bei der **chronischen Gastritis** wird eine *Immungastritis* mit einer Antikörperbildung gegen bestimmte Zellen der Mukosa des Magens von einer *Refluxgastritis* unterschieden, welche auf eine Funktionsschwäche des Pylorus und einen hierdurch bedingten Rückstrom des gallensäurehaltigen Chymus in den Magen zurückgeführt wird.

Ulkuskrankheit

Im Gegensatz zur Gastritis liegt bei dem Magengeschwür **(Ulcus ventriculi)** oder Zwölffingerdarmgeschwür **(Ulcus duodeni)** ein lokal begrenzter, in tiefere Gewebsschichten vordringender Defekt der betreffenden Schleimhaut vor, bei welchem die glatte Muskelschicht unterhalb der Schleimhaut (Muscularis mucosa) durchbrochen wird.

Das Ulcus duodeni tritt häufiger auf als das Ulcus ventriculi. Beide werden öfter bei Männern als bei Frauen beobachtet. Magengeschwüre werden im wesentlichen auf eine Schwächung der protektiven Mechanismen der Schleimhaut zurückgeführt. Meist geht ihnen eine chronische Gastritis mit verminderter Schleimproduktion und hieraus resultierender verminderter Widerstandskraft gegen die aggressiven Agenzien des Magensafts Pepsin und Salzsäure voraus. Die Säuresekretion selbst ist beim Ulcus ventriculi in der Regel vermindert. Dem Rückfluß gallensäurehaltigen Duodenalinhalts wird bei der Entstehung des Magengeschwürs ebenfalls eine zentrale Rolle zugeschrieben.

Ferner kommt einer Reihe von Pharmaka wie den antiphlogistisch wirkenden Prostaglandinhemmern und den Glucocorticoiden eine ulzerogene Wirkung zu.

Im Gegensatz zum Magengeschwür ist beim Zwölffingerdarmgeschwür die Säuresekretion des Magens bei meist verminderter Hydrogencarbonatproduktion der Bauchspeicheldrüse erhöht. Die Salzsäureüberproduktion wird als ein entscheidender Faktor bei der Entstehung des Ulcus duodeni angesehen. Ferner können ein erhöhter Tonus des Parasympathikus sowie emotionale Belastungen an der Ulzerogenese beteiligt sein.

Malabsorptionssyndrom

Unter dieser Bezeichnung werden Störungen der Aufnahme von Nahrungsbestandteilen aus dem Darm zusammengefaßt. Typisches Symptom des Malabsorptionssyndroms ist eine vermehrte Fettausscheidung mit dem Stuhl. Ursachen für eine verminderte intestinale Nahrungsaufnahme sind einerseits pathologische Veränderungen bzw. eine Verminderung der Resorptionsfläche der Darmschleimhaut (**Malabsorption** im engeren Sinne) oder ein unzureichender Nahrungsabbau (**Maldigestion**). Ursachen für eine Maldigestion können ein Enzymmangel (z.B. Pankreasinsuffizienz), Störungen des Gallensäurenmetabolismus oder eine beschleunigte Nahrungspassage, etwa nach Magenoperationen, sein.

Obstipation

Eine zu seltene, erschwerte Stuhlentleerung, die Obstipation, beruht entweder auf einer Störung des Defäkationsmechanismus oder aber auf einer verzögerten Darmpassage. Letztere kann sehr verschiedene Ursachen haben. Als solche kommen in Betracht: unausgewogene Ernährung mit ballaststoffarmer Nahrung, chronisch-entzündliche Darmerkrankungen, Tumoren, Pharmaka mit spastisch obstipierender Wirkung (Opiate), Pharmaka mit tonusmindernder Wirkung (Anticholinergika, muskulotrope Spasmolytika). Obstipationen mit gestörtem Defäkationsmechanismus kommen u.a. bei Analerkrankungen wie Hämorrhoiden oder Analfissuren vor.

Diarrhö

Bei den Durchfallerkrankungen, die durch eine Entleerung breiartiger bis wäßriger Stühle gekennzeichnet sind, ist zwischen **akuten** und **chronischen Diarrhöen** zu unterscheiden. Erstere entsteht durch die Einwirkung exogener Noxen mikrobieller oder anderer Provenienz. Zur letzteren gehören Schwermetalle, Alkohol im Übermaß und Pharmaka wie Laxantien, Herzglykoside, Zytostatika oder Antibiotika, welche durch Schädigung der physiologischen Darmflora zu Durchfällen führen. Infektiöse Diarrhöen werden durch Bakterien, Pilze, Viren oder Parasiten verursacht.

Akute Diarrhöen verschwinden in der Regel wieder innerhalb kurzer Zeit nach Entfernung der exogenen Noxen. Die Symptome können jedoch so schwerwiegend sein, daß eine Behandlung unbedingt notwendig wird. Ein kritischer Faktor bei starken Durchfallerkrankungen ist der Verlust großer Flüssigkeitsmengen mit hieraus resultierender vermehrter Elektrolytausschei-

Tab. C.2.2: Häufige Erreger infektiöser Diarrhöen.

Invasive Erreger	Nichtinvasive Erreger
– Salmonellen – Yersinien – Campylobacter – Shigellen – Invasive Stämme von Escherichia coli – Amöben	– Choleraerreger – Nichtinvasive Stämme von Escherichia coli

dung. Flüssigkeits- und Elektrolytersatz ist daher eine wichtige therapeutische Maßnahme bei der Behandlung akuter Diarrhöen.

Bei den infektiös bedingten Durchfallerkrankungen wird aus klinischer Sicht zwischen einer durch nichtinvasive Erreger verursachten **diarrhöischen Form** und einer von invasiven Erregern hervorgerufenen **dysenterischen Form** unterschieden. Erstere ist gekennzeichnet durch profuse wäßrige Durchfälle mit entsprechenden Folgeerscheinungen für den Gesamtorganismus. Die Mehrzahl der eine Diarrhö auslösenden Bakterien sind Enterotoxin –, z. T. Ektotoxinbildner. Die von den Mikroorganismen gebildeten Toxine werden von Rezeptoren des Bürstensaums der Darmepithelzellen im oberen Dünndarm gebunden und veranlassen die Zelle zu vermehrter Sekretion von Elektrolyten und Wasser in das Darmlumen. Bei dieser nichtinvasiven Form kommt es zu keiner Zerstörung des Darmepithels.

Bei der *dysenterischen Form* der Diarrhö kommt es hingegen zu einer Erregerinvasion durch die Darmmukosa. Sie führt zu einer Hypermotilität des Darmes und zu einer Endotoxinabgabe aus den Bakterien mit starken lokalen und systemischen Wirkungen. Die unter der Epithelschicht befindliche Bindegewebsschicht (Lamina propria mukosa) ist stets entzündet. Manche Erreger (z.B. Shigellen) bewirken zudem eine Zerstörung der Epithelschicht. Klinisches Symptom der invasiven dysenterischen Form der akuten Diarrhö sind schleimig-blutige Durchfälle, verbunden mit krampfartigen Schmerzen. Eine Übersicht über Erregertypen diarrhöischer und dysenterischer infektiöser Darmerkrankungen gibt Tabelle C.2.2.

Die **chronische Diarrhö** kann ebenfalls infektiös bedingt sein, meist ist sie jedoch, sofern kein Laxantienmißbrauch vorliegt, Folge zum Teil schwerwiegender Erkrankungen des Gastrointestinaltrakts. Sie bedarf deshalb stets einer sorgfältigen diagnostischen Abklärung.

Meteorismus

Eine abnorme Ansammlung von Gasen in Darm oder Bauchhöhle wird als *Blähsucht (Meteorismus, Flatulenz)* bezeichnet. Meteorismus kann durch psychisch bedingtes vermehrtes Schlucken von Luft (Aerophagie), durch organisch behinderten Gasabfluß aus dem Darm, durch verminderte Gasresorption aus dem Darm oder durch vermehrte bakterielle Gasbildung im Darm zustandekommen. Symptome des Meteorismus sind Druck- und Völlegefühl bis zu kolikartigen Schmerzen, gelegentlich auch pektanginöse Herzbeschwerden (Roemheldscher Symptomenkomplex).

C. 2.2.3 Erkrankungen der Anhangsorgane des Verdauungstrakts

Erkrankungen der Bauchspeicheldrüse, der Leber und der Gallenblase sind meist schwerwiegender Natur und bedürfen der ärztlichen Betreuung. Da jedoch nichtverschreibungspflichtige Arzneimittel zumindest als Adjuvantien sonstiger therapeutischer Maßnahmen eine Rolle spielen, werden einige Leber- und Gallenblasenerkrankungen in Kurzform besprochen.

Hepatitis

Unter der Bezeichnung **akute Hepatitis** werden alle entzündlichen Erkrankungen der Leber zusammengefaßt. Die ihnen zugrundeliegenden Leberzellschädigungen können durch chemische Noxen wie Alkohol, halogenierte Lösungsmittel, Pilzgifte und Arzneimittel oder infektiös durch Viren, Bakterien, Protozoen oder Parasiten hervorgerufen werden. Die wichtigsten Formen der Hepatitiden sind die viral bedingte Hepatitis A und B. Die **Virus-A-Hepatitis (Hepatitis epidemica)** wird indirekt durch Trinkwasser und verseuchte Nahrungsmittel übertragen oder durch direkten Kontakt mit Infizierten. Die Inkubationszeit beträgt 6 Tage bis 6 Wochen. Die **Virus-B-Hepatitis (Serumhepatitis)** hingegen wird meist parenteral, vorwiegend bei der Infusionstherapie übertragen. Ihr Verlauf ist in der Regel schwerer als bei der Virus-A-Hepatitis.

Beide Erkrankungen beginnen mit zunächst uncharakteristischen Symptomen (Prodromalstadium) wie Abgeschlagenheit, Inappetenz, Übelkeit, Kopf- und Gliederschmerzen, Obstipation, Diarrhö, Juckreiz u.a. Am Ende des Prodromalstadiums färbt sich der Urin dunkel, während sich der Stuhl entfärbt. Charakteristisches Symptom der akuten Hepatitis ist die Gelbfärbung der Haut und der Skleren des Auges, die *Gelbsucht (Ikterus)*, welche durch die unzureichende Bilirubinkonjugationsfähigkeit der Leberzellen und die hieraus resultierende Bilirubinanreicherung in Blut und Gewebe zustandekommt.

Bei der **chronischen Hepatitis,** bei der wie auch bei der akuten im Gegensatz zur Leberzirrhose die Leberläppchen zwar entzündet, jedoch in ihrer Struktur erhalten sind, werden zwei Formen, die *chronisch-persistierende Hepatitis* und die *chronisch-aggressive Hepatitis*, unterschieden. Bei ersterer liegt eine geringfügige Leberentzündung vor, die über Monate oder Jahre bestehen bleibt und dann in der Regel von selbst ausheilt. Die relativ harmlosen Symptome sind Inappetenz, Müdigkeit, Leistungsschwäche sowie unklare Abdominalbeschwerden.

Die chronisch-aggressive Hepatitis geht bei zunächst qualitativ vergleichbarer, aber stärkerer Symptomatik allmählich in eine Leberzirrhose über.

Leberzirrhose

Im Gegensatz zur Hepatitis liegt bei der Leberzirrhose keine entzündliche Veränderung, sondern meist als deren Folge eine Zerstörung des Leberparenchyms vor. In Folge dieses nekrotischen Prozesses kommt es zur Narbenbildung und Bindegewebsvermehrung anstelle funktioneller Leberzellen, womit die Stoffwechselleistung der Leber allmählich abnimmt bzw. verlorengeht. Häufigste Ursache für Lebernekrosen ist der Alkoholmißbrauch. Man kann davon ausgehen, daß der Dauergenuß von mindestens 60 g Alkohol pro Tag eine Leberzirrhose zur Folge hat. Weitere Ursachen sind mechanische Verschlüsse der Gallenwege, Herzinsuffizienz sowie Infektionskrankheiten, u.a. Virushepatitis.

Gallensteine

Gallensteine (Cholelithiasis) entstehen als Folge von Entzündungen bzw. Stauungen in den Gallenwegen oder eines zu hohen Cholesterolspiegels. Die Steine bestehen hauptsächlich aus Cholesterol, Bilirubin, Fettsäuren und Calciumcarbonat bzw. deren Gemisch. Falls die Gallensteine nicht symptomlos toleriert werden (stumme Steine), werden Oberbauchbeschwerden wie Völlegefühl, Blähungen, Aufstoßen, Fettunverträglichkeit und bei akutem Verschluß der Gallengänge spastische Schmerzen *(Gallenkolik)* beobachtet.

Cholezystitis, Cholangitis

Entzündliche Veränderungen der Gallenblase werden als **Cholezystitis**, solche der Gallengänge als **Cholangitis** bezeichnet. Akute und chronische Form der Cholezystitis bzw. Cholangitis sind meist Folge einer durch Gallensteine verursachten partiellen oder zeitweise (intermittierend) auftretenden Verlegung der Gallenwege. Cholezystitiden und Cholangitiden führen zu unspezifischen Beschwerden in der rechten Oberbauchgegend.

C. 5 Uro-Genitalbereich

Von J.-M. Sand

C. 5.1 Aufbau der Niere

Die beiden zwischen hinterer Bauchwand und Peritoneum (Bauchfell) liegenden Nieren haben annähernd bohnenförmige Gestalt, einen Längsdurchmesser von etwa 12 cm und einen Querdurchmesser von etwa 5–6 cm. In der Mitte der konkaven Krümmung befindet sich der **Hilus (Nierenpforte)** mit versorgenden und ableitenden Blut- und Lymphgefäßen und Nerven.

Die Nieren bestehen aus einer *Rinden-*

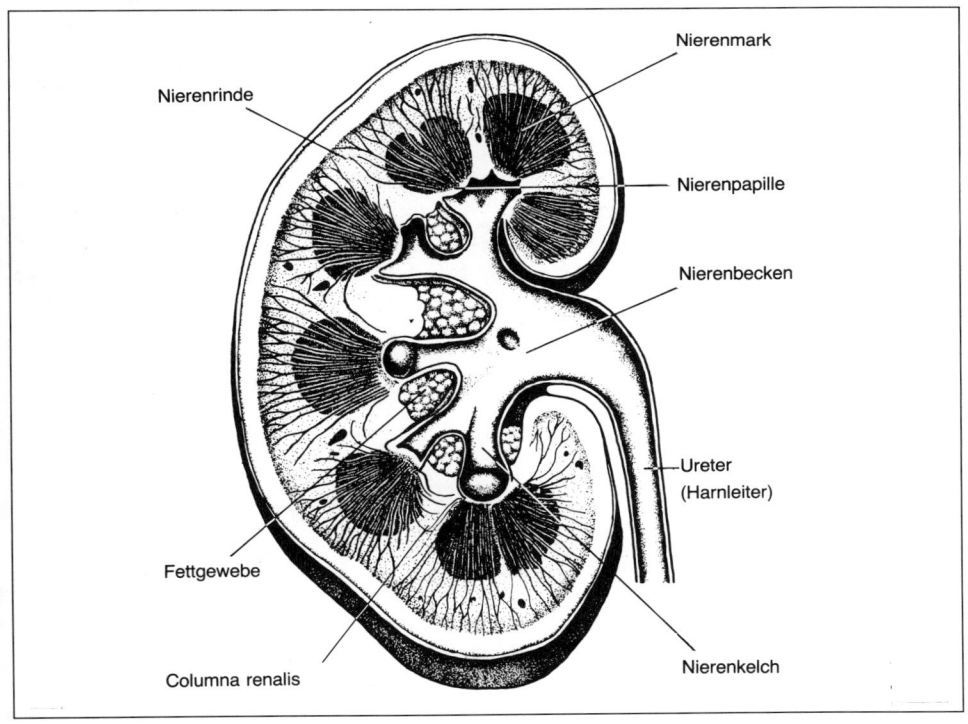

Abb. C.5.1: Rechte Niere mit Schnitten in mehreren Ebenen.

und einer *Markregion*. Sie setzen sich beim Menschen aus jeweils 8–10 pyramidenförmigen Lappen zusammen, deren Spitzen als Markpapillen ins Nierenbecken gerichtet sind. Die Markpapillen sind von schlauchförmigen Nierenkelchen überzogen, die den Harn auffangen und in das Nierenbecken leiten. (Abb. C.5.1)

Die kleinste morphologische und funktionelle Einheit der Nieren bildet das **Nephron**, in dem die Harnkonzentrierung stattfindet. Eine menschliche Niere von 150 g Gewicht enthält 1 bis 1,2 Millionen dieser Nephrone.

C. 5.1.1 Nephron

Das Nephron besteht aus dem *Glomerulum (Nierenkörperchen)*, in welchem durch Filtration der Blutflüssigkeit der Primärharn gebildet wird und dem *Tubulusapparat*, dem Ort der Harnkonzentrierung. Mehrere Tubuli münden in der Nierenrinde in einem Sammelrohr. Der **Glomerulus** wird aus Kapillarschlingen, die aus der afferenten Arteriole hervorgehen und in das Vas efferens einmünden, sowie aus der zweiblättrigen *Bowmanschen Kapsel* des Tubulusepithels gebildet. Je nach Ort unterscheidet man kortikal (in der Außenrinde) und juxtaglomerulär (zwischen den Markpyramiden) gelegene Glomeruli.

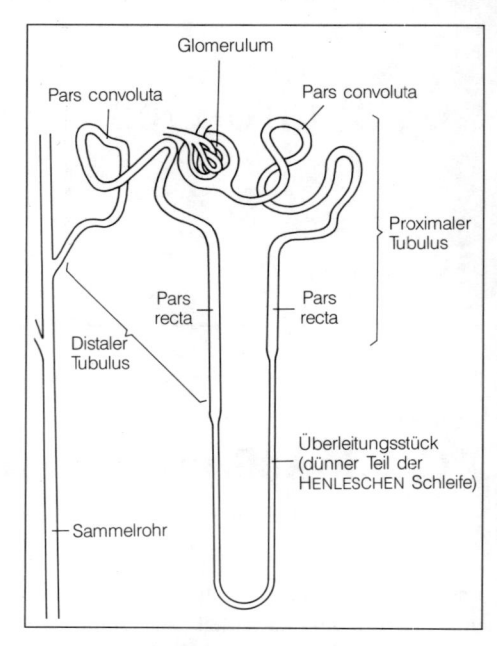

Abb. C.5.2: Nephron in schematischer Darstellung

Der **Tubulus** beginnt mit der stark verknäuelten Pars convoluta, gefolgt von einer gestreckt verlaufenden Pars recta, die in die Markzone absteigt. Beide zusammen bilden den proximalen Tubulus. An ihn schließt sich die haarnadelförmig gebogene **Henlesche Schleife** an, deren aufsteigender Schenkel in den aufsteigenden dicken Schenkel (Pars recta) des distalen Tubulus übergeht. Ihm folgt die relativ kurze Pars convoluta des distalen Tubulus. (Abb. C.5.2)

C. 5.2 Nierenfunktion

Die Nieren üben eine Klärfunktion für alle harnpflichtigen Substanzen (Harnstoff, Harnsäure, Kreatinin, Fremdstoffe) aus. Weiterhin dienen sie zur Regulation des Elektrolyt- und Wasserhaushalts und sind Bildungsstätte von zwei enzymatischen Wirkstoffen (Renin und Erythropoetin). Die Ausscheidung von Stoffen im Endharn wird durch drei Prozesse, die glomeruläre Filtration, tubuläre Resorption und tubuläre Sekretion bestimmt.

C. 5.2.1 Glomeruläre Filtration

Die glomeruläre Filtration beruht auf rein physikalischen Kräften, wobei die hierfür benötigte Arbeit vom Herzen (Blutdruck) geleistet wird. Die Durchlässigkeit hängt von der Größe der Partikel und von der Beschaffenheit der Membran ab. Der Übertritt erfolgt somit nicht stoffspezifisch. Als Membran dient eine Schicht bestehend aus Kapillarendothel, einer Basalmembran und dem inneren Blatt der Bowmanschen Kapsel, wobei nur der Basalmembran auf Grund ihrer engmaschigen Struktur eine Filterwirkung zukommt.

Um eine Filtrationsrate von normalerweise 125 ml/min beim Mann und 110 ml/min bei der Frau aufrechtzuerhalten, bedarf es vor allem einer konstanten Durchblutung des Glomerulums. Diese Regulation wird von der glatten Muskulatur des Vas efferens übernommen *(Autoregulation der Nierendurchblutung)*.

Bei dem glomerulären Filtrationsvorgang resultiert aus dem Blutdruck in den Glomerulumkapillaren abzüglich dem kolloidosmotischen Druck des Plasmas und dem Druck in der Bowmanschen Kapsel ein effektiver Filtrationsdruck von 3999 Pascal (30 Torr). Auf Grund der Feinstruktur der filtrierenden Gewebsschicht gelangen Verbindungen mit relativen Molekülmassen bis zu 10000 praktisch ungehindert, mit relativen Molekülmassen zwischen 10000 und 50000 nur noch begrenzt und größere Moleküle, unter ihnen sämtliche Plasmaproteine bei funktionell einwandfreier Niere praktisch nicht in den Primärharn. Hierauf beruht das Risiko der früher als Plasmaexpander infundierten nicht abbaubaren Polymeren bzw. parenteral applizierter oder inkorporierter Hilfsstoffe für Retardpräparate.

C. 5.2.2 Tubuläre Transportmechanismen

Der glomerulär filtrierte Primärharn von etwa 180 l/Tag gelangt von der Bowmanschen Kapsel in den Tubulusapparat, wo durch erneuten Stoffaustausch zwischen Nierenfiltrat und Plasma der Endharn (1,5 l/Tag) bereitet wird. Dabei entfällt das Schwergewicht der aktiven Resorptions- und Sekretionsleistung auf den proximalen Tubulus. In den folgenden Abschnitten des Nephrons findet nur noch die zur Homöostase erforderliche Feineinstellung der renalen Ausscheidung von Elektrolyten, Wasser und Wasserstoffionen statt.

C. 5.2.2.1 Tubuläre Resorption

Die tubuläre Resorption sowie die Sekretion hängen ebenfalls von allgemeinen Moleküleigenschaften, wie relativer Molekülmasse, Fettlöslichkeit und Ionenladung ab. Die stoffspezifische tubuläre Resorption kann sowohl passiv, einem Konzentrationsgefälle folgend, als auch aktiv erfolgen. Der aktive Transport erfordert Energie aus dem

Stoffwechsel der Tubuluszellen. Dabei wird zwischen einem primären aktiven transtubulären Ionentransport und einem sekundären (gekoppelten) aktiven Transport unterschieden.

Auf aktivem Wege werden Glucose (hauptsächlich im frühen proximalen Konvolut), Aminosäuren (proximaler Tubulus), Proteine (durch Pinozytose), sowie organische Säuren und Basen resorbiert.

Eine Sonderform der passiven tubulären Resorption stellt die „nicht-ionische" Diffusion dar:

Dieser Mechanismus spielt bei der Resorption einer Reihe von organischen Säuren und Basen eine Rolle. In undissoziiertem Zustand besitzen diese Verbindungen eine relativ große Lipidlöslichkeit und können so durch die Membran der Tubuluszellen dringen. Die Resorptionsfähigkeit dieser Stoffe ist somit abhängig vom Harn-pH-Wert, eine Tatsache, die man sich bei bestimmten Vergiftungen (z.B. mit Barbituraten) zunutze machen kann.

C. 5.2.2.2 Proximale und distale Ionentransporte

Mit dem Endharn werden nur Bruchteile der filtrierten Mengen an Na^+-, K^+-, Ca^{2+}-, Mg^{2+}-, Cl^-- und HCO_3^--Ionen ausgeschieden.

Der überwiegende Teil dieser Stoffe wird resorbiert, wobei die Hauptmengen wiederum im proximalen Tubulus aufgenommen werden. In diesem Tubulusabschnitt besteht ein aktiver Transport von Natrium in der basalen, kontraluminalen Seite der Tubuluszellen, durch den etwa 50% der resorbierbaren Natriumionen transportiert werden. Im Gefolge des aktiven Natriumtransports strömt Wasser passiv auf Grund des osmotischen Druckgefälles nach. Dieser Wassereinstrom kann seinerseits wieder gelöste Teilchen mit sich „reißen" (solvent drag).

Die Resorption der restlichen 50% der resorbierbaren Natriumionen erfolgt passiv durch Diffusion und durch das genannte „solvent drag".

Der aufsteigende dünne Schenkel der *Henleschen Schleifen* ist im Gegensatz zum absteigenden Schenkel für Wasser kaum permeabel. Auf Grund eines aktiven Stofftransports in Richtung Zelle wird hier die Schleifenflüssigkeit weiter verdünnt. Im distalen Konvolut greifen das antidiuretische Hormon und die natriumretinierenden Mineralocortocoide an. Wegen der geringen

Tab. C.5.1: Vergleich der renalen Ausscheidung von eigenen Stoffen.
Der Vergleich zeigt, daß die renale Stoffausscheidung (U·V) im Prinzip mehr vom Ausscheidungsmodus der betreffenden Substanz abhängt als von ihrer Konzentration im Blutplasma.

Stoffe	Konzentration in Plasma (P) (mmol/l)	Konzentration in Urin (U) (mmol/l)	Harnfluß V (ml/min)	Ausgeschiedene Stoffmenge U·V (µmol/min)	Konzentrationsverhältnis U/P	Ausscheidungsmodus Filtration	Ausscheidungsmodus Resorption	Ausscheidungsmodus Sekretion
Na^+	142	128	1	128	0,9	+	+	
K^+	4,5	54	1	54	12	+	+	+
Cl^-	103	134	1	134	1,3	+	+	
Glucose	5	Spuren	1	0	0	+	+	
Harnstoff	4,5	292	1	292	65	+	+	+
Harnsäure	0,27	3,2	1	3,2	12	+	+	+
Creatinin	0,075	12	1	12	160	+		+
Inulin	0,05	6,25	1	6,25	125	+		
p-Aminohippursäure	0,1	65	1	65	650	+		+

Erläuterung: Die Konzentration der im Urin enthaltenen Menge eines Stoffes hängt sehr stark vom Harnfluß ab, der hier einheitlich mit 1 ml/min angenommen ist. Unter dieser Bedingung stimmt das Konzentrationsverhältnis U/P eines Stoffes mit dessen Clearance-Wert überein.

Nierenfunktion Seite C. 5/5

passiven Permeabilität des Epithels in diesem Tubulusabschnitt kann hier Natrium gegen ein beträchtliches Konzentrationsgefälle aktiv resorbiert werden. Die dadurch entstehende Potentialdifferenz (Lumen negativ) stellt die treibende Kraft für den Einstrom von Kationen in diesem Bereich dar. Die Kalium-Sekretion kann auf diesem Wege passiv erfolgen.

C. 5.2.3 Harnkonzentrierung

Nach einer Theorie von Kuhn beruht der Konzentrierungsmechanismus in der Niere auf der Existenz eines Gegenstromsystems, dessen Kernstück aus der Henleschen Schleife besteht. Auf Grund eines aktiven Na^+-Transports im Bereich des aufsteigenden Schleifenschenkels aus dem Lumen in das Interstitium und anschließende Sekretion in den absteigenden Schenkel der Henleschen Schleife, kommt es in jedem Teilabschnitt des absteigenden Schenkels zu einer Konzentrierung des Harns, deren Maximum an der Schleifenspitze erreicht wird (Abb. C.5.3).

In gleicher Weise nimmt die Na^+-Konzentration im aufsteigenden Schenkel wieder ab, so daß die aus der Henleschen Schleife austretende Flüssigkeit nicht konzentriert ist. Der für die Harnkonzentrierung entscheidende Faktor liegt in den, der Henleschen Schleife benachbarten Sammelrohren: Der in den Sammelrohren wesentlich langsamer fließende Harn muß diejenigen Regionen der Henleschen Schleifen passieren, in denen zum Schleifenscheitel hin die osmotische Konzentration stark ansteigt.

Hierbei wird dem Sammelrohrharn durch Osmose laufend Wasser entzogen.

C. 5.2.4 Regulation der Nierenfunktion

Eine schematische Übersicht über die Regulationsmechanismen der Harnbildung zeigt die Abb. C.5.4.

C. 5.2.4.1 Wirkungen der Nebennierenrindenhormone

Sowohl Mineralo- als auch Glucocorticoide sind nierenwirksam. Aldosteron, das wichtigste Mineralocorticoid erhöht die tubuläre Resorption von Natrium und zugleich die tubuläre Sekretion von Kalium und Wasserstoffionen.

C. 5.2.4.2 Wirkungen des antidiuretischen Hormons

Das antidiuretische Hormon (ADH) erhöht die distale Wasserresorption, indem es die Epithelien des distalen Konvoluts und des Sammelrohrs permeabel macht. Dieser Effekt wird über cAMP vermittelt.

Fehlt ADH (Diabetes insipidus), ist das distale Nephron kaum wasserdurchlässig, die Diurese ist gesteigert. Die maximale Harnausscheidungsrate beträgt dann 15%

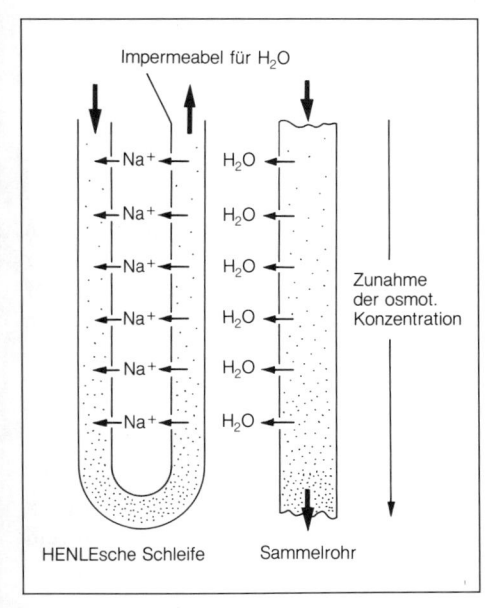

Abb. C.5.3: Schematische Darstellung zur Erläuterung des Haarnadelgegenstromprinzips.

Selbstmedikation V/1987

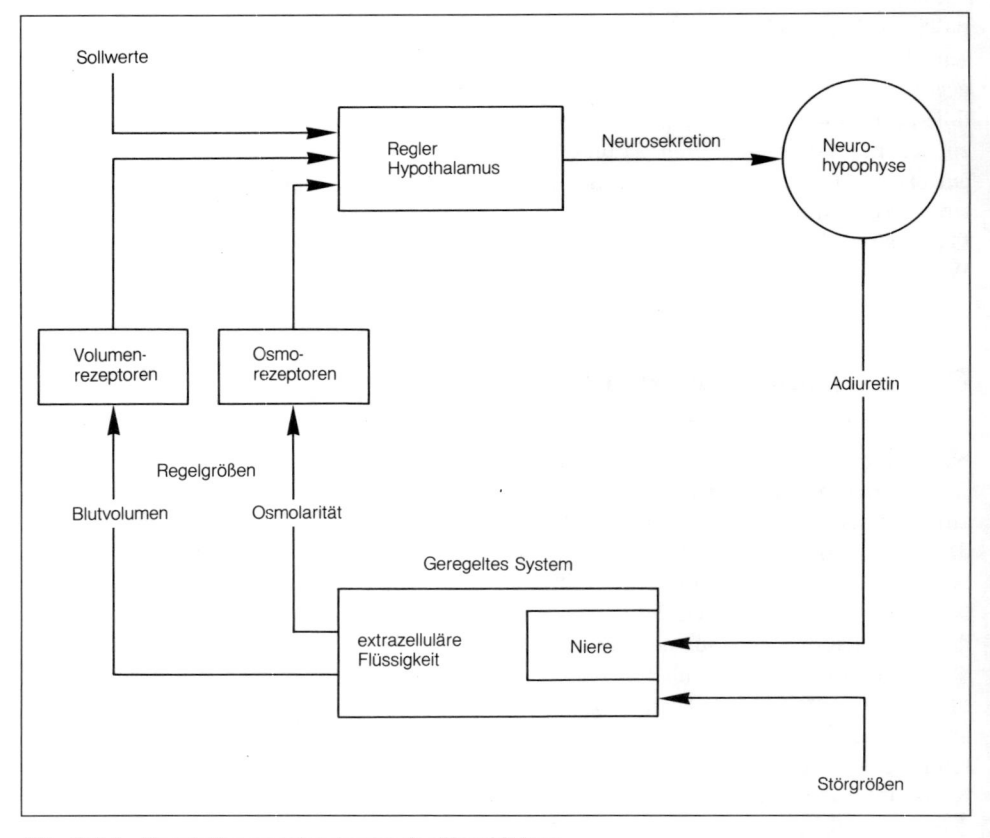

Abb. C.5.4: Regulationsmechanismen der Harnbildung.

der glomerulären Filtrationsrate, so daß also 15% der Wasserresorption unter hormoneller Kontrolle (fakultative Wasserresorption) und 85% des filtrierten Wassers ohne ADH wieder aufgenommen werden (obligatorische Wasserresorption).

C. 5.2.4.3 Wirkungen von Parathormon und Calcitonin

Beide Hormone steuern die renale Ausscheidung von Phosphat und Calcium.

Parathormon erniedrigt die Ausscheidung von Calcium und vermehrt die Ausscheidung von Phosphat, während Calcitonin sowohl die Calcium- als auch die Phosphatausscheidung fördert.

C. 5.2.4.4 Regulation des Säure-Basen-Gleichgewichts

Die bei den verschiedenen Stoffwechselprozessen laufend gebildeten Wasserstoffionen müssen von den Nieren in kontrollierter Weise ausgeschieden werden. Die hierfür zur Verfügung stehenden Mechanismen sind in Abb. C.5.5 zusammengefaßt.

Die Sekretion der H_3O^+-Ionen erfolgt hauptsächlich im proximalen Tubulus im Austausch gegen Na^+-Ionen. Sie entstehen in der Tubuluszelle aus der Hydratisierungsreaktion von CO_2 unter Mitwirkung des Enzyms Carboanhydrase. Auf diesem Wege wird gleichzeitig Natriumhydrogencarbonat rückresorbiert.

Nierenfunktion

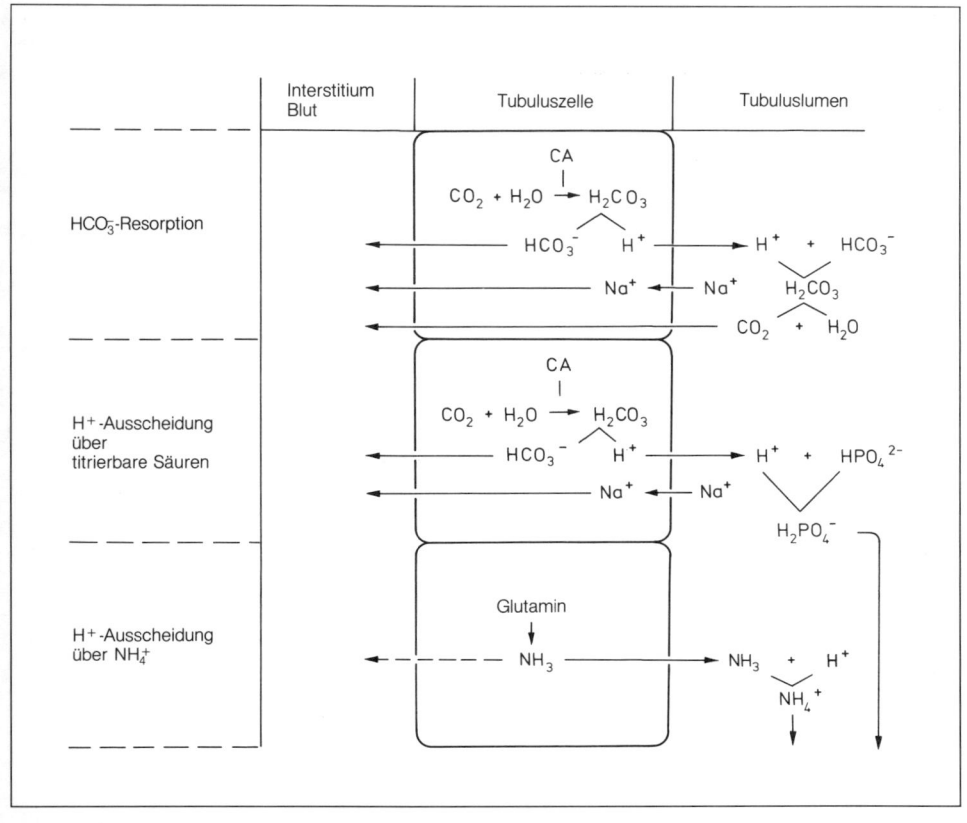

Abb. C.5.5: Regulation des Säure-Basen-Gleichgewichts.

C. 5.2.4.5 Ammoniumionenausscheidung

Im Falle einer azidotischen Stoffwechsellage kann der pH-Wert des Harns auf Werte um 4,5 absinken. Um auch in diesem Fall die H_3O^+-Ionenausscheidung zu sichern, produziert die Niere einen H_3O^+-Akzeptor in Form von Ammoniak, welcher aus Glutamin gebildet wird. Ammoniak bindet nach Verlassen der Zelle die Wasserstoffionen zu Ammoniumionen, welche nicht durch die Membran diffundieren können und mit dem Urin ausgeschieden werden.

C. 5.3 Ableitende Harnwege

C. 5.3.1 Harnleiter

Die *Uretheren (Harnleiter)*, durch die der Harn aus den beiden Nierenbecken in die Harnblase befördert wird, sind dünne, etwa 30 cm lange Schläuche, die retroperitoneal (hinter dem Bauchfell) in das kleine Becken ziehen und in die Blase münden. Um bei der Blasenkontraktion ein Zurückfließen des Harns zu verhindern, sind die beiden Harnleitermündungen durch Schleimhautventile verschlossen. Die Wände der Harnleiter bestehen aus einer inneren longitudinalen und einer äußeren zirkulären Schicht glatter Muskelfasern.

Die Beförderung des Harns in den Harnleitern erfolgt durch peristaltische Bewegungen der glatten Muskulatur. Die Frequenz der Wellen schwankt zwischen 0,5 und 5 min.

C. 5.3.2 Harnblase

Die Harnblase ist ein Hohlorgan, dessen Innenwand mit Übergangsepithel ausgekleidet ist und das bei geleerter Harnblase Falten bildet. Die Wand besteht aus drei Schichten glatter Muskelfasern, die als *Detrusor vesicae* bezeichnet werden. Am Blasenboden befindet sich das *Trigonum vesicae*, welches aus feiner glatter Muskulatur besteht. An den oberen äußeren Enden des Trigonums münden die Harnleiter schräg

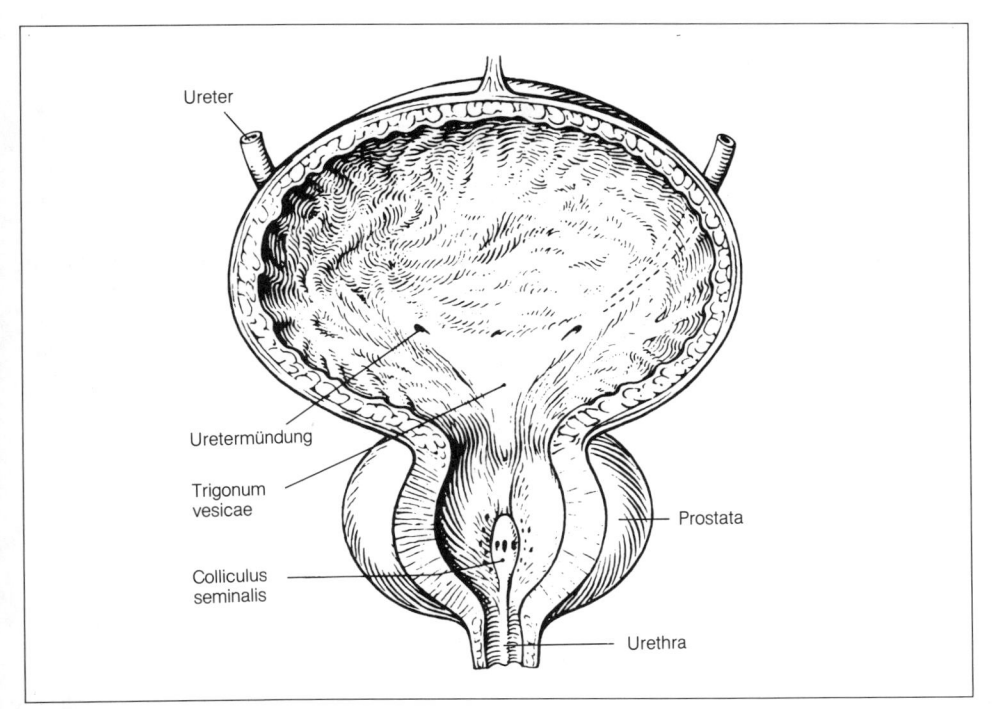

Abb. C.5.6: Frontalschnitt durch die Harnblase des Mannes.

ein, während an der unteren Spitze des Trigonums die Austrittsstelle der *Urethra (Harnröhre)* liegt. Durch eine besondere Anordnung der Muskelfasern bildet sich hier ein innerer Schließmuskel (M. sphinkter internus) aus, der bei der Blasenentleerung nicht unabhängig von Detrusor vesicae betätigt werden kann. Zusätzlich wird die Harnröhre durch den *äußeren Schließmuskel (Musculus sphinkter externus)* verschlossen, der aus quergestreifter Muskulatur des Beckenbodens besteht.

Die Blase dient der Speicherung und periodischen kompletten Entleerung des von der Niere kontinuierlich ausgeschiedenen Urins. Der Füllungszustand der Blase wird über Spannungsrezeptoren in der Blasenwand registriert und über afferente Nervenfasern an das Reflexzentrum gemeldet. Die Aktivierung dieser Rezeptoren führt zur Erregung parasympathischer Neurone, die zum Detrusor vesicae ziehen, was schließlich zur Blasenentleerung führt. Hat die Blasenentleerung einmal eingesetzt, verstärkt sie sich explosionsartig so lange, bis eine vollständige Entleerung erreicht ist.

Für diesen, sich selbst verstärkenden Vorgang sind folgende Reflexe hauptsächlich verantwortlich:

- Eine verstärkte Aktivierung der Blasenafferenzen durch die Kontraktion des M. detrusor.
- Eine reflektorische Aktivierung parasympathischer Blasenefferenzen durch Afferenzen von der Urethra, die durch den Urinfluß erregt werden.
- Eine reflektorische Aufhebung zentraler Hemmprozesse auf spinaler und supraspinaler Ebene.

Außerdem kommt es zur reflektorischen Erschlaffung des äußeren Sphinkters durch Hemmung der Motoneurone im Sakralmark.

C. 5.3.3 Harnröhre

Die etwa 20 cm lange männliche Harnröhre wird in ihrem Anfangsteil von der Prostata umschlossen. Hier mündet auch der *Ductus ejaculatorius* in die Urethra, die von hier ab als Kanal für Urin, Samen und Prostatasekret dient. Die weibliche Harnröhre ist weniger als 5 cm lang.

C. 5.3.4 Prostata

Die unpaare, kastaniengroße Vorsteherdrüse liegt zwischen Harnblasengrund und Beckenbodenmuskulatur. Sie wird von der Harnröhre und den beiden Ducti ejaculatorii durchbohrt.

Die Prostata besteht aus 30–50 verzweigten tubulo-alveolären Drüsen, die mit 15–30 Ausführungsgängen in die Urethra einmünden und ein dünnflüssiges trübes Sekret produzieren.

Das Sekret reagiert schwach alkalisch und enthält reichlich saure Phosphatase.

Zwischen den einzelnen Drüsen verlaufen starke Züge glatter Muskulatur, die bei der Ejakulation das Sekret auspressen.

C. 5.4 Pathophysiologie der Niere

C. 5.4.1 Störungen der glomerulären Filtration

Eine Verminderung der glomerulären Filtrationsrate kann auf einem Abfall des effektiven Filtrationsdruckes als Folge eines Absinkens des systolischen arteriellen Druckes oder auf einer Verringerung der filtrierenden Oberfläche beruhen. Dies kann die Auswirkung einer Proliferation des Epithels auf Grund von entzündlichen Prozessen sein. Nimmt hierbei die glomeruläre Kapillarpermeabilität infolge einer Veränderung der Basalmembran zu, so treten auch Moleküle, insbesondere Proteine, die normalerweise intravasal zurückgehalten werden in den Primärharn über, es kommt zur Proteinurie.

C. 5.4.2 Glomerulonephritiden

Diese Art von Nierenentzündungen wird vornehmlich von Immunreaktionen verursacht. Man unterscheidet zwischen Immunkomplex-Glomerulo-Nephritiden und Antibasalmembran-Antikörper-Glomerulonephritiden.

Der Verlauf kann akut, subakut oder chronisch sein. Die Mehrzahl der akuten Glomerulonephritiden heilt aus. In etwa 30% der Fälle geht das akute Stadium in ein chronisches Stadium mit Proteinurie und/oder Hypertonie über. Dies führt letztendlich zur terminalen Niereninsuffizienz.

Nephrotisches Syndrom

Das nephrotische Syndrom ist gekennzeichnet durch einen massiven Eiweißverlust, der auch durch eine erhöhte Syntheseleistung der Leber nicht ausgeglichen werden kann. Die Folge ist eine *Hyperproteinämie* mit besonders ausgeprägter *Hypalbuminämie*. Durch Erniedrigung auch des Gehalts an Gammaglobulinen kommt es gleichzeitig zur *Abwehrschwäche*.

Ursachen für das nephrotische Syndrom sind chronische Verlaufsformen einer Glomerulonephritis sowie zahlreiche andere Grundleiden (Autoimmunerkrankungen).

C. 5.4.3 Pyelonephritis

Pyelonephritiden sind bakteriell bedingte Entzündungen des Nierenbeckens mit gleichzeitiger Beteiligung des Nierenmarks. Als **Erreger** kommen vorwiegend gramnegative Keime in Betracht (E. coli, Enterokokken, Proteus, Pseudomonas), die von der Harnblase über die Harnleiter ins Nierenbecken aufsteigen. So entwickelt sich die akute Pyelonephritis häufig im Anschluß an eine Zystitis.

Etwa 20% der akuten Pyelonephritiden nehmen eine chronische Verlaufsform, die lange Zeit symptomarm verlaufen kann. Im fortgeschrittenen Stadium werden neben dem Tubulusapparat und dem Interstitium auch die Glomeruli betroffen, was schließlich zur *Schrumpfniere* mit *Niereninsuffizienz* führen kann.

C. 5.4.4 Interstitielle Nephritiden

Hier ist primär das interstitielle Gewebe betroffen. Erst später können auch Glomeruli, Tubuli und Gefäße in Mitleidenschaft gezogen werden.

C. 5.4.5 Akutes Nierenversagen

Eine plötzliche starke Einschränkung der Nierenfunktion mit Oligurie (geringer Harnfluß) beziehungsweise Anurie (fehlender Harnfluß) führt zu einem schnellen Anstieg harnpflichtiger Substanzen im Blut und damit zu einem lebensbedrohlichen Zustand. Die **Ursachen** für das akute Nierenversagen können vielfältiger Genese sein und reichen vom Schock und Blutdruckabfall über Intoxikationen und allergischen Reaktionen bis zu Harnabflußstörungen.

C. 5.4.6 Chronische Niereninsuffizienz und Urämie

Eine Schrumpfung des Nierenparenchyms mit laufendem Verlust funktionstüchtiger Nephrone führt zu einer immer ausgeprägteren Niereninsuffizienz *(Schrumpfniere)*.

Als Ursachen kommen hauptsächlich die verschiedenen Nephritiden in Betracht.

Von der verminderten Nierenfunktion ist vor allem die *Natriumausscheidung* betroffen, weswegen es vor allem bei größerer Kochsalzzufuhr zur Ausbildung von Ödemen kommt.

Wegen des hohen Kaliumausscheidungsvermögens der Niere treten *Störungen der Kaliumbilanz* erst bei fortgeschrittener Niereninsuffizienz auf. Desweiteren ist die Umwandlung von 25-Hydroxycholecalciferol in 1,25-Dihydroxycholecalciferol beeinträchtigt, was sich in einer Hypokalzämie und sekundärem Hyperparathyreoidismus äußert.

C. 5.5 Pathophysiologie der Blase und ableitenden Harnwege

C. 5.5.1 Infektionen der Blase

Während die Harnröhre des Menschen physiologischerweise mit Bakterien besiedelt ist, sind Blase und Nieren normalerweise frei von Bakterien. Zu Infektionen dieser Organe kommt es, wenn Erreger über die Harnröhre und den Harnleiter aufsteigen und durch eine geschwächte Immunabwehr nicht mehr abgetötet werden.

Die akute bakterielle Zystitis *(Blasenentzündung)* mit zwang- und schmerzhaften Miktionen betrifft vor allem Frauen und Mädchen, da die weibliche Harnröhre kürzer als die männliche Harnröhre ist und Keime somit leichter aufsteigen können. Nicht selten korreliert die Häufigkeit der Infektionen mit der sexuellen Aktivität (Honeymoon-Zystitis).

Beim Mann hingegen ist eine Blasenentzündung häufig eine Folge von Obstruktionen und Dysfunktionen der ableitenden Harnwege und sollte in jedem Fall zu weiterer Diagnostik Anlaß geben.

C. 5.5.2 Störungen der Blasenentleerung

Die Ursachen für Blasenentleerungsstörungen sind entweder angeboren oder erworben.

Zu den *angeborenen* Störungen gehören die Achalasie (myogene Blasenatonie), der Blasenverschluß (erhöhter Tonus, den der Detusor nicht überwinden kann) und Stenosen, vor allem der weiblichen Harnröhre.

Zu *erworbenen* mechanischen Entleerungsstörungen rechnet man das Prostataadenom und -karzinom, die erworbene Sphinkterstenose und Strikturen der Harnröhre.

C. 5.5.3 Störungen von Tonus und Peristaltik der Harnleiter

Bei akuten Entzündungen ohne Abflußbehinderung finden sich oft spastisch enggestellte Harnwege, deren Peristaltik rascher als normal verläuft.

Bei chronischen Infekten tritt dagegen eher eine Atonie der Harnleiter auf.

C. 5.5.3.1 Kompletter oder partieller Harnleiterverschluß

Der akute, vollständige Harnleiterverschluß führt durch Sistieren der Peristaltik zu einer Einstellung der Harnproduktion. Bei partieller Harnleiterverlegung kommt es zu einer Zunahme der Frequenz der Harnleiterperistaltik. Der Reiz eines Steins kann zu einem lokalen Ureterspasmus mit antiperistaltischen Wellen und Störungen des Urintransports führen.

An der Niere führen komplette oder partielle Harnwegsverlegungen zu morphologischen und funktionellen Veränderungen, die als Stauungsniere oder obstruktive Nephropathie bezeichnet werden und je nach Grad der Obstruktion zur Abnahme der Konzentrierungsfähigkeit, Azidifikationseffekt und Polyurie führen. Eine komplette Obstruktion sollte spätestens nach 10-20 Tagen gelöst sein, um Dauerschäden an den Nieren zu vermeiden.

C. 5.5.3.2 Vesikourethraler Reflux

Der Rückfluß von Blasenharn in die Ureteren und das Nierenbecken ist in 83–100% der Fälle Ursache für eine *Pyelonephritis bei Kindern*. Grund für den Reflux sind pathologische Veränderungen der Harnleiterostien, die entweder angeboren oder erworben (nach unspezifischen oder tuberkulösen Blasenentzündungen) sind.

C. 5.5.4 Urolithiasis

Die Häufigkeit des Harnsteinleidens liegt in Westeuropa bei 1,5 pro Tausend und entspricht somit der Häufigkeit des Diabetes mellitus.

Vor allem der hohe Lebensstandard hat in den letzten Jahren zu einer deutlichen Zunahme der Erkrankung geführt. Dabei sind Männer ungefähr zwei- bis viermal häufiger betroffen als Frauen.

Der entscheidende Faktor, der Wohlstand und Urolithiasis korreliert, ist die tägliche Zufuhr an tierischem Eiweiß. Daneben spielen Alter und erbliche Prädisposition eine Rolle.

Als **Hauptursache** für die Bildung eines Harnsteins wird heute die Übersättigung des Harns mit lithogenen Salzen angesehen. Diese führt zur Bildung von Kristallen, die dann durch organische Substanzen zum Konkrement verbacken werden (Kristallisationstheorie).

C. 5.6 Pathophysiologie der Prostata

Der prostatische Symptomenkomplex ist gekennzeichnet durch *Dysurie* (Beschwerden bei der Miktion), *Pollakisurie* (tropfenweises Harnlassen) und dem *Gefühl der unvollständigen Blasenentleerung*. Als **Ursachen** für diese Beschwerden kommen eine *Prostatakongestion* (Schwellung), eine akute oder chronische *Prostatitis* (Entzündung), eine *Prostatahypertrophie* oder ein *Prostatakarzinom* in Frage.

C. 5.6.1 Prostatakongestion

Bei der Prostatakongestion handelt es sich um temporäre Sekretstauungen bzw. Ödeme der Prostata im Gefolge venöser Stasen im Beckenbereich, insbesondere im Plexus prostaticus. Häufig sind deshalb bei den Patienten auch Varikozelen und Hämorrhoiden feststellbar. Die Beschwerden treten meistens nach langem Sitzen, nach Streßsituationen oder nach Unterkühlung auf und äußern sich in zeitweilig gehäuftem Harndrang mit mehr oder weniger ausgeprägtem Brennen in der Harnröhre während der Miktion, wechselnd starkem Harndrang und Nachträufeln.

C. 5.6.2 Prostatitis

Im *akuten* Stadium einer Prostatitis stehen häufiger Harndrang, brennender Schmerz bei der Miktion, akute Einengung des Harnstrahlkalibers bis hin zur Harnverhaltung und Schmerzen bei der Stuhlentleerung im Vordergrund. Dagegen ähneln die Beschwerden bei der primär oder sekundär *chronischen* Prostatitis, die durch eine Stromainfiltration mit Rundzellen oder Plasmazellen gekennzeichnet ist, denen der Prostatakongestion.

C. 5.6.3 Prostatahyperplasie

Die Prostatahypertrophie (Prostataadenom) ist keine Krankheit, sondern eine Alterserscheinung. Wahrscheinlich auf Grund einer Abnahme der Testosteronproduktion und einer damit verbundenen relativen Zunahme der Östrogene kommt es im Präsenium und Senium zu einer gutartigen Hyperplasie der submukösen Drüsen der hinteren Harnröhre. Nach Streber soll die eigentliche Ursache für die Entstehung eines Prostataadenoms nicht eine im Alter verminderte Produktion von Testosteron, sondern eine kompensatorische Antwort auf den Anstieg des Sexualhormone binding-globulin (SHBG) sein. Andere Befunde, wie die Tatsache, daß der Testosteronspiegel von Männern ohne benigne Prostatahyperplasie mit dem gleichaltriger Adenomträger nahezu identisch ist, oder die von einem Prostataadenom unabhängige Zu-

Tab. C.5.2: Entwicklungsstadien des Prostataadenoms

1. Stadium	Pollakisurie, Nykturie, abgeschwächter Harnstrahl kein Restharn
2. Stadium	Zunehmende Blasenentleerungsstörung mit steigender Restharnbildung
3. Stadium	Weiter zunehmender Restharn, eventuell Harnverhalt, Überlaufblase. Gefahr der Rückstauungsschädigungen des Harnsystems und der Nieren mit Anstieg der Nierenretentionswerte
4. Stadium	Endzustand mit schleichender Urämie

nahme des Estradiol/Testosteronquotienten im Blut passen nicht in diese Hypothese, deren wissenschaftliche Bestätigung bislang fehlt.

Je nach ihrem Ausgangspunkt im hinteren Harnröhrenbereich entwickelt sich die Hyperplasie nach dem Beckenlumen, subvesikal oder nach dem Rektum zu, wobei vor allem eine subvesikale Entwicklung relativ früh zu Miktionsbeschwerden führt. Nach dem Entwicklungsstand unterscheidet man verschiedene Stadien des Prostataadenoms (Tab. C.5.2).

C. 5.6.4 Prostatakarzinom

Mit zunehmendem Lebensalter ist schließlich immer häufiger ein Prostatakarzinom zu erwarten. Problematisch hierbei ist, daß die Anfangsstadien praktisch nie zu Beschwerden führen, was die Notwendigkeit regelmäßiger Vorsorgeuntersuchungen unterstreicht.

C. 6 Atemwege

Von R. Weber

Herz, Kreislauf und Atmungsorgane bilden zusammen eine physiologische Einheit aus gleichberechtigten und funktionell verbundenen Partnern. Das heißt, jegliche Beeinträchtigung der Funktion des einen bedeutet zwangsweise, daß auch die beiden anderen Systeme mehr oder weniger in Mitleidenschaft gezogen sind. Damit ist gleichzeitig angedeutet, wie essentiell, ja lebensnotwendig dieses komplexe Zusammenspiel für das Individuum ist.

Vorgänge der Energiegewinnung in der Zelle basieren in erster Linie auf dem oxidativen Abbau zugeführter Nährstoffe, weshalb die Zelle auf eine ständige Sauerstoffzufuhr angewiesen ist. Ebenso müssen Stoffwechselendprodukte, insbesondere Kohlendioxid, kontinuierlich abtransportiert werden. Dieser Gasaustausch zwischen den Zellen und der Umgebung wird als Atmung oder Ventilation bezeichnet.

Man unterscheidet verschiedene hintereinandergeschaltete Teilprozesse des Atmungsvorgangs:

- Der als **Lungenatmung (äußere Atmung)** bezeichnete Teilschritt umfaßt die Zufuhr der sauerstoffreichen Luft zu den Lungenalveolen sowie den Abtransport des Kohlendioxids durch Erweiterung bzw. Verengung des Brustraums, ferner die weitere Diffusion des Sauerstoffs vom Alveolarraum in das Lungenkapillarblut und den Transport des Kohlendioxids in umgekehrter Richtung.

- **Atemgastransport des Blutes** bedeutet die Sauerstoffversorgung bzw. Kohlendioxidentsorgung der Gewebekapillaren unter Beteiligung des Blutkreislaufs.

- Die **Gewebsatmung** als letzter Teilschritt beschreibt die entsprechende Gasdiffusion von den Gewebekapillaren in die umgebenden Zellen bzw. umgekehrt.

Wenn eine oder mehrere dieser Teilfunktionen gestört sind, tritt *Atemnot (Dyspnoe)* oder eine *Einschränkung der Atmung (respiratorische Insuffizienz)* auf.

Anatomie und Physiologie des Respirationstraktes

C. 6.1 Anatomie und Physiologie des Respirationstraktes

Nasenhöhlen, Nasennebenhöhlen, Rachen, Kehlkopf und das Tracheobronchialsystem bilden eine funktionelle Einheit. Dieses luftleitende System des Respirationstraktes zeigt im Aufbau ein einheitliches Grundprinzip, wobei in den einzelnen Abschnitten Variationen zu beobachten sind, die man als Anpassung an spezielle funktionelle Bedürfnisse deutet.

C. 6.1.1 Nase und Nasennebenhöhlen

An der Nase, deren wesentliche anatomische – und für die zu besprechenden Krankheitsbilder relevante – Strukturen im folgenden beschrieben werden sollen, unterscheidet man primär knöcherne, knorpelige und häutige Anteile. Der **Nasenvorhof** ist zu zwei Dritteln mit Epidermis ausgekleidet, im hinteren Drittel befindet sich nicht verhornendes Plattenepithel. In der *Epidermis* befinden sich zahlreiche *Talg- und Schweißdrüsen*, deren Sekret durch die Nasenöffnung entleert wird. Bei Sekretstauung können sich aus den Drüsen Komedonen und schließlich Furunkel bilden.

Am Naseneingang dienen lange starre Haare als Filter, welches das Eindringen zumindest gröberer Fremdkörper verhindert.

Die **Nasenhöhle** wird durch eine senkrecht gestellte knöcherne Platte, die *Nasenscheidewand (Septum nasi)*, in zwei Hohlräume unterteilt. Diese werden durch drei *Nasenmuscheln*, hakenförmig verlaufende Knochenspangen, die in das Innere der Nasenhöhle ragen, in den oberen, den mittleren und den unteren *Nasengang* weiter unterteilt. Da die Nasenmuscheln (Conchae nasales) strömungstechnisch günstig angeordnet sind, kommt es kaum zu einer Wirbelbildung in der Atemluft.

An die Nasengänge grenzen mit unterschiedlich großen Öffnungen die *Nasennebenhöhlen*, Abb. C.6.1. In den oberen Nasengang münden *Keilbeinhöhle* und *hintere Siebbeinzellen*, in den mittleren Nasengang *Stirnhöhle, obere Siebbeinzellen* und *Kieferhöhle* und in den unteren Nasengang mündet der *Tränen-Nasengang (Ductus nasolacrimalis)*. Die Nebenhöhlen sind paarig angelegt und ebenfalls mit Nasenschleimhaut ausgekleidet.

An der **Schleimhaut** unterscheidet man zwei Abschnitte, die *Regio respiratoria* und die *Regio olfactoria (Riechepithel)*. Das mehrreihige Flimmerepithel der Schleim-

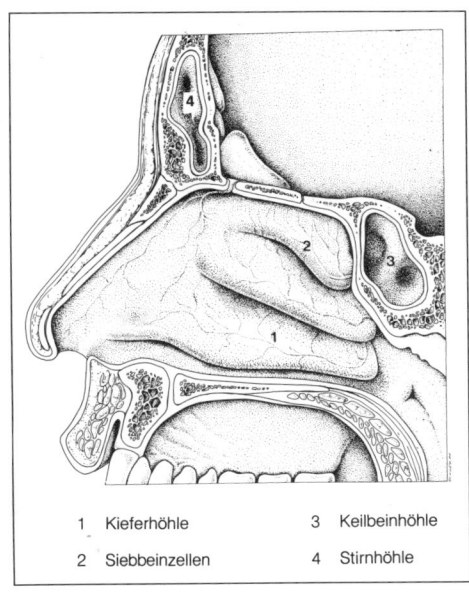

1	Kieferhöhle	3	Keilbeinhöhle
2	Siebbeinzellen	4	Stirnhöhle

Abb. C.6.1: Anordnung der Nasennebenhöhlen [aus: Morgenroth, K. und Hildmann H.: „Rhino-Sinusitis", PVG mbH, München, 1984]. © K. Morgenroth

haut der Regio respiratoria hat überaus wichtige Funktionen zu erfüllen: es dient der Erwärmung, Befeuchtung und Reinigung der Atemluft – und damit gleichzeitig der störungsfreien Funktion des gesamten Respirationstraktes. An das Epithel schließt sich eine gefäßreiche lockere Bindegewebszone an, in der in unregelmäßiger Verteilung seromuköse Drüsen mit unterschiedlich langen Ausführungsgängen angeordnet sind.

Drei Zellelemente bilden das Epithel der Oberfläche: Flimmerzellen, Becherzellen und Basalzellen. Die **Flimmerzellen** weisen als charakteristische Strukturelemente auf ihrer Oberfläche sogenannte *Zilien (Flimmerhärchen)* auf, die durchschnittlich 5 µm lang sind, bei einem Durchmesser von 0,2–0,3 µm. Diese Zilien führen einen exakt aufeinander abgestimmten peitschenartigen Schlag aus (wellenartige Zilienbewegung), der einen gleichmäßigen Sekretstrom über die Schleimhaut gewährleistet.

Die **Sekretbildung** findet in der Nasenschleimhaut statt; verschiedene Zellstrukturen sind an der Schleimproduktion beteiligt. Die Schleimschicht der Nase besteht aus einer viskösen (mukösen) äußeren und einer flüssigen (serösen) inneren periziliaren Schicht. Bei der rhythmischen Zilienbewegung in der serösen Schicht tauchen in der Transportphase die Zilienspitzen in den mukösen Schleimteppich ein und transportieren diesen wie ein Förderband zum Rachen, wo der Schleim expektoriert oder verschluckt wird. Danach knicken die Zilien ab und bewegen sich langsam in entgegengesetzter Richtung. Durch diesen Mechanismus werden die mit der Atemluft eingeatmeten Schmutz- und Staubteilchen, Viren und Bakterien entfernt.

Unter physiologischen Bedingungen ist dadurch eine optimale Clearance garantiert. Allerdings ist die Effektivität der Zilienbewegung von zahlreichen Faktoren abhängig und stellt damit ein relativ störanfälliges System dar; als besonders wichtige Parameter sind zu nennen

- **Adäquate Feuchtigkeit.** Eine längerfristige Austrocknung der Schleimhaut ist unbedingt zu vermeiden, weil diese einen irreversiblen Ziliarstillstand zur Folge hat
- **Ungehinderter Stoffwechsel**
- **Temperaturbereich zwischen 18° und 33°C.** Temperaturen, die leicht davon abweichen, führen zu einer Hemmung, deutliche Abweichungen zu einem Stillstand der Zilienbewegung
- **pH-Bereich zwischen pH 7 und pH 8.** pH-Schwankungen werden allerdings zu einem gewissen Grad vom Sekretfilm ausgeglichen, der offensichtlich puffernde Eigenschaften besitzt
- **Konstante Eigenschaften des Sekrets.** Die Schutzfunktion des Sekrets kann bei einem zu dünnflüssigen, wäßrigen Schleim, aber genauso bei einem hochviskösen, zähen Sekret beeinträchtigt oder aufgehoben sein.

Bei der Betrachtung der Sekretbildung und des Sekrettransportes spielt aber nicht nur die mechanische Clearance-Funktion eine Rolle, sondern ebenso die Infektabwehr, denn das Nasensekret besitzt bakterizide und bakteriostatische Eigenschaften. Die Schleimschicht enthält **Lysozym** und ist aufgrund dieses Enzyms befähigt, in gewissem Umfang Bakterienzellen zu lysieren. Neben diesem erwünschten Effekt ist Lysozym auch für unerwünschte Reaktionen verantwortlich: es lysiert nämlich auch die Zellwand von Pollenkörnern; dadurch werden Substanzen freigesetzt, die bei entsprechend disponierten Individuen antigen wirken und allergische Erscheinungen hervorrufen.

Im Nasensekret konnte man außerdem die **Immunglobuline A, E, G und M** in unterschiedlichen Mengen nachweisen, die für die lokal ablaufenden Immunreaktionen in der respiratorischen Schleimhaut und damit für die Induktion und den Verlauf des entzündlichen Geschehens mitverantwortlich sind.

Anatomie und Physiologie des Respirationstraktes

Wie bereits erwähnt, sind die Nasennebenhöhlen ebenfalls mit respiratorischer Schleimhaut ausgekleidet; doch steht bis heute noch nicht eindeutig fest, welche Funktion diesen Nebenhöhlen zukommt. Möglicherweise bilden sie einen Wärmeschutz für das Gehirn und andere angrenzende Regionen, indem sie äußere Temperaturschwankungen ausgleichen.

C. 6.1.2 Rachen

Die Nasenhöhle geht dorsal mit paarig angelegten, ovalen, frontalgestellten Öffnungen, den *Choanen*, in den *oberen Rachenraum (Nasopharynx)* über. Der gesamte *Rachenraum (Pharynx)* ist ein mit Schleimhaut ausgekleideter Muskelschlauch, der von der Schädelbasis zum *Ösophagus (Speiseröhre)* führt. An der Pharynxvorderwand befinden sich drei Öffnungen, die zur Nasenhöhle, zur Mundhöhle und zum Kehlkopfeingang führen. Entsprechend ist der Rachen in drei Abschnitte, nämlich *Epipharynx* (zwischen Mundhöhle und Nasenhöhle), *Mesopharynx* (hinter der Mundhöhle gelegen) und *Hypopharynx* (mit Zugang zum Kehlkopf) gegliedert. Im Pharynx kreuzen sich außerdem die Luft- und Speisewege – nicht selten Anlaß zu verschiedenen Komplikationen.

Die Ausgänge des Mund- und Rachenraumes sind von den **Tonsillen (Mandeln)** umgeben (Abb. C.6.2), die den lymphatischen Rachenring bilden. Durch diese exponierte Lage kommen die Mandeln sehr frühzeitig mit Krankheitskeimen in Kontakt, die durch Mund und Nase eindringen.

Anatomisch unterscheidet man die *paarigen Gaumenmandeln (Tonsillae palatinae)*, die zwischen den Gaumenbögen liegen, die *Zungenmandel (Tonsilla lingualis)* am Zungengrund und die unpaarig angelegte *Rachenmandel (Tonsilla pharyngea)*, die sich am Rachendach befindet. Im üblichen klinischen Sprachgebrauch werden jedoch nur die Gaumenmandeln als Mandeln oder Tonsillen bezeichnet. Das lymphatische Gewebe an der seitlichen Rachenwand („Seitenstrang") ergänzt die genannten lymphatischen Organe des Rachens, die an der spezifischen Abwehr des Organismus mitbeteiligt sind.

Die Tonsillen, umgeben von einer bindegewebigen Kapsel, sind besonders reich an Lymphozyten; diese sind teilweise in regelloser Anordnung, teilweise in Form von Knötchen (Lymphfollikeln) eingelagert.

Bei **Säuglingen**, die gewöhnlich nur kleine Tonsillen haben, ist trotzdem ein lymphatischer Schutz vorhanden, der ihnen von der Mutter direkt und nach der Geburt mit der Muttermilch übermittelt wurde. Danach vergrößern sich die Mandeln als Zeichen selbständiger immunologischer Aktivität, um sich schließlich im Verlauf der Pubertät wieder etwas zurückzubilden; die Rachenmandeln verschwinden häufig sogar vollständig.

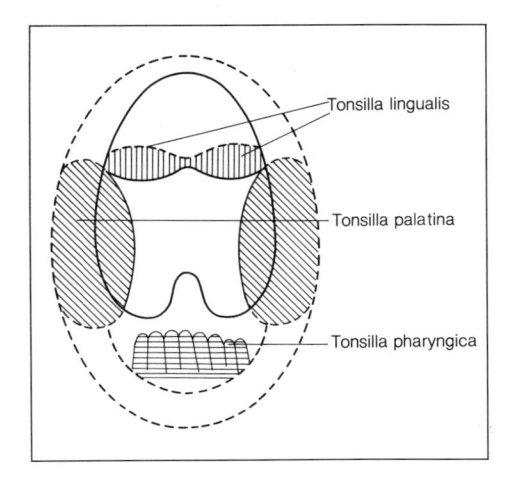

Abb. C.6.2: Anordnung der Tonsillen.

C. 6.1.3 Kehlkopf und Luftröhre

Der **Kehlkopf (Larynx)** – zuständig für die Stimmbildung – schließt sich an den Rachen an und geht in die Trachea über (Abb. C.6.3). Das Kehlkopfskelett wird aus fünf Knorpeln gebildet, die teilweise gelenkig miteinander verbunden sind. Die Kehlkopfbänder aus elastischem Bindegewebe liegen zwischen den einzelnen Kehlkopfknorpeln. Zwischen den Stimmbändern befindet sich ein schmaler Spalt, die sogenannte *Stimmritze (Glottis)*, die engste Stelle des Kehlkopfes. Der Zugang zum Kehlkopf kann durch den *Kehldeckel (Epiglottis)* verschlossen werden. Die Schleimhaut des Kehlkopfes weist in verschiedenen Abschnitten eine unterschiedliche Struktur auf: die orale Seite ist von unverhorntem Plattenepithel überzogen, in den übrigen Bereichen findet man das bereits erwähnte Respirationsepithel. An das Respirationsepithel schließt sich lockeres, gefäßreiches, mit zahlreichen Drüsen durchsetztes Bindegewebe an. Daher besteht bei entzündlich allergischen Reaktionen Erstickungsgefahr durch Entwicklung eines Larynxödems.

Die **Luftröhre (Trachea)** ist ein weitlumiges, bindegewebiges, elastisches Rohr, in das glatte Muskelfasern und Knorpelspangen eingelagert sind. Die Länge beträgt 10–12 cm bei einem Durchmesser von 1,5–2,5 cm. In der Höhe des 5. Brustwirbels teilt sich die Trachea in den rechten und

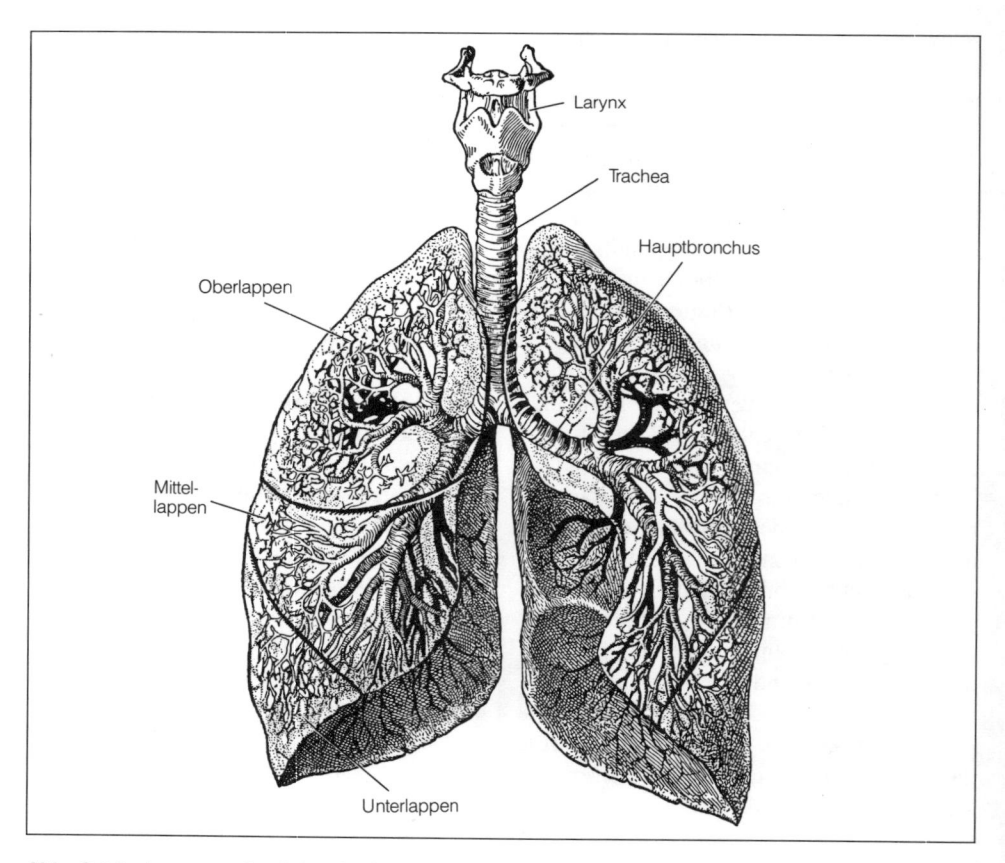

Abb. C.6.3: Lunge und zuleitende Atemwege. Das Lungengewebe ist transparent dargestellt, so daß die Bronchien sichtbar werden.

linken *Stammbronchus*. Wie die Bronchien wird auch die Trachea von einem mehrreihigen Flimmerepithel ausgekleidet; man kann hier wiederum Basal-, Becher- und Flimmerzellen unterscheiden. Die Flimmerbewegung der Zilien – wie sie bereits in Abschnitt C.6.1.1 beschrieben wurde – spielt in der Trachea ebenfalls die entscheidende Rolle.

C. 6.1.4 Bronchien und Lunge

Die Trachea gabelt sich in die beiden schräg nach unten laufenden Stamm- oder Hauptbronchien, die beiderseits am *Hilus* in die *Lungenflügel* eintreten. Durch tiefe Einschnitte sind die Lungenflügel in *Lungenlappen* unterteilt: der rechte Lungenflügel besteht aus drei, der linke aus zwei Lungenlappen. Von den *beiden Hauptbronchien* zweigen kleinere Äste ab, die sich unter Abnahme des Lumens weiter verzweigen, ähnlich einem Laubbaum (Abb. C.6.4). Das Bronchialsystem teilt sich dabei meist dichotomisch, bis zu 16mal. Der Durchmesser nimmt dabei kontinuierlich von 1,5–2,5 cm auf 0,5 mm in den *Bronchioli terminales* ab. Die größeren Bronchien sind durch Knorpelspangen, die kleineren durch Knorpelplättchen stabilisiert, damit das Lumen auch bei Druckänderung offengehalten wird. Glatte Muskelfasern zwischen und unter den knorpeligen Versteifungen können den Durchmesser der Bronchien ändern. Die Innenwände der Bronchien sind mit Respirationsepithel ausgekleidet, dessen Flimmerhaare eingeatmete Partikel mundwärts transportieren können. Die Höhe des Flimmerepithels nimmt mit zunehmender Verästelung in der Peripherie ab. Auch hier differenziert man wieder zwischen Flimmerzellen, schleimbildenden Becherzellen und undifferenzierten Basalzellen.

Die Endbronchien verzweigen sich in die *Bronchioli respiratorii* und schließlich in die *Alveolargänge (Ductus alveolares)*. Diese stehen mit einer Reihe benachbarter *Lungenbläschen (Alveolen)* in Verbindung (Abb. C.6.4). Die halbkugeligen Alveolen (Durchmesser 0,1–0,2 mm) sind einmal von elastischen Fasern und außerdem von

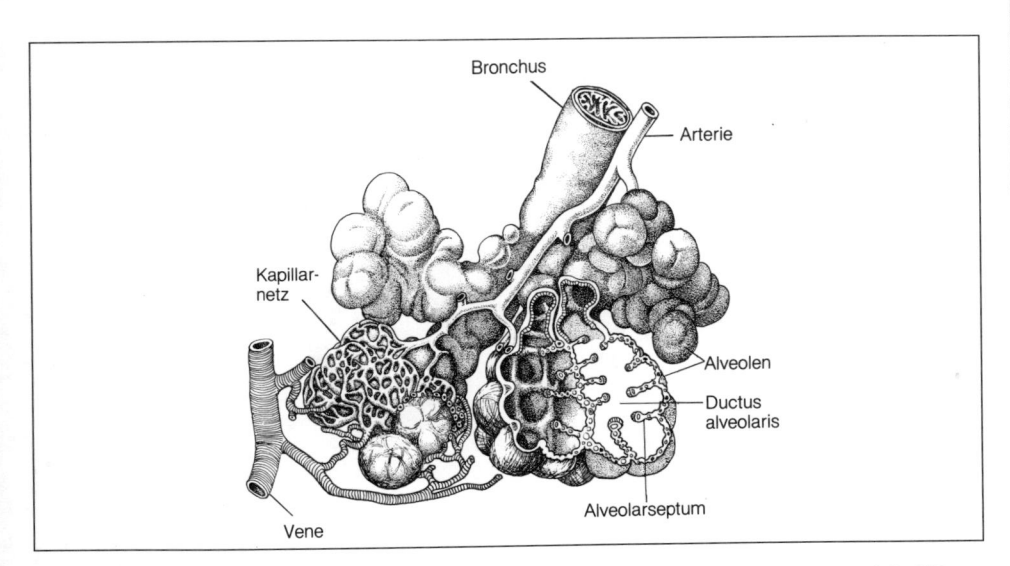

Abb. C.6.4: Endverzweigungen eines Bronchus mit teilweise eröffneten Alveolen und Gefäßversorgung. [nach Thews, Mutschler, Vaupel: Anatomie, Physiologie und Pathophysiologie des Menschen, Wissenschaftliche Verlagsgesellschaft mbH, Stuttgart 1982].

einem dichten Kapillarnetz umgeben, das von venösem Blut durchflossen wird. Infolge des engen Kontaktes zwischen dem Kapillarblut und der Alveolarluft bestehen optimale Voraussetzungen für den Austausch der Atemgase. Unter Aufnahme von Sauerstoff gibt das Blut Kohlendioxid ab; das so arterialisierte Blut fließt dann zurück zum Herzen.

C. 6.1.4.1 Struktur des Sekretfilms

Das Sekret des gesamten Bronchialsystems, die Absonderungen aus Mundhöhle, Nasen-Rachenraum und Nasennebenhöhlen bezeichnet man als *Sputum*. Unter physiologischen Gegebenheiten werden etwa 100–150 ml Sputum pro Tag produziert.

In den zahlreichen Alveolen bildet sich ebenfalls ein Flüssigkeitsfilm, der im wesentlichen oberflächenaktive, lecithinartige Substanzen (Tenside, *Surfactants*) enthält. Dieser Surfactantfilm sorgt für eine Verringerung der Oberflächenspannung an der Grenzschicht von Wasser und Luft, denn jede der Alveolen hat aufgrund ihrer Oberflächenspannung das Bestreben, sich zusammenzuziehen. Beobachtungen deuten darauf hin daß zwischen Mucus und Surfactant eine Interaktion besteht; da Surfactant-Material im Sputum nachgewiesen werden konnte, geht man davon aus, daß dieses über das Bronchialsystem ausgeschieden wird. Der Surfactant dürfte speziell bei der Stabilisierung peripherer Bronchialabschnitte eine Rolle spielen. Durch optimale Sekretadhäsion gewährleistet der Surfactant einen optimalen Sekrettransport und wirkt so der Mukostase und deren Folgen entgegen (Abb. C.6.5).

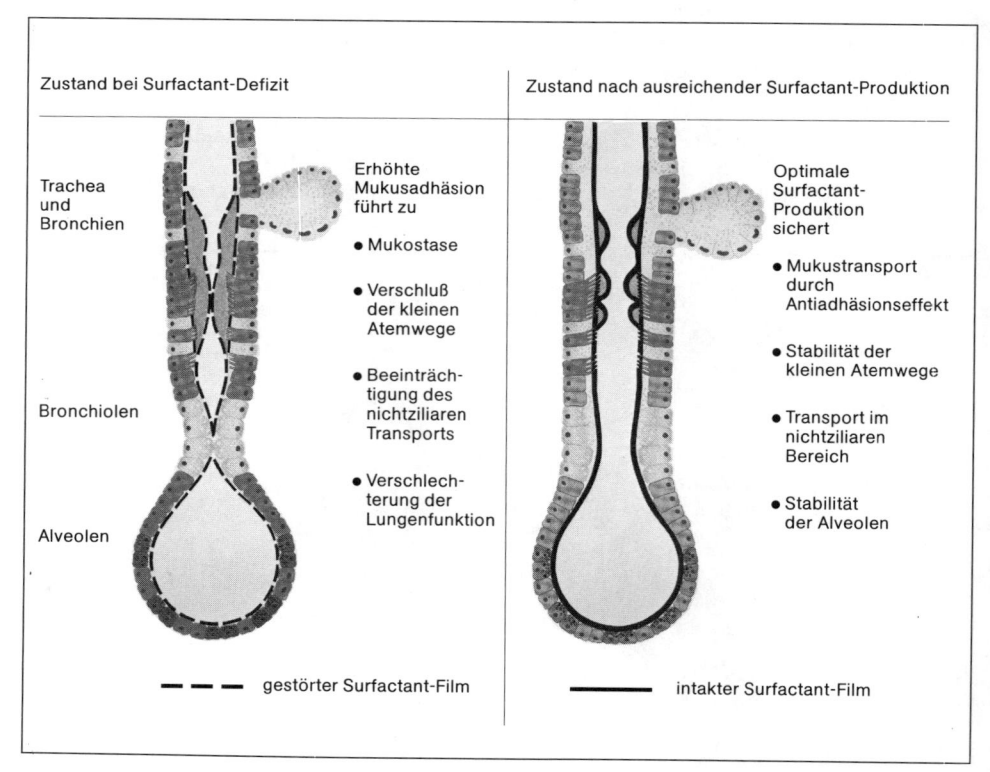

Abb. C.6.5: Funktion des Surfactant-Systems der Lunge [nach Weiss, H.: „Das Surfactant-System der Lunge", in: Obstruktive Atemwegserkrankungen, programmed®, Jahrgang 8, med. pharm. Verlags GmbH, Frankfurt.]. © Dr. Karl Thomae GmbH, Biberach an der Riss.

C. 6.2 Atemrhythmus und Regelmechanismus

Die immer feinere Verästelung der Bronchien – von der großlumigen Trachea bis zu den etwa 300 Millionen Alveolen – führt zu einer Kontakt- bzw. Gasaustauschfläche von ca. 100 m². Gemäß dem Gefälle der Partialdrucke wird Sauerstoff in die die Lungenbläschen umgebenden Kapillaren aufgenommen und Kohlendioxid an die Alveolen abgegeben und ausgeatmet. Der Sauerstoff wird über den großen Kreislauf im gesamten Organismus verteilt und steht dann dem Gewebe für die innere Atmung zur Verfügung. Der problemlose Ablauf des *Gasaustausches* ist nur gewährleistet, wenn die Diffusionsstrecke möglichst kurz ist. Jede – krankheitsbedingte – Verlängerung der Diffusionsstrecke beeinträchtigt den Gasaustausch, insbesondere aber die Sauerstoffversorgung, denn CO_2 diffundiert 20mal schneller, so daß eine verlängerte Diffusionsstrecke sich weniger dramatisch auswirkt.

Damit der Körper unter verschiedenen Bedingungen ökonomisch arbeiten kann, wird **in Ruhe** nur etwa ein Drittel der Lungenbläschen belüftet. Die Anpassung des Organismus an den vermehrten Sauerstoffbedarf **unter Belastung** wird durch Belüftung aller Alveolen, Durchblutung aller Kapillaren und weitere Mechanismen im Lungen-Herz-Kreislauf-System sichergestellt.

Die ungestörte Funktion der Spontanatmung wird durch eine Reihe meist unbewußt ablaufender Regelmechanismen gesteuert, wobei die **zentrale Atemregulation im Atemzentrum** des Hirnstammes große Bedeutung hat: die rhythmische Folge der Atmungsphasen wird durch die abwechselnde salvenartige Entladung der inspiratorischen und exspiratorischen Neurone bewirkt. Dieser zentrale Atemrhythmus kann zusätzlich durch periphere Einflüsse stabilisiert werden; die Anpassung der Atmung an die Stoffwechselleistungen des Organismus wird durch die chemische Atemregulation sichergestellt.

Nähere Einzelheiten dieses äußerst komplexen Zusammenspiels werden, soweit es zum Verständnis der Wirkung der besprochenen Pharmaka erforderlich ist, im Rahmen der Pathophysiologie und Therapie der Atemwegserkrankungen besprochen.

C. 6.3 Pathophysiologische Veränderungen im Respirationstrakt

C. 6.3.1 Erkrankungen der Nase und der Nasennebenhöhlen

Der **banale Schnupfen** (angloamerikanisch *„common cold"*) hat im Volksmund eine Deutung erfahren, die eher den Bagatellcharakter unterstreicht:

> ... dauert der Schnupfen ohne Arzt eine Woche und mit Arzt sieben Tage...
> ... mancher zelebriert seinen Schnupfen mit dem Aufwand, mit welchem eine Frau ein Kind bekommt...

Tatsächlich kann der Schnupfen eine harmlose Erscheinung, er kann aber auch Anzeichen einer ernst zu nehmenden Erkrankung sein. *Volkswirtschaftlich* gesehen kommt dem Schnupfen aufgrund der durch ihn bedingten Arbeitsausfälle eine erhebliche Bedeutung zu, nicht zuletzt deshalb, weil die therapeutischen Möglichkeiten eher begrenzt sind.

Häufigkeit. Erwachsene erkranken im Durchschnitt 2- bis 3mal pro Jahr, ältere Kinder 6- bis 12mal und Kleinkinder schließlich bis zu 30mal im Jahr an einer akuten Rhinitis. Interessant ist in diesem Zusammenhang die Tatsache, daß etwa 10% der Bevölkerung so gut wie nie vom Schnupfen befallen werden.

Ätiologisch spielen eindeutig **Viren** die entscheidende Rolle. Anhand großer epidemiologischer Untersuchungen ließ sich beispielsweise zeigen, daß etwa 80% der akuten Rhinitiden im Kindesalter durch Viren verursacht werden. Da neben den Viren die verschiedensten konstitutionellen, vegetativen, immunologischen, soziologischen, zivilisatorischen und geographischen Faktoren das Geschehen beeinflussen, kommt es dazu, daß dasselbe Virus beim einen Individuum eine recht harmlose, wenig störende Erkrankung, gerade eben eine Befindlichkeitsstörung hervorruft und bei einem anderen aber eine *schwere Allgemeinsymptomatik* mit diversen möglichen Komplikationen, z. B. einer Sinubronchitis.

Die Aussage, daß die akute Rhinitis in erster Linie durch Viren hervorgerufen wird, impliziert zugleich, daß auch andere Ursachen berücksichtigt werden müssen: zahlenmäßig bedeutend ist noch die *allergische Rhinitis*, seltener liegt eine *vasomotorische*, eine *medikamenteninduzierte* oder eine *bakterielle Rhinitis* vor. Hier soll noch auf den weit verbreiteten Irrtum hingewiesen werden, daß jede eitrige Sekretion aus der Nase bakteriell bedingt sei: auch beim Virusschnupfen kann es durch massive Leukozytenansammlung zur Eiterbildung kommen.

C. 6.3.1.1 Akute Rhinitis

Die akute Rhinitis darf schon deshalb nicht als medizinische Banalität abgetan werden, weil sie sich rasch als *sekundäre Rhinitis* entpuppen kann, die am Beginn und im Verlauf zahlreicher viraler und bakterieller Infektionen (z. B. Masern, Scharlach, Poliomyelitis, Ruhr, Typhus) auftritt.

Schnupfen ist ein Symptomenkomplex, der als Antwort auf einen die Nasenschleimhaut treffenden Reiz zustande kommt. Auf diesen Reiz kann die Nasenschleimhaut nur mit *Hypersekretion, Schwellung und Hyperämie* reagieren – eine andere Interaktion wird nicht beobachtet.

Daraus ergeben sich die jedem bekannten und aus eigener Erfahrung vertrauten klinischen Leitsymptome:

- Vermehrte Sekretion
- Starker Juckreiz
- Niesen
- Verstopfte Nase
- Evtl. Konjunktivitis

Viren als Ursache. Ursache können verschiedene Viren (z.B. Myxoviren, RS-Viren, Adenoviren), vor allem aber die Rhinoviren, von denen man über 100 Typen kennt, sein. Gerade diese **Rhinoviren** sind für mehr als 40% aller Erkältungskrankheiten verantwortlich, deren Verlauf jedoch meist harmlos ist. Bemerkenswert ist die Tatsache, daß man bei Kindern und Erwachsenen beträchtliche Unterschiede im Erregerspektrum nachweisen konnte.

Vom Virus zur Rhinitis. Damit sich nicht jedes Virus auf den Schleimhäuten des Respirationstraktes ausbreiten kann, ist der Organismus mit verschiedenen Infektabwehrmechanismen ausgestattet. Als entscheidende Faktoren dürfen die Systeme der Sekretbildung und des Sekrettransportes angesehen werden, die bereits unter C.6.1.4.1 beschrieben wurden. Das Nasensekret besitzt außerdem – wie bereits erwähnt – bakteriostatische und bakterizide Eigenschaften. Als erster Abwehrstoff wird lokal **Interferon** gebildet, daneben treten Makrophagen, Leukozyten, interferonstimulierte Natural-killer-cells und lokale Antikörper vom Typ Ig A in Aktion und wehren das Virus ab. Humorale Antikörper blockieren den weiteren Weg des Virus in den Organismus. Offensichtlich gelingt es den Viren unter bestimmten Voraussetzungen trotzdem, in die Schleimhaut und tiefer in den Organismus vorzudringen. Dabei erzeugen die Viren mehr oder weniger starke Zellschäden, sie aktivieren zum Teil Makrophagen und stimulieren eine virusspezifische Entzündungsreaktion. Die Viren dringen nach Anheftung an bestimmte Membranrezeptoren in die Zellen des Respirationstraktes mehr oder weniger tief ein, vermehren sich dort und zerstören bei der Freisetzung die Wirtszelle.

Während **Rhinoviren** nur leichte Schädigungen des Epithels hervorrufen (im Nasensekret findet man nur einzelne abgestoßene Zellen), bewirken **Influenzaviren** ausgedehnte, schwere Zellnekrosen: oftmals werden große Partien des Epithels zerstört, das den Bronchialbaum auskleidet – in geringerem Maße wird dies auch nach Infektionen mit **Parainfluenzaviren** beobachtet. Wenn also – aus der Sicht der Viren – die Tröpfcheninfektion erfolgreich verlief, stellen sich nach ein bis drei Tagen die ersten Symptome ein: an ein *trockenes Vorstadium* (Niesreiz, Fremdkörpergefühl in der Nase und Reizung sowie Wundgefühl im Nasopharynx) schließt sich bald das *katarrhalische Stadium* an, in dem auch die Allgemeinerscheinungen wie Kopfschmerzen, Abgeschlagenheit, Frösteln bzw. Hitzegefühl das Maximum erreichen; es entwickelt sich eine wäßrig-seröse Sekretion (die Nase „tropft") mit zunehmender Nasenobstruktion. Nach einigen Tagen läßt die wäßrige Sekretion nach, die Allgemeinsymptome ebenfalls, das Sekret wird visköser. Nach 7- bis 10 Tagen ist der banale Schnupfen überstanden: die Organismus-Virus-Interaktion führte zur Elimination des Erregers.

Unterkühlung. Die klinische Beobachtung, daß es vor allem nach Unterkühlung der Extremitäten zur akuten Entzündung der Nasenschleimhaut, also zur Rhinitis kommt, läßt sich durch experimentelle Befunde belegen: eine Unterkühlung der Extremitäten bewirkt auf reflektorischem Wege eine Drosselung der Durchblutung der Nasenschleimhaut, wodurch die Flimmertätigkeit der Zilien und die sekretorische Aktivität der Schleimhaut beeinträchtigt werden. So gelingt es den Viren leichter, das Schleimhautepithel zu erreichen und die Entzündungsreaktion in Gang zu setzen. Wie bereits erwähnt, spielen noch andere

Pathophysiologische Veränderungen Seite C. 6/13

Faktoren eine Rolle, die die Resistenz des Organismus herabsetzen und die Virulenz der Erreger steigern – erst dann entwickelt sich die Rhinitis.

> Eine Rhinitis kommt selten allein!

Es ist eine Regel, fast schon eine Gesetzmäßigkeit, daß die Infektion so gut wie nie auf die Nase beschränkt bleibt: benachbarte Abschnitte des Respirationstraktes reagieren mit, sei es, daß eine Nasopharyngitis, eine Laryngitis, Tracheitis oder eine Begleitbronchitis als mehr oder weniger gravierende Komplikation hinzukommt.

Eine **bakterielle Superinfektion** entsteht erst nach einem viralen Primärschaden am Flimmerepithel und an den lokalen Abwehrmechanismen: in *frühen Stadien* von Erkrankungen des Respirationstraktes lassen sich folglich auch *nur Viren, keine Bakterien* kulturell nachweisen. Eine Doppelinfektion mit Bakterien und Viren löst eine deutliche Verstärkung der Entzündung und damit der Symptome aus; sehr ausgedehnte Prozesse auf den Schleimhäuten oder Pneumonien können auftreten.

C. 6.3.1.2 Rhinitis aus pädiatrischer Sicht

Akute Erkrankungen der Luftwege sind der häufigste Grund, weshalb Kleinkinder dem Arzt vorgestellt werden; überwiegend sind die oberen Luftwege betroffen und fast immer besteht eine Rhinitis.

> Weshalb sind kleine Kinder so anfällig für den Schnupfen?

Der Schnupfen im Kindesalter unterscheidet sich von der Rhinitis des Erwachsenen durch entwicklungsbedingte anatomische und physiologische Besonderheiten, die diesen Lebensabschnitt charakterisieren.

Anatomisch sind in der Nase zwei Engstellen von Bedeutung, der Isthmus nasi und die Canales choanales, die beim Säugling nur 1–2 mm lang und zudem mit einer leicht schwellbaren Schleimhaut ausgekleidet sind. Schwellen diese infolge Entzündung zu oder werden sie mit Sekret verlegt, dann zeigt sich schnell das Bild eines **Stockschnupfens**. Diese Kanälchen erweitern sich im Verlauf des ersten Lebensjahres zu den Choanen.

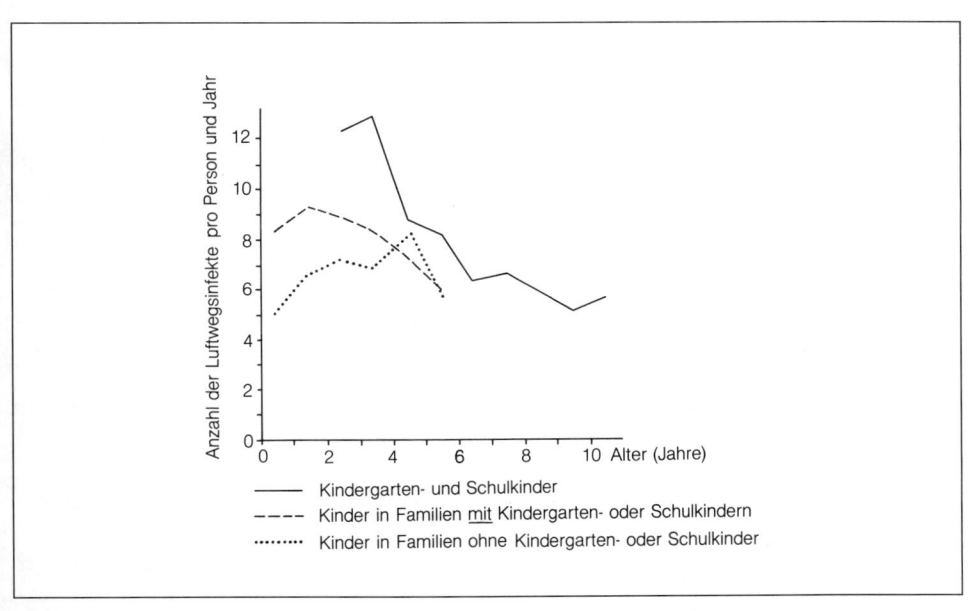

Abb. C.6.6: Zahl jährlicher Luftwegsinfekte in Abhängigkeit von der Exposition.

Selbstmedikation V/1987

Neben diesen Faktoren und verschiedenen Störungen der mukoziliaren Clearancefunktion kann das spezifische und unspezifische *Abwehrsystem* der Schleimhaut gestört sein. Zwar verfügt das Neugeborene prinzipiell über sämtliche Möglichkeiten der humoralen und zellulären Abwehr, aber ihm fehlt die antigene Erfahrung, woraus eine eingeschränkte Leistungsfähigkeit dieses Systems resultiert: das kindliche Immunsystem muß erst noch „trainiert" werden. Im Kindesalter handelt es sich außerdem um *Erstkontakte mit den jeweiligen Erregern*, folglich fehlen entsprechende Antikörper. Die Zahl jährlicher Luftwegsinfekte bei Kindern bis zu 10 Jahren in Abhängigkeit von der Exposition ist in Abb. C.6.6 (nach von der Hardt, 1982) dargestellt.

So läßt sich die Erkrankungshäufigkeit unter medizinischen Gesichtspunkten zwanglos erklären – trotzdem finden sich viele Eltern nicht ohne weiteres mit ihrem „dauernd" erkälteten Kind ab und haben dem Arzt gegenüber eine besondere therapeutische Erwartungshaltung.

Außerdem muß berücksichtigt werden, daß Viren, die bei Erwachsenen nur einen harmlosen Infekt der oberen Luftwege auslösen, im Kleinkind- und Säuglingsalter zu schweren, möglicherweise *lebensbedrohlichen Allgemeinerkrankungen* führen können: der untere Respirationstrakt ist mitbetroffen – dies äußert sich unter Umständen als Bronchitis, Bronchiolitis oder Pneumonie, wobei auch der Magen-Darm-Trakt (Erbrechen, Durchfall) mitbeteiligt sein kann.

Bei akuten Entzündungen der Nasenschleimhaut sind die winzigen Nasennebenhöhlen praktisch immer in Mitleidenschaft gezogen, heilen aber aufgrund günstiger anatomischer Verhältnisse meist folgenlos ab – ohne im Rahmen der Erkältungskrankheit isolierte klinische Bedeutung zu erlangen.

Die **Nasennebenhöhlen** (Stirnhöhle, Siebbeinzellen, Kieferhöhle und Keilbeinhöhle) entwickeln sich verschieden schnell; dabei ändert sich dann auch die anfänglich günstige Relation von der Weite des Ausführungsganges zur Größe der Nasennebenhöhlen (was insbesondere für die Kieferhöhle gilt). Die praktisch immer bakteriell bedingten Entzündungen der Nebenhöhlen gewinnen damit an Bedeutung: mit *Entzündungen der Kieferhöhle* ist ab dem 4. Lebensjahr, *der Stirnhöhle* und *hinteren Siebbeinzellen* ab dem 6. Lebensjahr und mit *Entzündungen der Keilbeinhöhle* ist nicht vor dem 10. Lebensjahr zu rechnen – von seltenen Einzelfällen abgesehen.

C. 6.3.1.3 Akute und chronische Sinusitis

Während bei Kleinkindern Nebenhöhlenaffektionen ziemlich in den Hintergrund treten, sehen die Zahlen bei Erwachsenen weniger günstig aus: ca. 15–20% erkranken einmal jährlich im Rahmen eines Infektes der oberen Luftwege an einer Sinusitis, wobei am häufigsten die Kieferhöhle betroffen ist. Chronische Nebenhöhlenentzündungen diagnostiziert man bei 5–10% der Bevölkerung.

Entstehung der Sinusitis

Man geht von der Annahme aus, daß primär ein Virusschaden entsteht, dem eine bakterielle Infektion folgt. Das therapeutische Vorgehen ist von zahlreichen Faktoren abhängig, auf die an anderer Stelle noch eingegangen wird. Vielfach wird eine antibiotische Behandlung erforderlich sein, weshalb sich Patienten, bei denen Verdacht auf eine Sinusitis besteht, grundsätzlich einem Arzt vorstellen sollten. Man spricht zwar von einer *hohen Selbstausheilungsrate* (ca. 70%) – aber es muß auch an mögliche *orbitale Komplikationen* gedacht werden, die u.U. eine rasche chirurgische Intervention erfordern.

Hinweise auf akute Entzündungen der Nasennebenhöhlen sind Druck- und Bückschmerz über dem betroffenen Nasenhöhlenareal, eitriger Nasenfluß und teilweise Zahnschmerzen.

Wenn der Arzt nur ein **leichtes Krankheitsbild** mit geringen subjektiven Beschwerden diagnostiziert, ist die alleinige **Therapie** mit Wärme, Inhalationen und abschwellenden Nasentropfen gerechtfertigt.

Die **Therapie** der **chronischen Rhinosinusitis** unterscheidet sich prinzipiell von derjenigen der akuten Nebenhöhlenaffektion; auch erfordert diese einen erweiterten diagnostischen Aufwand. Damit entzieht sich dieses Krankheitsbild primär der Selbstmedikation – von gewissen unterstützenden, gelegentlich phytotherapeutischen Maßnahmen abgesehen.

C. 6.3.1.4 Nichtvirusbedingte Rhinitisformen

C. 6.3.1.4.1 Rhinitis sicca

Als Symptome dominieren trockene Schleimhäute mit Druck- oder Spannungsgefühl in der Nase und teilweise im Nasopharynx. Ein besonders unangenehmes Fremdkörpergefühl kann dadurch entstehen, daß der zu Borken eingetrocknete Schleim in Nase und Nasenrachen festklebt. Das Krankheitsbild der Rhinitis sicca tritt immer häufiger auf, bedingt durch die vermehrte *Umweltverschmutzung* einerseits und durch das weit verbreitete Arbeiten in *klimatisierten Räumen* andererseits. Lange bekannte Ursachen der „trockenen Nase", z. B. vorangegangene *Septumoperationen*, Mißbrauch von *Nasentropfen* oder starkes *Rauchen* kommen hinzu. Die Rhinitis sicca kann dadurch kompliziert werden, daß gehäufte Infekte im nasopharyngealen Bereich auftreten.

C. 6.3.1.4.2 Rhinitis medicamentosa

Die medikamenteninduzierte Rhinitis wird durch den *Mißbrauch abschwellender Nasentropfen* induziert: nach langfristiger und/oder zu hoch dosierter Anwendung derartiger Lokaltherapeutika beobachtet man gelegentlich reaktive Hyperämien, verbunden mit einem übermäßigen Anschwellen der Nasenschleimhaut, auch als *Reboundeffekt* bekannt. Sämtliche Nasentropfen/-sprays, die Vasokonstriktoren enthalten, sind bei der medikamenteninduzierten Rhinitis kontraindiziert. Einzelheiten sind bei den einzelnen Wirkstoffen und Handelspräparaten aufgeführt.

C. 6.3.1.4.3 Rhinitis vasomotorica

Die vasomotorische Rhinitis ist als eine nicht durch Allergene, sondern durch äußere oder innere Reize auf neuralem Wege hervorgerufene *Überempfindlichkeit* der Nasenschleimhaut definiert. Neben mechanischen, chemischen und thermischen Noxen scheinen hormonelle, aber auch psychische Faktoren eine Rolle zu spielen. Diese Form der Rhinitis nimmt einen *meist chronischen Verlauf* – als Begleiterkrankungen werden gelegentlich spastische Bronchitis oder Asthma bronchiale genannt.

Nach Breuninger (1983) sollte man die Rhinitis vasomotorica entsprechend der allergischen Rhinitis behandeln, alternative Behandlungsmethoden (z. B. Atemgymnastik, Akupunktur) werden diskutiert.

C. 6.3.1.4.4 Rhinitis allergica

Allergien sind definiert als Formen einer krankhaft gesteigerten Reaktion des Organismus gegenüber atoxischen Substanzen infolge einer Hypersensibilität des Immunsystems.

Häufigkeit. 36 % der Erwachsenen geben an, auf bestimmte Stoffe oder Einflüsse besonders empfindlich zu reagieren; die Zahl der zumindest eine gewisse Zeit an *Pollinose (Heuschnupfen)* erkrankten Menschen wird in der Bundesrepublik auf etwa 1–1,5 Millionen geschätzt.

Deutliche Unterschiede zeigen sich bei den Geschlechtern: während nur 26% der Männer allergisch reagieren, liegt der Prozentsatz beim weiblichen Geschlecht bei 45%. Inzwischen konnte man auch feststellen, daß mit zunehmendem Alter die Beeinträchtigung durch Allergien signifikant abnimmt.

Zur allergischen Rhinitis zählt neben der **Pollinose**, der sicherlich bekanntesten und am besten untersuchten Form, die **perenniale Rhinitis**, die nicht durch bestimmte Pollenarten, sondern durch Tierepithelien, Hausstaub, Milben und Schimmelpilze ausgelöst wird.

Bei der allergischen Rhinitis, einer *Allergie vom Soforttyp* (Typ I, IgE-Typ), kommt es infolge einer Antigen-Antikörper-Reaktion an der Mastzelloberfläche zum Einstrom von Calciumionen und damit zur Freisetzung hochaktiver Mediatorstoffe, unter anderem **Histamin, Bradykinin, Serotonin** oder **SRS-A** (slow reacting substance of anaphylaxis).

Symptome. Niesattacken, Schwellungsneigung der Nase, begleitet von wäßriger Hypersekretion, gelegentlich Konjunktivitis, sind als Leitsymptome anzusehen, Kopfschmerzen, allgemeine Abgeschlagenheit und Müdigkeit runden das Symptombild ab. Bei 15–20% der Betroffenen manifestiert sich die allergische Reaktion auch in den tieferen Atemwegen – als Astma bronchiale unterschiedlichen Schweregrades.

Folgende Pollenarten – in der Reihenfolge ihrer klinischen Bedeutung – werden als besonders wichtig eingestuft:

- Gräser-und Getreidepollen.
- Baumpollen von Pappel, Linde, Pseudoakazien oder Pollen von Sträuchern wie Holunder oder Jasmin.

Die Heuschnupfenpatienten leiden oft monatelang während des Frühlings und Sommers und sind durch die geschilderten Symptome stark im Wohlbefinden und in der Leistungsfähigkeit beeinträchtigt.

Morphologische und pathophysiologische Veränderungen. Für die allergische Reaktion der menschlichen Nasenschleimhaut ließ sich kein spezifisches morphologisches Substrat ermitteln; auffallend ist die *Membranschädigung der Zilien* sowie ein unregelmäßiger *Zilienverlust*. Im Akutstadium stagniert die Zilientätigkeit vollständig. Weitere Epithelveränderungen runden das morphologische Bild ab; die Folge ist eine Permeabilitätssteigerung der Gefäßwand mit starker Nasensekretion. Als weitere Sekretquelle sind die Drüsen- und Becherzellen anzusehen, die unter dem Einfluß der Mediatoren eine exzessive Aktivität entwickeln. Für den Verschluß (Obstruktion) der Nase ist die Blutstauung in den Schwellkörpern der Nasenmuscheln verantwortlich, die sich dem vasodilatierenden Effekt von Histamin, Acetylcholin und Bradykinin unterwerfen.

Alle beobachteten Veränderungen sind nach Abklingen der Erkrankung voll reversibel.

Therapeutische Maßnahmen

Wenn nach eingehender Diagnostik, bei der die Anamnese eine bedeutende Rolle spielt, das auslösende Agens ermittelt werden konnte, bietet sich zwar die kausale Therapie an (Allergenkarenz) – in den meisten Fällen ist diese aber nur bedingt realisierbar. Als annähernd kausale Behandlung ist die **parenterale Hyposensibilisierung** einzustufen; da sich diese Therapie über einen langen Zeitraum (im allgemeinen geht man von 3–4 Jahren aus) erstreckt, erfordert sie eine hohe Disziplin vom Patienten. Bei *Heuschnupfen* beispielsweise liegt die Erfolgsquote bei 70–90%, wenn das Allergen exakt bekannt ist und während der Hyposensibilisierung keine Allergenänderung eintrat; weniger günstig sehen die Zahlen bei den *perennialen Rhinitisformen* aus.

Bei Kindern bietet sich die **orale Hyposensibilisierung** an, die für kleine Patienten weniger unangenehm ist als die Injektions-

Pathophysiologische Veränderungen

behandlung – jedoch mit der Einschränkung, daß selbst nach 4jähriger Hyposensibilisierung der Behandlungserfolg nur für 3–5 Jahre gesichert ist.

Daher hat die symptomatische und die prophylaktische Behandlung große Bedeutung erlangt – und die Zeiten sind vorbei, wo man die saisonale und perenniale Rhinitis als Crux medicorum bezeichnen mußte. Inzwischen ist ein so breites Spektrum therapeutischer Möglichkeiten verfügbar, daß für fast jeden Patienten mit allergischer Rhinitis ein maßgeschneidertes Konzept gefunden werden kann.

Obwohl viele wirksame Medikamente für diese Indikation ohne ärztliche Verschreibung abgegeben werden können, z.B. Antihistaminika, diverse abschwellende Nasentropfen/-sprays oder Dinatrium cromoglicicum (DNCG) – ist eine Selbstmedikation nicht generell zu empfehlen. Trotzdem werden nicht verschreibungspflichtige Arzneimittel, die bei allergischer Rhinitis zur Anwendung kommen, im Teil B im Sinne einer Basisinformation besprochen.

C. 6.3.1.4.5 Chronische Rhinitis

Monatelang bestehende oder in kurzen Zeitabständen sich wiederholende Entzündungen der Nasenschleimhaut bezeichnet man als chronische Rhinitis. Gemäß der klinischen Erscheinungsformen lassen sich *Rhinitis chronica simplex* (einfacher chronischer Schnupfen), *Rhinitis chronica hypertrophicans* (Rhinitis mit Schleimhautwucherung, Absonderung eines zähen Schleims und erschwerter Luftpassage), *Rhinitis chronica atrophicans* (Rhinitis mit Schwund der Nasenschleimhaut, evtl. auch des Nasenskelettes) und als sehr seltene Sonderform die *Stinknase (Ozaena)*, mit üblem Nasengeruch unterscheiden. Bei der chronischen Rhinitis sind keine spezifischen Erreger nachweisbar. Viele Beobachtungen deuten jedoch darauf hin, daß beim Menschen für die Entstehung und für den Verlauf der chronischen Rhinitis immunologische Mechanismen von entscheidender Bedeutung sind. Die Reaktion immunkompetenter Zellen mit dem jeweiligen Antigen dürfte dabei im Mittelpunkt stehen.

Die *morphologischen Veränderungen* bei der chronischen Rhinitis sind sehr variabel, weshalb diese nicht in allen Einzelheiten besprochen werden sollen. Ebenso komplex stellen sich die therapeutischen Ansätze dar; sie reichen von allgemeiner Schleimhautpflege über Salzwasserspülungen, Behandlung mit Vitamin-A-haltigen Ölen bis zur chirurgischen Intervention.

C. 6.3.2 Erkrankungen des Rachens

Ätiologisch stehen wieder *Virusinfektionen* im Vordergrund; heute kennt man ca. 150 verschiedene Virustypen, die zu katarrhalischen Erkrankungen im Mund-Rachen-Raum (und im Respirationstrakt) führen können. Daneben spielen *bakterielle Infektionen* eine wichtige Rolle: Streptokokken dominieren als Erreger, aber auch Staphylokokken und Haemophilus influenzae kommt pathogenetische Bedeutung zu.

In der Regel hat man es mit viralen und/oder bakteriellen *Mischinfektionen* zu tun, welche von den benachbarten lymphatischen Organen nicht schnell genug abgewehrt werden können, sei es, daß sie der Virulenz der Erreger nicht gewachsen sind oder sei es, daß das Immunsystem momentan geschwächt ist.

Die *charakteristischen Symptome der Entzündung* (Rubor, Calor, Tumor und Dolor) sind als Ausdruck der natürlichen Infektabwehrmechanismen zu werten: die Durchblutung des betroffenen Areals wird gesteigert, es werden vermehrt Leukozyten zur infizierten Schleimhaut transportiert. Sobald die Phagozytosekapazität dieser weißen Blutkörperchen überfordert wird, treten verschiedene typische Krankheitssymptome auf, welche durch die sich rasch vermehrenden Erreger intensiviert werden, außerdem nimmt die Schleimproduktion stark zu.

Neben der Nase sind Mund, Rachen und Kehlkopf am stärksten exponiert und bei sehr hoher Virulenz der Keime und/oder reduzierter Abwehr entstehen Entzündungen, die unterschiedlich lokalisiert sein können.

C. 6.3.2.1 Pharyngitis

Die *Entzündung der Rachenschleimhaut* tritt oft als Begleitsymptom eines Infektes der oberen Luftwege auf, man bezeichnet die *Pharyngitis* auch als *Rachenkatarrh*.

Die Pharyngitis beginnt mit einem typischen Brennen und Kratzen der stark geröteten und geschwollenen Rachenschleimhaut, rasch gefolgt von Beschwerden beim Schlucken und Sprechen. Später bildet sich ein eitriger, zähflüssiger Belag aus Schleim, Leukozyten und phagozytierten Keimen. Diese Verschleimung kann einen quälenden Hustenreiz zur Folge haben. Neben leichteren Formen gibt es schwere Pharyngitiden bakteriellen Ursprungs, die vom Arzt diagnostiziert, behandelt (Antibiotika) und kontrolliert werden müssen. Eine spezielle Form der Pharyngitis ist die *Pharyngitis lateralis*, die Seitenstrang-Angina. Sie kommt in Verbindung mit einer *Angina tonsillaris* (nach Tonsillektomie auch an Stelle einer Angina tonsillaris) oder – wie die Pharyngitis – als *Begleitsymptom* eines Atemwegsinfektes vor.

C. 6.3.2.2 Angina

Unter Angina, wörtlich übersetzt „Enge", versteht man ätiologisch *verschiedene Krankheitsbilder*, die mit einer Entzündung der Gaumenmandeln und des lymphatischen Rachenringes einhergehen. Leitsymptome sind Engegefühl im Hals, Schluckbeschwerden, mehr oder weniger ausgeprägtes Fieber sowie allgemeines Krankheitsgefühl; die Tonsillen sind stark gerötet und geschwollen. Zusätzliche Eiterpfropfen oder gelbe Beläge sprechen für bakterielle Infekte.

Da sich nicht ohne weiteres beurteilen läßt, ob ein rein lokales, virusbedingtes Geschehen vorliegt – das einer Lokaltherapie im Sinne der Selbstmedikation zugänglich ist – oder ob eine schwere bakterielle oder virale Infektion vorliegt, sollte der Patient an den Arzt verwiesen werden. Erst die **Differentialdiagnose** kann darüber Aufschluß geben, ob sich das entzündliche Geschehen auf den Hals-Rachen-Raum beschränkt oder ob beispielsweise eine *hochfieberhafte Monozyten-Angina* (Pfeifer'sches Drüsenfieber, Mononucleosis infectiosa), *Scharlach* oder *Diphtherie* vorliegt.

Eine systemische antibiotische Behandlung verhindert das Ausbrechen der Bakterien in die Blutbahn; ungenügend behandelte *Streptokokkeninfektionen* der Mandeln können rheumatisches Fieber, bestimmte Formen der Nierenentzündung, gelegentlich auch Herzklappenentzündung zur Folge haben. Von der *akuten* Form der Tonsillitis ist die *chronische* abzugrenzen, die in jedem Fall vom Arzt behandelt werden muß.

C. 6.3.2.3 Laryngitis

Eine Entzündung des Kehlkopfes, meist *viral* bedingt, tritt oft zusammen mit einer Bronchitis oder einer Nasen- und Racheninfektion auf. Die Schleimhaut des Kehlkopfeingangs und der Stimmbänder ist leicht gerötet und zeigt vermehrte Schleimauflagerung. Die Stimme klingt tief und heiser und es besteht ein *trockener Reizhusten*. In schweren Fällen beobachtet man eine vorübergehende Aphonie, einen völligen Verlust der Stimme.

Der **akute Kehlkopfkatarrh** (banale unspezifische Laryngitis) neigt wie alle banalen Erkältungskrankheiten zur raschen Spontanheilung, daher steht die Allgemeinbehandlung (Bettruhe, ausreichend Luftfeuchtigkeit, Schonung der Stimme) im

Vordergrund. Abhängig vom Schweregrad empfiehlt sich eine ergänzende medikamentöse Behandlung (Antitussiva, Antiphlogistika und hohe Dosen Vitamin C, Uttenweiler, 1983).

C. 6.3.3 Erkrankungen der tieferen Atemwege

Wenn der Atemwegsinfekt sich bis in die tieferen Abschnitte (Lunge, Bronchien) des Respirationstraktes ausgedehnt hat, oder andere, nicht infektbedingte Atemwegserkrankungen auftreten, sollte jeglicher Medikation eine ärztliche Untersuchung und Diagnose vorangehen. Dies gilt in ganz besonderem Maße für Kinder.

Es soll und kann nicht Aufgabe einer verantwortungsbewußten Selbstmedikation sein, an derartigen Erkrankungen, zu denen in erster Linie – bezogen auf die Häufigkeit des Auftretens – *Bronchitis* (akut und chronisch) sowie die verschiedenen Formen des *Asthmas* gehören, „herumzukurieren". Das Symptom *Husten* jedoch, wenn es beispielsweise im Rahmen einer banalen Erkältung auftritt, läßt sich mit nicht verschreibungspflichtigen Medikamenten therapeutisch gut beeinflussen: nachdem im Patientengespräch herausgearbeitet wurde, um was für einen Husten es sich handelt (trokken, festsitzend, verschleimt etc.).

C. 6.3.3.1 Husten

Husten ist ein Schutzmechanismus, der ganz wesentlich an der Reinigung der Atmungsorgane von Bronchialsekret und Fremdkörpern beteiligt ist. Da es sich um einen Reflex handelt, läßt sich der Husten kaum unterdrücken. So gesehen ist der Husten nützlich – und es treten rasch Probleme auf, wenn die Expektorationsmechanismen versagen, wenn der Hustenstoß nur eine unzureichende Effizienz aufweist. Damit steht schon fest, daß es keinesfalls angebracht ist, einem Kunden, der über Husten klagt, ohne weiteres einen Hustenblocker zu empfehlen. Denn Husten ist nicht gleich Husten.

Zu unterscheiden hat man einmal den akuten Husten von einer chronischen Form; der **akute Husten** ist häufig eines der Symptome bei Erkältungskrankheiten, während der **chronische Husten** auf ernste Erkrankungen des Respirationstraktes hinweisen kann. Weiterhin muß man wissen, ob ein trockener Reizhusten oder ein produktiver Husten vorliegt. Der **trockene Husten** kann *allergisch, entzündlich* oder *neuro-*

Tab. C.6.1: Erkrankungen, die mit Husten einhergehen können (Auswahl).
[nach U. Moser, Dtsch. Apoth. Ztg. *125*, 998 (1985)].

Husten/Auswurf	
Erkrankungen der Atemwege	**Extrathorakale und sonstige Ursachen**
Akute Bronchitis Akute Tracheitis Pneumonie Keuchhusten Diphtherie Tuberkulose	Linksherzinsuffizienz Hilus-nahe Tumoren jeder Genese Erkrankungen des Ösophagus Abdominale Prozesse Neurologische Krankheitsbilder Psychogene Krankheitsbilder
Chronische Bronchitis Asthma bronchiale Emphysem Pneumokoniose Lungenaszeß, -ödem, -fibrose Mukoviszidose Bronchialkarzinom	

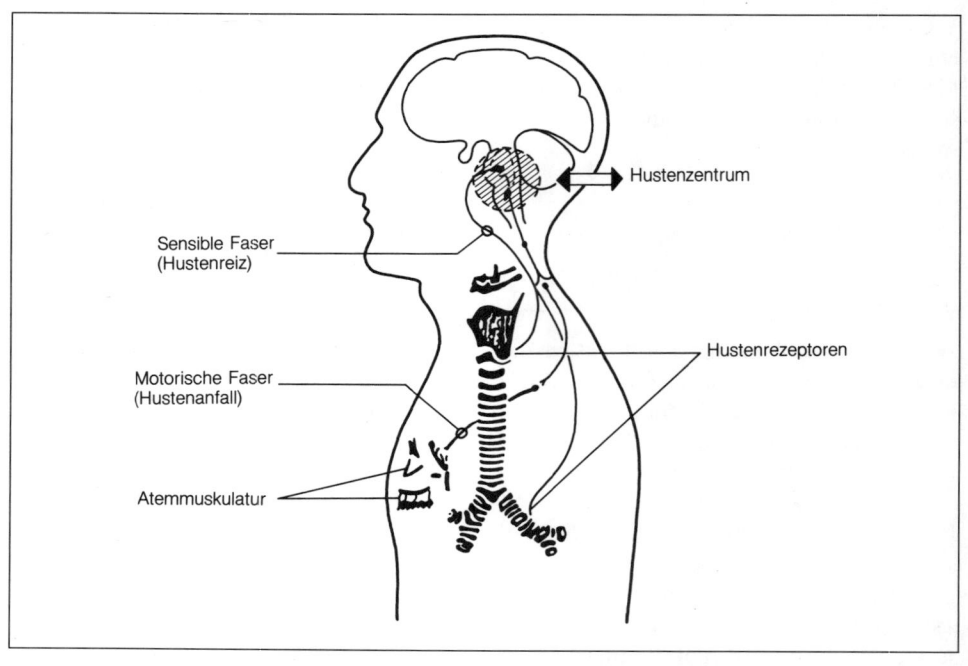

Abb. C.6.7: **Schematische Darstellung des Hustenreflexes** [nach U. Moser, Dtsch. Apoth. Ztg. 125, 998 (1985)].

tisch bedingt sein, der **produktive Husten** hingegen wird durch Infektionen der Atemwege mit *Viren* und/oder *Bakterien* ausgelöst; ebenso ist der produktive Husten eines der drei charakteristischen Symptome der Bronchitis. In Tabelle C.6.1 sind die Erkrankungen aufgeführt, die mit Husten einhergehen können.

Reizstoffe, vor allem aber *pathologisch veränderter Schleim*, lösen den Hustenreflex aus, indem Rezeptoren (sensible Nervenendigungen) auf diese Noxen mit einer Erregung reagieren. Diese Rezeptoren – man unterscheidet Mechano- und Chemorezeptoren – sind über die gesamten Atemwege verteilt: Mechanorezeptoren findet man hauptsächlich im oberen Teil des Respirationstraktes, während Chemorezeptoren mehr in den peripheren Abschnitten lokalisiert sind (Abb. C.6.7). Die Erregung der Rezeptoren wird über afferente Nerven zum *Hustenzentrum* weitergeleitet; wenn die Summe der Reize eine gewisse Schwelle überschreitet, wird über efferente Nerven der Hustenvorgang ausgelöst. Der dabei entstehende stark beschleunigte Atemstoß erreicht Werte von 50–120 l/sec. und entspricht damit etwa der Stärke eines Orkans. Übermäßiger Husten tritt besonders dann auf, wenn die Expektoration gehemmt oder beeinträchtigt ist. Daher sei auch an mögliche (glücklicherweise seltene) **Komplikationen heftiger Hustenattacken** erinnert:
- Leisten-, Nabel- oder Zwerchfellbrüche
- Gefäßrupturen (insbesondere bei älteren Patienten)
- Gebärmutterprolaps oder
- Schwankungen des Blutdrucks

um nur einige zu nennen.

Nicht zu vernachlässigen ist auch der durch nächtliche Hustenanfälle gestörte Schlaf, wodurch sich der Betroffene langsamer erholt.

Die bereits erwähnte *abnorme Schleimproduktion* umfaßt die veränderte Sekretzusammensetzung, die übermäßige Schleimproduktion sowie auch die erhöhte Sekretviskosität.

C. 6.3.3.1.1 Der trockene Reizhusten

Wenn über trockenen Husten geklagt wird, bei dem kaum Schleim abgehustet werden kann, sollte man zuerst versuchen, im Patientengespräch die *Ursache* der Irritation der Schleimhaut festzustellen, die zur Entzündung mit Folge einer trockenen Schleimhaut führt. Ist dies im Rahmen der Beratung in der Apotheke nicht möglich – oder auch nicht nötig, weil man sofort den Kausalzusammenhang erkennt (z. B. beginnender banaler Atemwegsinfekt, starkes inhalatives Rauchen) – sind *Antitussiva* indiziert: bei unbekannter Ursache, bis der Patient den Arzt konsultieren kann.

In solchen Fällen ist der Husten als Schutzreflex hinfällig – er stellt nur noch eine sinnlose und schmerzhafte Belästigung des Patienten (und oft auch seiner Familie) dar, besonders bei nächtlichem Reizhusten.

Antitussiva sind Stoffe, die den Reflexbogen des Hustens unterbrechen bzw. die Reizschwelle des Hustenzentrums so erhöhen, daß nicht jeder Reiz einen Hustenstoß auslöst. Die heute im Handel befindlichen Antitussiva (die einzelnen Wirkstoffe sind in Kapitel B.6.3.1 besprochen) gelten alle als wirksame *Hustenblocker mit zentralem Angriff*, von denen nur geringfügige oder gar keine Nebenwirkungen bekannt wurden.

C. 6.3.3.1.2 Der produktive Husten

Auch dieser kann Begleitsymptom einer banalen Erkältung sein, insbesondere bei Kindern. Während in der Anfangsphase der Erkältung der schmerzhafte, trockene Reizhusten mit wenig oder ganz ohne Auswurf dominiert, wird der Husten im Verlauf der Erkältung meist produktiv: das in den Atemwegen reichlich vorhandene, meist pathologisch veränderte Sekret muß entfernt werden. Daher wäre es in diesem Stadium unsinnig, den Hustenreflex auszuschalten – etwa durch Gabe von Antitussiva. Man sollte im Gegenteil das Abhusten des Sekretes erleichtern und fördern und versuchen, Sekretzusammensetzung und -produktion zu normalisieren. Dafür stehen wirksame Expektorantien (Kapitel B.6.3.2) zur Verfügung, die man in *Sekretolytika, Sekretomotorika* und *Mukolytika* unterteilen kann.

C. 6.3.3.2 Akute Bronchitis

Die akute Bronchitis tritt relativ häufig auf und wird hauptsächlich im Anschluß an einen *katarrhalischen Infekt* – oft begleitet von einer *Tracheitis* – beobachtet (Tracheobronchitis). Dabei breitet sich die entzündliche Reaktion des Respirationstraktes, beginnend im Nasen-Rachen-Raum, deszendierend in die tieferen Atemwege aus. Die Entzündung kann aber auch primär zur Tracheitis, Bronchitis oder Bronchiolitis führen – ohne Anzeichen einer typischen Erkältung.

Gehäuft treten solche akut ablaufenden Erkrankungen im Kleinkindes- und Greisenalter auf – oft mit schwerwiegenden Folgen (z. B. Pneumonie). Die besondere Anfälligkeit im *Kleinkindesalter* wird auf die noch nicht erfolgte Immunisierung zurückgeführt, im *hohen Lebensalter* werden eine Abnahme der Resistenz sowie gelegentlich bereits bestehende Erkrankungen der Lunge verantwortlich gemacht. In Tab. C.6.2 sind die Definitionen der unterschiedlichen Bronchitisformen im Kindesalter zusammengefaßt.

Die akut ablaufende Entzündung der Tracheobronchialschleimhaut wird durch thermische Einwirkung, durch chemische Noxen und durch Infekte ausgelöst. Begünstigt wird die akute Bronchitis (und das Rezidiv) durch alle Einwirkungen, die den Schutzmechanismus der Bronchialschleimhaut (Flimmertätigkeit des Epithels, normale Schleimsekretion) in irgendeiner Weise beeinträchtigen.

Viren sind zu 90% als Erreger akuter Entzündungen der Luftwege ermittelt worden, jedoch erweisen sie sich oft zusätzlich als Wegbereiter bakterieller Infekte, die sich

Tab. C.6.2: Definitionen der verschiedenen Bronchitisformen in Kindesalter.
[nach v. d. Hardt und Mitarb., Dtsch. Ärztebl. 79, 53 (1982)].

Bronchitis	Obstruktive Bronchitis
Leitsymptome sind Husten und/oder Rasselgeräusche	Leitsymptome sind exspiratorischer Stridor (pfeifendes Atemgeräusch), Husten, exspiratorische Dyspnoe
• **Akute Bronchitis:** Symptome 7 bis maximal 14 Tage. Meist im Zusammenhang mit akutem Infekt der Schleimhäute des gesamten Atemtraktes.	• **Bronchiolitis:** meist RS-Virusinfektion im 1. und 2. Lebensjahr. Wiederholte Erkrankungen weisen auf das Asthma-Syndrom hin.
• **Rekurrierende akute Bronchitis:** wiederholte Neuerkrankungen einer akuten Bronchitis. Typisch im Kindesalter. Meist harmlos. • **Komplizierte akute Bronchitis:** die akute Erkrankung heilt nicht nach max. 14 Tagen aus, Dauer meist bis zu 6 Wochen. Bakterielle Superinfektion wahrscheinlich. • **Chronische Bronchitis:** Symptome über mindestens 8 bis 12 Wochen. Akute Exazerbationen typisch.	• **Asthma-Syndrom (extrinsic-intrinsic):** 2 typische Verlaufsformen – asthmatische Bronchitis (eher im Kleinkindesalter) – Asthma-Anfall (eher im Schulalter) Kombination beider Verlaufsformen häufig. • **obstruktive Bronchitis:** Hilfsbegriff für die Formen wiederholter Bronchusobstruktionen, die weder einer Bronchiolitis noch einem Asthmasyndrom zuzuordnen sind: z.B. obstruktive Bronchitis bei Vitien mit Links-rechts-Shunt.

auf der durch Viren vorgeschädigten Schleimhaut rasch ausbreiten können. Während die Prognose des reinen Virusinfektes gut ist, müssen die gelegentlich beobachteten Komplikationen auf *sekundäre bakterielle Infektionen* zurückgeführt werden.

Die akuten viralen Atemwegsinfekte sollten nicht antibiotisch behandelt werden, da sie bei nicht vorgeschädigter Bronchialschleimhaut problemlos ausheilen. Das Hauptsymptom bei einer Bronchitis (Husten mit Auswurf) kann mit geeigneten Medikamenten therapiert werden, wenn sich der Patient durch den Husten beeinträchtigt fühlt. Denn man sollte nicht übersehen, daß die *häufigsten Symptome* (Fieber, Schleimhautschwellung, Husten, Sekretion) *wesentliche Abwehrfunktionen* haben. Ziel der Behandlung ist es also, das Wohlbefinden des Patienten wiederherzustellen – möglichst ohne die körpereigene Abwehr zu beeinträchtigen.

C. 6.3.3.3 Chronische Bronchitis

Die chronische Bronchitis zählt neben der koronaren Herzkrankheit und dem Diabetes mellitus zu den häufigsten Zivilisationskrankheiten der hochindustrialisierten Länder. Als ätiologisch wichtige **exogene Noxen** haben sich

- Allgemeine Luftverschmutzung,
- Inhalative Schadstoffe am Arbeitsplatz,
- Tabakrauch (inhalativ),
- Rezidivierende Infekte,
- Bronchiale Allergien,
- Klimaeinflüsse,
- Bonchiektasen und deformierende Bronchopathien und
- Alkoholismus

herauskristallisiert. Man nimmt an, daß eine Kombination der genannten Noxen bei Vorliegen einer *genetischen Disposition* zur Entwicklung des Krankheitsbildes führt.

Primär ist die chronische Bonchitis keine infektiöse Erkrankung, doch treten sekundär virale und bakterielle Infektionen auf. Gerade den *rezidivierenden Infekten viraler Genese* wird eine besondere Bedeutung bei der Entstehung der chronischen Bronchitis beigemessen: Virusinfekte können die Geschwindigkeit des mukoziliären Förderbandes verringern mit der Folge, daß Bakterien länger in den Atemwegen verweilen und sich dort ausbreiten. Daneben beeinträchtigen Viren die Makrophagenfunktion im Alveolarbereich, und damit einen wichtigen Teil des differenzierten Abwehrsystems. Durch verminderte Phagozytosekapazität gehen die bakterienhaltigen Makrophagen selbst zugrunde und setzen dabei die Bakterien wieder frei, die sich inzwischen vermehren konnten. In welchem Ausmaß diese Vorgänge ablaufen, hängt von der Virusspezies ab. Bei Patienten mit chronischer Bronchitis zieht ein Virusinfekt in mehr als 60% der Fälle eine bakterielle Besiedlung der Atemwege nach sich. Außerdem ist der Virusinfekt bei vielen Patienten für eine akute Exazerbation der chronischen Bronchitis verantwortlich.

Bei den genannten Noxen spielt vor allem das Inhalieren von **Tabakrauch** eine bedeutende Rolle; man konnte nachweisen, daß das Rauchen sowohl die mukoziliäre Clearance beeinträchtigt als auch die Makrophagen schädigt. Trotzdem bleibt eine beachtliche Zahl von Rauchern mit erheblichem Nikotinabusus von der chronischen Bronchitis verschont – man geht davon aus, daß sie nicht genetisch prädisponiert sind.

Die WHO hat eine Definition der chronischen Bronchitis ausgearbeitet:

> Das Krankheitsbild der chronischen Bronchitis ist gekennzeichnet durch übermäßige Schleimproduktion im Bronchialbaum, die sich in chronisch rezidivierendem Husten an den meisten Tagen von mindestens drei Monaten im Jahr im Ablauf von mindestens zwei Jahren manifestiert.

Wie bei der akuten Verlaufsform führt die Irritation der Schleimhaut zur Rötung, Schwellung und zum Ödem, gleichzeitig sistiert der Flimmerepithelstrom. Dadurch haben Bakterien die Chance, sich auf der Bronchialschleimhaut anzusiedeln und zu vermehren. Die physiologische Schleimbildung geht in eine pathologische über: man beobachtet vermehrte Schleimbildung *(Hyperkrinie)*, eine veränderte Schleimzusammensetzung *(Dyskrinie)* oder auch beides.

Bei der akuten, durch *Viren* ausgelösten Bronchitis ist das Bronchialepithel nach Abklingen des Infektes unversehrt, während bei *bakterieller* Besiedlung Teile des Bronchialephithels zerstört werden; wenn die Erkrankung abklingt, kommt es in unterschiedlichem Maße zu Epithelmetaplasien, bei denen zilientragendes Epithel durch Plattenepithel ersetzt ist.

Für die chronische Bronchitis ist die schwelende, entzündliche Reaktion charakteristisch – mit rezidivierend auftretenden akuten Exazerbationen, hervorgerufen durch bakterielle Superinfektion. Die bereits herabgesetzte Ventilation wird weiter vermindert und je länger die chronische Bronchitis besteht, desto häufiger beobachtet man die akuten Schübe. Abschließend soll noch auf die **Bronchialobstruktion** hingewiesen werden, die nicht immer bei der chronischen Bronchitis auftreten muß (gerade die Raucherbronchitis ist häufig nichtobstruktiv). Zur Obstruktion tragen drei Faktoren bei: der erhöhte Tonus der spiralförmig angeordneten Bronchialmuskulatur, die entzündliche Schwellung der Bronchialschleimhaut und die Sekretablagerungen.

Diese Ausführungen machen deutlich, daß bei der chronischen Bronchitis bislang *eine Heilung nicht möglich* ist – trotzdem läßt sich der Verlauf durch eine rechtzeitig eingeleitete Dauerbehandlung aufhalten und die Prognose verbessern. Eine ausreichende Sekretolyse sollte Grundpfeiler jeder Therapie sein.

C. 6.3.3.4 Bronchiolitis

Das **Respiratory-syncytial-(RS-)Virus** gehört zu den wichtigsten Viren, die während der ersten Lebensjahre die gefürchtete Bronchiolitis auslösen; kein anderes Virus löst so regelmäßig jährliche Epidemien – vor allem bei Kindern unter 6 Monaten – aus.

Nach einer 4–5 Tage dauernden Inkubationszeit tritt eine Rhinorrhoe auf, gelegentlich auch Appetitlosigkeit, wenige Tage später hustet das Kind und es wird fiebrig. Der Husten verstärkt sich, wird keuchend und die Atemnot tritt immer mehr in den Vordergrund. Die *Bronchioli*, also die Endabschnitte des luftleitenden Systems, werden zunehmend durch abgestoßene Mukosazellen, entzündliches Ödem der Mukosa und zähen Schleim verschlossen. Eine **Pneumonie** verstärkt schließlich die Dyspnoe mit allen Folgeerscheinungen. Einige Autoren sehen zwischen dem „**plötzlichen Kindstod**" und derartigen Virusinfektionen einen kausalen Zusammenhang. Neben *Kleinkindern* sind in besonderem Maße *alte Menschen* von der Bronchiolitis betroffen, wobei weniger Viren als vielmehr bakterielle Infektionen den Krankheitsprozeß auslösen.

Die pathologischen Veränderungen bei einer Bronchiolitis können rasch zu *lebensbedrohlicher Atemnot* führen, weshalb eine sofortige ärztliche Behandlung – oft auch Intensivbehandlung – erforderlich ist.

C. 6.3.3.5 Krupp (Croup) und Pseudokrupp

Ebenso wie Patienten mit Bronchiolitis gehören Patienten, bei denen Verdacht auf Krupp oder Pseudokrupp besteht, in die Obhut des Arztes. Beide Krankheitsbilder werden nur der Vollständigkeit wegen kurz erwähnt.

Unter Krupp versteht man eine *entzündliche Kehlkopfenge* mit *Atemnot* und *Pfeifgeräusch* (vorwiegend inspiratorischer Stridor), verbunden mit bellendem Husten. Der **echte Krupp** bildet sich im Zusammenhang mit *Diphtherie* (Kehlkopfdiphtherie) aus. **Pseudokrupp** ist eine plötzlich auftretende nicht-diphtherische, *stenosierende Laryngotracheitis*, hervorgerufen durch Infektion mit bestimmten Bakterien oder Viren; typisch ist der bellende Husten, begleitet von inspiratorischem Stridor. Reizstoffe in der Atemluft begünstigen eventuell den Pseudokrupp – dieser Zusammenhang wird augenblicklich noch diskutiert.

Da beide Erkrankungen durch zunehmende Atemnot charakterisiert sind, sollte der Patient sofort ärztlich behandelt werden; parenteral applizierte Corticosteroide haben sich als Mittel der Wahl erwiesen. Bis zum Eintreffen des Arztes kann dem Patienten durch ein *Raumklima* mit möglichst *hoher Luftfeuchtigkeit* etwas Erleichterung verschafft werden.

C. 6.3.3.6 Pertussis

Der Keuchhusten (Pertussis), auch als blauer Husten oder Stickhusten bekannt, wird durch *Bordetella pertussis*, ein gramnegatives Stäbchen, hervorgerufen. Das Krankheitsbild wird durch einen Verlauf in drei Phasen geprägt; nach überstandenem Keuchhusten verfügt man über eine vollständige und bleibende Immunität (diese kann allerdings im hohen Lebensalter schwinden, so daß nicht selten Großeltern und Enkel zusammen einen Keuchhusten durchmachen müssen). Keuchhusten wird von Mensch zu Mensch durch Tröpfcheninfektion übertragen und ist sehr ansteckend, besonders im ersten Stadium, dem Stadium katarrhale.

Stadium katarrhale. Nach einer Inkubationszeit von meist weniger als 10 Tagen beginnt der Keuchhusten wie ein gewöhnlicher Atemwegsinfekt mit uncharakteristischem Husten, teilweise auch Schnupfen. Die Krankheitssymptome werden zunehmend schwerer, treten vermehrt nachts auf und es entwickeln sich Hustenattacken (insgesamt 1–2 Wochen).

Stadium convulsivum. Dieses zeigt alle Charakteristika des Keuchhustens und dauert durchschnittlich 3–6 Wochen. Die typischen Hustenanfälle äußern sich nach einer tiefen Inspiration mit einem Stakkatohusten (15–20 Hustenstöße), das Gesicht des Kindes wird erst rot, dann zyanotisch und blau, es droht zu ersticken, bis schließlich eine laut ziehende Inspiration erfolgt – die vier- bis sechsmal zu erneuten Hustenparoxysmen führt. Der Anfall wird nicht selten durch Herauswürgen oder Erbrechen eines zähen, glasigen Schleims beendet. Die Schwere der einzelnen Hustenanfälle und deren Häufigkeit (5–50 pro Tag) variiert stark.

Besonders gefährdet sind Neugeborene und junge Säuglinge, weil bei ihnen anstelle der alarmierenden Hustenanfälle nur *Apnoe-Anfälle* auftreten, die zum plötzlichen Tod führen können.

Da die Schwere des Krankheitsbildes zur Konsultation des Arztes führt, sollte man annehmen, daß Apotheker mit Keuchhusten wenig zu tun haben. Doch viele Eltern fragen um Rat, weil sie sich nicht vorstellen können, daß man dem Kind medikamentös nicht helfen kann: doch weder Expektorantien noch Hustenblocker sind in der Lage, den Keuchhusten zu beeinflussen; gelegentlich wird der Arzt Sedativa, unter Umständen auch Antibiotika verordnen, doch letztere verkürzen lediglich die Phase, in welcher Ansteckungsgefahr besteht. Der Verlauf der Infektion hingegen wird kaum beeinflußt, weil das aus Pertussiskeimen freigesetzte Endotoxin – durch toxische Reizung des Hustenzentrums – für die Symptomatik verantwortlich ist.

Stadium decrementi. Im dritten Keuchhustenstadium schließlich, dem Stadium decrementi (2–6 Wochen), lassen die Hustenanfälle nach und es kommt zur allmählichen Rekonvaleszenz.

C. 6.3.3.7 Asthma bronchiale

Eine Definition des Asthma bronchiale lautet:

> „Asthma bronchiale ist eine Krankheit, die durch Anfälle von Atemnot charakterisiert ist, begleitet von Zeichen einer Bronchialobstruktion, die zwischen den Anfällen ganz oder teilweise reversibel ist."

Somit unterscheidet sich das Asthma bronchiale von der chronisch-obstruktiven Bronchitis hauptsächlich durch die *Reversibilität* – jedoch kann auch bei der letzteren der Grad der Obstruktion erheblich wechseln, was die Differentialdiagnose gelegentlich erschwert.

Schon aus der Definition geht hervor, daß es sich um eine ernste, subjektiv durch die Atemnot als bedrohlich empfundene Krankheit handelt; der Betroffene wird also von sich aus den Arzt aufsuchen. Doch aufgrund der Tatsache, daß es eine ganze Reihe von Antiasthmatika gibt, die nicht der Verschreibungspflicht unterliegen, soll das Asthma bronchiale kurz gestreift werden.

Vom Asthma bronchiale kennt man zwei Formen: *das allergische* Asthma bronchiale (Allergietyp I oder III) und das *nichtallergische* Asthma bronchiale, welches chemisch-toxisch, infektiv oder durch Anstrengung ausgelöst sein kann. Anstrengungs-induziertes Asthma bronchiale tritt bevorzugt bei Jugendlichen auf, allergisches Asthma bronchiale vor allem bei Kindern und jungen Erwachsenen und nicht-allergisches Asthma bronchiale beobachtet man gehäuft erst nach dem 40. Lebensjahr.

Die schwere **exspiratorische Dyspnoe** geht mit einer Überblähung der Lunge einher, die nach Rückbildung des Anfalles reversibel ist. Das morphologische Bild wird durch folgende Komponenten bestimmt: Bronchokonstriktion, Hyper- und Dyskrinie, Vermehrung der Becherzellen im Bronchialepithel sowie muköse Transformation der peribronchialen Drüsen.

C. 7 Bewegungsapparat

Von M. Schmidt

C. 7.1 Anatomie und Physiologie des Bewegungsapparates

Normale Körperhaltung und Bewegungsabläufe setzen ein kompliziertes Wechselspiel zwischen Skelett, Skelettmuskulatur, zentralem und peripherem Nervensystem, Kreislaufsystem sowie dem Hormon-, Vitamin- und Mineralhaushalt voraus. Die wichtigsten **anatomischen Komponenten des Bewegungsapparates** sind:
- Die **Gelenke**, die mobilen Verbindungen des Skeletts zwischen zwei oder mehreren Knochen. Kugelgelenke, wie z.B. das Schultergelenk, ermöglichen Bewegungen um viele Achsen, ferner gibt es Sattelgelenke (z.B. das Daumengrundgelenk), Scharniergelenke (z.B. Fingerendgelenk), Zapfengelenke (z.B. zwischen dem 1. und 2. Halswirbel) oder auch kombinierte Gelenke wie das Handgelenk und die unteren Sprunggelenke. Aufgebaut sind die meisten großen Gelenke aus Gelenkkopf und -pfanne, umschlossen von der Gelenkkapsel. Für die Sicherung der Gelenke sorgen entweder große knöcherne Pfannen oder aufwendige Bandstrukturen. Im Umgebungsbereich der Gelenke finden sich zahlreiche Schleimbeutel (Bursae). Die Aufgabe dieser flüssigkeitsgefüllten Säckchen liegt in der Polsterung vorspringender Knochenkanten.
- Die **Bänder** (Ligamenta) dienen in erster Linie der Gelenkstabilisierung. Sie laufen als straffe Bindegewebszüge an den Seiten der Gelenke (Beispiel: Seitenbänder am Knie), im Innern der Gelenke (z.B. Kreuzbänder am Knie) oder strahlen fächerförmig als Verstärkung in die Kapsel ein. Je nach Funktion unterscheidet man auch Verstärkungsbänder, Führungsbänder und Hemmungsbänder.
- Die **Muskeln**, die aktiven Anteile des Haltungs- und Bewegungsapparates, sind sehr vielfältig in Form und Funktion. Grundsubstanz der Muskelzellen besteht aus dem Zellplasma (Sarkoplasma), in das kontraktionsfähige Faserelemente (Myofibrillen) eingelagert sind. Der Muskel verkürzt sich durch eine elektrische Erregung, die über den motorischen Nerv auf die Oberfläche der Muskelzelle gelangt. Unter Zwischenschaltung energiereicher Verbindungen führt ein komplizierter Ionentransportmechanismus zur Kontraktion des Muskels. Die hier-

für erforderliche Energie wird über den Abbau von Nährstoffen bereitgestellt.

Man unterscheidet verschiedene Kontraktionsformen: isometrische (Spannung verändert, Länge bleibt gleich), isotonische (Länge verändert, Spannung bleibt gleich), auxotonische (gleichzeitige Änderung von Länge und Spannung).

- Die **Sehnen** (Tendines) dienen der Übertragung der Kontraktionskraft der Muskeln. Sie sind praktisch undehnbare Stränge mit hoher Reißfestigkeit, die aus parallel verlaufenden kollagenen Fasern bestehen. Vor allem dort, wo Sehnen eine längere Strecke über Knochen laufen oder sich überkreuzen, sorgen Bindegewebshüllen, die Sehnenscheiden, für Schutz und Verminderung der Reibung. Hohe Dauerbelastungen können zu entzündlichen Reizerscheinungen der Sehnenscheiden, der Sehnenansätze am Knochen und des Sehnengewebes selbst führen.

C. 7.2 Pathophysiologie des Bewegungsapparates

C. 7.2.1 Skelett

Bei den Skeletterkrankungen lassen sich nach anatomischen Gesichtspunkten solche der **Knochen**, der **Gelenke** und der **Wirbelsäule** unterscheiden. Hilfreicher für die medikamentöse Behandlung erscheint jedoch die folgende Einteilung:
- Infektiöse Knochenerkrankungen
- Störungen bei Bildung und Abbau von Knochengewebe
- Entzündliche und degenerative Veränderungen der Gelenke und der Wirbelsäule
- Gicht
- Knochenmarkentzündungen
- Maligne Erkrankungen

Einige wichtige Krankheitsbezeichnungen aus dem Bereich Skelett-Gelenke-Wirbelsäule sind:
- **Arthrosen**, typische verschleißbedingte Erkrankungen, die vor allem Kniegelenke (Gonarthrose), Hüftgelenke (Coxarthrose) und die Wirbelsäule (Spondylarthrose) betreffen. Bei der Entstehung spielen – neben anderen Faktoren – auch Entzündungsreaktionen der Gelenkinnenhaut (Begleitsynovitis) eine wichtige Rolle.
- **Arthritis** ist der Sammelbegriff für entzündliche Gelenkerkrankungen. Sie können z. B. im Rahmen einer Psoriasis oder einer Gicht auftreten.
- **Rheuma** ist kein eng faßbarer Begriff – die Erkrankungen des rheumatischen Formenkreises umfassen schmerzhafte, entzündliche und degenerative Prozesse, die die Bewegungsfähigkeit des Patienten einschränken. Einige mögliche auslösende Faktoren nennt Tab. C. 7.1.
- **Bursitiden**, Entzündungen der Schleimbeutel, treten bei zu großer Druckbelastung auf. Ein Beispiel: der Torwart-Ellenbogen.
- Zu den Verletzungen an Bändern und Gelenken zählen die **Distorsion** (Zerrung, Verstauchung), eine Überdehnung, die bis zur Zerreißung funktionell wichtiger Strukturen gehen kann (Bänderriß). Bei einer Zerreißung von Blutgefäßen der

Tab. C. 7.1: Auslösefaktoren rheumatischer Erkrankungen
Fehl- und Überbelastungen Exogen durch berufliche und sportliche Überbeanspruchung, durch Wirbelsäulenaffektionen, Gelenkprozesse usw.
Neurale Faktoren Reflexmechanismen von Gelenken, Wirbelsäule, inneren Organen
Traumen einschließlich Mikrotraumen
Kälte-, Feuchtigkeits- und Witterungseinflüsse
Infektionen
Hormonale und metabolische Faktoren
Psychische Faktoren

Kapsel sind meist Blutungen ins Gelenk die Folge. In einfachen Fällen kommt es nur zu Dehnungen des Kapselbandapparates mit geringen Schwellungen und Gelenkergüssen.

Bei einer **Luxation** (Verrenkung) liegt eine Verschiebung zweier gelenkbildender Knochenenden aus ihrer funktionsgerechten Stellung vor. Dies sind immer schwerwiegende Gelenkverletzungen, deren Einrenkung nie ein Laie, sondern immer der Arzt vornehmen sollte.

C. 7.2.2 Muskeln und andere Weichteile

Bei **Myopathien** im engeren Sinne liegen strukturelle oder funktionelle Veränderungen der Muskelfasern vor. Durch Überbeanspruchung oder Trauma, z. B. Sportverletzungen, oder „rheumatisch" bedingt (Muskelrheumatismus), sind Störungen des Bewegungsablaufes die Folge, wobei meist den Muskelfasern benachbarte neurale oder Bindegewebe betroffen sind. Während sich die funktionellen Schäden oder die durch sie verursachten Symptome medikamentös beseitigen oder lindern lassen, sind strukturelle (dystrophische) Myopathien, denen vererbbare degenerative Prozesse zugrunde liegen, nur schwer medikamentös beeinflußbar.

Auch **Störungen des Zentralnervensystems** (z. B. Morbus Parkinson) oder der **Erregungsübertragung** vom Nervenende auf die motorische Endplatte (Myasthenia gravis) verursachen Muskelerkrankungen. Hier werden Neuro- und zum Teil auch Psychopharmaka eingesetzt. **Myotonien**, d. h. vom Muskelgewebe selbst ausgehende Überfunktionen, können durch Neuropharmaka wie Muskelrelaxanzien behoben werden.

Einige Myopathien weisen auch enge Beziehungen zur **Endokrinologie** auf. So werden bei verschiedenen hormonellen Erkrankungen wie Hypo- bzw. Hyperthyreose, Morbus Cushing, Morbus Addison oder Diabetes auch Krankheitssymptome an der Muskulatur des Bewegungsapparates beobachtet.

Folgende **Muskelerkrankungen** sind durch **Selbstmedikation** beeinflußbar:

- **Myalgien** (Muskelschmerzen) sind schmerzhafte Verspannungen. Besonders betroffen sind Nacken- und Rückenmuskulatur (z. B. nach überlangen Autofahrten).
- Als **Myogelose**, auch Hartspann, bezeichnet man den Dauertonus einer Muskelgruppe, z. B. im Nackenbereich, häufig auch in der Schulter-Arm-Region oder an der Außenseite der Schenkel (ausgehend von der Hüfte).
- **Tendinosen**, Sehnenerkrankungen, können die Folge einer hohen Dauerbelastung sein. Als Tendovaginitis (Sehnenscheidenentzündung) bezeichnet man die entzündliche Reizung der die Sehne umhüllenden Sehnenscheide. Typische Beispiele sind der Tennis- und der Golfspieler-Ellenbogen.
- **Lumbago** (Hexenschuß) ist ein akut auftretender Muskelrheumatismus der Lendengegend. Er wird häufig durch Bandscheibenveränderungen verursacht, welche reflektorisch den Muskelschmerz bedingen.
- **Kontusion** (Prellung) ist die wohl häufigste Sportverletzung überhaupt. Durch direkte Gewalteinwirkung (Stoß oder Schlag) kommt es zur Quetschung der Weichteile des Unterhautfettgewebes, manchmal auch der Muskulatur, wobei Blutungen auftreten können.
- Ein **Muskelkrampf** ist ein plötzliches Ereignis, das meist die Wadenmuskulatur betrifft. Die Ursache liegt wahrscheinlich in einer Stoffwechselstörung infolge Sauerstoffmangels bzw. einer Störung im Elektrolythaushalt. Zu den besten Vorbeugungsmaßnahmen bei durch sportliche Betätigung verursachten

Muskelkrämpfen gehören neben guten Trainingsvorbereitungen die Verabreichung salzhaltiger Getränke (Elektrolytlösungen) und Eisabreibungen der Beine in den Wettkampfpausen.
- **Neuralgien** (Nervenschmerzen) äußern sich als heftige, zum Teil anfallsweise auftretende helle Schmerzen im Ausbreitungsgebiet der Nerven.
- **Ischialgie** (Ischias) bezeichnet Schmerzzustände, die durch Reizung des Nervus ischiaticus ausgelöst werden. Sie äußern sich als ziehender Schmerz aus der Kreuzbeingegend über die Außenseite des Oberschenkels bis in den Fuß. Häufige Ursache ist eine Kompression der Nervenwurzel durch einen Bandscheibenvorfall.
- **Hämatom** (Bluterguß) ist eine Ansammlung von geronnenem Blut im Unterhautzellgewebe oder in anderen Weichteilen, oft im Zusammenhang mit stumpfen Traumen.
- **Muskelkater** entsteht durch Überlastung nicht genügend trainierter Muskeln, vor allem bei ungewohnten Bewegungsabläufen. Nach neuerer Auffassung handelt es sich nicht, wie früher angenommen, um eine Folge örtlicher Durchblutungsstörungen oder die Anhäufung saurer Stoffwechselprodukte, sondern wahrscheinlich um feinste Verletzungen in der Mikrostruktur des Muskels.

C. 8 Haut

Von M. Mark

C. 8.1 Anatomie und Physiologie der Haut und der Hautanhangsgebilde

C. 8.1.1 Aufbau

Die Haut stellt die Kontaktfläche des Organismus mit der Umgebung dar. Sie ist ein aus mehreren Schichten aufgebautes System, das vielfältigste – je nach Körperregion auch unterschiedliche – Aufgaben erfüllen muß. Dies spiegelt sich unter anderem in der verschiedenartigen Struktur der Haut wider: So findet man z. B. an den unbehaarten Körperregionen wie Hand und Fuß die sogenannte **Leistenhaut**, an den übrigen (behaarten) Flächen des Körpers die **Felderhaut**.

Das typische Muster der Leisten ist genetisch festgelegt (→ Fingerabdruck).

Auch die Dicke der Haut variiert je nach Körperstelle sehr stark: Während die Epidermis an Kopf, Rumpf und Armen ca. 0,5 mm stark ist (am Lid sogar nur ca. 40 µm), beträgt die Epidermisdicke an besonders beanspruchten Stellen, wie z. B. der Fußsohle, bis zu ca. 1,5 mm. Als sogenannte **Hornhaut** kann sie weit stärker ausgeprägt sein (bis 5 mm).

Die Hautoberfläche beträgt beim Erwachsenen durchschnittlich 1,5 bis 2 m^2, das Gesamtgewicht der Haut 3 bis 4 kg, rechnet man das Fettgewebe mit ein, 18 bis 20 kg.

Innerhalb der Haut können 3 Schichten unterschieden werden: von außen nach innen die dem Ektoderm entspringende **Epidermis** sowie die aus dem Mesoderm stammenden Schichten **Korium** (= Dermis, Lederhaut) und **Subkutis** (= Unterhaut[fett]gewebe).

Korium und Epidermis werden auch unter dem Begriff **Kutis** zusammengefaßt.

C. 8.1.1.1 Epidermis

Die Epidermis als äußerste Grenzschicht zwischen Organismus und Umgebung besteht aus einem mehrschichtigen, nach außen hin immer mehr verhornenden Plattenepithel. Hauptbestandteil dieser Hautschicht sind mit über 90% die sogenannten **Korneozyten** (= Hornzellen), daneben **Melanozyten** (hier findet die Pigmentbildung statt), dem Immunsystem zuzuord-

Anatomie und Physiologie der Haut

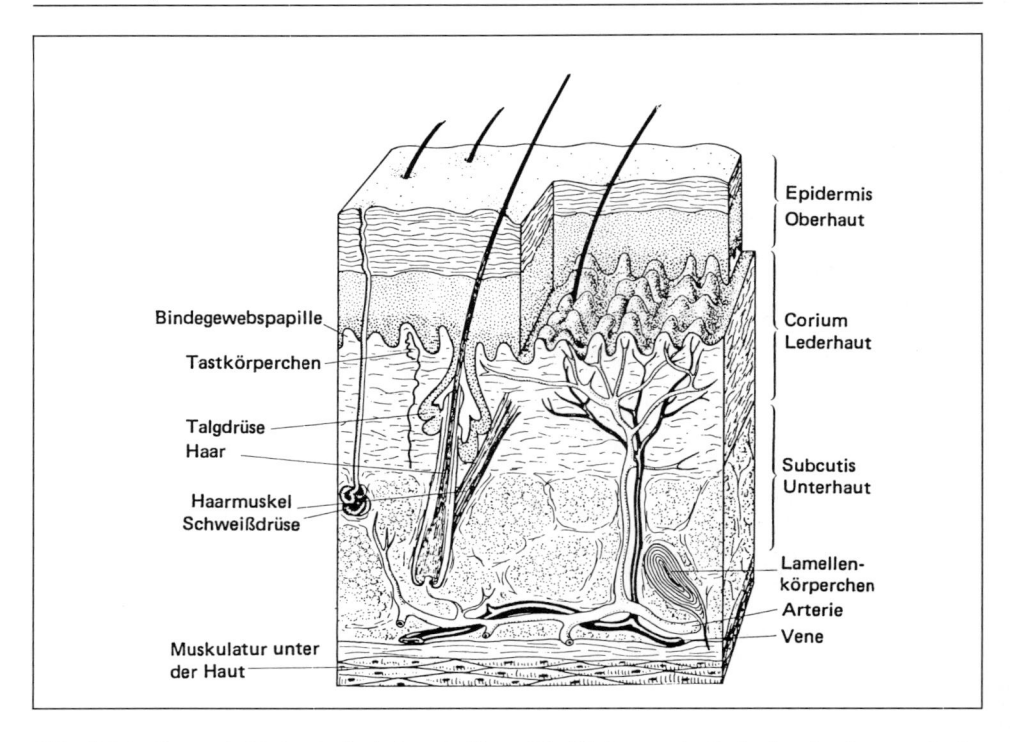

Abb. C.8.1: Querschnitt durch die behaarte Haut. (Modifiziert nach: Farbatlas der Dermatologie, G.M. Levene, C.D. Calnan, Ferd. Enke-Verlag Stuttgart 1985)

nende **Langerhanszellen** und die als Mechanorezeptoren fungierenden **Merkelzellen**.

Die Epidermis ist nicht durchblutet, die Ernährung erfolgt über den engen Kontakt zwischen dem Stratum basale, der untersten Epidermisschicht, und der darunterliegenden Lederhaut. Um die Kontaktfläche zwischen Epidermis und Korium zu vergrößern, stülpt sich das Korium mit vielen ausgeprägten Papillen in das Stratum basale ein.

Innerhalb der Epidermis können **5 horizontale Schichten** unterschieden werden, deren Grenzen aber nicht scharf verlaufen (Tabelle C. 8.1).

1. Stratum basale: Die Zellen sind vertikal ausgerichtet. In dieser Schicht findet die Regeneration der Epidermis, d.h. Neubildung von Epidermiszellen, statt. Die Versorgung der Epidermis wird durch den engen Kontakt zwischen Stratum basale und Stratum papillare der Lederhaut sichergestellt. In den Melanozyten findet ausgehend von der Aminosäure Tyrosin in vielen, teilweise noch ungeklärten Reaktionen die Melaninsynthese statt. Während bei allen

Tab. C. 8.1: Schichten der Epidermis	
Stratum corneum	Hornschicht
Stratum lucidum	Glanzschicht
Stratum granulosum	Körnerschicht
Stratum spinosum	Stachelzellschicht
Stratum germinativum	Keimschicht
Stratum basale	Basalschicht

Anatomie und Physiologie der Haut

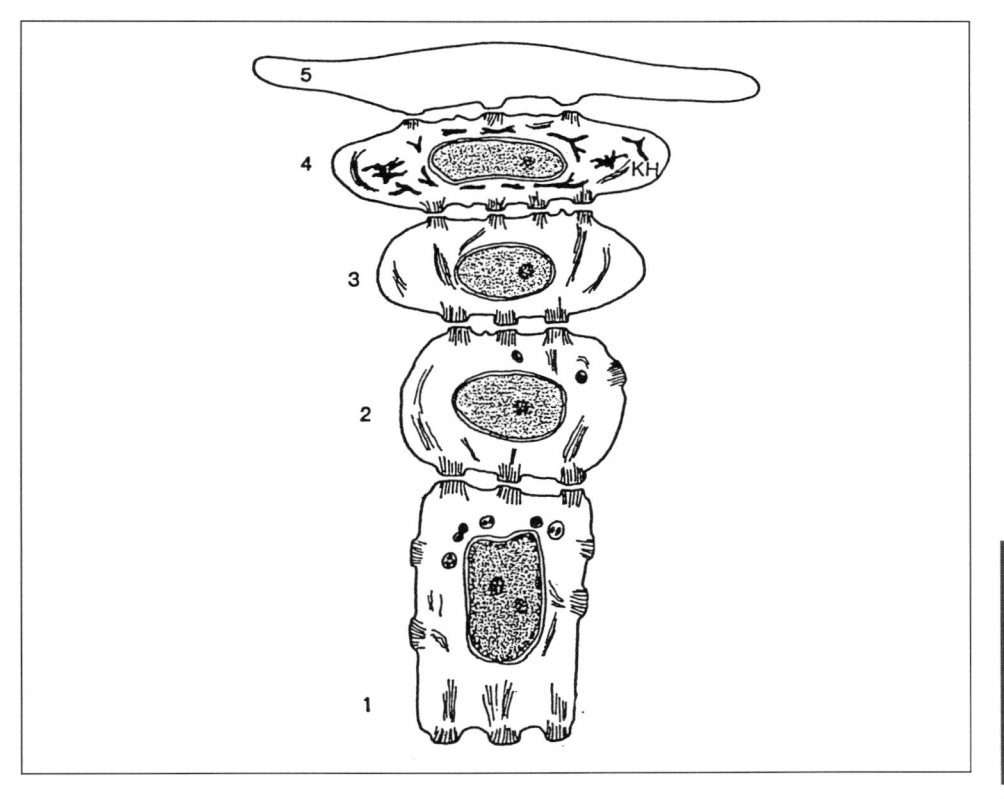

Abb. C.8.2: Differenzierung der Keratinozyten. (Erläuterung siehe Text; modifiziert nach Braun-Falco, O., Plewig, G., Wolff, H.H., Dermatologie und Venerologie, 3. Auflage, Springer-Verlag Berlin, Heidelberg, New York, Tokyo 1984)

Menschen die Zahl der Melanozyten gleich ist, sind bei dunkelhäutigen Menschen die Zellorganellen, aus denen sich die Melaningranula entwickeln, die Melanosomen, wesentlich größer als bei hellhäutigen Personen.

2. Stratum spinosum: Die Zellen verflachen, die einzelnen Zellen einer Schicht wie auch die Zellagen untereinander werden über sogenannte Desmosomen verfestigt.

3. Stratum granulosum: Diese Zellschicht weist eine Dicke von 2 bis 5 Zellen auf. Eine weitere Abflachung der Zellen wird beobachtet. Keratohyalin, für den Verhornungsprozeß der Zellen wichtig, wird in Keratohyalin-**Granula** abgelagert (Stratum *granulosum*).

4. Stratum lucidum: Diese Zellschicht ist meist nur einlagig, sie findet sich ausschließlich in der Leistenhaut der Hand und der Fußsohle und besitzt stark lichtbrechende Eigenschaften. Die einzelnen Zellen verfügen noch über einen Zellkern und zytoplasmatische Zellorganellen.

5. Stratum corneum: Die Zellmembran ist stark verdickt, es findet ein abrupter Übergang zur toten Hornzelle statt, die weder Zellkern noch andere Zellorganellen aufweist. Die Hornzellen werden an der Oberfläche ständig abgeschilfert (Desquamatio insensibilis [invisibilis]). Je nach Belastung ist die Hornschicht unterschiedlich stark ausgebildet, so z. B. am Bauch 6 bis 36 µm, an der Fußsohle dagegen 80 µm.

Die Proliferation der Epidermis, die ständig erneuert werden muß, findet im Stratum basale statt. Die darüberliegenden Schichten sind für die Ausdifferenzierung der Zelle bis hin zur toten Hornzelle verantwortlich. Die Turnoverzeit von Stratum basale bis zur Oberfläche beträgt ca. 4 Wochen.

Bei bestimmten Erkrankungen wie Psoriasis oder Pytiriasis ist die Turnoverzeit stark verkürzt und beträgt dort noch 8 bis 10 Tage, in einzelnen Fällen noch weniger.

C. 8.1.1.2 Korium

Die Lederhaut kann nochmals in 2 Schichten untergliedert werden, denen unterschiedliche Aufgaben zukommen. Das **Stratum papillare** besteht aus einer homogenen Grundsubstanz, in die viele Blutgefäße, Nervenbahnen, Lymphgefäße und Zellen eingelagert sind, die der Versorgung der Epidermis dienen. Daneben finden sich Mastzellen, die bei allergischen Reaktionen eine Rolle spielen, sowie eine Vielzahl von Rezeptoren für Sinneswahrnehmungen wie Wärme, Kälte, Druck, Schmerz und Berührung.

Das darunterliegende **Stratum reticulare**, das zu 80% aus kollagenen, daneben aus elastischen Fasern aufgebaut ist, dient in erster Linie der Festigkeit und Elastizität der Haut.

C. 8.1.1.3 Subkutis

Die Subkutis besteht aus lockerem Bindegewebe, in das mehr oder weniger – abhängig von der Körperstelle und der Anlage in der Kindheit – Fettzellen eingelagert sind.

Die Dicke des Unterhautgewebes ist in erster Linie vom Ernährungszustand abhängig. Die Subkutis dient als Kälteschutz, daneben als Energiespeicher und ist für die mechanische Polsterung und damit Schutz von anderen Organen verantwortlich.

C. 8.1.2 Anhangsgebilde der Haut

C. 8.1.2.1 Haare

Am gesamten Körper, mit Ausnahme der Handteller und der Fußsohlen, entwickeln sich bereits in der 9. Embryonalwoche Haaranlagen (sogenannte primäre Epithelkeime). Bei der Geburt sind alle diese Haarfollikel (ca. 2 Millionen) angelegt, danach findet eine Neubildung nicht mehr statt.

C. 8.1.2.1.1 Morphologie

Man unterscheidet die **Haarwurzel** (der in der Haut befindliche Teil) von dem aus der Haut herausragenden **Haarschaft**.

Nach unten ist die Haarwurzel zur **Haarzwiebel** verdickt, die die für die Ernährung des Haares verantwortliche **Haarpapille** umschließt. Diese führt Nerven und Blutgefäße an die Haarzwiebel heran.

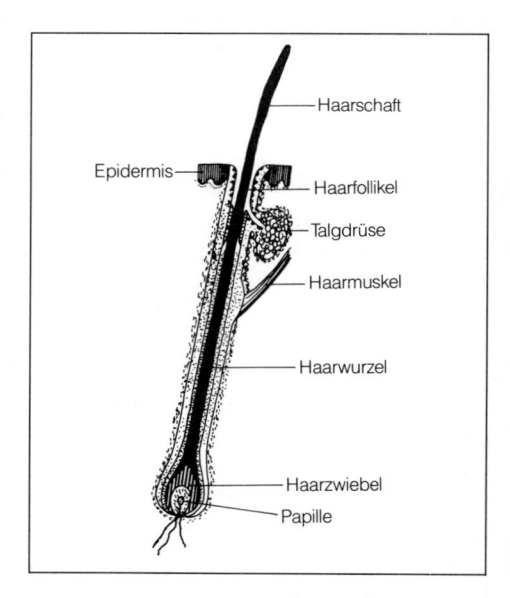

Abb. C.8.3: Struktur des Haarfollikels. (Verändert nach Stüttgen, G., Schaefer, H., Funktionelle Dermatologie; Springer-Verlag 1974, Berlin, Heidelberg, New York)

Anatomie und Physiologie der Haut

Das Haar entsteht durch Verhornung und gleichzeitige Pigmenteinlagerung aus Matrixzellen der Haarzwiebel. Diese Zellen, die zu den aktivsten Zellen des menschlichen Organismus zählen, teilen sich 1mal pro 24 Stunden mitotisch.

Im Querschnitt des Haares läßt sich beim Kopfhaar des Erwachsenen folgende Schichtung erkennen: Das **Mark** (Medulla), bestehend aus großen polygonalen Zellen, ist von der **Haarrinde** (Kortex) umgeben, die aus pigmenthaltigen verhornten Zellen besteht. Nach außen schützt die ca. 3 bis 4 µm dicke **Kutikula** das Haar. Diese ist aus dachziegelartig übereinandergeschobenen verhornten Zellen aufgebaut und dient vor allem als Schutz gegen äußere Einflüsse. Jedes Haar ist in einen **Haarfollikel** eingebettet, der als Bestandteil der Epidermis verstanden werden kann (Abbildung C. 8.3).

Der Haarmuskel (Musculus arrector pili) greift am Haarfollikel unterhalb der Talgdrüse an der Seite an, die mit der Kopfhaut einen spitzen Winkel bildet. Bei Kontraktion des Muskels richtet sich der Follikel auf, und es kommt zum Erscheinungsbild der „Gänsehaut".

Chemisch besteht das Haar aus Keratin, das sich durch einen besonders hohen Gehalt an Lysin von ca. 20 % auszeichnet. Disulfid- und Wasserstoff-Brückenbindungen bewirken die hohe chemische und mechanische Stabilität des Haares.

C. 8.1.2.1.2 Entwicklung

Im Laufe des Lebens können 4 verschiedene Haartypen unterschieden werden (Tabelle C. 8.2).

Das fetale **Lanugohaar** wird nach der Geburt durch das kurze pigmentfreie **Vellushaar** (= Wollhaar) ersetzt.

In der Kindheit entwickeln sich dann am Kopf sogenannte **Intermediärhaare**, die bereits pigmentiert sein können und auch eine regelmäßige Verteilung aufweisen.

Am behaarten Kopf, axillar, in der Pubesgegend und bei Männern auch im Gesicht und anderen Körperpartien, entsteht – unter hormonellem Einfluß – das kräftige markhaltige und stark pigmentierte **Terminalhaar**. Es weist einen Durchmesser von ca. 100 µm auf. Bereits frühzeitig läßt sich eine rückläufige Haarentwicklung erkennen. Durch Alterung der Haarfollikel erfolgt eine Umwandlung von Terminalhaaren wieder in Vellushaare.

C. 8.1.2.1.3 Haarwachstum und Haarzyklus

Pro Tag wächst das Haar ungefähr 0,3 bis 0,4 mm, es werden also im Bereich der behaarten Kopfhaut täglich 25 bis 30 m Haar, im Monat immerhin doch 800 m Haar produziert. Das Wachstum ist dabei von vielfältigsten Faktoren wie Hormonen, nervalen Einflüssen, Alter, Geschlecht (Haare bei

Tab. C. 8.2: Haartypen		
Haartyp	**Lebensalter**	**Eigenschaften**
Lanugohaar	Fetalzeit	Weich, seidig, marklos, kurz, nicht pigmentiert
Vellushaar	ab 6. Lebensmonat	Weich, fein, kurz marklos, nicht pigmentiert
Intermediärhaar	Kindheit	Nur am Kopf, fein, dicker, marklos
Terminalhaar	ab Pubertät	Lang, dick, markhaltig, pigmentiert

Modifiziert nach Zortea-Caflisch, C., Pathogenese und Diagnostik des Haarausfalls, Swiss Med. 7 (5b) 7, 1985

Seite C. 8/6 **Anatomie und Physiologie der Haut**

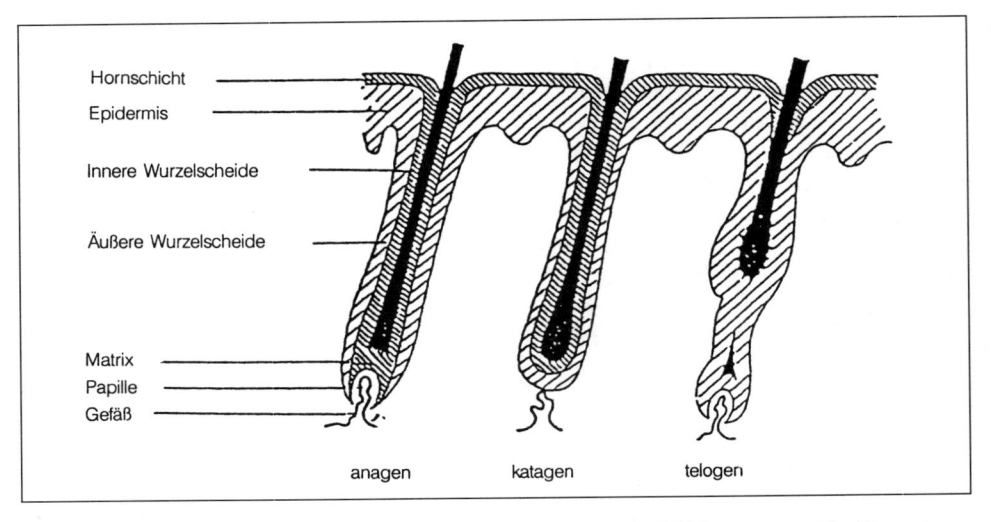

Abb. C.8.4 a): Haarfollikel in verschiedenen Zyklusphasen. (Nach: Wasermann, Th., Sauerbrey, W., Lehrbuch der Hautkrankheiten und venerischen Infektionen für Studierende und Ärzte, 4. Auflage, Springer-Verlag, Berlin 1981)

Männern wachsen schneller), Ernährung und sogar von der Umgebungstemperatur abhängig.

Das Haar wächst im Unterschied z. B. zu den Nägeln nicht kontinuierlich, sondern wird zyklisch produziert, wobei jeder Haarfollikel asynchron mit den Nachbarfollikeln einem Rhythmus von Wachstums- und Ruhephasen unterliegt. Man unterscheidet dabei folgende **Stadien** (Abbildung C. 8.4):

● **Anagenphase** (Wachstumsphase): Diese Phase dauert am behaarten Kopf des Erwachsenen etwa 2 bis 6 Jahre. Ein Anagenhaar fällt nicht von selbst aus, es kann nur unter Schmerz entfernt werden, da es fest im Haarfollikel verankert ist.

● **Katagenphase** (Übergangsphase): Die mitotische Teilung der Haarzwiebelzellen endet, die Haarzwiebel selbst verhornt. Diese Phase dauert 1 bis 2 Wochen.

● **Telogenphase** (Ruhephase): Man findet das typische Kolbenhaar, der Follikel, der sich etwas zurückgebildet hat, steht kurz unterhalb der Talgdrüsenmündung. Diese Phase dauert beim menschlichen Kopfhaar 3 bis 4 Monate.

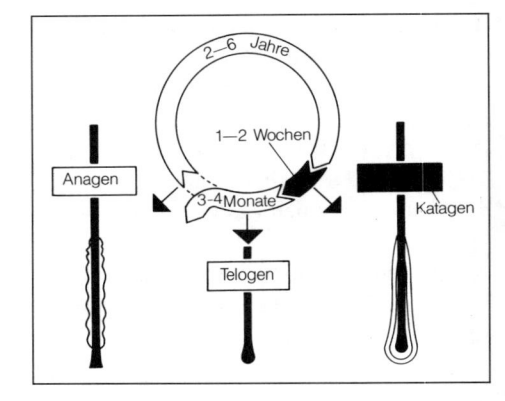

Abb. C.8.4b): Haarzyklus. (Modifiziert nach Wasermann, Th., Sauerbrey, W., Lehrbuch der Hautkrankheiten und venerischen Infektionen für Studierende und Ärzte, 4. Auflage, Springer-Verlag Berlin 1981)

Das Kolbenhaar kann schmerzlos ausgezogen werden und wird am Ende der Telogenphase ausgekämmt oder fällt von selbst aus. Pro Tag verliert der Mensch bis zu 100 Kolbenhaare. Mit dem Ende der Telogenphase rückt der Haarfollikel wieder tiefer ins Korium ein und baut eine neue zwie-

Selbstmedikation V/1989

Anatomie und Physiologie der Haut

Tab. C. 8.3: Haardaten

Anzahl Haarfollikel	2 Millionen
Anzahl Kopfhaare	100 000
Haardichte Körper	200/cm²
Haardichte Kopf	850/cm²
Durchmesser	100µm
Haarwachstum pro Tag	0,3–0,4 mm
Haarproduktion pro Tag	25–30 m
Lebendauer	2–6 Jahre
Haarverlust pro Tag	80–100

belförmige Haarwurzel auf. Ein neuer Haarzyklus beginnt.

Bei normalem Zyklusablauf finden sich beim Erwachsenen 85% Anagen-, 1% Katagen- und 14% Telogenhaare.

C. 8.1.2.1.4 Aufgaben

Die Haare haben beim Menschen keine wesentliche biologische Funktion zu erfüllen. In manchen Körperregionen schützen sie vor Sonnenstrahlen, isolieren gegen Wärme und Kälte und dienen der Berührungssensibilität.

Im psychosozialen Umfeld wird der Haartracht aber ein hoher Stellenwert zuerkannt: Haarkrankheiten, und insbesondere Haarverlust, werden deshalb oft als tiefgreifende Störung empfunden, der Wunsch nach therapeutischen Maßnahmen oft an Arzt und Apotheker gerichtet.

C. 8.1.2.2 Nägel

Die Nägel bedecken als Schutzorgane den Rücken der Zehen- und Fingerendglieder.

C. 8.1.2.2.1 Morphologie

Der Nagel besteht aus der **Nagelmatrix**, der **Nagelplatte**, die dem **Nagelbett** aufliegt, sowie den besonders ausgebildeten Hautarealen, die die Verbindung zwischen Nagel und der Haut des jeweiligen Endgliedes darstellen.

Die Nagelmatrix stellt die Wachstumszone des Nagels dar; dort wird kontinuierlich durch Verhornung von Zellen die Nagelplatte, die physikalisch äußerst stabil ist, gebildet. Die Nagelplatte, gekennzeichnet durch einen hohen Calcium- und auch Disulfidgehalt, ist ungefähr 0,5 bis 0,7 mm dick und besteht aus etwa 100 bis 150 unregelmäßig übereinander angeordneten Hornzellschichten. Trotz der physikalischen Festigkeit ist der Nagel porös, was sich in der 100mal stärkeren Wasserdurchlässigkeit gegenüber der Hornschicht der Haut ausdrückt.

Das durchschnittliche Wachstum der Nägel beträgt 0,12 mm pro Tag, wobei Unterschiede zwischen Finger- und Zehennägeln einerseits und auch zwischen einzelnen Fingernägeln andererseits festgestellt werden können. Das Wachstum der Nägel wird

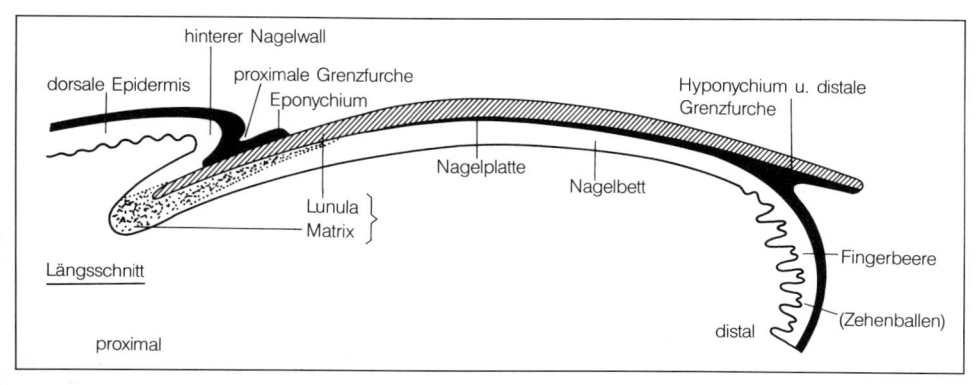

Abb. C.8.5: Längsschnitt des Nagels. (Achten, G., in Handbuch der Haut und Geschlechtskrankheiten, Bd. I/1; Springer-Verlag Berlin, Heidelberg, New York, 1968)

Selbstmedikation V/1989

durch Faktoren wie Umgebungstemperatur, der Bewegung der Endglieder (also Durchblutung) beeinflußt, aber auch Alter und Ernährung spielen eine Rolle.

Die Nagelplatte schiebt sich beim Wachstum über das Nagelbett hinweg und löst sich am distalen Ende ab (freier Nagelrand, weiß), wo sie vom **Hyponychium** begrenzt wird.

Die Wachstumrichtung wird durch den **Nagelfalz** bestimmt, in den die seitlichen Nagelränder eingebettet sind.

Am proximalen Ende kann man eine kreissegmentförmige weiße Zone **(Lunula)** erkennen. An dieser Stelle wird der Nagel durch das Nagelhäutchen **(Eponychium)** begrenzt (Abb. C. 8.5).

Die Form der Nägel ist individuell stark unterschiedlich.

Viele Allgemeinerkrankungen des Organismus führen zu einer Veränderung der Nagelstruktur und lassen sich so auch diagnostizieren. Ebenso führen verschiedene Chemikalien und auch Arzneimittel zu Änderungen der Nagelstruktur.

C. 8.1.2.3 Talgdrüsen

Wie das Haar, entstehen die Talgdrüsen aus dem primären Epithelkeim. Deshalb werden Talgdrüsen praktisch nur zusammen mit Haarfollikeln gefunden. Die einzige Ausnahme sind die Talgdrüsen an Haut/Schleimhaut-Übergängen wie Lippe, Nasenöffnung, Augenlider und im Anogenitalbereich. Ebenso wie die Haare fehlen Talgdrüsen an Handteller und Fußsohle.

Es werden **3 verschiedene Follikelarten** unterschieden:
1. Terminalhaarfollikel: reicht bis in die Subkutis; produziert ein dickes (Terminal-) Haar, hierzu gehört eine große Talgdrüse (z. B. Kopfhaar)
2. Vellushaarfollikel: reicht bis ins Korium; Flaumhaar und kleine Talgdrüse (Flaumhaar im Gesicht von Frauen)
3. Talgdrüsenfollikel: der Follikel ist kurz; es wird ein kleines Haar produziert. Diese Art, die nur beim Menschen zu finden ist, weist eine charakteristische Verteilung auf: Gesicht, v-förmig Brust und Rückenregion, seitlich an den Oberarmen. Hier tritt z. B. Acne vulgaris auf.

Die Talgdrüsen bestehen aus mehreren Läppchen **(Azini)**, die durch Talgdrüsenausführungsgänge in den Follikel (= **Infundibulum**) münden. Die einzelnen Läppchen bestehen aus großen polygonalen Zellen, die von der Basis der Läppchen zentralwärts rücken, dabei zunehmend Lipide einlagern und schließlich völlig zu Talg zerfallen (= holokrine Sekretion). Das Infundibulum ist mit verhornendem Epithel ausgekleidet. Die Talgdrüsensekretion unterliegt einer hormonellen Steuerung, wobei Androgene die Sekretion stimulieren, Östrogene und auch Glucocorticoide die Sekretion hemmen. Ob die Kontraktion des Musculus arrector pili (Haarmuskel) eine Talgausschüttung bewirkt, ist noch unklar.

Kurz nach der Geburt wird eine starke Talgdrüsentätigkeit festgestellt, die dann abnimmt und erst mit Einsetzen der Pubertät unter dem Einfluß von Androgenen stark stimuliert wird. Nach dem 35. Lebensjahr nimmt die Drüsentätigkeit wieder ab. Die Talgdrüsenaktivität im Erwachsenenalter weist große individuelle Unterschiede auf. Es wird bei der Talgsekretion sowohl ein zirkadianer wie auch ein jahreszeitlicher Rhythmus festgestellt.

C. 8.1.2.3.1 Talg

Der in den Azini gebildete Talg fließt frei zur Hautoberfläche ab. Talg ist eine hellgelbe viskose Flüssigkeit und stellt ein Gemisch aus Glyceriden, Fettsäuren, Wachsen und Squalen dar (Tabelle C. 8.4).

Auf der Hautoberfläche werden unter Einfluß von Bakterien der Hautflora aus den Triglyceriden vermehrt Fettsäuren abgespalten. Frisch produzierter Talg ist bei Hauttemperatur flüssig. Er wird auf der Haut durch mechanische Einwirkung ver-

Anatomie und Physiologie der Haut

Tab. C. 8.4: Zusammensetzung des Hauttalgs

Fettsäuren	28 %
Triglyceride	32 %
Wachse	14 %
Cholesterol und -ester	4 %
Squalen	5 %
Dihydrocholesterol und andere Steroide	9 %
Andere Kohlenwasserstoffe	8 %

teilt. Neben dem Talgdrüsensekret enthält der Hauttalg auch Bestandteile der Schweißdrüsensekrete ebenso wie Abbauprodukte der Hornschicht.

Die Aufgabe des Hauttalges besteht darin, die Haut geschmeidig zu machen, Wasserverlust zu verhindern, daneben besitzt er antiseptische Eigenschaften.

Die Menge des produzierten Talges bedingt die verschiedenen Hauttypen, so spricht man bei verminderter Talgproduktion von **Sebostase**, bei erhöhter Talgproduktion von **Seborrhoe**.

Bei vorliegender Sebostase sind Haut und Haare trocken, eventuell schuppig. Es besteht die Neigung zu Kopfschuppen und Ekzemen.

Bei stark erhöhter Talgproduktion, für die hormonelle und auch nervale Einflüsse verantwortlich sein können, sind Haut und Haare fettig glänzend. Seborrhoe ist Voraussetzung für die Entstehung einer Akne; bakterielle und Pilzerkrankungen werden ebenfalls durch eine Seborrhoe begünstigt.

C. 8.1.2.4 Schweißdrüsen

Hier unterscheidet man die **ekkrinen** Schweißdrüsen von den **apokrinen** Schweißdrüsen. Die Schweißsekretion dient zum einen der Thermoregulation des Organismus (*ekkrine* Schweißdrüsen), daneben besitzen die Schweißdrüsen die Funktion von Duftdrüsen (*apokrine* Schweißdrüsen).

C. 8.1.2.4.1 Ekkrine Schweißdrüsen

Diese Drüsen, die die eigentlichen Schweißdrüsen darstellen, entwickeln sich direkt aus epidermalen Sprossen. Aus dem Drüsenknäuel, das im Korium liegt, geht ein Ausführungskanal hervor, der zunächst gerade, in der Epidermis dann mehrfach – korkenzieherartig – gewunden, verläuft und schließlich frei an der Hautoberfläche endet. Aus den Zellen des einschichtigen Drüsenepithels werden plasmatische Einschlüsse (der Schweiß) direkt an das Lumen abgegeben. Gesteuert wird die Schweißproduktion und -sekretion vorwiegend über das vegetative Nervensystem, das auch mit den Schweißdrüsen und dem Ausführungsgang über kontraktile Fasern verknüpft ist. Auf der ganzen Haut verteilt finden sich ungefähr 2 Millionen ekkrine Schweißdrüsen, die Dichte der Verteilung variiert dabei aber je nach Körperregion (Tabelle C. 8.5).

Tab. C. 8.5: Verteilung der ekkrinen Schweißdrüsen

Ellbeuge	750/cm²
Handteller	380/cm²
Brust	200/cm²
Gesäß	60/cm²
Rücken	75/cm²
Fußsohle	600/cm²

Pro Tag sezerniert der Mensch im Durchschnitt 800 ml Schweiß, wobei die Menge bei Anstrengung auf 3 bis 4 l, in Extremfällen sogar bis auf 10 l/Tag gesteigert werden kann. Durch das unmerkliche Schwitzen – sogenannte Perspiratio insensibilis – verliert der Körper 20 bis 30 ml Schweiß pro Stunde. Temperaturen über 31 °C bewirken, daß eine sichtbare Transpiration einsetzt.

Der Schweiß, dessen Sekretion Energie erfordert, enthält gelöst 1 % Salze, vor allem Natriumchlorid, daneben Glucose, Harnstoff, Milchsäure, Aminosäuren (vorwiegend Arginin und Histidin) und auch Peptide wie Bradykinin. Frisch sezernierter Schweiß ist geruchlos. Erst durch chemischen und bakteriellen Abbau an der Hautoberfläche, wobei Capron-, Capryl-, Isovalerian- und Buttersäure, daneben auch Ammoniak u. v. a. gebildet werden, entsteht der typische unangenehme Geruch.

Es werden verschiedene **Arten des Schwitzens** unterschieden:
a) das thermoregulatorische subkortikale Schwitzen (= das Schwitzen schlechthin, bei Anstrengung, Hitze ...)
b) das kortikale emotionale Schwitzen (bevorzugt Handteller, Fußsohle und Achselhöhle)
c) das gustatorisch-bulbäre Schwitzen (geht mit Salivation [= Vermehrung des Speichelflusses] parallel)
d) das spinal-sensorische Schwitzen

C. 8.1.2.4.2 Apokrine Schweißdrüsen

Ebenso wie die ekkrinen Drüsen finden sich auch die apokrinen Drüsen am Gesamtkörper verteilt, hier aber mit einer eindeutigen Häufung in der Achselhöhle, der Leistengegend und der Anogenitalregion, daneben an Augenlidern und Brustwarzen.

Die apokrinen Drüsen münden meist in einen Haarfollikel, sehr selten wie die ekkrinen Drüsen direkt an der Hautoberfläche.

Die Funktion der apokrinen Drüsen besteht in der Sekretion eines weißen bis gelblichen viskösen Sekretes, das einen hohen Gehalt an Lipiden und Cholesterol aufweist.

Frisch sezerniert ist dieses Sekret geruchlos; durch bakterielle Zersetzung werden Fettsäuren und verschiedene Indoxylverbindungen gebildet, die für den typischen Geruch verantwortlich sind.

Die Tätigkeit der apokrinen Drüsen unterliegt einer hormonellen Steuerung; die Aktivität der Drüsen läßt sich dabei gut mit dem Blutspiegel der Sexualhormone korrelieren. So nehmen auch die apokrinen Drüsen erst während der Pubertät ihre Tätigkeit auf, ebenso verringert sich am Ende der Keimdrüsentätigkeit die Aktivität dieser Drüsen.

Die apokrinen Drüsen sind bei der weißen Rasse adrenerg, bei Negern cholinerg innerviert, wobei auf einen Reiz hin das kontinuierlich produzierte Sekret durch Kontraktion der Myoepithelien sezerniert wird.

Neben der Produktion dieses „Duftstoffes" kommt den apokrinen Schweißdrüsen keine weitere Aufgabe zu.

C. 8.1.3 Hautflora

Es finden sich zahlreiche Keime auf der Hautoberfläche, beim reinlichen Menschen bis zu 10 Billionen.

Es gehören Aerobier wie Anaerobier, gramnegative wie grampositive Keime zur normalen residenten Keimflora.

Verschiedene Hautareale können dabei eine unterschiedliche Besiedlung sowohl hinsichtlich der Keimarten als auch bezüglich der Keimdichte aufweisen. Ebenso spielen Faktoren wie Lebensalter, Jahreszeit und auch die Körperhygiene für die Art und Menge der Flora eine Rolle.

Diese saprophytär lebenden Bakterien verursachen unter Normalbedingungen keinerlei Störungen, ja sie verhindern durch ihre Präsenz sogar die Besiedlung mit pathogenen Keimen.

C. 8.1.4 Säuremantel

Auf der Hautoberfläche, zumindest an den Stellen, an denen eine freie Verdunstung des Schweißes gewährleistet ist, liegt ein saurer pH-Wert von 5,5 bis 6,5 vor (Abbildung C. 8.6). Bedingt wird dieser saure pH-Wert durch organische Substanzen wie Milchsäure, Urocaninsäure, Bestandteile des Hauttalges etc. Dieser Wert ist individuell verschieden und weist auch je nach Körperregion Unterschiede auf.

An Körperstellen, an denen Haut auf Haut liegt (Interdigital, unter der Brust, Anal- und Genitalbereich), Stellen also, an

Anatomie und Physiologie der Haut

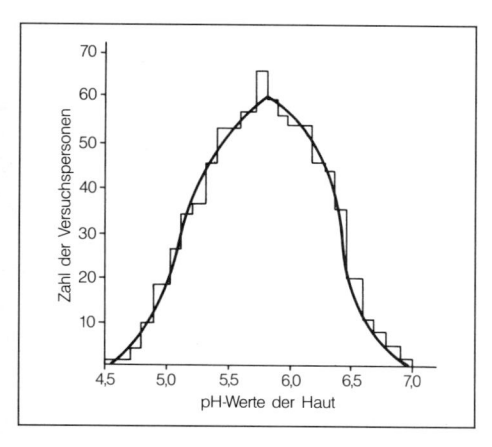

Abb. C.8.6: pH-Wert der Haut. Verteilung bei 800 gesunden Versuchspersonen. (Nach: Tronnier, H. in F. Klaschka (Hrsg.) Stratum corneum, Grosse-Verlag, Berlin 1981)

denen keine freie Verdunstung möglich ist, ist der pH-Wert etwas höher (6–7). Diese Stellen sind somit physiologische Lücken des Säureschutzmantels. Bedingt dadurch – aber nicht alleine – sind diese Orte leichter anfällig gegenüber bakteriellem oder Pilz-Befall.

Der „Säuremantel" ist als Schutz gegen Befall mit solchen Bakterien und vor allem Pilzen aufzufassen, die bei neutralem bis leicht alkalischem pH günstige Lebensbedingungen antreffen. Allerdings scheint diese antimikrobielle Wirksamkeit nicht nur auf den pH-Wert per se zurückzuführen zu sein, sondern auch auf die diesen pH-Wert bedingenden Säuren. Des weiteren stellt der Säuremantel durch seine Pufferkapazität einen Schutz des Organismus gegen Säuren und insbesondere gegenüber Laugen dar.

C. 8.1.5 Feuchtigkeitsgehalt

Der Feuchtigkeitsgehalt, der wesentlich für Zustand, Aussehen und auch Erfüllung der physiologischen Funktionen der Haut ist, wird durch Substanzen, die Bestandteile der Epidermis – und hier meist in der Hornschicht zu finden – sind, bestimmt.

Zum einen sind die Stoffe zu nennen, die unter der Bezeichnung „**Natural Moisturizing Factor**" (**NMF**) zusammengefaßt werden. Hauptbestandteile des NMF sind Aminosäuren (hier vorwiegend Serin und Citrullin), Harnstoff, Lactat, Pyrrolidoncarbonsäure und anorganische Salze.

Diese Stoffe sind in der Lage, Wasser zu absorbieren und fest zu binden.

Zum anderen ist der **Hydrolipidfilm** (**HLF**) ganz wesentlich an der Regulation des Feuchtigkeitsgehaltes der Haut beteiligt. Neben Talg, Schweiß und Eiweißspaltprodukten spielen hierfür epidermale Lipide eine wichtige Rolle. Diese Stoffe verhindern eine zu große Wasserpermeabilität der Haut und schützen sie vor Austrocknung und Entfettung. Ein intakter Hydrolipidfilm gewährleistet Glätte und Geschmeidigkeit sowie Dehnbarkeit, Flexibilität und Elastizität der Haut.

Der Aufbau des HLF wird von verschiedensten Faktoren wie Lebensalter, Körperregion, Streß, Ernährung, Alkohol, Nikotin, menstrualer Zyklus, Tages- und Jahreszeit beeinflußt. Der Wassergehalt der Hornschicht beträgt in der Norm 10 bis 20%. Normalerweise liegt der Hydrolipidfilm in Form einer W/O-Emulsion vor, ist aber in der Lage, z.B. bei vermehrter Schweißsekretion, das Wasser aufzunehmen und sich als O/W-Emulsion zu organisieren.

Werden Substanzen des NMF oder HLF durch organische Lösungsmittel, durch zu häufiges Waschen mit Tensiden oder Wasser alleine ausgewaschen, so ist das Wasserbindungsvermögen nicht mehr ausreichend, die Haut wird rissig und spröde, die Barrierefunktion der Haut ist gestört.

C. 8.1.6 Funktionen der Haut

Durch vielfältigste Regulationsmöglichkeiten ist die Haut in der Lage, auf äußere

Tab. C. 8.6: Funktionen der Haut	
Schutzorgan	
gegen **mechanische Einwirkungen** durch Festigkeit und Elastizität des Koriums, Fettpolster der Subkutis; Hornschichtverdickung an beanspruchten Stellen	
gegen **chemische Einwirkungen**	
gegen Säuren	Eiweißfällung, dadurch wird Vordringen in tiefere Schichten verhindert
gegen Alkalien	Säuremantel mit Pufferkapazität der Aminosäuren
gegen **Strahlung** Hornschichtbildung, Pigmentierung durch Melanin	
gegen **mikrobiellen Befall** Säureschutzmantel, eigene Flora, Enzyme auf der Hautoberfläche	
gegen **Austrocknung** NMF und HLF	
Wärmeregulation Durchblutungsänderung der Haut, Schweißsekretion	
Sinnesorgan Wärme, Kälte, Druck, Tastsinn, Schmerz	
Ausscheidungsorgan (geringe Bedeutung)	
Aufnahmeorgan	
Vitamin-D-Synthese	
Antikörperproduktion	
Prägung des äußeren Erscheinungsbildes	

Einflüsse zu reagieren und schädigende Einflüsse abzuwehren oder zumindest abzuschwächen. Daneben übt die Haut nicht nur eine Schutzfunktion aus, sondern dient mit als Regulationseinheit zur Feineinstellung der Körpertemperatur und auch des Wasserhaushaltes des Organismus. Darüber hinaus erfüllt die Haut die Funktion eines Sinnesorganes und vermittelt vielfältigste Reize (Druck, Schmerz, Wärme...). Die wichtigsten Funktionen der Haut sind in Tabelle C. 8.6 zusammengefaßt.

C. 8.2 Hautkrankheiten

Jeder 5. Patient, der eine allgemeinärztliche Praxis aufsucht, leidet an einer Hauterkrankung. Ein Großteil der Dermatosen wird aber dem Arzt gar nicht vorgestellt, sondern der Patient versucht selbst – aus Erfahrung oder z. B. mit Hilfe des Apothekers – die Krankheit zu erkennen und auch zu therapieren.

Dabei fällt die Diagnose einer Hauterkrankung oftmals sogar dem Fachmann nicht leicht, obwohl die Symptome klar erkennbar sind. Viele Dermatosen unterschiedlichster Genese zeichnen sich durch sehr ähnliche oder sogar identische Symptome aus. Durch bessere Information über Ätiologie, bevorzugte Lokalisation und Vorbedingungen zur Entstehung einer Hautkrankheit wird es erleichtert, die richtigen Maßnahmen zu treffen.

Im folgenden sollen die häufigsten Dermatosen vorgestellt und besprochen werden. Eine vollständige Erfassung aller Hauterkrankungen ist im Rahmen dieses Buches nicht möglich und übersteigt die Möglichkeiten und auch die Kompetenz des Offizinapothekers.

C. 8.2.1 Erkrankungen durch Bakterien (Pyodermien)

Unter Pyodermien werden eitrige, durch Bakterien hervorgerufene Erkrankungen der Haut bzw. deren Anhangsgebilde verstanden. Meist werden Pyodermien durch Streptokokken oder Staphylokokken, seltener durch gramnegative Keime wie E. coli oder Pseudomonas ausgelöst. Pyodermien entstehen meist bei immungeschwächten Patienten sowie durch ungünstige hygienische Bedingungen als Primärerkrankung oder – häufiger – als Sekundärerkrankung bei Ekzemen, Acne vulgaris, Mykosen oder allgemein als Wundinfektionen.

Die Infektion mit solchen Erregern erfolgt entweder vom Patienten selbst aus, von seiner Umgebung oder aber auch von kontaminierten Gegenständen.

Es lassen sich **oberflächliche** (z. B. Impetigo contagiosa) von **adnexialen** (z. B. Furunkel, Karbunkel) und **lymphogenkutanen** (z. B. Erysipel = Wundrose) **Pyodermien** unterscheiden.

C. 8.2.1.1 Impetigo contagiosa

Diese Erkrankung wird durch Streptokokken und Staphylokokken ausgelöst. Sie ist gekennzeichnet durch entweder flache Erosionen mit gelber Kruste oder aber durch eitrige Blasen, die häufig in der Nähe von Körperöffnungen (Nase, Mund, Ohr) zu finden sind und auf eine Infektion von diesen Stellen aus hinweisen (z. B. Otitis media, Schnupfen...). Als Komplikation der meist bei Kindern auftretenden Infektion kann eine Glomerulonephritis vorkommen.

C. 8.2.1.2 Furunkel, Furunkulosen, Karbunkel

Es handelt sich um Entzündungen der tiefen Anteile von meist Terminalhaarfollikeln, ausgelöst durch Staphylococcus aureus. Prädilektionsstellen sind das Gesicht, der Nacken, Schultern sowie der Bereich der Oberschenkel und des Gesäßes. Die Infektion erfolgt durch das Eindringen der Erreger von außen in den Follikelkanal. Dort vermehren sich die Keime und rufen lokal Entzündungserscheinungen hervor. Es entwickelt sich ein druckempfindlicher, geröteter Knoten (Furunkel), der sich nach einiger Zeit (Reifung) nach außen entleert. Das zerfallene Gewebe wird durch Narbengewebe ersetzt.

Furunkel kommen in der Kindheit nur selten vor, die Frequenz nimmt von der Pubertät bis ins frühe Erwachsenenalter zu, wobei Männer häufiger betroffen sind als Frauen.

Treten Furunkel nicht einzeln auf, sondern werden andauernd, oft über Jahre hinweg, neue Furunkel gebildet, so spricht man von einer **Furunkulose**. Sie wird begünstigt durch bestehende Grundkrankheiten wie Diabetes mellitus, Adipositas, Anämien, konsumierende Erkrankungen, HIV-Infektion, aber auch Kachexie sowie durch mangelnde Hygiene.

Die schwerste Verlaufsform eines Furunkels stellt das **Karbunkel** dar. Es handelt sich um gruppiert angeordnete, meist am Nacken lokalisierte Furunkel, die bis in die Subkutis reichen können. Zu den lokalen Entzündungserscheinungen treten hier Allgemeinsymptome wie Fieber, Abgeschlagenheit sowie Vergrößerung der Lymphknoten hinzu.

C. 8.2.1.3 Erysipel (Wundrose)

Diese schwere Erkrankung wird durch β-hämolysierende Streptokokken ausgelöst. Die Infektion beginnt meist von kleinen Wunden aus und breitet sich rasch über die Lymphbahnen weiter aus. Neben den lokalen Erscheinungen (Rötung, Schwellung der Haut, Blasenbildung, Gewebsnekrosen) stehen Allgemeinsymptome wie Fieber und Schüttelfrost im Vordergrund.

C. 8.2.2 Erkrankungen durch Viren

Unter den Virusinfektionen der Haut sollen die durch die Gruppe der Herpesviren sowie der Papovaviren hervorgerufenen Erkrankungen besprochen werden.

C. 8.2.2.1 Herpesviren

Von den Herpesviren sind folgende für den Menschen pathogen:
- **Epstein-Barr-Virus** (→ Pfeiffersches Drüsenfieber)
- **Zytomegalie-Virus** (→ intrauterine Infektion des Fetus)
- **Varizellen-Zoster-Virus** (→ Windpocken, Gürtelrose)
- **Herpes-simplex-Virus-1** (→ Herpes labialis, Herpes keratitis)
- **Herpes simplex Virus-2** (→ Herpes genitalis)

C. 8.2.2.1.1 Varizellen-Zoster-Virus

Windpocken zählen zu den häufigsten Kinderkrankheiten, die meist harmlos verlaufen. Treten sie im Erwachsenenalter auf, so verläuft die Infektion schwerer. Nach einer solchen Erstinfektion mit dem Virus vermag dieses in Neuralganglien zu persistieren und dort, z. B. bedingt durch eine Immunschwäche, das Bild einer Gürtelrose hervorzurufen. Das klinische Bild des Herpes zoster ist gekennzeichnet durch schubweise auftretende rote Bläschen, begrenzt auf ein Neurosegment des Körpers. Juckreiz und Schmerz tritt auf. Leichtere Erkrankungen heilen innerhalb von 8 bis 10 Tagen oft narbenlos ab, bei Prädisposition kann die Infektion aber auch über Wochen und Monate andauern und schmerzhafte Neuralgien verursachen.

C. 8.2.2.1.2 Herpes-simplex-Virus

Herpes-simplex-Viren sind weltweit verbreitet. Man geht heute davon aus, daß etwa 90% der Bevölkerung das Virus in sich tragen, das nach einer Erstinfektion, die oft auch unbemerkt ablaufen kann, in Zellen des Ganglion trigeminale (Typ 1) oder Ganglion sacrale (Typ 2) persistiert.

Verschiedenste Auslösefaktoren wie lokale Reizung, Sonnenbestrahlung, Streß, Fieber, Menstruation u. a. führen zur „Aktivierung" des Virus und zur Ausbildung

Hautkrankheiten

einer akuten Entzündungserscheinung, z. B. den „Fieberbläschen" (Herpes labialis).

Die Übertragung der Herpesviren erfolgt durch direkten Kontakt von Mensch zu Mensch.

C. 8.2.2.2 Papovaviren

Zu dieser Gruppe gehören die humanpathogenen Papillomaviren (HPV), die für die Entstehung von Warzen verantwortlich sind. Diese Viren, bei denen derzeit 32 verschiedene Typen unterschieden werden können, werden durch direkten Kontakt von Mensch zu Mensch oder aber auch von Tieren (z. B. im Schlachthof) übertragen und führen dann – abhängig von lokalen Faktoren – nach einer Inkubationszeit von 3 Wochen bis 12 Monaten zum klinischen Erscheinungsbild der Warzen.

Erleichtert wird die Manifestation einer Infektion durch Haut- oder Schleimhautdefekte sowie mangelhafte Durchblutung. Außerdem hängt die Infektiosität von der Anzahl der Viruspartikel sowie der individuellen Empfindlichkeit des Menschen ab.

Papillomaviren rufen eine Vielzahl von Warzentypen hervor, von denen die gängigsten beschrieben werden sollen.

C. 8.2.2.2.1 Verrucae vulgares (vulgäre Warzen)

Prädilektionsstelle für diese am häufigsten anzutreffenden Warzen sind die Finger, der Nagelwall und die Fußsohle. Sie können einzeln stehen oder sich beetförmig ausbreiten. Die Warze stellt zunächst ein hartes, hautfarbenes, aus der Hautoberfläche hervorragendes Knötchen dar, dessen Oberfläche durch zunehmende Verhornung rauh wird. Sie erreicht Erbsen- sehr selten sogar bis Bohnengröße. Oft entstehen in direkter Nachbarschaft zusätzlich sogenannte Tochterwarzen. Die Gestalt der einzelnen Warzen variiert je nach Körperstelle.

C. 8.2.2.2.2 Verrucae plantares (Fußsohlenwarzen, Dornwarzen)

Diese Gruppe stellt eine besondere Form der Verrucae vulgares mit Sitz an den Fußsohlen dar. Sie bereiten große Schmerzen, da sie bei Belastung fest in die Fußsohlen eingedrückt werden.

C. 8.2.2.2.3 Verrucae planae juveniles (plane Warzen)

Bevorzugt bei Jugendlichen und Kindern treten diese, kaum über das Hautniveau herausragenden Warzen auf. Sie kommen zumeist in großer Zahl vor. Prädilektionsstellen sind das Gesicht, Hand- und Fingerrücken, Handgelenke und die Unterarme. Die meisten planen Warzen sind von rundlicher Gestalt, ihre Farbe variiert von gelblich, grau-gelb, bräunlich bis kaffeebraun sowie auch rötlich bis rot.

Die Warzen können über Jahre hinweg persistieren und heilen häufig spontan, oft direkt nach einer Phase der Verschlechterung, ohne Zurücklassung von Narben ab.

C. 8.2.2.2.4 Condylomata acuminata (Feigwarzen)

Sie treten vorwiegend beim Erwachsenen in intertriginösen Haut/Schleimhautregionen (Anogenitalbereich) auf. Ihr Auftreten und Wachstum ist an feuchtwarmes Milieu gekoppelt. Die zunächst weißen bis rötlichen stecknadelkopfgroßen Knötchen wachsen schnell zu größeren Gebilden heran.

Übertragen werden sie häufig beim Geschlechtsverkehr, sie werden deshalb den Geschlechtskrankheiten zugeordnet.

C. 8.2.3 Dermatomykosen

Trotz einer Vielzahl zur Verfügung stehender zum Teil hochwirksamer Antimykotika, nehmen Dermatomykosen weltweit zu. Die Ursachen hierfür sind:

1. die verstärkte Anwendung – z.T. auch unbegründet – von Antibiotika, Immunsuppressiva und Corticoiden. Unter dieser Therapie wird Mykosen bei geschwächter Abwehrlage bzw. geänderter bzw. vernichteter Standortflora das Ausbreiten erleichtert.
2. Ein größeres Freizeitangebot mit Sauna, Schwimmbad... sowie Fernreisen. Die Möglichkeiten zur Kontamination steigen und es werden auch solche Dermatomykosen importiert, die bisher in unseren Breiten unbekannt waren.
3. Das Unterlassen einer sofortigen Therapie. Die Behandlung einer Mykose wird oft als nicht notwendig angesehen, da sie häufig – zumindest zu Beginn – keine Beschwerden verursacht, der Betroffene ist subjektiv nicht beeinträchtigt.
4. Die zu langwierige und auch zu teure Therapie. Die konsequente Therapie einer Mykose ist zeit- und arbeitsaufwendig (Wäsche...). Dies führt zu mangelnder Compliance. Auch wird oft – nach Verschwinden der oberflächlichen Erscheinungen – die Therapie zu früh abgebrochen, was Rezidive ermöglicht.

Humanpathogene Pilze lassen sich im wesentlichen in 3 Gruppen einteilen (sogenanntes **DHS-System**):
1. **D**ermatophyten = Fadenpilze: z.B. Trichophyton-, Epidermophyton-, Microsporumarten
2. **H**efen = Sproßpilze: Candida-Arten (Candida albicans)
3. **S**chimmelpilze: hier vor allem Aspergillus-Arten

Daneben sind weitere, in dieses Schema nicht einzuordnende humanpathogene Pilze bekannt wie
- Malassezia furfur, der Erreger der Pytiriasis versicolor, eine weitverbreitete, harmlose, rezidivfreudige Hautmykose

und viele Erreger tiefer Hautmykosen, die unterschiedlichste Krankheitsbilder verursachen und deren Erreger verschiedensten Gruppen zuzuordnen sind:
- Phialophora verrucosa
- Sporothrix schenkii
- Entomophthora conidiobolae.

C. 8.2.3.1 Dermatophyten

Dermatophyten befallen ausschließlich die Haut und eventuell deren Anhangsgebilde, also Haare und Nägel.

Diese Mykosen werden unter dem Begriff **Tinea** zusammengefaßt, wobei zwischen nur oberflächlichen, mäßig stark verlaufenden Entzündungsformen (Tinea superficialis) und tieferreichenden Formen (Tinea profunda), die mit starken Entzündungserscheinungen einhergehen, unterschieden wird.

Oberflächliche Mykosen sind charakterisiert durch kreisförmige Herde, wobei zum Rand hin Rötung und Schuppung dominieren. Der Pilz hat die Tendenz zur Ausbreitung und wächst von der Ringmitte in die Peripherie aus.

Tineainfektionen werden von Mensch zu Mensch übertragen, selten, und dann vor allem bei Kindern, erfolgt die Übertragung von Tieren (Haustiere) auf den Menschen.

Die größte Rolle spielt die Ansteckung in Schwimmbädern, Saunen und in Gemeinschaftsunterkünften. Feuchtwarmes Milieu in der Umgebung und auch am Infektionsort – bedingt z.B. durch abschließende luftundurchlässige Kleidung – sowie mangelnde Hygiene begünstigen den Befall und die Verbreitung von Tineamykosen.

Dazu fördern endogene Faktoren, wie z.B. das Vorhandensein eines Diabetes mellitus, eine abgeschwächte Immunabwehr sowie auch Durchblutungsstörungen (z.B. der Extremitäten), die Ausbreitung dieser Mykosen.

Die häufigste Dermatomykose ist der Befall im **Zehenzwischenraum** (Tinea pedis), hauptsächlich ausgelöst durch Trichophyton rubrum (50%), Trichophyton mentagrophytes (40%) und Epidermophyton floccosum. Eine Häufung der Tinea pedis findet sich in den Sommermonaten (Badesaison), vorwiegend Erwachsene sind betroffen.

Klinisch manifestiert sich diese Mykose in einer nur mäßigen Rötung und Schuppung, die Zehenzwischenräume sind deutlich mazeriert. Sekundärinfektionen mit Bakterien sind häufig anzutreffen. Das vorherrschende Symptom dieser als Tinea superficialis (s.o.) charakterisierten Infektion ist der Juckreiz.

Insbesondere in ländlichen Gegenden ist die meist durch Trichophyton verrucosum verursachte profunde Tinea (sog. „Kerion Celsi") anzutreffen. Hauptüberträger sind die Rinder.

Bei Kindern ist dabei meistens der behaarte Kopf, bei Erwachsenen der Bart und der Unterarmbereich betroffen.

Symptomatisch lassen sich Karbunkel mit an der Oberfläche sitzenden Pusteln erkennen, Haarausfall tritt zuweilen auf.

Tinea der Nägel. Eine langwierige und auch schwierig zu therapierende Mykose stellen die Mykosen der Fuß- und Fingernägel dar, wobei Fußnägel häufiger betroffen sind als Fingernägel. Nagelmykosen sind gekennzeichnet durch Gelbfärbung der Nägel, krümeligen Zerfall, aber auch Weißfärbung in transversaler Richtung.

C. 8.2.3.2 Hefen

Candidaarten führen zu Infektionen der Mundhöhle, der Anogenitalregion und der großen Hautfalten. In über 90% der Fälle ist der Erreger Candida albicans, der bei 25 bis 30% der Erwachsenen zur Standortflora der Mundhöhle gehört.

Die Ausbreitung von Candidosen wird durch feuchtes Milieu, z.B. in den Hautfalten, begünstigt.

Candidosen der Mundhöhle, auch **Mundsoor** genannt, sind gekennzeichnet durch weiße Beläge auf dem Zungenrücken und der Mundschleimhaut.

Mundwinkelrhagaden können ein erstes Symptom darstellen.

Der Befall des weiblichen Genitales, der übrigens durch die Einnahme oraler Kontrazeptiva erleichtert wird, geht mit einer Rotfärbung der Vaginalschleimhaut, mit erhöhtem Ausfluß und schließlich auch mit Juckreiz einher. Daneben gibt es aber symptomarme bis symptomlose Verläufe.

Kutane Mykosen, für die Hefepilze verantwortlich sind, finden sich überwiegend in großen Hautfalten; daher sind besonders Adipöse gefährdet. Selten treten Candidosen als generelle Hautinfektionen auf, dann bevorzugt beim Säugling oder beim alten Menschen. Neben Candida albicans seien als weitere Vertreter dieser Gruppe Candida stellatoidea, Candida glabrata und Candida pseudotropicalis genannt.

C. 8.2.3.3 Schimmelpilze

Deutlich seltener im Vergleich zu Dermatophyten oder Hefen werden Dermatomykosen mit Erregern dieser Gruppe gefunden. Schimmelpilze verursachen in der Regel oberflächliche Hautmykosen wie z.B. Scopulariopsis brevicaulis und Hendersonula toruloidea, die Onychomykosen sowie Hand- und Fußmykosen auslösen können. Daneben zählt zu dieser Gruppe Aspergillus niger, der eine Otitis externa mycotica verursachen kann.

C. 8.2.3.4 Mallassezia furfur

Dieser Keim findet sich als Bestandteil der normalen Hautflora der meisten Erwachsenen in der Brustregion. Er ist in dieser Form nicht pathogen. Die Ursache für den Übergang in das pathogene Stadium ist weitgehend unbekannt, vermutet wird, daß starke Schweißsekretion und auch zu häufiges Baden den Übergang in die virulente Form fördern.

Das Krankheitsbild, die Pytiriasis versicolor, bei der meist der Kopf, aber auch die behaarten Regionen des Oberkörpers befallen sein können, zeichnet sich durch feinschuppige Plaques von hellbräunlicher, oftmals auch weißer Farbe aus.

C. 8.2.4 Parasitosen

Neben Stechmücken, Bremsen und Wespen, die den Menschen belästigen und durch Stich- oder Biß lokale – in Ausnahmefällen auch systemische Allgemeinerscheinungen – Entzündungen hervorrufen, gibt es innerhalb der Arthropoden ein paar wenige Arten, die humanpathogen sind. Sie verursachen z. T. lediglich Juckreiz, können aber als Überträger von Infektionskrankheiten dem Menschen gefährlich werden. Sie leben teilweise auf der Haut (Milbe oder Laus sowie Zecke) oder befallen den Menschen nur kurzfristig zum Stich (Floh, Wanze).

Für die Parasitosen muß in den letzten Jahren festgestellt werden, daß ihre Verbreitung stark zunimmt. Insbesondere sind hier der Befall mit Kopfläusen, Filzläusen und auch Krätzemilben hervorzuheben. Die Ursachen für diese oft epidemisch auftretenden Parasitosen sind mit in der mangelnden Behandlungsbereitschaft, aber auch im bestehenden Informationsdefizit zu sehen. Darüber hinaus spielt sicherlich der zunehmende Ferntourismus mit dem Import solcher Parasiten eine Rolle.

Im folgenden sollen die zwei wichtigsten Parasitosen besprochen werden, nämlich der Befall mit Läusen und Milben. Diese beiden Ektoparasiten verbleiben am Körper und machen somit eine direkte Bekämpfung am Menschen erforderlich. Um die Anwendungsweise der antiparasitär wirkenden Mittel zu verstehen, sind Kenntnisse über die Lebensweise der Parasiten erforderlich.

C. 8.2.4.1 Läuse

Beim Menschen werden **3 Läusearten** unterschieden:
- **Kopflaus** (Pediculus humanus capitis)
- **Kleiderlaus** (Pediculus humanus humanus)
- **Filzlaus** (Phthirus pubis)

Am weitesten verbreitet sind die Kopfläuse, praktisch keine Bedeutung mehr besitzt dagegen die Kleiderlaus.

Von Kopfläusen sind meist Kinder im Kindergarten- oder Schulalter betroffen, da dort wegen des engen Kontaktes eine leichte Verbreitung der Läuse gewährleistet ist. Für das Auftreten von Läusen – die sich epidemieartig verbreiten – spielt mangelnde Hygiene, beengter Wohnraum und auch der verstärkte Reiseverkehr eine Rolle.

Läuse werden nur durch direkten Kontakt übertragen, da sie sich nur kriechend fortbewegen können. Sie können allerdings auch bei tieferer Temperatur bis zu 7 Tagen überleben.

Läuse sind 2 bis 4 mm groß, von schwach bräunlicher Farbe und besitzen 3 kräftige mit Krallen versehene Beinpaare. Die befruchteten Weibchen kleben mit einem wasserunlöslichen Kitt ihre jeweils 150 bis 300 Eier an Körperhaare (Kopf- und Filzlaus) oder in Wäschesäume (Kleiderlaus). Diese sogenannten **Nissen** sind ca. 0,8 mm lang und von ovaler Gestalt. Aus diesen schlüpfen nach ca. 8 Tagen die Läuselarven, die nach 3 Häutungen nach 2 bis 3 Wochen selbst geschlechtsreif sind. Die leeren Nissen verbleiben am Haar, sie lassen sich im Unterschied zu Kopfschuppen nicht durch Kämmen vom Haar abstreifen.

Prädilektionsstelle für die Kopflaus ist der Nackenbereich sowie hinter den Ohren (günstige Temperatur). Die Filzlaus befällt bevorzugt die Schamhaare sowie andere Bereiche mit apokrinen Schweißdrüsen (z. B. Achselhaare); selten bei Kleinkindern auch Augenbrauen und Wimpern. Nissen und Läuse lassen sich an diesen Stellen mit der Lupe identifizieren.

Oftmals bemerkt der Patient erst nach mehreren Tagen den Parasitenbefall. Das einzige Symptom hierbei ist der Juckreiz, der sich auf das Eindringen von Läusespeichel beim Blutsaugen (alle 2 bis 3 Stunden) zurückführen läßt. Es entstehen dabei hochrote Papeln; Kratzen ermöglicht die Ausbildung von Sekundärinfektionen.

Hautkrankheiten　　　　　　　　　　　　　　　　　　　　　　　　　Seite C. 8/19

Die Kleiderlaus ist etwas größer als die Kopflaus, sie ist nur noch unter extrem schlechten hygienischen Bedingungen anzutreffen. Diese Laus sitzt nicht am Körper, sondern in den Nähten und Säumen der anliegenden Kleidung. Symptome auf der Haut sind lediglich Juckreiz, Rötung und eventuell Knötchenbildung. Kleiderläuse sind wegen der Übertragung von Fleckfieber, Rickettsiosen u. a. gefürchtet.

Die eindeutige Diagnose kann nur durch das Auffinden der Milbengänge und die mikroskopische Identifikation der Milben vorgenommen werden. Hinweise auf eine Milbenerkrankung sind der an den genannten Prädilektionsstellen auftretende Juckreiz, der sich in der Wärme verstärkt. Weiteres Indiz wäre ein Auftreten der gleichen Symptome bei Menschen in der direkten Umgebung (Ehepartner...) des Patienten.

C. 8.2.4.2 Milben

Die Krätzmilbe Acarus siro var. hominis ist der Erreger der **Skabies** (Krätze), die in den letzten Jahren weite Verbreitung gefunden hat.

Die weibliche Milbe ist 0,2 bis 0,4 mm groß und besitzt 4 Beinpaare. Das befruchtete Weibchen gräbt sich in die Hornschicht der Haut ein und sitzt am Ende des mehrere Millimeter langen tunnelartigen Ganges. Sie ernährt sich vom Zellsaft beschädigter Hornzellen und legt täglich 2 bis 4 Eier. Nach wenigen Wochen stirbt das Weibchen. Aus den Eiern entstehen über ein Larven- und Nymphenstadium nach 3 Wochen geschlechtsreife Milben.

Männliche Tiere, die nur 0,1 bis 0,2 mm groß sind, sterben nach der Begattung ab.

Die Übertragung von Milben erfolgt nur durch längeren direkten körperlichen Kontakt, ganz selten über die Kleidung. Die Milbe kann nur 2 bis 3 Tage außerhalb der Haut überleben.

Als Symptom bei Skabies tritt starker Juckreiz auf, der sich in der Wärme (z. B. Bett) verstärkt. Bevorzugte Befallstellen sind die Interdigitalfalten von Händen und Füßen sowie Ellenbeugen, Achselfalten, Nabel, Gürtelregion, innerer Fußrand und Analregion. Rücken, Hals und der Kopfbereich werden in der Regel nicht befallen.

Bei Erstbefall mit Milben tritt der Juckreiz erst ungefähr nach 4 Wochen auf, bei Wiederansteckung beginnt der Juckreiz sofort (eventuell allergische Reaktion).

C. 8.2.4.3 Insektenstiche

Beim Menschen verursachen Stiche oder Bisse von Insekten in aller Regel eine lokal begrenzte Reaktion, die mit Quaddelbildung, Rötung und Juckreiz oder Schmerz einhergeht.

Viel seltener kommen allgemein toxische oder allergische Reaktionen vor.

Eine Unterteilung kann gemacht werden in einerseits Stiche von Bienen, Wespen, Hummeln oder Hornissen, Vertretern aus der Gruppe der Hautflügler (Hymenoptera), und andererseits in Stiche oder Bisse von blutsaugenden Insekten wie z. B. Bremsen oder Stechmücken, die unter die Zweiflügler (Diptera) zu rechnen sind.

Bei den Hymenoptera-Arten ist der Eilegeapparat zum Stechapparat umgebildet, während bei den Zweiflüglern die Mundwerkzeuge zum Stechapparat umgeformt sind. Der Unterschied zwischen den beiden Gruppen liegt nicht nur in der unterschiedlichen Ausbildung des Stechapparates, viel wichtiger ist die unterschiedliche Symptomatik und damit auch klinische Relevanz der Stiche durch diese beiden Gruppen.

C. 8.2.4.3.1 Bienen- oder Wespenstiche

Das Insektengift, das nach Bienen- oder Wespenstich in das Gewebe injiziert wird, dient in erster Linie der Verteidigung bzw. dann auch dem Beutefang und damit schließlich zur Ernährung dieser Insekten. Um diese Ziele zu erreichen, muß das In-

Selbstmedikation X/1992

sektengift eine rasche und zudem gute Wirkung entfalten können.

Beim Bienen- oder Wespenstich gelangt das Gift durch den Stachel direkt in die unteren Schichten der Cutis. Von dort aus kann es sich rasch in tiefer gelegene Gewebsschichten bzw. auch in das Lymph- oder Blutgefäßsystem ausbreiten.

Die Zusammensetzung des Bienen- bzw. Wespengiftes gewährleistet eine koordinierte synergistische Wirkung, die zu den lokal begrenzten oder auch systemischen Erscheinungen nach einem Insektenstich führt. Hauptbestandteile des Bienen- oder Wespengiftes sind Phospholipasen und die Polypeptide Mellitin (Biene) bzw. Mastoparan (Wespe). Daneben sind verschiedene weitere Enzyme wie Hyaluronidase oder Phosphatase sowie biogene Amine wie Histamin, Acetylcholin, Serotonin und Dopamin enthalten. Die Hauptsymptomatik wird durch die Phospholipase im Zusammenspiel mit dem jeweiligen Polypeptid verursacht, wobei die anderen Bestandteile des Giftes die Wirkung dieser beiden Komponenten ermöglichen bzw. verstärken.

So bewirkt z. B. die im Gift enthaltene Hyaluronidase eine Spaltung der Interzellulärsubstanz und ermöglicht so eine leichte Diffusion des Giftes durch Zellschichten hindurch in das darunterliegende Gewebe. Phospholipase spaltet Phospholipide, aus denen dann zelltoxische Lysophosphatide und zu Entzündungsmediatoren (Prostaglandine, Leukotriene) umwandelbare Fettsäuren entstehen.

Mellitin bzw. Mastoparan wirken durch direke Interaktion mit der Zellmembran oder Membranproteinen zytotoxisch. Daneben sind diese Polypeptide durch Wechselwirkung mit Nervenzellen an der Schmerzentstehung beteiligt. An der Einstichstelle selbst ist die Giftkonzentration so hoch, daß Nervenzellen zerstört werden. Daraus resultiert die schmerzfreie Zone im Zentrum des Insektenstichs.

Nach einem Insektenstich gelangt das Gift durch Diffusion in das umliegende Gewebe. Dort werden verschiedenste Zellen und Reaktionen aktiviert. So bewirkt eine Stimulation der Mastzellen eine Ausschüttung von Entzündungsmediatoren, die für die typischen Erscheinungen wie Rötung, Schwellung (durch Ödembildung) und – im Zusammenspiel mit Mellitin oder Mastoparan – schmerzverantwortlich sind. Im Zentrum des Einstichs werden Zellen zerstört oder in ihrer Funktion stark beeinträchtigt.

Der Heilungsprozeß setzt im allgemeinen recht rasch ein, so daß nach kurzer Zeit die Funktion des Gewebes wieder vollkommen hergestellt ist.

Bei mehr als 20 (andere Autoren sprechen von 50) Stichen innerhalb kürzester Zeit besteht durch die hohe Giftkonzentration, die in den Körper gelangt, die Gefahr einer „Vergiftung" mit ernsthaften systemischen Folgen, die sogar letal sein können. Am häufigsten werden Herz-Kreislaufversagen, Schock, Atemnot sowie Krampfanfälle beschrieben.

Immer öfters werden **allergische Reaktionen** auf Bienen- oder Wespenstiche beobachtet. Hierbei werden nach Erstkontakt v. a. gegen Phospholipase, Hyaluronidase sowie Mellitin und Mastoparan Antikörper aus der IgG-, IgM- oder – am häufigsten – der IgE-Klasse gebildet. Etwa 0,4–1 % der Bevölkerung bilden IgE-Antikörper gegen Bienen- oder Wespengift aus. Nicht bei allen entwickelt sich aber nach einem erneuten Insektenstich eine allergische Reaktion, die von generalisierten Hautsymptomen über asthmatische Anfälle bis hin zum letal endenden anaphylaktischen Schock reichen kann.

C. 8.2.4.3.2 Stiche von Bremsen oder Stechmücken

Sehr viel harmloser als Wespen- oder Bienenstiche sind Stiche oder Bisse dieser Zweiflügler zu beurteilen. Nichtsdestoweniger sind auch Stiche von diesen Insekten lästig.

Hautkrankheiten

Der Stich oder Biß von Bremsen oder Stechmücken dient der Nahrungsaufnahme. Etwa alle 3 Tage benötigen die Weibchen eine solche „Mahlzeit", während die männlichen Mücken sich mit Blütennektar begnügen, daher für den Menschen harmlos sind. Dazu sind die Ober- und Unterlippe zum Stechrüssel umgebildet, in dem sich das Nahrungsrohr und auch das Speichelrohr befinden. Mit der Spitze des Stechrüssels durchbohrt das Insekt die oberen Hautschichten, spritzt über das Speichelrohr etwas Speichelflüssigkeit mit gerinnungshemmenden, aber auch entzündungsfördernden Substanzen ein und entnimmt dann über das Nahrungsrohr Lymphe oder Blut.

Zwar wird bei dieser „Mahlzeit" der injizierte Insektenspeichel zum größten Teil wieder mit abgesaugt, doch die zurückbleibenden Mengen reichen aus, um eine lokal begrenzte Hautreaktion mit den Symptomen Rötung, Schwellung, Schmerz oder Juckreiz hervorzurufen. Ernsthaftere Reaktionen wie bei Bienen- oder Wespenstichen beschrieben kommen dagegen äußerst selten vor.

C. 8.2.5 Pruritus – Juckreiz

Juckreiz ist ein subjektiv empfundenes Symptom, das nicht objektivierbar ist.

Zwischen Juckreiz und Schmerz bestehen enge funktionelle und auch anatomische Beziehungen. So konnte gezeigt werden, daß für die Weiterleitung der Empfindungen Juckreiz und Schmerz z.T. dieselben afferenten Nervenbahnen (sogenannte C- und Aδ-Fasern) benutzt werden. Auch kann in Hautarealen, in denen die Schmerzempfindung, z.B. medikamentös, ausgeschaltet worden ist, kein Juckreiz erzeugt werden. Juckreiz kann demnach als unterschwelliger Schmerzreiz definiert werden.

Neben Schmerzrezeptoren spielen für die Empfindung Juckreiz aber anscheinend auch Mechanorezeptoren eine Rolle. Eigene – nur den Juckreiz vermittelnde – Rezeptoren gibt es nicht.

Juckreiz kann einerseits ausgelöst werden durch physikalische Reizung dieser o.g. Rezeptoren durch Berührung oder Temperatureinfluß, andererseits wirken verschiedene Mediatoren wie Histamin, Acetylcholin, Kinine, Proteasen und evtl. auch Prostaglandine juckreizauslösend, indem sie diese Rezeptoren direkt erregen.

Strukturelle Veränderungen der Haut wie Akanthose (z.B. bei Psoriasis) oder eine sehr trockene Haut (Sebostase, Exsikkose des Stratum corneum) begünstigen die Ent-

Tab. C. 8.7: Zustände, die mit Juckreiz einhergehen
1. Hauterkrankungen
Exsikkation der Haut (Hornschicht) und Sebostase Ekzeme Urtikaria Insektenstich Intertrigo Prurigo Lichen Mykosen Psoriasis Parasitosen Juckreiz bei Virusinfektionen (Windpocken...) und bakteriellen Infektionen der Haut
2. Allgemeinerkrankungen
Lebererkrankungen Nierenerkrankungen Ikterus Endokrine Störungen (Diabetes mellitus, Schilddrüsenerkrankungen) Gicht Malignome Durchblutungsstörungen (z.B. venöse Stauung)
3. Pruritus mit psychischer Ursache (sog. Pruritus sine materia)
Verändert nach J. Ring, H.H. Fröhlich; Wirkstoffe in der dermatologischen Therapie, 2. Auflage, 1985, Springer-Verlag, Berlin, Heidelberg, New York, Tokyo

stehung von Juckreiz. Auch zentrale Reizungen können einen Juckreiz auslösen.

Pruritus ist kein eigenständiges Krankheitsbild, sondern wird als Symptom vieler Hauterkrankungen, aber auch verschiedener Allgemeinerkrankungen gefunden (Tabelle C. 8.7).

Juckreiz selbst ist oftmals Ausgangspunkt und Ursache von Hauterkrankungen, insbesondere Ekzemen und Kratzwunden, die leicht einer Sekundärinfektion zugänglich sind. Denn der Betroffene beantwortet den Juckreiz meist mit Kratzen, Reiben oder Scheuern, da diese anderen Reizqualitäten die Empfindung des Juckreizes – zumindest kurzfristig – zurückdrängen können.

C. 8.2.6 Urtikaria – Nesselsucht

Unter Urtikaria versteht man eine krankhaft übersteigerte Hautreaktion, die im oberen Korium lokalisiert ist.

Klinisch zeigt sich ein innerhalb weniger Minuten aus einem Erythem hervorgehendes, scharf begrenztes, leicht gerötetes Ödem (= Quaddel, = Urtika), das innerhalb kurzer Zeit (3 bis 8 Stunden) wieder restlos verschwindet. Starker Juckreiz begleitet diese Hauteffloreszenzen. Manchmal sind die einzelnen Quaddeln von einem fleckigen, hellroten Erythem umgeben. Die Größe der einzelnen Hauterscheinungen reicht von Stecknadelkopf- über Linsengröße (z.B. bei Insektenstich) bis zu handtellergroßen, flächenhaften Gebilden.

Urtikaria kann einmal kurzfristig auftreten (akute Urtikaria, Dauer 6 Wochen) oder als chronische kontinuierliche (Dauer > 6 Wochen) oder auch rezidivierende Erscheinung über Monate, Jahre bis Jahrzehnte anhalten.

Alle Altersstufen können dabei betroffen sein, eine Häufung findet sich im mittleren Lebensalter und dort wiederum bei Frauen.

Die Erkrankungshäufigkeit wird mit 20 bis 30% angegeben, wobei in der Mehrzahl nur einmalig eine solche urtikarielle Reaktion auftritt. 90% der Urtikaria-Erkrankungen heilen innerhalb 4 bis 6 Wochen vollständig ab.

Die **Ätiopathogenese** der Urtikaria ist weitgehend unklar. Bei über 50% der diagnostizierten Fälle ist keine direkte Ursache bekannt, nur 6 bis 8% der Urtikaria lassen sich auf allergische Reaktionen zurückführen, 10 bis 20% sollen durch physikalische Faktoren ausgelöst werden und bei 25 bis 30% werden Intoleranzreaktionen (nicht allergischer Natur) verantwortlich gemacht.

Auf molekularer Ebene kommt bei der Entstehung der Urtikaria dem Histamin neben anderen Mediatorsubstanzen wie Serotonin, Bradykinin, Leukotrienen und Prostaglandinen eine bedeutende Rolle zu. Histamin wird dabei auf chemisch-physikalischen Reiz hin oder aufgrund chemischer Reaktionen aus den Mastzellen des oberen Koriums freigesetzt und führt zu den eingangs erwähnten Symptomen der Urtikaria.

Das klinische Erscheinungsbild und die Schwere der Urtikaria wird durch zahlreiche weitere Faktoren bestimmt, unter denen das Immunsystem sowie das vegetative Nervensystem eine besondere Bedeutung besitzen.

Ausgelöst wird eine Urtikaria durch verschiedenste Reize (Tabelle C. 8.8).

Bei den Intoleranzerscheinungen handelt es sich um Unverträglichkeitsreaktionen gegenüber bestimmten Stoffen oder Stoffgruppen. Insbesondere werden hier Farbstoffe, Konservierungsmittel und bei Medikamenten die Gruppe der Analgetika genannt. Die Intoleranzerscheinungen sprechen nicht auf eine Behandlung mit Antihistaminika an (Unterschied zu allergischen Reaktionen). Offensichtlich kommt hier nicht dem Histamin, sondern eher den Prostaglandinen die vorherrschende Rolle zu.

Hautkrankheiten

Tab. C. 8.8: Auslöser einer Urtikaria

1. Allergene	
endogene Allergene	körpereigene Proteine Tumorzerfallsprodukte Stoffwechselprodukte von Hefen oder Bakterien
exogene Allergene	Insektengifte Medikamente Nahrungsmittel (Nüsse, Sellerie, Hühnereiweiß, Milch, Hülsenfrüchte) Konservierungsmittel Farbstoffe Tierhaare
2. Kontakt z. B. mit	Brennessel, Qualle, Ameise, Insektenstich oder -biß
3. Histaminliberatoren	wie Bacitracin, Polymyxin, Kobalt, Perubalsam
4. Physikalische Faktoren Druckurtikaria Wärme- oder Kälteurtikaria	treten entweder nur am Ort der Reizeinwirkung oder aber auch generalisiert auf
5. Intoleranzerscheinungen	gegen verschiedene chemische Stoffe

C. 8.2.7 Ekzeme

Im Sprachgebrauch wird der Begriff Ekzem sehr oft dann verwendet, wenn es sich um Hautveränderungen unklarer Genese handelt.

Die Vielzahl der Ekzemerkrankungen, die in der Literatur häufig unterschiedliche Benennung und Einteilung der Ekzemformen sowie das vielfältige – je nach Stadium unterschiedliche – Erscheinungsbild der Ekzeme haben zur Unsicherheit im Umgang mit dem Begriff Ekzem beigetragen.

Generell versteht man unter einem Ekzem **eine entzündliche Erkrankung der Epidermis und des Koriums** (Lederhaut), die durch **intraepidermale Bläschenbildung** (= Ödem) charakterisiert ist. Je nach Akuitätszustand lassen sich verschiedene Stadien unterscheiden.

- **Akutes Ekzem:**
  Rötliche Herde, die nässen, sodann zur Krustenbildung neigen, finden sich neben Knötchen und Bläschen.

- **Subakutes Ekzem:**
  Zahlreiche Knötchen neben wenig Bläschen. Charakteristisch sind die Schuppen und Schuppenkrusten.

- **Chronisches Ekzem:**
  Es ist charakterisiert durch trockene, teilweise verdickte hyperkeratotische Haut mit lichenifizierten Herden. Die Haut ist manchmal hyperpigmentiert.

Gemeinsam ist allen 3 Stadien der auftretende **starke Juckreiz**.

Ursache für die Entstehung eines Ekzemes ist eine Vielzahl exogener und endogener Faktoren, die entweder allein oder im Zusammenspiel zur Ekzementstehung beitragen können. Das klinische Bild ist dabei abhängig von der Art, Dauer, Lokalisation und Stärke des Reizes und wird dabei durch genotypische und umweltbedingte Faktoren moduliert. Eine neuere **Einteilung der Ekzemkrankheiten** sieht eine Gliederung in

- vorwiegend exogene Ekzeme
- vorwiegend endogene Ekzeme
- dysregulativ-mikrobielle Ekzeme

vor.

C. 8.2.7.1 Exogene Ekzeme

In diese Gruppe sind die Kontaktekzeme allergischer und nichtallergischer Genese einzuordnen.

Nicht-allergische Kontaktekzeme beruhen auf einer länger andauernden subakuten Reizung und Schädigung der Epidermis, hervorgerufen oft z. B. durch beruflich bedingten Kontakt mit reizenden Stoffen wie Zement, Haarfärbelösungen, Waschmittel, Obstspritzmittel, Fotoentwicklerlösungen etc. Auch durch Schmuck, Uhrenarmbänder, Stirnbänder etc. können über längere Zeit Kontaktekzeme entstehen. Bei Kontaktekzemen **allergischer** Natur dringt das Allergen durch eine geschädigte und damit durchlässige Hornschicht in die Epidermis ein und führt dort zur Immunreaktion.

Kontaktekzeme allergischer Natur treten meist nicht als Sofortreaktion, sondern nach einer Latenzzeit von 12 bis 24 Stunden auf. Eine Sonderform des allergischen Kontaktekzems stellt das photoallergische Ekzem nach Lichtexposition dar (s. C. 8.2.11.3.1).

C. 8.2.7.2 Endogene Ekzeme
(atopisches Ekzem, Neurodermitis diffusa)

Diese Erkrankung ist genetisch determiniert und kann in allen Altersstufen zum Ausbruch kommen. Etwa bei 10 % der Bevölkerung besteht diese Disposition zum endogenen Ekzem.

Im Säuglingsalter manifestiert sich die Erkrankung als Milchschorf im 2. bis 3. Lebensmonat, in der Kindheit und in der Jugend sind bevorzugt der Ellenbogen, Kniegelenk, Handgelenk, Knöchel oder der Nacken betroffen, im Erwachsenenalter finden sich Ekzeme am ganzen Körper verteilt mit einer Bevorzugung der Beugestellen. Häufig findet man bei solchen Patienten neben dem Ekzem auch Bronchialasthma, Heuschnupfen oder aber Nahrungsmittelallergien.

Meist bessern sich die Symptome im Sommer oder unter dem Einfluß von sogenanntem „Reizklima" (Meer oder Hochgebirge).

Tab. C. 8.9: Mögliche auslösende Faktoren für dysregulativ-mikrobielle Ekzeme

Pathogene Faktoren	Wirkung
Hyperhidrosis	Quellung der Hornschicht, vasomotorische Dysfunktionen
Hyper- oder Dysseborrhoe	veränderte Barrierefunktion der Hornschicht, Dysmikrobie der Standortflora
Exsikkose der Hornschicht	Schwund des „Wasser-Lipid-Mantels", Rauhigkeit, Elastizitätsschwund
Physikalische Noxen (akut, intermittierend, chronisch)	Druck, Scheuern, Wärmestauung, Einwirken von Licht-, IR- und UV-Strahlen
Chemische Noxen	Entzug von Lipiden und wasserlöslichen Puffersubstanzen der Hornschicht
Störungen der dermalen Mikrozirkulation	Lympho- oder hämovasale Stauung, arterielle Minderdurchblutung, Akrocyanose
Neurale Irritationen oder Läsionen	Vasomotorische Dysfunktionen (neurovegetative Durchblutungsstörungen, viszero-kutane Dysreflexion)
Endogen-viszerale Dysregulationen	Renale, hepato-biliäre Stoffwechsel- und Exkretionsstörungen, Dysproteinämie

Nach: Hornstein, O.O., Nürnberg, E. (Hrsg.) Externe Therapie von Hautkrankheiten; Pharmazeutische und medizinische Praxis, Georg Thieme Verlag, Stuttgart, New York 1985.

Hautkrankheiten

C. 8.2.7.3 Dysregulativ-mikrobielle Ekzeme

Verschiedenste endogene und/oder exogene Faktoren führen zur Einschränkung der normalen Schutzfunktion der Hornschicht (Tabelle C. 8.9). Aufgrund dieser schädigenden Einflüsse bewirken nun Bakterien, die z.T. auch der Hautflora entstammen können, selbst oder durch Toxinabgabe die Entstehung eines Ekzemes.

Die Schädigung der Hornschicht ist also Voraussetzung, der eigentliche Verursacher des Ekzems ist aber in den Bakterien (Strepto-, Staphylokokken, Enterobakterien, Pseudomonas-Arten) zu sehen.

Im klinischen Erscheinungsbild sind die 3 Ekzemformen oft nicht zu unterscheiden, die Einteilung gibt lediglich einen Hinweis auf die Genese und damit auch auf die daraus resultierenden Therapiemöglichkeiten.

C. 8.2.8 Psoriasis – Schuppenflechte

Die Psoriasis vulgaris (Schuppenflechte) stellt mit einer Morbiditätsrate von 1 bis 2 % nach den Ekzemkrankheiten die **zweithäufigste Hauterkrankung** dar. Damit ist Psoriasis fast genauso verbreitet wie z.B. Diabetes mellitus. Allein in der Bundesrepublik leben derzeit ungefähr 2 Millionen Psoriatiker.

Die **Ätiologie** dieser Erkrankung ist noch nicht geklärt. Gesichert ist, daß Psoriasis eine Erbkrankheit darstellt, die durch unterschiedlichste endogene und/oder exogene Faktoren zum Ausbruch gebracht werden kann (Tabelle C. 8.10).

Das Auftreten der Schuppenflechte kann in jedem Lebensalter beobachtet werden, eine Häufung findet sich während Pubertät und Klimakterium (Hormone als Auslösefaktor?). Prädilektionsstellen der Psoriasis sind Ellbogen, Streckseiten der unteren Extremitäten, die behaarte Kopfhaut und auch die Nägel.

In ca. 5 bis 10 % der Fälle ist die Psoriasis mit einer arthritischen Erkrankung der Gelenke (Psoriasis arthropathica) vergesellschaftet, häufiger (bei ca. 30–50 % der Patienten) werden Nagelveränderungen (Tüpfelung, Krümelnägel oder Ablösung) beobachtet.

Es können bei der Psoriasis verschiedene **Erscheinungsbilder** unterschieden werden:
1. **Der akute Psoriasisschub = eruptiv-exanthemisch = Typ I:**
Kennzeichen sind rote, mit einer weißlichen bis silbrigen Schuppe bedeckte,

Tab. C. 8.10: Auslösefaktoren für Psoriasis
1. Endogene Faktoren
• Infektionen des Respirationstraktes (Angina) oder des Intestinaltraktes • Pubertät   ⎫ • Klimakterium   ⎬ Phasen der hormonellen Umstellung • Schwangerschaft oder Entbindung   ⎭ • Stoffwechselimbalancen (z.B. vorübergehende Hyperurikämie) • Störungen im Elektrolythaushalt (z.B. Hypokalzämie) • Psychovegetative Belastungen
2. Exogene Faktoren
• Klimawechsel • Einnahme von Medikamenten (Lithium, Betablocker, Antimalariamittel) • Alkohol • Sonnenbrand • Hautverletzungen

anfänglich kleine, scharf abgegrenzte Areale, die später konfluieren können.
2. **Die chronische Psoriasis = chronisch-statisch = Typ II:**
Die Merkmale dieser Form sind große, mit dicken Schuppen bedeckte Plaques.

Histologische Kennzeichen der Psoriasis sind die vorwiegend exsudative Entzündung des Papillarkörpers (Stratum papillare der Lederhaut), der hyperämisiert nahezu bis an die Hautoberfläche reicht. Dadurch kommt es nach Abreißen der Schuppen zu kleineren, punktförmigen Blutungen (= „blutiger Tau"), die kennzeichnend für das Vorliegen einer Psoriasis sind.

Das Stratum basale der Epidermis ist stark verdickt, der Zellzyklus dort drastisch verkürzt.

Die Zellproliferation von Stratum basale bis zur Hornschicht, die üblicherweise 30 Tage dauert (s. C. 8.1.1.1), ist in Extremfällen auf 3 bis 4 Tage verkürzt. Die Epidermis ist auf das 3- bis 5(10)fache der Norm verdickt. Die Haut schuppt sich sehr stark, wobei aufgrund der sehr kurzen Proliferationszeit kernhaltige Hornzellen (im Unterschied zu den normalerweise abgeschilferten toten, kernlosen Hornzellen) abgestoßen werden.

Diese Beschleunigung der Zellproliferation wie auch die Reifestörung der Keratinozyten sind auf komplexe Anomalien des Keratinozyten-Stoffwechsels zurückzuführen, wobei die eigentliche Ursache dafür aber noch nicht geklärt ist.

Neben einer Erhöhung der Aktivität des Pentosephosphatzyklus findet sich ein Ungleichgewicht der zyklischen Nukleotide cyclo-GMP und cyclo-AMP, weitere Stoffwechselwege wie Glykolyse, Protein- und Nukleinsäurestoffwechsel laufen verstärkt ab.

C. 8.2.9 Seborrhoe

Unter einer Seborrhoe versteht man den Zustand einer gestörten Talgdrüsenfunktion, wobei vorrangig nicht die Quantität der Talgsekretion, sondern die Talgzusammensetzung verändert ist.

Als **Seborrhoea oleosa** wird die Produktion von viel öligem Talg, als **Seborrhoea sicca** die Sekretion von wenig gleitfähigem Talg bezeichnet.

Eine Seborrhoea oleosa führt zu dem Erscheinungsbild fettig glänzender Haut und fettigen, strähnigen Haaren, die Seborrhoea sicca äußert sich als trockene schuppige Haut und reichlicher Kopfschuppenbildung.

Eine Seborrhoe ist konstitutionell bedingt und wird durch endogene oder exogene Faktoren wie Hormone, intestinale, psychische oder lokale Reize manifest. Auch verschlechtert z. B. Streß eine Seborrhoe. Auf dem Boden einer Seborrhoe können sich verschiedene Hautkrankheiten entwickeln, so ein seborrhoisches Ekzem (C. 8.2.7.3) oder auch eine Akne (C. 8.2.10). Eine Seborrhoea capitis, also ein Befall der Kopfhaut, kann zu starker Schuppenbildung, zu Juckreiz und schließlich durch Atrophie der Haarwurzeln zum irreversiblen Haarausfall führen (Tonsurglatze oder Geheimratsecken).

C. 8.2.10 Akne

Unter dem Begriff Akne werden verschiedene Krankheitsbilder unterschiedlichster Genese und teilweise unterschiedlichem klinischen Bild zusammengefaßt (Tabelle C. 8.11).

Generell kann gesagt werden, daß unter Akne eine **Erkrankung im Bereich der Talgdrüsenfollikel** verstanden wird. Da die Verteilung der Talgdrüsenfollikel am Körper nicht einheitlich ist, findet man die Akneef-

Hautkrankheiten

Abb. C. 8.11: Verschiedene Akneformen

1. Endogene Akne

Acne vulgaris:	Acne comedonica
	Acne papulopustulosa
	Acne conglobata
Sonderformen oder Komplikationen:	
	Acne fulminans
	Acne neonatorum
	Acne infantum
	Prämenstruelle Akne
	Acne excoriée
	Gramnegative Follikulitis

2. Exogene Akne

Acne venenata
Physikalisch bedingte Akne
Medikamentös bedingte Akne
Mallorca-Akne = Acne aestivalis

floreszenzen bevorzugt im Gesicht sowie v-förmig an Brust und Rücken, eventuell noch an den Oberarmen.

Die häufigste Form der Akne, die **Acne vulgaris**, tritt praktisch bei jedem Menschen in der Pubertät – mehr oder weniger stark ausgeprägt – auf, sie verschwindet aber in der Regel bis um das 20. Lebensjahr, selten persistiert sie bis zum 30. Lebensjahr.

Die Ausbildung sowie der Schweregrad einer Akne ist von mehreren Faktoren abhängig (Tabelle C. 8.12). Nur wenn alle Faktoren gegeben sind, wird eine Akne manifest, fehlt einer der Faktoren, so führt dies zu einer subklinischen Erscheinungsform.

C. 8.2.10.1 Talg

Eine starke Talgproduktion (Seborrhoe) ist Voraussetzung für die Entstehung einer Akne. Aknepatienten weisen vergrößerte Talgdrüsen auf, daneben ist die Talgsekretion erhöht. Der Schweregrad der Akne korreliert dabei direkt mit der Menge des sezernierten Talgs. Hemmt man die Talgproduktion z. B. durch Östrogene, so sistiert auch die Akne.

C. 8.2.10.2 Hormone

Hormone, insbesondere Androgene, stimulieren die Talgproduktion. Eunuchen z. B. weisen eine geringe Talgproduktion auf, sie zeigen niemals Aknesymptome.

C. 8.2.10.3 Vererbung

Der Hauttyp und somit die Disposition zur Akne wird vererbt, ein autosomal dominanter Erbgang wird angenommen. Wenn beide Elternteile eine Akne durchgemacht haben, so entwickeln die Nachkommen mit 50 %iger Wahrscheinlichkeit ebenfalls eine Akne.

C. 8.2.10.4 Bakterien

Propionibacterium acnes, ein anaerob lebender Standortkeim jedes Follikelkanals, ist primär nicht pathogen. Stoffwechselprodukte (u. a. Lipasen und chemotaktische Substanzen) dieses Bakteriums fördern einerseits die Bildung von Komedonen und

Tab. C. 8.12: Faktoren, die Voraussetzung für die Entstehung einer Akne sind

- Talg
- Hormone
- Vererbung
- Bakterien
- Verhornungsstörung

sind andererseits für die Entstehung der entzündlichen Erscheinungen mitverantwortlich. Neben Propionibacterium acnes können manchmal auch Staphylokokken beteiligt sein.

C. 8.2.10.5 Verhornungsstörung

Heute wird als **Hauptursache der Akne** eine Verhornungsstörung des Follikelkanalepithels angesehen. Dabei werden im unteren Teil des sogenannten Infundibulums (= gemeinsamer Talgdrüsen-Haarausführungsgang) vermehrt Hornzellen gebildet, werden allerdings nicht in entsprechendem Maß mit dem Talg nach außen abgestoßen (Retentionshyperkeratose). Sie bilden, dicht gepackt, das Gerüst des Komedos (= Mitesser). Aknepatienten weisen eine erhöhte Bereitschaft auf, auf verschiedene Reize hin mit einer verstärkten Verhornung des Follikelepithels zu reagieren. Solche Reize sind z.B. Kohlenwasserstoffe, Cortikoide..., wobei aber auch Talg bzw. dessen Abbauprodukte selbst komedogen wirken. Bei der Akne handelt es sich also nicht – wie früher angenommen – um eine Talgretentionsstörung, sondern primär um eine übersteigerte Verhornung von Epithelzellen des Follikelkanals. Talg kann auch noch durch den Komedo hindurch an die Oberfläche gelangen. Andererseits bietet Talg Propionibakterien ideale Lebensbedingungen, und Talgabbauprodukte führen zu den entzündlichen Akneerscheinungen.

C. 8.2.10.6 Klinisches Erscheinungsbild

Primärerscheinung der Acne vulgaris ist der Komedo in offener oder geschlossener Form.

Im Infundibulum kommt es durch eine Verhornungsstörung zum stetigen Anhäufen von Hornzellmassen, die nicht nach außen abtransportiert werden; das Infundibulum wird kugelig rund, das Follikelepithel wird zum Komedonenepithel umgebildet.

Klinisch erkennt man diese sogenannten **geschlossenen Komedonen** gut, wenn die über dem Komedo liegende Haut angespannt wird, als weißliche kugelige Gebilde mit einer kleinen zentralen Öffnung (sog. white-head). Weiteres Wachstum des Komedos führt zur Umwandlung in die Form des **offenen Komedos**. Der Pfropf besteht nun aus vielen hunderten sehr dicht gepackten Korneozyten, dazwischen Talg und auch Bakterien (bis zu 10^6 bis 10^8 Bakterien pro Komedo). Die schwärzliche Spitze des Komedos besteht aus Melanin (sog. black-head).

Im Komedo finden Propionibakterien ein ideales Milieu mit hoher Feuchtigkeit und Wärme vor. Lipasen dieser Bakterien können nun aus Triglyzeriden des im Komedo eingebetteten Talges freie Fettsäuren (insbesondere C_{12}-, C_{18}-Fettsäuren) abspalten, die für die Ausbildung der entzündlichen Erscheinungen wie Papeln, Pusteln und Knoten als ursächlich angesehen werden. Freie Fettsäuren, die normalerweise in der Haut nicht vorkommen, sind toxisch und lösen – z.B. intrakutan appliziert – Entzündungsreaktionen aus.

Je nach dem vorherrschenden Erscheinungsbild wird bei **Acne vulgaris** zwischen einer Acne comedonica, Acne papulopustulosa oder einer Acne conglobata unterschieden.

Bei der **Acne comedonica** finden sich vorwiegend Komedonen in offener und geschlossener Form zunächst meist an der Nase, sodann an Stirn und Wangen. Dabei reicht das Erscheinungsbild von nur wenigen Komedonen bis zum massiven Befall. Diese Form der Akne findet sich oft initial bei Jugendlichen, bevorzugt bei Mädchen. Tritt keine Entzündung auf, so heilt die Acne comedonica narbenlos ab.

Bedingt durch die Besiedelung mit Propionibakterien oder auch Staphylokokken werden entzündliche Erscheinungen wie Papeln (= gerötete Knötchen) und Pusteln (= eitergefüllte Bläschen) hervorgerufen. Stehen diese Effloreszenzen im Vorder-

Hautkrankheiten

grund, so spricht man von einer **Acne papulopustulosa**.

Die **Acne conglobata** stellt eine schwere Verlaufsform der Acne papulopustulosa dar. Während dort Papeln und Pusteln einzeln stehen, treten hier flächenhafte Entzündungen auf. Daneben sind äußerst schmerzhafte, harte Knoten, die durch Einschmelzungen Fisteln bilden können, zu finden. Aus den eitrigen Absonderungen lassen sich oftmals Staphylokokken, daneben auch β-hämolysierende Streptokokken nachweisen. Bei chronischem Verlauf kann diese Form der Akne von Leukozytose, Steigerung der Blutsenkungsgeschwindigkeit und anderen Zeichen einer den Organismus belastenden Entzündung begleitet sein. Diese Form der Akne kann lange über die Pubertät hinaus ins Erwachsenenalter persistieren, auch können Akne-atypische Körperregionen wie Nacken, Achsel, Genitokrural- und Gesäßpartie betroffen sein. Acne conglobata wird bevorzugt bei Männern gefunden. Wie die Acne papulopustulosa heilt auch die Acne conglobata unter Zurückbleiben von Narben ab.

Der Vollständigkeit halber seien nun die in Tabelle C. 8.11 aufgeführten weiteren Akneformen kurz angesprochen.

C. 8.2.10.7 Acne fulminans

Hierbei handelt es sich um eine fast ausschließlich bei Männern beobachtete schwere Verlaufsform einer Acne conglobata mit zusätzlichen Allgemeinsymptomen wie Fieber, erhöhter Blutsenkungsgeschwindigkeit, Anämie, Leukozytose und einer stark ausgeprägten Polyarthritis der großen Gelenke. Die Ursache ist unbekannt, eine Störung des Immunsystems scheint von Bedeutung zu sein.

C. 8.2.10.8 Acne neonatorum

Darunter versteht man eine in den ersten Lebenswochen auftretende Akneform mit Komedonen und Papulopusteln im Nasen-Wangenbereich. Nach wenigen Wochen bis Monaten heilt diese Erscheinung ab. Diskutiert wird als Ursache ein Überhang an mütterlichen Androgenen.

C. 8.2.10.9 Acne infantum

Diese Form der Akne tritt – selten – zwischen dem 3. Lebensmonat und dem 2. Lebensjahr (hier Häufung) auf. Das Erscheinungsbild ist geprägt von entzündlichen Papeln und Pusteln. Die Abheilung ist – im Unterschied zur Acne neonatorum – sehr verzögert und meist nur unter Narbenbildung möglich. Die Ursache wird in einer passageren Testosteronplasmaspiegelerhöhung gesehen, der durch einen Anstieg der Gonadotropine ausgelöst wird.

C. 8.2.10.10 Prämenstruelle Akne

Vor allem im Wangen- und Kinnbereich kann es bei jüngeren Frauen in der zweiten Zyklushälfte zu akneartigen Erscheinungen kommen. Ursache ist hier das zyklusbedingte Ansteigen der Androgen- und Progesteronausschüttung sowie die Reduktion der Östrogenproduktion.

C. 8.2.10.11 Acne excoriée

Hier handelt es sich eigentlich nicht um eine Sonderform der Akne, sondern um eine Folgeerscheinung. Häufig werden, insbesondere von jüngeren Frauen, alle auch noch so kleinen Akneerscheinungen mechanisch bearbeitet, was zu Exkoriationen, kleineren Narben und auch bakteriellen Superinfektionen führt.

C. 8.2.10.12 Gramnegative Follikulitis

Begünstigt durch eine vorliegende Akne mit einer gleichzeitigen Störung der Standortflora (Anwendung von Antibiotika oder Desinfizientia) breiten sich bevorzugt gramnegative Keime wie Klebsiella, Proteus oder Pseudomonas aus. Diese Komplikationen der Akne gehen mit Papel- oder Pustelbildung einher.

C. 8.2.10.13 Exogene Akneformen

Sie werden ausgelöst durch chemische Noxen (Acne venenata), durch z. B. langjährige Sonnenlichteinwirkung (physikalisch bedingte Akne) oder aber durch Medikamente.

Zu den chemischen Noxen, zu denen u.a. Kohlenwasserstoffe, Lipide, Öle, Teere oder Chlor zu rechnen sind, seien die Begriffe Kosmetikakne, Ölakne, Teerakne oder Chlorakne genannt.

Eine medikamentös bedingte Akne wird häufig durch Iod- oder Bromverbindungen, Vitamine B_6 und B_{12}, Antikonvulsiva (z. B. Phenytoin), Barbiturate oder Cortikoide ausgelöst.

Gemeinsam ist den exogen bedingten Akneformen, daß sie nicht nur im für die Acne vulgaris typischen Lebensalter und an den typischen Aknestellen vorkommen.

Treten Akneeffloreszenzen in einem anderen Lebensabschnitt auf, so sollte stets an eine exogen bedingte Akne gedacht werden. Meist kann die Ursache entdeckt und die Akne ohne medikamentöse Therapie beseitigt werden.

Mallorca-Akne = Acne aestivalis
s. C. 8.2.11.3.1

C. 8.2.11 Wirkung von Licht auf die Haut

Das Sonnenlicht umfaßt einen Strahlenbereich von 100 nm bis 1 mm Wellenlänge. Dabei werden verschiedene Bereiche unterschieden (die Angaben schwanken je nach Autor),

	Anteil an Gesamtenergie
• **Ultraviolettstrahlung** (UV) 100–400 nm	4,3 %
• **Sichtbares Licht** 400–800 nm	51,8 %
• **Infrarotstrahlung** (IR) 800 nm–1 mm	43,9 %

wobei der Energiegehalt der Strahlung mit steigender Wellenlänge abnimmt.

Infrarot-Strahlung wird von der Haut als Wärme wahrgenommen. Dieser Effekt kommt dadurch zustande, daß IR-Strahlen bis in die Subkutis gelangen und dort unter Erzeugung von Wärme absorbiert werden. Es resultiert daraus eine Vasodilatation und damit eine Durchblutungssteigerung des Gewebes.

Sichtbares Licht löst selbst unmittelbar keine Hautreaktionen aus, kann aber das UV-Licht in seiner Wirkung verstärken.

Für die Dermatologie, d.h. für die Auslösung von Reaktionen in der Haut, spielt insbesondere das UV-Licht eine Rolle. Das

Tab. C. 8.13: Wirkungen von UV A- und UV B-Strahlung

UV A

- direkte Pigmentierung der Haut, Maximum der Wirkung bei 340 nm
- keine Erythemauslösung, jedoch Verstärkung der Erythemwirkung von UV B (Photoaugmentation)
- keine DNA-Schädigung im UV A_1-Bereich ($>$ 340 nm)
- Auslösung phototoxischer und photoallergischer Dermatitiden bei Anwesenheit von phototoxisch oder photoallergisch wirksamen Substanzen
- evtl. verantwortlich für vorzeitige Hautalterung mit Bindegewebsschäden; evtl. Karzinomentstehung in Kombination mit UV B

UV B

- indirekte Pigmentierung der Haut, Maximum der Wirkung bei 308 nm
- Erythemauslösung nach Latenzzeit von 2–5 Stunden mit den Symptomen Rötung, Schwellung, Ödem, Schmerz und Juckreiz. Freisetzung von Histamin und Prostaglandinen
- Störung der DNA-Struktur
- Stimulation der Vitamin D-Synthese aus Vorstufen
- Auslösung der Keratokonjunctivitis
- Verdickung der Hornschicht der Haut (Ausbildung der Lichtschwiele)
- Präkanzerogene und evtl. kanzerogene Wirkung in Kombination mit UV A

Hautkrankheiten

Spektrum des UV-Lichts wird nochmals in 3 Bereiche unterteilt:
UV A 320–400 nm
UV B 280–320 nm
UV C 100–280 nm

Neuerdings wird innerhalb des UV A-Bereichs nochmals eine Unterteilung getroffen in
UV A_1 340–400 nm
UV A_2 320–340 nm

Diese Unterscheidung wurde getroffen, da nachgewiesen werden konnte, daß erst oberhalb einer Wellenlänge von 340 nm keine akut schädigenden Wirkungen auf die Haut und auch keine Veränderungen an der DNA der Zellen ausgelöst werden.

Im Gegensatz dazu ist das kürzerwellige UV A_2-Licht durchaus in der Lage, a) in sehr hohen Dosen akute Eritheme auszulösen und b) Spätschäden der Haut z.B. durch Wechselwirkung mit der DNA der Zellen zu verursachen.

Die energiereichste UV C-Strahlung spielt auf der Erde keine Rolle, da dieser Anteil des Sonnenlichts nahezu vollständig durch die Ozonschicht absorbiert wird.

Mit entscheidend für die Auslösung von Reaktionen in der Haut ist die Eindringtiefe der Strahlung. Hierbei zeigt sich, daß die Eindringtiefe der Strahlung mit zunehmender Wellenlänge wächst, hierbei gelangt

UV C (aus künstlichen Lichtquellen) bis zum Stratum granulosum der Epidermis,
UV B bis zum Stratum basale der Epidermis,
UV A bis in die mittleren Schichten des Koriums.

Wirkung der UV-Strahlen:

Die Strahlung bewirkt eine Anregung von Elektronen in einen aktivierten Zustand, bei deren Übergang in den Grundzustand wieder Energie frei wird. Aus dieser Reaktion können photochemische Sekundärreaktionen resultieren, die

a) zur Bildung freier Radikale führen (dies ist wichtig für die Ausbildung des Sonnenerythems (Sonnenbrand) und der Pigmentierung der Haut).

b) die Vitamin-D-Synthese aus Vorstufen stimulieren

c) Veränderungen und Schädigungen an Proteinen und der DNA verursachen.

C. 8.2.11.1 Physiologischer Lichtschutz

Der Organismus ist in der Lage, auf Strahlenexposition zu reagieren und sich so vor der schädigenden Wirkung der Strahlung zu schützen. Folgende Mechanismen stehen ihm dabei zur Verfügung:

C. 8.2.11.1.1 Verdickung der Hornschicht

Im Stratum corneum wird der größte Teil des Lichtes reflektiert, abgelenkt oder absorbiert, ohne daß biologische Wirkungen resultieren. An Hornhaut – also einer sehr stark ausgebildeten Hornschicht – z.B. der Handinnenfläche oder Fußsohle ist es praktisch unmöglich, einen „Sonnenbrand" zu erzeugen. Längere Sonnenlichtexposition führt zur Ausbildung einer „Lichtschwiele", d.h. also einer Verdickung des Stratum corneum; dafür ist der UV-B-Anteil des Lichtes verantwortlich.

Nach wiederholter UV-B-Einwirkung kommt es bereits nach wenigen Tagen zu dieser Verdickung der Epidermis. Die Lichtschwielenbildung ist nach zwei bis drei Wochen abgeschlossen. Die Schutzfunktion einer solchen Lichtschwiele läßt sich an der Tatsache ablesen, daß eine Dicke von 10 µm bereits ausreicht, die Intensität der eindringenden UV-Strahlung zu halbieren. Eine fertig ausgebildete Lichtschwiele ist in der Lage, nur 25% der einfallenden Strahlung in tiefere Hautschichten passieren zu lassen. Neben der Dicke der Lichtschwiele spielt auch der Feuchtigkeitszustand der Hornschicht eine bedeutende Rolle: UV-Licht kann besser durch nasse als durch trockene Hornschichten penetrieren.

C. 8.2.11.1.2 Pigmentierung

Die Melaninsynthese stellt den effektivsten Schutzmechanismus der Haut gegen Strahlung dar. Melanin ist dabei nicht nur in der Lage, Strahlung, sondern auch Wärme (aus sichtbarem und IR-Licht) zu absorbieren und schützt so den Organismus vor Überwärmung.

Melanin wird im Stratum basale in den Melanozyten aus Tyrosin über Dihydroxyphenylalanin in komplexer Reaktionsfolge, die noch nicht vollständig geklärt ist, synthetisiert. Die Anzahl der Melanozyten variiert dabei je nach Körperregion. So findet man im Gesicht 2000 bis 2500 Zellen/mm², an den Innenflächen der Arme und Beine nur ca. 1000 Zellen/mm².

Melanin wird schließlich während des Verhornungsprozesses in der Epidermis in die Keratinozyten übertragen und wandert so allmählich an die Hautoberfläche.

Man unterscheidet eine **direkte Pigmentierung**, die unter UV-A-Strahlung ausgelöst wird, von einer durch UV B verursachten **indirekten Pigmentierung** der Haut.

Bei der direkten Pigmentierung werden innerhalb weniger Stunden bereits vorhandene, farblose Melaninvorstufen in Melanin umgewandelt. Die Intensität der Pigmentierung ist dabei von der Wellenlänge der UV-A-Strahlung (je kurzwelliger, desto intensiver), der Dauer und Stärke der Strahlung und auch vom Gehalt an Melaninvorstufen in der Haut abhängig. Die dabei entstehende Bräunung geht allerdings bereits nach kurzer Zeit mit der normalen Hautabschilferung verloren.

Die indirekte Pigmentierung verläuft im Gegensatz dazu langsam, oft über Tage hinweg. Sie beruht auf einer Stimulation der Melanozytenneubildung sowie auf einer Aktivierung des Enzyms Tyrosinase (Enzym der Melaninsynthese) durch UV-B-Strahlung. Diese Art der Pigmentierung bedingt eine tiefe, länger anhaltende Bräunung. Das Melanin, das ja in den unteren Schichten der Epidermis gebildet wird, wandert mit den Korneozyten im normalen Verhornungsprozeß nach oben zur Hornschicht.

Durch die Pigmentierung der Haut erhöht sich der Schutz gegen Lichtreaktionen maximal um das Zehnfache.

C. 8.2.11.1.3 Urocaninsäure

Eine untergeordnete Rolle bei der Energieabsorption wird noch der in der Epidermis und im ekkrinen Schweiß vorkommenden Urocaninsäure zugesprochen. Unter Sonnenlichteinwirkung wird die Synthese von Urocaninsäure in der Epidermis aus Histidin durch Desaminierung stimuliert. Sie wird schließlich mit dem Schweiß an die Hautoberfläche abgegeben, wo sie Strahlung absorbiert, indem Urocaninsäure unter Energieaufwand isomer umgelagert wird.

Diese Eigenschutzleistungen der Haut sind jedoch – abgesehen von den nicht so wirksamen Prinzipien der direkten Pigmentierung und der Synthese von Urocaninsäure – keine Sofortreaktionen. Es handelt sich um langsam verlaufende Prozesse, die zur Lichtgewöhnung führen, wobei die Strahlungstoleranz bis um das 40fache gesteigert werden kann.

Darüber hinaus ist der Organismus in der Lage, in gewissem Umfang durch UV-Licht hervorgerufene Schädigungen der DNA über verschiedene Mechanismen zu reparieren (Repair-Mechanismen). Diese Mechanismen haben jedoch eine beschränkte Kapazität. Werden sie z. B. durch ständige übertriebene Sonnenlichtexposition überfordert, so resultiert eine chronische Schädigung (Altershaut) bzw. steigt das Risiko von Präkanzerosen.

C. 8.2.11.2 Erythemschwellendosis
(Minimale Erythemdosis, MED)

Darunter wird diejenige Strahlendosis (Produkt aus Strahlenstärke und Expositionsdauer) verstanden, die ausreicht, um auf der Haut gerade ein Erythem – also eine

Hautkrankheiten

schwache, aber deutlich wahrnehmbare Rötung – entstehen zu lassen. Diese Dosis stellt keinen konstanten Wert dar, sondern ist individuell sehr unterschiedlich und abhängig von
- der Sonnengewöhnung der Haut und dem daraus resultierenden Eigenschutz (s. o.)
- der individuellen Empfindlichkeit (Tabelle C. 8.14)
- der Einnahme oder der lokalen Applikation von Substanzen, die photosensibilisierend wirken oder die MED extrem vermindern.

C. 8.2.11.3 Schädigungen der Haut durch Licht

Das Ausmaß der schädigenden Wirkung der Strahlung ist abhängig von
- der individuellen Empfindlichkeit
- der Expositionsdauer
- der Intensität der Strahlung.

Tab. C. 8.14: Individuelle Empfindlichkeit gegenüber Strahlung (Einteilung in 6 Gruppen)

Typ 1:	Rothaariger keltischer Europäer: Personen, die sehr schnell Sonnenbrand bekommen und nach einer Woche noch nicht gebräunt sind
Typ 2:	Hellhäutiger, hell behaarter, blauäugiger Europäer: Bekommen auch sehr schnell einen Sonnenbrand, zeigen aber geringe Bräunungsreaktionen
Typ 3:	Dunklerhäutige Europäer: Entwickeln nur einen schwachen Sonnenbrand und zeigen leichte Bräunung
Typ 4:	Mittelmeertyp des Europäers: Hat nur sehr selten einen Sonnenbrand und zeigt eine gute Bräunung
Typ 5:	Mittelöstlicher oder südamerikanischer Typ: Hat nur sehr selten Sonnenbrand und bräunt sehr stark
Typ 6:	Schwarze Rasse, Vertreter dieser Rasse z.B. Neger oder Nubier: Haben bei regelmäßiger Sonnenexposition niemals Sonnenbrand.

Die Intensität der Strahlung variiert dabei je nach dem Einfallswinkel der Sonne (abhängig von der Tageszeit, Jahreszeit und dem jeweiligen Standort (Äquator oder gemäßigte Zone ...)), der Meereshöhe (der UV-B-Anteil nimmt pro 1000 Höhenmeter um 20% zu) und dem Streulichtverhalten des Lichtes. Hierbei ist zu berücksichtigen, daß Wasser, Schnee (zu 70%) und heller Sand (zu 20%) das Licht reflektieren, auch Nebel, der Streulicht hervorruft, verstärkt die Intensität der Strahlung.

C. 8.2.11.3.1 Akute Schäden

A) Sonnenbrand (Sonnenerythem, Dermatitis solaris)

Wird die Erythemschwellendosis (s. C. 8.2.11.2) überschritten, so bilden sich nach einer Latenzzeit von 2 bis 5 Stunden die typischen Entzündungssymptome, wie Rötung, Schwellung und Schmerz aus. Das Maximum der Reaktion wird nach 24 Stunden erreicht.

Das entstehende Erythem ist dabei auf exakt den Bereich begrenzt, der der Strahlung ausgesetzt war. Vom klinischen Bild dominiert zunächst eine stark ausgeprägte Hautrötung mit ödemartiger Schwellung, Blasen- oder Bläschenbildung und häufig Juckreiz. In der Spätphase steht die Schuppung und Abstoßung der zerstörten Oberhautzellen (sunburn cells) im Vordergrund. In der Regel entstehen keine Narben.

Je nach Intensität der Strahlung entstehen Schädigungen, die Verbrennungen 1. oder 2. Grades entsprechen. Extreme Belastungen können auch zu Gewebsnekrosen führen. Bei starkem Sonnenbrand können die Hauterscheinungen auch mit Fieber, Erbrechen, Kopfschmerz oder gar Kreislaufkollaps verbunden sein.

Ursache des Sonnenerythems sind UV-B-Strahlen im Bereich zwischen 290 und 320 nm, wobei das Maximum der Wirkung bei 308 nm liegt. Dort löst UV B Reaktionen an Lipiden, Aminosäuren, Enzymen und auch der DNA aus. Mit beteiligt an der Entstehung des UV-B-Sonnenerythems sind initial Histamin und später vor allem Prostaglandine, deren Freisetzung durch UV B stimuliert wird. UV-A-Licht verstärkt dabei die UV-B-Wirkung (Photoaugmentation).

B) Phototoxische und photoallergische Reaktionen

Die systemische oder auch lokale Anwendung verschiedenster Stoffe (Arzneimittel, Pflanzeninhaltsstoffe, Kosmetika) kann zu entzündlichen Reaktionen in Kombinationen mit einer Sonnenlicht- (oder auch Kunstlicht-)Exposition führen. Hierbei kommt der UV-A-Strahlung die Hauptbedeutung zu.

Phototoxische Reaktionen:
Die Substanz (systemisch oder lokal appliziert) verändert die Sensibilität der Haut gegenüber UV A so, daß bereits geringste Strahlungsmengen ausreichen, um eine entzündliche Hautreaktion (Sonnenbrand, Rötung mit Blasenbildung, selten Nekrosen) auszulösen. Die Reaktion kann sich aber auch „nur" in einer übersteigerten Pigmentierung äußern (sogenannte Berloque-Dermatitis). Hier sind Furocumarine die auslösenden Stoffe, die in Bergamottöl oder anderen etherischen Ölen vorkommen und häufig in Parfums zu finden sind. Naturstoffe spielen generell für die Auslösung phototoxischer Reaktionen eine besondere Rolle (Johanniskraut, Umbelliferen).

Auch viele Arzneistoffe können zu unerwünschten Wirkungen dieser Art führen, z.B. Stoffe aus der Gruppe der Phenothiazine, Sulfonamide, Tetracycline, Thiaziddiuretika oder orale Kontrazeptiva.

Ob eine Reaktion auftritt und welche Intensität eine solche phototoxische Reaktion aufweist, hängt nicht zuletzt von der Konzentration des betreffenden Stoffes ab. Die Reaktion bleibt auf das der UV-A-Strahlung ausgesetzte Gebiet beschränkt.

Therapeutisch genutzt wird eine gezielte kontrollierte phototoxische Reaktion z.B. bei der Behandlung der Psoriasis. Hier werden 9-Methoxypsoralen und andere Stoffe mit UV-A-Strahlung kombiniert (s. B. 8.11.2.3).

Photoallergische Reaktion:
Unter dem Einfluß von UV-A-Strahlung entsteht aus einer lokal oder systemisch angewandten Substanz eine neue chemische Verbindung mit allergenem Charakter. Beim Erstkontakt tritt eine Sensibilisierung des Organismus ein, bei allen nachfolgenden Kontakten wird sodann eine allergische Reaktion ausgelöst, die sich entweder als sofort auftretende Urtikaria als Folge einer Histaminliberation oder aber erst langsam als Lichtekzem manifestiert. Die von dieser Reaktion betroffenen Hautareale können dabei weit über die der Strahlung ausgesetzten Hautflächen hinausreichen, auch spielt die Konzentration des Stoffes im Gegensatz zu phototoxischen Reaktionen keine Rolle. Zu photoallergischen Arzneimitteln zählen z.B. Sulfonamide, Phenothiazine, Griseofulvin oder auch (lokal angewendet) die Gruppe der halogenierten Salicylanilide. Photoallergische Reaktionen treten weitaus seltener auf als phototoxische Erscheinungen.

Sonnenurtikaria
Einen Sonderfall der photoallergischen Reaktion stellt die Sonnenurtikaria dar, die in den letzten Jahren immer häufiger beobachtet werden kann. Bereits kurze Zeit nach Sonneneinstrahlung (meist beim ersten längeren Kontakt im Frühjahr) treten stark juckende Quaddeln auf, die entweder sofort wieder abklingen oder über Stunden hinweg bestehen bleiben. Die Stärke der Reaktion kann in Einzelfällen bis hin zum Schock reichen. Dies ist in den meisten Fällen auf eine durch Sonneneinstrahlung bewirkte physikalische Histaminliberation aus Mastzellen infolge von Membrandestabilisierung zurückzuführen.

Seltener ist die echte allergische Reaktion, bei der unter dem Einfluß von UV-Licht ein Autoantigen gebildet wird. Dies löst – nach Reaktion mit entsprechenden

Hautkrankheiten

Antikörpern – die allergische Reaktion aus.

Als Sonderfall der sogenannten „Sonnenallergien" kann die als **„Mallorca-Akne"** bezeichnete Lichtreaktion gelten.

An Prädilektionsstellen wie Oberarmen und Dekolleté entwickeln sich unter dem Einfluß von UV-A-Licht Flecken, Knötchen oder sogar Quaddeln mit starkem Juckreiz. Es handelt sich um eine Überempfindlichkeitsreaktion gegen UV A und Fette bzw. Emulgatoren aus Kosmetika oder sogar Sonnenschutzmitteln.

Von Sonnenurtikaria betroffen sind etwa 10 bis 30% der Bevölkerung, insbesondere Erwachsene. 75% der Patienten reagieren dabei auf UV A, 15% auf UV A **und** UV B und lediglich 10% allein auf UV B.

C. 8.2.11.3.2 Chronische Schäden

Als Resultat einer über längere Zeit andauernden Exposition an Sonnen- oder Kunstlicht tritt unter dem Einfluß von UV-A-Strahlung eine vorzeitige Hautalterung ein. Diese beginnt mit Trockenheit der Haut, Vergrößerung der Hautfaltung und führt zu einer faltigen, unelastischen Haut, bei der die kollagenen Fasern des Bindegewebes irreversibel degeneriert sind. Eine Rückbildung solcher Schäden ist nicht möglich.

Auf dem Boden dieser degenerativen Veränderungen können ausgelöst durch UV-A- und UV-B-Strahlung Präkanzerosen und Kanzerosen entstehen. Die einzige Therapie besteht in der Vorbeugung durch ausreichenden Lichtschutz und eine vernünftige UV-Licht-Exposition. Es ist dabei zu berücksichtigen, daß bereits ⅔ der Strahlendosis, die zur Auslösung von akuten Lichtschäden (Sonnenbrand) notwendig ist, ausreichen, um chronische Hautschädigungen (Hautalterung) zu verursachen. Grund dafür ist, daß die Repair-Mechanismen bereits bei dieser Strahlendosis maximal ausgelastet sind.

C. 8.2.11.4 Pigmentstörungen

Bei den Pigmentstörungen kann zwischen **Depigmentierungen** und **Hyperpigmentierungen** unterschieden werden.

C. 8.2.11.4.1 Depigmentierungen

C. 8.2.11.4.1.1 Vitiligo

Bevorzugt an Handoberseiten, am Hals und im Gesicht können diese weißen, runden, aber auch unregelmäßig geformten Flecken auftreten. Die Ursache für das Auftreten dieses Erscheinungsbildes ist unklar, eine partielle Zerstörung der Melanozyten führt dazu, daß in diesen Arealen nur wenig bzw. kein Pigmentfarbstoff gebildet werden kann. Die Konsequenz daraus ist, daß an diesen Stellen nur ein sehr bedingter Schutz gegen UV-Strahlung besteht. Daher müssen diese Flecken durch Anwendung eines Sonnenschutzmittels besonders geschützt werden. Einen Krankheitswert besitzt diese Weißfleckenkrankheit nicht, oftmals ist sie aber für den Patienten psychisch belastend.

C. 8.2.11.4.1.2 Albinismus

Im Unterschied zur Vitiligo sind die Melanozyten durchaus vorhanden, doch durch das Fehlen des Enzyms Tyrosinase kann aus Vorstufen kein Melanin synthetisiert werden. Albinos sind extrem gefährdet gegenüber UV-Licht, da als einziger Lichtschutz die Ausbildung der Lichtschwiele entwickelt werden kann. Ein dauernder Lichtschutz ist bei Albinos obligat. Trotzdem erkrankt ein Großteil der Patienten vorzeitig an Hautkrebs, die Sterblichkeitsrate ist hoch.

C. 8.2.11.4.2 Hyperpigmentierungen

Häufiger als Depigmentierungen werden Hyperpigmentierungen in ihren unterschiedlichen Erscheinungsformen angetroffen.

C. 8.2.11.4.2.1 Muttermale (Naevi)

Fast bei jedem Menschen werden diese Hyperpigmentierungen beobachtet, die zum Teil angeboren, teilweise später erworben sind. Die an allen Körperstellen vorkommenden Flecke zeichnen sich durch ihre scharfe Abgrenzung aus. Ein Krankheitswert und dadurch eine Behandlungsnotwendigkeit besteht nicht.

C. 8.2.11.4.2.2 Leberfleck (Lentigo)

Im Unterschied zum Muttermal findet man bei Leberflecken gleichzeitig eine Verdikkung der Oberhaut. Leberflecke sollten – besonders gefährdet sind hier stark sonnenexponierte Stellen – ständig beobachtet werden. Jede Veränderung, sei es eine Vergrößerung, Veränderung der Farbe oder kleine Blutungen, sollte Anlaß sein, den Arzt aufzusuchen. Ein solcher Leberfleck stellt eine potentielle Gefahr der malignen Entartung (Lentigo maligna) dar und sollte sobald als möglich entfernt werden.

C. 8.2.11.4.2.3 Sommersprossen (Epheliden)

Durch UV-B-Bestrahlung werden die ansonsten unauffälligen Pigmentflecke deutlich. Die Melanozytenaktivität wird durch Sonnenlichtexposition stark erhöht. Die Anlage zu Sommersprossen ist genetisch determiniert, häufig sind sie bei hellhäutigen Personen mit rötlichen Haaren anzutreffen.

Sommersprossen können in großer Zahl auftreten, wobei sie nur an lichtexponierten Stellen vorkommen. Sie besitzen keinen Krankheitswert, können dagegen, ähnlich wie Vitiligo, ein psychisches Problem darstellen.

C. 8.2.11.4.2.4 Altersflecken

Vom Erscheinungsbild ähnlich wie Sommersprossen, sind sie aber im Gegensatz dazu dunkler, größer und nicht so regelmäßig geformt. Ihre Farbe ändert sich unter Lichteinfluß nicht, dennoch ist ein Zusammenhang zwischen Licht und der Entstehung von Altersflecken offensichtlich, da sie bevorzugt an lichtexponierten Stellen wie Gesicht oder Handrücken vorkommen. Einen Krankheitswert besitzen sie nicht.

C. 8.2.11.4.2.5 Chloasmen

Reversible scharf begrenzte unregelmäßige braune bis bräunliche Flecken im Gesicht (bevorzugt an Stirn, Kinn und den Wangen). Ein Zusammenhang mit weiblichen Sexualhormonen ist nachgewiesen, da z. B. während der Schwangerschaft oder bei Einnahme von oralen Kontrazeptiva diese Pigmentstörung auftritt.

C. 9 Wunden und Wundheilung (einschließlich Verbrennungen)

Von M. Mark

Der Organismus ist bemüht, aufgetretene Wunden möglichst rasch zu verschließen, um einerseits einen zu hohen Blut- bzw. Wasserverlust zu vermeiden, sich andererseits aber vor Infektionen, also Eindringen von Fremdkörpern in den Organismus, zu schützen. Jede Verletzung, die mit der Zerstörung von Zellen einhergeht, setzt daher einen reparativen Prozeß in Gang, die sogenannte Wundheilung.

C. 9.1 Primäre Wundheilung

Wunden mit minimaler Gewebsverletzung sowie glatten Wundrändern heilen nach kurzer Entzündungsphase innerhalb von 6 bis 8 Tagen vollständig ab, wenn keine Wundinfektionen auftreten oder Fremdkörper in der Wunde vorhanden sind. Eine nennenswerte Neubildung von Gewebe findet dabei nicht statt. Der Wundschorf löst sich ab, die frisch epithelisierte Narbe wird kaum erkannt und führt – wenn überhaupt – zu einer nur minimalen Funktionsstörung des Gewebes. Die primäre Wundheilung stellt die ideale Form der Heilung dar, die man nach chirurgischen Schnitten sowie bei kleineren Stich-, Kratz-, Schnitt- oder Schürfwunden findet.

C. 9.2 Sekundäre Wundheilung

Tritt bei Verletzungen ein größerer Gewebsdefekt auf, so muß er mit Granulationsgewebe gefüllt werden, ein Prozeß, der Zeit erfordert. Das reichlich gebildete Narbengewebe ist nur von einem dünnen, vulnerablen Epithel bedeckt, auch bedingt diese Narbenbildung oftmals eine größere funktionelle Beeinträchtigung des Gewebes. Die schließlich vom Narbenepithel bedeckte Oberfläche ist kleiner als die ursprüngliche Wundfläche. Dies ist auf im Granulationsgewebe enthaltene Myofibroblasten mit kontraktilen Eigenschaften zurückzuführen. Sie ziehen die Wundränder zusammen, was zunächst als Schutzmechanismus gegenüber Infektionen positiv erscheint, sich aber auch negativ auswirken kann, indem die Bewegungsfreiheit des Gewebes behindert ist oder in Hohlorganen zu Stenosen führen kann.

Sekundäre Wundheilungen, die sich nicht qualitativ, sondern nur in quantitativer Hinsicht von der primären Wundheilung unterscheiden, findet man häufig bei Quetsch-, Riß- oder Platzwunden sowie nach Verbrennungen 2. oder 3. Grades.

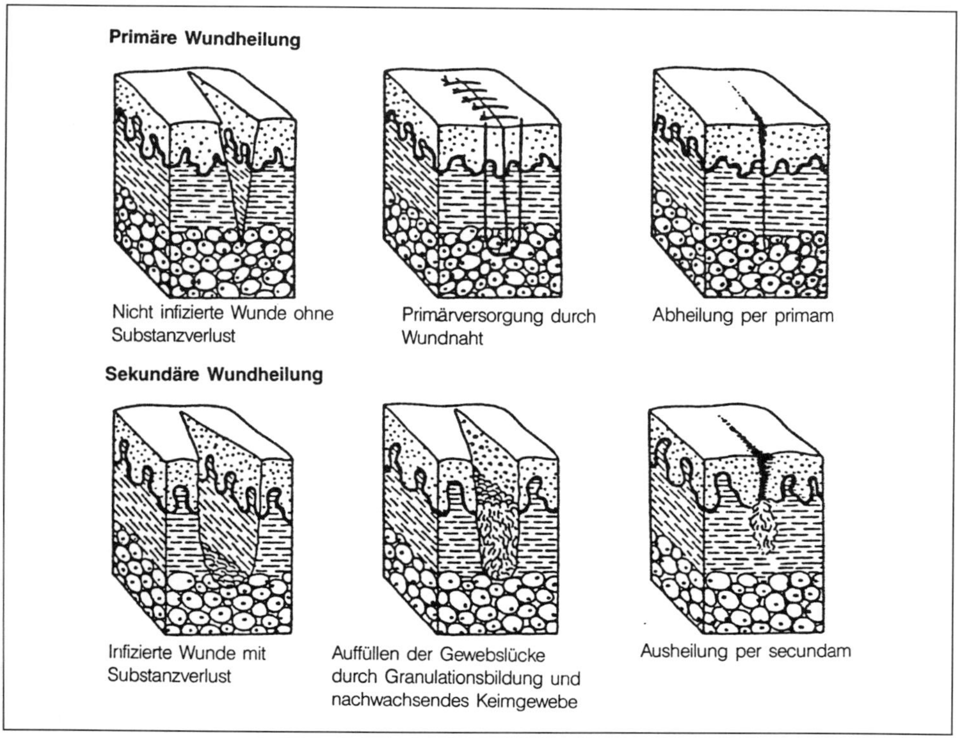

Abb. C. 9.1: Primäre und sekundäre Wundheilung. (Nach: Verbandstoffe und moderne Wundversorgung 3, Paul Hartmann AG, Heidenheim 1978)

C. 9.3 Phasen der Wundheilung

Die genaue Regulation der Wundheilung ist noch weitgehend unbekannt. Der Wundheilungsprozeß läßt sich in **3 Phasen** untergliedern, die aber nicht streng voneinander getrennt verlaufen, sondern fließend ineinander übergehen.

Die Dauer der einzelnen Phasen ist dabei von der jeweiligen Wunde (Ort, Größe, Infektion durch Mikroorganismen?) sowie auch vom Allgemeinzustand des Patienten abhängig.

C. 9.3.1 Entzündungsphase (Exsudative Phase)

Unter dem Einfluß von Gerinnungsfaktoren polymerisiert das im Wundsekret enthaltene Fibrinogen zu Fibrin, das die Wundränder verklebt und durch Bildung des Wundschorfs die Blutung stillt. Gleichzeitig wird dadurch die Wunde gegen mechanische Schädigung oder Infektionen geschützt. Aktivierte Makrophagen greifen in den Prozeß der Wundreinigung ein, indem diese und auch proteolytische Enzyme die Wunde von Zelltrümmern, Bakterien und anderen Fremdkörpern befreien. Bei sauberen, nicht infizierten Wunden dauert diese Phase 2 bis 3 Tage, bei größeren, insbesondere bei kontaminierten Wunden läuft die Entzündungsphase jedoch stark verzögert ab.

C. 9.3.2 Proliferative Phase (Fibroplasie)

Bereits innerhalb von 1 bis 2 Tagen nach der Verletzung, während der Entzündungsphase also, proliferieren ursprünglich ruhende Zellen aus der direkten Umgebung der Wunde, wobei gleichzeitig die Bildung von Kapillaren und lockerem Bindegewebe erfolgt. Die auslösenden Faktoren für diesen Wachstumsprozeß sind noch nicht genau bekannt, es gibt aber Hinweise dafür, daß Substanzen, die von Thrombozyten und aktivierten Makrophagen freigesetzt werden, das Wachstum von Endothelzellen und Fibroblasten stimulieren. In der Literatur findet man dazu den Begriff „Wundhormone", die aber bisher nicht identifiziert werden konnten. Die Menge an Kollagen nimmt ungefähr bis zum 14. Tag nach der Verletzung zu, um danach – zumindest in einer geschlossenen, z. B. genähten Wunde, – konstant zu bleiben.

Am Ende der proliferativen Phase ist die Wunde mit Granulationsgewebe gefüllt, die Gefahr einer Infektion ist damit weitgehend gebannt, die Wunde kann geringeren mechanischen Beanspruchungen standhalten.

C. 9.3.3 Reifungsphase (Reparative Phase)

Diese Phase der Wundheilung kann viele Wochen bis sogar mehrere Jahre dauern. Nun wird das Granulationsgewebe zu Narbengewebe umgebaut, Zellen des Granulationsgewebes nehmen dabei an Zahl und Größe ab, dafür bilden sich vermehrt Fasern aus. Das Kollagennetz wird so umorganisiert, daß es mechanischen Belastungen gut standhalten kann. Dabei laufen gleichzeitig Lyse und in gleichem Umfang Neusynthese von Kollagen ab. Diese Umstrukturierung des Gewebes beginnt von den Wundrändern bzw. vom Grund der Wunde

Phasen der Wundheilung

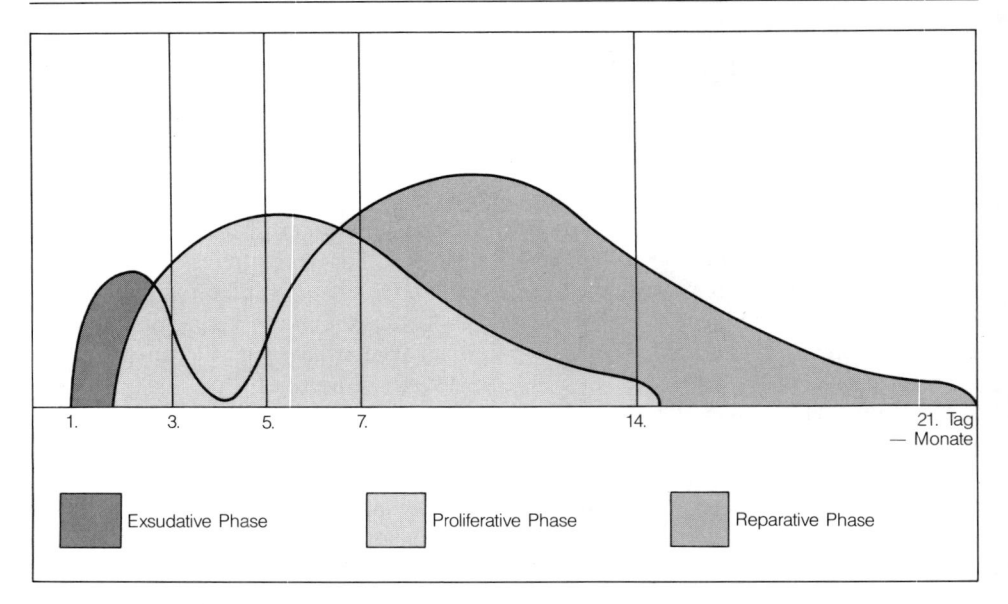

Abb. C. 9.2: Die Phasen der Wundheilung. (Nach: Verbandstoffe und moderne Wundversorgung 3, Paul Hartmann AG, Heidenheim 1978)

aus, gleichzeitig kontrahiert die Wunde unter dem Einfluß der gebildeten Fasern.

Die Endphase der gesamten Wundheilung besteht in der Epithelisierung des Narbengewebes.

C. 9.4 Faktoren, die die Wundheilung beeinflussen

Viele Faktoren können die Wundheilung verzögern oder erschweren, wobei sie entweder die Entzündungsphase oder die proliferative Phase der Heilung beeinflussen. Eine Beeinflussung der reparativen Phase ist nur schwer zu erkennen, wobei aber auch eine Störung dieser Wundheilungsphase von untergeordneter Bedeutung im Vergleich mit den beiden ersten Stadien zu sein scheint.

Eine verzögerte Heilung kann sowohl die Folge einer gesteigerten als auch einer verminderten Entzündung sein. Eine **Stimulation der Entzündungsphase** wird vor allem bei

- einer Infektion der Wunde,
- Fremdkörpern in der Wunde,
- großer Gewebsdefekt mit viel untergegangenem Gewebe,

eine **verminderte Entzündungsreaktion** und infolge eine verzögerte Wundheilung bei

- allgemein schwacher Immunabwehr z. B. bei Diabetes mellitus oder Leukämie,
- einer Behandlung mit Corticoiden oder Zytostatika

gefunden.

Besonders gefürchtet sind Wundinfektionen, die zumeist durch von außen in die Wunde eingedrungene Erreger ausgelöst werden (z. B. Verschmutzung der Wunde). Aber auch ansonsten apathogene Mikroorganismen, die Bestandteil der residenten Hautflora sind, können in die Wunde eindringen und dort – unter geänderten meist idealen Wachstumsbedingungen – Infektionen auslösen. Allerdings muß einschränkend gesagt werden, daß nicht jede Kontamination der Wunde auch zu einer Wundinfektion führt. Anzahl und Virulenz der Erreger, Art der Wunde (wie groß, wie tief), die Blutversorgung sowie auch die allgemeine Abwehrlage des Organismus entscheiden – neben weiteren Faktoren – darüber, ob eine Infektion manifest wird.

Neben den durch die Infektion ausgelösten Wundnekrosen stellen Toxine, die von den Mikroorganismen ausgeschieden werden und in die Blutbahn gelangen, die Hauptgefahr nach einer Wundinfektion dar (z. B. Tetanus, Gasbrand, Tollwut).

Die proliferative Phase kann durch verschiedene Mangelzustände negativ beeinflußt werden. Hierzu zählen eine mangelhafte Durchblutung (z. B. beim Adipösen, dessen Fettgewebe nur schwach durchblutet ist), schwere Anämieformen und dadurch vermindertem Sauerstoffangebot, Vitaminmangel, Mangel an Spurenelementen wie Kupfer, Cobalt oder Zink sowie Eiweißmangel. Auch eine Therapie mit Zytostatika verzögert die Wundheilung in dieser Phase, da diese Substanzen vor allem auf sich schnell teilende Zellen wirken. Die Zellen des Granulationsgewebes als sehr aktive Zellen sind daher sehr empfindlich gegenüber Zytostatika.

Ob die Wundheilung nicht nur negativ beeinflußt werden kann, sondern ob sie unter dem Einfluß von Substanzen über das Normalmaß hinaus auch beschleunigt werden kann, ist umstritten. Sicherlich wird durch einen guten Allgemeinzustand, gute Ernährungslage und Versorgung mit Vitaminen sowie Mineralstoffen die Wundheilung günstig beeinflußt. Ebenso wirken sich geeignete Sofortmaßnahmen nach einer Verletzung wie Wunddesinfektion und Schutz der Wunde durch geeignete Verbandstoffe positiv aus, in dem Sinne, daß sie eine ansonsten erschwert oder langsamer verlaufende Wundheilung verhindern.

C. 9.5 Verbrennungen

Verbrennungen sind akute, durch Hitzeeinwirkung entstandene Gewebsschäden, deren Ausmaß von der Dauer der Einwirkung und von der einwirkenden Temperatur abhängig ist. Eine Erwärmung über 50 °C hinaus bewirkt einen Gewebsuntergang mit der Freisetzung toxischer Stoffwechselprodukte, die schwerste Allgemeinerscheinungen (z. B. Schock, Kreislaufversagen) verursachen können.

Verbrennungen spielen vor allem im Kindesalter eine große Rolle (z. B. Verbrühung). Abhängig vom Ausmaß der Schädigung teilt man Verbrennungen in **3 Schweregrade** ein.

C. 9.5.1 Verbrennungen 1. Grades

Es ist nur die oberste Hautschicht – die Epidermis – betroffen. Man findet eine Rötung und eine leichte Schwellung der entsprechenden Hautareale, Schmerz tritt auf. Verbrennungen 1. Grades heilen spontan unter Abschuppung der Haut ab, ohne Dauerschäden zu hinterlassen. Als Beispiel wäre hier leichter Sonnenbrand zu nennen.

C. 9.5.2 Verbrennungen 2. Grades

Es ist auch die Lederhaut in Mitleidenschaft gezogen. Es bildet sich ein Erythem aus, Blasen treten auf. Eine Spontanheilung ohne Zurücklassung von Narben ist möglich, sofern keine sekundäre (z. B. bakterielle) Infektion der Wunde auftritt.

C. 9.5.3 Verbrennungen 3. Grades

Die Schädigung reicht bis in das Unterhautgewebe. Dabei werden Haarfollikel, Talg- und Schweißdrüsen irreversibel zerstört. Ein eiweißreiches Exsudat wird ausgeschieden. Verbrennungen 3. Grades heilen nur unter Narbenbildung ab.

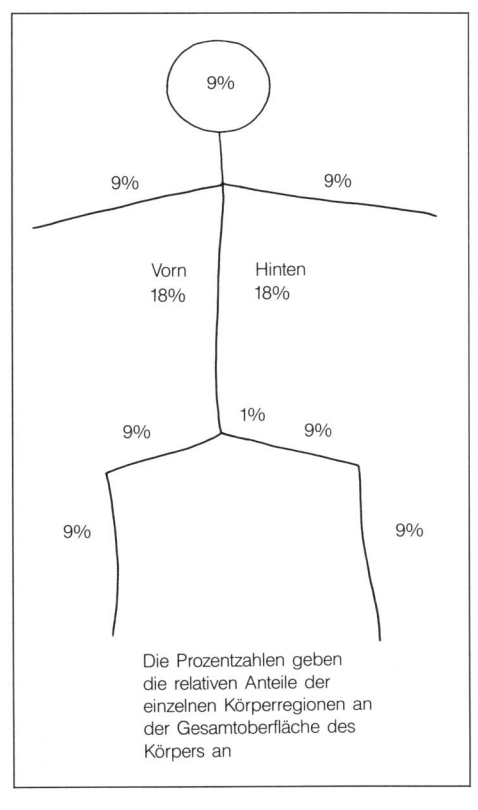

Die Prozentzahlen geben die relativen Anteile der einzelnen Körperregionen an der Gesamtoberfläche des Körpers an

Abb. C. 9.3: Schematische Darstellung der „Neunerregel"

Verbrennungen 4. Grades entsprächen einer Verkohlung des Gewebes.

Neben dem Verbrennungsgrad als Maß dafür, wie tief die Gewebeschädigung reicht, spielt für die Beurteilung der Schwere der Verbrennung die Fläche der betroffenen Hautareale eine entscheidende Rolle. Hierbei wird nach der sogenannten **„Neunerregel"** vorgegangen. Dabei entspricht der Kopf 9%, ein Arm 9%, ein Unter- bzw. Oberschenkel 9%, der Rücken sowie Bauch und Brust zusammen je 18% der Körperoberfläche (Abbildung C. 9.3). Eine Handfläche wird mit 1% der Gesamtkörperfläche angenommen.

Eine ambulante Behandlung von Brandwunden sollte generell nur bei Verbrennungen 1. Grades sowie bei kleinflächigen Verbrennungen 2. Grades (< 10% der Körperoberfläche betroffen) erfolgen. Bei Verbrennungen 2. und 3. Grades, bei denen größere Körperflächen verbrannt sind, ist eine sofortige Einweisung in dafür besonders ausgerüstete Kliniken erforderlich. Mit der Möglichkeit einer Schockausbildung ist bereits bei Verbrennungen 2. Grades, die mehr als 10% der Körperfläche umfassen, zu rechnen, wobei Kinder viel leichter solche Allgemeinsymptome ausbilden.

Sind mehr als 50% der Körperoberfläche verbrannt, besteht ein hohes Letalitätsrisiko.

C. 10 Dekubitus

Von M. Mark

Ein Dekubitus wird durch längere Druckbelastung, die zu einer Störung der Mikrozirkulation und nachfolgender Ischämie der Haut sowie des darunterliegenden Gewebes führt, ausgelöst. Man findet einen Dekubitus vor allem bei längerer Bettlägrigkeit nach Unfällen, Operationen, Apoplex oder bei Lähmungen, an den am meisten belasteten Stellen wie Gesäß, Hüftpartie, Ferse und Lumbosakralregion. Auch unter zu engen Verbänden oder Gipsverbänden finden sich Dekubitalgeschwüre. Besonders gefährdet sind magere, untergewichtige und kachektische Patienten.

Schlechte Durchblutung des Gewebes, z. B. infolge Diabetes mellitus oder Arteriosklerose, verstärkt die Gefahr der Dekubitusentstehung.

Klinisch erkennt man zunächst scharf begrenzte rote Bezirke, die später nekrotisieren. Bedingt durch das meist feuchtwarme Milieu der Umgebung ist die Gefahr einer bakteriellen Sekundärinfektion auch mit geschwürigem Zerfall gegeben, der sich rasch bis hin zu Muskeln, Sehnen oder bis zu den Knochen in die Tiefe ausdehnen kann. Klinisch werden mehrere Stadien unterschieden: im Stadium I, in dem die Haut noch intakt ist, wird lediglich eine anhaltende, abgegrenzte Hautrötung beobachtet. Im Stadium II tritt ein Hautdefekt auf mit eventueller Blasenbildung, das subkutane Fettgewebe ist sichtbar. Sind Kutis, Subkutis, Sehnen und Muskeln angegriffen, spricht man von Stadium III. Im Stadium IV sind weiterhin die Knochen betroffen. Septische Komplikationen sind in den Stadien III und IV häufig.

C. 11 Narben

Von M. Mark

Narben stellen das physiologische Ergebnis der Reaktion des Organismus auf eine Verletzung hin dar. Jede Verletzung, die tiefer als das Epithelgewebe reicht, hinterläßt eine Narbe, denn der Mensch, im Gegensatz zu niederen Organismen, ist nicht in der Lage, das hochdifferenzierte untergegangene Gewebe zu ersetzen. Er behilft sich daher mit dem Ersatz des Gewebes durch unspezifisches Bindegewebe (Narbengewebe), das nicht mehr die Eigenschaften und Fähigkeiten des ursprünglichen Gewebes aufweist. So ist Narbengewebe weniger pigmentiert, weniger kräftig und elastisch sowie auch schwächer durchblutet. Es werden z. B. auch keine Haarfollikel, keine Talg- oder Schweißdrüsen gebildet, auch die typische Hautfelderung fehlt. Die Oberflächenkontinuität wird durch ein dünnes, relativ instabiles Epithel wiederhergestellt. Im günstigsten Fall ist die Narbe nach Abschluß der Reifungsphase, die Monate bis sogar Jahre dauern kann, nach anfänglicher Rot- bis Blaurotfärbung, als hellerer (da pigmentärmer und schwächer durchblutet) Strich zu erkennen, der sich dem Hautniveau angeglichen hat (= sogenannte Haarliniennarbe). Älteres Narbengewebe kann manchmal hyperpigmentiert sein.

Unter bestimmten Voraussetzungen kommt es nicht zu einer solch optimalen Abheilung und dem angesprochenen Narbenverschluß des verletzten Gewebes. Pathologische Narbenbildungen werden häufig durch Stoffwechselstörungen wie Diabetes mellitus, Vitamin-C-Mangel, Proteinmangel oder Mangel an den Spurenelementen Kupfer, Zink und Cobalt verursacht. Daneben kann es in der Schwangerschaft oder allgemein bei Störungen des Hormonhaushalts zu solchen Komplikationen kommen. Weitere Ursachen sind in der Anwendung von Corticoiden oder Zytostatika, die eine „normale" Wundheilung beeinflussen, zu suchen, daneben können UV- oder Röntgenstrahlung genannt werden. Und nicht zuletzt finden sich unphysiologische Narbenbildungen, wenn die Wunde infiziert ist oder aber Fremdkörper in der Wunde (z. B. auch Nahtmaterial) die Wundheilung beeinträchtigen.

Folgende Erscheinungsbilder einer unphysiologischen Vernarbung sind bekannt:

Atrophische Narben. Die Narbe ist durch Schrumpfung zusammengezogen sie liegt zumeist unter dem Hautniveau. Diese Form der Narbe ist oft nach Furunkulosen oder nach einer Acne conglobata zu sehen. Ursache ist eine durch eine Störung der Wundheilung verursachte verminderte Bildung von Bindegewebsfasern, oft ist also die Epidermis die einzige Bedeckung wichtiger Körperstrukturen.

Hypertrophische Narben. Die meist sehr großen Narben ragen über das Hautniveau hinaus; sie sind oft breit, von blauroter Farbe und fühlen sich derb an. Später verblaßt das Narbengewebe, eine Angleichung an das Hautniveau findet nicht statt. Ursache für diese Form der Narbenbildung ist eine überschießende Regeneration von Fibroblasten während der Wundheilung, die auf eine zu starke Spannung bzw. Zugkräfte auf die Wunde zurückzuführen ist.

Keloid. Keloide sind feste, plattenartige Erhebungen von zunächst rosaroter Farbe, später dann verblassend. Im Unterschied zur hypertrophischen Narbe wuchert das Keloid über das eigentliche Wundgebiet hinaus. Es besteht aus dicht verfilzten Kollagenfibrillen und -fasern.

Keloide werden häufig – nach Säure- oder Laugenverätzungen oder aber nach Verbrennungen gefunden. Daneben wird eine Keloidbildung nach Wundinfektionen, nach einer Akne oder auch nach Impfungen gefunden. Bevorzugte Stellen für eine Keloidbildung sind der Brust- und der Schulterbereich, nach Impfungen oder einer Akne auch an anderen Stellen. Keloide finden sich bei der schwarzen Rasse ca. 10mal häufiger als bei der weißen, auch eine familiäre Konstitution zur Keloidbildung scheint eine Rolle zu spielen, ebenso das Lebensalter. Nahezu 90% aller Keloide treten in den ersten 3 Lebensjahrzehnten auf.

Durch die große Ausdehnung der Keloide können Kontrakturen entstehen, die neben der psychischen Belastung des Patienten auch die Funktion einzelner Körperteile beeinflussen können. Eine Behandlung des Keloids ist äußerst schwierig, auch eine chirurgische Entfernung ist oftmals mit Rezidiven verbunden.

C. 12 Auge

Von R.-D. Aye

C. 12.1 Anatomie und Physiologie des Auges

Das Licht gelangt durch die Hornhaut, die Vorderkammer, die Linse und den Glaskörper auf die **Netzhaut (Retina)**. Es erzeugt dort – weitgehend auf der Macula – einen Reiz, der zum Sehzentrum weitergeleitet wird. Die **Hornhaut (Cornea)** bildet zusammen mit der (weißen) **Lederhaut (Sklera)** die fibröse Hülle, die dem Augapfel Form und Festigkeit gibt. Man teilt die Cornea histologisch in drei Schichten ein: vorne das mehrschichtige *Epithel*, innen das einschichtige *Endothel* (zusammen ca. 11% des Hornhautgewebes). Den Hauptanteil bildet das *Hornhautstroma*. Epithel- und Endothelzellen sind reich an Lipoiden. Im Gegensatz zu Linse und Glaskörper kann sich die Hornhaut nach Läsionen innerhalb gewisser Grenzen regenerieren und ihre Durchsichtigkeit wieder erlangen. Die **Bindehaut (Conjunctiva)** bedeckt den vorderen Augapfel vom Hornhautrand bis zur oberen und unteren Übergangsfalte sowie die Innenseite der Lider. Der **Bindehautsack (Conjunctivalsack)** ist der ganze von Bindehaut und Hornhaut dargestellte Spalt. Er dient zur Aufnahme von Augentropfen und Augensalben. Die **Lider** schützen den Augapfel durch einen blitzschnell arbeitenden Schießmechanismus vor äußeren Reizungen. Durch den unwillkürlichen Lidschlag (ca. 5- bis 10mal in der Minute) wird die Tränenflüssigkeit gleichmäßig über die Hornhaut verteilt; die Hornhaut muß ständig feucht gehalten werden, um durchsichtig und klar zu bleiben.

Die **Vorderkammer** bildet mit den umliegenden Organteilen den vorderen Augenabschnitt. Dahinter liegt der **Glaskörper (Hinterkammer)**, in dem sich das ständig fließende und sich alle zwei Stunden erneuernde **Kammerwasser** befindet. Das Kammerwasser dient zur Versorgung der gefäßfreien Organteile wie Linse und Hornhaut sowie zur Aufrechterhaltung des intraocularen Druckes. Es wird von den Ciliarkörpern gebildet, fließt durch die Vorderkammern und den Kammerwinkel und mündet in den intraskleralen Venenplexus oder in oberflächliche Bindehautvenen. Der normale Augeninnendruck eines Erwachsenen liegt bei 15–22 mm Hg.

Tränenapparat Seite C. 12/3

C. 12.2 Der Tränenapparat

Die Tränenflüssigkeit verdünnt, neutralisiert, löst und entfernt u. a. Schmutz, Staub, Ruß, saure wie basische Stoffe am Auge, außerdem schützt sie die Binde- und Hornhaut vor Austrocknung. Das bakterizide Ferment Lysozym sowie weitere erhebliche Schutzfaktoren gegen schädigende Einflüsse auf das Auge sind in der Tränenflüssigkeit enthalten. Sie besteht hauptsächlich aus folgenden Komponenten (Abb. C.12.2): Einer *Schleimkomponente* (aus den Becherzellen der Bindehaut gebildet), der eigentlichen *Tränenflüssigkeit* (aus den Tränendrüsen), einer *äußeren fettartigen Schutzschicht* (aus den Talgdrüsen der Lidränder) und der *inneren mukösen Schicht* des präkornealen Tränenfilms. welcher die Hornhaut glättet und sie für die Tränenflüssigkeit benetzbar macht. Die muköse Schicht trägt außerdem zur optimalen optischen Wahrnehmung bei. Die Tränenflüssigkeit allein könnte die wasserabstoßende Hornhautoberfläche nicht benetzen, weil ihre Oberflächenspannung weit über derjenigen der Hornhautoberfläche liegt. Die Benetzbarkeit kommt erst dadurch zustande, daß sich die Muzine aus den Becherzellen der Konjunctiva aufgrund ihrer amphiphilen Struktur (Abb. C.12.3) an das Epithel der Hornhaut anlagern. Die äußere Lipidschicht der Tränenflüssigkeit besteht vorwiegend aus Cholesterylestern und Cholesterol; sie schützt die Oberfläche unter anderem vor dem Austrocknen. Eine Übersicht über die physiologischen Aufgaben der Tränenflüssigkeit gibt Tab. C.12.1.

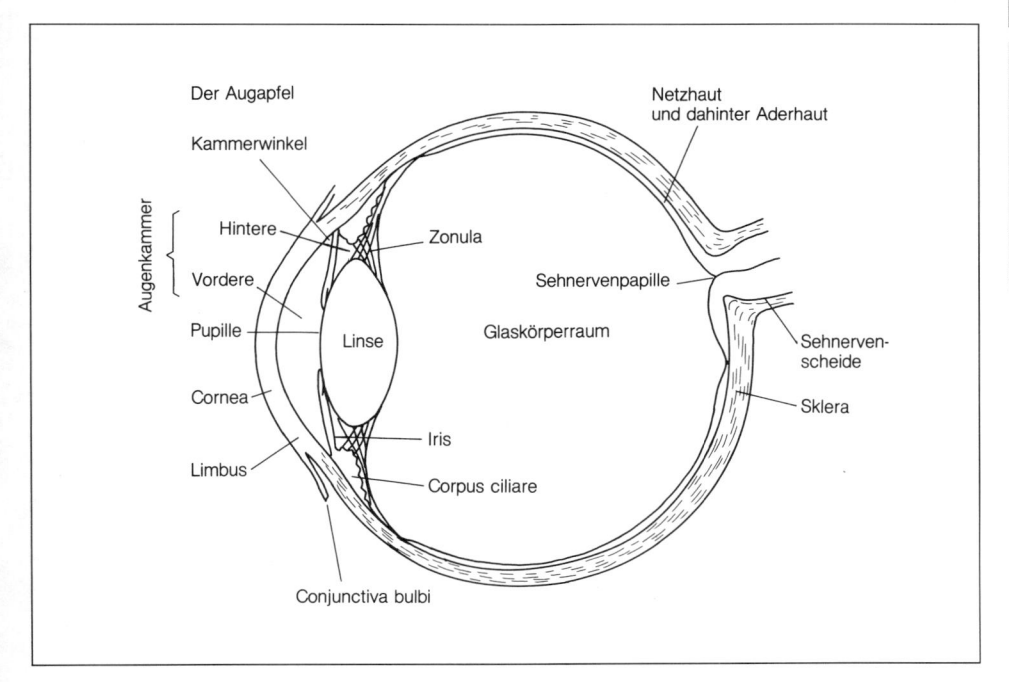

Abb. C.12.1: Waagrechter schematischer Durchschnitt durch den linken Augapfel, von oben gesehen.

Selbstmedikation V/1987

Tränenapparat

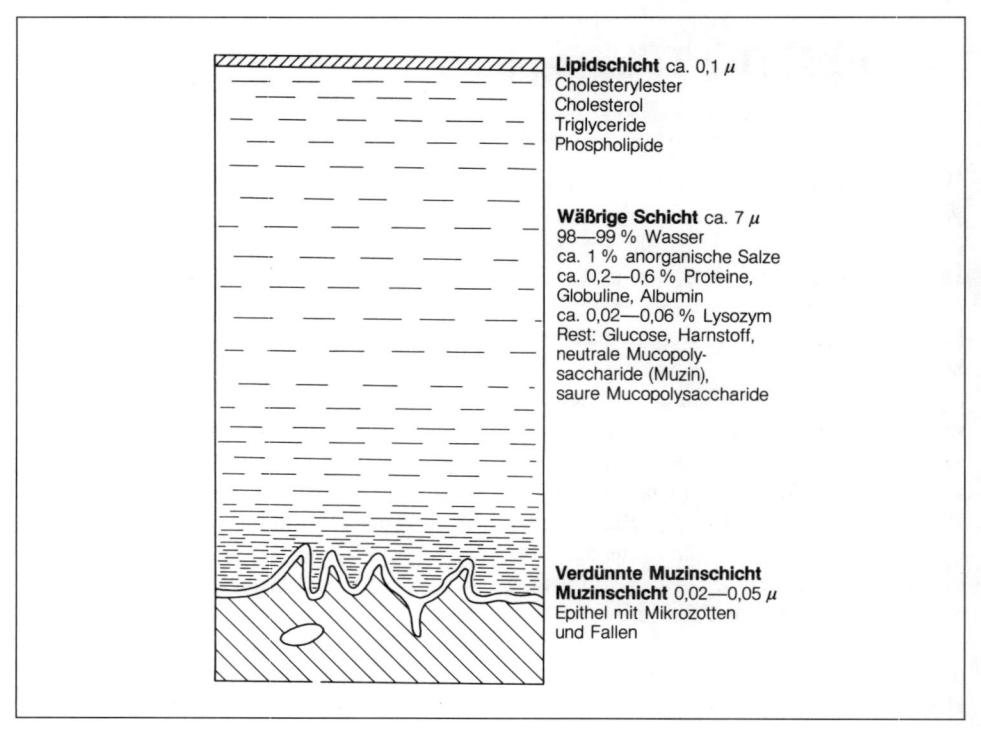

Lipidschicht ca. 0,1 µ
Cholesterylester
Cholesterol
Triglyceride
Phospholipide

Wäßrige Schicht ca. 7 µ
98—99 % Wasser
ca. 1 % anorganische Salze
ca. 0,2—0,6 % Proteine,
Globuline, Albumin
ca. 0,02—0,06 % Lysozym
Rest: Glucose, Harnstoff,
neutrale Mucopoly-
saccharide (Muzin),
saure Mucopolysaccharide

Verdünnte Muzinschicht
Muzinschicht 0,02—0,05 µ
Epithel mit Mikrozotten
und Fallen

Abb. C.12.2: Schematischer Aufbau des Tränenfilms.

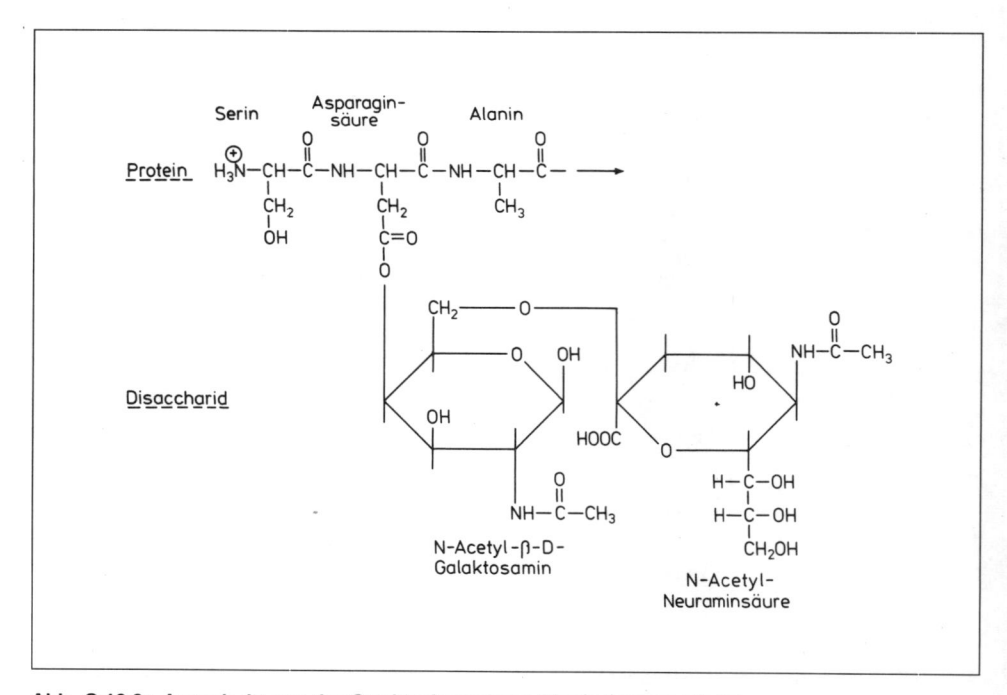

Abb. C.12.3: Ausschnitt aus der Strukturformel von Muzin (schematisch).

Tränenapparat

> **Tab. C.12.1: Funktionen der Tränenflüssigkeit.**
> - Glättung der Hornhaut
> - Erhaltung der Transparenz durch die laufende Versorgung mit Nährstoffen und Sauerstoff
> - Schutz des Augapfels vor Austrocknung
> - Ausspülung von Fremdkörpern und Fremdsubstanzen
> - Infektionsschutz durch bakterizide Substanzen (Lysozym)

Neben der Produktion der Tränenflüssigkeit ist die jeweilige Wiederherstellung bzw. Aufrechterhaltung des Tränenfilms von Bedeutung. Dies geschieht durch den Lidschlag.

Die tägliche **Tränenmenge** beträgt etwa 0,6–1,0 g. Die Tränendrüsen sezernieren die Flüssigkeit in die Übergangsfalte der Bindehaut. Der Abfluß der Tränenflüssigkeit erfolgt von den nasal liegenden Tränenpünktchen über den jeweiligen Tränensack in die Nase.

Begriffserklärungen

Akkomodation: Fähigkeit des Auges, durch stärkere Wölbung der Linse und damit Vergrößerung der Brechkraft nahe gelegene Objekte auf der Netzhaut scharf abzubilden.

Asthenopie: „Sehschwäche"; subjektive Sehstörungen, hervorgerufen durch ganz verschiedene Ursachen, wie beispielsweise durch Konvergenzschwäche (Konvergenz = nach innen Stellen der Augen beim Nahsehen) oder auch durch nervöse Störungen.

Astigmatismus: Durch abnorme Wölbung der Hornhaut ist aus keiner Entfernung ein deutliches Sehen möglich.

Dioptrie: Maß für die Brechkraft eines optischen Systems; der reziproke Wert der in Metern gemessenen Linsenbrennweite. Eine Dioptrie (dpt) ist die Brechkraft einer Linse, die parallel einfallende Strahlen in 1 m Abstand vereinigt, d.h. der Brennpunkt liegt in 1 m Abstand. Eine Linse mit 4 dpt hat demzufolge eine Brennweite von 0,25 m.

Glaukom: Grüner Star; krankhafte Steigerung des Augeninnendrucks; **Achtung:** Besonders bei Engwinkelglaukom wird durch parasympatholytisch wirkende Arzneistoffe (z.B. Atropin) der Kammerwasserabfluß verlegt, durch den steigenden Druck können irreversible Sehschäden hervorgerufen werden! Die klassische Behandlung des Glaukoms erfolgt mit Pilocarpin (und Adrenalin).

Hyperopie: Weitsichtigkeit; parallel laufende Strahlen werden hinter der Retina vereinigt. Ursache ist zumeist Kurzbau des Auges, seltener Brechungshyperopie = zu geringe Brechkraft der Linse; Korrektur mit Konvexgläsern. Nicht zu verwechseln mit der altersbedingten Weitsichtigkeit (Presbyopie), die eine Erschwerung des Nachsehens durch Elastizitätsverlust der Linse und Nachlassen des Akkomodationsmuskels darstellt.

Katarakt: Grauer Star, Linsentrübung; symptomatische Behand-

	lung durch Jodid-haltige Augentropfen.		Sammelbegriff für verschiedene Netzhauterkrankungen, z. B. diabetische Retinopathie (zunehmende punktartige Blutungen auf der Netzhaut bei länger bestehendem Diabetes mit ganz schlechter Prognose). Medikamentöse Behandlung von Erkrankungen des Augenhintergrundes ist im allgemeinen nur auf systemischem Wege möglich.
	Staroperation: Entfernung der Linse.		
Miosis:	Verengung der Pupille; künstlich erzeugt beispielsweise durch Pilocarpin oder Eserin.		
Mydriasis:	Pupillenerweiterung; künstlich erzeugt z. B. durch Atropin oder Cyclopentolat.		
Myopie:	Kurzsichtigkeit; die Strahlen treffen sich vor der Netzhaut, weil die Brechkraft der Linse zu stark oder der Augapfel zu lang ist; Korrektur mit Konkavgläsern.	Strabismus:	Schielen; beim Blick in die Ferne weichen die normalerweise parallel gestellten Augen nach innen oder außen von der Parallele ab.
Refraktion:	Verhältnis der Gesamtbrechkraft des Auges zur Augenlänge.	Visus:	(der V.); Ausdruck für die Sehschärfe.
Retina:	Netzhaut. Retinopathie =		

C. 14. Ohr

Von M. Hamacher

C. 14.1. Anatomie und Physiologie des Ohres

Das Ohr wird in drei Abschnitte unterteilt:
das äußere Ohr,
das Mittelohr,
das Innenohr.

C. 14.1.1. Äußeres Ohr

Zum äußeren Ohr gehören die Ohrmuschel (Auricula) und der etwa 3–4 cm lange äußere Gehörgang (Meatus acusticus externus). Bis auf das Ohrläppchen bestehen die Ohrmuschel und die äußeren zwei Drittel des Gehörganges aus Knorpel, während das innere Drittel knöchern ist. Sie werden von einer feinen dünnen Haut überzogen. Im äußeren Teil des Gehörganges befinden sich in dieser Haut Haare, Talgdrüsen und die Knäueldrüsen (Zeruminaldrüsen), die das Ohrenschmalz produzieren. Vom Zentrum des Trommelfells aus erneuert sich die feine Hautschicht und schiebt sich langsam den Gehörgang entlang nach außen. So werden Staub, Verunreinigungen und abgestorbene Hautschüppchen nach außen transportiert. Sie vermischen sich im äußeren Teil des Gehörganges mit den Absonderungen der Zeruminaldrüsen und gelangen durch die Bewegungen, die beim Kauen auf den knorpeligen Teil übertragen werden, nach außen.

Die Ohrmuschel dient zum Auffangen des Schalles. Dieser gelangt durch den Gehörgang auf das Trommelfell, welches schon dem Mittelohr zugeordnet wird.

C. 14.1.2. Mittelohr

Zwischen Trommelfell und Innenohr liegt ein luftgefüllter Hohlraum, die Paukenhöhle. Die Gehörknöchelchen Hammer, Amboß und Steigbügel übertragen die Schwingungen des Trommelfells auf die Perilymphe des Innenohres, die hierdurch verstärkt werden. Da die Fläche der Steigbügel-Fußplatte viel kleiner ist als die Fläche des Trommelfells und der Hammergriff einen längeren Hebelarm als der Amboßfortsatz hat, kommt es zur Druckverstärkung. Um zu starke Auslenkungen sowie Nachschwingen zu vermeiden, setzen zwei Muskeln am Hammer und am Steigbügel an, die bei einer bestimmten Schallintensität aktiviert werden.

Seite C. 14/2   **Anatomie**

Über die Ohrtrompete (Tuba auditiva Eustachii) ist die Paukenhöhle mit dem Nasen-Rachenraum verbunden. Sie dient zum Druckausgleich und zur Belüftung des Mittelohres und wird beim Schlucken oder Gähnen aktiv geöffnet.

Gegenüber dem Trommelfell liegt eine knöcherne, durch zwei Fenster durchbrochene Wand, die die Paukenhöhle zum Innenohr begrenzt.

C. 14.1.3. Innenohr

Das Innenohr liegt von einer Kapsel umgeben im Felsenbein. Es besteht aus der Schnecke (Cochlea), dem Vorhof (Vestibulum) und drei halbkreisförmigen Bogengängen. Dieses Gebilde aus Bogen und Gängen nennt man Labyrinth. Dem knöchernen Labyrinth ist das häutige Labyrinth eingelagert. Es schwimmt in einer Na^+-reichen, K^+-armen Flüssigkeit, der Perilymphe, die mit dem Flüssigkeitssystem des Gehirnes kommuniziert. Das häutige Labyrinth ist mit K^+-reicher Endolymphe angefüllt. Über das ovale Fenster werden die Schwingungen der Gehörknöchelchen im Mittelohr auf die Perilymphe übertragen. Das eigentliche Hörorgan, das Cortische Organ, befindet sich in der Schnecke, wo akustische Signale in elektrische Aktionspotentiale umgewandelt werden. Die Schnecke ist ein knöcherner, mit K^+-reicher Endolymphe angefüllter Kanal, der sich zweieinhalbmal um die Schneckenspindel windet. Das Cortische Organ besteht aus etwa 20000 Sinneszellen, die an ihrer Oberfläche feine Härchen tragen. Die Härchen wiederum ragen in eine gallertartige Schicht, die Tektorialmembran. Werden diese Haarzellen durch ankommende Schallwellen aus ihrer Ruhelage ausgelenkt, lösen sie durch dieses Scheren ein Aktionspotential aus, welches über die zugehörige Nervenfaser des Nervus acusticus zum Hirnstamm weitergeleitet wird. Die Haarzellen haben einen großen Sauerstoffverbrauch und sind sehr empfindlich gegenüber verschiedenen Schädigungsmechanismen, wie ototoxischen Medikamenten, Lärm oder Alterseinflüssen.

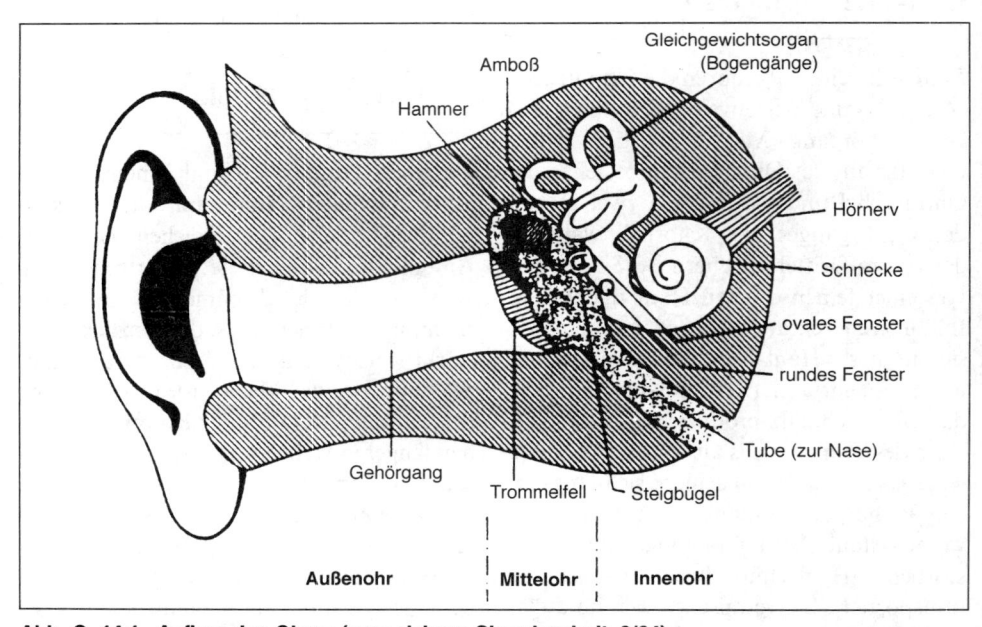

Abb. C. 14.1. Aufbau des Ohres (aus: sichere Chemiearbeit, 2/94)

Selbstmedikation I/1995

Die Lautstärke ist abhängig von der Zahl der Nervenimpulse, während die Tonhöhe davon abhängt, welche Region in der Schnecke erregt wird, also wo das Amplitudenmaximum der Schallwelle auftritt. Bei hohen Frequenzen liegt das Maximum nahe beim Steigbügel, bei niedrigen in der Schneckenspitze.

Der Vorhof und die drei Bogengänge bilden das Gleichgewichtsorgan. Der Vorhof enthält zwei kleine Erweiterungen des Labyrinths (Utriculus und Sacculus), in denen sich die Rezeptoren für lineare Beschleunigungen befinden. Sie sind aus Sinneszellen mit feinen Sinneshaaren aufgebaut, auf denen auf einer Gallertschicht (Otolithenmembran) Calciumcarbonatkristalle ruhen. Bei einer Beschleunigung, z.B. einer Geschwindigkeitsänderung im Auto oder im Fahrstuhl, kommt es aufgrund unterschiedlicher Dichten der Endolymphe und Otolithenmembran zur Auslenkung der Zilien (Sinneshaare) und somit zur Erregung der Sinneszellen.

Auch in den in jeder Ebene des dreidimensionalen Raumes senkrecht zueinander stehenden Bogengängen befinden sich Sinneszellen, deren Haare in eine Gallertmasse ragen. Aufgrund der dreidimensionalen Anordnung reagieren die Bogengänge auf Drehbeschleunigung, jeder Bogengang auf Bewegung in seiner Richtung. Durch Zurückbleiben der Endolymphe bei einer Drehbewegung werden die Zilien geschert, wodurch in den Sinneszellen eine Erregung ausgelöst wird. So ist der Körper ständig über seine Lage im Raum informiert. Zusammen mit den Informationen aus den Erregungen der Muskel-, Gelenk- und Hautrezeptoren, die dem Zentralnervensystem zufließen, dienen sie u.a. der Aufrechterhaltung des Gleichgewichtes und der Tonuseinstellung bei einer bestimmten Körperhaltung.

C. 14.2. Pathophysiologie des Ohres

C. 14.2.1. Äußeres Ohr

– Otitis externa

Die Gehörgangsentzündung ist die häufigste Erkrankung des äußeren Ohres.

Entzündungen der feinen, sensibel innervierten Haut, die dem knorpeligen und knöchernen Gehörgang aufliegt, können nicht in die Tiefe ausweichen und sind infolge der großen Spannungen sehr schmerzhaft. Für den Laien erkennbar ist die Gehörgangsentzündung durch eine einfache Probe: Der Schmerz verstärkt sich durch Ziehen am Ohrläppchen oder durch Druck auf den Tragus, die Region, die unmittelbar vor dem Gehörgangseingang liegt. Andere Ohrenschmerzen werden im allgemeinen dadurch nicht beeinflußt. In der ersten Phase der Entzündung kommt es zu Schwellung, Rötung und wäßrig-eitriger Sekretion. Beim Übergang zur Heilungsphase treten Juckreiz und Hautschuppung auf.

Als Ursache für die Otitis externa gelten Allergien, Reizungen durch Wasser und Seife, Kälteeinwirkung oder kleine Verletzungen durch falsche Reinigungsversuche.

Unterschieden werden die Otitis externa circumscripta und die Otitis externa diffusa.

Häufigste Form der Otitis externa circumscripta ist das Gehörgangfurunkel. Es tritt besonders häufig bei Diabetikern auf.

Eine Otitis externa diffusa ist meist bakteriell oder allergisch beginnt und kann sich auf die Ohrmuschel ausdehnen.

Einen gefährlichen Sonderfall stellt die Otitis externa maligna dar. Diese nekrotisierende Infektion des Gehörganges mit Pseudomonas aeruginosa tritt meist bei älteren männlichen Diabetikern auf und ist geprägt von starken Schmerzen und kann über die Entzündungen von Hirnhäuten und Hirnnerven zum Tod führen.

– Hörstörungen durch Fremdkörper

Durch die Verstopfung des Gehörganges können die Schallwellen nicht mehr auf das Trommelfell treffen. Hörstörungen und Schwerhörigkeit sind die Folge. Ursache können einerseits Ohrschmalzpfröpfe sein, die sich durch falsche Reinigung bilden, verdichten und verhärten. Durch Wassereinfluß quillt das Cerumen auf und bildet einen festsitzenden Pfropf. Andererseits können, besonders bei Kindern, Fremdkörper wie Erbsen oder Glaskugeln den Gehörgang verstopfen. Auf jeden Fall sollte die Entfernung dem Arzt vorbehalten sein, da es durch unsachgemäße Manipulationen leicht zu Trommelfellverletzungen kommt.

– Erfrierungen der Ohrmuschel

Die Ohrmuschel ist häufig Opfer von Kälteeinwirkungen. Erfrierungen 1. Grades sind durch Blässe, Abkühlung, Gefühllosigkeit und Hyperämie nach dem Erwärmen geprägt. Bei Erfrierungen 2. Grades kommt es zu Blasenbildung. Wichtig ist die langsame Wiederaufwärmung und das Warmhalten der Ohrmuschel und die Anregung der Durchblutung.

– Herpes zoster oticus

Eine Infektion mit Varicella-Zoster-Viren äußert sich durch Fieber, Juckreiz und Bläschenbildung im Bereich der Ohrmuschel und des Gehörganges. Bei Nichtbehandlung kann Übertritt auf die Hirnhäute und das Liquorsystem folgen. Häufig treten Fasziallähmungen, Gleichgewichtsstörungen und Schwerhörigkeit auf, die bei sofortiger antiviraler Behandlung noch reversibel sind.

– Perichondritis und Erysipel
Es handelt sich um schwere Entzündungen der Ohrmuschel, meist aus Superinfektion einer Otitis externa entstanden. Die gesamte Ohrmuschel ist geschwollen, gerötet und schmerzt stark. Häufig tritt in Begleitung Fieber auf.

C. 14.2.2. Mittelohr

– Otitis media acuta
Bei der akuten Mittelohrentzündung sind sämtliche Mittelohrschleimhäute entzündet. Die Infektion wird durch E. coli, Staphylococcus aureus, Streptococcus pneumoniae oder Haemophilus influenzae verursacht. Virus- oder Pilzinfektionen sind selten. Symptome sind pulsierender Schmerz, Schwerhörigkeit und Fieber. Bei Säuglingen und Kleinkindern sind Unruhe, Schlaflosigkeit, Trinkunlust, wechselnde Wangenröte, Kopfschütteln, Durchfälle, Liegen auf der erkrankten Seite, Schlagen und Greifen an das erkrankte Ohr weitere Hinweise auf eine Mittelohrentzündung. Das Trommelfell wölbt sich nach außen, und es kann zur Perforation kommen. Bei der Nichtbehandlung oder nicht ausgeheilter Entzündung kann die Infektion auf die Hirnhäute und das Innenohr übergreifen.

– chronische Mittelohrentzündung
Die chronische Mittelohrentzündung ist eine eigenständige Erkrankung, die sich nicht unbedingt aus einer akuten Mittelohrentzündung entwickelt. Zunächst bleibt sie auf den Schleimhautbezirk beschränkt, es kann aber ein Abbau der Gehörknöchelchen folgen. Fast immer findet man eine Trommelfellperforation. Ist nach der Ausheilung die Gehörknöchelchenkette noch intakt, stellt sich das normale Hörvermögen wieder ein. Als Ursachen kommen Tubenfunktionsstörungen in Betracht. Symptome sind neben dem perforierten Trommelfell eine schleimig-eitrige Sekretion. Die chronische Mittelohrentzündung ist meist nicht schmerzhaft. Eine Behandlung ist aber sehr wichtig.

– Tubenmittelohrkatarrh
Nasen-Rachen-Infektionen können sich auf die Schleimhäute der Tuben ausweiten. Diese schwellen an. Folge sind Belüftungsstörungen des Mittelohres. Die eingeschlossene Luft im Mittelohr wird resorbiert, es entsteht ein Unterdruck und als Folge davon ein Hämatom im Mittelohr. Um die Belüftung des Mittelohres zu gewährleisten, wird ein kleines Röhrchen in das Trommelfell eingesetzt, bis sich der Bluterguß zurückgebildet hat und eine normale Funktion wiederhergestellt ist. Da dieser Prozeß mehrere Monate dauert und häufig Kleinkinder davon betroffen sind, kann die bestehende Schwerhörigkeit eine sprachliche Fehlentwicklung zur Folge haben, die nach Ausheilung aber schnell wieder ausgeglichen werden kann.

C. 14.2.3. Innenohr

– Hörsturz
Beim Hörsturz tritt ein akuter, meistens einseitiger Hörverlust ein. Es handelt sich um eine plötzliche, durch ein Völlegefühl im Ohr begleitete Ertaubung, bei der keine äußere Ursache erkennbar ist. Die plötzliche Schwerhörigkeit kann alle Grade, vom leichten Hörverlust bis hin zur völligen Ertaubung einnehmen.

Der Hörsturz wird häufig durch Mikrozirkulationsstörungen im Innenohr verursacht, die Krankheit kann aber auch durch Infektionen mit Bakterien (z.B. Scharlach) oder Viren (z.B. Mumps) ausgelöst werden.

– Innenohrschädigung durch akustisches Trauma
Knall, Explosion oder Lautstärke können zur Innenohrschädigung führen, die sich durch Ohrensausen oder Taubheitsge-

fühle äußert. Die Schmerzschwelle bei Schallereignissen liegt bei 130 dB(A).

Schäden durch kurzfristige Schalleinwirkungen sind meist reversibel. Bei Dauerlärm, der 90 dB(A) übersteigt, kommt es aber zur irreversiblen Lärmschwerhörigkeit, die in den hohen Frequenzen beginnt.

– Toxische Schädigung des Innenohres

Schädigung der Sinneszellen im Innenohr führt zu Hörverlust oder Gleichgewichtsstörungen. Der Mechanismus der Innenohrschädigung durch ototoxische Substanzen ist noch nicht geklärt. Diskutiert werden die Degeneration von Zellen in der Schnecke, vermutlich durch Störungen in der Proteinsynthese, durch einige Aminoglykosidantibiotika (z.B. Gentamycin, Neomycin, Tobramycin), ferner Veränderungen der Zusammensetzung der Endolymphe und dadurch der Untergang von Haarzellen.

Beispiele für ototoxische Substanzen sind neben den Aminoglykosiden Vancomycin, Polymyxin B, Erythromycin, Carboplatin und Cisplatin, Salicylsäure und Schleifendiuretika wie z.B. Bumetamid, Etacrynsäure und Furosemid, deren Hemmung der Na-K-Pumpe im Innenohr zu Veränderungen der Zusammensetzung der Perilymphe führt.

– Menière-Krankheit

Bei dieser Erkrankung treten in unregelmäßigen Abständen Anfälle auf, die sich durch Schwindel, Ohrensausen, Übelkeit und Erbrechen und Hörstörungen äußern. Als Ursache werden Störungen in der Produktion und Resorption von Endolymphe angenommen. Ausgelöst wird ein Anfall durch Reißen des häutigen Labyrinths zwischen Endolymphe und Perilymphe. Der Riß wird durch die Ausdehnung der Endolymphe hervorgerufen, die sich nun mit der Perilymphe mischt und den Anfall bedingt.

– Otosklerose

Es handelt sich um eine Schalleitungsstörung, wobei es durch sklerotische Herde im ovalen Fenster zur Fixierung des Steigbügels kommt. Die Übertragung der Schwingungen des Trommelfells auf das Innenohr ist gestört und führt zu Schwerhörigkeit. Als Ursache wird eine Störung im Knochenstoffwechsel vermutet. Die Otosklerose tritt im Alter von 20–40 Jahren auf. Besonders betroffen sind Frauen.

– Ohrensausen

Als Ohrensausen (Tinnitus aurium) bezeichnet man Geräusche, die nur vom Patienten selbst wahrgenommen werden. Sie können so störend sein, daß der Patient suizidgefährdet ist.

Ohrgeräusche sind die Symptome von verschiedenen Innenohr- oder Mittelohrerkrankungen, wie Otosklerose, Hörsturz oder der Meniërschen Erkrankung.

Für handschriftliche Notizen

D.

Stichwortverzeichnis

D.

Stichwortverzeichnis